ARTHUR MILLER

Nació en Nueva York en 1915 y falleció en 2005. Clásico incontestable de la escena estadounidense, Miller escribió algunas de las obras maestras del siglo XX, además de libros de ficción, ensayo y crítica. Entre sus numerosos galardones se cuentan el Premio Pulitzer (1949) o el premio de la crítica teatral neoyorquina en dos ocasiones, así como el Premio Príncipe de Asturias de las Letras (2002). Hombre público por su compromiso social –y su vida privada–, nadie como Miller ha sabido reflejar las frustraciones y desengaños de la sociedad estadounidense. Tusquets Editores ha publicado su autobiografía titulada *Vueltas al tiempo* (Andanzas 78, ahora también en Fábula), la recopilación de ensayos *Al correr de los años* (Marginales 208), obras de teatro tan célebres como *Las brujas de Salem y El crisol* (Marginales 156 y Fábula 245), *Muerte de un viajante* (Marginales 188 y Fábula 248), *Panorama desde el puente* (Marginales 217) o *El descenso del monte Morgan* (Marginales 234), así como sus novelas *En el punto de mira* (Andanzas 247 y Fábula 304) y *Una chica cualquiera* (Andanzas 293 y Fábula 134), los volúmenes de relatos *Ya no te necesito* (Andanzas 502) y *Presencia* (Andanzas 681) y el cuento infantil *La manta de Jane*.

Biblioteca

Arthur Miller
en Fábula

Biblioteca
Arthur Miller

Vueltas al tiempo

Traducción de Antonio-Prometeo Moya

FÁBULA
TUSQUETS
EDITORES

Título original: *Timebends*

1.ª edición en colección Andanzas: octubre de 1988
2.ª edición en colección Andanzas: junio de 1999
1.ª edición en Fábula: diciembre de 2010

© 1987 by Arthur Miller

Traducción de Antonio-Prometeo Moya

Diseño de la colección: adaptación de FERRATERCAMPINSMORALES
de un diseño original de Pierluigi Cerri

Ilustración de la cubierta: *Arthur Miller en casa* (1983), fotografía de Inge Morath.
© Inge Morath /Magnum Photos (Agencia Zargoya. Barcelona)

Reservados todos los derechos de esta edición para
Tusquets Editores, S.A. - Cesare Cantù, 8 - 08023 Barcelona
www.tusquetseditores.com

ISBN: 978-84-8383-272-1
Depósito legal: B. 43.065-2010
Fotocomposición: Foinsa - Passatge Gaiolà, 13-15 - 08013 Barcelona
Impresión y encuadernación: Liberdúplex, S.L.
Impreso en España

Indice

Para Inge

Uno

Lo que se ve desde el suelo es un par de botines negros y puntiagudos, uno de ellos moviéndose con nerviosismo, y más arriba la falda de color ciruela que asciende desde los tobillos hasta la blusa, y más arriba aún, la cara joven y redonda, y los cambiantes tonos de su voz mientras parlotea por el teléfono de pared con una de sus dos hermanas, actividad que proseguiría durante el resto de su vida, hasta que primero una y después la otra, gastaron el cable y desaparecieron en el cielo. Baja los ojos entonces y ve que yo alzo los míos desde el suelo del vestíbulo, se inclina y trata de apartarme de sus pies. Pero es necesario que me recueste en su botín, y de muy arriba, por entre la falda y la oscuridad, la oigo reír con alegría ante mi insistencia.

Tiempo después, una perspectiva algo más elevada, a unos setenta y cinco centímetros del suelo: ella está sentada junto a la ventana de un sexto piso que da a Central Park, con el perfil aureolado por el sol vespertino, el cabello aún largo aunque recogido en un moño, los brazos gordezuelos embutidos en el algodón fino de las mangas de la blusa, encima de una falda más corta ya y de unas chinelas de terciopelo. Apoya ambas manos en un libro abierto sobre el regazo mientras escucha con atención a un joven de gafas gruesas, pipa y barba corta, un estudiante de Columbia al que paga dos dólares por tarde todas las semanas, sólo por visitarla y hablar de novelas con ella. Apenas conoce a nadie, dentro o fuera de la familia, que haya leído un libro, pero ella es capaz de comenzar una novela por la tarde, reanudar la lectura después de cenar, terminarla hacia la medianoche y recordarla con detalle durante toda la vida. Se acuerda además del nombre de todos los miembros de la familia real británica y de sus primos alemanes. Pero su secreto motivo de envidia, que su desprecio pone al descubierto, es Madame Lupescu, la amante judía del rey Carol de Rumanía, y también, según piensa ella, cerebro de éste.

Vuelve a pasar el tiempo y la perspectiva se eleva ya a metro y medio del suelo: desde aquí la veo con zapatos de tacón alto y hebillas que imitan el diamante, un vestido negro de lentejuelas hasta la rodilla, y un sombrero negro y plateado de campana encima del pelo corto. Tiene los labios rojos de pintura. Tiene mucho pecho y redondos los brazos, y siempre que se acicala para salir acostumbra estirar hacia abajo el labio superior para afilar la nariz chata. Lleva diamantes en los dedos y arrastra por el suelo una piel de zorro plateado mientras promete volver a casa con la partitura de la música del espectáculo que van a oír, de Kern, de Gershwin o de Herbert, y que a la mañana siguiente interpretará al piano de cola Knabe y cantará con su alegre y algo chillona voz de soprano, muy en su punto, muy romántica, muy al día. Mantiene alta la cabeza para alisar la papada, pero también por el incierto orgullo de ir con él, que es una cabeza más alto que ella, tiene ojos azules y una piel tan blanca que casi es transparente, y unos rizos rubios tirando a rojos que realzan su aspecto de concejal intachable, de persona a quien los policías se sienten movidos a saludar, los *maîtres* a buscar mesa, los taxistas a parar cuando llueve; un hombre que no comerá en los restaurantes donde el agua no se sirva en copa, un hombre que ha fundado una de las dos o tres industrias de confección más importantes del país en la época, y que no sabe leer ni escribir en ningún idioma.

Una perspectiva posterior: la casita de Brooklyn por la que ella se desplaza en zapatillas, suspirando, maldiciendo con una sonrisa de desprecio en los labios, echándose a llorar de súbito y conteniéndose acto seguido, manteniendo encendida la calefacción en invierno con el mínimo de carbón, ganando el dinero para comer en las mesas de bridge profesional que hay por todo Midwood, por todo Flatbush, donde se apuesta muy alto y donde hay ocasionales redadas de la policía, a cuyos agentes pide que la dejen ir a casa para hacer la cena. Se había hundido en la sentina de la Depresión, cuando desembocar en la comisaría por tratar de ganar un dólar no representaba, como muy poco tiempo atrás, el eclipse total de la respetabilidad. Mi madre se movía con los tiempos.

Este deseo de avanzar, de metamorfosis —aunque tal vez se trate de una capacidad para ser contemporáneo—, me fue concedido como una condición vital inexcusable y legitimada. Estar preparado para el cambio, estar en transición continua. Era lo que ella y mi padre habían sabido desde siempre. Ella había nacido en Broome Street, en el Lower East Side de Manhattan, su padre, Louis Barnett, un contratista textil, una unidad de la masa frenética donde todos se atropellaban para apoderarse del becerro de oro cuando se presentase. Al igual que Samuel, padre de mi padre, Louis procedía de la aldea polaca de Radomizl y es probable que estuviesen lejanamente emparentados. Lo he creído siempre porque se parecían mucho: ambos eran sujetos imperturbables, de piel muy clara, aunque el abuelo Samuel, pese a la notable combadura de la columna, fue un hombrecillo cuya mujer e hijos, cosa excepcional en la época, rebasaban el metro ochenta de estatura. Todos se habían encontrado en estado de mutación desde su niñez europea, antes incluso de abrírseles las puertas de la emigración en la década 1880-90, ya que vivían en una zona cultural intermedia entre el idioma y el influjo austroalemanes, el campesinado polaco y su identidad judía. Para ellos, cualquier rasgo alemán representaba el punto cultural máximo.

Louis Barnett llevaba perilla, el resto del pelo se lo cortaba con mucho cuidado, se bañaba dos veces al día en verano, hacía que le planchasen las corbatas junto con las camisas, guardaba los sombreros en las cajas originales y doblaba los pañuelos y los calcetines para echarlos en la cesta de la ropa sucia. Y dormía con tres almohadas, una muy ancha debajo de otra más estrecha y un pequeño cojín encima de ambas. Dormía con el solideo judío de raso blanco, que también se planchaba, con una raya diametral que partía de la frente y pasaba por la coronilla, y permanecía de espaldas, con las manos entrelazadas sobre el abultado estómago, sin moverse en ningún instante, hasta que despertaba por la mañana con las frazadas tan lisas y heladas como cuando las apartó la noche anterior. Sé todo esto porque durante la Depresión ya no tenía casa propia y él y yo compartíamos la misma pequeña habitación de la casita de Brooklyn. Cuando dormía, el alma se le salía del cuerpo y se estaba sin hacer nada hasta que volvía por la mañana para el desayuno. Jamás le oí pronunciar una palabra que pudiera tener vinculación con un pensamiento, ni un sonido que no fuera de utilidad inmediata, o un simple saludo o una despedida. Cuando en 1940 le dijo mi madre que me iba a casar con una chica gentil, no dijo nada, pero mientras ella esperaba respuesta al otro extremo de la salita brooklynesa, de tres metros y medio de lado, él cogió un grueso despertador que alguien había dejado en una mesa próxima y se lo arrojó, no alcanzando por poco la cabeza de la hija. Había sido propietario de una empresa floreciente en los años veinte, sin embargo, y había ido adquiriendo fama de propenso a la acción directa. A los cabecillas sindicales de su contingente laboral los invitaba a subir hasta el final de una escalera y mientras hablaba con ellos del modo más juicioso, les propinaba un fuerte empujón para que sus cabezas chocasen y echaba a los atónitos individuos escaleras abajo. Pensaba que Franklin Roosevelt no habría tenido que competir por la presidencia con Herbert Hoover porque el primero no había dirigido nunca una empresa. Esta idea, que no tardaría en ser moneda corriente entre los republicanos, se le había ocurrido a él solo. Cinco años más tarde, sin embargo, pensaba que a Roosevelt habría que coronarlo rey y que mientras viviese no tendría que haber más elecciones. Louis pensaba que las elecciones eran una ofensa para los que estaban en el poder, tan influyente era su parte alemana. Con el tiempo, su desdén por mi esposa gentil, Mary, menguó un tanto, pero sólo porque su continua presencia en el círculo familiar representaba una especie de orden; era al desorden contra lo que había arrojado el despertador.

Pero todo esto sucedió después del hundimiento, de la Gran Catástrofe de 1929, que una vez más transformaría la vida transformada de todos. En los años veinte, en el piso de la periferia de Harlem, seis plantas por encima del célebre parque, desde cuyas ventanas columbrábamos un buen trecho del centro urbano, incluso el puerto, según parece, no pensábamos en política. A mi padre, Isidore, se le antojaba extraño que a individuos como Morris Hillquit, el dirigente socialista, se les llamase «librepensadores». Le divertía y le causaba estupor. «¡Deja en libertad sus pensamientos!» Con lo que quería decir que ya no tenía ninguno. Los domingos, el *New York Times* se desplegaba sobre la alfombra oriental de la salita, la cálida sección de rotograbados sepia particularmente simpática, con aquellas fotos estimulantes del atractivo personaje de Arrow Collar, sobre todo el pastor alemán de orejas tiesas, en actitud sedente junto a él; el capitán de corbeta Byrd, con su intrépido uniforme blanco y sus expediciones polares, a las que fantaseaba con unirme en cuanto me dejaran entrar en los *boy scouts* (porque llevaba consigo un puñado de afortunados *scouts*); y el presidente alemán Hindenburgh encabezando un desfile sobre un gigantesco semental negro, con bolsas bajo los ojos, idénticas a las del rey de Inglaterra, incluso a las del príncipe de Gales, idénticas asimismo a las de mi padre y mis dos abuelos. Mi madre era la única que leía la sección de noticias, por lo menos la hojeaba antes de pasar a las interesantes naderías sobre los teatros, de los que en Broadway habría sesenta o setenta, y a las crónicas de sociedad, cuyas grandes familias y respectivo linaje, los Rockefeller, los Morgan, los Biddle, conocía como si de algún modo estuviese vinculada con ellas. En Pascua, el presidente Calvin Coolidge y señora se dejaban retratar en el jardín de la Casa Blanca con sus aristocráticos perros pastores señorialmente tratados, y la bandera de los Estados Unidos ondeaba en lo alto del asta que coronaba aquella mansión mítica. Él, el pálido e inexpresivo exgobernador civil de Massachusetts, y ella, la esposa como Dios manda que posaba con dignidad elegante, tal como mi madre habría hecho en las mismas circunstancias. En ocasiones menos protocolarias, se fotografiaba a Coolidge pescando en un torrente, vestido con traje negro, sombrero blando de fieltro gris, cuello almidonado y corbata, la imagen cabal de la dignidad inamovible que no tardaría en pulverizar la Depresión. También veíamos allí a nuestro pequeño comandante, James J. Walker, con su simpática sonrisa irlandesa y sus chaquetas de corte elegante, en el instante de entrar en un club nocturno en busca de esparcimiento después de una dura jornada dedicada a saquear la ciudad, y delante de él al alcalde Hylan, que había comprado —¿o era vendido?— todas las aceras de Staten Island, latrocinios que todos parecían encontrar muy gracioso, ya que el robo era el deporte natural de los políticos. De hecho había una sensación de seguridad en la reiteración de sus robos, una suerte de improbidad vivificante. Aunque al mismo tiempo, de un modo misterioso, un presidente, o para el caso el gobernador civil, estaba por encima del fango y en la imaginación se le situaba al lado de los obispos y del papa, y sin que nadie se riera. Cierto día de verano de comienzos de los años veinte, en Far Roackway —tuvimos allí alquilado un chalet precioso durante muchos veranos, el nuestro era el primero de la calle y desde él se veía la blanca playa desierta y la pureza del océano—, vi en la ventana de una tienda una foto con crespón negro del presidente Warren Gamaliel Harding, aquel hombre activo, distinguido y barbicano, y pasé ante la ilustración con un nudo en la garganta, porque era el presidente y había muerto. Transcurrirían muchos años sin que supiese que lo que había presidido era una serie de corruptelas del gobierno de la nación, sin precedentes por lo menos desde la época del presidente Grant.

La sección de rotograbados parecía tener un placer especial en reproducir fotos de los británicos en Africa y la India, en Malaca y entre los pueblos amarillos y las tribus de pigmeos, y durante incontables semanas con los egipcios, cuya tumba del rey Tut, llena de oro, acababan de abrir. El mapamundi escolar estaba inundado por el rosa británico que señalaba las posesiones del Imperio, subcontinentes enteros y cientos de islas por toda la geografía del planeta. En los rotograbados, los ingleses aparecían con sombrero jíbaro casquiforme y su estupenda nariz recta, a la sombra de las palmeras, o envueltos en pieles entre los esquimales, en bosques espesos y difíciles, y en desiertos ardientes. Hasta aquellos años primerizos de la década 1920-30 no se convirtieron los Estados Unidos en nación acreedora, tras haber sido una de las muchas endeudadas con los bancos británicos desde la época de la Independencia. Aunque, como es lógico, echado bajo el piano Knabe y mientras pasaba aquellas páginas llenas de vida, yo no pensaba en bancos, sino en aventuras entre los indígenas, en ser el primero, linterna en mano, en echar un vistazo por el agujero recién abierto en el muro de la cámara funeraria del rey Tut; qué emocionante imaginarlo. ¿Y si despertaba? Uno de los primeros artículos de prensa que leí hablaba del misterioso y sucesivo fallecimiento de los exploradores que habían entrado en la tumba: abatidos por una maldición, según los periódicos, que se les había echado desde la atmósfera tenebrosa del santuario profanado. Aunque la maldición era escalofriante, ejercía por otro lado una vaga seducción sobre mi madre, y por tanto sobre mí, puesto que confirmaba su fe en los espíritus, desapegada pero sobreentendida. El aire distaba de estar vacío y al final de su existencia se esforzaría por indagar el futuro. En los años veinte estaba de moda el abecedario espiritista conocido por tabla *Ouija*. Tres o cuatro personas se sentaban con esta tabla mágica rozándoles las rodillas, mientras una extendía las manos para hacerla levitar. Buena parte del proceso dependía del clima, ya que el aire húmedo era un excelente conductor de los espíritus, pero sobre todo de la profundidad de concentración de los partícipes. Aunque no conseguía nunca que el objeto se elevase de sus rodillas, ello sólo significaba que no lo hacía bien, no que fuese un fraude. Sabía a la perfección que todo aquello era imaginario, pero su naturaleza consistía en ser ciega y ver al mismo tiempo, en despeñarse por el precipicio y quedarse arriba contemplando su propia caída, y esta mezcla de credulidad y distancia la asimilé ya en la época en que pasaba casi todo el tiempo en el suelo. Desde luego era una artista, sin lugar a dudas, pero era aquél un proceso que podía causar estragos en la búsqueda de la autenticidad que el intelecto de todo niño anhela.

Comprendería yo mucho después que había habido cierta propensión a seguir la tendencia general que, sin que ninguno de nosotros lo supiera, dominaba aquellos años de sublime confianza. Mi padre, sumido en la siesta dominical en el sofá de la salita, hacia cuyo rostro amable miraba yo desde el suelo como quien contempla un bisonte, un búfalo albino que parpadeaba en silencio ante mis alaridos más ensordecedores y que se movía con paso mesurado cuando los demás corrían en derredor con histeria, había llegado totalmente solo a Nueva York desde el centro de Polonia antes de cumplir los siete años. Ahora tenía un National con chófer que le esperaba en la acera para llevarle todas las mañanas a la céntrica Séptima Avenida, donde estaban las tiendas de ropa. Una transformación así no tenía nada de extraño, nada de notable, ni siquiera entonces, ni lo tendría durante muchos años, porque la vida se aceptaba como un despliegue infinito, una especie de pergamino enrollado cuyo mensaje fuese la sorpresa y noticias óptimas.

Es natural, me parece a mí, que el solitario viaje infantil de Isidore por Europa y el océano despertase en nosotros toda suerte de emociones negativas, como escandalizarnos por el hecho de que los padres lo abandonaran o sentir rencor hacia los tres hermanos y las tres hermanas que habían tomado parte en el gran éxodo al Nuevo Mundo. Pero no era más que un episodio de la epopeya, tan incuestionable como lo restante que poblaba nuestro mundo mítico. La explicación oficial era que el abuelo no había podido comprar el billete de papá y que pensaba mandar el dinero en cuanto ganase un poco en los Estados Unidos, cuestión de unos meses como máximo. Mientras, el niño abandonado quedó a merced de un tío que no tardó en morir. El muchacho pasó de familia en familia, se le dejaba dormir con las abuelas más chochas y los retrasados, que se ensuciaban en la cama y se ponían a aullar en plena noche, sin importarles con quién dormían. Pobre Izzie; al cabo de los meses tuvo que haberse sentido como un huérfano a carta cabal, aunque esto es algo que sólo he acabado por comprender en los últimos tiempos, más de sesenta años después de conocer la anécdota. Es posible que su orfandad, dicho sea de paso, coadyuvase a la particular ternura que mi segunda mujer, Marilyn Monroe, no dejó nunca de sentir por él; Marilyn era capaz de entrar en una sala atestada e identificar a cualquiera que hubiese perdido a sus padres en la infancia o hubiera pasado un tiempo en un orfanato; a mí se me contagió este instinto suyo, aunque no de un modo tan infalible. En los ojos de un huérfano hay un «¿Me quieres?», una llamada desde los rincones insondables de la soledad que ninguna persona que haya tenido padres conocerá nunca.

El billete de mi padre llegó por fin, y se le instaló en un tren rumbo al puerto de Hamburgo con una cartulina colgada del cuello en que se solicitaba se le entregase, si el desconocido tenía la bondad, en determinado barco que zarpaba hacia Nueva York en determinada fecha. Europa estaba aún, al parecer, lo bastante civilizada para estos lances, y después de tres semanas en tercera —la cubierta inferior donde la luz diurna no brillaba nunca, una zona próxima a las cadenas que movían el timón y donde dos veces al día se abría una cuba de sardinas saladas para las docenas de familias emigrantes, de las que, como es lógico, un niño que viajaba solo no obtenía más que las sobras—, llegó a Nueva York muerto de hambre y con una costra en la cabeza del tamaño de un dólar de plata, como solía decirse. Sus padres estaban demasiado ocupados para recogerlo en Castle Garden y mandaron al hermano inmediatamente mayor, Abe, que estaba a punto de cumplir diez años, a buscarle, hacerle pasar por Inmigración y llevarlo a Stanton Street y al alojamiento de dos habitaciones donde los ocho vivían y trabajaban cosiendo los sobretodos de incontables botones que entonces estaban de moda. Abe, que era un diablillo, llevó a mi padre de paseo por la zona alta de la ciudad para enseñarle, uno por uno, los edificios que, según él, pertenecían ya al padre de ambos. Izzie fue a la escuela durante unos meses y luego se le transfirió a una de las máquinas de coser del piso; nunca más volvería a ver el interior de un colegio. A los doce años tenía ya a su cargo a dos muchachos que cosían mangas de chaqueta con él en un taller del sótano, y a los dieciséis, por encargo de Samuel, su padre, se puso a recorrer las tiendas del Medio Oeste como viajante de comercio, con dos grandes baúles llenos de chaquetas. Pero, según me contó más de medio siglo después en el soportal trasero de mi casa, «llegué a la estación y me volví; aún estaba demasiado pegado a las faldas de mi madre. Volví a intentarlo al año siguiente y entonces lo conseguí». Me contó esto ya setentón y aún entonces se sentía un tanto turbado por aquella dependencia de su madre, una mujer a la que estuvo entregando su elevado salario semanal a cambio de unas monedas para sus gastos hasta que se casó a los treinta y dos años. Sus tres hermanos habían hecho lo mismo. Mujer formidable, se negaría a darle dinero en un momento particularmente crítico de la Depresión; aunque esto ocurrió mucho antes de mi período en el suelo y casi se perdía ya en el pasado cuando trabamos la tranquila charla en mi soportal.

Mi hermano, Kermit, vivió en la periferia de mi existencia hasta que cumplí cinco años y afronté la emocionante perspectiva de ir también a la escuela. Hasta entonces no había sido más que un estorbo que se me cruzaba en el camino cada vez que quería garabatear alguna cosa o recortar lo que fuese de una revista o clavar un clavo en el mueble de la gramola. Ahora que iba a ir con él a la escuela se me convirtió en un héroe, un héroe que me exigía amor. Como hermano mayor que era, toda la responsabilidad era suya y toda la diversión mía, pero él era guapo y yo tenía un aspecto ridículo con aquellas orejas sobresalientes por las que tenía que soportar el inevitable saludo de mi tío materno Moe, cada vez que nos visitaba: «Niño, agacha esas orejas, que viene un túnel». En cuanto a mis parientes paternos, me saludaban siempre con sonrisa de altanería mientras me miraban con fijeza —todos eran enormes bisontes blancos de ojos azules— y se preguntaban: «¿A quién habrá salido?». Yo era el único moreno, con ojos castaños y pelo oscuro. Mi madre, por supuesto, tenía las mismas características, un error de la naturaleza, según ellos, ya que era la única morena vinculada con aquella familia fabulosa. Formaban un clan insólitamente cerrado y sólo contraían matrimonio con personas que se les parecían. A decir verdad, una de mis primas más hermosas se casó con un tío carnal suyo pese a las advertencias del rabino, y aunque vivieron enamorados durante años, juntas las manos y sin que se cansaran de contemplarse, creo que la culpa acabó por abrirse paso en ella, se marchitó de un modo extraño a poco de cumplir los cuarenta, a causa de algo que nadie pudo diagnosticar entonces, y murió hecha una ruina, sin pelo, medio ciega por algún cataclismo interior, sin sufrir ninguna enfermedad conocida. La morena de mi madre parecía una extraña entre ellos, tal vez incluso un motivo de turbación, sobre todo porque era la más inteligente de la familia; todos tenían en casa un piano de cola Knabe exactamente igual, pero mi madre era la única que sabía tocar, habilidad por la que fingían alegrarse. Cada vez que yo anunciaba el nacimiento de un nuevo hijo mío, la primera y nerviosa pregunta de mi padre era: «¿Es moreno?». El sobreentendido racista me irritaba, pero por entonces, a causa de la reacción del clan contra mí y contra mi madre, hacía mucho que conocía ya el significado del rechazo, de ese rechazo que se intuye cuando se entra en una habitación sin necesidad de que se pronuncie palabra.

Es posible que, aunque sólo sea de manera medio consciente, elijamos nuestra personalidad para mantener cierto equilibrio protector en el pequeño universo de la familia. A Kermit, que me llevaba tres años, lo emparejé muy pronto con mi padre para reforzar el orden y la seguridad. Con sus ojos azules y la piel clara, se parecía mucho al viejo, mientras que mi madre morena y yo estábamos unidos no sólo por el aspecto, sino también por nuestra conspiración tácita contra las trabas y prohibiciones de la realidad. Si yo llegaba de la calle y decía que acababa de ver a un policía con patines, ella se asombraba y me pedía más detalles, mi padre fruncía un tanto el ceño mientras contenía la risa y Kermit alzaba los ojos hacia el techo, escandalizado por semejante tontería.

A menudo me he preguntado por la importancia de estas pequeñeces, no sólo en mi vida sino también en la de los demás. Se trata sencillamente de que la perspectiva que se tiene desde el suelo, pese a estar saturada de malentendidos, es también la más pura, la matriz cuyo contenido es muy difícil de cambiar después. La impresión de lo que se ve y oye desde la alfombra es tremenda y se revive con una veracidad mucho mayor cuando se recuerda porque dichas percepciones somos nosotros mismos, nuestra particular realidad malentendida que nadie más comparte, y son en consecuencia el humus de la poesía, que es nuestra libertad para modificar simples hechos. A partir de los malentendidos, más que de cualquier otra cosa puntualmente aprendida en aras de la cultura, se desovillan los hilos que urden la unicidad del universo de cada artista, con la promesa implícita de reconstruir el mundo de una manera totalmente nueva. Sin saberlo, casi desde el principio, he deseado reconstruir mi vida, ser mi hermano de tarde en tarde, mi padre, mi madre, adoptar su cara y envoltura y la cara y envoltura de otros con objeto de comprobar perspectivas desde puntos de vista distintos del mío. A propósito, en ocasiones transcurrían años hasta que, con gran esfuerzo, me podía quitar estos disfraces y me encontraba a mí mismo otra vez. En resumen, cuando más sensibles somos a las impresiones, menos podemos evitar la escandalosa malinterpretación de lo que significan. Como mínimo, pues, la vida no perderá nunca su misterio.

El misterio, por ejemplo, de lo que me hizo pensar que mi posición era la de segunda base. Esta elección la hice, en cierto modo, igual que cierto día «optaría» por ser dramaturgo. El segunda base era «yo», mientras que Kermit era *pitcher* e inspector de ferrocarriles. Estas identidades arrastraban un destino tras de sí, eran inevitables, venían de lo alto. Tengo que preguntarme qué otros elementos de mi ser elegí, cogí del armario, sin ningún motivo especial. ¿Por qué Kermit se caía siempre un par de pasos antes de la meta en las carreras que continuamente disputábamos en Central Park? Desde la hilera de casas de la Calle 110 que daba al parque, le animaba una multitud de muchachos, sus poderosas piernas avanzaban a un ritmo idóneo y uniforme, y en el momento en que abría los brazos, se caía y perdía. ¿Qué opción suya había detrás de aquello? ¿Estaba en relación con el hecho de que se alistase en el ejército como voluntario durante la II Guerra Mundial y con haberse encontrado, ya capitán de infantería, llevando a un hombre sobre las espaldas durante horas, a diecisiete bajo cero, congelándosele y gangrenándosele los dedos de los pies, hasta que consiguió llegar a un puesto de socorro? ¿De dónde proceden estas imágenes fatídicas que pueden hacer que un hombre pierda el equilibrio, o la vida, o ser nuestra salvación, si por casualidad está cerca cuando necesitamos que nos salven?

Kermit fue siempre un hombre bueno que convenía tener cerca en tales vicisitudes. Pero su sinceridad patológica podía destruir a mi madre en ocasiones, como la vez en que el profesor encargó a la clase que dibujase algo original y él optó por una casa, que bosquejó bastante bien, aunque la perspectiva de la chimenea no acababa de captarla. Borró y volvió a dibujar la chimenea una vez tras otra, pero nunca salía bien, nunca parecía estar pegada al techo. A las diez de la noche del día anterior al que había que entregar los dibujos, mi madre (lo bastante dotada para captar la imagen de una persona con exactitud sorprendente) reunió valor y, con una dulce sonrisa, sugirió que le dejara dibujar la chimenea. Los aterrados gritos de protesta de mi hermano me despertaron, recorrí a toda prisa el pasillo y entré en el comedor, donde me lo encontré con el dibujo apretado contra el pecho, mientras mi madre, medio histérica ya, le rogaba que le dejase trazar la sola línea en perspectiva que haría que la chimenea pareciese una chimenea y no una cometa que se hubiera quedado trabada en el techo. Mi padre, como es lógico, entre que el mercado bursátil proseguía su escalada al parecer sin fin y que el negocio de las confecciones iba mejor que nunca, dormía a pierna suelta. La compañía de mi padre, S. Miller and Sons, se había disuelto hacía poco y una auténtica avalancha de hermanos y de parientes inesperados de éstos había caído sobre Isidore y su Miltex Coat and Suit Company, empresa de confección que había independizado y fundado después de la Gran Guerra. La lealtad familiar le había obligado a dar empleo a todos, actitud que mi madre le echaría en cara cuando la empresa quebrase años después. Pero le complació transformarse, del abandonado Izzie que fuera, en principal fuente de recursos vitales de todo el clan, él, del que siempre se habían mofado y que durante toda la vida ostentaría la cicatriz, su analfabetismo, del desprecio de aquéllos, apenas oculto. Pero por el momento dormía feliz. Me uní a los ruegos de mi madre para que Kermit le dejase terminar el dibujo. «¡No se puede! ¡He de hacerlo yo!» Conspiradores corruptos, mi madre y yo adujimos que en realidad lo había dibujado todo menos la chimenea, que había elegido los colores y los había aplicado él mismo, pero estos sofismas no darían resultado. La solución, como suele ocurrir, fue el agotamiento; tantas decisiones importantes en la vida se han tomado sólo porque ya es la hora. Se iría a dormir, todos nos iríamos, y volvería a pensárselo antes del desayuno. Aceptó, apenas capaz de tener la cabeza alta después de invertir días en el dibujo de la casa, en cambiar los colores, la situación de puertas y ventanas. Cuando recorrió el pasillo, camino de nuestro dormitorio común, el dibujo quedó en la mesa del comedor y yo intuí lo que iba a suceder. ¿El también? Y cuando, durante el desayuno, recogió el dibujo, donde había ya una chimenea preciosa, ¿no se dio cuenta? ¿Había que ser malvado, como yo, para advertirlo?

Alrededor de cuarenta y cinco años después, aquella misma mesa de comedor aparecía en la primera representación broadwayana de mi obra teatral *The Price* [El precio]. Yo no sabía en 1968 que la vieja mesa de comedor siguiese existiendo y apenas recordaba cómo era. Pero al escenógrafo, mi viejo amigo Boris Aronson, le gustaba evadirse de la realidad y me seguía con objeto de describirme los muebles que se amontonarían, uno encima de otro, en la habitación del difunto padre cuando sus dos hijos reaparecieran para repartirse las propiedades de la familia tras muchos años sin verse. Los personajes no se basaban en Kermit y yo, éramos muy distintos de ellos, pero la magnética situación subyacente la tenía muy arraigada en el interior.

Fue mi hermana Joan —que aún no ha nacido en este recuento— quien, al enterarse de que la puesta en escena exigía mobiliario de los años veinte, me recordó que la vieja mesa de comedor se había regalado a la hermana menor de mi padre, Blanche, ya setentona; a mi madre no le cabía en el pequeño piso en que ella y mi padre pasaron sus últimos años. Me dirigí a toda velocidad a la casa brooklynesa de mi tía Blanche. Esta, la más joven de la familia de mi padre, era una mujer guapa, dulce y amable, y aunque ya era una anciana estaba siempre de muy buen humor. El caso es que había hablado hacía poco con unos comerciantes en muebles de segunda mano sobre la venta de la mesa y de ocho sillas, porque ella y su marido, Sam, socio de mi padre durante la Depresión en uno de sus desafortunados intentos de poner en marcha otra empresa de confecciones, se iban a trasladar a un piso más pequeño.

Observé la mesa, fuerte y sólida aún, y, bien mirado, hasta bonita, con sus pesadas patas arpiformes llenas de tallas y el ribete festoneado del perímetro del tablero. Mi madre se había subido y bailado encima más de una Nochevieja (también en su aniversario de boda), aunque nunca se me había permitido presenciar estos ruidosos desmanes, que sólo acontecían a una hora avanzada y maligna de la noche, mucho después de meterme en la cama. No estaba seguro, sin embargo, de si su estilo pegaría con los decorados de Boris, por lo que le telefoneé inmediatamente para describírsela.

Por regla general, Boris no aceptaba con humildad las sugerencias ajenas; a decir verdad, le costaba lo indecible escuchar nada en absoluto sin desautorizarlo de manera instintiva. Años antes de su gran triunfo como escenógrafo de *Cabaret*, *A Little Night Music* y otros musicales célebres, así como de *The Crucible* [Las brujas de Salem] *A View From the Bridge* [Panorama desde el puente] y *A Memory of Two Mondays* [Recuerdo de dos lunes], nos encontrábamos sentados junto a la piscina de un amigo común que nos había invitado a su ostentosa propiedad de Westchester para huir del calor insoportable de la ciudad. Situado en la fresca sombra, lamenté el destino de los desgraciados que se habían tenido que quedar en la ciudad con aquel clima. A Boris le faltó tiempo para llevarme la contraria.

—No sé, a mí me gusta Nueva York cuando hace calor; más incluso que cuando hace buen tiempo.

—¿Cómo puede gustarte cuando hace calor? —le pregunté.

—Porque me relaja mucho. Quiero decir que cuando voy por una calle de Nueva York en lo más caluroso de julio, sé que todos aquellos con quienes me cruzo son también unos fracasados.

El acento ruso-*yiddish* de Boris y su actitud gráfica ante el idioma se contaron entre los hilos inspiradores que me llevaron a la forja de Gregory Solomon, el nonagenario comerciante de muebles usados de la obra teatral. Aunque el auténtico modelo del personaje fue un hombre del todo distinto, me resultó muy extraño verme ante la mesa de comedor mientras le preguntaba a Boris si la comprábamos para la puesta en escena de *El precio*, que por supuesto trataba de la venta de unos muebles viejos a un comerciante cuyo inglés, tan deficiente como característico, era exactamente igual al de Boris. Me encontraba, por decirlo así, entre dos series de espejos que reproducían mi imagen hasta el infinito, y dentro de mi imagen la de Boris, mi obra teatral, mis padres, la mesa...

—¿De cuál estilo es? —preguntó Boris.

Yo no tenía ni idea de cómo llamarlo y me volví a Blanche, que se encontraba allí, emocionada por la idea de que la mesa pudiera aterrizar en un escenario teatral de Broadway.

—¿De qué estilo es? ¿Lo sabes tú?

—Bueno, uno de los mueblistas que la ha visto dice que es de estilo regional español.

—Bromeas.

Se echó a reír ante lo necio de la descripción y me aseguró que era lo que el mueblista había dicho en realidad.

—¿Boris? Uno de los mueblistas que la ha visto dice que es de estilo regional español.

—¡Toma castaña! —replicó inmediatamente con placer.

Fue pues aquélla la mesa que David Burns, un genio de las tablas, golpeaba con la palma de su pequeña mano mientras se echaba atrás el polvoriento sombrero de fieltro negro, se quitaba la ceniza de tabaco de las solapas del raído abrigo negro y decía: «Escuche. No puede ni moverse. Un hombre que se sienta a una mesa así sabe no sólo que está casado, sino que tiene que seguir casado... No hay más alternativas... Ríase, ríase, yo me limito a decir cómo están las cosas. ¿Cuál es el santo y seña de nuestros días? Que todo puede reponerse. Cuanto más tiras, más hermoso es. El coche, los muebles, la esposa, los hijos, todo puede reponerse. Porque, ¿sabe?, lo principal hoy en día es... comprar».

Una vez que la mesa estuvo en el escenario, me fue extrañamente imposible ponerme sentimental al respecto. No obstante, antaño había sido un eje vital ante el que mi hermano se sentaba para hacer los deberes y yo aprendía a leer, mientras nuestra madre nos dibujaba en un silencio más cálido que las mantas o el fuego. Lo único que se oía era el deslizamiento de su lápiz por el papel y el silbido de los radiadores. Y si muy de tarde en tarde nos llegaba de algún tejado de la parte más septentrional de Harlem el estampido de un disparo inesperado, ninguno alzaba siquiera los ojos.

Desde luego no había televisión y nuestra radio de superheterodino sintonizaba la KDKA de Pittsburgh y también la WJZ de Nueva York, pero a ninguno se le ocurría encenderla sólo para que poblase el aire con una música de fondo anodina. O se escuchaba o se tenía apagada, sin duda porque el sonido era muy tenue, apenas un simulacro de música. Con frecuencia, sin embargo, quedaba inutilizada gracias a los esfuerzos de Kermit por arreglarla. Cuando Kermit ponía la mano en un reloj o la máquina que fuese, el aparato se paralizaba, como si dijéramos del susto, y algunas piezas quedaban ocultas debajo de los jarrones o dentro del piano, donde las volvía a encontrar al cabo de varios meses, y con ellas se lanzaba otra vez al ataque sobre la achacosa máquina, que quedaba destripada de una vez por todas, en caso de que hubiera sobrevivido a las primeras manipulaciones. No tardé en comprobar que en materia de reparaciones yo era más hábil que él, con su tendencia a abordar por las malas los problemas mecánicos, convencido de que a fuerza de testarudez iba a resolverlos. Lo que sí le envidiaba, como también a mi madre, era la memoria. Al igual que ella, podía leer un texto un par de veces y guardarlo en el cerebro hasta cuando quisiese, mientras yo me perdía en pos de asociaciones insignificantes.

El primer día que fui a la escuela, la maestra, una señorita llamada Summer, nos puso delante una esfera de reloj de cartulina para enseñarnos a medir el tiempo, y movía las saetas de un modo misterioso para que recitáramos en voz alta las horas y minutos que señalaban. Lo único que me interesó en realidad fue cómo conseguía que se moviesen las manecillas. Me las apañé para acercarme y vi que giraba una manivela que había detrás de la esfera, y al terminar la clase la maestra me dejó girarla. Aunque al final tuve que hacer que fuese mi madre quien me enseñara a decir la hora. No menos entretenidas eran las admirables gafas de concha

24

de la señorita Summer; yo no conocía a nadie con gafas y me dio por ir por ahí entrecerrando los ojos como si me fuera a quedar ciego, hasta que mi madre, para curarse en salud, habló con el oculista para que me recetara unas gafas que no me hacían falta, que llevé cosa de una semana y que perdí entre la hierba del parque. Lo más divertido era imitar. Era ya tan alto como el bolsillo trasero de mi padre, del que le colgaba siempre el pañuelo, y durante años tiré de la punta del mío para que sobresaliese exactamente igual. Ya había notado mucho antes —desde mi estratégica posición junto al suelo— que los hombres, aunque no las mujeres, se inclinaban con frecuencia hacia un lado para echarse un pedo; cuando me puse a experimentar no conseguí el resultado, sólo la posición, pero se convirtió en otro aliciente para crecer, en otra de las grandes hazañas que se reservaba el futuro para cuando finalizase la impotencia de la infancia.

La agitación y entusiasmo de la incipiente era del jazz, percibidos a pocos palmos del suelo, me llegaron sobre todo por mediación de las mujeres, mi madre y sus amigas. Cuando mi madre se cortó la larga cabellera, Kermit quedó traumatizado y pasó varios días lloriqueando en su cuarto y reprendiéndola, sobre todo por no haberle avisado. Inocente como era con mis cinco o seis años, ya estaba al tanto de que había una intrigante vida secreta entre las mujeres, y un cálido anochecer un me dio por ponerme uno de los sombreros de paja de mi padre, por bajar en el ascensor y sentarme en una caja ante la puerta del edificio con la esperanza de llamar de algún modo la atención femenina. Pero esta clase de sexualidad es una nube de colores y no un estado físico, y yo vivía en dicha nube la mayor parte del tiempo. Es posible que esperar a que se me satisficiese un deseo formase parte de mi incapacidad para desistir; lo que yo quisiera, lo tenía que tener en el acto. Ver algo interesante era necesitar su posesión, y mi vida consistía en brotes de deseo cuya satisfacción no podía demorarse, en contraste con el autodominio y responsabilidad de mi hermano. No tardaría en verme acosado por lo que supongo eran imágenes de culpabilidad, ingenua pero verdadera. Las ventanas de nuestro piso, que estaba en el ático del edificio, sufrían los embates de las lluvias sacudidas por el viento sin que mediase obstáculo alguno, y las parpadeantes luces del vecindario proyectaban la forma de un gran mono colérico en la parte exterior del vidrio, los dientes bien visibles y los chorreantes brazos abiertos como si quisiera colarse en mi dormitorio. (El mono de un organillero que yo había acariciado en una calle de Roackaway el verano anterior me había mordido el dedo y lo había retenido con insistencia entre los dientes hasta que el amo, de un golpe, hizo que me soltase.) Poco a poco me fui volviendo un sonámbulo habitual, merodeaba por el pasillo y espiaba, dormido como un tronco, el dormitorio de mis padres. Cierta vez desperté a punto de saltar por la ventana que, a seis pisos de altura, daba a las profundidades del patio interior. Al despertar, el terror a las alturas corrió chillando por mis venas, miedo que no me ha abandonado.

La primera vez que oí llamar a los judíos —no antes de ir a la universidad, lo más probable— «pueblo del libro», creí que se trataba de los libros en general en vez de la Biblia, y la descripción, aunque halagüeña, fue una novedad para mí. Educado entre judíos hasta los veinte años, apenas puedo recordar que ninguno leyera nada, excepción hecha de mi madre. En los muebles con estantería de las casas de mis amigos de la Calle 110 no había libros, sólo chucherías, señoras de porcelana con vestidos dieciochescos ahuecados por el tontillo, figuritas de caballos, el Pequeño Holandés con zuecos disponiéndose a meter el dedo en la acequia, un cubo colgando sobre un pozo, a veces un busto de Lincoln. Incluso mi madre raramente compraba libros, ya que prefería utilizar el servicio de préstamo de la biblioteca pública que había en la calle, cerca de la Quinta Avenida, o, cuando nos trasladamos a Brooklyn, de la Womrath Lending Library del drugstore, por dos centavos al día.

Pese a todo, se aprendía muy pronto que los libros tenían que respetarse; todos eran supuestas Biblias y hasta cierto punto poseían su porcentaje de santidad. Cuando dejaba un libro abierto boca abajo, mi hermano me reprendía; al igual que una persona, el libro tenía una columna vertebral que no debía romperse. El *Libro de todas las cosas* entró muy pronto en casa y una de sus páginas me inició en el concepto que se tenía de los escritores: era una ilustración a toda página de Charles Dickens, visto de perfil, con viñetas ovales de Pickwick, David Copperfield y los demás rodeándole la cabeza. Mi madre nos leía ya pasajes de *Oliver Twist* y me chocaba la idea de que personas de verdad, capaces de hablar, andar y sentir pudiesen brotar de la cabeza de un individuo, ya que la ficción y la vida se me confundían y fundían en un espejismo maravilloso. No dudaba de que Oliver había tenido que vivir en alguna parte concreta.

Treinta años más tarde, ya cincuentón, entraría en la casa de algunos obreros portuarios de la zona brooklynesa de Red Hook mientras preparábamos una película que no se filmaría sobre la delincuencia organizada de los puertos, y la ausencia casi total de libros en estas casas resultaba no sólo castrante, sino casi fantasmalmente extraña además.

Aunque deseaba ser leal a mi padre, y hablaba casi siempre de él elogiosamente y con respeto —salvo cuando le criticaba con dureza alguna chapuza—, mi madre, como no pude por menos de saber, tendía a derrocarle igualmente. Mi madre era una mujer obsesionada por un mundo que no podía alcanzar, por libros que no llegaría a leer, por conciertos a los que no asistiría y, sobre todo, por personajes interesantes que no conocería jamás. En realidad habían comerciado con ella con vistas a un matrimonio concertado a pocos meses de acabar *cum laude* la segunda enseñanza. Pero hasta estas permutas humanas podían tener su encanto: y se reía con ganas cuando contaba que «el abuelo y el abuelo Miller entraron en la salita de casa y se pusieron a cotejar los respectivos libros de contabilidad. Horas se pasaron allí, y cuando al final salieron» ¡cómo se reía al referirlo!, «dijeron que iban a casarme». Los dos fabricantes de ropa se habían asegurado de que tenían un capital equiparable, tal como dos señores feudales habrían podido hacerlo siglos atrás. De pronto, sin embargo, la cara se le ponía lívida y apretaba las mandíbulas con furia. «¡Igual que a una vaca!», murmuraba, con mi padre a menudo delante, escuchándola junto con mi hermano y conmigo, incluso asintiendo para corroborar la anécdota, hasta tal extremo era partidario de no alterar las tradiciones. Pese a ello, le compadecía al verle sumido en aquella humillación, aunque pareciera que la soportaba con talante imperturbable; sin saber cómo, había acabado por imponerme la misión de evitar que se enfrentaran, lo que constituía ya de por sí una forma de actuar con arte.

Mi madre tenía sin embargo sus compensaciones. Podía meter a sus hijos en el National y dirigirse al centro con el chófer al frente para visitar la Miltex Coat and Suit Company, donde papá, en mangas de camisa y chaleco, infinitamente alto y competente, a todas luces el amo, nos enseñaba las filas de obreros que manipulaban las máquinas, a los oficinistas y a los vendedores, muchos de los cuales eran parientes suyos y cobraban un sueldo opíparo.

A mediados de los años veinte todo era esperanza y seguridad en aquel lugar gigantesco, mal iluminado, con sus colosales cilindros de tejido amontonados en anaqueles hasta el techo, las asombrosas y pesadas carretillas de hierro que no dejaban de circular y encima de las cuales me encantaba subir, el montacargas cavernario, y, en la oficina, empleados con liga en la manga y visera verde sobre los ojos. Las miradas de los empleados estaban llenas de respeto y de una especie de felicitación por ser quienes éramos, los hijos del jefe y de nuestra guapa e inteligente madre. Allí reinaba la armonía, la felicidad hacia la que me parece que desde siempre he procurado conducir a mis padres: él pletórico de poder y ella rodeada de alegrías y satisfacciones, haciendo con su admiración que él se sintiese orgulloso y fuerte, y protegiéndola él con su fortaleza. Además, había allí un mundo —los trabajadores manuales y el personal administrativo— para presenciar aquel ennoblecimiento, junto con el de mi hermano, y mi papel en aquello que en la imaginación se me convertía en vistoso álbum de la historia, ordenado y primordial. Comprender estos placeres —no sólo las servidumbres— de la jerarquía me sería útil en el futuro. Y el gusanillo de la paradoja también: porque aunque ella aceptase toda aquella buena voluntad con alegre donaire y una aquiescencia casi de reina, yo sabía lo mucho que despreciaba a los *cloakies* mezquinos y locos por el dinero, a los judíos que sólo se interesaban por los negocios. Si bien mi padre escapaba a esta definición en virtud de la relativa grandeza que veía en él, se acercaba muchísimo, y de un modo peligroso, pienso yo, porque era muy ignorante en cuanto a lo que ella consideraba cultura. Pasarían décadas hasta que yo comprendiese que su gusto, aunque más ingenuo, era más sutil que el de ella, más personal y auténtico; su analfabetismo fue una bendición, porque le evitaba preocupaciones a propósito de lo que se llevaba o no, a propósito de lo que era elegante o estaba anticuado, y en consecuencia podía reaccionar con sencillez y de una forma totalmente humana, no manipulada por los medios de información de masas, ante lo que veía u oía. Una canción, una revista, una obra de teatro satisfacían su estética sensualmente utilitaria exactamente igual que sus sombreros. El arte no hubo de tocarle. Porque, claro, la «cultura», al igual que sucedía en casi todas las familias norteamericanas, era cosa de la mujer, ya que los hombres contribuían con el jornal y las siestecitas, y nunca se le ocurrió pensar que sus opiniones sobre temas artísticos valiesen la pena de mencionarse siquiera, así fuesen tan agudas como algunas de sus observaciones silvestres. Su analfabetismo me enemistó con el conocimiento durante muchos años, porque deseaba ser como él, y mucho antes de que supiera nada del psicoanálisis tuve que decirme de un modo muy consciente que al fin y al cabo yo no era él, y que era muy capaz de memorizar cualquier texto imprescindible o aprobar un examen. Leer con asiduidad significó superarle, y buscar la condición de escritor fue un triunfo sin igual; fue además una identificación peligrosamente estrecha con mi madre y su secreto resentimiento —si es que no se trataba de desprecio— por la cerril impotencia verbal de mi padre.

Nunca me faltaron motivos para interrogarme sobre el carácter caprichoso del destino, y uno de ellos lo percibí en los años veinte, cuando mi madre observó por quincuagésima vez que habían sido unos necios por negar un préstamo a Bill Fox allá en 1915. Parece ser que estuve a punto de llevar una vida totalmente distinta y ser hijo de un magnate de Hollywood, destino no peor que la muerte, quizá, pero casi. Fox, antiguo «chupalanas», tenía dificultades para reunir el capital que necesitaba para fundar una productora de cine en California y recorría la industria textil en busca de dinero. Al oírselo contar a mi padre, el motivo de sus problemas no era difícil de adivinar: los embebedores no eran notables por su honradez, ya que la misma naturaleza del oficio invitaba a las prácticas poco escrupulosas. El tejido de lana tenía que preencogerse antes de proceder a cortarlo para la confección de prendas. El fabricante tenía por tanto que enviar los rollos de paño a un embebedor, que los extendía sobre calderas humeantes. Pero ¿quién podía saber cuánto había encogido un rollo de setenta metros? ¿Dos metros, diez, quince? El embebedor podía decir la verdad o bien quedarse con unos metros y devolver el material al fabricante como si hubiera encogido mucho. Creer en la palabra de un embebedor exigía toneladas de buena fe, y allí teníamos a uno que pedía a mi padre que invirtiese cinco mil dólares en el cine, y en la remota California, nada menos. Cuando le llegó el turno a mi padre, Fox había agotado ya casi todos sus contactos en la industria textil y ofrecía un buen pellizco de la compañía a cambio del último fajo de billetes que necesitaba.
A mi padre le encantaban los espectáculos y conocer personalmente a un actor habría sido excesivo para él. Se sintió tentado. Pero al final venció su buen sentido: sencillamente, no se podía fiar de Fox y se negó. Aquella tarde, cuando comunicó a Fox la mala noticia, le habría sido imposible concebir que al cabo de no muchos años apenas si podría pagar la

entrada para ver una película producida por la Twentieth Century Fox. Si se hubiera arriesgado, yo me habría criado en Los Angeles, no hubiera aprendido lo que aprendí en Central Park y las calles de Harlem y Brooklyn, me habría perdido la futura Depresión y habría tenido sin lugar a dudas una personalidad distinta. Muchos años después, durante un viaje a Polonia, experimenté una toma de conciencia parecida: si mis abuelos no hubieran pensado a fines del pasado siglo que en aquel país no tenían futuro, yo no hubiera vivido más de treinta años. Cuando la máquina de guerra nazi barrió su paisaje llano y monótono, apenas quedó un judío vivo en aquella parte de Polonia.

Pero en 1918 y los meses que siguieron, la atmósfera de nuestra casa negaba incluso que la guerra fuese la derrota espiritual que es y que debería presentarse como tal. Por supuesto, hablo de mi propio sentido de las cosas tal como éstas se filtraban hasta mi patria chica, es decir, el suelo. Tenía tres años cuando acabó la Gran Guerra, y si bien era inconsciente de la preocupación de mi madre por sus dos hermanos —Hymie en la Marina, aunque nunca surcó el mar, y el otro, Moe, que murió en Francia intoxicado por el gas—, aún puedo sentir la aureola de alegría y auto-felicitación que trajo a casa el armisticio. Estoy seguro de haber oído a mi madre llamar por teléfono a todas sus hermanas y amigas, ninguna de las cuales era probable que hubiese leído los periódicos, para notificarles el fin de la guerra. Detestaba al Káiser de un modo personal, más o menos como detestaba a Mikush, el portero de la finca, un polaco de altanería deprimente. Teníamos que pedirle permiso para abrir una ventana interior, sabíamos que entraba en nuestra casa cuando estábamos fuera en verano, pero sin él no era posible la vida, ya que era el único humano capaz de manejar una herramienta o de abrir un baúl cuya llave se hubiera perdido, de mover el piano y de cerrar el gas cuando una de las espitas se atascaba en la posición abierta. A diferencia del Káiser, a Mikush no le habían derrotado nunca, así que mi madre podía detestar al Káiser con la satisfacción extra de imaginar a Mikush en la misma situación, condenado a partir su propia leña en Doorn, Holanda, desterrado allí durante el resto de su vida. La foto del Káiser en la sección de rotograbados del *Times* era la señal de que había pasado otro año: ignoro por qué motivo, en el aniversario del armisticio, de un modo más bien inevitable, se le sacaba partiendo leña en Doorn, sujeto de aspecto fornido con bigote puntiagudo, pantalón corto, botines, chaquetilla y la mirada inexpresiva de un dóberman.

Desde el suelo, la derrota de la Alemania Imperial representó la aparición de mi tío Moe con un maletín negro lleno de billetes de cien y mil marcos, ya sin valor alguno, aunque mi madre quiso guardarlos por si acaso. Trajo además un casco alemán envuelto en papel marrón y con la punta de lanza enroscada en el crestón. Sólo tocarlo y olerlo suscitaba imágenes, como las que había visto en la prensa, de campos llenos de cadáveres y explosiones aterradoras. ¡Y pensar que un hombre vivo, muerto ya, había llevado aquello! El efecto que me produjo, del todo natural, fue soñar con que era soldado y que, con un poco de suerte, iba a la guerra. Imaginaba el olor de la tierra y el sudor en la parte interior del casco que estaba revestida de cuero. El exterior áspero, ya oxidado, sin duda tuvo que quedar cubierto por una lluvia de suciedad a consecuencia de la explosión de un obús aliado. («Los aliados», ¡cuántas olas trémulas de calor y confianza en esta palabra! A qué honduras del cerebro nos llegaba el agua con jabón, al mismísimo nivel del suelo. No tardarían en publicarse *Los pequeños aliados*, libros para niños que nos militarizaba en pantalón corto contra el bárbaro teutón.) Pero el casco era demasiado grande y se me escurría sobre la cara, por lo que tuve que llevarlo sujeto con las dos manos hasta que se me ocurrió pensar que me sentía orgulloso de ser alemán, idea horrible. La última vez que vi el casco fue cuando abrí un armario años más tarde, se cayó de un estante y me dio en el hombro, semejante a la testa de un difunto que hubiera vuelto para censurarme. En cierto modo era asimismo la testa de Moe, ya que éste había muerto por entonces de una tuberculosis declarada en Francia e incrementada por el gaseamiento que había soportado. Aunque desde siempre había sabido, por el tono de voz de mi madre cuando hablaba de él, que estaba condenado a una vida breve. Desde Francia nos había remitido sus afectadas cartas victorianas, más «estilografiadas» que escritas, y con «doctrina» en vez de anécdotas; «tomaba razón» de cosas de «gran bulto» y había «presenciado escenas que no eran para ser referidas». Escribir más o menos en la lengua que se habla era señal de educación escasa y vulgaridad. La formación era el objetivo inevitable y exclusivo de escribir, y la corrección la meta de todo estilo escrito.

Se trataba de una idea transmitida por las escuelas públicas. Incluso en la Escuela Nacional 24, de la Calle 110, asistíamos a clase para llegar a ser señoras y caballeros; no leíamos a Whitman, a Dreiser o a Sinclair Lewis, sino a Keats, a Shelley y a Wordsworth, escritores que escribían en inglés inglés. Lo que se quería era elegancia y perfección consagradas: ¿para qué más se iba a la escuela? Nos enseñaban la disciplina del Método Palmer de caligrafía, que exigía esculpir cada letra de acuerdo con un modelo predeterminado de altura y anchura. Al igual que en la antigua China, la virtud moral era inherente a la letra buena y clara, conexión que abría nuevas perspectivas a la culpa, el mal e incluso el desorden civil: uno de los rasgos inequívocos de predisposición criminal era la letra apretada e ilegible. La buena conducta, llamada urbanidad, era una asignatura más, como la aritmética. Las mañanas comenzaban pasando revista de manos, uñas y brillo de los zapatos, el alumno de cara al pasillo más próximo (los bancos de la E.N.24 eran de dos alumnos), mientras la maestra, por lo general una solterona irlandesa de largo vestido oscuro y zapatos negros, con moño en la nuca y que olía, si había suerte, a jabón de cerezas, y si no a lavandería, nos ponía ambas manos con las palmas hacia el suelo y al que las tenía sucias, le golpeaba en los nudillos con una regla de borde metálico. Siendo dos por banco, era una tentación cuchichear, aunque corríamos el riesgo de que nos estrellaran la cabeza contra la del vecino: la maestra se acercaba furtivamente por detrás y a continuación veíamos las estrellas, como solíamos decir, durante unos segundos.

Llamados a la pizarra, recogíamos automáticamente todos nuestros enseres —pluma, limpiaplumas, secante, cuaderno, chanclos, suéter—, los dejábamos en el suelo mientras escribíamos y luego nos los llevábamos otra vez al asiento. Nada que pudiera verse estaba seguro y esto es aplicable a la confusión que sufrí al ver las primeras películas de Chaplin, donde a menudo se le veía robar una manzana de un puesto de fruta o una cartera de un bolsillo. Me unía a la risa general con nerviosismo, ya que para mí eran situaciones de comicidad dudosa. Cuando cumplí trece años nos mudamos a Brooklyn, y al instituto James Madison, donde mi madre había hablado para que me admitiesen por todo un trimestre sin haber terminado la enseñanza primaria, «para que pueda estar con sus primos», y la primera vez que vi que los chicos dejaban las cosas en el pupitre cuando salían a la pizarra, fue toda una conmoción. Al equipo de atletismo de la E.N.24 le robaron la ropa de calle de las taquillas mientras sus miembros corrían orgullosos en paños menores en una carrera celebrada en Central Park. Mientras me divertía patinando solo en el parque cierto día, ya con siete u ocho años, unos niños italianos me tendieron una emboscada y durante mucho tiempo recordaría el puño que se precipitó sobre mi nariz cuando me sujetaron en tierra; a continuación se fueron corriendo con mis patines. Cuando volví a casa, mi madre suspiró y cabeceó. Los chicos negros y portorriqueños, casi todos campesinos emigrantes de primera generación, no tenían reputación de rateros y no causaban ningún temor. Aún eran tímidos y estaban abrumados por la ciudad y la imagen de los policías, que primero atizaban con la porra y preguntaban después. Patinar en el parque estaba prohibido y si nos veía un agente que hacía la ronda, cabía la posibilidad de recibir por detrás un golpe con la porra arrojadiza, técnica con la que algunos se lo pasaban realmente en grande.

Pero un policía también podía ser un héroe; entre los ejércitos de coches, el joven que dirigía el tráfico en el cruce entre la 110 y Lenox recuperaba y, zurdo como era, devolvía las pelotas que se nos iban a la calle. Sucedía que alguno le daba a la pelota demasiado fuerte y el Zurdo echaba a correr tras ella, provocando espantosos chirridos de frenos y fabulosos giros de volante en la ancha 110. Podía ser rudo, pero el policía neoyorquino era también un amigo cuando hacía falta, un amigo al que se nos había dicho que podíamos pedir dinero en caso de que hubiéramos perdido el importe de algún viaje. Pasaban sus aguerridos pelotones de veinte caballos o más dejando a sus espaldas regueros de bosta que teníamos que apartar por la tarde para hacer sitio para nuestras bolas, las queridísimas canicas, que lanzábamos junto al bordillo de la acera, para volver más tarde con las mejillas heladas y el estimulante olor del estiércol en las manos. Aún había caballos que tiraban del carro del lechero y del repartidor de hielo, y de tarde en tarde nos quedábamos extasiados ante la prodigiosa erección del animal, mientras esperaba al amo ante la casa, abriendo y cerrando los párpados con dulzura, semejantes a abanicos subacuáticos de coral.

Buena parte de la ansiedad de la época se diluía en los juegos que se sucedían con cada estación, aunque de vez en cuando ocurría algo que podía consumirnos por dentro. Como Kermit tenía tarjeta de lector de una biblioteca, yo quise tener otra. Cuando se me matriculó en la escuela y se me autorizó a ser socio de la biblioteca próxima al cruce de la 110 con la Quinta Avenida, entré por fin en el lugar una calurosa tarde de primavera. Hacía tanto fresco allí y estaba tan oscuro, como ningún otro sitio en que hubiera estado, y la señora de mejillas sonrosadas que se apoyaba en el pulimentado escritorio de caoba hablaba entre susurros tan lúgubres, que algo sobrenatural parecía estar presente, algo sagrado que no debían turbar los tonos normales de voz, por lo que me mantuve de puntillas lo más cerca que pude de su oído y respondí a sus preguntas igualmente entre susurros. Mi nombre, dirección, edad, escuela, nombre de mi madre: Augusta. En aquel punto, algo comenzó a anudárseme en las tripas; nadie la había llamado jamás por otro nombre que Gus o Gussie, así que en cierto modo decía ya una mentira, ocultaba algo. La señora me preguntó entonces por el nombre de mi padre. No lo había esperado, porque yo creía sencillamente que todo iba a consistir en entrar en aquel sitio y en pedir con júbilo la tarjeta que me correspondía, igual que mi hermano había hecho. Iba a ser mi turno de no ser niño ya. Mientras alzaba los ojos y los clavaba en los suyos de color azul, fui incapaz de pronunciar el nombre archijudío de mi padre, Isidore. Estaba paralizado, sólo alcanzaba a cabecear. «¿Cómo le llama tu madre?» Me sentí atrapado. La sonrisa le desapareció de la cara, como si sospechase algo de mí. Las mejillas me ardían. Como «Izzie» era insostenible, me las apañé al final para decir «Iz». La mujer pareció desconcertada. *Is?*» [¿Es?], preguntó. Yo asentí. «*Is what?*» [Es, ¿qué?] Salí corriendo a la calle y creo que al cabo de unos minutos estaba ya otra vez con el grupo que jugaba al tejo, o al frontón, lanzando la pelota contra una pared.

El año que ingresé en la escuela tenía seis y era imposible que hasta entonces hubiese oído alguna observación antisemita. A decir verdad, si hubiera recapacitado al respecto habría imaginado que todo el mundo era judío, excepción hecha de Mikush y Zurdo, el policía. Gracias a los pocos años pasados en el suelo observando los zapatos de los demás, las hilachas de debajo del sofá, las ruedecillas metálicas que remataban las patas del piano, mi piel había ido absorbiendo unos dos mil años de historia europea, de la que, sin yo saberlo, me había vuelto parte, personaje de una epopeya que ignoraba existiese, grumo sin disolver que flotaba en la superficie del mítico crisol norteamericano. Por utilizar la jerga de última hora, yo ya había sido programado para elegir algo distinto del orgullo de mis orígenes, y ello a pesar de la autoridad al parecer confiada de mi padre y su naturalidad ante la policía, los taxistas e incluso el señor Mikush, capaz de infundir el temor de Dios a un oso pardo. De mi padre emanaba una autoridad indefinible, tal vez porque con su elevada estatura, su piel clara, sus ojos azules, su cabeza cuadrada y su pelo rojizo parecía un importante investigador irlandés. A menudo, yendo con él de la mano, se detenía en un callejón y le veía disolver una partida de dados con su sola mirada inexpresiva. Suponía, sin malicia alguna, que se le atendería bien en los restaurantes, donde apenas tenía que levantar un dedo para llamar la atención del camarero, y nunca dudaba, aunque sin alterarse, en devolver un plato que no estuviera en su punto. Puesto que conocía su pasado, nunca supe de dónde le venía aquella actitud señorial. Tenía incluso una forma de escuchar que, sin exteriorizar ningún escepticismo, conseguía que el hablante dejase de exagerar. Su mirada franca y tranquila, azul e inocente, arrebolaba las mejillas de los inseguros. Le habría dejado atónito el que le hubieran atribuido alguna especie de fuerza moral, en el caso de que hubiese comprendido semejante idea. Lo que pasaba es que la vida era demasiado difícil para que la mayoría, y él menos que nadie, se condujese en términos generales de un modo desinteresado. No obstante, su inquietud propia de las minorías se había apoderado de mí, estoy convencido, aunque de las escasas palabras de consejo que me dijo, sólo una frase me lo dio a entender de manera manifiesta. Ibamos por la Calle 110 y llegamos donde se había producido un accidente de circulación, mi mano en la suya y mi hermano junto a su otro costado. Cuando quisimos adelantarnos para ver lo sucedido, nos retuvo y nos hizo seguir adelante, mientras nos decía: «Manteneos lejos de las multitudes». Aquello fue todo. Puede que fuera suficiente.

Dudo con todo de que el temor que manifesté ante la bibliotecaria me hubiese venido de él, la mayor parte por lo menos. Durante toda su vida se negó de modo instintivo a sobreestimar a los judíos, al contrario que mi madre, que solía esperar de ellos una sensibilidad, incluso una moralidad mayor, cosechando por ello interminables y furiosos desengaños. A veces se impacientaba ante los arrebatos idealizadores en que continuamente caía ella, y hasta cabeceaba y se reía de su ingenuidad. Pero no había ningún recelo perceptible que empañara el talante de sosegada confianza de mi padre. El padre de mi madre, Louis Barnett, me dijo en cierta ocasión que no pasase nunca bajo la gran cruz iluminada que pendía sobre la acera en cierta iglesia de Lenox Avenue; si por casualidad lo hacía, tenía que escupir cuando me diese cuenta, a fin de quedar limpio. Me sobrecogió desde entonces un ligero temor a aquella cruz concreta, pero sobre todo a que se desprendiese y me cayera encima. Jamás se mencionaba lo que de teológico o histórico pudiese haber detrás de semejantes admoniciones, que se abandonaban al reino de la superstición o a una suerte de simbolismo amenazador inmanente.

En realidad dominaba cierta repugnancia a explicar racionalmente cualquier cosa que afectase a lo sagrado, una repugnancia que se manifestaba incluso en el profesor de hebreo que acudía a casa varios días a la semana para prepararnos a Kermit y a mí para nuestro *bar mitsvá*,* aún a años de distancia. Aquel anciano barbado enseñaba las cosas machacándolas, pronunciando las palabras hebreas y ordenándonos que las repitiéramos según él. En el libro, la traducción inglesa de los pasajes del Génesis estaba junto al texto hebreo, pero no había traducción inglesa del texto inglés: ¿qué significaba *firmamento*? Lo peor de todo era que, cuando yo pronunciaba bien un pasaje, el viejo me besaba, lo que era como ser abrazado por un rosal. Cierta vez se me inclinó y, riéndose, me propinó un doloroso pellizco en la mejilla y me llamó *tsadik*, sabio, cumplido cuya motivación no comprendí ni entonces ni nunca. Tenía que recurrir a todo mi autodominio para fingir que acogía con placer sus hirsutas apariciones. Las clases eran aburridas y absurdas, aunque es posible que mi rebeldía la causara sencillamente un espíritu indisciplinado: detestaba asimismo las clases de piano, y cualquier serie de normas que estorbase la fantasía de conseguir resultados de un modo mágicamente veloz. Cuando el violín se convirtió de repente en «mi» instrumento, tan misteriosa e irrevocablemente como la segunda base se convirtiera en mi posición, mi madre contrató a un profesor que, el pobre, me prestó un violín pequeño para que comenzase. Descubrí que una pelota de goma rebotaba con fuerza en la parte trasera y que provocaba un murmullo en las cuerdas, por lo que bajé a la calle para utilizarlo como raqueta de tenis hasta que se me rompió el mástil en la mano. Mi madre colocó con cuidado los pedazos en la caja y devolvió el instrumento, y yo volví a caminar en sueños, que era mucho más interesante que estudiar. Así pues, la raíz del miedo sobrecogedor que me sobrevino de repente mientras miraba a la cara a la amable bibliotecaria se encuentra tan profundamente hundida que no puedo por menos de suponer que estuve rechazando, de un modo imperturbable y continuo, lo que sin duda tuve que oír desde mi posición en el suelo: anécdotas, observaciones, tonos de voz lastrados por el miedo que me había ido empujando, centímetro a centímetro, hasta un cerco custodiado por extraños de ánimo violento.

Mikush era uno de ellos, el único enemigo mítico que tenía faz y nombre, que yo supiera. Pero el miedo a Mikush procedía menos de los antagonismos míticos que del juego del gato y el ratón a que todos los chicos de la finca jugábamos con él en la azotea. Un deporte muy concurrido, en el que mi hermano era maestro, consistía en ponerse de pie en un antepecho y saltar al otro lado de un patio interior de seis pisos de profundidad. Aterrado como estaba yo ante un abismo así a causa de mis experiencias sonámbulas, no soportaba ver a Kermit en pie sobre el antepecho. Mikush no hacía más que asomarse por el portillo para ver si nos pescaba, no porque le importase que alguno de nosotros se precipitase por el abismo, sino porque con los tacones hacíamos hoyos en el suelo

---

* Ceremonia de admisión del niño judío en la comunidad adulta y que le obliga a cumplir en lo sucesivo con sus deberes religiosos; se suele celebrar hacia los trece años; el plural, que aparece más adelante en estas memorias, es *bar mitsvót*. (N. del T.)

alquitranado de la azotea. «¡No subáis a la azotea!», rugía mientras le dábamos esquinazo y bajábamos con ruido la escalera metálica que conducía al interior del edificio. Según nos precipitábamos en los pisos inferiores, sus gritos polacos de guerra resonaban en el suelo embaldosado de los descansillos.

Como era polaco, los judíos del edificio dieron en creer que les odiaba, al igual que sus paisanos de Radomizl, donde los pogromos y las anécdotas sobre pogromos eran de la misma materia que el aire que se respiraba y donde sólo el emperador austríaco Francisco José y su ejército habían impedido que los polacos, incitados por sus sacerdotes insaciables, matasen a todos los judíos de la tierra. Yo, sin embargo, tenía una especie de relación ambigua con él; después de probar a conducir sin manos y chocar de frente contra una farola del parque, le llevaba la bicicleta casi nueva con el manillar seriamente doblado. Me lo enderezaba con las manos desnudas, memorable exhibición de fuerza que pensaba que nadie más en el mundo era capaz de ejecutar. Debía de tener yo alguna fe en su buena disposición hacia mí, polaco o no; el miedo que sentía hacia él no llegaba a ser absoluto. Una relación de este jaez explicaba que, una década más tarde aproximadamente, los judíos alemanes no se marcharan en el acto —ni siquiera los que se lo pudieron permitir— cuando Hitler subió al poder. Si hubiéramos vivido en Alemania, es probable que Mikush hubiera sido el nazi de la escalera, aunque habría sido difícil de imaginar incluso a Mikush, por muy antisemita que fuera, y lo era sin lugar a dudas, yendo de puerta en puerta con una lista de nombres y ordenándonos subir en camiones destinados a los campos de concentración y exterminio. A fin de cuentas, se encargaba de enderezar el manillar de mi bici.

Es posible que mi escasa preparación y mi sorpresa ante mi propio terror en la biblioteca se debiesen a lo que iba a ser una incapacidad crónica para creer que toda realidad era de naturaleza visible. A todos se nos había enseñado a aceptar nuestras experiencias, y mi madre, la primera maestra que tuve, veía señales secretas de otros mundos allí donde posaba los ojos; le hablaban personas que vivían a mucha distancia sin el expediente del teléfono, incluso los muertos le hablaban. A semejanza de otras personas igual de predispuestas, aquello, supongo yo, le proporcionaba un marcado sentido de su propia importancia en el esquema de las cosas y contribuía a que la vida fuese más interesante. Por la causa que fuese, yo había entregado al olvido sin ambages la inequívoca capacidad infantil para reconocer la infinita crueldad humana, hasta que, de súbito, la biblioteca pareció desafiarme a que me considerase candidato para el sacrificio, y huí. Se me había enseñado a identificar el peligro —incluso donde éste no existía—, pero no a defenderme de él. El problema se mantendría durante mucho tiempo. La misma incertidumbre, y el afán de encontrar en la especie humana una fuerza contrarrestadora de lo fortuito del sacrificio, abonan la dimensión política de mi *Incident at Vichy* [Incidente en Vichy]. Pero como la historia nos ha enseñado, dicha fuerza sólo puede ser moral. Por desgracia.

El misticismo de mi madre hacía que la muerte se me antojase una espía omnipresente. Me ha predispuesto en contra de enseñar religión a mis hijos; Dios, con demasiada frecuencia, es la muerte, y es ésta la que ha de ser adorada y «amada». Si bien aprendí muy pronto a desconfiar de los arranques sombríos y pesimistas de mi madre, la verdad es que con mucha frecuencia resultaban proféticos. Su hermano Moe, que en Francia había servido de mulero encargado de transportar munición al frente, volvía con ella de un entierro cierta tarde lluviosa, y cuando mi madre tomó asiento en la silla Louis No-sé-cuántos, tapizada de raso rosáceo, que se encontraba en la sala de estar, dio un grito y se llevó las manos a la cabeza: su hermano tenía que salir en el acto del piso y limpiarse el barro gris del cementerio que se le había pegado a uno de los tacones para que no llevase la muerte a aquella casa. Eran unos hermosos zapatos marrones de piel de becerro, con un astrágalo blanco a lo largo de la costura de unión de la suela y la pala. Abandonó sin dilación la sala de estar, y cojeando para que el tacón no tocase la alfombra.

Por lo visto, cuando creciera tenía que parecerme a Moe, hombre alto, delgado, de gran elegancia, y cuyo ánimo al parecer quebrantó la Gran Guerra. Fue como si, en un sentido más allá de lo físico, nunca hubiese recuperado del todo el aliento. Aun entonces advertía yo que la alegría no parecía rodearle nunca; para sus esponsales no se organizó ni banquete ni recepción de la diminuta esposa, Celia, que apenas levantaba metro y medio del suelo. Andaba siempre inclinado sobre ella cuando paseaban y le ponía una mano cariñosa en la espalda, como si se tratase de una niña. Avido de estar a tono con el espíritu de los años veinte, se desplazó a Florida para especular con bienes raíces, pero su temple no tardó en hacer agua y sus inversiones se fueron a pique en el curso de un alza repentina del precio de la tierra en que se amasaron grandes fortunas y de la que los inocentes como él volvieron trasquilados. Lo único con lo que regresó Moe fue con un bonito bronceado que incitó a mi madre a creer que había recuperado del todo la salud, aunque no tardó en estar de vuelta en el Hospital de Veteranos de Saranac Lake, donde falleció. El barro del cementerio de su zapato no pudo por menos de pasarme por la cabeza y con él la obsesiva sospecha de que había alguna verdad en la superstición. Que sólo mi madre conociese las leyes y normativas tendía a dejarme con todas las aprensiones de la expectativa y sin ninguna de las satisfacciones de la predicción: «¡Lo sabía, lo sabía!», gimoteó mi madre cuando nos enteramos de la muerte de mi tío.

Tres cuartos de lo mismo sucedió cuando, encontrándonos en un hotel de Atlantic City con motivo del Año Nuevo judío, despertó de un profundo sueño, se incorporó y dijo: «Mi madre ha muerto», lo que, según se comprobó, resultó ser cierto, y aproximadamente a aquella misma hora de la noche. Los poderes secretos de mi madre no eran todos negativos, desde luego, y con la misma frecuencia la elevaban a previsoras actitudes de optimismo, sobre todo en lo que a mí respectaba. Trazaba yo una línea recta y me elogiaba como si fuese un futuro Leonardo; ante mis fracasos se limitaba a encogerse de hombros, atribuyéndolos o a la ineficacia de mis profesores o a una pasajera obnubilación mía. Lo cual funcionó la mar de bien hasta que la señorita Fisher, directora de la E.N.170, la llamó para cambiar impresiones acerca de mi ingobernabilidad.

La señorita Fisher era ya directora cuando mi madre estudiaba en el mismo centro. Cuando me introdujo de la mano en el despacho, mi madre pareció ruborizarse con los colores de la infancia, mientras su diosa de antaño decía: «Augusta, no alcanzo a comprender que una buena estudiante como tú haya podido educar tan mal a este niño». La señorita Fisher llevaba un cuello de encaje con pequeños calces marfileños que se le hundían en las carnes, por debajo de las charnelas maxilares, y que le impedían doblar el cuello. Era difícil mirarla sin esbozar una mueca de dolor. Tenía el pelo blanco y vestía faldas hasta los tobillos y blusas de manga larga de pechera almidonada y fruncida. En los ojos de mi madre despuntaron las lágrimas. «Kermit es un chico de conducta excelente», prosiguió la gran señora, «y muy despierto para el estudio...» También yo me eché a llorar, sintiendo ya los coscorrones maternos e imaginando las estrellas que estaba a punto de ver, aunque lo peor de todo era su cara contraída por la frustración. ¿Qué me ocurría? ¿Por qué era yo de aquel modo? ¡Buen Dios, te lo suplico, haz que sea bueno como mi madre, mi padre y mi hermano! En ocasiones como aquélla, la vida entera parecía equivaler a remar eternamente por un mar de remordimientos.

Entre el terror de la biblioteca y la condena de la señorita Fisher, me dio la sensación de haberme incorporado a un inframundo de elementos descalificados. Mi padre y mi hermano vivían mucho más allá de la rutilante línea azul de demarcación —eran totalmente buenos—, pero situar a mi madre no era tan sencillo. Apenas hubimos salido a la Calle 111 cuando me zarandeó con energía mientras me sujetaba por la muñeca, me propinó un golpe en toda la coronilla con el bolso de mano, se inclinó sobre mí y me soltó en la cara: «¡Por qué me haces esto a mí!». Doble condena, pues, porque incluso en aquellos momentos sabía yo que ella no me condenaba de suyo —besaba el suelo que yo pisaba—, sino en calidad de agente de la señorita Fisher y, tácitamente, de mi padre, de Kermit y de todos los Estados Unidos de América. Fue por tanto más doloroso para ella si cabe por tener que maldecirme cuando por dentro creía que yo no había hecho nada demasiado malo. Y estuvimos más cerca que nunca por consiguiente cuando volvimos a casa y yo fingí ser víctima de un profundo remordimiento y ella fingió caer presa de la más negra de las desesperaciones, y al cabo del rato tomamos un poco de chocolate caliente. Sólo entonces se introdujo en su voz un pragmatismo conspiratorio, y dijo:

—Escucha —alcé los ojos de mi taza—, quiero que te portes bien.

—Lo haré —dije. Con intención de hacerlo. Y lo hice durante un tiempo.

Hay modelos, como es lógico, públicos y clandestinos, que mitificamos y convertimos en divinidades, y cuando nos apropiamos de sus cualidades manchamos las características que acaso poseyeran en realidad. El hermano menor de mi madre, Hymie, era un joven muy guapo que no descollaba por su inteligencia ni su imaginación, aunque mi madre amaba tanto la belleza de las mujeres y la apostura de los hombres que Hymie la entusiasmaba más que ningún otro pariente. Acorde con el estilo de los tiempos, Hymie se hacía el nudo de la corbata muy prieto y pequeño, los cuellos le quedaban tan estrechos que la papada los ocultaba parcialmente, solía llevar el sombrero caído sobre un ojo, y cuando se reía, los dientes perfectos y blancos destellaban como relámpagos sobre la tez morena. Acababa de fundar una pequeña fábrica de flores artificiales y nos traía un ramo cada vez que nos visitaba. Me daba aprensión tocarlas, aunque eran imitaciones maravillosas.

Cierta tarde se presentó con una rubia delgada con un abrigo blanco de cuello negro de piel, su novia, dijo, su Stella, una Stella a la que mi madre, según advertí, descalificó al instante. Descalificaba a las mujeres de todos sus hermanos. Minnie, la de Myron, era gorda, baja, idiota, con fruta artificial en los sombreros, y tan necia que dormía con su hijo sólo porque éste estaba tuberculoso y necesitaba cuidados. Mi madre no sabía nada en absoluto de Freud, pero sabía que en aquello había algo raro, algo incómodo, e imitaba la voz quejumbrosa de Minnie frunciendo el ceño con exageración y apretándose la nariz para que pareciese un maullido. La de Harry distaba mucho igualmente de lo que el buen hombre habría podido conseguir; y es que todos se habían devaluado por haber elegido aquellas mujeres. Betty había sido bailarina de revista y aunque su cuerpo hermoso y pechugón constituía un comprensible atractivo para el buen Harry, éste, por lo menos, habría podido encontrar una persona más respetable. En realidad, pese a ser manso y apacible, Harry había perdido la cabeza por aquella mujer, lo suficiente para colarse en la oficina de su padre cierta noche y robar dinero de la caja de caudales.

Las manías de mi madre, por supuesto, no eran más que formas de expresar su sensación de estar atrapada en su propio matrimonio y durante la segunda mitad de su existencia —al final de la Depresión había depuesto hasta la última esperanza de cambiar de veras su situación alguna vez— todas las mujeres mencionadas se transformaron en sus aliadas y amigas más queridas e íntimas. Minnie se pudo seguir acostando con su hijo hasta que éste cumplió los veintitantos y se casó, pero el esforzado apoyo que prestó al marido después que éste perdiera su capital reveló que era una tía estupenda, valga la expresión, y si bien era verdad que Betty había bailado prácticamente desnuda o desnuda del todo en locales de mala fama, su entereza durante la Depresión y después del nacimiento de su primer hijo —un mongólico sin remedio cuya condición interpretó ella como aviso divino y la instó a abrazar la religión— puso de manifiesto que también ella era una mujer seria y con auténticas cualidades.

Stella se había criado en un orfanato, cosa de la que mi madre parecía echarle la culpa a ella. Acorraló a Hymie cierto día y le exigió que no se echase a perder con aquella hembra indigna que, además de teñirse el pelo con agua oxigenada, era huesuda, tenía los pies y las manos grandes, dientes de caballo, una boca descomunal y una risa de barítono acatarrado. Stella, supuso mi madre sin más, tenía que estar embarazada y cuando Hymie le juró que no, todo el noviazgo se le volvió incomprensible. ¿Cómo podía casarse un hombre guapo con una huérfana desgarbada que, además, tenía que llevar una vida de la peor estofa? ¿Por qué, si no, se había teñido el pelo de aquel modo tan ordinario? A diferencia de su hermano Moe, hombre introvertido que me miraba con atención a los ojos y que hacía que me sintiera vivo, Hymie me prestaba poca atención, ya que estaba demasiado ocupado admirándose en los vidrios de las ventanas o en el cristal de los cuadros de las paredes. Su autointerés narcisista no se diferenciaba del de su padre, Louis Barnett, que durante los peores meses de la Depresión, cuando cada centavo que le tintineaba en el bolsillo procedía de mi padre, que no poseía casi nada, se dejaba caer todas las semanas por la barbería para que le arreglasen y empolvasen la perilla y el bigote y le echasen perfume en la calva. Hasta el barbero italiano pensaba que su vanidad era excesiva.

Louis era un sujeto que valía mucho, y lo mismo Hymie, pero lo que Hymie poseía en exclusiva era una habilidad innata para escupir perdigones por entre los incisivos y hacer que cruzaran una habitación de parte a parte, y ello sin dejar de sonreír. Tamaña facultad la tenía que haber desarrollado en la Marina, donde había estado en contacto con cazadores, especímenes al parecer inexistentes en Harlem. No había celebración de familia que no contase con una exhibición de tiro por parte de Hymie. Tanto la familia Barnett como la Miller eran numerosas y así como un cuarto de siglo más tarde apenas habría mes sin entierro, en los tiempos jóvenes del clan había muchas bodas y *bar mitsvót* a que asistir. Por aquellos años las mujeres llevaban vestido de noche. Hymie entraba en los grandes salones de baile donde se celebraban estos acontecimientos, su rubia y huesuda mujer se ponía a berrear saludos guturales y a susurrar a los hombres chismes que les hacían reventar de la risa, mientras las mujeres se miraban entre sí con la sonrisita de las desplazadas, y cuando él se ponía de cara a todo el mundo, esbozaba una sonrisa encantadora. Como por arte de magia, de su persona brotaba una plaga de algo parecido a las pulgas, y algunos comensales se frotaban la nuca o la frente hasta que todos los presentes acababan rascándose, ya estuviesen bailando o echando un trago. Mi madre se precipitaba sobre Hymie y le golpeaba el pecho gritando: «¡Basta, basta!», pero él se declaraba inocente, la besaba y la sacaba a bailar, cosa que a ella le encantaba, y entonces, mientras los dos bailaban un vals, él sonreía a los demás bailarines, que no tardaban en quitarse las pulgas de la cara, y hacía que mi madre se deshiciese en carcajadas histéricas de protesta. Hymie era capaz de meterse en la boca todo un puñado de perdigones, y su puntería era perfecta. Nunca le daba a nadie en un ojo, pero sabía meter los perdigones por los oídos si se le antojaba, y, como suele suceder, la gente, una vez alcanzada, tendía a rascarse otros puntos también. Me quiso enseñar su arte pero, como yo no era capaz de dominarlo, quedamos en que aprendiese a lanzar un silbido poderoso con dos dedos en la boca, uno de los mejores regalos que se me han hecho en la vida y, sin lugar a dudas, uno de los más útiles.

Hymie se parecía a George Raft, el gangster-actor, y me acordaría de él una tarde, treinta años después, cuando Raft entró en el plató donde se rodaba *Con faldas y a lo loco* flanqueado de unos cuantos matones, con el extremo interior de las cejas retorcido hacia arriba de un modo muy gallardo, los guardaespaldas girándose a derecha e izquierda con miradas de aviso para todo aquel que pudiese poner en peligro su vida, su dignidad o el brillo de sus zapatos. Nada más que una visita de cortesía para cambiar unas palabras con Billy Wilder, director de la película, y contemplar a Marilyn Monroe un par de minutos antes de volverse en redondo y marcharse, tan amo y señor de todo el mundo como lo había sido de su aparición. Fue una especie de pequeño paseo desafiante, como si su llegada hubiera creado inmediatamente una situación estratificada en favoritos y segundones, muy de acuerdo con el estilo que gastarían Sinatra y Mailer al entrar en un salón lleno de gente. Hymie no tenía matones que le acompañasen; quizás algún día los hubiera tenido, pero a los veintisiete años entró en el drugstore del cruce de Lenox con la 110 para comprar Alka Seltzer, y, cuando el farmacéutico volvió con el pedido, se lo encontró muerto en el suelo.

Mi madre llevó velo negro en el entierro y no nos dejó consolarla ni a mi hermano ni a mí, pues se trataba de un contacto con la muerte, con una muerte injusta e intempestiva, demasiado íntimo y estrecho. Veinticuatro horas después de la noticia no podía aún respirar a pleno pulmón sin romper en sollozos. El penúltimo de sus hermanos murió antes de llegar a los treinta.

—Maldito farmacéutico —dijo mientras se ajustaba el velo sobre la cara y se miraba en el espejo del tocador—, si le hubiera servido más aprisa, le habría salvado la vida...

Más tarde admitiría, a regañadientes, que quizás había sido un ataque al corazón y que el farmacéutico no era en absoluto el culpable. Pese a todo, en lo sucesivo no se volvería a sentir cómoda en presencia del empleado, jamás volvería a quedarse para charlar un rato con él y me mandaría a mí solo a comprar esencia de zarzaparrilla de Indias y aceite de ricino, potingues que me revolvían el estómago y que al final apuraba ante el regocijo del farmacéutico. (También me mandó solo cierta vez —yo tenía siete años entonces— al consultorio del dentista, un tal doctor Herbert, que estaba en la planta baja, cuando a las dos de la madrugada me entró un repentino dolor de muelas. Llamé al timbre, me abrió en pijama, vio que yo iba con el mío puesto y sin decir apenas nada arrastró las zapatillas hasta el consultorio, encendió la luz, me hizo un gesto para que me sentara en la silla, cogió unas tenazas, me preguntó: «¿Cuál?», y, obedeciendo la indicación de mi dedo, me la sacó. Sucedió todo tan aprisa, sin consejos, tranquilizadores ni esos preliminares que eliminan los minutos y neutralizan las aprensiones, que antes de que tuviera tiempo de gritar ya había salido por la puerta, llamado al ascensor y subido a mi casa, donde me encontré a todos durmiendo como troncos.)

Stella se hizo manicura después de la muerte de Hymie y como pasaban los años sin que diese muestras de querer casarse otra vez, mi madre llegó a quererla mucho, como si así quedase probada su noble lealtad. Stella trataba en realidad con muchos hombres en la peluquería, no se casó nunca y muchos años después, mientras me inclinaba hacia delante para que me cortasen el pelo de la nuca, me dijo: «Muchacho, una vez hubo un Hymie, pero aquello ya pasó». Como solía decirse, una hembra con el pelo bien puesto. Nunca perdió el hábito de reír de aquel modo franco, cínico y ruidoso: como si el mundo entero le pareciese divertido. Le perdí la pista durante décadas, hasta que un melancólico anochecer de 1961, mientras bajaba paseando hacia Broadway por la Calle 24, vi una barbería y se apoderó de mí la esperanzadora idea de que me cortasen el pelo. Al mirar por la ventana para observar el local, sufrí una sacudida al ver lo que sólo podía ser la espalda de Stella, algo encorvada en una conocida actitud de desafío, mientras charlaba con un cliente que se fumaba un puro y al que cortaban los escasos pelos de la cabeza. Entré. Ella no se volvió. Vi entonces que tenía la bandeja de la manicura en la mano. Su voz ronca, aquel ladrido estimulante y turbador. Tenía que rondar ya los setenta años. Se me encogió el estómago al pensar que me podía reconocer. Acababa de separarme de Marilyn hacía muy poco y no soportaba que me hiciesen preguntas sobre el tema, que estaba seguro la fascinaría, aunque tampoco podía eludir sin más otro encuentro con ella. El peluquero me indicó el sillón contiguo a aquel donde ella estaba. Tomé asiento y dije con voz tranquila: «¿Stella?».

Habían pasado cuarenta años desde el ataque de Hymie y mi madre y todos los Barnett restantes —única familia que había tenido ella— estaban muertos ya. Y comprendí, mientras se giraba para mirarme, que por mi parecido con los Barnett yo era probablemente el último de aquel linaje que ella iba a ver. Al volverse, su faz manifestó una predisposición irónica a bromear con un cliente más, pero cuando advirtió de quién se trataba, hubo un amago de dulzura en la dureza de su boca, un rápido asomo de sensibilidad encantadora que ocultó inmediatamente tras una mueca de sarcasmo. «Arthur», dijo con voz clara y amistosa. Mi ropa, como de costumbre, estaba sin planchar y de nuevo necesitaba con urgencia un corte de pelo, en las antípodas pues del respetabilísimo Hymie, hombre con estilo y con clase, y al que nunca se habría visto en público con un aspecto tan ruinoso como el mío. Me di cuenta de que compartía el asombro de aquella mujer, reavivado sin duda, por la injusticia vital de que se hubiera permitido sobrevivir al hombre que no correspondía. Todo el fascinado apocamiento que muchos años atrás había experimentado ante su exótica presencia volvió a resurgir y quedé a su merced.

Situación que ella intuyó al instante, porque preguntó: «¿Qué haces por aquí?». «Aquí» era una zona de oficinas de segunda categoría que los afortunados abandonaban a las cinco en punto. Como es lógico, yo no podía vivir en un barrio como aquél, que por entonces contaba además con lúgubres viviendas y unos cuantos hoteles que oscilaban entre lo cochambroso y lo vulgar.

—Vivo cerca —dije. Al instante, los vientos de mi caída social me silbaron en las orejas mientras me hundía en el olvido—. En el Chelsea Hotel.

Su expresión pasó por la conmoción, el escepticismo, la burla y, por último, por una especie de compasión. Por lo menos no estaba ya al margen de su interés; me complació observar el foco móvil de su espíritu interrogador: ¿está deprimido, destrozado, trata de ocultarse o es que le falta un tornillo? Su mirada insistente y en modo alguno sensiblera me humilló.

—Lo he leído —repuso, refiriéndose al reciente descalabro de mi matrimonio. Asentí, sabedor de que ambos íbamos en el mismo tren—. Es una pena —dijo, condoliéndose.

Parecía suponer que me encontraba en un estado de añoranza insatisfecha.

—Lo es y no lo es —le dije, mirándola con fijeza a los ojos grises—. Era imposible que continuase.

La sorpresa iluminó su rostro, y también cierta desaprobación, pensé, por el hecho de que no me apoyase en el piano y pidiera a Sam que volviera a tocarla, reacción que se repetiría a lo largo de los años. Le cambió el tono de voz, se le enfrió, al preguntarme por mis hijos, a los que no había visto nunca, y por mi hermano y mi hermana. Stella había estado en contacto con Joan, cuya labor interpretativa en el teatro y el cine dijo que seguía con entusiasmo. Cuando se acercó el barbero y comenzó a ocuparse de mí, se retiró a la mesilla que tenía en un rincón del local, donde se puso a charlar con un cuarentón que, con cuidado infinito, se abotonaba la chaqueta a la altura del estómago, mientras se observaba en el espejo la cara recién afeitada. Alcancé a oír su risa sin expresión que coreaba la del hombre, su interés profesional por éste, y me pregunté por qué su visto bueno parecía significar tanto para mí. Era una mujer grosera cuya idea del cielo era sin duda que le hiciese caso un George Raft, incluso un Al Capone o un Bugsy Siegel, que se la honrase en público con una franca mirada de éstos y un: «¿Qué tal, muñeca?».

El robusto cliente iba a marcharse ya y Stella comenzó a recoger sus avíos. Advertí que se había colgado un rótulo en la puerta, por lo que yo era el último parroquiano. Supuse que habría tiempo para un momento de charla. Pero Stella lo rehuía de un modo tácito. ¿Le habría recordado excesivamente a Hymie y la vida miserable que casi llevaba? La podía ver reflejada en los espejos enfrentados que cubrían ambas paredes, quitándose la bata blanca, dándose con el peine unos toques finales en el raleante cabello, observándose por diezmilésima vez igual que una chica de dieciocho años que tuviese ante sí al mundo entero. Parecía uno de esos pájaros legendarios, la imagen de cuyo compañero muerto permanece ante sus ojos para siempre. Qué extraño que aquella mujer, con la que no podía haber pasado más que unas horas en toda mi vida, me resultase tan importante. Qué atroz se me antojó entonces que se hubiera atado a un hombre para toda la vida, a un hombre al que apenas había conocido más de un año, y sin embargo, mientras se acercaba al espejo y juntaba con un frunce los labios pintados, daba la sensación de que se preparaba para reunirse con él aquella noche en su piso vacío: la vívida imagen de un Hymie desaparecido prematuramente, me dije, aún alimentaba su ánimo y su fortaleza. La entreví en pie, a la luz de una ventana que daba a la Calle 110, con un abrigo blanco de paño con cuello de piel, mientras Hymie, con su destreza mágica, extendía y encogía ante mi madre sentada un acordeón de postales plegables en que se veían los elegantes paradores de Florida donde iban a pasar la luna de miel. Yo no había querido que Hymie advirtiese la frialdad de mi madre hacia Stella, así que me las arreglé para quitarle de las manos las postales y me puse a lanzar exclamaciones admirativas ante cada playa y cada piscina que pensaban visitar, y por primera vez conseguí que me prestase atención. En el sillón de la barbería recordaba aún esta atención emocionada, que supongo transparentaba agradecimiento. Hymie simpatizaba conmigo, ¡me admiraba! El hermano al que mi madre quería muchísimo, el único por cuya muerte jamás perdonaría a Dios. En aquel instante, él y yo compartimos la misma luz sobrenatural del amor femenino.

—Adiós, querido —dijo Stella, deteniéndose tras de mí, camino de la puerta. Vi por el espejo que llevaba un impermeable inglés corto y gracioso, un sombrero masculino de fieltro y un pañuelo morado al cuello. Ánimo sobrecogedor. Cuando me quise volver para darle la mano, dio unos pasos por el local y se quedó unos instantes junto a mí, cediendo, al parecer. Y de súbito comprendí que al entrar en el local había arrastrado conmigo todo lo que había perdido ella, incluida mi madre, que había muerto hacía poco, a la que Stella había llegado a venerar y que en tantos aspectos era como ella. Compartían una avidez salaz por los chistes verdes, los refranes obscenos, los escándalos sexuales, los chismes del corazón, el mundo de susurros de las mujeres sin pelos en la lengua y su perfume.

Le cogí la mano, pero no pudo esbozar más que una sonrisa. Se lo agradecí cuando me dio un beso en la mejilla.

—Volveré a pasar por aquí —le dije, con el presentimiento sin embargo de que no lo haría, porque entre nosotros no quedaba el menor rastro de vida, o de que, si lo hacía, ella ya no estaría allí. Asintió, al parecer advirtiéndolo también, se dirigió hacia la puerta y se sumergió en la calle oscura al término de una jornada más. El barbero, que también acababa, me quitó la especie de sudario que me envolvía y le sacudió los pelos que se le habían adherido, sin decir palabra. Se había percatado de la frialdad femenina, de la turbación que había suscitado en Stella.

La Calle 23 estaba ya desierta aunque aún faltaba para que el sol se pusiese. Los grandes almacenes de venta al por mayor, con sus baratos artilugios asiáticos y sus cuberterías de imitación, las tiendas de artículos de oficina de segunda mano y las casas de motores eléctricos usados habían cerrado ya las puertas hasta el día siguiente. Empotrados en el asfalto, delante de un aparcamiento situado a unos metros del cruce con la Séptima

Avenida, se alzaban las grandes letras metálicas P R O, abriendo una especie de descosido en la acera. Habían pasado muchos años desde que mi padre se acordase de la Proctor's Opera House, que se alzaba allí en sus años mozos, y que había sido el más interesante local neoyorquino de revistas y espectáculos por todo lo alto. El aparcamiento estaba ya vacío hasta el día siguiente. La ciudad desconectaba la memoria mientras corría histérica hacia el futuro. Aguardé a que cambiase la luz del semáforo y comprendí con la mayor sencillez que mi estilo teatral había sufrido el influjo de Stella no menos que el de mi madre, que en algún lugar de las profundidades, donde las raíces se encuentran, había una ley que prohibía, siempre que fuera posible, que una mujer inculta, vulgarmente inocente, mundana, entrañable, de pelo oxigenado, quedase decepcionada al ver una de mis obras de teatro... Qué extrañas son siempre estas conexiones subterráneas; comienzo con una bibliotecaria que me asusta sin querer y termino con una viuda, con cementerios y muerte, todo un delta que se adentra en el mar, y todo, como quien dice, impulsado muy lejos, muy atrás, por la cuestión antisemita.

Pero los recuerdos más abiertamente judíos se encuentran en realidad menos anegados en el miedo y el afán de huida que en la sensación de fuerza y seguridad: sentado en las rodillas de mi archibarbado bisabuelo Barnett en la sinagoga de la Calle 114, su voz de bajo atronándome los oídos mientras rezaba, balanceándose adelante y atrás y moviéndome a mí con él como un caballo de tiovivo, y poniéndome de vez en cuando la mano enorme en la cabeza para hacérmela a un lado, mientras, con gran emisión de aire, escupía por la puerta abierta que había junto a su asiento especial un chorro de saliva y tabaco que yo me quedaría viendo gotear por la escalera de incendios. Está claro que a los cuatro o cinco años yo no sabía leer, y el hebreo menos aún, pero él hacía que mantuviese la vista fija en el libro de oraciones y me señalaba las letras, mágicas de por sí, como más tarde sabría, y que, al margen del significado que tuviesen, eran trazos artísticos grabados por primera vez por hombres que habían visto la luz de Dios, letras que conducían al centro de la tierra y que orientaban hacia el alto cielo. Aunque nada sabía yo de todo ello, resultaba amedrentador a veces y absoluta y estimulantemente masculino: porque las mujeres habían quedado relegadas en la galería, con el privilegio de mirar y admirar, prisioneras y a salvo, hasta que volvieran a casa, donde por supuesto lo dirigían todo.

Desde donde me encontraba, las rodillas de mi bisabuelo, todo era una especie de ensueño diurno; el levantarse y el sentarse, el subir y bajar de las voces, esparcía con fervor un idioma incomprensible en el aire, mientras, con miradas ocasionales, observaba a mi madre, arriba en la galería, con los ojos puestos en mí y en Kermit, y en mi bisabuelo, y en mi abuelo, y en mi padre, todos en fila. A veces lloraba, según creo, a causa del orgullo que le producía estar allí arriba. Hasta mi sempiterna incapacidad para descubrir qué sucedía parecía justa y necesaria, pues cada pregunta que hacía chocaba con un sagrado y brusco «¡Chist!» para que Dios no me echase una mirada impaciente. Callaba pues e inventaba mi propia religión, compuesta por primeros planos de bulbos de barba, cejas, aletas de nariz, dorsos de mano, uñas, y tomas más largas de los rollos de la Tora que a veces se rozaban o se alzaban del Arca, donde vivían juntos y hablaban cuando se cerraban las puertas, o bien se sacaban con amor y se paseaban por entre la congregación para que todos los besasen, ya que eran la Ley, el corazón de los corazones, lo que la tierra no dejaba de arrojar al espacio para escapar sola y morir a causa de sus pecados, pero de lo que no podía desprenderse nunca. Sin miedo, como es lógico, no puede haber religión, pero si una vida diminuta en la sinagoga de la Calle 114 tiene algún sentido, el pacto que llamamos fe desemboca primero en confrontación vehemente y luego en el consuelo de saber que se nos ha evitado lo peor. Pero esto lo aprendí, como casi todas las cosas, de un modo al parecer insólito.

Mi bisabuelo, según pensé más tarde, simpatizaba conmigo y disfrutaba teniéndome a su lado en el *shul*,* tan absolutamente despojado de todo me encontraba. Cuando rezaba, me apoyaba la mano enorme en el hombro, y los penetrantes olores que despedía eran envolventes y únicos, una mezcla de ropa interior gastada, tabaco, aguardiente y humanidad: porque había una buena dosis de humanidad el viernes por la noche, cuando resultaba que no se había bañado desde el sábado anterior. Para reconocerse o identificarse en aquellos días, la gente parecía confiar más en los olores. La verdad es que, para un niño pequeño, cada individuo poseía un olor distinto, y mi bisabuelo tenía toda una orquesta de olores: cuando me pasaba un brazo en derredor, cuando se ponía el *taled* sobre los hombros anchos y poderosos, cuando se mesaba la barba o cuando se hacía a un lado para sacar el pañuelo del bolsillo posterior, cada ademán olía de modo diferente.

Yo había entrado en lo que se me antojaba un tapiz sombrío y hermoso cuyas figuras se moviesen y al mismo tiempo permaneciesen intactas en el curso de sus interrelaciones. En el centro, como es lógico, bajo el techo oscuro y elevado, me encontraba yo, junto al bisabuelo y su voz profunda, que desovillaba el hebreo del libro, y a mi lado mi hermano, que ya lo comprendía todo, hermoso, limpio, inefable en su rectitud, cada vez más parecido a mi padre. Mi padre, no obstante, como haría siempre que se encontrase en una sinagoga, hojeaba el devocionario para buscar «el pasaje». Discernía el hebreo suficiente para sentirse satisfecho, pero cada vez que nuestras miradas se cruzaban, me ponía cara de palo y me guiñaba los ojos azules, como diciendo: «Persevera, que pronto terminará». En cuanto a Louis Barnett, mi abuelo, poco era lo que podía obtener de él, aun entonces, excepción hecha de una solemnidad aburrida, ya que era tan soso y falto de generosidad como libre, desenvuelto y alegre era el

* «Sinagoga» en *yiddish*. (N. del T.)

espíritu de su propio padre. La raza humana da siempre un paso adelante y un paso atrás.

El punto culminante de mi fascinadísima pero mediocre vida religiosa llegó cierta tarde en que el bisabuelo, con quien al parecer estuve solo aquel día, me ordenó que me tapase los ojos y no mirara, tras lo que hizo algo impensable. Se quitó los zapatos y dejó al descubierto los calcetines blancos. Tras ponerse en pie, se colocó el taled en la cabeza, me hizo una última advertencia relativa a que no mirase, esperó a que me tapara los ojos con los dedos, y entonces, de modo manifiesto, se alejó y me dejó solo en el pequeño banco encarado hacia el costado del altar y, contiguo a él, su honorable asiento de anciano.

Aguardé allí con obediencia, sumido en mi oscuridad, mientras escuchaba el creciente número de voces masculinas y profundas que resonaban junto al altar situado a unos metros delante de mí. Encima del altar, que lucía los pesados candelabros y los emborlados paños de terciopelo rojo con galón dorado, estaba el Arca Sagrada, pequeño armario que llegaba hasta el hombro y con dos puertas labradas, detrás de las cuales reposaban los grandes rollos de la Tora como en una diminuta casa de juguete. Como es lógico, lo fascinante eran las portezuelas, de casi un metro de altura, lo suficiente para colarme dentro, cosa que me habría encantado. Siempre me había gustado ver cómo las abrían y cerraban, así como la delicadeza con que los rollos, que también tenían más o menos mi tamaño, se depositaban en el hombro de quien había recibido el honor de llevarlos, un ritual que siempre me hacía contener el aliento porque sabía que a mí se me habrían caído y que habría sido expulsado sin más a las tinieblas.

Entonces, con los dedos apretados contra mis cerrados párpados con toda la fuerza de la obediencia religiosa, oí, entre todas las cosas, que los hombres empezaban a cantar. No al unísono, como un coro, sino un abanico de melodías distintas que entonaba con dulzura una docena de voces o más; oí un golpeteo apagado y, acto seguido, más golpes y más graves, y las voces se hicieron más sonoras, algunas de ellas dando la sensación de que se elevaban un punto por encima de la inquietud barítona, de repente una súbita escalada de tenor que remontaba el vuelo semejante a una paloma, y el golpeteo que se hacía más rápido. Mi miedo creciente me separó dos de los dedos con que me tapaba un ojo, espié por entre el juncal de las pestañas y vi algo de lo más asombroso: unos quince ancianos, encorvados y totalmente cubiertos por el respectivo taled, todos ellos con los pies enfundados en calcetines blancos, estaban *bailando*. Contuve el aliento movido por el pánico. Uno de ellos tenía que ser el bisabuelo y yo estaba viendo lo prohibido. Aunque, ¿qué era exactamente lo prohibido? ¿Que estuvieran sin zapatos? ¡Tal vez encontrarse en situación tan indigna! Quizás el que, de un modo oculto y misterioso, se sintieran contentos aunque fuesen ancianos. Pues nunca había oído yo una música como aquélla, tan loca e impulsiva, y cada cual bailaba sin consonancia alguna con el resto, sólo de cara a las tinieblas exteriores que envolvían los espacios allende la familia y los hombres, los espacios donde se podían considerar atendidas las plegarias. Las cabezas comenzaron a descubrirse y, como un farsante que tendría que aguardar allí a que el abuelo volviese y le dejara mirar otra vez, oculté los ojos aprisa. Particularmente angustioso este engaño concreto, porque, sin que albergase la menor duda, yo había intuido ya a una edad tan temprana —como la nitidez de mis recuerdos sobre él corrobora— que me quería mucho y que, por algún proceso de ósmosis, sería a él a quien me esforzaría por imitar en tanto que escritor, aunque murió antes de que yo comenzase siquiera a ir a la escuela.

Su reputación en el arte de contar historias era muy grande y, si bien no comprendía yo el *yiddish*, me sentaba junto a mi madre después de la cena, con una docena de familiares o más, para oírle hablar por entre la enorme barba, sentado en el extremo de la mesa, interrumpiéndose sólo para escupir o sacar un cigarrillo, disfrutando a todas luces de ser el centro de una escena que con tanta justicia había conquistado, y cuando pedía a mi madre me tradujese algo que él había dicho, manoteaba en el aire y me susurraba: «¡Chist!», por lo que no tenía más remedio que concentrarme en la pura magia que el bisabuelo irradiaba y en la música de su voz expresiva. No recuerdo más que un fragmento de historia que mi madre tuvo la paciencia de traducirme mientras el viejo hablaba. Allá en el país de origen, un hombre que se dirigía a su casa de noche tomó un atajo que pasaba por un cementerio, cuando de detrás de una tumba salió un... «Espera, espera», dijo, interrumpiéndose para oír lo que el bisabuelo diría a continuación, con los ojos dilatados como los de una niña y la boca abierta. Discurrió un minuto mientras hablaba el anciano, dos minutos. Incapaz de seguir esperando, le tiré de la manga para que me lo tradujese. «¡Chitón!», me espetó. Fue inútil y no pude por menos de quedarme observando, alrededor de la mesa, a aquel orador fascinante y a aquellos adultos a quienes tenía impotentes en la palma de la mano.

A lo largo de los años he seguido acordándome de los hombres que bailaban y cada vez tomaba la resolución de averiguar el sentido de aquella ceremonia, aunque me olvidaba de iniciar la pesquisa, hasta que hace muy poco, al ponerme a escribir este libro, tuve que decidirme finalmente entre si fue algo real en definitiva o si fue todo un sueño. Un amigo rabino, al enterarse de la escena, se excusó entre risas y me dijo que él era un rabino reformista y que aquello le parecía un auténtico oficio ortodoxo de los viejos tiempos. Aunque, ¿en qué época del año fue?, me preguntó. Me acordé entonces de la puerta abierta que daba a la escalera de incendios y por la que había corrido la saliva atabacada y supuse que tenía que haber sido en primavera o en otoño, porque en verano habríamos estado en Far Rockway. Mi amigo consideró entonces que había sido en otoño y el motivo *Simjat Torá*, una de las tres grandes festividades: el último día de los Succot, «La celebración de la Ley», esto es, de la entrega de la Tora que el Señor hizo al pueblo. Durante los Succot, la congregación baila de alegría, y, a decir verdad, es la única ocasión en que los rollos de la Tora se sacan del Arca y se pasean por la sinagoga para que los besen. Lo único incomprensible había sido la orden de que mantuviese los ojos cerrados, cosa que el rabino no había oído en toda su vida. Como esta circunstancia siempre había formado parte inseparable de mi recuerdo del episodio, la perplejidad de mi amigo hizo que me preguntase si el anciano se había burlado de mí o si mirar estaba realmente prohibido; en cualquier caso me había asustado tanto —a decir verdad había sido aterrador, intrigante y maravilloso al mismo tiempo— que sólo me atrevía a recordarlo como si hubiese echado un rápido vistazo. Averiguaciones posteriores, sin embargo, me han hecho pensar que lo más probable es que se tratara de la Bendición Sacerdotal, en que la casta sacerdotal *(kohanim)* pide al Señor que bendiga al pueblo, y ciertamente está prohibido contemplar una aproximación tan íntima al centro de toda existencia. De todos modos, fue sin duda el único anciano de verdad que me quiso y en quien desde entonces no puedo pensar, sesenta y cinco años después, sin que me desborde el afecto.

Su muerte, aunque no del todo ejemplar, ha arrojado siempre cierta luz poética sobre su naturaleza. Casi nonagenario ya, creyendo que se acercaba el final de sus días, llamó a su pequeña esposa junto al lecho y le dijo que llamase al joven rabino. Y la miró como no la había mirado en los setenta años que habían vivido juntos. Se presentó lo antes que pudo en compañía del rabino, nuevo al parecer en la sinagoga de la Calle 114, que se sentó junto al anciano y le acompañó en sus oraciones hasta que cayó dormido, momento en que el rabino se marchó. Pasaron las horas mientras mi agitada bisabuela reunía a sus hijos en el piso de Harlem, sito en la segunda planta de un edificio de arenisca roja. El anciano seguía durmiendo. El médico que acudió lo auscultó sin despertarle y sólo pudo confirmar lo que ya sabían todos: que, al igual que todo el mundo, aunque antes que la mayoría, partiría hacia el seno de Abraham. El médico se fue, y lo mismo hicieron los hijos, cada uno de los cuales tenía una vida propia a la que dedicarse. Al ponerse el sol despertó el anciano. Su mujer le preguntó cómo se sentía y él permaneció tendido, tratando al parecer de comprender por qué tenía la cabeza más baja que en otras ocasiones. Se volvió de costado, grande y pesado como era aún, palpó bajo la almohada, volvió a tantear, se incorporó, alzó la almohada y las frazadas, y por último se encaró con su desavisada mujer y le preguntó: «¿Quién los ha cogido?».

Fiel a la costumbre de aquellos arduos años, mi bisabuelo guardaba buena parte de su pecunio en forma de diamantes, que ocupaban menos espacio que el dinero y eran más fáciles de esconder. Se me antoja que pertenecía a aquella vasta minoría que no tenía por totalmente honrada o segura a ninguna entidad financiera, lo mismo que W.C. Fields, otro hombre de fines del siglo pasado que no tenía empacho en manifestar la parcialidad de sus intereses en múltiples chistes y motivos guionísticos, así como en el hecho, poco menos que paranoico, de que repartiera su dinero entre una incalculable cantidad de bancos de todo el país, con objeto de eludir el día inevitable en que algunos desaparecieran con el capital o se declarasen en quiebra fingida. A decir verdad, en el momento mismo en que el bisabuelo tanteaba bajo la almohada en busca de los ahorros de toda su vida, por pintoresco o absurdo que pueda parecer, Richard Whitney, síndico de la Bolsa de Nueva York y cabecilla generalmente apreciado de la comunidad financiera, se dedicaba con toda tranquilidad a robar lo suficiente para merecer una condena en Sing Sing —donde no le faltarían los colegas—, una vez que la Gran Quiebra hubo confirmado las sospechas de mi abuelo y de Fields y pulverizado las ilusiones de la mayoría confiada.

Pese a estar enfermo, el bisabuelo se acordaba muy bien de haber atesorado toda su pequeña fortuna bajo la almohada y en aquel momento exigió saber quién había ido a visitarle. Su trémula mujer se lo fue diciendo y al final, como es lógico, añadió el nombre del nuevo rabino. Tras ordenarle, pese a las protestas femeninas, que le ayudara a vestirse, cogió el bastón de roble y, apartando del brazo la mano de su mujer, recorrió Madison Avenue entre el cruce con la 112 y el cruce con la 114 y entró en la sinagoga, donde encontró al rabino escribiendo, sentado a una mesa. Le dijo que quería recuperar las joyas. El rabino alzó los ojos y con expresión neutra repitió: «¿Las joyas?». Con lo que el viejo alzó el bastón y lo descargó sobre el cuello del rabino antes de que el buen hombre se pudiera apartar. Confusión. Alboroto. Pero corría nueva savia por las venas del anciano, que se lanzó en persecución del rabino por todo el lugar, mientras los circunstantes trataban de apoderarse de su implacable vara de justicia. Al final el rabino se le encaró, jadeantes los dos, y con las manos en alto retrocedió hasta la chaqueta que colgaba de la silla, rebuscó en el bolsillo y sacó un envoltorio de lino. Lo abrió el viejo con dedos crispados, hizo un recuento rápido, se lo guardó en la chaqueta y se marchó. Volvió a casa, aunque apenas pudo hacer otra cosa que subir por el estrecho pasillo pintado de marrón y meterse en la cama. La noticia había corrido, mi madre, el padre de mi madre y un tropel de herederos se reunieron al instante; le vieron repartir entre ellos la vida atesorada bajo la almohada; suspiró; cerró los ojos; no volvió a despertar.

Treinta años después, un día frío de primavera de 1952, me encontraba solo en el «Museo de las Brujas» de la Sociedad Histórica, la exhaustiva colección de documentos relativos a los casos de brujería de Salem, Massachusetts, institución que por entonces conocía sólo un puñado de eruditos de aquí y allá, aunque comenzó a frecuentarla la gente en general cuando mi obra de teatro *The Crucible* [Las brujas de Salem] quedó registrada en la mente pública. Me habían llamado la atención ciertos aguafuertes y xilografías enmarcados, hechos en 1692, en el curso de las fatídicas diligencia judiciales de la tragedia de Salem. Los grabados representaban las gestiones de Salem para que los de Boston y otros lugares lejanos pudieran tener una idea directa de la extravagante conducta de cuantos actuaban inducidos por los acicates y seducciones de las brujas. Veíase allí a las jóvenes inocentes y afligidas en el momento de señalar aterradas a la esposa de cierto agricultor que las acosaba en secreto y que no obstante soportaba con orgulloso desdén sus cristianas acusaciones. Al lado, delante de una ventana enorme, indicio de una iglesia o de una sala de justicia, se encontraban el juez y unos quince alguaciles y ministros cristianos, cubiertos con vestiduras hasta el suelo, todos con barba luenga y profética, contemplando escandalizados la diabólica resistencia de la acusada. El rayo de luz que iluminaba la escena contrastaba con fuerza con las siniestras zonas en sombras.

Reunía datos por entonces para *Las brujas de Salem* y en aquel puñado de grabados intuí de súbito una relación interna y no desconocida con la brujería y la secta puritana, sus autoengaños, sus estupideces, su sublimidad también; algo, misteriosamente, más personal incluso que la lealtad a las libertades civiles y la justicia y que se adentraba en lo más profundo de mi propia vida. Estaba ya casi decidido a escribir la obra teatral, pero sólo en aquel momento me di cuenta de que me sentía extrañamente cómodo entre aquellos lugareños de Nueva Inglaterra, conmovido en la zona más ignota de mi interior en virtud de un instinto que me decía que eran posibles *ur*-hebreos,* con idéntico idealismo furioso, idéntica dedicación a Dios, idéntica tendencia a la estrechez legalista, idéntica pasión por la polémica pura e intelectualmente sutil. Dios los estaba volviendo tan locos como a los judíos que trataban de mantener su exclusivo e inmaculado vaso de fe en Él. En aquellos grabados, además, tenían barba también, y, cosa extraña, un edificio y una luminosidad evocadores de la sombría sinagoga de la Calle 114, donde la luz —infinitas veces había alzado yo los ojos allí— parecía desvanecerse en penumbrática indefinición paradisíaca sin que el ojo alcanzase el techo de humana factura, para que todos los humanos pasaran, como suspendidos, a una luminiscencia no del todo de este mundo, carente de perfiles rotundos: impresión derivada, imagino, de haber visto aquel baile mágico por entre la nebulosa de las pestañas. Más de una vez, en el futuro, al cruzarme con algún Anciano en Días, con algún hombre muy viejo con espíritu de niño, sentiría un peso sin nombre sobre nuestra vinculación, el peso de la repetición de una reaparición arcaica. Es posible que el Gregory Solomon de *El precio* sea uno de ellos; el Judío Viejo, personaje mudo de *Incidente en Vichy*, otro.

Una familia numerosa significa, de manera inevitable, una tanda de defunciones en sucesión continua que en cierto momento instaura una resonancia, un ritmo dado de viajes a los cementerios, de reuniones en salas de estar para terminarse el café y la tarta y despedirse una vez más de una tía o un tío del Bronx o de Cleveland, a los que apenas si se conoce y que después desaparecen sin dilación y para siempre de la vida de uno. Pocas ocasiones son tan alegres para los niños como los entie-

---

* *Ur:* prefijo alemán que indica antigüedad o preeminencia; como si dijéramos protohebreos. (N. del T.)

rros, casi mejores que los banquetes de bodas que tienen lugar por la noche, cuando es difícil permanecer despierto. Nunca se reprenderá con dureza a un niño en un entierro; se le aprecia más cuando tenemos cerca la muerte y toda su maligna picardía desaparece ante el hecho inevitable de que, gracias a Dios, goza de buena salud.

En realidad, un niño pequeño, si quiere, puede servirse de las defunciones para domeñar sus arrebatos más ingobernables. Entre las infracciones que hicieron que la señorita Fisher llamase a mi madre a la escuela estaban los accesos de risa que me sobrevenían en los momentos más inoportunos, como cuando seis chicos negros de nuestro mismo curso y que habían faltado a clase cierto hermoso día de primavera llamaron la atención de todos saludándonos desde una azotea del otro lado de la Calle 112. En aquellos instantes, la señorita Daniels, una maestra de sesenta años o más, leía el *Julio César,* ninguna de cuyas palabras o sílabas resultaba comprensible para los alumnos. Estaba ya a punto de caer en éxtasis cuando notó una ráfaga de energía contenida que surgía de entre los niños. Al levantar la vista y ver a los depravados del otro lado de la calle, nos ordenó con indignación que ni les mirásemos siquiera y que dedicásemos toda nuestra atención a ella y a Shakespeare. Al igual que los demás, lo procuré, y quizás un poco más que el resto porque mi madre y Kermit confiaban mucho en mi buena conducta. Además, por entonces tenía otra hermana, toda una responsabilidad nueva, otra boca espiritual que alimentar.

A causa probablemente de que los seis internos fugados eran nuestros peores instigadores, la clase obedeció a la señorita Daniels e incluso se puso más o menos de su lado y en contra de aquellos sujetos que desdeñaban su buena voluntad de educarnos. Centré en ella la mirada, resuelto a no desviarla hacia la ventana ni durante un segundo; todo iba de bien en mejor cuando el malicioso murmullo me comenzó en el estómago y supe que iba a sufrir uno de mis peores ataques, de esos en que la boca empieza a dilatarse para engullir los propios oídos. Apretando las mandíbulas y sujetándome al pupitre con desesperación, pensé de pronto en el tío Hymie, que estaba muerto. Que había muerto. Que en realidad se encontraba bajo la tierra cubierta de suciedad y a merced de las lluvias. El distinguido tío Hymie, y mi madre, mi pobre madre que tanto le había llorado. El estómago se me encogió, el ataque se me pasó y a partir de entonces fui capaz de dominar aquella risa obligándome a pensar en mi distinguido tío muerto. Veces hubo en que no sólo tuve que pensar en Hymie, sino en tenerlo además moribundo en mis brazos, y unas cuantas veces incluso me metí con él en el ataúd y le acaricié las mejillas. Era siempre un recurso seguro.

Y así pasaban los años, pautados por las reiteraciones seriales, entierros, bodas, *bar mitsvót,* los ciclos de juegos que, por un motivo que nadie entendía, sólo se podían acometer en la temporada oportuna. Tirar fichas a un cuadrado dibujado con tiza en la acera era un juego exclusivo de la primavera y hacer rodar las canicas junto al bordillo era algo que sólo se hacía en otoño. Siempre había un par de chicos que, a diferencia de mi

51

hermano o de mí, guardaban las fichas y canicas del año anterior y las vendían a otros muchachos cuando la estación despuntaba. Joe Rubin era uno de estos detestables banqueros y, como es natural, acabó siendo un importante abogado de Wall Street, y otro fue mi mejor amigo, Sid Franks, cuyo padre era banquero de verdad; acabó de policía en Nueva York. Sid sabía ya construir aparatos de radio de detector cristalino que podían coger emisoras, y en las tardes de lluvia, en vez de corretear por los pasillos del edificio como un idiota, se dedicaba a desenmarañar libros de matemáticas que había encontrado en la biblioteca. Fue la primera persona que conocí que hablaba del futuro en términos concretos, como de una especie de escalera cuyos peldaños tenían que subirse por turno: cursos científicos que se complementarían con otros, centros de enseñanza a los que dirigirse, campos científicos que se podían considerar especialidad propia. El padre de Sid, presidente de un banco del centro de la ciudad, salía de su casa todas las mañanas y se dirigía con seguridad a una hilera de coches con chófer que, junto al bordillo, le esperaban a él y otros hombres importantes, cuya partida diaria era también rítmica. El señor Franks fumaba en pipa con medio puro incrustado en la cazoleta y llevaba abrigo de piel. Tenía un Locomobile, el más hermoso de todos los coches, un turismo descapotable de color beige, con fantásticas ruedas de radios y dos neumáticos de repuesto, cubiertos de lona beige, empotrados en la concavidad de los guardabarros delanteros. Era un vehículo tan aristocrático que no se rebajaba a llevar escrito su nombre en el cubo de las ruedas o en el radiador. Por entonces, los coches, los más pretenciosos, eran casi productos de artesanía; el propietario de uno quería que pareciese distinto del del vecino. Sid y yo podíamos colocarnos en nuestra ventana del sexto y decir el nombre de todos los que pasaban por la 110, identificándolos desde arriba, tan diferenciables eran; en aquella época había muchas más marcas de las que habría después de 1929. Ver pasar un Minerva con chófer, o un Hispano-Suiza, incluso uno de los Packard o Pierce-Arrow más grandes, el Marmon, el Franklin, el Stearns-Knight, algunos con la cabina del chófer sin techo, al aire libre, era sentir la descarga eléctrica del poder auténtico. Eran esculturas rodantes, tótems de acero pulimentados cual lentes para reflejar la luz de las estrellas, y era absurdo plantearse que el poder social que representaban se pudiera debilitar alguna vez o desaparecer de la tierra, porque con su ronca y rugiente seguridad venían a decir que entre sus deslumbrantes paneles de vidrio se acomodaban los ricachos que tan ricos eran que hasta los chóferes nadaban en la abundancia. El miedo no había inducido aún a los pudientes, como acontecería después de la crisis económica, a sentirse culpables.

Ciertos coches no sólo tenían chófer, sino también un lacayo, que se sentaba junto a éste; ambos llevaban uniformes idénticos y miraban impasibles al frente. Los uniformes solían ser de fabulosas tonalidades, tipo caramelo, el morado, el marrón chocolate, el blanco, el azul, y también el negro. Me encantaba hablar con los chóferes mientras aguardaban al jefe y yo abrigaba la esperanza de que me dejaran sentarme ante un volante durante un minuto o echar un vistazo a un motor. Siempre quise saber cómo funcionaba un coche, pero nadie me lo dijo y pienso que estas futilidades me frustraron hasta el extremo de que me hicieron difíciles los estudios, aunque por el motivo contrario: a los profesores les costaba una eternidad explicar lo que yo habría entendido en cuestión de minutos, perdía el hilo, me ponía a fantasear y luego tenía que recuperarlo aprisa y corriendo. Encontrándome cierta vez, siendo yo muy pequeño, sentado en la parte delantera entre mi padre y mi tío Abe, que conducía su Packard —era el mismo Abe a quien, de niño, habían enviado a esperar el barco en que llegaba mi padre—, oí que mi progenitor le preguntaba qué tal corría la rubia. «De maravilla», respondió Abe, y tras dejar resbalar la mirada, a través del parabrisas, por la superficie azul del largo capot hasta el termómetro engastado en plata que sobresalía del radiador cromado, fantaseé con que debajo del coche, moviéndolo, había una mujer lanzada a la carrera. «¿Es que hay una señora ahí dentro?», pregunté a tío Abe, y tanto él como mi padre rompieron a reír, aunque, como es lógico, tampoco ellos sabían cómo funcionaba un motor. Puesto que estaba claro que no había ninguna mujer allí dentro y que, pese a todo, el coche se movía, no tuve más remedio que recurrir a su femineidad para explicarme su fuerza motriz, personaje vivo por derecho propio. Aquella ignorancia mía sobre cómo funcionaban las cosas hizo que Sid Franks y su actitud analítica y científica me resultasen cada vez más útiles, incluso necesarios.

A mediados de los años veinte, los blancos no abandonaban necesariamente las casas que iban siendo ocupadas por familias negras y portorriqueñas. De ningún modo se daba por sentado que todo Harlem tuviese que ser un barrio negro; en realidad, era impensable, dado que algunos de los mejores restaurantes de la ciudad hacían su agosto alrededor del cruce de la Séptima con Lenox, y también a lo largo de la Calle 125. A fin de cuentas, el Cotton Club estaba en el centro del Harlem negro, pero sus clientes eran casi todos blancos. Había por lo menos un Shubert Theatre en Lenox, cerca del cruce con la 115, y también otros teatros de verdad esparcidos por Harlem y que representaban lo que en realidad eran adaptaciones, a cargo de compañías ambulantes, de éxitos de Broadway. A mi madre le encantaba ir a las funciones de tarde del Shubert y allí fue donde vi la primera obra de teatro, a los ocho años de edad aproximadamente, ella y yo solos, mi hermano demasiado ocupado sin duda, o estudiando o en el consultorio de un dentista del centro, donde, al margen de sus restantes fatigas, le estaban poniendo un puente. Era ésta todavía una técnica en ciernes y una forma muy cara de perder el esmalte dental de por vida. Yo no tenía los dientes menos saltones, pero no era el hijo mayor y, para mi consuelo, aún no se me consideraba digno de aquella inversión monetaria. Si bien ello me rebajaba, también me liberaba de las duras responsabilidades de Kermit, por las que tenía un gran respeto pero ningunas ganas de compartir. Todo culminaría en su *bar mitsvá,* cuando el sufrido muchacho tuviese que pronunciar las mismas fórmulas en tres idiomas, inglés, hebreo y alemán (todavía el idioma cultural de prestigio), con objeto, digo yo, de poner de manifiesto el desprecio que sentía mi madre por la estupidez y arrogancia de los miembros del clan Miller, que aún imaginaban, a pesar de que muchos de ellos eran empleados de mi padre, que de algún modo eran superiores a éste. Las fórmulas de Kermit, al tiempo que les ponía incómodamente a la defensiva mientras le felicitaban, no les impidió fijarse en mí y preguntarse, como siempre hacían: «¿A quién habrá salido *éste*?». Fue una lección valiosa y prematura sobre el sentirse extranjero en la propia patria y uno de los motivos por los que, tres veces al mes aproximadamente, decidía fugarme de casa.

Estaba atrapado entre Joan, que me había desplazado en mi papel de pequeño de la casa, y mi hermano, cuya estatura ni siquiera soñaba con igualar. Joan había introducido además un nuevo rasgo competitivo entre Kermit y yo, pues no tardó en establecerse que dos chicos no podían tener a una misma criatura al mismo tiempo, y continuamente había peleas entre nosotros, como las habría en los años venideros. Escaparme de casa, forma de suicidio para castigar a todos, era una idea que había tomado de Oliver Twist, la única de cuyas costumbres que no tenía intención de compartir con él era el gesto de alargar la escudilla vacía para pedir «más», desgarradora súplica inmortalizada en el dibujo de Cruikshank; mi problema consistía más bien en deshacerme de la comida que me obligaban a tomar. Una de las escenas más ruidosas se dio cierta mañana por negarme a tomar la grumosa papilla de avena que nos había servido la criada polacoparlante, Sadie, que siempre nos daba el desayuno mientras mi madre dormía. Acabó hundiéndome la cara en la papilla caliente. La potencia vocal de Sadie, que chillaba en polaco, más mis propios gritos, los de mi hermano y por último los de mi madre —se había reunido con nosotros en camisón y me dio un par de coscorrones mientras me limpiaba la cara—, este encadenamiento de tonalidades, digo, reorganizó las estructuras moleculares de mi cerebro, que al final elaboró un plan para irme para siempre, para crear en la casa un espacio vacío donde hasta entonces había estado yo, para privarles a todos de mi indeseada presencia.

La idea de la fuga tuvo que tener otras fuentes de inspiración, además de la novela de Dickens; estuvo siempre en el aire, junto con la convicción de que yo era huérfano en realidad. Puesto que no me parecía a ninguno, salvo remotamente a mi madre, el asunto tenía una lógica inquietante y explicaba por qué nada de cuanto hacía me salía bien: era víctima impotente de un prejuicio prenatal que nadie iba a admitir, por lo menos delante mío. No pertenecía a aquella familia, así de sencillo. En las novelas y películas malas y en los tebeos, los chicos se iban de casa con una vara nudosa de la que colgaba una servilleta envuelta con todas sus posesiones terrenales, además, sin duda, de un bocadillo. Estos prófugos desaparecían durante muchos años hasta que al final volvían con nombre distinto, ricos, elegantes, poderosos y generosamente dispuestos a perdonar a sus padres, debidamente escarmentados ya. En las historias de

Horatio Alger —no era broma todavía, bajo ningún concepto—, el chico solitario era, en términos generales, y por supuesto que también en mi ánimo, un capitalista en ciernes. El feroz deseo de libertad de Huckleberry Finn no se me antojaba una creación fantástica y literaria, sino una versión realista de mi propio estado espiritual.

En vez de balsa tenía sólo la bici, y en vez del Mississippi, o Central Park al sur o Lenox Avenue y Harlem al norte. Elegí Harlem. No dejé ninguna nota que me ridiculizase en caso de que cambiase de idea y volviera a casa; además, yéndome sin avisar les haría el máximo de daño. Desde luego, tenía que terminar aquel día de clase y no tenía que estar en casa de vuelta hasta pasadas las tres, pero aún me quedaba suficiente luz diurna para poner mucha distancia entre aquella casa detestada y yo antes de que oscureciese. Sadie, cuyo pelo rojo claro se elevaba como un surtidor, hervía ropa blanca en la cocina, lo que me imposibilitaba la preparación de un bocadillo en secreto, así que le pedí con indiferencia que me hiciese uno, cosa que hizo con alegría porque nada le ponía tan contenta como verme comer. Tras envolver el bocadillo en una servilleta de lino, salí de casa y al instante me puse en camino. No llevaba ninguna vara nudosa, no había ninguna en la Calle 110, y como ir al parque para cortar una de un matorral suponía arriesgarme a que un policía me pegase con la porra, colgué el bocadillo del manillar.

Los chicos prófugos de los cuentos y novelas no tardaban en ser recogidos y adoptados por un millonario cuyo vehículo estaba en un tris de atropellarlos, pero cuanto más avanzaba hacia el norte y más me introducía en Harlem menos probabilidades tenía, según advertí, de encontrar gente rica. Nunca me había aventurado a ir más allá de la Calle 116, salvo con mi familia, para comer en uno de los restaurantes de la 125 o para asistir con mi hermano a alguna competición de carreras y saltos en un instituto de enseñanza media de la parte alta de la ciudad. Al margen de una ligera inquietud ante lo que haría una vez que anocheciese, no tenía ningún miedo mientras recorría las calles laterales que cruzaban Lenox Avenue, avanzando en línea ondulada hacia la parte alta, aunque sabía que entre los negros y nosotros había al parecer una oscura hostilidad. Pero yo no había tenido ningún problema con los chicos negros de la escuela. Parecían más cordiales y más rápidos en reaccionar, y más dispuestos a reír que algunos otros, en particular los portorriqueños, siempre en tensión y parloteando sin parar en su idioma incomprensible. No obstante, uno de mis mejores amigos era un chico llamado Carrillo, al que envidiaba porque dejaría la escuela a los doce o trece años para aprender el oficio de vidriero. Me habría gustado cortar vidrio, por más que me sintiera superior por ser de los destinados a los cursos «académicos» que conducían a la universidad. La organización era descaradamente clasista, lo cual parecía totalmente natural y práctico. Nuestros mitos se habían apoderado ya de nuestro espíritu, nuestra función y hasta nuestras costumbres se proyectaban ya hacia el remoto futuro. Mi única precaución mientras atravesaba Harlem era no desviarme hacia el este de Madison Avenue, donde vivían los italianos. A diferencia de los demás grupos, eran agresivos por razones que se ignoraban y ello siempre acarreaba peligros. Cabía la posibilidad de que me bajasen de la bici de un trompazo en East Harlem, pero no era muy probable que ello aconteciese al oeste de Madison. Cuanto más me adentraba en la parte alta de la ciudad, más caras negras había en las calles y escalinatas de los edificios; había una tendencia al apelotonamiento que no se advertía nunca en el centro. Yo no podía saber aún que en aquella superdensidad de población radicaba el secreto de la degeneración de Harlem en barrio bajo. Al cabo de unos años hasta mi padre se enfadaría ante el hecho de que los propietarios «estropeasen» las bonitas casas de vecinos que rodeaban la nuestra y alquilasen pisos individuales a dos o tres familias negras. Cuando nos trasladamos a Brooklyn en 1928, nuestro casero, muy ufano, pensaba alquilar nuestro piso de seis habitaciones a dos familias, para aumentar así sus ingresos, a despecho del inevitable deterioro de la finca.

Aunque me sentía seguro mientras, rumbo siempre al norte, dejaba atrás la Calle 130, y aunque los pocos negros que me prestaban alguna atención parecían buenos y amables, ello no significaba en modo alguno que yo pensase que todos éramos iguales. Me había peleado siempre con chicos blancos, pero nunca con chicos negros, que tampoco me habían robado o amenazado jamás, por lo que me sentía más seguro entre éstos que en un barrio blanco, donde yo fuese el intruso. Pero los negros eran sujetos misteriosos, a pesar de todo. Por ejemplo, me costaba entenderles cuando hablaban e, imitador nato, me dedicaba a menudo a exagerar entre bromas su forma de hablar. En el cine, como es lógico, eran siempre criaturas idiotas y torpes que hacían bailotear los ojos por miedo a los fantasmas, pero nunca peligrosos en realidad. Esto último era la perversa contribución hollywoodense a la imagen que me había forjado del Negro: totalmente inofensivo, al margen o por debajo del blanco. Un amigo rico de mi padre hacía que un criado negro se pusiese los zapatos nuevos que se compraba con objeto de acostumbrarlos al pie, y a mí el detalle me parecía tan gracioso como a él.

Me detuve en una de las calles al norte de la 130 para averiguar por qué se había formado un corro de gente y vi a un negro tendido en la acera, con la cabeza vuelta hacia el hilo de agua sucia que corría junto al bordillo y la lengua fuera. Alguien pronunció la palabra *gas* y supuse que el individuo se habría intoxicado con la cocina de la casa y había sido víctima de un repentino acceso de sed a causa de lo inhalado. Tenía la roja lengua a dos dedos del agua, pero nadie le ayudaba a acercarse un poco más. Los curiosos se limitaban a permanecer inmóviles y a contemplar sus esfuerzos por tomar un sorbo. Me alejé bajo las largas y arqueadas ramas de los árboles y dejé atrás las escalinatas y ventanas limpias de las casas de los negros, que no parecían diferentes de las del centro, salvo por estar más pobladas.

Me acordé del bocadillo, me puse a horcajadas sobre la bici y me lo comí mientras caía la noche. Se me había pasado la irritación. A aquella hora, las calles estaban llenas de negras maduras que hacían la compra para la cena. Muchas estaban gordas y parecía que les doliesen los pies. Había enjambres de chicuelos que correteaban descalzos, no porque fuesen pobres, pensé, sino porque en el Sur, de donde procedían, estaban acostumbrados a ir así. Por lo menos era lo que me habían dicho. Tranquilizado por Harlem volví a casa sin apresurarme, y cuando dejé la bici en el vestíbulo ya tenía ganas de volver a ver a mi madre para saber qué había para cenar. Volví a meter en un cajón la servilleta de la fuga.

Unos cincuenta años después, en la década de los setenta, salí del campus de City College, donde había pronunciado una conferencia, y me encontré paseando solo por Convent Avenue en una agradable tarde primaveral, a eso de las cuatro y media. Había llegado cerca de aquella colina con ocasión de la fuga en bicicleta. Después de la conferencia, los estudiantes actores me habían invitado a presenciar la representación de algunas escenas procedentes de obras teatrales mías y me había sorprendido y conmovido la notable representación de una escena de *Panorama desde el puente,* interpretada por un Eddie coreano, una Beatrice judía, un Marco negro y un chino en el papel de su hermano Rodolpho. La fuerza pura de la ejecución me acompañaba todavía mientras me alejaba del campus, que imitaba la época Tudor, y donde durante dos semanas de 1932 había querido iniciar mis estudios nocturnos, si bien había tenido que renunciar porque se me caían los ojos de sueño después de trabajar ocho horas en una tienda de recambios automovilísticos. Del City College sólo recordaba que me había dormido durante una clase de química y también en otra ocasión, de pie, mientras me encontraba en la atestada biblioteca principal con un libro de consulta en la mano. Todos los asientos de la inmensa biblioteca estaban ocupados y ni siquiera había sitio en el ancho alféizar de las ventanas emplomadas, donde se podía apoyar un libro y tomar notas. Estaba entre los que habían llegado a última hora y que no encontraban ni siquiera un hueco en un alféizar. Era casi medianoche y estaba en pie desde las seis, había viajado en autobús y metro durante una hora y veinte minutos entre Brooklyn y el cruce de la Décima Avenida con la Calle 63, donde tenía el trabajo —y donde se alzaría un día el Lincoln Center—, y en aquellos momentos me encontraba en Harlem, esforzándome por memorizar datos relativos al Tratado de Versalles. Aquella fue la noche en que devolví el libro de consulta a la bibliotecaria y salí a la oscuridad sabiendo que no podría hacerlo.

Ahora abandonaba City College nuevamente, aunque esta vez recreándome en el recuerdo de las escenas que había visto representar y admirando aquella zona elevada desde cuyos pisos se disfrutaba de las más asombrosas panorámicas de la urbe. Me quedé en una esquina y me puse a mirar alrededor en busca de un taxi. Era chocante el poco tráfico que había, apenas un par de coches, y tampoco había demasiada gente en aquellas calles anchas. Alcé los ojos para mirar el cielo soleado y sin nubes y advertí que algunas personas, de raza negra todas ellas, me miraban desde las ventanas. Un grupo de cuatro o cinco negros, de veintitantos años, se dirigía hacia mí en medio de una charla animada. Al verme, callaron al instante y una expresión próxima a la estupefacción les cruzó por la cara cuando tuvieron que romper filas para rebasarme. Me volví y comprobé que se giraban para mirarme. ¿Qué ocurría? ¿Por qué tenía yo tanta curiosidad? Dos negras maduras venían desde donde estaba la universidad. Iban muy bien vestidas y peripuestas y sonrieron al acercárseme.

—¿Busca el metro?

—Pensaba tomar un taxi.

—¿Un taxi? ¿Por aquí? No, mire, por aquí no pasan taxis.

Trabajaban en la secretaría de la universidad, habían asistido a mi conferencia y a la representación de las escenas que los estudiantes habían preparado en mi honor. Habían consultado previamente mi expediente académico de 1932 y me dijeron riéndose que había sacado las peores notas durante las dos semanas en que había asistido, corporalmente al menos, al centro de enseñanza. Charlamos un rato, aunque advertí cierta tensión en sus sonrisas: no tenían demasiadas ganas de entretenerse conmigo en la esquina y tras un breve cambio de impresiones una de ellas se ofreció a acompañarme hasta una boca de metro situada a escasas manzanas. Las negras corpulentas siempre habían sido amables conmigo. Les di las gracias, turbado por la idea de que me protegieran, aunque ya me figuraba que eran más valientes y experimentadas que yo, por muy gordas y de clase media que fuesen.

—Esperaré un poco más. Gracias de todas maneras —les dije.

Se alejaron, ya sin ocultar el nerviosismo. Solo otra vez en la esquina, alcé los ojos hasta las ventanas donde las caras negras me observaban aún, en espera, sin duda, de que desplumaran al pollo. Yo sabía, desde luego, que estaba atrapado en el pasado lejano, cuando, de niño, había sudado la gota gorda para subir aquellas pendientes con la bici, con la intención de deslizarme cuesta abajo. Puede también que aún asociase la fachada de muchas de las viviendas, las molduras de cornisas y ventanas, con cierto buen gusto de clase media alta (algunas de estas casas se parecen a los edificios del distrito dieciséis de París, esa zona elegante aunque aburrida). En cualquier caso, no podía comprender mi resistencia a afrontar los hechos y huir, ni puedo ahora. Era como si en aquella calle de Harlem me encontrase en mi casa. Como si tuviera una raíz espiritual hundida en aquellas aceras y aquellas fachadas emanasen aún una energía cálida y envolvente. ¿Cómo podía huir de ellas como un extraño, un invasor? Sin embargo, cuando advertí que llevaba allí más de quince minutos y que el sol se ponía, pensé en volver a la universidad para llamar a un taxi. Caí entonces en la cuenta de que las dos mujeres no sólo se habían ofrecido a llevarme hasta el metro, sino también a acompañarme hasta el centro de la ciudad, adonde dijeron que también se dirigían, dando a entender con ello que incluso entrar en el metro solo era arriesgado para mí.

Vi entonces, a tres manzanas de distancia, lo que parecía un taxi y que avanzaba despacio en mi dirección; ostentaba una franja blanca y ancha en el centro y era de color marrón, impropio de los taxis neoyorquinos, aunque en el techo había una indicación rota que supuse había dicho «Taxi» antaño. Cuando estuvo más cerca advertí la ventanilla tuerta, los alambres que sujetaban los guardabarros y la ausencia de rejilla ante el radiador, y vi que el conductor era un negro. El coche se detuvo despacio ante mí. El ocupante del asiento trasero pagó al conductor, abrió la portezuela y salió; era una de las mujeres más hermosas que he visto en mi vida. Cuando se irguió, con la bolsa de la compra pegada al costado, cambié con ella una mirada. Una modelo, me dije. La piel de tono chocolate, los dientes perfectos, la picardía de los ojos, el sombrero de visón, el abrigo de paño beige: aquella feminidad disparada me atenazó por el cuello. Quedé rendido en aquel instante y lugar.

Con ligero arqueamiento de cejas y una mueca de sorpresa burlona me preguntó:

—¿Va a subir en *esto*?

Me eché a reír.

—Si él quiere.

—¡Ja! Ya caigo. —Y se alejó caminando sobre los tacones más afilados que había visto desde los años cincuenta, con un par de piernas que cortaban el resuello.

Me incliné hacia el conductor, un hombrecillo con barba, de treinta y tantos años, que se estaba guardando el dinero y que apenas me miró; tan reacio era incluso a trabar conversación.

—¿Puede llevarme al centro?

—¿Por qué quiere que vaya al centro?

—¿Y por qué no?

Me miró entonces, el dinero ya en lugar seguro.

—¿A qué parte del centro quiere ir?

—Bueno —dije, pensando con rapidez—, podemos ir hasta la Calle 96, ¿no? —Era un taxi pirata, sin licencia y técnicamente ilegal, estaba claro.

—Poder, podemos, pero lo más probable es que me quede estancado allí. No encontraré a nadie para el trayecto de vuelta.

La frontera tajante entre las dos civilizaciones es la Calle 96; hacía años que lo sabía, por supuesto, y sencillamente lo había olvidado. Algo en mi interior se negaba sin embargo a admitir lo categórico de la frontera.

—¿Qué le parece si me lleva —dije— y le pago el doble para que no pierda la vuelta?

Se giró, se quedó mirando unos instantes por el parabrisas y accedió. Subí. El asiento estaba en el suelo, a alguna distancia del respaldo, traté de ponerlo en posición más o menos cómoda, pero aun así quedó engorrosamente bajo. La gomaespuma sobresalía de la tapicería como si las gallinas la hubieran estado picoteando. Una de las portezuelas carecía de manija. Nos dirigimos despacio hacia el centro. Me sentía alegre.

—Todo un coche —dije.

—¿Esto? Esto no es un coche, es historia. —La observación me pareció más culta de lo que yo había esperado—. ¿Qué hacía por aquí? —me preguntó de pronto con un dejo de suspicacia en la entonación.

Tenía sobre la piel una especie de capa de polvo gris pólvora. Advertí entonces que parecía muy cansado. Tenía los dedos largos como lápices, sus uñas eran óvalos alargados, planos y amarillos, y muy limpios. Llevaba puestos dos jerséis de punto de cruz y conducía con ambas manos aferradas al volante como si esperase de un momento a otro que la parte delantera se desprendiese y se fuera sola por la calzada.

—He dado una conferencia en la universidad —le expliqué.

Recorrió en silencio una manzana.

—¿Sobre qué? —preguntó entonces.

—Sobre teatro. Escribo obras de teatro.

Recorrió otra manzana en silencio.

—¿Ha pronunciado alguna en Columbia?

—Bueno, en realidad, sí, hace unos años. ¿Por qué?

No dijo nada durante otra manzana más o menos y entonces se decidió a proseguir.

—He sido becario adjunto de la Facultad de Sociología.

¡Había hecho bien entonces en no huir!

—La administración canceló la investigación que llevaba a cabo y por eso hago esto.

—¿Y sale adelante?

—Se contiene un poco la decadencia.

—¿De qué investigación se trataba?

—Era un estudio sobre los etíopes de Nueva York; yo soy etíope.

—¿Nació allí?

—Sí. Me he quedado sólo porque me han hecho oficial del ejército y me echarían el guante en cuanto bajase del avión.

—Pero ¿hasta cuándo podrá seguir con el taxi?

—Ahí está la cuestión, que no lo sé. En realidad no gano lo suficiente. Pero no pienso volver a aquella guerra insensata.

—No estoy informado, no sé de qué habla.

—Los mandos militares son como las guerras, eso es todo. Tienen que ser importantes y ricos. —Tenía la voz suave, como una brisa ligera.

Cuando llegamos a la 96, se ofreció a llevarme hasta la 23, al Chelsea Hotel, tras lo que entramos en el bar de al lado para tomar una cerveza. Le pregunté si quedarme solo en aquella esquina había sido un paso temerario. Tenía ojos grises, cara enjuta, aire ascético. Observó la cerveza y luego me miró con un encogimiento de hombros y un cabeceo mudo, tan desconcertado como yo, tan reacio a renunciar a una fe profundamente arraigada, y al mismo tiempo tan incapaz de creer como moralmente paralizado. Es posible que el misterio humano final no sea más que el imperativo del clan y de la raza, que a la postre pueden tener el poder, dado que desafían a la razón, de aniquilar el mundo.

Una noche apacible, no mucho después de aquello, mi esposa Inge y yo salimos del teatro y decidimos ir andando hasta el Chelsea en vez de tomar un taxi en el núcleo teatral de West Midtown. Por debajo de la Calle 42 mengua la vida hacia medianoche, pero al sur de la 34 no hay nada en absoluto a dicha hora, apenas un coche que circula por la Séptima Avenida, desierta la zona de las peleterías, y ni un solo peatón. Salvo la ocasional camioneta de repartir periódicos o el taxi de servicio ocasional, no hay el menor movimiento, y cualquiera podría instalar, sin sufrir interrupción alguna, una tienda de campaña en esta ancha avenida que por el día está hasta los topes de tráfico comercial. Caminábamos hacia el sur, comentando la obra que acabábamos de ver, cuando vi a tres o cuatro individuos en la esquina de la Calle 27. A media manzana de distancia oí un estallido de risas que ostentaban, me dije, el timbre desenvuelto del alcohol. Atraje a Inge hacia mí y pasamos junto al grupo. Eran negros, jóvenes, veinteañeros, aunque una mirada rápida me tranquilizó hasta cierto punto: tenían el pelo bastante bien cortado. Por otra parte, habían callado al pasar nosotros. Seguimos andando y no pude por menos de mirar a ambos lados de la avenida por si teníamos necesidad, llegado el caso, de que alguien nos ayudase. No se veía ni un alma en aquella arteria vacía y en tinieblas. Y sin embargo no fue miedo lo que experimenté, sino una curiosa suspensión del alma, una especie de cese de la vida en mi interior. Supuse que para temerles de verdad en aquel instante tendría que sentir algún odio, pero el odio, junto con todos los restantes sentimientos, brillaba por su ausencia. Oí entonces que alguien corría a nuestras espaldas. Varios pares de pies golpeaban el suelo con fuerza y celeridad. Empujé a Inge hacia el bordillo de la acera, pensando que estaríamos más seguros si los arrastrábamos hacia el centro de la calzada que si quedábamos a merced de un zaguán.

Una profunda voz de barítono exclamó:

—¡Señor Miller! ¡Señor Miller!

Me giré en redondo, escéptico, mientras los cuatro jóvenes negros y altos seguían gritando mi nombre. ¡Es fabuloso ser célebre! Se detuvieron ante nosotros sin aliento.

—Es usted el señor Miller, ¿verdad?

—Y tanto.

—¡Lo sabía! —exclamó uno en son de triunfo, dirigiéndose a los restantes, y, tras volverse a mí, añadió—: Le he reconocido.

—Bueno, chicos, si he de ser franco, me habíais asustado por un instante.

Nos echamos todos a reír y el que me había reconocido me estrechó la mano y dijo:

—¡Colega, a mí su música me ha gustado siempre!

¿Qué podía decir yo?

—¿Sois estudiantes tú y tus compinches? —pregunté.

—De la Universidad de Nueva York.

—Bueno, pues te has equivocado de Miller. Creo que me has confundido con Glenn, el director de orquesta que falleció hace tiempo. Yo soy escritor.

Confusión, disculpas, pero habían analizado mis obras y, amablemente, se fingieron tan entusiasmados como si me hubiese dedicado a tocar el trombón. Nos dimos la mano otra vez, para convalidar mi rectificada identificación, y nos separamos con alegría, entre ademanes de despedida. La impresión que nos produjo el habernos liberado de la tensión nos lanzó a una exultación momentánea, como si mi genio y no la suerte hubiera trazado un círculo mágico protector en derredor nuestro: reacción que admití era ridícula. Porque si no había sido miedo lo que había sentido al oír aquellas carreras a nuestras espaldas, habría tenido que serlo, me dije. ¿Era incapaz de sentirme realmente desesperado? ¿O es que en aquella ciudad no estaban tan mal las cosas como decían? Mis recuerdos de Harlem eran engañosamente agradables. Incluso en mis sueños los negros aparecían casi siempre como humillados y ofendidos, aunque en ocasiones vagamente amenazadores. Como la imagen de un sueño que tuve en los años sesenta, un hombre sentado a la mesa de un café, inclinado sobre un vaso de vino, el ala del sombrero de paja ocultándole la cara desde arriba —porque yo estaba suspendido en el aire y miraba hacia abajo— y al acercarme vi que en el flanco de la copa había un agujero por el que los ojos de un negro me observaban con una expresión ni amenazadora ni cordial, antes bien escalofriantemente abierta a cualquier interpretación. Tenía ojos en la sien, veía en todas direcciones, símbolo mudo de la fuerza del criterio tasador de mi presunción desatada, o ambas cosas a la vez.

Lugar ambivalente, Harlem rebosaba sin embargo de vida y esperanza. Cuando se cernía la oscuridad sobre las tardes cálidas, Sid Franks y yo soltábamos las luciérnagas que habíamos encerrado en frascos y las veíamos precipitarse desde nuestras ventanas delanteras del sexto piso y cruzar la Calle 110 hasta perderse en el parque. En lo más crudo del invierno aguardábamos impacientes junto a aquellas mismas ventanas, con los ojos puestos en el asta que coronaba el muelle lacustre, hasta que se izaba la grímpola roja que indicaba el endurecimiento del hielo, lo que nos hacía bajar gritando en el ascensor y cruzar la calle hasta llegar al borde del lago, donde bregábamos con unos patines con abrazaderas que nunca aguantaban mucho. Era el Harlem de la tienda de bicicletas de la Calle 111 Este, propiedad de Joe Aug, lugar lúbrico en mis recuerdos desde que mi primo Richard, de catorce años, empezó a frecuentarlo con un preservativo colgándole del bolsillo superior, primera vez que veía un artilugio de aquellos, de un tamaño intimidador y prometedor al mismo tiempo. Richard era el que dormía con su madre porque tenía un principio de tuberculosis —el misterio de la vinculación de ambos fenómenos no se me aclararía nunca— y por si estos variopintos indicios de lo prohibido no bastasen, se había nombrado a sí mismo ayudante y dependiente de Joe, tan fascinado estaba por las bicicletas, máquinas cuya conducción o simple evocación me satisfacía también a mí profundamente hacia los siete años. Transcurrirían aproximadamente treinta años hasta que un sueño acabó por revelarme el motivo: vi una bicicleta puesta al revés y debajo del cárter del piñón pequeño había tres agujeros, y debajo de ellos, una palabra cuyas letras se encendían una a una, como el rótulo de la marquesina de un cine: C-R-I-M-E-N. Era un período en que tenía problemas con las mujeres y el cuadro triangular de la máquina era la hembra.

La más pintoresca de las misiones que me llevaron hasta la tienda de Joe tenía sin embargo una relación mucho más trágica con el sexo femenino. A la idolatrada madre de mi madre le habían tenido que amputar una pierna a causa de la diabetes y hacía falta algo que mantuviese la sábana en alto y sin rozarle la herida. Pensé que serviría el guardabarros trasero de mi bici y, estimulado por mi madre, fui a la tienda de Joe para que lo desmontaran. Joe era amigo de nuestra familia y a su hermana Sylvia, que aún estudiaba el bachillerato, la había contratado mi madre en calidad de chica para todo, guía de museos y acicate del espíritu. Era nuestra canguro, la apuntadora de los dobladillos de mi madre, la elogiadora de mis canciones, la recadera que iba a la escuela por los libros que me había dejado olvidados y el pasmado público que escuchaba mis enrevesadas anécdotas de la calle.

Mientras Joe, hombrecillo delgado y amable con un cigarrillo eterno entre los labios, entornaba un ojo y quitaba los tornillos del guardabarros, el primo Richard sujetaba la bici con firmeza, y a pesar de la solemnidad del momento, me resultó inmoralmente difícil apartar los ojos del condón que le colgaba del bolsillo. Richard, que un día sería un hombre de negocios bien situado, no era persona de buenas costumbres, sin embargo; por entre los labios abiertos en gratísima y relajada sonrisa felina no paraba de soltar obscenidades que hacían reír a Joe y a mí me aturdían. Era *cool* décadas antes de la moda *cool*. Al alejarme con el guardabarros bajo el brazo, Richard me gritó desde la puerta de la tienda: «¡Ve con cuidado! ¡No vayas a engancharte la *chorra*!», despedida particularmente sacrílega, dado que me dirigía a casa de mi moribunda abuela con un objeto que le podía prolongar mucho la vida. Cuando llegué a la casa y llamé con suavidad y se abrió despacio la oscura puerta de caoba y apareció mi madre, que se me quedó mirando, me di cuenta de que había olvidado nuestros planes acerca del guardabarros. Entré en la salita, los ojos de media docena de caras nerviosas nos miraron con perplejidad a mí y a mi invento, que me apresuré a esconder junto a la entrada antes de que me echasen del piso por molesto e irreverente. Cuando días después falleció la abuela Barnett, me pasó por la cabeza pedir que me devolvieran el guardabarros, aunque fui incapaz de plantear el asunto. Sospechaba que no se había utilizado en ningún momento, dura lección pero quizá preparación necesaria para el futuro rechazo de buena parte de mis creaciones.

La primera película que vi fue una experiencia obsesionante que intensificó mi malentendimiento de lo real. Una noche, por el motivo que fuese, la azotea del edificio se transformó en cine improvisado, con unos cuantos bancos largos y sillas plegables de cara a una gran sábana colgada. No iba a la escuela aún y era tan pequeño que los ojos me llegaban a la altura del bolsillo del que mi padre sacó las monedas con que abonó nuestra entrada. Era una noche magnífica, la primera vez que estaba en la azotea de noche. (¿Habrían obtenido permiso de Mikush para pisotear su querido alquitrán?) Una luz iluminó de pronto la sábana y una serie de personas de tamaño enorme comenzaron a moverse en ella, a reír, a perseguirse, a echarse cubos de agua, y luego, empapados, se volvían hacia nosotros, resbalaban en la acera y caían, y una mujer parecía llorar aunque se ponía a reír cuando un hombre amable entraba en su habitación. Se fue la luz entonces —había durado diez minutos más o menos— y pregunté a mi padre dónde estaban aquellas personas. Desde luego, él no tenía ni idea. Le cogí de la mano e hice que me siguiera por entre los bancos, mientras el reducido público se ponía en pie, y nos acercamos a la sábana. ¿Por qué había allí tanto silencio? Sin soltar la mano paterna, eché un vistazo detrás de la sábana, esperando todavía alguna visión maravillosa con mucha luz, un paisaje extraño y la habitación donde se había desarrollado la acción que acababa de presenciar. Pero no vi más que las tuberías que sobresalían del suelo y, en lo alto, las habituales estrellas del cielo nocturno. «¿Dónde están?», pregunté otra vez a mi padre. Cabeceó perplejo y rió con suavidad. Me sentía irritado, no por su incapacidad para explicarse, sino por no saber afrontar con seriedad el problema que yo trataba de resolver. Si se hubiera tratado de mi madre, seguro que hubiera inventado una explicación que, cuando menos, manifestase algún respeto por el caso.

Tres años más tarde experimenté una conmoción de tipo distinto en el Shubert Theatre de Lenox Avenue al ver alzarse un telón por vez primera. Había personas de carne y hueso que hablaban entre sí dentro de un gran barco cuya cubierta se balanceaba de verdad a instancias del oleaje marino. Por entonces iba al cine todos los sábados por la tarde: cortos cómicos de Chaplin, Fatty Arbuckle, seriales de Pearl White que siempre terminaban en chasco, con su cabeza a un centímetro de una sierra mecánica circular, o atada y atravesada en la vía del tren que se acercaba a toda velocidad, o con la canoa suspendida al borde de una catarata. Había visto a los vaqueros de primera magnitud: a William S. Hart, idéntico a su caballo, con su cara larga y sin expresión y sus mejillas chupadas, y también a William Boyd y a Tom Mix, siempre simpáticos y dispuestos a ayudar a quien fuera, salvo a los indios, claro. Una vez que se sabía cómo funcionaba, sin embargo, el cine, a diferencia del teatro, dejaba intacto el sentido de la realidad, ya que los sucesos no tenían lugar en el local donde se encontraba uno. Pero ver balancearse la cubierta de un barco en el Shubert Theatre y personas que aparecían en lo alto de una escalerilla o que desaparecían por una puerta... ¿de dónde venían? ¿Y adónde iban? Sin lugar a dudas del mundo real y al mundo real de la Calle 115 de Harlem, lo que despertaba no poca inquietud.

Así aprendí que había dos clases de realidad, pero que la del teatro era mucho más verdadera. A medida que avanzaba el argumento melodramático de la obra crecía mi nerviosismo, porque a bordo había un caníbal con una bomba y con intención de hacer que todo el mundo saltase por los aires. Por todo el escenario se buscaba a aquel individuo, un hombrecillo negro con taparrabos de hojas y dos huesos atados al pelo, que, furtivo y silencioso, aparecía en escena en cuanto se marchaban los blancos. Lo buscaban detrás de mástiles y cajas y en lo alto de los baos, aun después de haber visto el público que se metía en un barril y ponía la tapa encima. La gente gritaba: «¡En el barril!», pero los pasajeros estaban sordos. ¡Qué angustia! La bomba iba a estallar de un momento a otro y yo clavaba las uñas en el brazo de mi madre, al tiempo que echaba un vistazo a las paredes del teatro para convencerme de que todo aquello no era real de verdad. Pero al final cogían al caníbal y salíamos contentos a la soleada Lenox Avenue, nuevamente a salvo.

Los que interpretaban siempre papeles siniestros no eran sólo los negros, sino también los orientales. La prensa de Hearst no paraba de poner el grito en el cielo a propósito de un inminente «Peligro Amarillo», y las guerras de los *tongs* que se libraban en el barrio chino eran la prueba de que los chinos eran astutos y escurridizos, y estaban sedientos de sangre y —según sabría gracias a una revista de variedades montada para luchar contra la drogadicción— de mujeres blancas. Eran muchas las primeras planas que con grandes titulares negros anunciaban «¡¡GUERRA ENTRE LOS TONGS!!», con dibujos ilustrativos en que los chinos se cortaban la cabeza unos a otros y la levantaban en ademán de victoria cogiéndola por la coleta. Estas cosas hacían que me preguntase por qué, dadas las circunstancias, iba la gente al barrio chino. Pregunté a mis padres qué eran los *tongs*, pero prefirieron no decir nada, sin duda porque no sabían que se trataba de hermandades y sociedades secretas. En realidad, al igual que en toda la sociedad norteamericana, en sentido amplio, en el barrio chino había bandas de delincuentes enfrentadas entre sí, lo que me habría tranquilizado de conocer su existencia.

En la revista de los sábados, siempre el día más esperado de la semana, al número de introducción —las familias de acróbatas chinos que sorprendían a medias con sus platos giratorios y sus niños voladores, pero que acababan aburriendo hasta la saciedad cuando ya se habían visto veinte veces— le seguía siempre el equivalente de una visita al dentista: la soprano clásica y el piano de cola que la acompañaba. Nada más ver empujar hasta el escenario el piano de cola, todos los chicos del teatro rezongaban y empezaban a pelearse con los amigos y a gatear bajo los asientos. Tras «La última rosa del verano» venía una infinita serie de «ejecuciones» a cargo de sopranos que parecían compartir el mismo pecho alto y la costumbre de entrelazar las manos con elegancia afectada sobre el abultado estómago. Tiempo después las tomaría por un castigo que nuestra conciencia puritana exigía y que el público aceptaba a modo de penitencia por haber pasado dos horas por lo demás divertidas.

En el curso de las mismas desfilaban animadores y cantantes como

Eddie Cantor, George Burns, Al Jolson y George Jessel, los zapateadores negros Buck, Bubbles y Bill Robinson «Bojangles», y los animadores de primera línea Clayton, Jackson y Durante, a los que mi padre casi idolatraba. Mi padre era un entendido y había visto aquellas actuaciones con tanta frecuencia en sus años de viajante que era capaz de decirme en qué habían cambiado. Le encantaba silbar y los números buenos podían tenerle contento durante semanas, silbando las canciones por toda la casa. El espaldarazo más sublime que podía dar a un intérprete era: «Sabe conseguirlo, te lo digo yo», y su peor censura: «Es un soseras». Sus opiniones eran exactas, dentro de lo que cabía, y era bastante lo que cabía. A duras penas habría podido esperarse que aguantara una hora con Shakespeare, pero un día, cuando mis obras se representaban ya, recordó una pieza en *yiddish* que había visto hacía años en el Medio Oeste. No se acordaba del título, pero su actor principal era el gran Jacob Adler.

—Interpretaba a no sé qué rey. De la Antigüedad, claro. Tenía tres o cuatro hijas, creo que tres, a lo mejor cuatro. Quiere repartir su dinero entre ellas y de la que en realidad le quiere más, él piensa que no le quiere. O sea que acaba medio loco y sin un duro, abandonado en medio de la lluvia, todo un drama. Pero Adler, ése sí que era un actor, sabía conseguirlo, te lo digo yo. La comedia aquella la vi por lo menos más de cuarenta veces, porque Adler la estuvo representando durante años. Lo que yo hacía era pasar por el teatro y preguntar cuándo venía la última escena, porque era la mejor, cuando se queda bajo la lluvia. Soltaba tal rugido que no se le podía ni mirar a la cara.

Las actuaciones se las tomaba a veces de un modo personal y así como adoraba a Jacob Adler, apenas si toleraba, literalmente hablando, a Monty Woolley, un actor elegante y con barba que había cosechado grandes elogios por *The Man Who Came to Dinner*. El cine fue el desahogo y descanso barato del gran público durante la Depresión y los años cuarenta y él y mi madre encontraban siempre los veinticinco o cincuenta centavos que valía la entrada del cine del barrio. Cuando aparecía Woolley, mi padre no se podía estar quieto y, ante el divertido asombro de mi madre, cambiaba varias veces de asiento con la esperanza de encontrar una perspectiva menos irritante del actor desde un sitio distinto. Su ignorancia del funcionamiento del cine no sólo se había manifestado en la azotea, sino que se mantendría en lo sucesivo. A Marilyn Monroe la conocí, mucho antes de que nos casáramos, en el plató en que se rodaba una película en que tenía un papel pequeño; era una película protagonizada por Monty Woolley, la bestia negra de mi padre.

Cierta tarde, en el Regent Theatre, sito en el cruce de la Calle 116 con la Séptima Avenida —los acróbatas habían entrado y hecho mutis, y la soprano, por suerte, había dejado ya de torturarnos—, un hombre trajeado, el gerente del local, apareció ante el telón caído en el curso de una interrupción sin precedentes de la continuidad de las actuaciones. Acto seguido íbamos a «presenciar» una obra con fuerza, anunció, breve pero atrevida, y que era una advertencia para todos los jóvenes, y aun para algunos adultos, sobre los peligros de las drogas. Se fue tras prometer una pieza dramática emocionante y se alzó el telón, que dejó al descubierto un antro del barrio chino en que algunos blancos libertinos de la zona rica de la ciudad se introducían subrepticiamente para fumar opio y penetrar en «el país de los sueños». A lo largo de la pared del fondo había literas dobles que, salvo por el desaliño de frazadas y colchones, se parecían a las de los dormitorios de los campamentos estivales. Dos chinos de larga coleta, mangas anchas y zapatillas negras cargaban las pipas de opio y las entregaban a los clientes, que entraban, se tumbaban y fumaban sin intercambiar apenas una palabra con aquellos malignos empleados.

Una hermosa joven con vestido de noche totalmente blanco entró con dos amigos jóvenes y rubios, vestidos con smoking blanco y sombrero de paja. Estaban de juerga por la ciudad. Uno de los jóvenes, el engreído, cogió primero una pipa y la encendió, se sentó acto seguido en el borde de una litera y se recostó con entusiasmo y riéndose, como si hubiera penetrado en el país de los sueños de una sola chupada. Los chinos no tardaron en vencer la débil resistencia del otro joven, más juicioso, y hasta yo comprendí que, con los dos amigos fuera de combate, la chica quedaría totalmente indefensa y a merced de aquellos odiosos limones con patas, que fue exactamente lo que sucedió. Le ofrecieron una pipa en su momento, aunque parecía un tanto preocupada. Tuve que contenerme para no lanzarme al escenario y arrebatarle de las manos aquel objeto monstruoso. ¡Qué horrible era pervertir a una chica tan guapa! Pero nada pudo impedir que también ella diera una chupada y al instante los párpados comenzaron a pesarle como el plomo. Otra chupada y daba traspiés hacia el jergón. Dos chinos la acostaron inmediatamente y parlamentaron con viveza en su extraño idioma. El gerente del local reapareció en el borde del escenario y anunció: «Hablan sobre introducirla en la trata de blancas y planean enviarla a una casa de mala reputación de *Singapur*». Estaba tan frenético que me pregunté por qué no lo impedía el gerente, pero no sucedió así. Se dio la vuelta y abandonó el escenario.

Uno de los chinos empezó a subir a la litera de la chica. El público susurró horrorizado. Una luz verde y putrefacta envolvía la escena. ¿Por qué, oh, por qué había ido la joven al barrio chino? ¡Se habría podido quedar en Park Avenue, en su casa acogedora y segura! El chino tenía ya una pierna en el borde de la litera. Ah, al parecer estaba aún despierta, aunque drogada, y se opuso pero sin fuerzas, pobrecilla. El colega amarillo se acercó para sujetarle los brazos. Forcejeo. Jadeos de la pobre chica. Y ni una señal de vida en sus dos compañeros idiotizados. ¡Oh, cómo los detesté! De pronto, confusión entre bastidores, gritos y movimientos, y en esto entran un caballero mayor pero enérgico y dos policías. ¡Era el padre de la chica! Un hombre sinceramente indignado, rico, limpio, blanco, que, con la ayuda de los individuos de azul, daba una somanta a los limones y se los llevaba del escenario cogidos por el cuello. Tras despertar a los dos amigos con algunas sacudidas, el padre les reprendía y les aconsejaba que nunca, nunca, nunca jamás volvieran a probar el opio.

Con la avergonzada y muy agradecida hija apoyada en su fuerte brazo, hacía mutis provocando que la luz verde cambiara a un rosa tranquilizador. Gracias a Dios. Yo, la verdad sea dicha, había aprendido la lección.

Transcurrirían muchos años hasta que supiese que habían sido los ingleses los que habían obligado al gobierno chino a levantar la prohibición de exportar opio de la India, dando lugar a la Guerra del Opio, inútil esfuerzo chino por contener el veneno del hombre blanco. Ningún conocimiento turbador de esta índole alteraba nuestro sentido de la edificación blanca cuando mi madre y yo anduvimos dignamente por Lenox, camino de la Calle 110 y de casa.

Entonces, lo mismo que hoy, el milagro de Nueva York consistía en la disociación de un grupo respecto de las experiencias de los restantes. La ciudad es como una jungla atravesada por una red de caminos que, utilizados por especies distintas, conducen a la respectiva madriguera y demarcación. Excepción hecha de nuestros profesores y de Mikush, nuestra familia no conocía a casi ningún gentil y nuestra prosperidad contribuía a aislarnos en nuestro mágico encierro. Eran mi madre y mi padre, ella con la imaginación y los libros y él con sus viajes, quienes nos traían noticias de aquel otro mundo donde los judíos no eran el centro del interés. La negativa de mi padre a atribuir porque sí virtudes superiores a todos los judíos y antisemitismo a todos los gentiles es posible que me inculcara, si no la fe en sentimientos e ideas de orden universal, sí alguna esperanza en ellos. Cuando se hablaba de rasgos étnicos, mi padre era creyente y escéptico a la vez; los encontrados imperativos de familia y sexualidad esporádica, idealismo y utilitarismo, eran tan dominantes entre los judíos como entre los gentiles que conocía en el curso de sus desplazamientos y a los que podía acercarse y tratar con afán observador gracias a su tez clara y ojos azules.

En los años veinte, cuando estaba en su momento de apogeo, el Ku Klux Klan crecía con fuerza arrolladora, aumentando su contingente de año en año de forma espectacular, y allí donde había pocos negros que amenazar los judíos eran su principal blanco. Aún estábamos lejos de la época en que el racismo y la intolerancia se considerarían casi naturales y hasta elogiables y comparables con el patriotismo y el orgullo de estirpe. Si alguna vez hubo judíos que se mezclaran en el crisol del proverbio, fueron los miembros de mi familia durante los años veinte; yo no tardaría en fantasear con ingresar en West Point y en mis ensueños más íntimos no era yo ningún macilento devorador del Talmud, sino Frank Merriwell o Tom Swift, modelos heroicos de empuje atlético y valor militar. Pero la verdad era que estábamos construyendo un bastión de impugnaciones y desmentidos que sólo se resquebrajaría después de dos matanzas en masa: la Depresión y la guerra de Hitler. No se trataba sólo de que los judíos negaran la realidad del mundo, como demostrarían los acontecimientos, sino también de una incapacidad para poner en práctica los más sagrados derechos de nuestra democracia en cuanto tal, en beneficio de una mayor honradez y una mayor sensibilidad ante la injusticia. A comienzos de los años cuarenta, el mundo sabía que los alemanes perseguían a los judíos en general, y hacia 1942 que se les estaba reduciendo a cenizas, pero el antisemitismo de los Ministerios de Asuntos Exteriores norteamericano [State Departament] y británico [Foreign Office] era tan intenso que los cupos oficiales de inmigración —que, por reducidos que fueran, habrían podido salvar por lo menos a miles de judíos— no se cubrieron en ningún momento y las vías férreas que llevaban a los campos de exterminio no se bombardeaban ni siquiera después de destruir enclaves igual de alejados. Y la comunidad judía de Norteamérica no se atrevió a exigir que se pusieran en marcha los mecanismos de rescate, tal era el miedo que tenía a exasperar la hostilidad del pueblo norteamericano, no sólo hacia los judíos, sino también hacia los extranjeros en general. Si las cosas estaban así de mal en 1942, cuando la Democracia estaba abiertamente en guerra con el Nazismo, cuyo delito más notorio era el racismo, ¿cuál sería la inconfesada verdad a fines de los años veinte, con los concurridísimos desfiles del Ku Klux Klan por todo el país? Pese a todo, allí estaba yo fantaseando con lanzar la pelota ganadora del equipo de Yale o con unirme a Tom Swift para luchar contra los alemanes con nuestro propio submarino infantil de la I Guerra Mundial. Pero, como ya he dicho, evadirse y negar las cosas no son monopolio de los judíos; una de las más imperiosas necesidades del espíritu del escritor, y tal vez sobre todo del norteamericano, es revelar lo que se ha escondido y negado, descorrer el velo.

Creo que mis escapadas por Harlem comenzaron a urdir una pauta de introversión cuando sucumbí en la lucha por el dominio del medio. Cuando recorría Harlem en bici, todo lo que había entre la 110 y la 145 parecía estar bajo mi gobierno, pues cuando doblaba una esquina y avistaba una nueva manzana, la que había quedado atrás me desaparecía del recuerdo y avanzaba siempre hacia el futuro, ensayando una soledad desafiante —esa prima hermana de la rebeldía—, buscando a ciegas el comienzo del viaje vitalicio hacia mí mismo. Años después soñaría con una larga procesión de orantes, mi parentela, que imploraba a los cielos mientras avanzaba sin prisa, y cuando vi con asombro que el que iba en cabeza era yo de adolescente, huí sin que nadie se percatase de ello. Antes incluso había advertido ya con la sangre, por decirlo así, que cuando Moisés subió a la montaña para recibir la Ley de manos de Dios, acudió solo, sin el hermano, sin las esposas, sin un comité siquiera, y cuando me tendía en la alfombra con *El libro de todas las cosas* y el aguafuerte de Dickens rodeado de viñetas de Oliver Twist, Mister Pickwick y la pequeña Dorrit y una docena más, lo que más me maravillaba era que hubiesen salido *de su cabeza, sin la ayuda de nadie.* Muchos años después llegaría el momento en que me rebelase contra aquel olimpismo solitario y el culto del autor-héroe autónomo, si bien por el momento aún tenía que hacer lo imposible por forjarlo.

Si se me hubiera preguntado antes de los trece si era feliz... aunque, como es lógico, a nadie se le habría ocurrido hacer aún una pregunta así a un niño; si se había librado de la difteria, la escarlatina, la polio, la pulmonía, la tuberculosis, la septicemia, las infecciones del oído interno y todas las restantes enfermedades mortales, era afortunado y por tanto feliz; pero si se me hubiese preguntado, me habría asombrado que mi opinión importara. La vida podía ser frustrante, pero tenía su interés y la ciudadanía en general no parecía aburrida. Se debía en parte a que el progreso estuviera siempre en el aire, pero también a que costase muchos esfuerzos aún el hacer algo en definitiva. Los sábados, durante todo el día, la cocina se llenaba con el vapor de las calderas en que se escaldaba la ropa sucia, mientras Sadie o mi abuela, o mi madre, o las tres por turno, la removían con un palo largo y redondo. Luego, las pesadas sábanas de lino se subían a la azotea, donde se tendían, y de donde se volvían a meter en casa para someterse a la plancha que se había calentado en el fogón. Los viernes mi madre hacía tallarines, que a mí me encantaba colgar del respaldo de las sillas de madera de la cocina para que se secasen. Luego picaba pescado de tres o cuatro clases para hacer albóndigas.* Antes de las aspiradoras, cada tanto había que enrollar la alfombra, subirla a la azotea y vapulearla sin misericordia. Las mujeres estaban siempre asomadas a las ventanas limpiando cristales o arrodilladas bajo el piano sacando brillo a las patas. Para alimentar la nevera, el repartidor de hielo tenía que transportar las barras sobre el hombro desde el carro de caballos de la calle, y la cosa era que siempre se presentaba tarde, cuando la mantequilla se derretía ya, o demasiado pronto, cuando en el congelador no había espacio suficiente para un barra tan grande, y Sadie le tenía que seguir siempre por el vestíbulo, maldiciendo en polaco, para secar el reguero de agua que dejaba en el suelo. Los repartidores de hielo llevaban chaleco de cuero y un trozo de saco húmedo en el hombro derecho, y una vez que metían el hielo en el congelador, de manera invariable se quitaban el saco y se quedaban allí, goteando, en espera del dinero.

La gente no se limitaba a comprar un pollo, sino que iba a la carnicería, observaba los animales vivos en las jaulas de madera y señalaba a un desdichado, y cuando el carnicero metía la mano en la algarabía emplumada, asía un par de patas y con un movimiento de cuchillo segaba una arteria y colgaba el animal para la desplumadura, un niño se entretenía de un modo que daba gloria. Era mejor incluso cuando podía ayudar a elegir un lucio, una carpa o un lenguado en el vivero y comprobar que era el que la red cogía. Y el golpe del palo en la cabeza del pez, la escamadura de los flancos, las tijeras que cortaban las aletas y la cola, el cuchillo plateado que rajaba el vientre y las entrañas que caían con impacto húmedo; se hacía todo con una destreza tal que afianzaba el mundo. Inclu-

---

* *Gefilte fish* (del alemán *gefüllte Fische*), plato propio de la gastronomía judía: consiste en albóndigas hechas con varias clases de pescado, huevos, harina y especias, cocidas en salsa de verduras. (N. del T.)

so había algo gratificante en ser enviado a última hora, antes de que la tienda cerrase, a comprar un poco de rábano picante, y en ver que el verdulero arrojaba al cubo dos o tres especímenes pasados, hasta que escogía el que parecía estimar más y lo molía y a veces dejaba que el muchacho moviese el manubrio. Estas operaciones llevaban su tiempo, e implicaban vida, muerte y transformación: igual que la larga raíz blanca convertida en una masa densa que despedía un delicioso aroma lacrimógeno. Los artículos en adobo tenían que cogerse del recipiente en que flotaban y elegir los buenos implicaba la intervención del espíritu de decisión, del mismo modo que en la frutería —puesto que nadie esperaba ver una manzana, una pera o una cereza totalmente inmaculada— se ponía en marcha una notable dosis de intuición y cálculo respecto de lo estropeado que podía estar el interior del producto.

Salvo los conmutadores de la luz, nada había que funcionase apretando un botón. A la gramola había que darle cuerda, a muchos coches había que ponerlos en marcha con manivela, el café tenía que molerse en el molinillo, y la mano, además de apartar unidades de papel moneda y señalar, tenía otros usos. Transformar cosas a mano rayaba siempre en lo milagroso. En la escuela invertiría meses en adornar una caja de puros con el águila norteamericana que copiaría de la cabecera de un periódico de Hearst. En la chapería de la gramola había grabado con la punta de un clavo la imagen de Nipper, el perro fox-terrier de la marca de la Victor Company, y a los seis años, adosando las ruedas de un carrito infantil a una caja de madera, construí un carromato en que podía montar, ya que no conducir. Años después, me encontraba trazando los planos para construir un avión sin motor en el sótano de nuestra casita de Brooklyn cuando mi padre, que apenas sabía cómo se abría una ventana —aunque sabía manejar con pericia una máquina de coser, habilidad que había aprendido en la infancia— se presentó y me preguntó con inocencia cómo iba a sacar del sótano el aeroplano. Me resultó difícil aceptar ser chafado por un hombre que no tenía ni idea de los principios del vuelo.

Dos

«Aún me siento como en un estado de provisionalidad», dice Willy Loman a su hermano Ben. Sonreí al escribir esta frase en la primavera de 1948, cuando aún no se me había ocurrido pensar que resumía la situación en que me encontraba entonces y en la que me encontraría toda la vida. El aquí y ahora se disolvían siempre ante la aproximación de la frente de un sueño o el alejamiento de su espalda. Cumpliría los veinte sin haber aprendido a tener quince, treinta antes de saber lo que significa tener veinte, y ahora, con setenta y dos años, tengo que contenerme para no pensar como un hombre de cincuenta que tiene mucho tiempo por delante.

Era cuando tenía veintitantos cuando me sentía viejo, cuando el tiempo era una rueda corrosiva que me iba gastando. Pero lo que yo temía no era tanto la muerte como la insignificancia. En 1940, cuando apenas llevaba una semana casado, partí solo en un carguero que costeaba el Golfo y aunque aquella luna de miel en solitario me parecía extraña incluso a mí, también tenía cierta lógica de lo inevitable. Mary Grace Slattery y yo estábamos en la cubierta de popa del *SS Copa Copa*, un carguero de la Waterman Company a punto de zarpar de un muelle de Hoboken; mis padres, que también habían acudido para verme partir, se encontraban cerca, en el tramo de barandilla que daba al perfil de Nueva York. Mary y yo habíamos vivido juntos durante los dos años transcurridos desde que terminamos los estudios en la Universidad de Michigan, aunque yo conservaba la habitación que tenía alquilada en una pensión cochambrosa del cruce entre la Calle 74 y Madison Avenue y ella su piso compartido de Brooklyn Heights. Había bosquejado una obra teatral sobre unos alemanes del Pacífico Sur que, con el pretexto de buscar minerales, construían bases nazis en secreto. Me pareció que necesitaba aprender algo sobre los barcos y el mar, aunque era también mi doble deseo de orden por un lado y de experiencias por el otro lo que me hacía partir. Bien lejos de lo que sabía era sólo fruto de las lecturas, y deseoso de salir al encuentro de la vida y de mi propia naturaleza.

Antes de la guerra, Brooklyn Heights era como un pueblo tranquilo y frondoso y desde las ventanas del piso de Mary que daban a la Calle Pierpont se podía observar el movimiento de los barcos que con majestuoso misterio zarpaban hacia el mundo. Quería irme, por lo menos durante un tiempo, y solo. En cualquier caso, su trabajo de secretaria en una agencia de publicidad no le permitiría acompañarme. Cuanto más estaba en aquella tórrida y soleada cubierta más extraño me parecía que fuera a marcharme, aunque sólo fuese durante un par de semanas. Pero Mary confiaba en mí más de lo que yo confiaba; era de una integridad recalcitrante y una vez que se decidía por algo no admitía las vacilaciones. Me daba fuerzas con su apoyo ojizarco y la quería más por irme que si me hubiera limitado a fantasear con el mar. Aquella marcha prematura, al igual que nuestro matrimonio —al igual quizás que la mayoría de los matrimonios de nuestra época—, era una negativa a renunciar a la miríada de alternativas que cuando menos imaginábamos tener. No habría creído sin embargo que nuestro carácter nos permitiera muchas menos oportunidades de las que queríamos admitir.

Se sospechaba mucho por entonces de los matrimonios entre judíos y gentiles y mucho más si la parte gentil era católica. Mary había dejado de considerarse católica mientras hacía el bachillerato en Ohio y mientras yo me esforzaba por identificarme con la humanidad y no con una pequeña fracción tribal de la misma. Ambos pensábamos que habíamos superado la estrechez espiritual del localismo, los prejuicios, el racismo y lo irracional, cuyo triunfo definitivo lo constituía, según creíamos, el movimiento nazifascista que cobraba empuje por doquier.

No nos cabía la menor duda de que para el mundo era importante nuestro modo de pensar —o el de cualquiera— ni de que nuestros actos eran reflejo inequívoco de nuestra vida interior. Gozábamos de cierta unidad dentro de nosotros mismos en virtud de la conciencia superior que nos daba la expectativa de una evolución socialista del planeta. Sería el instante final de un orden interno de esta índole: cuando uno se ponía de parte de la victoria inevitable del nuevo sistema de justicia, se compraba una especie de certificado de honradez. Entre sus restantes ventajas, permitía neutralizar cualquier contradicción que tendiera a despertar dudas sobre el socialismo y, no menos importante, sobre la propia virtud o los propios motivos.

A decir verdad, nuestra diosa Razón ocultaba una inadmitida maquinaria tan hierática y ultramundana como cualquier religión. Pues con las religiones, que por supuesto despreciábamos por supersticiosas, compartíamos la creencia de que la facultad de elegir dependía totalmente de nosotros y hasta acariciaba yo la sospecha milenarista de que la historia podía llegar a su meta con nuestra generación. En los días de entusiasmo, la misma fuerza dominante y ciega de las costumbres y la cultura parecía alejarse, barrida como la niebla, ante el amanecer de nuestra triunfante conciencia. El judaísmo y el catolicismo eran historia muerta para mí y para Mary, mixtificaciones culturales que se habían inventado sobre todo para legitimar el poder del clero respectivo, dividiendo y enfrentando a los pueblos. El socialismo era la razón y era en el fascismo donde se concentraban las pestilentes ciénagas del instinto, con Hitler, Mussolini y más tarde Francisco Franco despertando los oscuros atavismos del hombre para gobernar mediante la locura y la guerra. Era la Unión Soviética la que enarbolaba la bandera de la razón, haciendo lo mejor para la mayoría y solicitando reiteradas veces un pacto de seguridad colectiva que uniese a Rusia y Occidente contra el fascismo. Aunque el sistema monopartidista de los soviéticos no parecía precisamente democrático, había a mano múltiples desmentidos para desviar la atención (no menos de las que habría décadas después en favor de la Cuba de Castro y, en la derecha, de las dictaduras chilena, argentina y turca). En realidad era muy sencillo: teníamos que esperar y buscábamos la esperanza donde podíamos, en los espejismos incluso, siempre que se mostraran prometedores. La realidad, con sus permanentes ejércitos de parados, el estancado y derrotado espíritu de Norteamérica, el terrible racismo por doquier, el derroche de todo lo valioso, en particular el potencial de la juventud, era inaceptable. Y aunque Roosevelt estaba sin lugar a dudas del lado de los virtuosos, hasta él se limitaba a contemporizar para impedir la llegada del día del hundimiento total. Lo único que podía salvarnos era la inflexible razón y el socialismo, producir las cosas para usarlas, no por afán de lucro.

La pintura de la cubierta se volvía pegajosa por el creciente calor del sol y el olor acre del acero ardiente nos repugnaba. Nos besamos por última vez y el hecho de haber pasado una especie de prueba la semana anterior con nuestros extraños esponsales celebrados en Ohio amortiguó la culpabilidad de mi partida. Acababa de colocar mi primer guión radiofónico en Columbia Workshop, la serie experimental de la prestigiosa CBS que dirigía Norman Corwin. Era una sátira política titulada *The Pussycat and the Expert Plumber Who Was a Man* [La muñequita y el hábil lampista que era todo un hombre] y se emitiría mientras estuviese navegando. También aquí había una extraña sensación de poder por hacer que mi voz hablase en mi ausencia. No faltaba, sin embargo, el ingrediente de la inadmitida fuga que sabía llevaba conmigo en el equipaje.

Aunque entre nosotros y con los amigos parecíamos muy progresistas, la boda había puesto bien de manifiesto lo conflictivos que los dos éramos por dentro. Decidido el matrimonio, Mary no tardó en pedirme, en nombre de su madre ridículamente piadosa, que nos casáramos en Ohio y que un sacerdote celebrase la ceremonia, si bien no dentro de la iglesia. No estaríamos tanto bajo las protectoras alas de la Iglesia cuanto sólo bajo una de sus plumas. Teniendo yo la madre que tenía, me resultaba fácil comprender que Mary quisiera contentar a la suya y accedí, puesto que habíamos confinado ya todos los rituales y ceremonias a nuestro común museo mental.

Al igual que mi madre, la señora Slattery era una mujer que se consumía bajo el peso de las costumbres que estaba obligada a obedecer. Inteligente y humana, era capaz de ver, por ejemplo, por encima del apoyo que la Iglesia española daba a Franco, los sufrimientos que había originado la sublevación fascista, y, por encima de las violentas acusaciones de su marido contra los centros roosveltianos de ayudas sociales, los sufrimientos que mitigaban, aunque le era necesario o conveniente adoptar el papel de enferma. No había cumplido aún los cincuenta y ya había perfeccionado una forma melancólica y más bien senil de hablar de sí misma en un pretérito indefinido sentimental, como una persona cuyos últimos días estuviera contando Dios con los dedos, su futuro una rampa resbaladiza, apenas un tanto inclinada, por la que el cuerpo se le deslizaba camino de la tumba, cuya momentánea oscuridad la recibiría en un estado de gratitud al término de sus cuitas terrenales. Su represión causaba espanto, en vez de reír chillaba, y con la emisión del chillido una mano le corría a la boca y la otra tiraba del borde de la falda para ocultar las rodillas. Pero tenía inteligencia: era capaz de identificarse con personas no católicas. La estupidez y la falta de espíritu empático se reservaban para el señor Slattery, jubilado inspector de calderas del municipio de Cleveland. Como vivía entonces de una pensión reducida, sólo se podía identificar con los avariciosos, los ricos y cualquiera que vistiese uniforme. Había mariposeado por la periferia de una organización de Cleveland, germanoamericana y antisemita, a cuyas asambleas le gustaba asistir, por lo que tuve que resultar la más amarga de sus píldoras, aunque nunca dijo ni una palabra para no perder a Mary definitivamente. Aunque había subrayado que el hecho de llevar a Cleveland a su prometido para que los esponsales se celebrasen allí era un gesto de reconciliación familiar y no una resurrección de su fe católica, Mary sólo quiso revelar poco a poco lo que para ella era sin duda de escasa importancia, pero que a mí, cuando lo supe, me dejó helado. Teníamos que obtener un permiso especial de Roma, nada menos, para llevar a efecto incluso el menor detalle de la ceremonia planeada.

Llegamos a la estación de Cleveland durante la semana más calurosa de aquel verano abrasador. La señora Julia Slattery estuvo a punto de echarse a llorar cuando, embutida en un vestido de algodón con flores estampadas, se dobló con rigidez por la cintura para rozar con los labios la mejilla filial. El señor Matthew Slattery, encendido por la ira porque la puerta trasera de su Dodge estaba atascada, se volvió a mí y me dijo: «Son los sindicatos, ¿sabes?, prohíben a sus afiliados hacer bien la faena». Comencé a percibir entonces una atmósfera de doblez educada que se desplazaba hacia la farsa, si no hacia la histeria total. Mientras íbamos de Cleveland al periférico Lakewood, oí por vez primera un pronombre posesivo para hablar de puentes, centros empresariales y servicios públicos —«Eso es nuestro Standard Oil Building, aquello nuestra Delegación de Carreteras del Condado de Cuyahoga, y allí está nuestro lago Erie. La última vez que fuimos a Nueva York pasamos por vuestro puente de George Washington...»—, produciéndome una sensación de extranjería del todo desconocida hasta entonces. Pero allí estaba el Medio Oeste prebélico con toda su inocencia prístina, la Norteamérica auténtica a que se dirigía toda religiosidad política. Allí estaba el pueblo de Adán en la tierra de los no marginados, el pueblo al que había que satisfacer para que no despertase de su sueño ligero y desalojase con la mayor indignación los pasillos del Parlamento.

En las habitaciones de la enorme casa de los Slattery, sita en una calle llena de árboles, no había ningún cuadro de interés, sólo un crucifijo de color marrón que colgaba de la pared de la sala de estar. Un no sé qué reseco lo dominaba todo, incluso la fruta del bol de la mesa del comedor. Nos enteramos de que la boda tenía que esperar casi una semana, hasta el viernes, y aunque había muchas camas en la casa, no se me iba a dejar dormir, por conveniencia, bajo el mismo techo, como era mi intención, sino en una fonda situada a unas esterilizantes manzanas de distancia. La farsa de esta separación, cuando Mary y yo hacía dos años más o menos que vivíamos juntos, como sus padres tenían que saber sin duda, se representó con toda seriedad. Infinita era la capacidad de todos, la mía incluida, para disimular. No obstante, allí estaba el origen de la autodisciplina de Mary, por la que yo —o parte de mí— sentía tanto respeto.

Alejado como estaba todo aquello del calor y color radiantes de la vida judía, lo que de verdad me sorprendió fue descubrir una semejanza más profunda. Durante el desayuno, la señora Slattery, que leía en el *Plain Dealer* que se había detenido a un hombre por falsificar los libros de su empresa, dijo: «Espero que no sea católico», tal como habría hecho mi madre, sólo que colocando «judío» en el lugar de sus preocupaciones. Por primera vez, los católicos, a pesar de su cristianismo general, sus catedrales y su influjo en las ideas políticas, se me aparecían como una minoría y, por ello mismo, a la defensiva. Y me vi a mí y a Mary más estrechamente vinculados de lo que había imaginado hasta el momento. Comenzaba a barruntar cuánto valor había tenido que tener para romper con todo aquello, y totalmente sola, sin la ayuda de ningún círculo de disidentes. Desde este punto de vista, Norteamérica se me figuraba un tapiz uniforme de obediencia conformada, de dientes apretados, de sueño agotador tras días y años de sometimiento.

La «parentela» se reunió al caer la tarde en el soportal delantero, tías, tíos, primos, para verme a mí, el primer pagano que entraba en la familia. (La ceremonia programada estaba clasificada oficialmente «Para musulmanes, paganos y judíos» que se casaban con católicos.) Unos se quedaron una hora aproximadamente, otros se limitaron a estrecharme la mano, a darme la bienvenida con una inclinación de cabeza y a marcharse. En total debieron de ser más de veinte los visitantes, y a todos se les notaba la tensión. Las mujeres se abanicaban en las mecedoras y el señor Slattery soltaba salivazos atabacados en el césped, despertando semigruñidos de desesperación en su mujer, que me miraba de reojo mientras yo fingía no darme cuenta. Todo se arregló cuando llegaron los primos de Mary, jóvenes de su misma edad que se alegraron sin más de verla y que hablaron conmigo como si todos fuéramos ciudadanos del mismo país.

Entonces se presentó el joven párroco que iba a casarnos para hacer su visita oficial. Dio la casualidad de que apareció en un momento interesante: el tío Theodore Metz, jefe de policía recién jubilado, individuo bajo, gracioso y musculoso, estaba contando cómo había tomado el pelo a su hijo Barney, recién nombrado ayudante del comisario y primo favorito de Mary. Durante el bachillerato había sido compañera habitual suya a bordo de las incontables barcas con que al primo le encantaba navegar por el cercano lago Erie. Theodore había ordenado a Barney que, policía novato, vistiese de paisano e investigase los robos sistemáticos que sufrían los clientes de un prostíbulo local. La sola mención de la palabra hizo que todas las miradas corrieran hacia mí para ver si me animaba y elevó una fluctuante burbuja de risitas y una expulsión nerviosa del aire contenido en los pulmones de las señoras. Se hizo el silencio entonces para que Theodore Metz prosiguiera el relato; mientras Barney estaba dentro del prostíbulo, aquél había mandado al mismo un pelotón de policías con orden de tomar la casa por asalto, irrumpir en las habitaciones y detener a todo bicho viviente, incluido el hijo, que a pesar de sus protestas fue incapaz de convencer a los polizontes de que estaba allí trabajando. Las carcajadas que surgieron del atestado soportal sacudieron la tranquila manzana mientras el risueño padre repetía las indignadas explicaciones de Barney. «¡Hice que los muchachos lo metieran en el furgón celular con las chicas!» Oh, fue todo delicioso, pero aún me siguieron buscando algunas miradas nerviosas para comprobar si mi opinión sobre la familia se había venido abajo.

El cura se presentó cuando las carcajadas estaban en auge. Me sorprendió su juventud; parecía tener menos de mis veinticinco años. Pero más sorprendente fue la brusquedad del respetuoso silencio que se impuso en cuanto, pálido y delgado como un adolescente, se le vio remontar los peldaños que escalonaban el estrecho sendero que llevaba a la calle. Saludó a todos, me estrechó la mano, se apartó de mí en el acto, retuvo la mano de Mary durante un instante más prolongado y tomó asiento. Una corrección protocolaria que rayaba en la ansiedad pareció apoderarse de todos mientras se adelantaban para no perderse ninguna de las observaciones que emitía con voz dulce y sus pequeños esfuerzos por resultar gracioso despertaron risas de alivio inconmensurable. «Hoy ha sido un día muy largo para mí» se acogió con un largo y comprensivo «Aaah», y «Ha hecho tanto calor que he estado a punto de bañarme en el lago» originó un excitado revuelo de risas de asombro, atentísima muestra de cortesía hacia su sencilla humanidad. Al cabo de unos diez minutos dio las buenas noches y se fue, permitiendo al antiguo jefe de policía terminar su anécdota del prostíbulo.

Más tarde, cuando los parientes se hubieron ido, Mary y yo nos escabullimos para dar un paseo por el vecindario. Parecía malhumorada e intimidada por los extremos a que sus padres llevaban sus hueras ideas sobre el decoro y el servilismo en lo que pensaban les exigía la Iglesia. Para mí, sin embargo, eran víctimas con las que podíamos acabar siendo amigos. Ella se excusó por hacerme pasar por todo aquello, pero es que su madre se habría derrumbado bajo el peso de la culpa si el matrimonio de la hija no hubiera obtenido una sanción eclesiástica, por mínima que fuese. En el calor pertinaz de la noche nos sentimos oprimidos por una especie de deshidratación del espíritu ante la perspectiva de tener que seguir representando aquella farsa.

Todos los días una sorpresa. Al parecer teníamos que recibir instrucciones del joven sacerdote respecto de las normas eclesiásticas tocantes a la vida familiar. Cada vez más ceñuda, Mary me llevó al despacho del sacerdote a la mañana siguiente, donde nos remachó que estaba prohibido el control de natalidad y que la Iglesia quería que nuestros hijos fueran bautizados y educados como católicos, aspectos en que no teníamos ninguna intención de obedecerle. Joven como era, al cabo de unos minutos entendió el mensaje de nuestro silencio, acometió precipitadamente unas cuantas frases admonitorias más rutinarias e inquirió si teníamos alguna pregunta que hacerle. A decir verdad yo tenía una, y sincera. Unos años antes, Brooks Atkinson, el crítico teatral del *New York Times,* había reproducido una charla sostenida con un granjero de Kentucky ante la puerta de su casa. Atkinson preguntó al granjero, celoso cumplidor de sus deberes religiosos, si sabía lo que era el Espíritu Santo. Tras meditar unos instantes, el granjero replicó: «Yo creo que es algo así como una mancha larga». Por el motivo que fuera, el reportaje de Atkinson me lanzó a una búsqueda breve e infructuosa de la definición exacta de esta entidad desconocida. Ahora que tenía a aquel experto ante mí, le pregunté sin dilación qué entendía por Espíritu Santo.

Frunció los labios y miró por las ventanas emplomadas, cuya luz acuosa le acentuaba la magrura de los pómulos y la tirantez de la piel. Al volverse, sus ojos azules evitaron los míos con resentimiento inequívoco. «Creo que será mejor terminar por hoy y dejar eso para otra ocasión. Pero tengo la obligación de decirte», con lo que se volvió a Mary, que estaba sentada junto a mí, «que, según nuestra experiencia, estos matrimonios no son duraderos.»

Nos quedamos tan atónitos que no pudimos ni responder, ni movernos siquiera. El cura se puso en pie, le cogió a Mary la mano para despedirse, se despidió de mí con un distante movimiento de cabeza y nos hizo salir sin acompañarnos hasta la puerta. Una vez fuera, Mary rompió a reír como si por fin se hubiera roto una ligadura gracias a la intervención de lo real, de una manifestación auténtica que nos hubiera devuelto la vida. Mary pareció recobrarse, desprenderse de una clandestinidad que en modo alguno era propia de ella. «¿Es que no son nada?», dijo con una sonrisa. Volvía a saber cuál era su sitio. Una vez más se le había leído la cartilla, la vieja cartilla que se había saltado a la torera a los quince años y en la que no volvería a fijarse. La amonestación sacerdotal había aclarado sus deberes y obligaciones del momento y que consistían, sencillamente, en manifestar comprensión hacia la susceptibilidad de la madre. Así, lo único que quedaba por hacer era seguir eludiendo los conflictos durante dos días más, hasta que llegase el viernes y el momento de los esponsales.

Así lo creímos por lo menos. Después de un día vacío y torturante en que nos había llevado de aquí para allá en medio de un calor que asfixiaba, el señor Slattery anunció, en el momento de doblar las servilletas tras la cena frugal, que al parecer había problemas con la dispensa eclesiástica. Cabía la posibilidad, aunque aún no era seguro, de que la boda se tuviera que aplazar hasta el lunes de la semana siguiente. La perspectiva de tres días adicionales y obligatorios en lo que amenazaba ya con convertirse en insinceridad degradante hizo que se me disparase algo en la cabeza y me oí decir al señor Slattery, del otro lado de la mesa, que no me podría quedar después del viernes porque tenía cosas importantes que solucionar en Nueva York a primera hora del lunes, feliz invento que pareció elevar mi posición en la mesa. Los ojos de la señor Slattery se mantenían recatadamente bajos, fijos en sus manos, dedicadas en aquel instante a alisar una servilleta. Me sorprendieron y confundieron los estimulantes asentimientos de Slattery mientras yo hablaba.

El motivo de su conformidad no tardó en aclararse: perdería el depósito de doscientos dólares que había entregado a cuenta del cóctel que tendría lugar en el hotel local después de la ceremonia, y doscientos dólares no eran una cantidad fácil de reunir en aquellos días para un empleado municipal jubilado. Aquel hombrecillo calvo que me había tratado con nerviosa formalidad como si yo fuese un pájaro de buen tamaño que me hubiera colado en su casa, se decantó en aquel instante por la intimidad de un modo más bien mecánico, despegando los labios de la dentadura postiza y rozándome el codo con los dedos para pedirme, casi con un murmullo de conspiración, que tuviese paciencia. Pero ¿es que no había nadie a quien recurrir?, le pregunté. Sí, pensaba telefonear al obispo; aunque estaba claro que se trataba de un recurso que había ideado en aquel preciso momento, impelido por la vergüenza.

A la mañana siguiente, durante el desayuno, la perspectiva de la actividad nos mantuvo a todos en un estado de dinamismo que se prolongó mientras nos dirigíamos al centro de la ciudad y subíamos a lo alto de un elevado edificio del barrio comercial de Cleveland, donde estuvimos una hora en una oscura sala de espera con muebles de roble. Al oír que se le llamaba, Slattery se levantó casi de un salto y cruzó la puerta a toda velocidad y sin hacer ruido. Veinte minutos después, acabada la entrevista, me dijo disculpándose que no tenía aún ninguna seguridad de que la dispensa nos llegara el viernes, porque el nuncio apostólico, que residía en Washington, y que era el único que podía tramitarla, se había ido a jugar al golf aquel fin de semana y estaba ilocalizable. Desilusionado por fin, se esforzó porque la excusa pareciese normal y lógica, pero mientras volvíamos a Lakewood me di cuenta, por el silencio que había entre su hija y él, de que se sentía muy humillado ante mí, un extraño. Al salir del coche, ya ante la casa, fui incapaz de sostenerle la mirada avergonzada y huidiza.

A solas con Mary, advertí que también ella se sentía humillada y tan impotente como su padre. Era inaguantable aquella sumisión. Cogí la guía telefónica, localicé el número del despacho del obispo y llamé. Slattery, que sin el menor reparo se encontraba a unos metros de mí y con el oído muy atento, abrió los ojos como platos cuando oyó que solicitaba hablar con el obispo en persona.

La voz imperturbable del otro extremo del hilo contestó que el obispo estaba ocupado. Experimenté un arrebato en mi interior, una furia alimentada en parte por el largo y caluroso viaje en tren desde Nueva York, por la comida sosa e insípida de aquella casa, la estupidez de dormir en una tórrida habitación llena de muebles, por la insoportable sensación de que el compatriota mío que colgaba crucificado de la pared me acusaba sin rodeos, por la autorrepresión que aquellas personas ejercían sobre todos sus instintos humanos, por la incertidumbre de mi ignato futuro de escritor, por la caída de Francia ante los nazis hacía sólo unas semanas, y por la culpabilidad de casarme sin que mi familia estuviera presente: porque ninguno había hecho la menor mención de que quisieran acudir, aunque, por otro lado, los gastos hubieran sobrepasado mis medios. La furia creó una realidad nueva, la realidad de Mary, de la que me estaba enamorando de un modo que no había experimentado cuando, lejos de verla como en aquellos momentos, indecisa y frágil, me había parecido fuerte y resuelta. Me sentía contento.

—Llamo —dije con la mayor calma posible— para informar que nos casaremos mañana tanto si hay dispensa como si no.

—Aguarde un instante —dijo la voz, tan monótona e imperturbable como hacía unos segundos, cuando me había anunciado la inaccesibilidad del obispo.

Creo que fue inevitable que durante la espera pensase en la prohibición constitucional a propósito de oficializar la religión. De súbito, la palmaria evidencia de que si una persona quería podía casarse fuera de la Iglesia, de que la autoridad de ésta se limitaba a sus fieles, se me antojó un milagro y una bendición.

Oí otra voz que dijo ser la del obispo:

—¿Cuál es el problema?

Le expliqué lo del depósito de Slattery, que nos habíamos desplazado desde Nueva York y todo lo demás.

—Pero es que el nuncio apostólico está fuera el fin de semana y no podemos comunicarnos con él —dijo el obispo con un tanto de lógica irracional.

—Bueno, entonces nos casará un juez de paz.

—*Ella* no puede.

—¿Y no hay forma de telegrafiar a Washington? Para la familia es muy importante.

—Estimado señor, la Iglesia católica viene resolviendo estos asuntos de este modo desde hace casi dos mil años y no va a cambiar usted sus costumbres en veinticuatro horas.

—No tengo intención de cambiarlas.

—Pues tendrá que hacerse a la idea de que habrá de esperar a que pase el fin de semana.

—Escuche, caballero: nos vamos a casar mañana. Si usted quiere que se haga con dispensa, ésta tendrá que estar aquí antes de entonces.

Hubo una pausa.

—Volveré a intentarlo, pero estoy convencido de que será inútil.

—De acuerdo, muchas gracias.

Presa del nerviosismo, Slattery lanzó un auténtico chorro de saliva a la escupidera y una energía remozada pareció apoderarse de la señora Slattery, que olvidó su debilidad y se dirigió a la cocina para hacer un agradable té con hielo. Todos querían saber con detalle qué había dicho el obispo y tuve que reproducir la conversación varias veces. De pronto sonó el teléfono. Aún no había transcurrido una hora. Lo cogió Slattery y sus ojillos azules se dilataron. Puso la mano en el auricular y susurró a gritos la identidad del interlocutor: era el joven sacerdote del lugar. Cuando se reanudó la charla, lo único que supo decir fue: «Gracias, padre. Sí. Gracias. Sí. Gracias. Sí. Gracias». La dispensa llegaría al día siguiente, antes de la boda. Cosa extraña, el que hubiera tenido que luchar por Mary de aquel modo había despejado todas mis dudas respecto a nuestra recíproca pertenencia. Pero los temores de la señora Slattery no desaparecieron con la misma facilidad. Mientras en el curso de la mañana siguiente el pálido sacerdote recitaba las fórmulas de rigor, los tensos dedos femeninos acabaron por romper el rosario, las cuentas rebotaron en el suelo brillante y todos se pusieron a buscarlas rezongando. Me miró con aire de culpa, paralizada por aquel símbolo profético de destrucción que sus manos, por su exclusiva cuenta, habían liberado en plena ceremonia.

Pero todo volvió a cambiar durante la comida. Acabado el cóctel matutino, con las pocas botellas de whisky y los canapés repartidos a lo largo de la mesa hasta donde dieron de sí, fuimos a Berea, donde se encontraba la vieja casa rural en que la señora Slattery había nacido y se había criado. El cuadrado edificio victoriano se erguía bajo los olmos y los arces antiguos cuyas extremidades se extendían hasta abrazar el ámbito de un patio amplio y rodeado por llanas plantaciones de heno, remolacha y maíz. Traíllas de niños pequeños correteaban por entre medio de centenas de personas entre las que había una docena de primos adultos de Mary, ruidosamente campechanos los unos, taciturnos y cariacontecidos los otros, y agricultores y lugareños de gordura descomunal, todos devorando pedazos de carne asada, pavo y pasteles de chocolate de quince centímetros de espesor.

Dominando el gentío, balanceándose a buen ritmo en la mecedora del ancho soportal, la octogenaria madre de la señora Slattery, Nan, iba de una cara a otra con ojos asombrados y la expresión le cambiaba cuando reconocía a algún miembro del clan al que sólo veía de uvas a peras. Llevaba un vestido azul de algodón con flores estampadas, recién comprado y aún sin arrugar, evidentemente, y un sombrero anticuado, de copa alta y fruncida y ala del mismo material, de veinticinco centímetros de anchura. Seca como un látigo, aferraba los brazos de la mecedora con dedos sarmentosos mientras se balanceaba con nerviosismo. Al llegar nosotros, Mary la había besado con afecto y ella la había mirado a los ojos y le había dicho: «Siempre fuiste una chica lista». Luego, mientras me encontraba solo en el césped, a unos metros del soportal, oí que me gritaba: «¡Arthur!». Me giré, vi que me hacía señas disimuladas, accedí al soportal y tomé asiento a su lado mientras comenzaba a contarme su vida. Sentada a una mesa muy alejada y rodeada de gente, la madre de Mary nos dirigía ocasionales miradas con sonrisa nerviosa, aunque el señor Slattery parecía un hombre totalmente cambiado y me saludaba de tarde en tarde con la mano y con la misteriosa sonrisa de un cómplice. A sus ojos yo era ahora un tipo lanzado, especie a la que observaba con respeto desde el poste al que había estado sujeto toda su vida. Cuando le dije que la casa de campo me parecía preciosa, Nan me contó que hacía años que la tenían arrendada; todas las mujeres se habían casado e ido —habían tenido seis hembras y ningún varón, una desgracia para un matrimonio de agricultores— y su marido no había disfrutado de una vida muy larga.

—Vinimos en carro, ¿no sabes?, desde el estado de Nueva York, luego nos dirigimos a orillas del lago y a mí me gustó el lugar, pero él quería un terreno más rico, así que volvimos y fue la tierra quien acabó con él. El sitio en que yo quería instalarme se convirtió con el tiempo en el centro de Cleveland. —Rió por lo bajo, echó un vistazo al gentío y súbitamente gritó a todo pulmón a un hombre que pasaba—: ¡¡Bertie!!

La madre de Mary se puso en pie al instante y se acercó para decirle ruborizada que no gritase de aquel modo. La anciana escuchó atenta la observación y la madre de Mary volvió a la mesa para sentarse otra vez, aunque con los ojos de la nuca bien abiertos.

—A mi marido —prosiguió la anciana— le gustaba el suelo fértil de Alsacia, porque él era de allí, pero fue la tierra quien lo mató... —Al parecer vio algo a un lado del soportal, se puso en pie y fui tras ella hasta la barandilla, donde había un gallinero delimitado por una valla de alambre. Alcancé a oír el inquieto cloqueo que surgía del interior. Se dirigió a un balancín que se encontraba pegado a la pared de la casa, se inclinó, cogió un hacha de debajo y volvió para observar el gallinero. Le pregunté qué ocurría y respondió—: Las ratas han conseguido meterse.

—¿Y qué piensa hacer con el hacha?

—Pues tirársela, mira éste —repuso, como si yo fuera idiota.

La madre de Mary apareció inesperadamente a nuestras espaldas, roja de vergüenza, y arrebató el hacha a la anciana.

—Madre, hoy no tienes por qué... —y la condujo a la mecedora otra vez, donde me volví a sentar a su lado. Presa de indecibles torturas, la señora Slattery bajó la escalinata de entrada y regresó a su mesa, apartándose con cansancio el pelo de la cara, sometida a un lento martirio entre los escupitajos del marido y los hachazos raticidas de su progenitora.

—¿Por quién vas a votar? —me preguntó Nan de pronto. Le dije que por Roosevelt—. Sí. Bueno, es el mejor de todos, me parece. Pues yo siempre he votado por el Partido de los Trabajadores del Campo, y siempre que podía, por Bob La Follette, aunque nunca vio la presidencia ni de lejos. Pero yo era del Partido y él fue siempre mi candidato preferido.

—¿Es usted socialista?

—Pues claro. Pero éstos... —hizo un gesto con la mano para señalar al gentío—, ahora son todos conservadores y republicanos. —Medio se incorporó de repente y se puso a gritar el nombre de alguien, si bien calló y volvió a tomar asiento, esperando con impaciencia a que la persona en cuestión se acercase. Agitó la mano entonces con comedimiento, dijo

«¡Hola!» con voz apacible y volvió al rápido balanceo como si estuviera sobre un caballo y recorriese con la mirada un horizonte lleno de interés. De modo inopinado, se volvió a mí y dijo—: Me gusta que seas tan alto, mi marido era un hombre alto.

—A mí también me gusta usted, abuela.

Me palmeó la rodilla y volvió a posar los ojos en el gentío. Llegó Mary, se sentó al otro lado de la anciana y se cogieron las manos. La anciana se volvió a mí al cabo de un instante y me dijo:

—Esta fue siempre la más lista, ¿no sabes? —Una inmensa sensación de seguridad comenzó a dominarme mientras permanecíamos sentados en el corazón de los Estados Unidos.

Pero la escena apacible comienza a agitarse en cuanto, casi medio siglo después, la observo más de cerca. Estaba mucho menos seguro de lo que me he acostumbrado a creer y los motivos eran políticos sobre todo. Ohio, en 1940, estaba sumido en un aislacionismo de corte racista y yo sabía que casi todos los reunidos allí en el patio estaban convencidos de que al cabo de sólo veinte años de paz, Norteamérica no tenía por qué intervenir en otra guerra europea. Yo pensaba igual, sólo que mis argumentos, a diferencia de los suyos, eran radicales; para mí, el conflicto entre Alemania y el bloque anglofrancés era una nueva versión del antiguo conflicto imperialista de la guerra mundial anterior, un estertor más del sistema capitalista autodestructor y moribundo. Los reunidos en el patio, aunque ocasionalmente negaran sus ventajas, creían en el capitalismo. Algunos creían además que, oponiéndose a la intervención norteamericana en la guerra, hacían fracasar la conspiración internacional de los banqueros judíos para hacernos intervenir.

Este mensaje se había convertido poco a poco en el tema principal de un predicador radiofónico que contaba con la audiencia más numerosa del mundo, el padre Charles E. Coughlin, quien hacia 1940 revelaba confianzudo a sus diez millones de radioyentes vapuleados por la Depresión que el presidente era un embustero manipulado a la vez por los banqueros judíos y, oh sorpresa, por los comunistas judíos, ralea única que veinte años antes había organizado la Revolución rusa y había jurado repetirla en «Washingtonski», según su propia expresión. Podía ver al señor Slattery con la oreja pegada a su Philco, cabeceando con sonrisa de profunda complacencia ante el perverso ingenio del cura. Como a muchos de los que estaban en aquel mismo patio, se le estaba inculcando la idea de que el nazismo era la reacción inocentemente defensiva del pueblo alemán contra la amenaza del comunismo, que Hitler estaba sólo contra «los judíos malos», en particular contra los nacidos fuera de Alemania, al igual que estaba contra «los gentiles malos», los de ideas radicales. Que Coughlin no hacía más que traducir literalmente por radio los editoriales que el ministro nazi de propaganda Joseph Goebbels publicaba en *Servicio del Mundo*, órgano oficial de propaganda del gobierno alemán, era algo que ignoraban los reunidos en el jardín, pero a más de uno le habría dejado indiferente el saberlo. El que yo compartiese con ellos la oposición a intervenir en la guerra mientras estaba en desacuerdo en todas las demás cosas en que creían era para mí una insatisfacción corrosiva y una experiencia de la ambigüedad totalmente nueva. Todas las generaciones miran atrás con añoranza, a una época anterior en que las cosas eran más sencillas y claras, una época anterior al comienzo de la degeneración, pero el año 1940 —que puso punto final a mi soltería y a la Depresión— aún me sigue pareciendo que fue el que determinó el fin de un sencillo idealismo democrático que nos había forjado la perversidad evidente del nazismo. Por lo menos nos parecía evidente en Nueva York. Cuanto más se adentraba uno en el campo, sin embargo, más humano parecía el perfil de Hitler, que quedaba como otro cabecilla bélico alemán, dispuesto a vengar la derrota de 1918, ideal no del todo deshonroso, si a ello vamos, y en cualquier caso un asunto en que no teníamos por qué meternos.

En pocas palabras, tenía la conciencia sumida en confusión, como suele suceder cuando se sabe que la afinidad con un amigo o un aliado no es tan imparcial como se pretende. Yo creía aún en la bondad de una Unión Soviética que en la opinión católica ortodoxa de mis suegros y sus amigos era hechura fundamental del Anticristo. Pero no quería desesperar porque pensaba que era sólo su voluntad pacifista lo que había permitido que por obra de los demagogos se desviara hacia una aparente simpatía por el fascismo.

El resultado de este caos interno fue fortalecer la fusión de mis ambiciones personales como dramaturgo con mi deseo de salvación de la república. Más aún, hizo que dentro de mí arraigase la creencia de que si alguna vez tenía un público, éste estaría compuesto por toda suerte de individuos, no sólo por los ciudadanos cultos o exquisitos, ya que era la gran masa popular la que tenía el poder oceánico de aplastarlo todo, yo incluido, o de crear grandeza. Por el mecanismo que fuese, había llegado en cierto modo al papel psicológico de mediador entre los judíos y Norteamérica, y entre los mismos norteamericanos también. Sin la menor duda de que se trataba de una defensa ante la inmensidad de la amenaza fascista, tanto europea como doméstica, y que mi interpretación personal era una amenaza contra mi propia existencia, me dominaba el deseo, ya que aún no la convicción, de que el arte expresara la universalidad de los seres humanos, sus emociones e ideas comunes. Y ya tenía indicios seguros, allá en Ohio, de que en el fondo todos estábamos más o menos cortados por el mismo patrón.

Slattery no paraba de difundir la noticia de mi negativa a aceptar la demora en la concesión de la dispensa. Daba ya la sensación de que como neoyorquino y «escritor», y tal vez incluso como judío, había en mí algo próximo a la fascinación, aunque era más pobre que las ratas y no las tenía todas conmigo en lo tocante a mi porvenir. Sentado en aquel soportal, al lado de la anciana, empezó a gustarme la idea de que se me aceptara, no sólo como persona, sino también como símbolo de una foraneidad sospechosa, transformada para bien. Los reunidos empezaron a elogiarme a Mary, a recordarme qué gran lectora había sido siempre, prácticamente la única a quien de pequeña le había gustado ir a la escuela, como si el casarse con un intelectual hubiera sido cosa del destino. Los relajados estallidos de risa de las buenas gentes acomodadas ante las mesas del banquete que se habían instalado en la hierba, la voces agudas y nasales de las mujeres, la avidez pantagruélica con que se devoraba la carne asada, el pavo, los pasteles y todas las cremosas maravillas de la comarca, me hablaban de la unicidad de la especie. Mi padre había estado en lo cierto al no negar a los gentiles la facultad de ser justos y cordiales con el extraño.

Y al mismo tiempo, como es lógico, paralela a aquella esperanza eufórica, la certidumbre de que si de pronto me ponía en pie y declaraba que todo aquello había sido una equivocación y que iba a irme a Nueva York solo, la madre de Mary me daría las gracias efusivamente, y con ella el clan entero.

Como siempre, fue el diálogo lo que me aclaró la confusión. Habían dejado de acercársenos al soportal por el momento y, volviéndose hacia mí con esa expresión en la mirada, vagamente aprensiva, que los ancianos tienen a veces cuando se dirigen al joven insondable, Nan me preguntó:

—¿Qué piensas del pacto?

El pacto nazi-soviético había asombrado al mundo; el archienemigo de Hitler había sido el bolchevismo, cuya amenaza para Alemania había justificado todas sus barbaridades y le había hecho ganar muchos adeptos entre los conservadores de Occidente. Los partidarios de la Unión Soviética que no habían abandonado la causa pese a lo obsceno de la situación defendían el pacto recordando que los rusos habían pedido durante años a Francia e Inglaterra la firma de un tratado contra los nazis y que no habían obtenido nada; ahora se habían limitado a devolver la pelota y, desde su punto de vista, habían neutralizado a Alemania para darse el tiempo necesario para prepararse para el inevitable ataque alemán, que llegaría antes o después. En otras palabras, el mito sostenía aún que no sólo eran regímenes distintos, sino diametralmente opuestos.

Antes de que pudiese yo responder, añadió la anciana:

—Da la sensación de que los rusos se hubieran hartado de los franceses. —*Franceses* sonó con ligero retintín desdeñoso, ya que ella era de origen germano-alsaciano—. Yo no les echaría la culpa a ellos.

Aquellas palabras me tranquilizaron, puesto que procedían de una auténtica oriunda del terruño y no de un radical neoyorquino. La verdad era que con el pacto, como suele ocurrir en tales coyunturas en todas las generaciones, se había puesto fin a la inocencia y el cielo despejado de la juventud aparecía nublado por culpa de un temporal equívoco. Durante los años de la Depresión, a pesar de las frustraciones y de los giros y bandazos políticos, las palabras puras de una persona no habían tenido necesidad de colorearse merced a salvedades y distingos inadvertidos: bastaba con abrazar directamente y sin ambages lo racional y se desembocaba en la izquierda. La otra opción entrañaba la justificación de locuras como destruir cosechas para mantener elevados los precios cuando los habitantes de las ciudades se morían de hambre. Pero ya no había nada que estuviese tan claro.

—Bueno —añadió—, espero que podamos mantenernos al margen de ésta, aunque ya verás, ya verás lo que se nos viene encima; porque los británicos no paran de mosconear a nuestro alrededor para que otra vez les saquemos las castañas del fuego...

Me pareció por unos instantes que su sencillo sentido común prometía solucionar las dudas que yo tenía acerca de aquel único y crucialísimo tema del momento. En efecto, lo que decía era que entre los nazis y sus enemigos occidentales no había ningún enfrentamiento de valores, sino que se trataba sólo de la archisabida y sempiterna lucha por el poder, esta vez por la nueva configuración imperial que se estaba dando por obra de una Alemania resurrecta que se había recuperado de la derrota sufrida en la I Guerra Mundial, veinte años antes.

El problema en cuanto tal hace tiempo que desapareció, pero el proceso humano que discurre bajo mis explicaciones (y sin duda bajo las de casi todos los norteamericanos de entonces) sigue en buena medida con nosotros, en la actualidad empeñado en otros menesteres. Durante siete años tuve, literalmente, pesadillas a propósito de los nazis, aunque sólo fuese porque en el más profundo de los sentidos parecían incontenibles, el auténtico futuro, como les había llamado Anne Morrow Lindbergh, un futuro de tinieblas absolutas, tal como me lo imaginaba yo, un gobierno de degenerados, canallas y un loco furioso. ¿Cómo iba a admitir yo que una victoria nazi no iba a ser peor que la de los británicos y franceses, por viles y decadentes que fueran y por muy cobardes que hubieran sido a lo largo de la década al someterse a las exigencias de Hitler? Esta paradoja componía buena parte de la mentalidad radical de los años treinta.

Parte de la confusión nacional respecto de cómo enfocar la inminente contienda bélica se debió a un cinismo desusado, resultante de la crisis económica. Para infinidad de personas de clase media, el mercado bursátil, más que un mecanismo inversor o un sistema de apuestas legalizado, había sido el sostén del prestigio del capitalismo en cuanto tal. El mercado era el símbolo visible del creciente caudal de «valores» de la propiedad, la prueba incluso de que había algún tipo de sociedad sin clases en gestación, dado que la costumbre de invertir se había generalizado en el país entero. Cuando el mercado se hundió prácticamente de la noche a la mañana sin que las instituciones y los dirigentes más destacados fuesen capaces de impedirlo o de comprender siquiera lo que sucedía, un profundo pánico espiritual puso en tela de juicio toda confianza y toda fe en lo establecido. Alguien, con gesto despectivo, empujó a un enano contra las rodillas del notable y antes recluido banquero J. Pierpont Morgan mientras se disparaban las cámaras fotográficas. Otros financieros fueron a parar a la cárcel o se tiraron por la ventana. La incontenible caída del mercado arrastró consigo además lo que había quedado de la noble mitología justificadora de la I Guerra Mundial, que prácticamente se convirtió entonces en una prueba más del poder del capital para sacrificar vidas inocentes sin el menor escrúpulo y con el solo objeto de que los ricos fueran más ricos. Desde este punto de vista, la Revolución rusa, que había apartado al ejército zarista de la guerra y su insensata carnicería, adquiría un sentido sobrehumano; desde cierta distancia parecía un ejemplo sublime de la inteligencia del hombre. En 1940 estaban enzarzados de nuevo y de nuevo eran los rusos quienes decidían abandonar otra guerra. Y si bien parecía un cínico cambio de chaqueta el aliarse con los mismos fascistas que antes habían condenado, en el pacto, si era esto lo que quería verse, había algo más que una coherencia superficial. Rusia carecía de colonias en 1940, no había anexionado a ningún vecino (la división de Polonia con Alemania y la ocupación de las repúblicas del Báltico se justificaron como acciones defensivas) y podía alardear por tanto de un limpio historial antiimperialista; y, a diferencia de los principales países europeos, no tenía parados. ¿No podía significar pues su alianza con Alemania que o estaba resuelta a mantenerse al margen de una guerra despreciable aun a costa de estrechar la mano del odiado nazi o que estaba ganando tiempo con objeto·de prepararse para combatirle después?

La dificultad de entender las ilusiones humanas es la dificultad de descubrir sus presupuestos, la lógica de lo ilógico. Una vez que las democracias occidentales, encabezadas por hombres como el inglés Chamberlain y el francés Deladier, hubieron puesto sin más ni más en manos de Hitler a los checos, que con uno de los más fuertes y mejor preparados ejércitos de Europa quizás hubieran podido detener a los alemanes; y una vez que quedó bien claro, con la negativa de los Aliados a vender armas a los republicanos españoles, que eran cómplices del fascismo italiano y alemán en la destrucción de la primera democracia de la historia española, no fue difícil considerar que el anhelo secreto de los gobiernos francés y británico era una victoria alemana en Rusia y, a continuación, un largo futuro sin ningún comunista a la vista en un mundo cómodamente dividido en zonas, ninguna socialista, todas bien seguras y regidas por los nazis alemanes, los aristócratas ingleses, los millonarios franceses y sus respectivos ejércitos mercenarios. Que los rusos, de un zarpazo, hubieran arrancado los dientes de aquel nuevo dragón hinchable, para que su cola golpease en París y Londres y no en Moscú y Leningrado, era ciertamente comprensible.

Lo que se omitía en estos análisis era la cuestión del poder, que sustituimos por consideraciones morales. Era nuestro deseo de un mundo moral, el intenso deseo de afirmar la existencia del bien, lo que generaba, como sigue ocurriendo, fantasías políticas. Habida cuenta de lo que nos distanciaba del capitalismo decadente de la época, ver el claro paralelismo entre las instituciones sociales del régimen nazifascista y las del soviético habría sido insoportable. Sindicatos amordazados, organizaciones juveniles masivas, policía secreta, delatores en el trabajo y en la propia casa, multitudes de presos políticos y, en el centro de todo ello, el culto al Estado y a su jefe: tales eran las creaciones del régimen soviético. El fascismo y el nazismo eran imitaciones de las fórmulas soviéticas, sólo que en vez de un contenido «espiritual» que hablaba de solidaridad proletaria internacional había nacionalismo enfermizo y racismo. La enemistad general entre los dos sistemas no era más profunda que la enemistad de Inglaterra con

Francia en determinados momentos de la historia, o de Alemania con Inglaterra. El conflicto moral, que nos tomábamos muy en serio, ocultaba el nacionalismo y la geopolítica, que eran los motores de la época.

El miedo a la inercia, mejor dicho, a una inercia que desembocara en cualquier clase de fascismo, palpita en algún lugar secreto de los orígenes de *The Man Who Had All the Luck* [Un hombre de suerte], una de mis primeras piezas teatrales, y, en apariencia, una obra de género sobre la clase media norteamericana sin ninguna vinculación con los problemas políticos mencionados. Me la sirvió en bandeja, por decirlo así, una mujer que accedió al soportal y tomó asiento al lado de Mary, Nan y yo. Se trataba de Helen, la hermana menor de la señora Slattery y cuyo marido se había ahorcado hacía poco. Como a todo escritor, se me suele preguntar de dónde me vienen las ideas y he de decir que si lo supiera me dejaría caer por allí más a menudo. La verdad es que hay coyunturas en que, sencillamente, las obras cristalizan y adquieren forma, como bacterias en un tubo de ensayo, para matar o curar después.

Helen estaba deseosa de conocer al extraño que Mary había llevado al clan y parecía sedienta de noticias del mundo exterior. Delgada, de faz pálida y menuda y con unos ojos castaños y redondos, había una integridad abstraída en su forma despreocupada de cruzar las piernas y de apoyar los antebrazos en el muslo, en la inconsciencia de las horquillas, que le colgaban del moño, y la torpeza del escote de la blusa. Irradiaba la fuerza de la persona distraída, el aire de una investigadora de clase media.

Mary me había contado que Helen había despertado una mañana y visto por la ventana del dormitorio la puerta abierta del granero y al joven marido ahorcado en una viga.

—Sentí mucho lo de tu marido cuando me lo contaron —le dije—. He oído decir que era un buen hombre.

Entró en materia sin el menor titubeo, como si repitiendo una y otra vez lo sucedido acabara por perder realidad.

—Siempre estuvimos en la misma clase, desde la primera enseñanza hasta el bachillerato, aunque Peter tuvo que dejar los estudios y ponerse a trabajar y yo continué hasta terminarlos. Siempre cayó bien a todos, o sea que nunca le faltó trabajo, quiero decir que a la gente le gustaba tenerlo cerca porque era muy simpático...

Semejante a una letanía, la historia parecía haberse contado con frecuencia y me recordó a las esposas de los presos del penal Jackson de Michigan, el mayor del país, donde de estudiante y durante muchos fines de semana había ido a visitar a un amigo que había obtenido allí el empleo de psicólogo después de estudiar nada más que un año de psicología en Ann Arbor. También aquellas mujeres parecían haber repetido durante años la misma historia de injusticia a cualquiera que les hiciese caso.

—Entonces cambió. De la noche a la mañana y sin venir a cuento, comenzó a levantarse de la cama para vestirse y salir a la calle.

—¿Adónde iba?

—Casi siempre a la gasolinera...

Peter había sido propietario de una rentabilísima estación de servicio, que era uno más entre los negocios que había explotado cuando aún no tenía más que veintitantos años, y gustaba de hacer incursiones sorpresa con objeto de cotejar la recaudación con el combustible despachado. Que no hubiese nunca ninguna contradicción en los datos no menguaba su obsesiva convicción de que sus trabajadores le robaban.

—No se le podía llevar la contraria —dijo Helen—, se ponía hecho un basilisco.

Pese a su ingenuidad, los amigos se dieron cuenta de que estaba enfermo y al final consiguieron que lo tratasen los médicos de cierto hospital de Cleveland. Pareció estar mejor durante un tiempo, pero cuando Helen y él planeaban pasar unas vacaciones en Canadá, se suicidó.

La anécdota me dejó un resabio de familiaridad que no acababa de comprender. Mi ignorancia respecto de la psicología formal era casi supina y nunca se me habría ocurrido considerar a Peter un caso clínico, un psicótico paranoide; advertía por el contrario el misterioso movimiento del espíritu en su comportamiento ilógico, y al igual que Helen, que aún no podía recuperar su confianza en la realidad del mundo diurno, me preocupaba lo que carecía de respuesta. ¿Por qué había acabado por darse muerte un joven tan afortunado? Sobre todo en aquel primitivo terruño, alejado del hacinamiento y competitividad de las ciudades. ¿Qué lógica —esa lógica que gobierna nuestra vida sin que por lo general lo advirtamos— necesitaba su muerte?

Como novela primero, para la que nunca encontré editor, y como obra de teatro después, *Un hombre de suerte* me obsesionó durante los tres años siguientes, hasta su representación en 1944, mi primera en Broadway, que duró cuatro tristes funciones y desapareció. Fue gracias sin embargo a las sucesivas versiones de aquella historia por lo que empecé a considerarme dramaturgo y quizás incluso persona.

Helen me recordó extrañamente al principio a mi prima Jean, la hija de mi tía Esther, que vivía enfrente de nosotros en la Calle 3 Este, en Brooklyn. Las dos eran jóvenes de voz dulce y con una naturaleza voluntariosa y sonriente que la muerte súbita había hecho pedazos. El marido de Jean, Moe Fishler, un hombre increíblemente guapo, con una dentadura blanca, perfecta y relampagueante, con un fascinante lunar negro en la mejilla blanca y tersa, pelo negro brillante y un cuerpo menudo y de proporciones perfectas, también había tenido mucha suerte a la edad de treinta y algo. Emanaba un aura inconfundible de solvencia y buena estrella. Durante la Depresión, cuando todos los demás estaban financieramente en las últimas, había subido de manera incontenible hasta convertirse en próspero directivo de una empresa textil. Pero parece que había ocurrido algo entre él y su esposa y por entonces ya casi no se hablaban.

Formaban una pareja de lo más exigente y era al parecer la intensiva labor de limpieza que los dos llevaban a cabo lo que a la sazón los mantenía unidos. Moe llegaba al extremo de limpiar el motor de su Buick rojo hasta que brillaba como una patena. Joan procedía de una familia de tres hijas que se entretenían poniéndose un pañuelo en la cabeza y limpiando la casita bajo la supervisión de su madre, mi tía Esther, hembra incapaz de sentarse en una silla sin limpiar antes el asiento con el canto de la mano y que no paraba de sobarse el escote con la punta de los dedos para que ninguna mota de caspa o de mugre le afease el contorno.

Una tórrida tarde estival, Moe quiso ir solo a Brighton Beach, a unos cinco kilómetros de distancia, para darse un chapuzón. El sol se puso y aún no había vuelto. Cuando el cielo adquirió un matiz más oscuro y el último rayo de sol brilló en las ventanas de la casa, Jean seguía sola en el elevado soportal de ladrillo, con los ojos fijos en la esquina, preocupada pero demasiado tímida para llamar a la policía. Un coche desconocido para ella dobló la esquina entonces y se quedó mirándolo, inmóvil como el ciervo que ha visto al cazador, mientras el vehículo reducía la velocidad y se detenía ante los peldaños de la entrada. Un enano jorobado en traje de baño resbaló del asiento del conductor hasta apoyar los pies en el suelo. Rodeó cojeando el coche, igual que una muñeca grande y rota, y se detuvo al pie de los cinco peldaños. Miró a Jean con las manos extendidas y con aire de disculpa, a juzgar por su tono y movimientos. «Lo traigo en el coche», dijo, sin presentarse ni dar mayores explicaciones, convencido al parecer, por los dilatados ojos femeninos no menos que por la cartera identificadora de Moe que llevaba en la mano, de que estaba ante la reciente viuda que andaba buscando.

Descendió la mujer por los peldaños hasta el sueño final de su vida, echó un vistazo por la ventanilla del coche y vio el cadáver de su guapo Moe. El jorobado era médico, se encontraba tumbado en la playa cuando había visto el accidente de Moe y había intentado salvarle. La madre de Moe cruzó en aquel instante el cancel de tela metálica y comenzaron los gritos, los gemidos desesperados e impotentes. Todos los vecinos se congregaron en la acera: viejos, niños, mujeres con el crío a cuestas, parejas jóvenes, y el gentil de la calle, el pequeño y canoso señor Clark, que vivía al lado mismo, que trabajaba en un banco y que solía llevar encima una pequeña pistola. (Aquella tarde iba vestido con una camiseta vieja y un pantalón de faena porque acababa de engrasar y limpiar su Ford A. El reluciente vehículo se podía ver en el garaje del propietario, que había hecho un agujero en el suelo para poder engrasarlo él mismo desde abajo. Cuando falleció, años después, la hermana de Moe, que se llamaba Mae, y su marido, le compraron el coche a la señora Clark. En los seis años que lo habían tenido los Clark, el Ford había rodado menos de quinientos kilómetros. Había sido menos un coche que un icono. El matrimonio, que carecía de hijos, no había tenido dónde ir; pero necesitaba algo que cuidar, por lo que preocuparse y que proteger de los elementos.)

Se sacó a Moe del coche con la turbada ayuda del señor Clark, aunque el médico de la joroba fue rechazado por Jean, que, presa de un ataque de histeria, no quiso que tocase al difunto. La madre de Moe, furiosa, le gritaba incoherencias: ¿por qué estaba allí aquel enano contrahecho y en traje de baño que les había llevado un muerto, el cadáver de su aún hermoso hijo? «¡Quién es usted!», le chillaba sin cesar, como si Moe fuese a resucitar porque ella negase toda vinculación entre él y aquel hombrecillo deforme. Y en ningún momento permitieron que el médico entrase en la casa, como si estuviera maldito, y le vi volver a su coche oscilando sobre las piernas torcidas y magras, con el colgante traje de baño, y sin ocultar las lágrimas cuando se alejó.

Cosa curiosa, Jean y su suegra, a punto de sufrir un ataque y necesitadas de toda clase de atenciones, adquirieron en el camposanto un aturdido tic negador, un incesante cabeceo impugnativo. Y Helen, en el soportal de Ohio, tenía la misma actitud negadora, aunque sin el tic. A Jean le costaría meses desprenderse de él y mucho más a la anciana señora, que saldría al soportal todas las tardes al ponerse el sol, diciendo no con la cabeza, mientras dirigía los ojos hacia el cementerio, situado a unas manzanas de distancia.

De la repentina e increíble muerte de Moe y del suicidio del marido de Helen surgió *Un hombre de suerte*, que trataba de lo intratable: el problema de la justicia del destino, por qué una persona fracasaba y otra, con idénticos méritos, alcanzaba alguna fama en vida. Es posible que refractase aquí la sensación que tenía de que en mi interior se concentraba una fuerza misteriosa, para cotejarla con su ausencia en otras personas. Aunque ya en 1939, antes de que comenzase la guerra y recién acabados los estudios universitarios, había escrito una impresionante tragedia sobre la caída y aniquilación de Moctezuma a manos de Cortés, con un tema parecido. Así como el afortunado David Beeves, protagonista de *Un hombre de suerte*, sucumbía por no saber medir sus propios recursos, Moctezuma estaba convencido de que los extraños seres blancos que habían llegado por el océano estaban destinados a ser sus amos y al mismo tiempo a elevarle a la categoría de divinidad, porque, según pensaba, ya había conquistado con sus aztecas todo el mundo conocido y no le quedaba nada más que hacer en la vida. En ambas obras se planteaba el mismo problema, aunque de modo muy distinto: la irrealidad ilusoria del triunfo y el poder. Ambas, podría añadirse, aludían a la vez a la parálisis de la voluntad de los países democráticos, mientras el dominio hitleriano de Europa aumentaba semana tras semana.

Un hombre de suerte, a lo largo de sus infinitas versiones, me fue acercando, centímetro a centímetro, a mi primera toma de conciencia de los conflictos fraternos y paternofiliales. David Beeves era al principio un huérfano que ascendía socialmente en su pequeña ciudad de provincias de un modo más bien milagroso. Su amigo Amos era un joven *pitcher*, de un equipo local de béisbol, a quien el padre, Pat, había entrenado sin descanso prácticamente desde la infancia; incluso obligaba al hijo a lanzar pelotas en el sótano durante los largos inviernos. En otras palabras, la vida de Amos tenía que estar totalmente protegida de toda casualidad anómala. Pero tras un partido en que Pat, por fin, consigue interesar a un cazatalentos de los «Tigres» de Detroit, se viene abajo la posibilidad de que Amos figure en un equipo de las divisiones de honor. El cazatalentos piensa que se queda psicológicamente paralizado cuando tiene guardianes de base a sus espaldas: en el sótano no había tenido que preocuparse más que del blanco que tenía ante los ojos. Aquello mismo que al parecer tiene que protegerle del fracaso es lo que le hace sucumbir. El efecto que causa en David es tremendo, ya que le aísla peligrosamente como a un astro triunfal en medio de sus camaradas locales.

Un día me di cuenta de pronto de que Amos y David eran hermanos y Pat el padre común. Hubo así una tensión distinta en el argumento, una convicción nueva, indescriptible, de que podía hablar desde lo más profundo de mi interioridad, de que había visto cosas que nadie más había comprendido.

Hacia 1940 había escrito ya cuatro o cinco obras de duración normal, había ganado dos veces seguidas el Premio Avery Hopwood, en Michigan, y había llamado la atención de algunos empresarios y actores neoyorquinos. Mi primera otra de teatro, *No villain*, en la que utilizaba como modelos a los miembros de mi familia, era la historia de una huelga en una fábrica textil que enfrentaba a un joven con su padre empresario. Otra trataba de los inútiles esfuerzos de un psiquiatra penitenciario por impedir el enloquecimiento de los reclusos cuerdos. También aquí había un enfrentamiento entre hermanos, aunque yo no lo había concebido como tal.

Como ya dije antes, durante muchos fines de semana fui de visita al penal estatal de Jackson, donde mi antiguo compañero de clase Sid Moscowitz había obtenido la única plaza de psicólogo sin haber hecho más que un año de carrera y, aunque se trataba de la prisión más grande del país, estaba encargado él solo de evitar que ocho mil reclusos se volvieran locos. En aquellos años de la Depresión no hacía falta ser muy perspicaz para darse cuenta de que casi todos los delitos eran económicos y que se robaba para comer. Conocí a varios presos que estaban allí por haber matado al jefe de policía a la hora de embargarles el ganado por orden del banco titular de la hipoteca vencida, y asimismo a docenas de pequeños comerciantes con siete años de sentencia por firmar cheques sin fondo por no muy elevadas cantidades.

Pero eran los casos incomprensibles —los que sólo estaban remotamente vinculados con la motivación económica— los que me hacían volver a Jackson. Se trataba de hombres como el que llamaré Droge, un campeón del circuito de Indianápolis sin ninguna necesidad auténtica de delinquir y que sin embargo había dirigido en secreto durante doce años una red de ladrones de coches. Lo conocí en el taller de Jackson, donde enseñaba a los presos el arte de reparar automóviles. Ya con cuarenta y tantos años, era un ladrón elegante, pulcro e inteligente, con un mal humor divertido que por lo general centraba las ironías en su propio yo amargado. Al hablar con él, como con otros presos, yo contaba con la ventaja de poder acceder a su historial, lo que me permitía comprobar si era sincero. Era cierta la historia que me contó.

Cuando su banda localizaba un coche, extranjero o norteamericano, particularmente valioso, lo trasladaban hasta un camión que esperaba no muy lejos de allí con una rampa preparada. Mientras el camión se dirigía por la autopista a otra ciudad, los mecánicos de dentro cambiaban el número de motor del coche, le ponían embellecedores nuevos, lo pintaban de otro color y por la noche lo dejaban en el establecimiento de un vendedor compinchado. Podían agenciarse un coche al día y a menudo otro por la noche, que se entregaba por la mañana. Droge tenía varios grupos que trabajaban por todo el Medio Oeste; uno de los miembros de la organización era un linotipista de Lorraine, Kansas, que estaba en paro y que sabía confeccionar documentos en regla con matrículas falsas. Droge se había convertido en un ladrón rico en el curso de una década, y eso que su celebridad como corredor automovilístico no hacía más que crecer.

Su caída se debió a la más pura casualidad. Tras pinchar un Rolls Royce en Flint, Michigan, lo dejó en la parte trasera de una pensión, donde pensaba pasar la noche, con la intención de irse antes del alba, cuando la alarma por la desaparición del vehículo hubiera empezado a templarse, y de conducirlo a toda velocidad hasta donde estaba el camión. Por desgracia, había ido a elegir probablemente la única pensión de todo Flint cuyo propietario era agente de policía, agente que, al volver a casa, vio el flamente Rolls en el garaje. Para empeorar las cosas, Droge había tenido un rapto de inspiración y había bajado con toda tranquilidad; daba ya marcha atrás para salir a la calle cuando vio por el retrovisor que el policía desenfundaba el revólver y pisó el acelerador con ánimo de arrollarle. Le cayeron quince años, porque los coches son sagrados en Michigan, aunque lo peor de todo era que sabía muy bien a quién echar la culpa por encontrarse ahora en aquel entorno de cemento.

Un día lo vi en el amplio patio de la cárcel, recinto cuadrado de varias manzanas de lado, donde los reclusos paseaban, se arrojaban pelotas de béisbol o se sentaban a tomar el sol primaveral. Droge tenía la mirada puesta en la cima del muro, un bloque liso de cemento y de unos cinco pisos de altura que una semana antes habían saltado cuatro presos en el curso de una fuga inverosímil. Perfilados contra el cielo de fondo, los obreros estaban instalando un sistema de células fotoeléctricas para que cualquiera que pasara ante los rayos lumínicos hiciese sonar la alarma. Los que acababan de fugarse habían trabajado en el taller de electricidad de la prisión y se las habían arreglado para reunir en cuestión de semanas varios fragmentos de tres metros y medio de tubo de conducción eléctrica de veinticinco milímetros de grosor, unidos por ambos extremos, y que habían enterrado, pieza tras pieza, todos los días en el patio, más una cuerda larga que habían cortado del telón del salón de actos de la cárcel. Una mañana a primera hora habían desenterrado los tubos, los habían ensamblado tras doblar un extremo, habían izado la pértiga de cable resultante y la habían enganchado en lo alto del muro. Habían trepado a continuación por ella y bajado por el otro lado con ayuda de la cuerda. Una semana más tarde los mataron a tiros a todos en San Luis.

Mientras observaba a los obreros en lo alto del muro, encogidos los ojos en actitud pensativa, Droge cabeceó y lanzó un suspiro.

—¿Qué ocurre? —le pregunté.

—Que pierden el tiempo. Lo único que necesita un tipo es una linterna de tres pilas; quiero decir si es tan imbécil que quiera escaparse.

—¿Una linterna?

—Pues claro. Enfocas la célula receptora, pasas y apagas la linterna. Así no cortas en ningún momento el haz luminoso y te vas a casa tranquilamente; hasta que te cogen y te vuelan los sesos.

—Dios mío —exclamé—, ¿por qué no lo dices?

—¿Y para qué? Que trabajen un poco. En cualquier caso lo averiguarán antes o después.

Droge estaba decidamente cuerdo, pero había hombres con distintos niveles alucinatorios en todos los rincones de la cárcel, centro que acabé considerando más una clínica para enfermos mentales que un lugar para castigar delincuentes. A decir verdad, los más cuerdos de todos eran los abastecedores del mercado negro, los falsificadores, los desvalijadores de cajas de caudales y los ladrones de coches de alto nivel como Droge, que se habían limitado a confabular habilidad e ingenio en contra del sistema, que momentáneamente habían perdido en un juego que era técnico exclusivamente y cuyos sentimientos no eran más agresivos que los que tiene contra la fuerza de gravedad el atleta que practica el salto con pértiga.

The Great Disobedience [La gran desobediencia], la obra teatral que al final escribí sobre la cárcel, fue la primera para la que hice investigaciones previas; quería salir de mí mismo y servirme del mundo como tema. Y allí tenía, esperando su denuncia, un ejemplo de la maligna opresión que ejerce el sistema sobre el cerebro humano. Tras ganar los dos Premios Hopwood, no obtuve ninguno en el último año de carrera, ya que los jueces estimaron «exagerada» la obra, como a decir verdad lo eran mis sentimientos hacia Jackson. Esta se tenía por la prisión más progresista del país, pero la verdad es que no conseguí conciliar el sueño con facilidad al volver a Ann Arbor hasta que olvidé aquella ciudad de hombres enjaulados, el penetrante olor animal de aquellos bloques de celdas tórridos y húmedos, las risotadas salvajes y dementes, y los brotes de violencia que había cada tanto. Ningún guardián se atrevía a ponerse a menos de un brazo de distancia de las celdas por temor de que brotasen unas manos por entre los barrotes y lo estrangulasen. Lo peor de todo era que sabía que si hubiera estado a cargo de aquella prisión habría sido incapaz de transformarla, aunque no de abrir las puertas para que todo el mundo saliese. No obstante, tampoco esto podía hacerse. Creo que por lo menos la cuarta parte había enloquecido totalmente.

El fracaso de la obra teatral no afectó para nada a mi convicción de que el arte debe servir para cambiar la sociedad. Se trataba, desde luego, de una idea corriente en los años treinta, en parte porque era algo muy sencillo de entender. Stalin había dicho que el arte era un «arma» de la revolución y que los escritores eran «ingenieros del alma», y a decir verdad se trataba de una idea que se remontaba muy atrás en la historia humana. Las obras medievales y renacentistas que exaltaban el cristianismo sirviéndose del repertorio de la imaginería bíblica, así como las reiteradas afirmaciones shakespearianas del derecho divino de la monarquía, eran formas distintas de aquella misma exigencia de que el arte corroborase la sublime validez de un régimen.

Y por acercarnos más a nuestra época, tampoco los dos escritores más grandes que conocía, Tolstoi y Dostoievsky, eran «libres», en el sentido británico o norteamericano de alejamiento desapasionado de todo compromiso social y religioso; para ambos, a su peculiar manera, la ratificación del mensaje de Cristo y no el entretenimiento o la evasión era el fin último del arte. Las veneradas obras teatrales de Chéjov se enfocaban entonces por lo general como ejemplos de una personalidad rusa pesimista, pero así como las tragedias griegas —que llegaría a amar como hombre que en el fondo de un pozo ama una escalera— querían transformar la venganza personal y el odio de sangre en las instituciones del derecho y la justicia, Chéjov se hacía eco de la necesidad social de transformar la desidia tradicional rusa en una época nueva y activa de trabajo serio y análisis científico de los problemas. En pocas palabras, no eran simples «puntos de vista» literarios que presentasen causas arbitrariamente en boga, sino brotes naturales de la voluntad humana de progresar.

En los años treinta, Ann Arbor se consideraba un centro radical instalado en el corazón del Medio Oeste y registraba la mayor cantidad de estudiantes firmantes del llamado «Juramento de Oxford», la promesa de no empuñar las armas para ir a la guerra que había tenido origen en la universidad británica. Por supuesto, la guerra mundial en que juramos no intervenir era la primera, porque cuando estalló la siguiente los mismos pacifistas comprometidos, con escasas excepciones, se presentaron para combatir contra Alemania y Japón.

Cambiar es esencial, pero hay cosas que cambian con más ironía que otras. El dirigente del movimiento pacifista del campus era un estudiante de último año que se llamaba G. Mennen Williams, uno de los herederos del imperio de la espuma de afeitar, y que entonces como después ostentó el apodo de «Soapy» [El jabonoso]. Sus duras y sarcásticas cartas al director ponían en su sitio por lo menos una vez a la semana a los conservadores que estaban en contra del movimiento. En 1935 y 1936 se solía ver a Soapy arengando a los tibios desde las escaleras de la biblioteca.

En lo más negro de la época de McCarthy, 1953, menos de veinte años más tarde, Ted Patrick, director de la revista *Holiday*, me pidió que volviese a Ann Arbor para informar de los cambios acaecidos desde los años treinta. El campus estaba irreconocible en muchos aspectos. Un miembro del consejo de estudiantes me dijo que vivía en un hostal que se llevaba en régimen de cooperativa y que cada vez conocía a más gente que pensaba que era comunista por no vivir en una casa propia o en los dormitorios oficiales de la universidad; Erich Walter, mi antiguo profesor de lengua y literatura inglesa y que ahora era decano, me contó que los del FBI interrogaban a profesores y estudiantes para que informasen unos de otros y me sugirió que lo comprobase hablando con el que entonces hacía las veces de «profesor orientador»; algunos miembros del Club socialista, organización anticomunista, dijeron que la gente ya no iba en coche a las reuniones semanales del club porque fuera había un policía local que apuntaba el número de las matrículas. El punto culminante de mi pequeña investigación llegó en el curso de una visita a mis queridas oficinas del *Daily*.

En los años treinta, el edificio era la sede de todos los grupos de disidencia radical dados a la polémica, con los liberales y conservadores a la zaga, porque todos los grupúsculos políticos querían, de manera inevitable, controlar la política editorial del *Daily* en lo tocante a los asuntos del momento. La competencia por los empleos periodísticos era feroz. Pero ahora el edificio parecía vacío a las dos de la tarde y no tardé en saber que, por increíble que pareciera, el periódico se veía obligado a poner anuncios para encontrar personal. Con objeto de refrescar el recuerdo de los viejos tiempos, pedí en los archivos algunos *Dailies* de los años treinta, me senté a la enorme mesa de roble que había en el extremo de la redacción, sita en el segundo piso, y me puse a hojear aquellas páginas mohosas. No tardó en aparecer un cuarentón fornido que se sentó a la mesa para consultar algunos números recientes del periódico y tomar notas. Un estudiante periodista se materializó a mi lado y me susurró que le acompañase si quería saber lo que sucedía en el lugar.

En un rincón apartado de la vacía redacción, el estudiante se presentó con orgullo evidente como autor de un reciente artículo en cuatro partes, titulado «Comunismo en el campus», que había denunciado a un par de estudiantes radicales que, según dijo —no sin alguna compasión—, podían resultar expulsados muy pronto. A consecuencia de la denuncia, me contó con entusiasmo, le habían ofrecido trabajo en un periódico de Los Angeles. Era un joven delgado y bajito de piel tirante y apergaminada que se tocaba con un sombrero blando de fieltro, vencido hacia un lado como un personaje de *The Front Page*.* Fue al grano entonces, señaló al cuarentón, que aún pasaba páginas en la mesa redonda, y murmuró:

—Es policía. Viene una vez por semana, repasa la sección de cartas al director y las noticias, y anota el nombre de todo aquel que diga algo que parezca izquierdista.

—¿Y qué ocurre a continuación?

—Bueno, todo va a parar a los archivos generales del gobierno civil. Como usted sabe, la policía local está bajo las órdenes directas del gobernador civil.

Bueno, el gobernador civil del momento era G. Menen Williams, Soapy. No pude por menos de sonreír mientras volvía a la mesa y me

---

* O *Un reportaje sensacional* (1931) de Lewis Milestone, o *Primera plana* (1974) de Billy Wilder. (N. del T.)

sentaba ante los viejos periódicos, enfrente del policía de cuello gordo que rastreaba las columnas impresas en busca de nombres peligrosos. Me puse a hojear los periódicos con la vaga esperanza de encontrar una de las cartas al director que escribiera Soapy. El destino me condujo de la mano: en la precisa página editorial que tenía delante había una carta, al parecer en respuesta a una queja formulada el día anterior por alguien que firmaba «Un conservador» y que había sentido «estupefacción» al enterarse de que «sólo acuden radicales a esos presuntos mítines por la Paz».

«Distinguido Conservador», decía la réplica del presidente del movimiento por la paz, «si los conservadores os molestarais en asistir a nuestras reuniones ya no se afirmaría que sólo acuden los radicales.» Firmado, G. Menen Williams. Cogí el ejemplar amarillento, me acerqué al agente de policía, lo dejé junto al número reciente que estaba hojeando y le señalé la antigua carta. Alzó los ojos con aire inquisitivo, leyó la nota de hacía casi veinte años, volvió a mirarme y me preguntó: «¿Quién es usted?».

Le di mi nombre, que no le dijo nada, y le conté lo del encargo que me había hecho *Holiday*. Tampoco el término «mcCarthysmo» le dijo nada y volvió con sumisión a su rastreo de nombres peligrosos.

En los años de McCarthy, había impregnado toda suerte de lugares una especie de inadvertida mentalidad subterránea. Un par de semanas después de que apareciera en *Holiday* mi artículo sobre Michigan, Ted Patrick me dijo que escribiera otro sobre lo que quisiera. Puesto que escribía poco para las revistas, le di las gracias pero decliné la oferta casi automáticamente. Días más tarde me llegó otra petición, y luego otra, hasta que al final escribí un artículo de recuerdos de la vida en Brooklyn durante los años treinta, que aquél publicó. Años después, Patrick había muerto ya, supe el motivo de su curiosa insistencia. El departamento de publicidad de la división Pontiac de la General Motors había advertido a Patrick que la Pontiac retiraría su publicidad de *Holiday* si volvía a publicarse otro artículo firmado por Arthur Miller. En realidad, mi segunda colaboración no erradicó la publicidad de la Pontiac, pero en aquellos días el aire estaba cargado de amenazas como éstas y lamenté no haber podido felicitar a Patrick por su defensa, muy valerosa en aquella época, de la integridad periodística. Lo normal era que las amenazas surtiesen el efecto deseado, como lo demostraba uno de los documentos de que me serví para el artículo sobre Michigan: un escrito mimeografiado, de circulación interna, del presidente de la Asociación Nacional de Fabricantes, que aconsejaba a sus miembros dejaran de atacar al cuerpo docente de la universidad por su presunto radicalismo —una costumbre de la ANF de honorable tradición— porque ya se había «limpiado» de radicales con la ayuda de organizaciones como la suya.

Sin embargo, pese a todo el alboroto radical que reinaba en el campus en los años treinta, era un mito que el cuerpo estudiantil, por no hablar ya del claustro de profesores, fuese dominantemente izquierdista.

A lo sumo, la mayoría de los estudiantes y casi todos los profesores estaban principalmente interesados por sus propios estudios y el propio trabajo, como siempre. Yo podía escribir en el *Daily* contra la negativa de la universidad a que John Strachey hablase sobre su célebre libro *La lucha por el poder en el futuro*, pero no me engañaba en el sentido de que sabía que yo era de los pocos que conocían aquel libro o el punto de vista del autor.

Aunque Michigan no era en realidad una institución izquierdista, merecía la reputación democrática que tenía, como lo prueba su voluntad de aceptarme, aunque sólo tras haber escrito yo un par de cartas de súplica en que prometía corregir mi conducta académica. En los años veinte, el claustro de profesores había estado abierto a socialistas, defensores del control de natalidad y otros inconformistas que se habían visto desplazados de facultades más tradicionales, y se trataba de una de las pocas universidades de los años treinta en que el marxismo en cuanto tal se analizaba abiertamente en las aulas, ante un profesor que por lo general estaba en contra de sus principios pero que por lo menos tenía interés por discutirlos.

El marxista de la época por antonomasia era para mí un estudiante dotado que se llamaba Joe Feldman; aún le considero una de las personas más inteligentes que he conocido. Lo conocí una helada medianoche de febrero cuando entró dando zancadas en la redacción del *Daily* con sus zapatos de deporte, que, al igual que su espesa y morena mata de pelo, llevaba cubiertos de nieve. Vestía una buena chaqueta de mezclilla, encima de la parte superior de un pijama, y traía en la mano un puñado de papeles. Alto y ágil, subió a una mesa para saludar a todos los reporteros y jefes de redacción, que alzaron los ojos de la máquina de escribir y se recostaron en espera de la actuación de Joe, que era un orador fenomenal sobre casi cualquier tema. Aunque apenas aparecía por clase obtenía siempre muy buenas notas porque era capaz de devorar libros a una velocidad increíble y preparaba cualquier examen en un par de días. «Comparados con la estupidez del sistema educativo de esta universidad, Ed Wynn es Molière y Jack Benny es Falstaff...» Sabía reírse por lo bajo de un modo encantador y estaba en posesión de montañas de datos.

Ya no recuerdo qué le llevó donde nosotros aquella noche, pero por lo general el motivo era algún editorial con el que no estaba de acuerdo y respecto del que solicitaba el derecho de réplica. Lo que en realidad quería era humillar al subdirector gerente, con quien competía por la hermosa Leah Bloom, que solía seguirle, con la lengua fuera, hasta el interior del edificio, junto con la señora McCall, la patrona del estudiante, que le llevaba maternalmente el abrigo y que se quedaba junto al joven mientras éste arengaba al personal, rogándole se lo pusiera antes de que cogiese un resfriado, en tanto que Leah le calzaba los chanclos o le ponía una bufanda. Solían ser los deseos de objetividad del *Daily* lo que le ponía fuera de sí, en particular en lo tocante a España. Tras reírse burlonamente por lo bajo mientras miraba al pequeño subdirector gerente, que hizo exactamente lo mismo entre ruidosos suspiros sarcásticos dirigidos a Leah, Joe exclamó: «¿Qué es eso de que "parece" que hay aviones nazis ayudando a Franco? ¡Por amor de Dios! ¿Es que queréis convertiros en el *New York Times*? ¿Es que no hay fotos de aviones de combate derribados con identificación nazialemana en el motor?». Pero el subdirector pensaba que cualquiera podía hacer una foto de lo que fuese y ¿cómo sabía él que la foto no se había hecho en Hamburgo? «¿Quieres decir que en Hamburgo derriban aviones a propósito? *Erwachen Sie!** ¡Venced la pusilanimidad protofascista que os domina, y ya está bien de jugar con vosotros mismos, convertid esto en un periódico! ¿Qué os parece pues si dejáis de estar al servicio del *Times*, eh? ¿Es que no sois aún demasiado jóvenes para estar tan corrompidos?» Y así seguía la perorata hasta que el subdirector era incapaz de contenerse más tiempo y acababan los dos peleándose en la calle helada, mientras la patrona y Leah se esforzaban por evitar que Joe cogiese un resfriado.

Leah no se casó al final con ninguno de los dos y perdí el rastro de Joe cuando me licencié, en 1938, hasta que un día de 1940 me lo encontré por casualidad en una calle céntrica de Nueva York, afeitado, peinado y vestido con pulcritud. Por entonces, España había caído ante Franco y dos de nuestros antiguos compañeros de clase habían muerto allí combatiendo por la República. Yo estaba a punto de partir para Ohio, para casarme, y Joe había resuelto hacerse escenógrafo tras abordar con toda naturalidad a Cleon Throckmorton, uno de los más respetados escenógrafos de la época, y convencerle de que lo contratase en calidad de primer ayudante, aunque el interés de Joe por la decoración escénica se remontaba sólo a unas semanas atrás. En este breve período había leído todo lo que había en inglés sobre la materia y era probable que ya estuviese dando instrucciones a Throckmorton y corrigiéndole las equivocaciones.

Le felicité por lo rápido que subía, pero se quedó mirando el tráfico de la Quinta Avenida y me dijo que estaba a punto de dejarlo. Me quedé sorprendido. «Me voy a alistar en las Fuerzas Aéreas.» ¡Las Fuerzas Aéreas! ¿Cómo podía alistarse en las Fuerzas Aéreas para combatir en una guerra imperialista? «Creo que hay que intervenir», dijo, sin ninguna alegría en la mirada. «Creo que intervendremos.» ¿Y combatiría contra los soviéticos —todavía aliados de Alemania por entonces— en tal caso? Casi dejó de respirar y una opacidad característica, próxima a la muerte, le despuntó en los ojos. «No creo que se pongan al lado de los alemanes, pero si lo hacen... bueno, sí, tendremos que combatirles también.» Nos dimos la mano sin sonreír, consciente yo de que, en cierto modo, se jugaba la vida por una concepción de la realidad.

Murió mientras volaba sobre Birmania. En los años sesenta, me encontraba cierto atardecer en el cruce de la 96 con Madison, camino de la casa de un amigo que me había invitado a cenar, cuando advertí de pronto el

---

* Aunque el pronombre implícito en esta expresión alemana («¡Abran los ojos!») es de cortesía, el contexto pide más bien el tuteo en castellano. (N. del T.)

rótulo que había sobre el establecimiento de la esquina, FARMACIA FELD-MAN, y recordé que su padre había trabajado de farmacéutico en la zona. Habían transcurrido treinta años desde que Joe se subiera en la mesa de redacción del *Daily* y más de veinte desde que lo derribaran. Era probable que el padre se hubiera jubilado ya o que hubiese muerto. Detrás del mostrador había una mujercita de pelo cano que me miró por entre los muestrarios de pintalabios y peines. Le dije que había sido amigo de Joe y si por casualidad no sería ella su madre. Su cara cansada y que denotaba aburrimiento se ruborizó al instante con violencia, metió la mano en un cajón inmediatamente y sacó un sobre con una foto de veinte por veinticinco que esperé expusiera la cara risueña de Joe, sus ojos burlones y el sufrimiento. Pero allí no había más que una tumba grande, de dos metros de altura quizá, en un claro rodeado de vegetación selvática, y con una docena de nombres grabados encima, entre ellos el de Joe. Alargó la mano. «Está en Birmania», dijo. Hablamos unos minutos. Había sido hijo único. Me dio las gracias por haberla visitado y quiso saber por qué lo había hecho. Le dije que si de algo estaba seguro era de que nunca le olvidaría. Los ojos comenzaron a anegársele en lágrimas y se dio la vuelta.

Se moría en Vietnam por entonces. No hacía mucho que había vuelto a Ann Arbor para hablar en el primer ciclo de conferencias: la universidad entera había cerrado durante tres días para analizar la guerra y discutir la forma de oponerse a ella. No había preparado ninguna ponencia: habiendo entre los participantes expertos como Jean Lacouture, mi presencia representaba un apoyo a la protesta puramente simbólico. Mientras me encontraba en el escenario del Hill Auditorium, un amplio local donado en los años veinte por un magnate de la madera, recordé la tarde de 1935 en que había estado en aquella misma sala, escuchando al evangelista japonés Toyohiko Kagawa, un mercader de lo sublime, según pensé entonces, y había visto que unos cincuenta estudiantes chinos se ponían en pie y se marchaban porque el orador había aludido a Manchuria, ocupada por entonces por el ejército japonés, llamándola Manchukuo, el nombre japonés. En las escaleras de aquel auditorio me había abordado cierto día un estudiante chino con un pequeño recipiente lleno de participaciones que quería vender con objeto de recaudar dinero suficiente para pagar el viaje de un chino famoso que, según él, contaría lo que los japoneses hacían en su país. Yo le había preguntado: «¿Para qué necesitas a un personaje célebre? ¿Por qué no cuentas tú mismo lo que pasa?». Sus ojos encapirotados apenas si se dilataron de sorpresa ante mis palabras. «¿Quién? ¿Yo? Yo no soy más que una mierdecita.»

Entonces, en los años sesenta, me parecía advertir un aire festivo entre los estudiantes que protestaban contra la guerra, un clima de fascinado descubrimiento recíproco y una ruptura de las defensas personales que se me antojaba algo irreal, ignoraba por qué. Y así, cuando se apagaron los aplausos que me dedicaron —me temo que hubo demasiados—, me encontré diciendo: «Recuerdo que en este lugar ha habido otros actos de protesta y tengo que deciros que es fabuloso el que estas ocasiones unan y reúnan a las personas, aunque no debéis olvidar que el FBI está entre vosotros y que un día u otro tendréis que responder por haber estado aquí».

Fue un mal momento para decirlo en la matriz misma de un noble movimiento que se proponía acabar con una guerra injusta y para decirlo en un momento en que aquella generación acababa de lanzarse y de encontrar sus pautas contestatarias. El silencio acogió mi observación, un silencio de perplejidad. Proseguí pues y dije que a pesar de la presencia de espías y de la posibilidad de que en el futuro se les emplazase para abjurar condenatoriamente de las pasiones que experimentaban aquel día, sentir lo que sentían en aquel momento era el riesgo básico de vivir, en definitiva. Y más aún: que aunque aquel movimiento no terminase con los estallidos entusiastas de la victoria sino que diese en enervantes dispersiones y remordimientos por el tiempo perdido, no debía ser momento para propiciar desengaños porque teníamos que avanzar tanteando de una ilusión de pureza a otra; la cuestión era que el hombre no podía actuar en modo alguno sin acicates morales, por errónea que a la postre resultase su identificación con un movimiento concreto.

Mientras estaba allí con mis cincuenta años, al lado de hombres jóvenes y resueltos como Carl Oglesby y Bob Moses, Jean Lacouture y Tom Hayden, no tardé en percatarme de que habían superado tales advertencias, porque aquélla no era la generación de los años treinta, de ningún modo. Aquellos jóvenes formaban con su entusiasmo una organización, del todo norteamericana y en cierto sentido ni siquiera política, que se arrojaría al paso de los tanques. No era aquélla la simbólica retórica ideológica de otra época en que el hitlerismo, aunque amenazador, estaba muy lejos y en que pocos eran los que de veras creían que los Estados Unidos iban a intervenir en otra guerra europea. Los estudiantes que llenaban el Hill Auditorium sabían que personalmente estaban a merced de las circunstancias y que podían acabar muertos si Norteamérica no cambiaba el rumbo. No querían salvar a otras personas y aquí radicaba la diferencia entre ellos y sus padres en los años treinta, cuando, pese a toda la pobreza y caos vital, para que un estudiante se radicalizara hacía falta un salto de la imaginación. El billete para la radicalización en los sesenta era la cartilla militar en el bolsillo.

Al igual que la campaña norteamericana en pro del «juramento de Oxford» contra empuñar las armas, el fenómeno de organizar ciclos de conferencias contra la guerra de Vietnam comenzó en Michigan. Durante tres días con sus noches se suspendieron las clases y los conferenciantes hablaron del Sudeste asiático, de la historia de Vietnam, su idioma, poesía y religión, y una exaltación triste se apoderó de todos, o de casi todos, porque yo no podía creer que con los estudiantes y los intelectuales se pudiera detener una guerra. Mientras escuchaba a los oradores no podía por menos de imaginar a mi propio padre entre el público; como en el teatro, hasta él habría comprendido y se habría emocionado.

Cierto día, pasada la medianoche, mientras paseaba con unos estudiantes, un soldado joven y con uniforme y que había estado matriculado allí hasta que lo habían llamado para servir en Vietnam se me acercó y anduvo bajo los árboles al ritmo del grupo. «¿Sabéis una cosa? Estáis equivocados. Podemos ganar la guerra. De verdad que podemos.» Puesto que era aquello lo que en privado había comentado con Oglesby y con Jean Lacouture —que subestimaban el estómago norteamericano para digerir aquella guerra—, me entró curiosidad por saber qué pensaba aquel joven veterano. «Lo único que hay que hacer es llevar un millón de hombres allí.» Los restantes estudiantes se echaron a reír. «Un millón de hombres podría y me juego lo que sea a que acabarán intentándolo. No digo que el gobierno lo sepa ya, pero lo sabrá antes o después. Aunque con menos de un millón, nada.»

Igual que en los años treinta: los marginados tenían el don de la profecía, pero no el poder. En el 36 y el 37 estábamos seguros de que sólo si se derrotaba a Franco se podría impedir otra guerra mundial, porque una España democrática en el flanco de Hitler le frenaría, mientras que una aliada fascista precipitaría sin duda una guerra europea general. Pero británicos y franceses se habían dejado cautivar por la idea de que democracia era comunismo en ciernes, y Roosevelt se había mantenido al margen, y Franco había entrado en Madrid y afirmado su solidaridad con las potencias del Eje, y sólo era cuestión de tiempo que la gran explosión sonase. España fue, de cien maneras distintas, la matriz de la problemática de Occidente del medio siglo que seguiría. El sofisma fundamental que predominaba entonces sin admitirse decía que las razas inferiores como la española, que luego serían la iraní y las de Oriente Medio y Latinoamérica, se sentían totalmente a gusto con una dictadura derechista, ya que la democracia era la normalidad sólo para los antiguos países de la Europa occidental y los Estados Unidos. Así, toda amenaza local para la derecha tenía que ser un portillo abierto al comunismo, porque era sencillamente inconcebible que en un país pobre hubiese un auténtico renacer democrático y sus aspiraciones democráticas sólo eran una máscara o un fraude.

Desde luego, era imposible predecir en 1965 que antes de que la junta de jefes de Estado Mayor, el parlamento, el presidente y la mayoría de los norteamericanos comprendieran los hechos expuestos con tanta lucidez en aquel ciclo de conferencias, tendrían que morir unos cincuenta y ocho mil norteamericanos y nuestra sociedad tendría que doblar la rodilla, porque un distanciamiento inimaginable por su profundidad y alcance se apoderaría de una generación joven a causa de la guerra. Pese a todo, incluso en aquellos tres días con sus noches comprendí que no iba a tratarse de ninguna repetición de los años treinta. Pasé ante el número 411 de la North State Street, la casa en que treinta años atrás había escrito la primera obra de teatro, y ante una plaza pequeña del centro en que hacía doce años, en la época de McCarthy, al visitar la redacción de *Holiday*, había charlado con unos estudiantes temerosos de hablar claro sin precauciones previas, para que no les tacharan de radicales. La atmósfera del ciclo de conferencias era la de un mundo nuevo y acelerado, con profesores que en mitad de la noche hablaban en aulas de bote en bote, explicando sin tapujos que los Estados Unidos habían boicoteado unas elecciones generales en Vietnam que sin lugar a dudas habrían elevado a Ho Chi Min a la presidencia del país y que en aquellos momentos se militarizaba a los ciudadanos norteamericanos para oponerse a la voluntad del pueblo vietnamita.

Los organizadores del movimiento contra la guerra de Vietnam, que nació en aquellas jornadas diurnas y nocturnas de Ann Arbor, acabarían creyendo que habían fracasado porque la guerra, a pesar de todo, se prolongaría diez años más. No obstante, vi el ciclo de conferencias como el estallido del momento distanciador, el momento de abrir los ojos ante la corrupción espiritual de las alturas. Se parecía mucho a la crisis económica de 1929. Mientras estaba acostado en el Michigan Union, donde había pasado mi primera noche de universitario treinta años atrás, me preguntaba cuántas veces tenía que renegar de la patria un sector vital e inteligente de la juventud para que se rompiera algo, algo hundido en lo profundo de su estructura y de reparación imposible. Sístole y diástole, radicalización y vuelta al pensamiento cauteloso, arrebatos de idealismo seguidos de vueltas no menos bruscas al escepticismo y la aceptación de las cosas tal como se presentan; cuántas veces para que la memoria alcance al último brote del ideal y lo aplaste con cinismo para que no madure. En otros términos: ¿cuánto dura la libertad? ¿Es así como Norteamérica progresa o es su forma de morir poco a poco? ¿Son éstos los espasmos del nacimiento o las ansias de la muerte?

Un hombre de suerte, la primera de mis obras que se representó profesionalmente, a duras penas parecía una historia sobre la Depresión, aunque lo era, por su obsesionante terror al fracaso y su culpabilidad ante el éxito. En 1941, cuando me puse a escribirla, a pesar de todos los signos externos de fracaso, mi hado secreto estaba lleno de promesas. Los dos Premios Hopwood eran aún mi acicate, junto con el mucho más importante imprimátur del Bureau of New Play Prize, mil doscientos cincuenta dólares concedidos por el prestigioso Theatre Guild de Nueva York tras un certamen institucionalizado a escala nacional. Otro de los ganadores era un colega de San Luis que ostentaba el nombre inverosímil de Tennessee Williams y al que me imaginaba con mocasines y un fusil en la mano.

Un hombre de suerte llegó a Broadway en 1944, desorientó a todos los críticos salvo a dos (en Nueva York había entonces siete diarios, cada uno con su crítico teatral). Hay que decir, sin embargo, que, fueran cuales fuesen sus defectos, en un momento teatral distinto la obra se habría mantenido en pie en vez de caer en picado. Pero Broadway, en los años cuarenta, estaba en lo que se podría llamar fase «clásica» —fenómeno que se da en todas las artes— y propugnaba una serie de cánones dramáticos inamovibles cuya no observancia acarreaba el fracaso. Se creía que no había nada tan impersonal como el arte dramático; en última instancia, como cada personaje tenía un enfoque autónomo del tema común, el autor venía a ser más una especie de director que mantiene el orden que el astuto artífice del significado que la obra ha de alcanzar al final. Este objetivismo bastardo se tomaba tan en serio que todavía en los años sesenta, incluso un crítico tan agudo como Walter Kerr era capaz de afirmar que las obras que desarrollan ideas sociales o morales en vez de buscar el simple entretenimiento acabarían por echar al público de los teatros. *Un hombre de suerte* era claramente antiobjetiva en este sentido y por tanto «antinatural». Más aún, ni yo ni el director escénico, un colega estupendo llamado Joe Fields, veíamos por ninguna parte su carga antirrealista.

El padre de Joe había formado parte de un célebre tándem de vaudeville de los años veinte, Weber y Fields. Hermano de Dorothy Fields, la letrista de canciones, había escrito muchas comedias musicales de éxito y se habría dicho que era el ser humano con menos probabilidades de dejarse seducir por lo que en Broadway se consideraba una obra difícil. Pero mientras que su *Chicas de uniforme,* farsa recia y vistosa, recaudaba una fortuna, Fields pasaba mucho tiempo en las exposiciones de pintura o leyendo a sus autores franceses preferidos, sobre todo a Charles Péguy, uno de cuyos libros llevaba siempre en el bolsillo de la chaqueta. Creyó en mi obra y consiguió el apoyo de Herbert H. Harris, fundador de Charbert, la empresa perfumera que financió la producción.

Al tratar de explicar su desazón, los críticos, uno tras otro, se empeñaban en considerar absurdo el que un *pitcher* que lanzaba la pelota tan magistralmente como Amos Beeves fuera descalificado por un cazatalentos de las divisiones de honor sólo porque se ponía nervioso en los lanzamientos cuando tenía defensores de base cerca. ¡Estaba claro que habría podido corregirse! Por otra parte, el crítico Burton Roscoe, antiguo cronista deportivo, escribió un largo artículo en el *World-Telegram* en que aseguraba a sus colegas que había conocido a muchos atletas que se habían venido abajo por culpa de un solo defecto y llegaba a predecirme grandes cosas. Aun así, me resultó un tanto embarazoso obtener el primer espaldarazo profesional por la suposición de que yo sabía algo de béisbol.

Un incentivo más importante, aunque falseador, me vino de una fuente que habría juzgado improbable. John Anderson, crítico del *Journal-American,* periódico de Hearst reaccionario y sensacionalista, me invitó a un cóctel organizado por el New York Athletic Club para que hablase de mi obra. Jamás había posado los ojos en un crítico hasta entonces. Frisaba en la cuarentena y era elegante en cuanto a modales e indumentaria. Según él, había puntos oscuros en la obra, «pero intuí un extraño mundo de sombras detrás de los personajes, un entenebrecimiento fascinante que hizo que me preguntase si había pensado usted escribir una tragedia. Hay un aire de fatalidad que pende sobre la obra, un algo que apunta a la tragedia».

Le dije que no creía que escribiera otra obra. «Esta es ya la quinta o la sexta y me parece que no he llegado a ninguna parte.»

Anderson se quedó mirando el suelo. Si mal no recuerdo, tenía el pelo castaño y ondulado y una mirada muy seria e inquisidora. «Ha escrito usted una tragedia, sólo que al estilo de las comedias populares. Debe usted comprender lo que ha hecho.»

Aquélla fue la primera de las tres, quizá cuatro conversaciones que he tenido con críticos en toda mi vida, y aunque no volví a escribir teatro hasta tres años más tarde —intervalo durante el que publiqué mi única novela, *Focus* [Foco]—, tuve muy en cuenta sus palabras. Apenas tres meses después de nuestra charla, Anderson moría inesperadamente de meningitis.

Hubo otra pregunta de Anderson que me fastidió y que todavía me fastidia. «¿Es usted religioso?», me había dicho. Ciego no sólo ante mí mismo sino también ante lo que mi propia obra quería decirme, aquella pregunta sorprendente se me antojó absurda. En el peor de los casos, *Un hombre de suerte* parecía una obra antirreligiosa sobre un joven que había renunciado a sus vínculos con la divinidad y que sólo podía salvarse identificándose con su trabajo. Pero el teatro, si se deja al albur de sus propios presupuestos, puede ir incluso contra los prejuicios o la ceguera del autor; y la verdad era que la acción de la obra parecía exigir la muerte trágica de David, aunque se trataba de algo inadmisible para mi perspectiva racionalista. A comienzos de los años cuarenta, un final así me habría parecido oscurantista. La acción de una obra de teatro, al igual, en buena medida, que la conducta de una persona, dice más que sus diálogos y la mía plasmaba el desgarrado esfuerzo de David por autentificar su identidad, su anhelo, único que le permitiría creer en la vida en cuanto tal, de romper el silencio cósmico. Por decirlo de otro modo, David ha sabido acumular tesoros que se oxidan y de los que su espíritu ya se ha alejado; era una paradoja que asomaría en todas las obras que seguirían.

Mientras estaba entre bastidores durante la única representación que pude soportar, fui incapaz de culpar a nadie. Lo único que sabía era que el conjunto resultaba un bodrio bienintencionado, como cuando se toca determinada música con instrumentos que no pegan y en clave adulterada. Jamás escribiría otra obra de teatro, de esto estaba convencido. Tras la última representación y la despedida de los actores, casi fue un alivio coger el metro hacia Brooklyn Heights y leer las noticias acerca de los bombardeos de la aviación aliada sobre la Europa ocupada por los nazis. En alguna parte había algo real.

Me parece inevitable que pensar en la religión me despertara recuerdos que se remontan a la primera vez que oí hablar del marxismo. Un despejado día otoñal de 1932, por el motivo que fuera, entré con pie titubeante en el templo de la Avenida M, en busca, si he de decir la verdad, de Dios. Años antes había estado sensacional al pronunciar las fórmulas de mi *bar mitsvá*, tanto que había merecido el más alto elogio de mi padre —«¡Sabes conseguirlo!»— y sin duda porque sufría las angustias de una ebullición sexual sin salida permisible, había establecido en la imaginación un vínculo entre la sinagoga y el día radiante en que había sabido hacer valer mis derechos, aunque sólo hubiera sido con unas palabras. En cualquier caso, en el interior del edificio, escenario de mi triunfo, sólo encontré a tres ancianos en un despacho fumando sendos cigarrillos turcos, metomentodos que me miraron perplejos con ojos acuosos mientras me esforzaba por explicarles que quería hacer algunas consultas relativas a la religión, tema evidentemente muy alejado de su cabeza cuando sin duda estaban abrumados por los problemas económicos del edificio, la disminución de la asistencia y otras cuestiones vitales. Puesto que lo más probable era que yo fuese el único adolescente interesado por aquella clase de consulta, en particular a mediados de semana, se quedaron mudos de asombro. Al recuperarse, se miraron entre sí como quienes buscan inspiración hasta que uno me sugirió que volviese el sábado y asistiese al servicio sabático. Pero yo ya lo sabía todo sobre aquellas prácticas rutinarias, que en realidad eran, pensaba, para personas convencidas de sí mismas. Lo que yo necesitaba era algo que me llegase al caos interior, lo calmase y me hiciera como los demás.

Recorrí pues andando las dos manzanas que había hasta nuestra casa, mi sed interna tan insaciada como indefinida. La casa representaba mucho para mí. Algunas tardes lluviosas en que no tenía nada que hacer, me divertía limpiando las alfombras, encolando el travesaño suelto de una silla o, en primavera, plantando tulipanes en el patio; y enterrando latas y botas viejas, porque debajo de la capa de superficie estaba todo lleno de tierra. En tales ocasiones tenía que trabajar junto a la valla de tres metros que rodeaba la perrera de Roy, el lobo de nuestros vecinos los Lindheimer. Roy gruñía y se lanzaba sobre la valla, encarnados los ojos y las mandíbulas chorreando espuma. Era un lobo de verdad. El señor Eagan, suegro de Lindheimer, que, con sombrero de copa y botas, conducía un cabriolé apostado delante del Hotel Plaza, sacaba a Roy de paseo sujetándolo con una gruesa cadena en una mano, un látigo en la otra. Al menor intento de Roy de desviarse a la izquierda o la derecha, el látigo le cruzaba la frente, sobre los ojos.

Escarbaba entre mis tulipanes cierto día cuando advertí el silencio. Roy no estaba tras la valla. Al enderezarme para descansar la espalda, vi a Roy, por el rabillo del ojo, en medio de nuestro patio, sin cadena, sin vigilancia, sólo espacio despejado a su alrededor, y que me miraba con fijeza. Me quedé helado. Nos miramos durante un rato largo, larguísimo. Sabía que si movía aunque sólo fuera un dedo para empuñar la pala de otro modo, se me echaría al cuello. Dudo que parpadease siquiera. Al cabo de varios minutos se dio la vuelta, totalmente tranquilo pero con aire más bien confuso, rodeó el garaje de los vecinos y volvió a la zona en que estaba la perrera. Paso a paso, cautamente, conseguí entrar en casa, telefoneé a los vecinos y la imponente señora Lindheimer, profesora de natación de un instituto de segunda enseñanza, salió al patio y cerró la puerta de Roy. La señora Lindheimer, que tenía unas espaldas muy anchas, siempre parecía estar disgustada. El señor Lindheimer era carnicero mayorista y los dos parecían henchidos de carne. Hacía poco que habían comprado un Packard nuevo, coche hermoso y caro, pero que resultó apenas ocho o diez centímetros más estrecho que el camino de entrada. A ella se le había quedado atascado ya mientras trataba de sacarlo marcha atrás y se había puesto casi histérica, atrapada en el interior y sin posibilidad de abrir la portezuela para salir ni de que se la rescatara. Al final lo sacó a la calle poco a poco, tras dejarnos un arañazo en la pared y hacerse una raya larga en el reluciente parachoques. Parecía echarnos la culpa de que nuestra casa estuviera tan pegada a la suya y no había vez que me cruzase con ella por la calle que no sintiera necesidad de excusarme por algo. Pero yo carecía de espíritu revanchista y nunca soñé que se ahogaba.

También la estufa significaba mucho para mí. Era un objeto misterioso. Nunca sabíamos cómo cubrir las brasas con exactitud para que no se apagasen por la noche, y a mí me encantaba el fuego lo indecible, cuando las llamas azules brincaban uniformes sobre toda la cama de carbón negro, no cuando balbucían en un rincón y dejaban espacios apagados y llenos de ceniza, situación que sabíamos se generalizaría hasta apagarse el fuego del todo, con lo que parte del carbón quedaría intacto y habría que sacarlo de entre las cenizas pedrusco por pedrusco.

Me encantaba ver el camión del carbón cuando reculaba hacia la casa y al conductor cuando introducía la tolva por la ventana del sótano y alzaba la caja del camión para que los pedruscos se deslizaran hasta el bidón con un silbido agradable, incluso cálido y sabroso. Con un bidón lleno podíamos calentarnos mucho tiempo.

Era emocionante bajar al sótano a eso de las cuatro de la madrugada y, al abrir la portezuela de la estufa, descubrir que no se había apagado, que aquella vez había vencido el misterio de cubrir el fuego por la noche. Luego, con los calcetines de lana subidos hasta las mangas del chaquetón, recorría la manzana y media que me separaba de la panadería en que trabajaba, pensando que mi familia estaba segura y cómoda.

El panadero era un individuo gordo y cordial, aunque inquieto, que hacía ruido al respirar. Cogía una lista garabateada con un lápiz grueso y corto cuya punta estaba siempre afilando porque apretaba demasiado la mina, y escribía direcciones en las bolsas de papel marrón que, destinadas a distintos clientes, había llenado de rollos, roscas con levadura y panecillos de centeno, en distintas combinaciones. Yo cerraba las bolsas doblándolas y las amontonaba en la gran cesta de alambre encajada entre la parte superior de la rueda delantera y el pesado manillar de la bicicleta de reparto. En primavera u otoño era fabuloso recorrer las calles silenciosas y vacías, en medio de las casas dormidas; casi se podía oír la respiración de la gente en la cama. A pesar de mi reciente despertar sexual, no me la imaginaba haciendo el amor. La verdad es que no pensaba en ello. Al detenerme, dejaba la bici apoyada con cuidado en una farola, con ayuda de una linterna localizaba la bolsa destinada a aquella casa y la dejaba con tiento en el soportal trasero, junto a la puerta de la cocina. Cuando llovía tenía que buscar un sitio cubierto para las bolsas; algunos clientes sacaban una caja de madera con tapa.

En las madrugadas de invierno la temperatura oscilaba a veces alrededor de diecisiete bajo cero y los gatos me seguían en tropel, buscando el calor de mi cuerpo, frotándose frenéticamente contra mis perneras y chillándome de manera imperativa, llenándome la espalda de escalofríos con aquellas acusaciones.

Había mañanas en que Ocean Parkway, de seis carriles de ancho, estaba totalmente cubierta de hielo tan uniforme como la superficie de un lago congelado, y a veces veía a algún taxista jugando en la por lo demás vacía avenida, dando frenazos para que el vehículo girase alegremente en la calzada. Una mañana de éstas, a eso de las cuatro y media, vi dos taxis que bailaban un vals y se arrimaban hasta donde podían sin chocar. A veces me era casi imposible mantener el equilibrio sobre el hielo y tenía que llevar la bici a pie todo el trayecto. En una ocasión me caí, las bolsas saltaron de la cesta, se abrieron y dispararon roscas que se deslizaron como discos de hockey hasta la oscuridad lejana, y rollos y panecillos de centeno que se esparcieron por la calzada y la acera. Tuve que buscarlos con linterna y calcular a continuación la cantidad exacta de roscas, rollos y panecillos por la capacidad de las bolsas. Cuando volví a la panadería, el teléfono sonaba ya y los clientes no paraban de preguntar para qué querían cuatro rollos y dos roscas cuando su pedido habitual era de tres de cada. Las voces irritadas salían a chorros del auricular y tuve miedo de perder el empleo, pero el panadero me perdonó.

Al igual que en la infancia, la bicicleta era mi solaz, mi hembra, el brioso corcel de las escapadas que me llevaba siempre hacia alguna esquina al girar la cual aparecía de repente y por fin la magia de mí mismo, simple ectoplasma nada más. Un día me puse a horcajadas sobre la bici y me quedé mirando un corro en cuyo interior se jugaba a pelota contra la pared del drugstore del señor Dozick. Cuatro muchachos jugaban un partido de dobles mientras otros doce les rodeaban vitoreándoles, dándoles consejos a gritos, planeando acostarse con la hermana de alguno, ideando la manera de robar caramelos de a céntimo en la tienda del señor Rubin o, en defecto de lo anterior, ir de acampada hasta Newburgh con los militarmente disciplinados *boy scouts*. Me acomodé en el sillín de la bicicleta, absorto en el juego y a la vez en todo lo que se hablaba, mientras por debajo de esta superficie de excitación murmurante discurría la inquietud, siempre presente, a propósito de mí y el futuro de mi familia.

Hacia el otoño de 1932 ya no se podía disimular el miedo en casa. Incluso ganar todos los meses los cincuenta dólares de la hipoteca se estaba volviendo una carga y mi hermano había tenido que abandonar la Universidad de Nueva York para ayudar a mi padre en otro de sus negocios textiles de rápido hundimiento. Era penosa la falta que había en casa de toda idea de gobierno o dirección, ya que mi padre había adoptado por entonces la costumbre de dormitar todo el tiempo que tenía libre o de mirarme de tarde en tarde para preguntarme: «¿Sabes ya lo que vas a hacer?». Con mi vida, vamos. Lo que a mí me habría gustado hacer, y con muchas ganas, era cantar en la radio, ser una estrella como Crosby y ganar millones. De hecho, cuando terminé la enseñanza secundaria ya tenía una especie de agente, un sujeto rechoncho que fumaba puros, se llamaba Harry Rosenthal, iba de editor musical en editor musical ofreciendo canciones y a veces obtenía en los clubs algún empleo para cantar. Yo tenía voz de tenor, aguda y firme, «un poco irlandesa», según el juicio de Rosenthal, y no del todo inútil para cantar baladas, sobre todo las de Irving Berlin. Pero se trataba de canciones que a mi juicio hacían que me pareciese a Eddie Cantor, que se dedicaba a cantar por horas. En el curso de los meses que siguieron, Rosenthal me llevó a Manhattan en metro, al Brill Building de Broadway, próximo a la Calle 50, centro mismo del barrio musical, para que me oyesen y me diesen algún trabajo. En cada planta había pequeños receptáculos con un piano vertical en el que los autores de canciones podían interpretar sus últimos productos ante los editores, y como las melodías se filtraban por los delgados tabiques de los receptáculos, desde cualquiera de ellos se escuchaba el ruido que se producía en toda la planta. En medio de aquella algarabía me esforcé por cantar una balada dulce de mi autor preferido, Lorenz Hart, delante de un sujeto tortuoso y de ojos apagados al que ni siquiera fui presentado, tan ínfima era mi posición en este mundo. Apenas alcanzaba a oírme a mí mismo, no me llegaba la camisa al cuerpo, canté horrorosamente y en medio de la interpretación me pregunté qué estaba haciendo allí. No, aquello no era para mí, pero con todo y con eso Rosenthal se las apañó para conseguirme un espacio radiofónico de quince minutos en una emisora de Broadway: para cantar gratis, desde luego. Me endosaron un pianista ciego, un anciano cuyo estrangulado enfisema se radió probablemente junto con mi voz y cuyos dedos artríticos podían dar acordes, pero escasas notas sueltas, tan agarrotadas tenía las articulaciones. Espolvoreado de ceniza de puro, con los cuatro pelos engomados para la ocasión y peinados de lado en la parte superior de la cabeza, parecía conmovido por mi forma de cantar y al acabar nuestro segundo programa —que fue el último—, me aconsejó que me anunciase como «Al Jolson el Joven», lo que, en mi opinión, podía ser hasta cierto punto, pero no de aquella manera tan humillante.

Yo daba ya sin embargo los últimos coletazos como cantante. A los dieciséis años, por primera vez en mi vida, descubrí que mi cerebro traducía la letras de las canciones en realidades, y me sentí muy turbado cuando descubrí con alguna perplejidad que casi todas venían a contar los esfuerzos de un hombre por acostarse con una mujer. Hasta entonces, con toda inocencia, había puesto el alma entera en aquellos poemas cantados sin tener la más remota idea de que tenían un sentido —no eran más que sonidos agradables a los que ajustaba la voz y lo mismo habrían podido estar en otro idioma—, cuando la verdad era que cantaba para una chica, nada menos, a la que decía: «Si viviera una película contigo-o-o...». Era inaguantable y me obturó la garganta para siempre, por lo menos como aspirante a profesional, y cuando pude hacer uso de las ideas que había tras aquellas letras, ya casi había perdido la voz. Como la mayoría de los recodos bruscos que encontramos en el camino de la vida, mi conocimiento de Marx se dio un día que me encontraba ante el drugstore de Dozick, en unas circunstancias absurdas e inesperadas que se me han grabado en la memoria con la nitidez de un cuadro. La pared de ladrillo del establecimiento recibía los impactos de la pelota, ruina de aquel hombre amable e inofensivo, pues no sólo los recibía también de vez en cuando el escaparate sino que además el tendero repartía gratis vasos de sifón frío de sus propias existencias. Dozick era canijo, llevaba gafas de cristal grueso, tenía voz de pito y era demasiado bondadoso para echar con cajas destempladas a unos chicos sedientos. Al final, frenético, hizo que se llevaran el surtidor de sifón, pero como no dio resultado, colocó un rótulo metálico de tres metros por ochenta centímetros que anunciaba MOXIE EMBOTELLADA, LA CÉLEBRE BEBIDA SIN ALCOHOL. El rótulo sobresalía varios centímetros de la pared y cada vez que la pelota le daba, se desviaba y fastidiaba el lanzamiento, pero no tardamos en aprender a evitarlo con pericia absoluta, como si no estuviera allí. Desde luego, cuando la pelota le daba, el rótulo vibraba y Dozick salía disparado por la puerta para rogarnos que nos estuviéramos quietos, que por el amor de Dios dejáramos de golpear el rótulo, y siempre nos disculpábamos y procurábamos jugar con más cuidado. Encima tenía que curarnos las heridas y mientras practicaba alguna que otra complicadísima intervención de urgencia se quejaba de que no debería hacer aquello. «¡No estoy capacitado!», exclamaba cuando entraba tambaleándose algún chico sangrando, como mi hermano en cierta ocasión tras perseguir la pelota y darse de cabeza contra la ventanilla lateral de un Ford que pasaba y que estuvo a punto de segarle la oreja izquierda. Casi veinte años más tarde, Dozick me remitiría una nota de elogio por *Death of a Salesman* [La muerte de un viajante], aunque dudando de que me acordase de su nombre, como si no se me hubiera quedado grabado en el cerebro, sobre todo después de ver cómo cosía la oreja de un Kermit echado en una mesa de la trastienda. (Al lado mismo había otro judío canijo, el señor Fuchs, que dirigía una sastrería pequeñísima. Por un dólar ensanchaba los fondillos de los pantalones y ponía unos remiendos que dejaban los puños de las camisas tan anchos como un zapato; se cosía mucho en aquella manzana.) Aquel día concreto no hubo accidentes y el sol llenaba la calle mientras permanecía a horcajadas sobre la bici y contemplaba el juego, en tanto que un chico mayor, de cuyo nombre hace tiempo que me olvidé, me contaba que, aunque no se advirtiera a simple vista, había dos clases de personas en la sociedad, los trabajadores y los patronos. Y que en todo el mundo, Brooklyn incluido, por supuesto, había en marcha una revolución inevitable que transformaría todos los países. Los objetos se producirían entonces para utilizarlos, no para beneficio particular de nadie, por lo que habría más cosas que compartir con todos y la justicia reinaría por doquier. No recuerdo el menor rasgo de su cara, sólo la certidumbre de que ya iba a la universidad. ¿Por qué me eligió a mí para aquella revelación? ¿Qué indicio le habría dado yo para que me considerase terreno abonado para sus asombrosas ideas? Porque le comprendí al instante y recuerdo haber renunciado a mi turno de participar en el juego para decirle: «¡Todo está patas arriba!», dando a entender que, en mi familia, los obreros siempre habían sido un problema; por necesarios que fueran, siempre estaban importunando a los empresarios que se esforzaban por producir y vender mercancías. Las estructuras de la vida estaba tan arraigadas que el abuelo Barnett, republicano, no era el único que estaba lleno de indignación porque aquel Roosevelt se atreviera a competir con el presidente Hoover, impugnando su derecho a otro mandato: yo también lo estaba. La verdad, imagino, era que en realidad éramos conservadores para quienes la autoridad poseía una aureola que no era del todo de este mundo.

Pasaría mucho tiempo sin que comprendiese nada del giro que había dado a mi espíritu aquel universitario sin nombre. Para mí, como para millones de jóvenes de entonces y después, la idea de una sociedad sin clases poseía un encanto desarmante que seducía a la generosidad de la juventud. La *verdadera* condición humana, al parecer, era diametralmente opuesta al sistema competitivo que había supuesto era la normalidad, con todos sus odios y complicidades. La vida podía ser un paraíso de fraternidad en que las personas se ayudasen entre sí en vez de ponerse la zancadilla. El derrumbe que aquel día se produjo de todo cuanto yo sabía del mundo no sólo revolucionó mis ideas, sino también la relación más importante que tenía entonces, la que me unía a mi padre. Pues en el fondo del mundo de camaradería de la promesa marxista se encuentra el parricidio. Para los espiritualmente preparados para esta empresa vieja como el mundo, la sublimación de la violencia que ofrece el marxismo raya en la euforia patológica en lo que toca a sus efectos; al exaltar lo racional, rompe las cadenas de las furias edípicas, disfrazando su violencia con un ideal humano. Su impronta trae a las mientes la directriz que dio Jesús a sus discípulos respecto de abandonar incluso a los padres para seguirle, porque en realidad es imposible servir a dos amos, y también en sus palabras hay un atisbo de parricidio oculto.

Jamás había alzado la voz contra mi padre, ni él contra mí, ni entonces ni nunca. Como muy bien sabía, no era él quien me irritaba, sino su incapacidad para resolver el descalabro de su fortuna. Tenía pues dos padres, el auténtico y el figurado, y me resentía del segundo por no saber salir del descalabro general. Junto con deseos de ayudarle, sentí compasión por él cuando primero se eliminó el chófer, luego el National de siete plazas y más tarde el bungalow del veraneo, y comenzó la espera del regreso del pasado y la irrealidad del presente nos envolvió como una enredadera llena de polvo que hubiera arraigado en la alfombra de la sala de estar y cuyo incontenible crecimiento tuviera que frenarse día tras día. Sin quejarse nunca ni comentar siquiera sus problemas económicos, mi padre se iba hundiendo cada vez más en el silencio, sus siestas se hacían cada vez más prolongadas y su boca parecía haberse secado. No pude por menos de advertir la rabia de mi madre ante aquel desvanecimiento de su poderío; cuando falla un sistema, la gente atribuye a la debilidad ajena sus propias tribulaciones, igual que los reyes antiguos mataban al mensajero que llegaba con malas noticias. Nuestro padre era nuestro vínculo con el mundo exterior y sus noticias eran malas todas las noches. Debí de haber adoptado la inicial actitud de mi madre hacia el fracaso paterno, su intolerancia al comienzo de la catástrofe, su alarma ante el empeoramiento de la situación y por último el deje desdeñoso que se le advertía al hablar.

Pero al mismo tiempo se esforzaba con valentía por salvarnos a todos, disminuyendo los gastos y administrando con inteligencia la casa, que hasta entonces había estado siempre a merced del azar. Por último, cuando murió su madre y no hubo nada que nos retuviera en Harlem, el traslado a Brooklyn, primero a la amplia mitad de una casa para dos familias, con ancho soportal cerrado y habitaciones ventiladas, y luego, más abajo, a la casita de seis habitaciones de la Calle 3 Este, que costaba quinientos dólares y además estaba gravada por una cuantiosa hipoteca. Apenas había una forma más barata de vivir, pero hacia 1932 tenía que seducir al responsable del banco de Kings Highway para que aplazaran hasta el mes siguiente el cobro de una de las mensualidades de la hipoteca. A comienzos de los años treinta, había vendido o empeñado hasta la última joya que le quedaba, excepción hecha de un broche de diamantes de su madre y unos cuantos regalos de boda de los que se negaba a desprenderse, como si por deshacerse de ellos hubieran de extinguirse unas esperanzas últimas que, al igual que las simientes destinadas a la cosecha del año próximo, no debían consumirse.

Si yo hubiera compartido con ella al cien por cien su desilusión respecto de mi padre, el camino de mi vida habría sido sencillo y probablemente habría estado exento de penalidades. Pero no podía por menos de sentir vergüenza ajena cuando mi madre la tomaba con él, porque yo admiraba la naturaleza cordial y amable de mi padre tanto como me irritaba su intelecto sin educar. Y la conducta de mi madre no era nunca directa ni sencilla; podía cambiar de pronto y comprender con un relámpago de lucidez y remordimiento que lo que le había ocurrido a su marido le había ocurrido a un hombre de energía resignada y que poseía su dosis de honorabilidad. Por amor a mí y a todos nosotros, mi madre nos dividió y enfrentó, sin darse cuenta, con inocencia, porque creía —como también yo comenzaba a creer— que con inteligencia suficiente se podía resolver la situación. ¿Por qué no podía resolverla mi padre? Porque el egoísmo de su madre le había obligado a trabajar antes de cumplir los doce años, para que pudiera dejar su salario semanal junto al plato de aquélla todos los sábados por la noche. Mi madre odiaba a la madre de mi padre —que seguía viviendo a tres kilómetros de distancia, en una vieja casa de Flatbush, al parecer sin enterarse de que corrían tiempos difíciles— y, a causa de este odio, también el entero mundo de las mujeres, que según ella habían nacido para chupar la sangre a los hombres, si bien había excepciones que dependían de cómo se encontrase tal o cual día concreto. No había contradicción, ni en esto ni en lo demás, que la arredrase; se le podían saltar las lágrimas al reparar en el aguante y digna resignación del marido y al cabo de una hora hacerle una observación a propósito de su torpeza. Ya debíamos rezar todos por el presidente Hoover, cuáquero honrado que, a fin de cuentas, era tan víctima de la catástrofe como todo el mundo, ya se le calificaba de hijo de puta sin sentimientos: no había más que verlo repetir una y otra vez que la prosperidad estaba a la vuelta de la esquina; ¿es que no se daba cuenta de que la gente se estaba volviendo loca de remate y de que era algo que ocurría en aquel preciso momento? La más negra desesperación se colaba por debajo de las puertas; a fines de 1932 reinaba el miedo tácito de perder incluso aquel gallinero que teníamos por casa. ¿Y qué sucedería entonces?

Se ha dicho con frecuencia que lo que evitó una revolución en los Estados Unidos durante lo más negro de la Depresión fue la buena voluntad con que los norteamericanos se culparon a sí mismos de la catástrofe en vez de culpar al sistema. Una tenue pátina de culpabilidad recayó sobre los hombros de los padres afectados, para una cantidad ignorada de los cuales no volvería a haber recuperación alguna de la dignidad y confianza, sólo una interminable muerte en vida que proseguiría hasta el final. Ya a comienzos de los años treinta, cuando la catástrofe contaba con un par de años de existencia, los periódicos decían que sólo en la ciudad de Nueva York había cerca de cien mil personas tan afectadas psicológicamente que probablemente serían incapaces de volver a trabajar. Y no era sólo cuestión de escasez de comida; era la esperanza lo que les había abandonado, la ilusión vital y la capacidad de volver a tener fe. Norteamérica, como diría Archibald MacLeish, era una serie de promesas, y para algunos, la crisis económica, en el sentido más profundo, fue una promesa rota.

Si el marxismo era, en un plano metafórico, el elemento racional que justificaba el parricidio, creo que para mí fue al mismo tiempo una forma de perdonar a mi padre, pues hacía que le viese como una especie de dígito en medio de una catástrofe casi cósmica que estaba más allá de sus fuerzas eludir. Pero el pobre hombre tenía que radicalizarse, tenía que admitir que su fracaso no había sido culpa suya y no limitarse a responder a mis sermones con hechos torpes y míseros que no hacían más que aumentar mi ira ante su estupidez.

—Pero —decía—, si no va a haber beneficios...

—¡Los beneficios son malos, una medida equivocada! —le insistía con mi voz de tenor de los dieciséis años.

—Sí, bueno, pero ¿y el dinero para abrir el negocio? ¿Quién pagará las nuevas máquinas, por ejemplo, cuando las viejas se gasten? Y en el caso de que el año anterior no haya sido muy bueno, habrá que tener dinero para seguir tirando hasta que la cosa se recupere...

La siguiente vez que oí estas réplicas fue en China, medio siglo después, cuando los chinos trataban de levantarse después de las décadas maoístas en que había imperado el desdén por los beneficios. Pero está claro que la Depresión fue tanto un motivo como una causa de estos enfrentamientos paternofiliales. Me sorprendería saber años más tarde cuántos escritores habían tenido un padre fracasado o hijos que les habían considerado de este modo. Fitzgerald, Faulkner, Hemingway (su padre se suicidó), Thomas Wolfe, Steinbeck, Poe, Whitman, Melville, Hawthorne, Chéjov, Dostoievsky, Strindberg: la lista es demasiado larga para atribuir el fenómeno a las casualidades del carácter individual. Aunque diferentes unos de otros, los mentados comparten la ambición de crear una cosmología nueva y no sólo de describir el mundo visible que les rodea. De haber podido, habrían ideado un nuevo orden perceptivo susceptible de transformar el mundo de arriba abajo, para que se viese como ellos lo veían. Si los norteamericanos de la lista se diferencian de la mayoría de los europeos es por carecer de una inspiración revolucionaria a gran escala, ya sea en el plano social, en el religioso o en el político. Entre los norteamericanos, sólo Steinbeck, que maduró en los años treinta y vivió las luchas sociales de la Norteamérica occidental, es portador de una faceta política y a veces revolucionaria. A decir verdad, ni un solo escritor de otro país aparece cabalmente como lo hace el norteamericano, como si la lengua del tiempo pretérito se le hubiera cortado y tuviese que comenzar desde el principio, desde la Creación y la denominación inicial de las cosas que se ven por vez primera. Es un Cortés eterno en la cima del monte de la anécdota, un Colón eterno en el oscilante puente de mando que oye a oceánicas distancias el primer rumor de un oleaje invisible azotando una playa no descubierta. Los escritores de otros países pueden citar como si tal cosa el nombre de su modelo de juventud, su Strindberg y su Tzara, su Tolstoi o su Waugh, dando por sentado que es un honor, así como una costumbre, continuar una tradición. Pero los escritores norteamericanos aparecen como salidos de la tierra misma o como caídos del cielo, totalmente únicos, autoconcebidos y autoformados, prácticamente como los empresarios a los que desprecian. Como hombres sin progenitor, abandonados por un pasado que rechazan a su vez, situación idónea para escribir, no la Gran Novela u Obra Teatral Norteamericana, sino a decir verdad la Primera.

Por entonces no había aprendido aún a racionalizar mis emociones, pero sabía que la Depresión era un problema económico sólo en parte. Se trataba más bien de una catástrofe moral, una violenta revelación de la hipocresía que había tras la fachada de la sociedad estadounidense. De aquí que los hechos, para los que se inclinaban hacia la izquierda —hoy como ayer—, significasen tan poco. Nada es tan alucinatorio ni tan ciego como la indignación moral. La adolescencia es una especie de dolor que sólo puede remediar el tiempo, un estado de fusión sin forma fija, pero cuando al mismo tiempo se ha fundido igualmente el orden de la sociedad y la antigua autoridad ha revelado su incompetencia y vacuidad, el camino hacia la madurez pasa por el radicalismo. No hay más que falsedad y derroche y el terreno se despeja para alzar el nuevo edificio simétrico, la saludable liberación de las encadenadas potencias de la razón, que es lo que el marxismo decía ofrecer y sigue diciendo todavía. Si bien se erguía como enemigo de la religión, conmovía algunas de las fibras de mi fe más profunda y garantizaba el mismo privilegio de estar con los elegidos que seduce a las comunidades religiosas. Los dormidos despiertan y su canto es la voz del futuro y, cuando se les pide, traen, no la paz, sino la espada. Dos décadas después de aquel decisivo partido de pelota, mientras estaba en la Sociedad Histórica de Salem repasando los documentos de los procesos por brujería de 1692, podía oír con absoluta claridad la voz de aquellos jueces adeptos de la pena de muerte, a los que sólo se podía comprender de veras si se había sentido la emoción de estar en posesión de la verdad. De hecho, es probable que no hubiera estado en Salem bajo ningún concepto de no haber dado con Marx en medio de aquel juego de pelota.

Una vez experimentada la salvación, me habría hecho totalmente inaguantable en casa si alguien hubiera tenido la decencia de escucharme un buen rato, pero a mi padre le costaba mantenerse despierto, y mi hermano, de acuerdo en principio, estaba demasiado ocupado en salvar a nuestro padre, al que había elevado a la categoría romántica de gigante caído. Kermit quería recuperar la fortuna de la familia, hasta donde pudiera, por lo menos, antes de que el capitalismo se viniera abajo, posibilidad de ningún modo remota, ya que todos sabían que no los radicales sino la federación de banqueros había pedido a Roosevelt que nacionalizase la banca, porque el sistema se les había escapado totalmente de las manos. Era ciertamente una coyuntura extraña en comparación con las situaciones revolucionarias que se dan en el siglo veinte, pero distábamos de estar solos porque nos movíamos en distintos planos de credulidad a la vez. A medida que se hacía cada vez más evidente que no iba a tratarse de otra recesión como la de comienzos de los años veinte, y que los inspirados gritos electoralistas de Roosevelt, aunque exigían la creación de nuevos departamentos ministeriales que absorbiesen las más acuciantes necesidades de los parados, no iban a incrementar la producción, la perspectiva de un cambio social profundo era cada vez menos frecuente como tema de conversación entre intelectuales y cada vez más algo sabido por casi todo el mundo. Las cosas no podían continuar de aquel modo, así de sencillo. Cuando un barco se queda estancado en el agua, hay un margen de espera, rebasado el cual la tripulación se pone a gritar y hace lo necesario para que sople el viento.

El «señor Glick», como se le solía llamar —y no «Glick» o «Harry»—, era el dueño de la ferretería y destacaba por estar aún soltero a los treinta años. En Brooklyn, en nuestra zona por lo menos, todo el mundo estaba casado. Pero el pelirrojo señor Glick, físicamente perfecto salvo en lo tocante a la miopía que sufría, parecía contento de vivir solo encima de su tienda de la Avenida M, preparándose su propia comida y, cuando no había clientes, sentándose en la puerta en una silla plegable para tomar el sol y saludar a cuantos pasaban con un guiño y una sonrisa irónica apenas perceptible. El establecimiento, probablemente porque se necesitaba para hacer toda suerte de reparaciones, sobrevivía en una manzana llena de pisos deteriorados y vacíos. Yo ya había establecido una relación profunda con la ferretería y me encantaba estar cerca del propietario, igual que hacían otros chicos, sobre todo Sammy el Mongólico, quizás el amigo más íntimo del señor Glick. Sammy, que también tenía entonces treinta y tantos años, conocía a todas las familias de todas las casas de aquellos edificios, pero no por el nombre, sino por el número telefónico.

—¿Te has enterado de lo de Dewey nueve-seis cinco cinco siete?

—No, ¿qué es?

—Se ha hecho novia de Navarre ocho-tres dos ocho cero.

Glick, tras adoptar una expresión escandalizada, preguntaba entonces:

—¿Y qué ha sido de Esplanade siete-cuatro cinco siete nueve?

—Bueno, hace ya no sé cuánto que no sale con él.

—A mí me han dicho otra cosa —decía Glick—. Me han dicho que Dewey nueve-seis cinco cinco siete sale con Navarre ocho-tres dos ocho *uno*.

—¡*Uno*! Tres dos ocho uno es una chica.

—¿Una chica? ¿Desde cuándo?

—¡Desde siempre!

Sammy daba la impresión de estar a punto de llorar, pero Glick carecía de remordimientos y llevaba estos diálogos hasta el límite de sus posibilidades antes de dar marcha atrás. Se pasaba el día gastando bromas. Hasta que caí en la cuenta, yo picaba siempre que pasaba ante su local, próximo a la Calle 5, y me preguntaba:

—¿Llueve en la Calle 3?

—No, como aquí.

—Bueno, menos mal.

Pero las mujeres eran como la fruta degustable más madura, mientras él, poco a poco, les iba consumiendo la credulidad. Las escasas tiendas de la Avenida M formaban un poblado de fronteras invisibles para el ojo extraño, pero sólidas y firmes en la realidad. La principal ocupación de dicho poblado era inquietarse, por lo menos era a lo que se dedicaba la mayoría de la gente la mayor parte del tiempo. La acera era un trasiego continuo de vecinos en zapatillas que ni siquiera tenían ánimo para ponerse los zapatos cuando bajaban a comprar el periódico o una lata de sardinas, y en los meses calurosos las amas de casa salían en salto de cama y bata de ondulante movimiento, cuya vista despertaba en Glick unos brotes de inventiva que mis amigos y yo subrayábamos poniendo cara seria.

Una mujer entraba en el establecimiento con una plancha eléctrica que dejaba encima del mostrador, al tiempo que decía:

—No calienta.

—¿Qué es lo que no calienta?

—Esto. No calienta, señor Glick —decía ella, recogiéndose el salto de cama.

—¿Tiene usted frío? Si usted quiere le pongo en marcha la calefacción; soy el propietario de la finca.

—¿Frío? ¡Pero si estamos en julio!

—Está usted tan atractiva que lo había olvidado. Bueno, ¿qué le pasa a la plancha? ¿Qué es eso de que no calienta?

—Pues que no se pone caliente.

Y mirándole entonces a los ojos con atención y fijeza:

—Y no sabe usted qué hacer cuando no se pone caliente.

—Oiga, yo me refiero a la plancha.

—Desde luego, estimada señora. Bueno, ¿qué le dije que había que hacer en primer lugar para que se pusiera caliente?

—Lo hice, ya la enchufé.

—¿Metió usted bien dentro el enchufe? —Con lo que se inclina un poco más hacia el pecho femenino.

—Calentó una pizca, pero nada más.

—Dígame, ¿qué llevaba usted encima en ese momento?

—¿Qué iba a llevar? ¡La ropa!

—Lo pregunto porque estas planchas son muy sensibles.

—No voy a ponerme a cocinar desnuda.

—Se quedaría usted de piedra si le contara las cosas que se hacen en el vecindario. Hay mujeres... no voy a decir nombres; no me creería usted, pero me vienen y me cuentan que se ponen a calentar, asar y tostar completamente desnudas.

—Pero ¿de quién habla?

—¡Ahora quiere saber de quién hablo! ¡Rubias! ¡Castañas! ¡Morenas! *¡Calientan, asan y tuestan desnudas en este barrio!*

—¿Está usted loco? Nunca se me ocurriría cocinar desnuda.

—Hace usted muy bien. Y dígame: ¿qué puso usted... dentro?

—¿Que qué puse? Ah, bueno. Pues chuletas, una hamburguesa...

—¿Una hamburguesa dice?

—Sí, una hamburguesa. ¿Por qué?

Con tristeza infinita, cabeceando, da la vuelta entonces a la plancha y señala el número del Underwriters Laboratory.

—¿Ve usted que el número termina en nueve? ¿Sabe lo que significa?

—No, ¿qué significa?

—Cuando un número de la casa Underwriters termina en nueve, quiere decir que nada de hamburguesas. *Pero* —antes de que la mujer pueda protestar—, tratándose de usted, no lo tendré en cuenta y le daré otra nueva ahora mismo.

—... porque estoy segura de no haber hecho nada mal.

—Estimada señora, una mujer como usted es incapaz de hacer nada mal. —Entonces, mientras le enseña la nueva plancha, se pone serio—. Este es un modelo mejor. Con éste se puede cocinar desnuda.

—¿Es que se ha vuelto loco? ¡Jamás había oído cosa igual!

La interrumpe, la sonrisa se le torna confiada y relajada.

—Es una broma; es que me pone usted muy triste.

Con una semisonrisa, confusa ya, la mujer pregunta:

—¿Yo le pongo triste?

—Por estar casada.

La mujer cae entonces en la cuenta, le asesta un suave cachete en la mejilla y se aleja arrastrando las zapatillas con la nueva plancha bajo el brazo.

Cierta primavera, años más tarde, pasé ante la ferretería al volver de la facultad y vi al señor Glick sentado en la puerta con un cochecito de niño al lado, y a una mujer bajita y gruesa, también pelirroja, de pie en el umbral. Volvería muchos años más tarde, esta vez con un equipo de filmación de la CBC a las órdenes de Harry Rasky, que estaba rodando un reportaje sobre mí. El establecimiento del señor Glick había desaparecido; el edificio entero se había esfumado y en su lugar se alzaba una finca de pisos en alquiler que ya acusaba el paso del tiempo.

Los comerciantes como el señor Glick pasaban mucho tiempo sentados a la puerta del establecimiento, en espera de que llegasen los clientes, pero ellos eran los afortunados; por dondequiera que se pasase había rótulos de SE TRASPASA en escaparates de tiendas vacías y apenas había finca que no ostentase de manera permanente el cartel de PISOS EN ALQUILER. La gente se multiplicaba, los hijos casados volvían a casa de los padres con sus propios hijos. En las travesías jugaban al rugby equipos compuestos por individuos de veinte años o más, jóvenes sin empleo ni esperanza de conseguir ninguno que se pasaban el día jugando como niños y comprando cigarrillos Camel o Lucky uno por uno, a centavo la unidad, en el quiosco de Rubin, situado en la Avenida M. Los normales ritos de tránsito de la adolescencia se pasaban por alto; cuando terminé los estudios en el instituto Abraham Lincoln, en 1932, la mía no fue la única familia que faltó a la ceremonia de entrega de premios, ni yo esperaba tampoco que asistiera. Sabía que, acabada mi formación, no era sino un joven más en la larga cola de los que esperaban encontrar trabajo. De cualquier forma, con un título de bachiller, como dice el refrán, ya podía vender corbatas en los grandes almacenes Macy's.

Si algún pasatiempo nacional había, supongo que era hacer el vago, estarse con los brazos cruzados en la esquina o en la playa, en espera de que surgiese alguna cosa. Al caer la tarde, antes de comenzar a sentir los efectos turbadores de cualquier autoexhibición, me quedaba ante el drugstore de Dozick con media docena de chicos, cantando los últimos éxitos, compitiendo a veces con quien creyera que cantaba mejor (por dos centavos se podían adquirir copias ilegales de la letra de las canciones más recientes). Después de cumplir los quince años, aquellas competiciones me parecían infantiles, pero continué con la banda porque era uno de los mejores caricatos e improvisaba tonterías e imitaba a los Three Stooges, que ya por entonces merecían poco menos que nuestro desprecio por ser unos cretinos remedadores de los Hermanos Marx. Siempre teníamos completo un equipo de rugby y uno de nuestros medios, un gigante de grueso labio inferior que se llamaba Izzy Lenowitz y frente al que nadie se atrevía a practicar el placaje por miedo a sus rodillas de mastodonte, solía descargarme la manaza en la débil espalda y rogarme: «Vamos, Artie, diviértenos». Y con aquel estímulo improvisaba un monólogo que con un poco de suerte concentraba la atención durante cinco minutos o más. Sin planear ni tener conciencia de lo que hacía, había comenzado mi proceso segregador: me estaba apartando del público para situarme solo ante él.

Exceptuados mi madre y mi hermano, como ya dije, no recuerdo que nadie del barrio leyese libros, ya que no había ninguna razón práctica para ello. Los chicos de aquellas manzanas tenían otras cosas en la cabeza; ante todo conseguir chicas, víctimas inocentes de la lujuria masculina, y en particular a Mary Costigliano, ya casi treintañera, con unos pechos enormes y quizás algo subnormal, de la que se decía que se quedaba pasmada y sin oponer resistencia ante cualquiera que le regalase una caja de caramelos Whitman. Cierto o no, despertaba risitas ahogadas cada vez que pasaba por allí y a veces se detenía para gritar a cualquier chico que la molestase. Una vez me metí en el sótano y me encontré a todos los miembros del equipo de rugby masturbándose los unos a los otros, lo que pareció contradecir la pequeña dosis de idealismo que les había atribuido, por no decir que era demasiado tímido para unirme a ellos. Además, prefería fantasear con las mujeres en privado.

Como mi madre me había matriculado en un instituto de segunda enseñanza un año antes de terminar la primera, me torturaba la extraña idea de ser demasiado joven para todo, por cuestión de un año, y sin duda para madurar como fuera me metí en la cabeza, a pesar de mi constitución débil y mi cuerpo desgarbado, la idea de figurar en la segunda selección del equipo de rugby del instituto Abraham Lincoln. Corría mucho y sabía coger una pelota con mis largos brazos, pero con cincuenta y tantos kilos no era ninguna broma que se me echasen encima muchachos que pesaban veinticinco kilos más que yo. Temía las patadas en la cara cuando hacía algún placaje y tenía que darme ánimos para lanzarme a los tobillos de un contrario, y aunque casi siempre se me escapaba, en un encuentro de importancia que sostuvimos con la selección A del equipo, cerré los ojos y me lancé con todo el alma sobre un medio, un cretino hijo de puta del que todos pensaban que tenía un gran porvenir deportivo. La mala suerte hizo que cayera a sus pies y lo derribase, con lo que nos dimos tal costalada que él se quedó aturdido y yo un poco más. Al levantarnos, me hundió las rodilleras en el cuello, pero la anhelada oportunidad de placarle otra vez no se volvió a presentar. Por el contrario, al recoger un pase minutos después, se me echaron encima por el costado y acabé con un ligamento roto que durante muchos años me tuvo la rodilla doblada y sin poder estirar la pierna so pena de sentir un dolor intenso y desgarrador. Ocho años después, aproximadamente, la lesión hizo que me librase del servicio militar.

Me parece que siempre fui consciente de mi habilidad como carpintero y mecánico. A los catorce o quince años compraba madera con lo que ahorraba en mi trabajo de repartidor de pan —doce sufridos dólares que fui atesorando gracias a un trabajo que se remuneraba a cuatro dólares semanales— y construí un soportal trasero para la casita de la Calle 3. Para recabar consejo fui a ver antes a uno de mis dos tíos que primero se habían trasladado a Brooklyn con la familia, a comienzos de los años veinte, época en que la zona de Midwood estaba tan vacía que se podía vigilar a los niños cuando recorrían los solares llenos de hierbajos, camino de la escuela, situada a doce manzanas de distancia. Manny Newman y Lee Balsam eran viajantes de comercio y, al contrario que nosotros, tenían un martillo con el que reparaban cosas en sus casas, que estaban juntas, los días que tenían libres. Lee fue el único que me dejó el martillo, porque no se tomaba en serio los trabajos manuales. Manny no sólo seguía la política de no prestar herramientas jamás, sino que negaba con el mayor descaro que tuviese siquiera una pala, por ejemplo, cuando se daba perfecta cuenta de que la veía colgada a sus espaldas, en la pared del garaje, donde le gustaba jugar a las cartas en paños menores con los vecinos cuando hacía calor.

Lee Balsam, todo bondad, tenía la voz baja y un corazón enfermo que le obligaba a calcular y meditar todos los movimientos que hacía. Improvisó conmigo los planos de un soportal que me fueron de maravilla, con la única excepción, que no advertí más que al terminar, de que no había el menor punto de contacto entre el soportal y la casa. De todos modos duró veinte años, aunque se fue alejando de la cocina de manera gradual, centímetro a centímetro. Fue mi primera experiencia en la actividad constructora y no podía pegar ojo de ganas de que llegase el día siguiente; y fue exactamente el mismo frío mes de abril de 1948 cuando construí un estudio de diez por doce junto a mi primera casa de Connecticut y donde quise escribir una obra de teatro sobre un viajante de comercio. La idea de crear una nueva sombra sobre la tierra no ha perdido nunca su fascinación. Puesto que el deseo inconsciente de la clase media es eludir el trabajo manual, me cuesta rastrear los orígenes de mi amor por él, así como de mi respeto por los artesanos.

En los años veinte, cuando los Miller salían de Manhattan en limusina para ir de visita, las casas unidas de Newman y Balsam sólo estaban flanqueadas por otros cuatro binomios, conformando en conjunto una hilera de casitas de madera de tejado plano y escalinata de entrada de tres escalones, rodeada de descampados donde aún había olmos altos, rosas silvestres, helechos, y donde la hierba aparecía surcada de senderos que los vecinos utilizaban en vez de las calles sin asfaltar y sin aceras. Como la tienda más cercana estaba a más de tres kilómetros, compraban sacos de patatas de cincuenta kilos y envasaban los tomates que ellos mismos cultivaban, y el sótano les olía intensamente a tierra, a diferencia de los sótanos de Manhattan, que apestaban a gato, a ratas y a orina. Antes de trasladarse a Brooklyn, las dos familias habían vivido durante años en los fríos pueblos septentrionales del estado de Nueva York y hablaban con timbre gangoso, las mujeres en particular, pronunciando la erre fuerte, al estilo del campo. Se diferenciaban de los neoyorquinos por sus ritmos mentales provincianos, su tendencia a pasar el tiempo sentados y charlando, y su aproblemática autoaceptación como norteamericanos corrientes, pues su judaísmo parecía haber perdido el poder de distinguirles. Junto a ellos vivían familias gentiles con las que trababan amistad íntima y, a diferencia de los judíos de Manhattan que yo conocía, no llamaban nunca a los lampistas o retejadores, sino que hacían ellos mismos las chapuzas.

Hasta que se casaron y se fueron, las tres hijas de Lee y Esther se pasaban los días con un pañuelo alrededor de la cabeza, limpiando la casa, sacándole brillo al coche y hasta fregando la escalinata de entrada con agua y jabón. Los Newman hacían también todas estas cosas, pero había zonas sombrías en su casa, un olorcillo a sexualidad y ensueño, a mentiras e invenciones, y, por encima de todo, a contradicción y sorpresa.

Manny Newman era astuto y feo, un Pan brotado de la tierra, un monicaco ceceante, de ojos castaños hundidos, nariz aberenjenada y colgante, piel oscura y brazos torcidos. Cuando yo entraba en la casa, se me quedaba mirando —por lo general en ropa interior de una sola pieza, con un martillo o un destornillador en la mano, o tal vez con la caja de zapatos en que guardaba su colección de postales pornográficas— como si nunca me hubiera visto antes o como si, de haberlo hecho, de un momento a otro me fuera a perder de vista para siempre. Le gustaba competir siempre, en todas las cosas y en todo momento. A mi hermano y a mí nos veía correr a la par de sus dos hijos en una carrera que nunca tenía fin en su imaginación. Había tenido dos hijas y dos hijos: la mayor, Isabel, una auténtica belleza a pesar de que se le parecía, y la menor, Margie, una chica dulce estropeada por un acné que la retenía en casa, triste pero valientemente animada. Sin embargo, ni siquiera ella se atrevía a perder la esperanza en aquella casa; más tarde se me ocurriría que por dicho motivo era ésta como un perfeccionamiento de Norteamérica: porque siempre ocurría algo bueno, y no sólo bueno, sino fabuloso, transfigurador, triunfal. Era una casa sin ironía, vibrante de resoluciones y gritos de una victoria no consumada aún pero que sin duda acaecería al día siguiente. Los dos hijos varones sabían ganar todas las medallas y ser *boy scouts* de primera categoría, sabían hacerse la cama, limpiar lo que habían ensuciado, hablar con frecuencia y seriedad del honor de la familia, y luego, con Bernie Crystal y Louis Fleishman, entrar en la confitería de Rubin y entretenerle lo suficiente para hacerse con el recipiente esférico de vidrio, de noventa centímetros de diámetro, donde estaban los caramelos de a centavo. O pasar semanas preparando una acampada en Bear Mountain con la majestuosa seriedad de unos exploradores que planeasen una expedición al Polo Sur, y una vez allí y después de haber cumplido todas las sagradas normas del reconocimiento del terreno, encontrar una puta vieja

en una taberna del lugar y pasar la noche con ella por turno en la pequeña y bimembre tienda de campaña, y por la mañana darle la mitad del
estipendio convenido, pensando que, puesto que eran hermanos, tenían
que pagar como un solo cliente. Todo el mundo les envidiaba, en particular a Buddy, el mayor, que jugaba al béisbol, al baloncesto y al rugby,
que apareció citado dos o tres veces en el *Eagle* de Brooklyn y que se
pasaba dos horas arreglándose para salir con una chica, echándose brillan-
tina en el pelo negro, aplicándose polvos de talco en la cara, dándose
golpes en el estómago y sonriendo ante el espejo para comprobar el estado de los dientes. Era moreno, al igual que su padre, aunque más alto, y
tenía las espaldas anchas del abuelo Barnett, como Annie, la madre, una
mujer de lo más conmovedora que llevaba a cuestas la cruz de la realidad
de todos ellos. La gente le tenía lástima por su forma de insinuar a Manny
con gran tiento que el naranja tal vez no fuera el color idóneo para pintar la casa, aun cuando el marido hubiera comprado a precio de ganga
varios botes grandes de pintura naranja en unas rebajas de Fulton Street
de artículos defectuosos, sin perder la calma en ningún momento, son-
riéndole con ánimo para que no creyese que se le subestimaba. Con las
hijas podía ser más franca, lógicamente, pues se afanaba año tras año por
conducirlas sanas y salvas, como bajeles que hiciesen agua, al puerto del
matrimonio, Margie con su deprimente problema cutáneo e Isabel sometida a la tentación de regalar demasiado pronto lo que más le valía conservar, al menos durante un tiempo.

En realidad no estuve en presencia de Manny más que un par de horas
en toda mi vida, pero era un hombre tan ilógico, estaba tan completamente al margen de las normales leyes de la gravedad, sus fantasiosas ocurrencias eran tan complicadas, y, a pesar de su fealdad, estaba tan poética-
mente enamorado de la gloria, la fortuna y la inevitable vinculación de
ambas con su familia, que se posesionaba de mi imaginación mientras no
supiera con mayor o menor exactitud cómo iba a reaccionar ante tal o
cual signo, palabra o idea. Sus inesperadas adulteraciones de los hechos
me liberaban el espíritu, que corría sin freno y se deslizaba entre fantasías
propias, si bien siempre, por debajo de la superficie, discurría el riachuelo
de su melancolía. Se cotilleaba que él y Annie eran personas ya sin remedio, aunque no las había más interesantes como tema de conversación,
entre otros motivos porque la pareja estaba aún enamorada. De hecho se
habían fugado, contra los deseos del abuelo Barnett, y a pesar de lo gran-
dota y pechugona que era ella, de su gordura, su risa estentórea, su cara
rosada y picada de viruela enrojecida a menudo a causa de la hipertensión que se la llevaría a la tumba a los sesenta, y a pesar de la requemada
tez de indio que tenía él y de que siempre estaba con la cabeza medio en
otro mundo, era evidente, incluso entonces, que aún estaban muy unidos
sexualmente. El gran acontecimiento de Nochevieja consistía en que ocho
o diez parejas asistiesen a la ruidosa cena que se celebraba en el estrecho
sótano de Newman, junto a la estufa de carbón, y esperasen a que Manny
sacara la caja de postales, aunque no antes de enviar a los niños a la cama:

como si no hubiéramos mirado y remirado cincuenta veces todas y cada una de las postales a lo largo del año, cosa que Manny sabía muy bien. Al igual que todos los acontecimientos sociales, aquellas fiestas se convertían al final en partidas de cartas, y cuando Manny se aburría, se encogía en el anchuroso regazo de Annie y hacía como que mamaba, situación embarazosa para ella, aunque no lo bastante para impedírselo. Aquella casa parecía húmeda de sexualidad, sobre todo en comparación con la nuestra o la de los Balsam, o con cualquier otra que yo conociese; la nuestra estaba llena de luz y ventilación, mientras que la de los Newman estaba obsesionada en secreto, como si todos estuviesen obscenamente relacionados entre sí: una fantasía mía, por supuesto.

Por muy entusiasta de los deportes que yo fuese, mi habilidad no tenía ni punto de comparación con la de sus hijos, y como era desgarbado y falto de elegancia por añadidura, carecía del porvenir de ellos, tanto que siempre que pasaba por allí esperaba alguna insinuación tocante al probable fracaso de mi vida entera, incluso antes de cumplir los dieciséis años. Aunque estos detalles no menguaban el atractivo y el misterio con que solapadamente envolvía yo a los Newman. No había vez que me acercara a la pequeña casa que no se me suscitase la expectación de que algo extraordinario iba a ocurrir allí, alguna impudicia erótica acaso, o una revelación sorprendente de cualquier otra naturaleza.

Ninguna persona sensata se podía tomar a Manny en serio —a él le encantaba hacer el payaso—, pero era difícil mantener una actitud insensible hacia él, supongo que porque un centímetro por debajo de sus absurdas ocurrencias se intuía el normal sufrimiento que, en su caso, las costumbres de la indiferencia no acababan de remediar nunca. Era típico de él alzar los ojos de los naipes que tenía en la mano para posarlos en mí y, con la pala colgando bien visible en el garaje, detrás de su cabeza, decirme: «No, yo no tengo ninguna pala», era normal además, y ni a Lee ni a mi padre ni a ningún otro que estuviese jugando con él se le habría ocurrido comentar en voz alta la evidente incongruencia. Todos sabían que ante cualquier problema difícil recurría siempre a la misma solución: modificar los hechos. Y todos simpatizaban con él hasta cierto punto, como si aquello fuera lo que realmente les hubiera gustado hacer, de haberse atrevido. Por debajo de las burlas había algo semejante a una curiosidad intensa, si es que no se trataba de respeto y envidia, por la estrafalaria valentía que manifestaba al apartarse de las leyes corrientes del trato normal. Pienso que para mí era portador además de infinitas sutilezas semánticas y alusivas, ausentes en el resto del mundo; al negar sin más ni más que tuviese una pala, por ejemplo, aludía en realidad al tema de su vida, la competitividad que le había intoxicado el espíritu. En realidad me estaba diciendo: «¿Por qué no compra tu padre su propia pala? Si es tan importante que me tiene que mirar desde arriba», según pensaba él que hacían siempre los conservadores, «no tiene sentido que me pida prestada una herramienta. ¿O es demasiado aristocrático para tener una pala? ¿Es que el alto copete le impide pensar en una pala salvo cuando él o su hijo la necesitan con urgencia? ¿Y piensa que basta con que vengas a pedirme la mía? En esa pala hay dinero. Así que para los Miller no tengo ninguna pala». Aunque iba más allá incluso; para su mirada interior, la pala que tenía colgando detrás de la cabeza había dejado de existir realmente en aquel instante.

Como es lógico, de mi padre, tío Lee y los demás hombres de la familia aprendí a no esperar nada de Manny, pero el caso es que no podía apartar los ojos de él, ni ellos tampoco. Sin Manny, una partida de *gin* no era más que una partida de *gin*, seis, ocho personas medio aburridas, sentadas en derredor de una mesa y hablando sin ganas de intervenciones quirúrgicas, de embarazos, de la lluvia interminable, de la falta de lluvia, de quién podía salir elegido, o, por encima de todo, de la fortuna que alguien había amasado o perdido y de cuánto ganaban en una sola semana Bing Crosby o Rudy Vallee. Pero, con Manny allí, era casi obligatorio que de su boca surgiese alguna afirmación en el curso de los diez primeros minutos y que venía a ser como el anuncio del tema de la velada, por ejemplo:

—Un amigo de Providence me ha dicho que ese Rudy Vallee ha superado lo insuperable, treinta millones de dólares en dos noches.

—¿Treinta *millones*?

—Treinta millones, sin contar las funciones de tarde.

Y se enzarzaban, imaginando la probable cantidad de asientos del local y dividiendo por ella los treinta millones... Pero por suerte se cansaban antes de que alguno comentase lo absurdo de la discusión, y, en cualquier caso, Manny habría cambiado ya de tema con alguna broma, acompañada de algún guiño confesional que embelesaba a los oyentes y hacía se preguntasen si en última instancia hablaba en serio, con lo que se las apañaba para terminar una partida de cartas tras haber movido los sentimientos de los presentes a la indignación, la carcajada y, por último, la camaradería hacia aquel hombre endiablado que entraba en todas las categorías sin permanecer en ninguna. A todo esto, la piel clara de su mujer, Annie, pasaba del rubor a la palidez mientras le venía y se le iba el temor de que él estuviese haciendo demasiado el ridículo, rasgo por el que tendría que pagar ella después, cuando, ya sin público que corroborase la identidad del marido, la dolorosa incertidumbre ontológica de éste saliese a la superficie con desesperación. Si los accesos de mal humor se prolongaban, Annie se sentaba a su lado mientras recorrían Nueva Inglaterra en el pequeño coche del marido, cuyo anticuado radiador apenas si podía mantenerlo por encima del punto de congelación, y le hablaba sin parar de asuntos más optimistas. En aquella época, antes de que hubiera autopistas y superautopistas, tenía que cruzar con el coche todos los pueblos y detenerse ante cada semáforo, y llevaba además una pala de mango corto en el portaequipajes para quitar la nieve, porque no había neumáticos para la nieve y en muchos pueblos sólo se comenzaba a despejar las carreteras en plena tormenta de nieve.

La incertidumbre de su vida la aureolaba de leyenda. No tenía uno de esos empleos aburridos y con salario fijo en los que no se puede esperar nunca un buen golpe de suerte. La esperanza era su comida y su bebida y la necesidad de proyectar triunfos esperanzadores en un viaje de ventas contribuía, supongo, a volver irreal la vida. Cincuenta años después, en la versión china de mi *Muerte de un viajante*, Ying Ruocheng, el actor que encarnaba a Willy, se esforzaba por imaginar una ocupación china susceptible de suscitar una esperanza romántica equivalente, ya que vender ha sido siempre una actividad vergonzosa para los chinos y ciertamente indigna de una aureola romántica. Al final se acordó de los que escoltaban las caravanas que cruzaban el país para protegerlas de los bandidos. Estos profesionales a sueldo vivían toda clase de aventuras y formaban una especie de hermandad jactanciosa que se congregaba de tarde en tarde en lugares apartados para contar anécdotas de victorias y derrotas. Con la llegada del ferrocarril, desapareció la necesidad de sus servicios y acabaron en ferias locales tirando al blanco, engullendo sables y bebiendo para olvidar (muy a semejanza de nuestro Buffalo Bill).

No sería un modelo único el que al final forjaría a Willy Loman. En realidad, puesto que vi muy poco a Manny, en mi juventud era ya más un mito que un fenómeno humano. No obstante, hay imágenes con tal fuerza y concentración definitorias que sin ofrecer información concreta al escritor constituyen la fuente de su arte.

Cierto amigo suyo, viajante también y al que había llevado a casa al concluir uno de sus viajes, me resultaba más vívido que él. Se encontraba una noche en la cocina de los Newman cuando me presenté, sin duda en el curso de una de mis expediciones para saber qué se cocía en aquella casa frenética. Lo recordaba bien por una de sus visitas anteriores, aunque yo estaba seguro de que él no se acordaría de un muchacho como yo. Pasaba ya por su lado, camino de la sala de estar, cuando me dijo: «Hola, Arthur, qué tal va todo».

Me detuve y me di la vuelta. Poseía dos rasgos llamativos que le caracterizaban a mis ojos: aunque ya maduro, seguía soltero, y tenía una pata de palo que en aquel momento descansaba en el asiento de una silla. A diferencia de Manny, le gustaba escuchar, hombre sereno y serio de ojos oscuros e inquisidores, cabello ralo y aire meditabundo. Al venirme a la cabeza la imagen de su muñón, experimenté parte de su dolor y me pregunté si era aquello lo que le daba aquel aspecto en cierto modo cansado y pensativo. Yo sabía además que no podía conducir y que tenía que desplazarse en tren, arrastrando el equipaje, llamando a los mozos de cuerda, recorriendo el campo con valentía como un soldado herido. Al igual que todo viajante, tenía para mí una especie de intrepidez que frenaba los efectos de las inevitables derrotas, los esfuerzos por vender que quedaban en nada. En cierto modo, eran hombres que vivían como artistas, como actores cuyos productos son en primer lugar ellos mismos, siempre imaginando triunfos en un mundo que o hace caso omiso de ellos o niega su presencia sin más. Pero con la mínima frecuencia necesaria para que el juego siga, alguno de ellos acaba por conseguirlo y se columpia bajo la luna colgado de un hilo de sueños que su propia interioridad ha desovillado.

—Muy bien —le dije halagado. Y sin saber qué hacer a continuación, me quedé allí esperando mientras sus ojos cansados me escrutaban la cara. En realidad me sentía en tensión por tener que esforzarme por apartar los ojos de su fascinante extremidad artificial cuyo zapato apuntaba inmóvil al techo desde el asiento de la silla en que se apoyaba.

—Has cambiado, ¿verdad? —dijo—. Te has hecho una persona seria.

Con una sola frase me otorgó la dignidad de una historia propia. Hasta aquel momento, al igual que todo lo restante que me rodeaba, yo no había sido más que una entidad ineludible, tan a merced del tiempo y tan impotente como una hoja de árbol en la superficie de un río. Que hubiera «cambiado» significaba que ya no era el que había sido. En cierto modo se trataba de algo esperanzador, aunque ignoraba por qué. Durante los días y semanas que siguieron reproduje aquel momento en la imaginación, esforzándome por comprender de qué modo había «cambiado». Me observaba la cara en el espejo del cuarto de baño, en busca de algún signo de mi «seriedad» y esforzándome por recordar qué aspecto había tenido antes de ganarme aquella distinción. Si alguna vez supe el nombre del viajante en cuestión, la verdad es que hace tiempo que lo olvidé, aunque no las escasas y sinceras palabras que pronunció y que contribuyeron a resquebrajar el cascarón de la asfixiante subjetividad que rodeaba mi existencia.

Manny había sabido hacer de sus hijos dos jóvenes fuertes y seguros, mosqueteros unidos por el honor y orgullo de la familia. Ninguno de los dos era lo bastante paciente o tal vez lo bastante capaz para ponerse a estudiar solo, y cuando faltaban a clase lo hacían a la vez. Buddy se enroló con los ingenieros anfibios de la marina durante la guerra y soldaba planchas metálicas de aterrizaje para la aviación en las islas del Pacífico, se casó con una mujer mayor que ya tenía hijos y murió a los cuarenta de cáncer, empresario al fin, tras dedicarse a vender a los trabajadores aeronáuticos los bocadillos que trasladaba en una pequeña flota de camiones que había comprado o alquilado. Abby combatió con la infantería en Anzio, uno de los desembarcos peor preparados de la guerra, su destacamento fue atrapado en la playa por la artillería alemana que disparaba desde los altozanos en derredor. Al final le abandonó la razón, según él, salió de la madriguera en que estaba y se paseó por el campo de batalla sembrado de explosiones como si nada ocurriera y no sufrió ni un rasguño. Como todo lo que había contado en su vida, esta anécdota concreta tenía algunos puntos oscuros —por ciertos datos que dejó escapar parecía haber estado, no en Anzio, sino en otra parte—, aunque cabía la inmensa posibilidad de que, Newman hasta la sepultura, hubiera dado la espalda a la realidad y se hubiera ido a dar un paseo por el campo de batalla.

La última vez que vi a Abby fue muchos años antes de que muriese a los cuarenta y tantos, igual que su madre, a causa de la hipertensión. Me había invitado al piso de soltero que tenía en Manhattan tras haberle llamado por teléfono. No le había visto desde antes de la guerra. Llevaba un pijama azul de seda, calzaba zapatillas y me hizo pasar a la pequeña sala de estar que daba al sector meridional de Lexington Avenue. Era un sábado por la tarde. *All my Sons* [Todos eran mis hijos] se representaba en Broadway, *Foco* se había publicado hacía un par de años, y tenía ya mujer y dos hijos. Lo que tenía él salió del dormitorio cimbreándose sobre dos pares de zapatos de tacón alto, dos jóvenes de belleza extraordinaria que se abalanzaron sobre él y comenzaron a besarle en ambas mejillas, labor que sólo interrumpieron lo necesario para dirigirme un saludo cuando el anfitrión me presentó con satisfacción propia de un rajá. Tras abotonarse la blusa y estirarse las medias, salieron corriendo del piso. Se les hacía tarde, dijeron, para el trabajo. «Me encanta con dos a la vez», dijo el anfitrión con una sonrisa cuando la puerta se cerró de golpe.

Se parecía mucho a nuestro difunto tío Hymie el escupeperdigones, la misma nariz aquilina, los ojos castaños y salaces, el pelo oscuro, espeso y ondulado, la dentadura blanca y perfecta. Siempre había sido un presumido. ¿Había preparado aquella exhibición de sus virtudes sexuales para fustigar mi envidia? La verdad es que lo consiguió. Habíamos concertado la cita tres días antes y había tenido tiempo de preparar la representación. Su cara, mientras estaba allí sentado y sonriéndome, parecía afirmar la superioridad de su potencia. Advertí que por absurdo que pareciera superficialmente, en el fondo nos habíamos estado dando codazos durante mucho tiempo para ver quién ganaba. Por ello pensaba que había preparado de antemano la presencia de las chicas. Tenía que estar muy resentido por el triunfo, pues para él lo era sin lugar a dudas, que significaba el que me hubieran premiado una obra teatral. En resumen, no sabría escribir pero sabía joder. Como es lógico, su faz no revelaba nada salvo la superioridad que construía con placer en la imaginación y cuya fragilidad, sin embargo, me constaba: como siempre, su narcisismo vitalicio hacía que me sintiera incómodo ante él; para mantener la amistad con personas así hay que ser falso con uno mismo, puesto que siempre buscan elogios. El único misterio es por qué se ofende uno. Aunque, por supuesto, al final sucede que no es así.

Yo estaba allí con un propósito acerca del cual no le había dicho nada. No pasó mucho antes de ponernos a charlar de la guerra y de su temporal brote de irracionalidad en Anzio.

—Me evacuaron del frente en cuanto rompimos las líneas enemigas y me hicieron teniente de la policía militar. Nos interesaba averiguar el paradero de unos vagones llenos de neumáticos que se nos perdían por debajo de Roma, en los alrededores de Foggia, y al final encontré un tendido de instalación muy reciente: los vagones se desviaban hacia un bosque, se descargaban y se devolvían a la vía principal. —Se echó a reír con ganas—. Se podía ganar allí montones de pasta, pero no fue mi caso, naturalmente. —Con lo que me dio a entender que había vuelto de la guerra con los bolsillos llenos y a la vez que era demasido honrado para aceptar sobornos. En la plácida física de Newman dos objetos podían ocupar el mismo espacio sin el menor problema. Sólo Dios sabía cuál era la verdad, pero en cualquier caso estaba claro el mensaje básico que me comunicaba: era un triunfador.

Entonces, con un giro brusco hacia la infelicidad filosófica:

—Yo no puedo estar siempre con la misma mujer. ¿Cómo te las apañas tú?

—¿Quién dice que tengas que estar siempre con la misma?

—No lo sé... —Miró por la ventana con desconsuelo—. En algún momento podría querer un hijo. —Se volvió hacia mí, alegremente desdichado—. ¿Te lo imaginas?

—Pues no. Todo el mundo quiere ambas cosas en algún momento.

—Yo no sé si sabría afrontarlo. Quiero decir que si me canso... ¿Qué se hace cuando se cansa uno de la mujer?

—Esperar a que pase.

Suspiró.

—Me lo imaginaba.

Pero se casó y tuvo un hijo antes de morir.

—¿Cuál era la ilusión de tu padre? —le pregunté. Era por aquello por lo que estaba allí.

Estaba obsesionado aquellos días por inconcretas pero excitantes imágenes de lo que sólo podría denominar trayectoria, un arqueado flujo narrativo sin diálogos de transición ni escena fija, una forma que abriese la cabeza de un hombre para que la obra transcurriese en su interior, desarrollándose mediante acciones concurrentes en vez de consecutivas. Por entonces había conocido ya a tres suicidas, dos de ellos viajantes de comercio. Yo sólo sabía que Manny no había muerto por ninguna de las razones normales que se alegan. Había olvidado totalmente además que diez años antes, en la facultad, había comenzado una obra de teatro sobre un viajante y su familia, aunque la había abandonado. No encontraría el cuaderno en que la había bosquejado hasta nueve años más tarde, aproximadamente —mucho después de la primera representación de *La muerte de un viajante*—, cuando mi matrimonio se fue a pique y tuve que sacar mis papeles de la casa de Brooklyn.

—Me refiero a que, si tuvieras que decir lo que más ambicionaba, lo que se le ocurría más a menudo, ¿qué dirías?

Mi primo Abby, recio, moreno, atribulado por las irritantes paradojas de quererme y sentir hacia mí un rencor competitivo, de experimentar desprecio por su fallecido y fracasado progenitor y al mismo tiempo un amor compasivo y hasta una divertida admiración por su singularidad, había entrado también en mis sueños no hacía mucho y sin duda había sido un sueño concreto lo que me había llevado a telefonearle al cabo de tantos años.

Una amplia llanura morada se transforma en el horizonte en un anaranjado cielo crepuscular. Mi pie desnudo y blanco se hunde en un agujero poco profundo en cuyo fondo hay una charca de agua pura y cristalina, debajo de cuya superficie se han tensado cinco cuerdas plateadas, gruesas como las del arpa. Mi pie baja y las roza y el aire se llena de nubes de música que rizan el agua. No muy lejos, en la llanura morada, se alza una pared blanca de cemento, y cuando me acerco veo a dos faunos cabrunos que avanzan sobre las extremidades traseras. Juegan a la pelota contra la pared del frontón. Son mis primos, Abby y Buddy. El golpe que dan a la dura pelota negra con las pezuñas delanteras es soberbio, espeluznante.

—Quería que tuviéramos una empresa propia. Para poder trabajar todos juntos —dijo mi primo—. Una empresa de sus hijos.

Aquel deseo mundano y convencional fue una descarga eléctrica que activó en una dirección específica todas las limaduras férreas que tenía bailando dispersas en la cabeza. El Manny irremediablemente despreocupado se transformaba en un hombre de intenciones serias: había querido dejar un legado que coronase todos aquellos años de lucha; todas las mentiras que contaba, todas sus ocurrencias y exageraciones absurdas, incluso la disciplina casi militar que había impuesto a los hijos adquirían forma y sentido en aquel instante. En realidad, lo de la empresa era resultado de su egocentrismo, pero también de su amor. Aquel hombrecillo ridículo y desagradable no había dejado nunca de pelear, a fin de cuentas, por una victoria segura, la única que le era posible en nuestra sociedad: vender para conquistar con su nombre y el de sus hijos en un negocio propio su yo perdido como hombre. Lo comprendí de súbito con lo más íntimo que había en mí.

Había sido un encuentro casual acaecido casi un año antes lo que me había preparado para la pregunta concreta que había formulado y para los ecos de la contestación que me diera mi primo. Una tarde del invierno anterior había entrado en el vestíbulo del viejo Colonial Theatre de Boston, donde había comenzado a representarse *Todos eran mis hijos* tras el estreno broadwayano de unas semanas atrás, y me sorprendió ver a Manny entre el público que salía de la función de tarde. Llevaba al brazo un elegante abrigo gris y se tocaba con el sombrero gris perla, los pequeños zapatos le brillaban como espejos y se notaba que había llorado. Hacía casi diez años que no le ponía el ojo encima. A pesar de que mi nombre figuraba en la marquesina del teatro era evidente que no había esperado verme en aquel lugar.

—¡Manny! ¿Cómo estás? ¡Me alegro mucho de verte aquí!

Podía ver tras él la lúgubre pensión en que se hospedaba, el largo viaje desde Nueva York en el pequeño auto, la esperanza desesperante de los asuntos del momento. Sin llegar a la efusividad de mi saludo, dijo:

—A Buddy le va muy bien. —Vi que por la cara le cruzaba una pasajera nube de turbación, como si no siempre me hubiera deseado suerte.

Charlamos un rato, tras el que abandonó el amplio vestíbulo y se perdió en la calle. Creí comprender lo que pensaba: que había perdido la batalla que se desarrollaba en su cabeza entre sus hijos y yo. Una enorme tristeza se me formó en el estómago mientras le vi mezclarse con el gentío de fuera. Años más tarde se trataría de una batalla espectral por una victoria fantasma y una derrota fantasma, pero allí, en el vestíbulo, volví a sentir un poco la antigua necesidad juvenil de que me aceptara, el antiguo resentimiento ante sus desdenes, la antigua envidia hacia su sexualidad libre y la de sus hijos, así como el antiguo desprecio hacia ésta. En su ridícula presencia se concentraba la vida toda. Y al mismo tiempo, en alguna molécula de mi intelecto, solitaria y errante, ya había imaginado todo aquello y también que en realidad no era más que un pequeño viajante fanfarrón y a menudo vulgar.

Pero era la falta de transición hasta «A Buddy le va muy bien» lo que me daba vueltas en la cabeza; para mí era una señal de la nueva forma que hasta entonces sólo había imaginado a modo de tanteo. Aún no tenía entonces la más remota intención de escribir sobre ningún viajante de comercio, ya que estaba totalmente absorto en el estreno de mi última obra. Pero qué extraordinario sería, me dije, escribir una obra donde no hubiese ninguna transición, un diálogo que se limitase a saltar de un hueso a otro de un esqueleto que ni por un segundo interrumpiera su proceso de formación, un organismo tan económico como una hoja de árbol, tan pertrechado como una hormiga.

Y, más importante aún que lo dicho, una obra que hiciese ante el público lo que Manny había hecho ante mí en el curso de nuestro sorprendente encuentro: cortar el tiempo como un cuchillo corta una tarta de varios pisos, o una carretera que al sesgar una montaña deja al descubierto sus estratos geológicos, y en vez de un episodio que sucede a otro en un encuadre cronológico, exponer la concurrencia de pasado y presente sin que ninguno de los dos se detenga nunca.

El pasado, en mi sentir, es una convención, nada más que un presente más confuso, pues todo lo que somos está vivo en nosotros en todo momento. Qué fabulosa sería una obra que no silenciase la simultaneidad de la mente humana, que impidiese «olvidar» a un hombre y le hiciera ver el presente a través del pasado y el pasado a través del presente, una estructura que, por sí misma, totalmente al margen de su contenido y significado, fuera necesaria como un proceso psicológico y como foco de concentración de todo lo que la vida social del hombre en cuestión hubiera vertido en su interior. Aquel hombrecillo que salía andando a la calle llevaba dentro de sí toda mi juventud. Y supongo que como yo era más consciente que él, en cierto modo lo había creado yo.

Pero lo que me interesaba por el momento era *Todos eran mis hijos*.
La obra se había representado ya en New Haven y tenido su impacto, pero Elia Kazan seguía ensayando algunas partes todos los días, para intensificar aún más sus puntos decisivos, trabajándola igual que una composición musical que hay que acentuar aquí y que amortiguar allá. Para evitar que los actores se acostumbrasen a los conflictos de los personajes y los resolvieran de manera rutinaria, propiciaba discusiones entre ellos fingiendo favorecer a unos en detrimento de otros, sembrando pequeños

hongos de celos que los mantenían en competencia continua por su estimación. Hombre bajo y macizo que andaba apoyándose en el pulpejo de los metatarsos, tenía la energía del demonio y sabía cómo interesarse por lo que el autor o los actores quisieran decirle; conseguía que cada actor pensase que era su amigo más íntimo. Creo que su método, si se le puede dar una denominación tan vanidosa, consistía en dejar que los actores fuesen ellos mismos en una representación. Recurriendo mucho más a las insinuaciones que a las órdenes, dejaba que se entusiasmaran con sus propios descubrimientos, que le presentaban como niños que entregan al padre un objeto encontrado. Y él respetaba este infantilismo en vez de burlarse de él, pues sabía que aquélla no era una ocupación adulta y que el origen de las mejores ideas de aquéllos se encontraba en sus primeros años de vida. De manera instintiva, cuando tenía que decir a un actor algo importante, se retiraba con él en vez de darle las instrucciones delante de los demás, porque intuía que lo que realmente cala induce siempre, hasta cierto punto, a confusión. A diferencia de Harold Clurman, que hablaba por los codos y dirigía a los actores enviándoles mensajes a propósito de su simpática impotencia, pidiéndoles ayuda en realidad, Kazan sonreía mucho y decía lo menos posible. Lo que pudiera pensar estaba envuelto en el misterio, lo que hacía que el actor se retrajera y se centrase en sí mismo.

Kazan procedía de una estirpe muy unida y temperamental, una estirpe parcelada en clanes rivales y que sabía que ningún sentimiento es ajeno al hombre. Su faceta más alentadora era para mí su tendencia natural a buscar lo orgánico y tallarlo según sus propias necesidades. Yo creía por entonces en una especie de dramaturgia biológica: la naturaleza abomina de lo superfluo y se desembaraza de todo cuanto no contribuye activamente a la vida de un organismo. Esta misma parcialidad podría explicar por qué no congeniaba Kazan con Shakespeare y por qué tendría dificultades con Tennessee Williams, que a veces sentía debilidad por el ornato verbal en sí mismo. En una obra de teatro, como en las relaciones personales, sabía Kazan que la creación y la destrucción obedecen a las necesidades de las personas, no a sus afirmaciones y sus negaciones. Con el mismo talante escuchaba música clásica y jazz, deseoso de comprobar en ella lo que estaba al desnudo, por una parte, y, por otra, lo que era expresión del grito secreto del compositor. Había elegido a Ed Begley para interpretar a Keller, el padre de *Todos eran mis hijos*, no sólo porque era un buen actor (aunque no de primera categoría) sino también porque era un alcohólico recuperado y aún arrastraba la culpabilidad de los alcohólicos. Keller es un hombre culpable, por supuesto, aunque no alcohólico; los detalles se podían pues relacionar, aunque las causas no estuvieran relacionadas en absoluto. Para el papel de Kate Keller eligió a una actriz conocida y en paro desde hacía tiempo, Beth Merrill, no sólo porque pensaba que sabía actuar sino porque tenía ciertas pretensiones patéticas por ser la última de las actrices de David Belasco, a la que este genio estrafalario había prohibido se dejase ver en la calle, y para que no perdiese el misterio que la rodeaba ante el público había puesto a su disposición un coche con chófer. En realidad, había ido al teatro la tarde en que me encontré con Manny porque teníamos con ella una pequeña crisis: se había sentido muy ofendida por lo que consideraba una falta de atención y decía que iba a marcharse. Pero cuando pasé a verla por el camerino después de la función vespertina estaba radiante, y me fijé en la montaña de flores que tenía al lado, que no tardé en saber le había enviado Kazan, en el más puro estilo de Belasco. Kazan, además, se había puesto chaqueta y corbata para hacer el regalo, intuyendo la añoranza femenina por algún rasgo de clase, aunque espúreo, en el entorno que la rodeaba, ya que todos vestíamos de un modo que parecíamos lampistas. El primer día de ensayo había echado un vistazo a sus colegas, que parecían gente de la calle, y con una mueca de angustia había preguntado a Kazan: «¿Es éste el *reparto*?».

Kazan era ya un director muy conocido entonces, aunque distaba de ser célebre, aún le faltaba un año para la mística que se desataría con su puesta en escena de *Un tranvía llamado deseo*, y yo era casi del todo desconocido para los críticos y columnistas teatrales, de modo que a pesar de las reseñas favorables de Boston, el enorme Colonial nunca se llenó del todo. El público bostoniano se encontraba empero en un estado que se podría denominar de porfiada majestad espiritual y me resultaba difícil interpretar sus casi siempre mudas reacciones. Un caballero alto y digno que vi entre el gentío del vestíbulo durante el descanso del segundo entreacto estaba visiblemente afectado por la tensión del momento, los ojos enrojecidos por el llanto. A la persona que le acompañaba, y que le había preguntado qué le parecía la obra, le murmuró por entre los labios delgados y que apenas se movieron: «Me gusta».

En la obra parecía haber algo que se apartaba de lo tradicional. Es posible que el decorado de Mordecai Gorelik, una soleada casa periférica, así como la atmósfera de los diez primeros minutos, intencionalmente normal y a veces alegre, hiciese más aterradora la creciente inquietud del resto que si el público hubiera estado culturalmente preparado; aquel plácido patio norteamericano no se relacionaba de ordinario, por lo menos en 1947, con el asesinato y el suicidio. Ward Morehouse, crítico teatral del *New York Sun,* fue a ver la obra a New Haven y nos invitó a Kazan y a mí a tomar una copa para poder preguntarnos a bocajarro: «¿De qué va?». Habiéndomela formulado meses después de que el célebre empresario teatral Herman Shumlin me hubiera dicho: «No entiendo la obra», la pregunta de Morehouse me dejó confuso y sólo pude balbucir una explicación respecto de un argumento que, para mí y para Kazan en cualquier caso, estaba del todo claro. Por si ello no bastara, Jim Proctor, nuestro agente de prensa, me pediría en las semanas venideras que escribiese un artículo en el *Times* «para explicar la obra» y qué había pretendido al escribirla. Al margen del embarazo que me producía la presunción de decir a los críticos qué tenían que pensar, no sabía qué es lo que hacía falta elucidar.

Tras el estreno de la obra, una de las críticas más frecuentes era que la trama pesaba mucho, tanto que incidía en casualidades inverosímiles. En un momento decisivo, Annie saca una carta que su novio Larry, hijo de los Keller y muerto al parecer, le ha escrito durante la guerra; en la carta confiesa Larry su intención de suicidarse porque no soporta que su padre sea culpable de vender al ejército piezas de avión defectuosas, delito sobre el que la prensa ha hecho mucho ruido. De un plumazo se revela pues que Larry está muerto de verdad, dejando a Annie en libertad para casarse con Chris, hermano de aquél, y al mismo tiempo que Joe Keller no sólo es responsable de la muerte de soldados anónimos, sino también, cosa que jamás habría imaginado, de la de su propio hijo. Aunque la aparición de aquella carta, por lógica que fuese, era demasiado necesaria para nuestros gustos, yo me preguntaba qué habría dicho la crítica del momento a propósito de una obra en que un niño, al que se ha llevado a las montañas para que muera porque se ha predicho que matará a su padre, es salvado por un pastor, y luego, unos veinte años después, se pelea con un desconocido, al que mata, y que resulta que no sólo es su padre sino también el rey, cuyo lugar ocupa a continuación, tal y como se había profetizado. Si el mito que hay detrás de *Edipo rey* nos permite dilatar nuestros comunes y corrientes criterios de verosimilitud, la aparición de la carta en *Todos eran mis hijos* creo que se debe al carácter y a la situación de Ann y es en consecuencia mucho más fácil de aceptar que una abierta intervención del destino. Aunque me he preguntado si el auténtico tema no será el retorno de lo reprimido, que ambos incidentes simbolizan. Cuando la mano del lejano pretérito sale de la tumba, es siempre de un modo más bien absurdo y a la vez asombroso, y solemos resistirnos a creer en ello porque revelar un orden oculto e indescifrable tras el caos amoral de los acontecimientos, tal como los percibimos racionalmente, parece más bien cosa de magia. Dicha revelación, sin embargo, es, desde luego, lo fundamental de *Todos eran mis hijos:* pues hay ocasiones en que las cosas se articulan con lógica.

Años después me pondría a pensar que, a lo mejor, el desconcierto de algunos no se había debido al argumento de la obra, sino a su afirmación tácita de que podía haber algo de naturaleza trágica en aquellos identificables especímenes de los barrios residenciales, que, por extensión, podían someter a todo un mundo a una prueba moral, cuestionando también al público. Esta idea se me ocurrió en 1977, cuando fui a Jerusalén con mi mujer, Inge Morath, y vi una representación de una fuerza enorme. *Todos eran mis hijos* había batido por entonces en Israel el récord de permanencia en cartel de una obra seria y realista, y el público la presenciaba con un terror creciente y tangible. A nuestra derecha teníamos al presidente de Israel, Ephraim Katzir, y a nuestra izquierda al primer ministro, Yitzhak Rabin, que había llegado tarde porque, según se haría público a la mañana siguiente, acababa de perder el cargo ante Menachem Begin. Los aplausos que sonaron al final de la representación no parecieron disipar la cualidad casi religiosa de la atención dispensada por el público y pregunté a Rabin a qué pensaba que se debía aquello. «A un problema que sufrimos en Israel: los jóvenes están en el frente, mueren en el aire y en tierra, mientras que los que se quedan amasan grandes fortunas. Podría ser perfectamente una obra israelí.» Habría añadido yo que la fuerza de la obra quedaba realzada gracias a la interpretación de Hanna Marron, actriz excepcional que había perdido una pierna en un atentado terrorista cometido en Zurich en 1972, año de la masacre de las Olimpiadas de Munich, contra un vuelo de El Al. Es posible que sólo fuesen imaginaciones mías, pero aquella mutilación de origen bélico, de la que todos estaban al tanto, como es lógico, aunque apenas si se veía, parecía añadir autenticidad al sufrimiento espiritual de Kate Keller en otra guerra y en una época distinta.

En aquel montaje, la obra se centraba en Kate, la madre, hincapié que nuestra primera puesta en escena había soslayado en beneficio del conflicto paternofilial. El mismo giro le dio en Londres Michael Blakemore años después al dirigir a Rosemary Harris en este papel y a Colin Blakely en el del padre, e hizo que me preguntase si no sería la dosis de ambigüedad que había en Kate Keller lo que había confundido tanto a Shumlin como al crítico Morehouse. Porque por más que se esfuerza por no pensar en ello, sabe desde el principio que su marido vendía al ejército piezas estropeadas de motor de avión. Su conocimiento culpable, reprimido obcecada y peligrosamente, se puede ver como un deseo de negar la muerte del hijo, pero también, y quizás en primer lugar, de vengarse del marido culpable humillándole espiritualmente y conduciéndole al final al suicidio.

Entre paréntesis, que Morehouse fuera a ver la obra un mes antes de reseñar su estreno en Broadway, aunque se trató de un gesto insólito, por no decir excepcional, evidenciaba una relación con el teatro por parte de algunos críticos de la época que se ha perdido casi totalmente; creo que había una actitud menos distante hacia los autores, los actores y los directores escénicos que en algunos casos cristalizaba en relación amistosa, como la de George Jean Nathan con Eugene O'Neill. No sé muy bien por qué ha habido un endurecimiento de la pretendida postura según la que un crítico ha de estar castamente al margen de la vulgar aventura teatral, que su responsabilidad termina con la publicación de sus impresiones sobre la obra. Ello sería viable si fuese verdad que los elogios y las recriminaciones se merecen siempre y siempre son exactos, pero habida cuenta de los evidentes y demostrables prejuicios que manifiestan en contra o en favor de artistas, temas y estilos, los críticos son en última instancia tan falibles y susceptibles de equivocarse como las obras y el trabajo que comentan. ¿Por qué, pues, este antiséptico alejamiento de los problemas de la involución del teatro? A fin de cuentas, hasta los jueces se ocupan a menudo de los mundanos problemas económicos de los tribunales que presiden, como deben hacer en una sociedad democrática, admitiendo que también ellos pueden coadyuvar a la injusticia y que incluso pueden formar parte del problema de obtener justicia. En amplísima medida, el teatro que tenemos es el teatro que los críticos han permitido que tengamos, puesto que filtran y depuran lo que según ellos no debemos ver, aplicando leyes jamás escritas, leyes, entre otras, del gusto y hasta del contenido ideológico.

No es una situación universal. En Inglaterra, por ejemplo, los críticos hacen ostentación de sus prejuicios casi por sistema: así, un comentarista contará a los lectores que detesta personalmente las obras con fuerte contenido político o que está hasta el gorro de las variantes del teatro del absurdo, o que le gustaría que se recuperase un enfoque más romántico de la sexualidad y el amor, o lo contrario. Los críticos ingleses ponen sus cartas sobre la mesa; en ningún momento fingen tener la autoridad del sublime universalismo, o la pureza de carecer de preferencias apriorísticas, y están por tanto libres de esa postura de objetividad perfecta que no ha sido nunca una auténtica reacción humana ante el arte. Es posible que esta admisión de pertenecer a la especie humana sea fruto de una situación social muy distinta de la nuestra. Aún hay muchos periódicos británicos que compiten entre sí por la atención de los lectores y los críticos que escriben en ellos están por tanto obligados, aunque sólo sea indirectamente, a defender su validez. Pero en un mundillo teatral como el neoyorquino, que está a merced de un solo periódico importante, el estilo del crítico que por casualidad está de servicio durante una temporada concreta no tarda en adquirir un tonillo autoritario, en sucumbir, como si dijéramos, a los mecanismos de respuesta automática, y los que trabajamos en esta basura tenemos que aguantar sus opiniones. Tenemos la vieja costumbre de movernos en manada, como ya advirtió Tocqueville hace siglo y medio; el norteamericano quiere ser uno más de la multitud y cuando el único periódico cuya autoridad acepta vapulea una obra de teatro, la influencia del crítico, junto con el escandaloso precio de la entrada y lo caro que resulta el parking, se vuelve mortal. El repertorio teatral norteamericano de hoy procede, en todos los sentidos, de Nueva York, y representa el gusto del responsable de las reseñas del *New York Times*, matizado un tanto por otras críticas. El *Times* no ha inventado la situación, pero ahí está, una dictadura tan eficaz como cualquiera de los mecanismos de control cultural que hay en el mundo. Si a ello vamos, cuando los soviéticos clausuran un espectáculo, es un comité el que toma la decisión y no un individuo; por lo menos desde que murió Stalin.

El monopolismo no es sólo una enfermedad, sino una enfermedad perniciosa y hubo en realidad un momento, en 1967, poco después de la desaparición del *Herald Tribune*, en que Clifton Daniel, a la sazón director financiero del *Times*, convocó una reunión en un restaurante próximo al centro, a la que acudieron unos cien autores, periodistas, empresarios y actores, para analizar lo que podía hacerse para mitigar el terrible poder de la prensa y sus posibilidades malsanas y antidemocráticas. El *Times*, dijo Daniel, no había creado este monopolio y no deseaba detentar un poder que le había otorgado la historia. Tras un poco de confusión preliminar, sugerí que puesto que el meollo de la cuestión era la injusticia potencial de un único crítico avalado por todo el prestigio del *Times*, la solución podía consistir en que dos o tres críticos escribiesen notas independientes e incluso, en según qué ocasiones, en pedir a un aficionado con conocimientos que escribiese sus impresiones sobre una función en un par de párrafos. Como dramaturgo, comprendí, como es lógico, el peligro de acabar, no con una, sino con tres reseñas negativas en el *Times,* pero estaba deseoso de correr el riesgo en beneficio de una crítica más consensuada. Otra ventaja, pensaba yo, era que las reseñas discrepantes entre sí aumentarían el interés por su lectura y dilatarían la conciencia del público en el sentido de que comprendería que toda crítica, en el fondo, lejos de ser un hecho incontestable, es imaginación pura, esto es, un rasgo subjetivo. Dije que no era que los críticos supiesen más que otros, sino que sabían escribir mejor sobre lo poco que sabían, y este hecho se podía comprobar si dos o tres espíritus informados se ejercitaban en la crítica comparada centrándose en un mismo tema.

Daniel meditó unos instantes y dijo que mi idea era imposible, y cuando le pregunté por qué, respondió: «¿Quién hablaría entonces en nombre del *New York Times?*». Creo que entre los reunidos se echó a reír un par, más no, porque estábamos tan convencidos de la inevitabilidad, ya que no de la justicia, del monopolio del poder en todas las cosas que ni sabíamos ya dónde meternos. Lo único que se me ocurrió fue preguntar a Daniel por qué nos había reunido si no era para encontrar una manera de menguar el predominio del *Times.* ¿Es que su objeción no era, sencillamente, la corroboración de que el *Times* quería detentar, en efecto, el poder que le había dado la historia? En fin, la reunión fue disolviéndose a medida que salíamos a la calle.

Digo todo esto a pesar de que el *Times* casi siempre nos ha tratado muy bien a mí y a mis obras. Fue la campaña de Brooks Atkinson en favor de *Todos eran mis hijos* la causante de que estuviera tanto tiempo en cartel y de que a mí se me reconociera como dramaturgo. Y si bien no puedo demostrarlo, sigo creyendo que uno de los motivos por los que apoyó la obra y me apoyó a mí fue su preocupación porque la escena neoyorquina se interesara por obras que no fueran socialmente intrascendentes. Si no hubiera respetado la obra, no la habría promovido, desde luego, pero pienso que la utilizó a modo de palanqueta para abrir la puerta a otras voces que esperaba apareciesen. En resumen, no olvidaba su responsabilidad ante el teatro en general.

Como fuese, el público confirmó su opinión y hacia la primavera se representaba en Broadway de manera ininterrumpida y recibía el Premio del Círculo de Críticos de Teatro y algunos otros. Al cabo de unas semanas, mientras cenaba con Mary en nuestra casa de Brooklyn Heights, me enteré de que el Coronet Theatre iba a llenarse otra vez de público rentable, advertí que mis palabras tenían un poder que me sobrepasaba y junto con el júbilo inevitable sentí cierto temor. A causa de este triunfo se me solía saludar por la calle con una expresión radiante que me gustaba pero que hacía que me sintiera desanimadamente artificial. La celebridad amenazaba con romper mi contacto directo con los sinsabores cotidianos y ello hizo que semanas después de estrenarse *Todos eran mis hijos* fuese a una oficina de empleo a solicitar trabajo. Me mandaron a una fábrica de Long Island City donde estaba todo el día instalando listones de separación de cajas de cerveza a cambio del salario mínimo. El aburrimiento insoportable y lo antinatural de mi aspiración al anonimato no tardaron en sacarme de allí, aunque quedó pendiente el problema de cómo vivir sin romper el contacto con aquellos que la gente de teatro llamaba civiles, esto es, el público que jadeaba de emoción y se mordía los labios. No era sólo el problema de seguir extrayendo material de la vida, sino también un problema moral. No había leído a Tolstoi, quien en el pináculo de su celebridad había pasado un tiempo confeccionando zapatos en un taller moscovita, pero compartía su impulso.

No era yo el primero en experimentar la culpabilidad del triunfo (que, por cierto, me realzaban mis igualitarias convicciones izquierdistas) y, aunque sospechaba la verdad, no podía hacer mucho al respecto: la culpabilidad en cuestión es un mecanismo protector que oculta la felicidad que embarga al individuo cuando supera a otros, en particular a los que ama, un hermano, el padre o un amigo. Es un modo de pagarles en forma de falso remordimiento. No se trata de un ejercicio del todo inútil, sin embargo, porque el yo sabe que los que han sido superados pueden abrigar deseos revanchistas que quizá resulten peligrosos. Por ello dice uno por boca de esta culpabilidad: «No te molestes en envidiarme, también yo soy un fracasado». Mis lamentaciones fueron disminuyendo a medida que mi obra se representaba en toda Europa y *Foco* se publicaba en Inglaterra, Francia, Alemania e Italia, y me tenía por afortunado porque *Todos eran mis hijos* me hubiera ganado una respetable cantidad de enemigos, así como muchísimos amigos, equilibrando de este modo la realidad.

Vivíamos entonces en un edificio de arenisca de Pierpont Street al que se habían hecho reformas y cuya tranquilidad habitual quedó turbada una tarde por una altisonante disputa en la escalera. Pensando que podía haber alguna escena violenta, abrí la puerta y vi a un joven de baja estatura y vestido de soldado con una hermosa muchacha que vivía en el piso de arriba. Callaron al verme, supuse que todo estaba bajo control y volví a entrar en casa. Más tarde, el joven, ya sin uniforme, me abordó en la calle y me dijo que era escritor. Añadió que se apellidaba Mailer. Acababa de ver mi obra. «Yo podría escribir una obra igual», dijo. Fue una afirmación tan cretina que me eché a reír, pero hablaba totalmente en serio y a decir verdad intentaría escribir teatro de manera intermitente en el futuro. Puesto que era una época en que me estaba ganando a pulso mi lugar en el planeta, tenía pocos amigos por entonces y Mailer me pareció una persona que prefería reclutar conversos a tener amigos, por lo que nuestros impulsos, básicamente idénticos, apenas podían congeniar. (Tengo ya una edad en que más vale ser generoso.) En cualquier caso, aunque vivimos durante años en el mismo vecindario, coincidimos muy poco.

Tres

Con *Todos eran mis hijos* en una posición cada vez más sólida, el problema era, como siempre, qué haría a continuación. Aunque había resuelto no cambiar nunca de nivel de vida, no tardó en parecerme absurdo que Mary y nuestros dos niños, Jane y Robert, vivieran encajonados en un piso pequeño, por lo que compré una casa con dos apartamentos dúplex antigua pero elegante, en un punto de Grace Court próximo al río. Nos mudamos al de arriba y el otro lo siguieron ocupando sus inquilinos de siempre, los Davenport. Henry Davenport era presidente del Brooklyn Savings Bank. Todas las noches sin excepción se acicalaban para cenar, ella con vestido de gala y él, carirrojo y magro, con pajarita negra, smoking de terciopelo y zapatillas, y con todo el aspecto del inspector de Harvard que en realidad era. La calle se llenaba de limusinas cuando daban alguna de sus infrecuentes fiestas nocturnas y le encantaba telefonear al ganador del Premio del Círculo de Críticos de Teatro que vivía arriba para informarle que una ventana no abría o que el grifo goteaba. No esperaría a vender la casa para comprar otra, pero para ello tendría que escribir otra obra teatral y, con algo de suerte, ganar más dinero.

Tres o cuatro veces al día me pasaba por la cabeza que aunque no trabajase seguiría ganando dinero a espuertas y que al final de la semana sería más rico que al principio. Me obsesionaba esta situación insólita y me esforzaba por acostumbrarme a ella. Si me limitaba a salir y a dar una vuelta a la manzana, el dinero me seguiría lloviendo por la chimenea. Aunque tomara un tentempié o leyese una revista estúpida durante media hora o me fuera al cine. La expresión *derechos de autor* adquirió un significado muy preciso. Durante treinta y un años había tratado de forzar la cerradura desde fuera y ahora me veía forzándola desde dentro para no perder el contacto con la vida cotidiana de la que había surgido mi trabajo. Pues sobre mi cabeza iba cerniéndose el pausado temor de que a lo mejor ya no tenía nada más que decir como escritor.

Como de costumbre, el mundo y yo estábamos llenos de problemas, pero *Todos eran mis hijos* había agotado mi eterno interés por la forma grecoibseniana, tal como la había enfocado a mi particular manera. Cada vez me fascinaba más la simultaneidad de ideas y sentimientos que experimentaba y la libertad con que se oponían entre sí. Incluso acaricié la posibilidad de aprender música con la esperanza de componer, porque el único arte en que podía darse la verdadera simultaneidad era la música.

Las palabras no se organizaban en acordes; tenían que pronunciarse en hilera, una detrás de otra. Paseaba continuamente, a menudo por la parte sur de Manhattan, al otro lado del puente de Brooklyn. El éxito parecía haber intensificado la conciencia de mis contradicciones y mi reciente sensación de poder me inducía a enfrentarme a ellas. Por todas partes veía la belleza de la tensión entre contrarios: la fuerza de gravedad que en realidad reforzaba por compresión los arcos de acero del puente (fue antes de que para reconstruirlo se instalaran vigas laterales de refuerzo sobre las calzadas, destruyendo así su perfil de pájaro volando con las alas extendidas). Estaba enriqueciéndome y me esforzaba por creerme pobre, e insistía en enfocarme de un modo radical y crítico, aunque mi espíritu comenzaba a hundirse en la autocomplacencia. Aunque admitir con sinceridad las propias paradojas es ya un acto de complacencia y una derrota del puritanismo monolítico. Sabía que con *Todos eran mis hijos* había conquistado una libertad que antes ignoraba y me quedaba en lo más alto del arco del puente, de cara al viento del océano, tratando de abarcar un mundo mayor del que había sido capaz de concebir hasta entonces. Aunque carecía de tema, tenía la indescriptible sensación de rozar una forma nueva; estaría a la vez concentrada y dilatada hasta el infinito, discurriría con calma, y el argumento sería a la vez extraño y cotidiano. Sería algo nunca visto en escena. Sólo pensar en ello me inflamaba de deseo sexual, de amor por mi mujer y, aunque parezca increíble, por todas las mujeres al mismo tiempo. Comencé a pensar que el verdadero arte debía de ser un exceso de amor. Pero, claro, el amor puede fingirse por medio de técnicas y argucias retóricas, y yo no recurriría a ninguna. Ansiaba una forma de poner en escena toda la complejidad en bruto que se me arremolinaba por dentro. Lo malo de *Todos eran mis hijos* no era que fuese demasiado realista, sino que dejaba muy poco tiempo y espacio a la oscuridad sin palabras que palpita debajo de toda verdad verbal. Pero, una vez más, se trataba de algo que quizá sólo la música podía sugerir.

No tenía pelos en la lengua en cuanto a manifestarme como un moralista más bien intolerante, ni siquiera en las entrevistas, en las que era lo bastante ingenuo para confesar que, a mi juicio, un arte amoral era una contradicción y que un artista estaba obligado a desbrozar caminos si sabía dónde estaban. Sin saberlo, había empezado por donde mis queridos rusos habían abandonado, aunque sin la ventaja tolstoiana y dostoyevskiana de contar con un dios en cuyas decisiones terrenales, como en *Crimen y castigo,* no había por qué creer de manera racional, ya que para confirmarlo bastaba con sentirlo. Me esforzaba por alcanzar una suprarrealidad religiosa que pese a todo no se apartase de la materialidad de la tierra, una concepción erradicadora del mal que habría tentado incluso a los ateos y les habría «elevado», y hasta es posible que hubiera avergonzado al cura y al rabino hasta el punto de hacerles tomar conciencia de que su «espiritualización» de la vida había transformado las religiones en una bagatela.

Cuanto más verdadero y cabal era un personaje o un problema, más se espiritualizaba.

Los paseos, según fui advirtiendo, me indicaban por sí solos la presencia de un fallo. Amaba la ciudad, me intrigaban de un modo febril todos los aspectos de la vida que en ella alentaban, pero paseaba solo, sin establecer contactos. Me torturaba la timidez. La vida estaba siempre en otra parte. Y pese a todo, de manera paradójica, desde mi soledad comunicaba mis sentimientos en el teatro a miles de desconocidos todas las semanas. Rechazaba sin embargo demasiado, condenaba demasiado. Aunque era un ingenuo, sabía que casi no había sitio para mí entre la sexualidad y el arte. Hasta intuía, sin saber explicar los motivos, que, aun siendo un celoso guardián de cuanto escribía, también me avergonzaba oscuramente, como si se tratase de un secreto sexual. En el curso de aquellos paseos me deslumbraban ocasionales relámpagos de verdades acusadoras que desnudaban la falsedad de mi supuesta satisfacción monógama, cuando lo realmente cierto era la lujuria desconcertante y provocadora que me poseía. Por momentos se me antojaba que mi relación con Mary y con todas las mujeres era débil y cautelosa a causa de algún temor que rebasaba la sexualidad misma. Sin más freudismo que el avalado por los rumores, me permitía admitir a nivel consciente lo que con un poco de mayor sutileza me habría reprimido, porque sabía que por debajo de mis inquietudes sexuales había máculas incestuosas que salpicaban a la hermana y a la madre. A modo de juego, organizaba con la imaginación un orden ajedrecístico donde las piezas eran mi padre, mi madre, mi hermano y mi hermana, cada cual con distinto valor y posibilidad de movimiento, incontenibles en una dirección, indefensas e impotentes en otra. A despecho de cómo se jugara, tenía que acabar siempre del mismo modo, en un enfrentamiento con el padre tras haberme comido a la hermana y a la madre y haber ahogado al hermano. El padre se podía mover en todas direcciones y su castigo, por supuesto, era siempre la muerte.

Seis o siete años más tarde, mientras trataba de salvar un matrimonio que la intolerancia recíproca destruía poco a poco, aprendería durante el psicoanálisis mucho menos de lo que sencillamente acabó consumándose. En cierto modo, las relaciones familiares, que por lo general son demasiado espantosas para hacerse conscientes, habían sido objeto de mi observación cotidiana desde la infancia y aunque era «pecaminoso» admitir su existencia, siempre se me aparecían diáfanas en la intimidad. Pero su vigencia en relación con mis padres y hermanos reales había estado gobernada por la casualidad; al parecer me había movido siempre en dos planos a la vez, el de la realidad tangible y otro metafórico en que, por ejemplo, mi padre se presentaba como un vengador desalmado y siniestro que yo sabía era y no era mi padre de verdad. Mi madre era y no era la mujer que me incitaba voluptuosamente a que se la arrebatase a mi padre y era a la vez culpable de infidelidad hacia él y, en cuanto ella misma, del todo inocente. Hasta que empecé a escribir teatro, la frustración que sentía ante aquella realidad doble fue terrible, pero una vez que pude personificar todos los conflictos en un tercer plano, el del arte, disfruté con mi poder, aunque las obras teatrales siguieron envueltas en una gasa de vergüenza cuando salieron al mundo.

Pero un poder sin causa es como aplaudir con una sola mano y yo no hacía más que pasear en busca de mi destino en la ciudad y en mi propio interior. Un día advertí que durante semanas había pasado delante de unas pintadas en paredes y aceras que decían «*Dove Pete Panto?*», sin molestarme siquiera en averiguar que la frase quería decir «¿Dónde está Pete Panto?». Era cerca de los muelles donde la misteriosa pregunta aparecía en todas las superficies y no era tan difícil adivinar que tenía que ver con aquel otro mundo que bullía al pie del barrio pacífico y anticuado de Brooklyn Heigts, aquel siniestro mundo ribereño de sindicatos controlados por gangsters, asesinatos, palizas, cadáveres arrojados de noche a la encantadora bahía. La frase comenzó a aparecer luego en las estaciones de metro y en las paredes de los edificios comerciales de Court Street. Por fin, la prensa liberal hizo investigaciones a propósito de aquel pregón y *P M*, el diario progresista que circuló unos años después de haber aparecido durante la II Guerra Mundial, explicó que Pete Panto era un joven estibador que había querido dirigir una revuelta de base contra la jefatura del presidente Joseph Ryan y sus colegas, muchos de ellos al parecer mafiosos, que dirigían la Asociación Internacional de Trabajadores Portuarios. Una noche, mientras cenaba, Panto recibió una llamada telefónica de un desconocido, salió a la calle y no volvió a vérsele. El movimiento que había encabezado desapareció del mapa.

Me puse a vagabundear por los bares del puerto para enterarme de lo que pudiera acerca de Panto. Era una época en que lo heroico había casi desaparecido del teatro, junto con todo interés por la misma tradición trágica. La idea de un joven que se enfrentaba al mal y acababa en el fondo del río en el interior de un bloque de cemento me seducía.

Tras apenas un par de días por los muelles descubrí que los hombres tenían miedo hasta de hablar de Panto. Casi todos eran de ascendencia italiana, muchos habían nacido en la madre patria y estaban totalmente merced de sus dirigentes en lo tocante a encontrar empleo. Según supe tras un viaje a Sicilia y la Italia meridional al año siguiente, el sistema de contratación que imperaba en los muelles de Brooklyn y Manhattan se había importado de las zonas rurales sicilianas. Un capataz que representaba a los terratenientes se presentaba a caballo en la plaza del pueblo; la multitud de jornaleros en paro se apiñaba con mansedumbre alrededor de sus espuelas, el capataz señalaba con la fusta a los favorecidos y se alejaba al trote con la tácita seguridad de un dios tras haber librado del hambre con sus ademanes apenas perceptibles a los trabajadores que le hacían falta aquel día. En las épocas conflictivas se sumaba otro elemento: los *carabinieri* armados. Durante mi estancia en Calabria y Sicilia vi una vez a seis soldados con el fusil al hombro, preparados para enseñar en silencio a los jornaleros que aquella forma aleatoria y consagrada por el tiempo de dar trabajo a las personas no iba a cambiar nunca.

Pero Italia pertenecía aún al futuro; allí, en Red Hook, Brooklyn, a las cuatro y media de la madrugada en invierno, me juntaba con los estibadores que se protegían de la lluvia y la nieve en los zaguanes de Columbia Street que daban a los muelles, en espera del contratista, a cuya llegada se adelantaban y formaban un semicírculo para poder atraer su dedo indicador y conseguir la chapa numerada que garantizaba el trabajo de la jornada. Después de repartir las chapas entre los favoritos, que le habían pasado una comisión en secreto, al contratista solían sobrarle dos o tres que, lleno de generosidad, arrojaba al aire al grupo que quedaba. Los hombres, frenéticos, se las quitaban de las manos unos a otros y a veces se enzarzaban en peleas violentas. La aceptación borreguil de aquel procedimiento humillante me parecía una ofensa, más siniestra que el procedimiento en sí. Era como si hubieran perdido hasta la simple noción de lo que era la esperanza. Carlo Levi, el pintor y escritor judeoitaliano que pasó varios años desterrado por Mussolini en un lugar perdido que se llamaba Eboli, había escrito unas memorias del destierro, *Cristo se paró en Eboli*, que me resonaban en la cabeza durante aquellas sombrías madrugadas de Columbia Street. Norteamérica, me decía yo, se ha parado en Columbia Street.

En el puente de Brooklyn, los ríos de tráfico avanzaban despacio sobre la cabeza de los hombres que soportaban lo que sin exagerar eran condiciones medievales. La idea de que un estibador se enfrentara a aquel poder soberbio me ponía los pelos de punta, en particular porque la complacida expresión de la cara de los policías que pasaban daba a entender que quien tuviese intenciones de cambio tendría poco que esperar de los que gobernaban la urbe. Pete Panto se me había convertido en un héroe. Pero al cabo de un par de semanas comprendí que jamás entraría en el núcleo del reino inmóvil del terror callado de los muelles, que se alzaba apenas a tres manzanas de mi apacible casa. Casi me había olvidado ya de los muelles cuando, meses después, un desconocido me telefoneó y pidió verme para hablar del asunto.

Vincent James Longhi y su amigo Mitch Berenson se presentaron aquella misma tarde. No tardaría en saber que Berenson quería continuar la labor de Pete Panto, en el sentido de organizar un frente de oposición al dominio que tenía Ryan sobre el sindicato de estibadores. Su base de operaciones era la filial que el joven Partido de los Trabajadores de Norteamérica tenía en Red Hook, zona peligrosamente inhóspita para hombres de sus ideas, dado que eran presa fácil de la Mafia, que, en la fiebre antiizquierdista de fines de los años cuarenta, casi no sufrió persecución para borrarla del mapa. La evolución de aquellos dos hombres sería para mí durante las décadas que seguirían una especie de patrón con que medir a los radicales de nuestra época.

Berenson, a punto de cumplir los treinta por entonces, era un obrero gordo y brutote, con la cara picada de viruela, totalmente calvo, nariz aguileña y una frente tan ancha como la de Beethoven, un peso pesado pero de aspecto fuerte cuya pobreza se veía en las suelas agujereadas de los zapatos, los puños gastados de la camisa, la corbata sucia que no había conocido más que un nudo en la vida y el puro barato empotrado entre los dientes. La mala alimentación le había precipitado la barriga por encima del cinturón y andaba como un tonel patituerto. Era imposible adivinar que por dentro le corría una procesión de problemas, dado que parecía un sujeto duro y muy seguro de sus ideas. Por momentos me parecía advertir signos fugaces de alguna desintegración poética que tuviese lugar en el interior de su cráneo.

Vinny Longhi, nuevo en la profesión de la toga y con ambiciones políticas, era de otro estilo. Con un metro ochenta de estatura y vagamente atractivo, era un conversador agradable que, por lo menos cuando hablaba conmigo, se esforzaba por eliminar las inflexiones callejeras italianizadas en beneficio de algo más cultivado. Su fervor por mi novela *Foco* y por *Todos eran mis hijos* era de una exageración que sonrojaba, aunque era inconsciente de aquella vehemencia llena de encanto. Romántico descomedido, me recordaba a mis primos y a ciertos compañeros de bachillerato que vivían con el solo objetivo de poner a las mujeres en posición horizontal. Su irremediable lujuria le reblandecía la mirada cual gelatina. Aquel día llevaba un traje gris a lo letrado, los puños le ceñían las gruesas y poderosas muñecas. No sentiría el dolor con demasiada intensidad.

Dijeron que habían «trabajado con Pete» en la organización de un movimiento de base contra Ryan y bosquejaron algunas de las fascinantes corruptelas que se desarrollaban en los muelles, las comisiones obligatorias que los hombres tenían que pagar a los gangsters por el privilegio de que se les permitiera trabajar, las tiendas y barberías especiales del barrio donde un trabajador encontraba ocupación por un día a cambio de pagar diez dólares por una botella de vino de dos dólares o por un corte de pelo de setenta y cinco centavos. Era como una aldea aislada que gobernara un señor feudal, visible desde el reguero de tráfico del puente de Brooklyn y los encumbrados rascacielos de Manhattan Sur. La principal reforma que propugnaban Berenson y Longhi era la apertura de una oficina de contratación donde los hombres se inscribieran y obtuvieran el trabajo según fuesen presentándose, sin favoritismos. Aquello significaba el fin de las extorsiones, por supuesto, y era un idea de difusión peligrosa, por lo que querían organizar una campaña para recaudar fondos destinados a otro movimiento portuario para sanear los muelles. Yo era su primer caballo blanco en perspectiva, ya que saltaba a la vista que era millonario, con una obra de éxito en Broadway y sin lugar a dudas con colegas de la misma tribu que podrían ser los primos que financiasen el negocio. Mis contactos en el teatro y en el cine se limitaban en realidad a unos cuantos actores corrientes y presuntos dramaturgos, pero si no podía conseguir el dinero, con mucho gusto escribiría alguna cosa sobre aquella zona aislada de la ciudad, que, problemas aparte, siempre había sido muy fotogénica. Estaban ansiosos por exhibirme en público y por fin hice mi entrada en lo que se me había vuelto un mundo ribereño peligroso y desconocido del que el teatro y la narrativa no habían hablado nunca.

Ahora, al mirar atrás, comprendo lo explosiva que fue para mí aquella decisión. De allí surgiría un guión de cine (que nunca se rodó); una obra de teatro, *Panorama desde el puente*; y un viaje a Hollywood, donde conocería a una actriz joven y desconocida, Marilyn Monroe, y al mismo tiempo chocaría de frente con la maquinaria subterránea que hacía efectivas las listas negras políticas y la instrucción ideológica de guionistas, actores y directores.

Claro que entonces me limitaba a obedecer el instinto que me llevaba hacia lo que intuía era una historia trágica. Pero sin duda había también algo más; hacia 1947 me parecía presentir el comienzo de un cambio cultural que, dentro de mi experiencia, me resultaba del todo nuevo. Es posible que quisiera defenderme de cierta ambigüedad en aumento, tanto en mi vida como en la ciudad y el mundo, donde los héroes no se concebían ya ni por asomo. Por ello era estimulante estar en compañía de lo que yo tomaba por hombres inequívocos que luchaban heroicamente contra el poder injusto. Aunque, como es lógico, también me aguardaban algunas sorpresas.

No tardé mucho en darme cuenta de que los muelles eran el Oeste Salvaje, un desierto al margen de la ley. Un generador eléctrico lo bastante grande para dar luz a una ciudad africana, adonde estaba destinado, que valía millones, que medía dos pisos de altura y que estaba en un vagón descubierto, desapareció sin más ni más una noche de un muelle de Brooklyn. La explotación de la mano de obra era sin duda un problema menor en comparación con los porcentajes que esquilmaba la delincuencia organizada al movimiento comercial del mayor puerto del mundo, como si fuera un impuesto, ni más ni menos. Y en aquella parte de Brooklyn, el nombre que más alto sonaba, como si fuera el nombre del señor absoluto de aquel barrio-estado, era el de Tony Anastasia, Tony el Duro para el hombre de la calle de Red Hook.

Pero nada era nunca totalmente lo que parecía en aquella Bizancio brooklynesa. Resultó que Tony el Duro estaba asustado sobre todo porque su hermano Albert había dirigido la Mutua del Crimen y se decía que había matado a más de cien hombres. Nueve o diez años más tarde, Albert cometería el error de salir de Jersey, adonde lo habían desterrado las autoridades neoyorquinas, y de retreparse en el sillón de una barbería del cruce entre la Séptima Avenida y la Calle 53, donde dos asesinos a sueldo lo enviaron al otro mundo mientras tenía una toalla caliente sobre los ojos. Pero Albert estaba aún bien vivo a la sazón, y Tony, que era el hermano pequeño, podía, a cuenta del prestigio familiar, chupar del bote en calidad de cabecilla de la filial de la Asociación Internacional de Trabajadores Portuarios que abarcaba aquella parte del puerto de Brooklyn. Así pues, para tener noticias de Tony, según Berenson y Longhi, no había más que sentarse y esperar, ya que era a sus trabajadores a los que querían organizar en un grupúsculo disidente que se enfrentara al poder de aquél y, por mediación suya, al de Joe Ryan, que dirigía todo el sindicato desde Manhattan.

Al igual que los dictadores anteriores y posteriores a él, Tony el Duro se consideraba un protector de los honrados y laboriosos estibadores, de ningún modo un tirano. Pronunciaba violentos discursos en la sede local del sindicato en los que exigía más para los trabajadores y menos para las compañías navieras. Los hombres sabían poner cara seria y no había quien le tosiera cuando llevaba el Smith and Wesson de calibre 38 en una sobaquera lo bastante alta para que se viese la culata bajo la solapa izquierda. Sin embargo, Tony era un hombre lo bastante complejo para que Berenson se preguntase si no sería algún día el medio por el que se pudiese organizar una rebelión contra la jefatura de Ryan. Fue una idea que estuvo a punto de costarle la vida y quizás a Vincent Longhi también.

Berenson era para mí un radical de índole heterodoxa porque, lejos de ser un intelectual, procedía de la clase obrera. Su padre, que era carpintero, había salido de Rusia con una hermana a consecuencia de la reacción violenta que había seguido a la fallida revolución de 1905. El mismo Berenson, a los quince años, había trabajado como activista liberado para los trabajadores de la confección. En realidad se le había empleado para llevar a efecto algunas de las tácticas de sindicación más atléticas, no infrecuentes en la época, como trepar por las cañerías o forzar una ventana para que los inspectores sindicales entrasen en las oficinas de un empresario y echasen una ojeada a los libros de contabilidad o a cualquier otra cosa que aportase información de importancia. Mucho antes de abandonar el juego sucio, los sindicatos se habían servido del joven Berenson y su destreza atlética para romper muchos desempates en las campañas de sindicación.

Pero a medida que era detenido con frecuencia creciente, se le fue ensanchando el horizonte mental, gracias en parte a la influencia de su tía Riva, que pertenecía a esa categoría de analfabetas sabias que las grandes experiencias revolucionarias parecen crear siempre. Ella mejoró su educación, y le hizo conocer la literatura novelística y poética del enjundioso acervo verbal ruso y, por supuesto, a Marx. Más o menos por la misma época, Berenson se puso a cortejar a una hermosa pintora a la que conquistó, a pesar de su aspecto desastrado, gracias a su férreo convencimiento de que la mujer le pertenecía, al igual que él pertenecía al movimiento obrero que transformaría Norteamérica, vaga imagen que aún permanecía encogida en el útero de la historia. Aún le faltaban dos o tres años para comprender las cosas por sí mismo, y se encontraba en un punto decisivo de su vida cuando pasó a ocupar el puesto de un hombre que había sido arrojado a la bahía. Si en ningún momento le vi rastro alguno de miedo en la cara, fue sin duda porque por entonces se consideraba todavía un rizo invulnerable e inmaterial de la gran ola de la historia. Con su paso oscilante, el puro barato y los histéricos estallidos de risotadas vulgares, se paseaba por los muelles en busca de la oportunidad de enfrentarse con un pulpo gigantesco.

Para Vinny Longhi era menos fácil aislarse y objetivar, ya que, a diferencia de Berenson, no podía por menos de identificarse —y es posible que incluso se odiase a sí mismo por ello— con la estilizada *gravitas* de alguna de las figuras poderosas de los muelles, que imitaban o más bien parodiaban la codificada gallardía de la Italia feudal. Como la mayoría de los materialistas y marxistas radicales, los dos eran unos románticos con veste analítica; creían ver con claridad a sus más ingenuos contrincantes burgueses, cuya visión se estrechaba por el egoísmo de sus intereses, mientras que ellos no tenían intereses personales, sólo históricos, por lo que eran más libres para moverse que los que estaban en el juego por afán de lucro. Así pues, su fuerza —siempre que los hombres les siguiesen— consistiría en una especie de autosatisfacción espiritual por haber contribuido al parto de la historia. Moralmente eran puritanos, excepción hecha de unos cuantos deslices que Longhi no podía evitar, ya que, a fin de cuentas, era un sujeto bien parecido.

En el curso de los seis meses que siguieron fui de manera regular con uno de ellos, o con ambos a la vez, en busca de la manera de entrar en los feudos portuarios. Longhi era un orador persuasivo, más bien melodramático, y en los muelles atraía grupos de estibadores cada vez más numerosos que, entre las neblinas que precedían al alba, aguardaban en Columbia Street a que les diesen trabajo durante aquel día. Rebanando el aire igual que Lenin en Octubre, se explayaba en su tema capital, la degradación de los honrados hijos de Italia por culpa de un aparato sindical corrompido. Lo malo, lógicamente, era que los hombres lo sabían mejor que él, pero de todos modos estaba bien oírselo decir a alguien. No tardó en darse cuenta de que sólo un poder igual al que les atenazaba ganaría su confianza, aunque yo no veía la manera de que se permitiese la existencia de una cosa así en aquel sitio.

Yo, mientras tanto, entraba y salía de las casas de los estibadores, hacía amigos y acostumbraba el oído a su sabrosa y estropeada audacia anglosiciliana, con sus reservadas insinuaciones, asombrosamente moduladas, y su emotividad sin freno. Con el tiempo Longhi sacó a relucir una anécdota que había escuchado hacía poco, sobre un estibador que había delatado ante la Oficina de Inmigración a dos hermanos, familiares suyos, que vivían ilegalmente en su propia casa, con objeto de romper el compromiso existente entre uno de ellos y su sobrina. El chivato cayó en desgracia, nadie sabía adónde se había ido y había quien murmuraba que lo había matado uno de los hermanos. Pero la anécdota me resbalaba; yo andaba aún tras la pista de Pete Panto.

Comencé un guión de cine, lo dejé estar, lo reanudé y volví a Red Hook en busca de lo que no sabía que tenía ya: *Panorama desde el puente.*

En una ocasión me tentó el melodrama: Tony Anastasia aparecía de pronto en el desván donde tenía Berenson su base de operaciones y le amenazaba con matarles a él y a Longhi allí mismo. Había incluso la imprescindible multitud operística que se juntaba abajo en la calle para celebrar las festividades. Tony echaba chispas porque, y la cosa tenía su gracia, lo había contratado una gran empresa para llevar Hudson arriba dos remolcadores con doscientos esquiroles que tenían que entrar en la factoría por la parte del río, ya que las entradas terrestres estaban reciamente defendidas por piquetes de los United Electrical Workers. Había rogado de antemano a Berenson y Longhi, que le habían tanteado con vistas a una alianza contra la jefatura de Ryan, que se pusiesen en contacto con sus amigos del sindicato y les convencieran de que no peleasen con sus esquiroles. Ante aquella petición insólita, el dúo replicaba con una conferencia sobre la solidaridad de la clase obrera que dejaba turulato al gangster.

La intentona de invasión naval del tinglado la impedían las lanchas motoras del sindicato —en realidad había un breve cañoneo entre ambas fuerzas navales que duraba hasta que los capitanes de los remolcadores decidían que ya había habido suficiente y volvían con los hombres de Brooklyn— y Tony no tardaba en advertir que todo Red Hook se reía de su humillación; como es lógico, a espaldas suyas se le llamaba ya «el Almirante». Era ya demasiado y, bien a la vista de todos los vecinos, iba a la buhardilla de Berenson para exigir satisfacción por haber sido traicionado por los radicales. Estaba muy confuso.

Forzados al enfrentamiento, los sudorosos Longhi y Berenson recurrían a la elocuencia —a la que Tony no podía resistirse y en la que Longhi era un maestro— para castigarle por deshonrar la memoria de su finado y bienamado padre, el cual, como gustaba Tony de recordar con cualquier pretexto y con lágrimas de verdad en los ojos, había trabajado de estibador durante un montón de años, sin faltar un solo día, y criado a su ejército de hijos con el sudor de su frente, y cuyo retoño Tony traicionaba ahora a los trabajadores rompiendo huelgas, cuando la verdad es que tenía madera de dirigente sindical de los buenos, papel que, si lo aceptaba, redundaría en honor del perseguido pueblo italiano, por no hablar ya de toda la raza humana. Terminaban, si no como amigos, sí al menos en una tregua y la conclusión llegaba cuando le ofrecían dos entradas para ver *Todos eran mis hijos*. En realidad me lo encontré delante del teatro días más tarde y cuando miró la marquesina y vio mi nombre, y acto seguido me miró a mí y dijo unas palabras, me recordó a mi tío Manny de Boston. Subió a su coche, tomó asiento junto al chófer y se alejó sin ver la obra. Supuse que sólo querría estar seguro de que Longhi y Berenson no se estaban burlando de él en lo que a mí repectaba, de que no le estaban faltando otra vez en lo más profundo.

La incómoda verdad era que los muelles comenzaban a parecerme tan absurdos como trágicos y fue por uno de estos absurdos por lo que terminé yéndome a Italia y Francia con Longhi: viaje cuyas consecuencias darían cuerpo a buena parte de mi vida futura.

Cuando los conocí, Berenson y Longhi eran ya veteranos de muchas intentonas de sindicación frustradas y casi inútiles. En 1946, como carecían de la influencia política susceptible de garantizar protección a cuantos trabajadores se atreviesen a desafiar al tándem sindicato-Mafia, se les ocurrió la idea de que Longhi se presentase para diputado. Pero el partido demócrata de la zona estaba en manos del diputado John Rooney, que a su vez estaba en el bolsillo de Joseph Ryan. La conyuntura calentó la imaginación independiente de Berenson, que tuvo la fantasía de que los republicanos, por una cómica desesperación quizá, porque jamás de los jamases habían ganado unas elecciones en la zona, podían aceptar la candidatura de Longhi por aquel territorio de clase obrera italiana.

Berenson puso una pierna torcida delante de la otra y llevó a Longhi a Court Street para entrevistarse con Johnny Crews, el dirigente republicano, escocés ingenioso que comprendió en seguida que un candidato italiano, aunque fuera radical, podía ser la solución de los problemas republicanos en aquella zona predominantemente italiana. Las negociaciones para respaldar a Longhi se tramitaron en el acto.

El absurdo de estarse un día mirando a izquierda y derecha por si alguien quería arrojarles a la bahía y figurar al día siguiente en las listas electorales republicanas les hacía estallar en carcajadas de escepticismo, aunque estas situaciones no están nunca totalmente vacías de intenciones; el tiempo demostraría que Berenson podía haber llevado al despacho de Crews a un aventurero oportunista, porque la verdad es que al salir era un hombre algo diferente. Las relaciones de ambos entre sí y con el país habían comenzado a experimentar un cambio sutil que desembocaría en unos resultados impensables. Por improbables que fueran sus posibilidades de ganar las elecciones, Vinny había abandonado ya el sombrío y gélido mundo de los muelles feudales y salido a la soleada Norteamérica, donde, literalmente, aún podían suceder las cosas más asombrosas.

Para Johnny Crews, la candidatura de Vincent Longhi podía ser sólo una farsa simbólica, retorcida incluso, pero lo que Vinny quería de verdad era ganar las elecciones y que le fotografiasen con el presidente en la escalinata de la Casa Blanca, y enviar la foto con un mensajero a su queridísima *mamma*. Tras aparecer en las listas republicanas y contando con el respaldo del Partido de los Trabajadores de Norteamérica, recorrió incansablemente el distrito electoral duodécimo, exigiendo reformas con vehemencia. Fue una campaña reñida y dura en la que Rooney se dedicó a denunciar el que los republicanos apoyasen a un advenedizo de izquierdas, y cuando se contaron los votos, Vinny obtuvo 31.000 frente a los 36.000 de Rooney: un cuasiempate asombroso si se tiene en cuenta que le podían haber trapaceado fácilmente unos cuantos miles.

Acicateado por aquella primera incursión en la política de primera línea, Longhi resolvió volver a enfrentarse a Rooney en las elecciones del 48. En aquella ocasión, los republicanos jugaron con prudencia con un habitual del partido, mientras que Longhi se presentó defendiendo el programa del PTN. En aquel brete sí me rogó que me prestase a recaudar fondos y por primera y única vez en mi vida abordé a otra persona para pedirle dinero por motivos políticos. Veía de cuando en cuando a Tennessee Williams por entonces y le había hablado de mis preocupaciones respecto de los muelles. Ahora resultaba que vivía en un piso de Manhattan con Frankie Merlo, hijo de un cabecilla mafioso de Nueva Jersey.

Frankie sabía lo que pasaba en los muelles mejor que yo, porque de niño se había sentado en las rodillas de su padre mientras éste analizaba y discutía aquellos asuntos en el curso de sucesivas reuniones. Pidió a Tennessee que extendiese un cheque por quinientos dólares, mucho dinero en aquella época. En mi opinión, Tennessee consideraba mis preocupaciones muy alejadas de él en tanto que escritor, aunque al mismo tiempo idénticas a su continua sensación de vivir en medio de la injusticia y la crueldad. Escuchó lo que le conté sobre los problemas de los muelles con su irritable y blanco perro faldero inglés en las rodillas —tanto para evitar que volviera a meársele en la cama como para acariciarle— y mientras Merlo le daba explicaciones en calidad de sociólogo íntimo, pareció conmoverse, aunque eran determinadas palabras y personas lo que más le afectaba y no la situación humana en general.

A pesar de la habilidad oratoria de Vinny, pronto quedó claro que sólo un milagroso golpe de suerte podría desbancar a Rooney, y tan extraordinario que fuese incontestable. No tardó en trazarse un plan: viajaría a Calabria y Sicilia, encontraría a todos los familiares de estibadores que pudiese y volvería con saludos y recuerdos, que se encargaría de transmitir personalmente en cientos de casas. Al margen de su sentimentalismo típico pero eficaz, el plan contaba con otro rasgo más útil aún: cientos de estibadores italianos tenían dos familias, dos esposas y dos series de hijos. En la mayoría de los casos no habían defraudado ni a la esposa norteamericana ni a la que se había quedado en Italia, a la que seguían manteniendo y a la que incluso visitaban de tarde en tarde para hacerles otro hijo. Dada su situación económica, sin embargo, estos viajes a la patria chica eran muy espaciados, cada cinco o seis años, si no más. Se sentirían muy en deuda con quienquiera que les llevase noticias de primera mano de la mujer y los hijos: deuda que era de lo más natural retribuir con un voto.

La decisión que tomó Vinny a propósito de viajar dio forma a la mía. Norteamérica era el lugar donde uno se hacía rico, pero Europa era donde se fraguaba el pensamiento, o por lo menos eso solíamos imaginar. Norteamérica se estaba volviendo sospechosamente irreal. Un arquitecto imaginativo llamado Levitt estaba construyendo unas casas fabulosas a precios lógicamente elevados en una urbanización bautizada con su nombre, con dos cuartos de baño e incluso ático de la mejor madera, que hacían que las casas de la generación anterior parecieran primitivas. Yo me encontraba con antiguos amigos ateos y con primos que, detalle singular, se dedicaban a la sazón a cooperar con lo que llamaban «el templo»; antes de la guerra no habría imaginado que nadie de mi generación volviese a entrar en el *shul*. De Europa, sin embargo, llegaban noticias de hombres recién surgidos como Sartre y Camus, que venían de la Resistencia y de la noche europea con una concepción democrática nueva, políticamente viable y al parecer independiente de Moscú. Yo estaba sediento de una imagen del futuro ahora que el fascismo había muerto, y con él, paradójicamente, la forma que había adoptado mi vida al oponérsele. El yin y el yang de la existencia habían quedado inactivos. La Italia de 1947-48 era el centro de las especulaciones relativas al futuro de Europa, y ello con su gigantesco partido comunista, el mayor fuera de la Unión Soviética, por lo que Vinny me sería de ayuda dado que hablaba italiano.

Jane comenzaba a ir a la escuela y Bob era aún demasiado pequeño, y como viajar al extranjero no era todavía habitual entre la gente corriente, parecía inevitable que aquel viaje de tres o cuatro semanas lo hiciese yo solo. El abandono de lo familiar es tácitamente erótico y remozador, una apertura del alma a lo desconocido, una especie de expectación que exige soledad, y por otra parte, habida cuenta de la poca confianza que tenía en poder escribir otra obra comercialmente rentable, tenía que ahorrar dinero. En resumen, huí hacia el futuro como antaño había huido con la bicicleta hacia Harlem, cuando la vida se me enredaba en los pies y no quería nada conocido a mi alrededor.

El SS *America*, el medio menos costoso de cruzar el Atlántico, iba vacío en sus dos terceras partes y cabalgaba altanero y maligno sobre las agitadas aguas de febrero. Yo me encontraba lo bastante mal para derrochar las horas bañándome solo en la piscina, donde nadie se marea nunca, fingiendo que se trataba del océano de verdad, hasta que éste se puso tan furioso que hubo que cerrar la piscina, no fuera que me matase contra las paredes embaldosadas. La mayor parte de las últimas veinticuatro horas estuve en el bar con Albert Sharpe, que acababa de renunciar a protagonizar *Finian's Rainbow*, puesto que ya tenía todo el dinero que necesitaba para pasar el resto de sus días en su casa rural irlandesa. Dejé que me remojase la cabeza una y otra vez con sus fabulosas anécdotas irlandesas hasta que entró la aurora por la escotilla del salón y subimos a cubierta para saludar a la niebla costera.

La primera impresión de Europa fue una sucesión de absurdos elementales. Los grandes muelles de cemento de Cherburgo se inclinaban con brusquedad hacia el agua y a los pasajeros se les trasladaba en gabarras a un desembarcadero provisional. Más que cataclismo de los ejércitos se trataba de ruina civil y era en cierto modo incomprensible. Jamás se me había ocurrido pensar que yo era inocente de todo aquello, pero en aquel momento lo hice. (La siguiente vez que experimentase la misma sensación sería muchos años después, mientras paseaba por las calles de un Harlem cuyas conocidas viviendas se habían incendiado y reducido a escombros.) A continuación, la gigantesca estación decimonónica cuyo techo catedralicio y abovedado con paneles de cristal, de varios pisos de altura y varias manzanas de longitud, estaba totalmente destrozado, una estructura sin ojos lo único que quedaba. Todo era una salvajada monstruosa, una ira y un rencor tan impresionantes que infundían el miedo en el corazón de la especie.

Un joven norteamericano que iba con nosotros en el tren, tras quince minutos de inactividad, estalló: «¡A ver cuándo empieza el tiro al blanco!». Todos nos echamos a reír, los europeos, Vinny y yo, ruborizados por su insensibilidad ante la carestía que nos rodeaba. Absurda, también, la obsequiosidad de los empleados del tren para con nosotros los *Ubermenschen*, señores de la tierra, norteamericanos. Me gustó aquella sensación, por inmerecida que fuera, y a pesar de que me veía y nos veía con sus ojos envidiosos y resentidos.

El sol no parecía salir nunca en París, el cielo invernal semejante a un párpado de hierro que colorease de gris la piel de las manos y volviese macilentos los rostros. Un silencio amenazador e indiferente, vehículos escasos en las calles, camiones ocasionales con motor de leña, ancianas en bicicletas antiguas. ¿Quién de cuantos me cruzaba había colaborado con los nazis y quién se había ocultado en una bodega en compañía de los latidos de su corazón? ¿Y qué habría hecho yo? Pedí una naranja, tostadas y dos huevos fritos para desayunar en Les Ministères, enfrente mismo del hotel, y la encargada, el cocinero y dos camareros salieron a verme comer aquella enorme cantidad de comida, y para verme pagar con un montón de francos devaluados. El conserje del Pont-Royal, sito en la Rue du Bac, vestía de frac, aunque tenía las mangas deshilachadas y siempre ostentaba pequeños cortes en la barbilla por afeitarse con agua fría. Una joven con cara de hambre, ataviada con ropa chillona, medias negras de encaje y volante caído sobre la falda tenía autorización para quedarse en el vestíbulo toda la noche para comodidad de los huéspedes y observó mi acercamiento con una curiosidad superior de filósofa. Los redondos pasamanos de bronce de la puerta giratoria habían desaparecido, al igual que muchas cañerías y apliques metálicos, robados por los alemanes en el curso de los últimos meses de desesperación. El conserje tenía que recorrer todo París y volver al hotel una vez al día para dar de comer a sus conejos. Los conejos salvaron a muchas personas.

En las calles no se veía un solo hombre con chaqueta y pantalón conjuntados y muchos, con aspecto de profesionales, llevaban bufanda para ocultar la ausencia de camisa. Bicicletas y más bicicletas —las recordaría en Pekín treinta y cinco años más tarde— y gente colgada de autobuses atestados que apestaban como los de El Cairo. Tiempo después, encontrándome en China, Egipto, Venezuela, me acordaría mucho de aquella ocasión en la Ciudad Luz; el genio de Europa se había hundido a sí mismo en lo que aún no recibía el nombre de Tercer Mundo. Aún había ramos de flores recientes en las aceras, bajo las placas que conmemoraban a los partisanos fusilados allí mismo por los nazis, que a fin de cuentas también eran europeos; ¿había habido en realidad dos guerras civiles, en 1914 y 1939? Escribí a Mary, sólo a ella, diciéndole que el país parecía un animal herido que nunca volvería a ponerse en pie: Francia había muerto. Se decía que Sartre se dejaba caer por el Montana Bar, pero no lo vi nunca. Los periódicos, o así me pareció, confiaban en Norteamérica para forjar una nueva civilización; como si nosotros supiéramos qué hacer en aquel continente destrozado. Era descorazonador; tendría que volver para encuadrarme en un futuro que ciertamente no prometía existir allí.

Hubo una *réunion* de escritores en un palacio próximo a la Rue de Rivoli, a la que fui invitado por Vercors, fundador de las Editions de Minuit y mi editor francés de *Foco*. Católicos, comunistas, gaullistas: los artistas y los independientes iban a tratar de recuperar la unidad de la resistencia bélica, uniéndose una vez más para leer poemas y pronunciar discursos ante los micrófonos de la radio estatal, instalados en el enorme vestíbulo dieciochesco, flanqueado de bustos afrancesados del ciego Eros y curvilíneos amantes de pelo rizado como Píramo y Tisbe. Hacía mucho frío en aquel vestíbulo de suelo de mármol, a pesar de las doscientas personas reunidas y la copa de vino tinto. El placer que aquellos intelectuales obtenían de un gesto como aquél no estaba tan claro; la unidad espiritual y tolerancia política de la época de guerra se había resquebrajado por culpa de la reciente Guerra Fría, que se extendía a pasos agigantados.

Vercors, novelista, ensayista y uno de los héroes de la Resistencia más universalmente respetados, me había ofrecido su amistad y me enseñó uno de los callejones por donde había burlado a los alemanes para entregar libros y periódicos a la Resistencia con la bicicleta. Si aquellos otros europeos le hubieran descubierto, lo habrían matado a tiros en la calle. Resultaba extraño imaginar que en aquellos encantadores bulevares parisinos se había perseguido y tiroteado a los franceses, igual que si fueran gusanos. Una vez más hube de preguntarme cómo habría reaccionado yo en aquellas circunstancias, pues lo moral, lo literario y lo político eran entonces una y la misma cosa. La reunión prosiguió en la resonante sala de mármol, las lecturas parecían no acabarse nunca, sin expresión, monótonas, y Vercors me explicó entre murmullos que aquél sería sin duda el último intento de mantener un simulacro de cultura francesa, que no tardaría en fraccionarse a causa de las discusiones políticas. Me señaló a Louis Aragon y a Elsa Triolet, a Camus y a Sartre, a Mauriac y otros escritores católicos. Vi que algunos se marchaban en silencio al terminar su respectiva ponencia.

Dado que el prestigio soviético era aún colosal, pues según la opinión general el ejército ruso había salvado a Europa de mil años de nazismo, no era fácil dar crédito a lo que se contaba sobre el terror estalinista. Las personas como Vercors, hombre delgado, de porte atlético y atractivo, tolerante y justo, se limitaban a guardar silencio cuando se hablaba de aquellas vicisitudes que destripaban todo significado a los últimos quince años de antifascismo. Aquel mundo maniqueo, con su llama uniforme y sencilla, luz frente a las tinieblas en derredor, estaba desapareciendo. La verdad se colgaba en la pared, igual que esos cuadros de antiguas escenas campestres que ni se tiraban ni se miraban. El heroísmo de soviéticos y aliados estaba muy arraigado aún; durante la guerra, a punto de dar a luz a Jane, nuestra primera hija, Mary se había echado a llorar y medio inconsciente, vencida por el dolor, había exclamado: «¡Oh, pobres yusgoslavos!», en cuyas montañas nevadas sufrían en aquellos momentos la invasión nazi.

Louis Jouvet, que interpretaba la *Ondina* de Jean Giraudoux en un teatro frío como una nevera, tenía que actuar continuamente sentado en un sillón, embozado en bufanda y jersey, porque estaba enfermo. El público removía los pies, se echaba el aliento en las manos y todos permanecían con el abrigo puesto. Fue otra página conmovedora de la lamentable historia de la muerte de un país: nunca volvería a haber calefacción en un teatro francés, la ruina acechaba por doquier, se trataba en realidad de un pueblo derrotado. Pero Jouvet entraba en contacto con el público de un modo personal que no había visto nunca, ya que se dirigía a sus componentes, uno por uno, en el amado idioma común. Las parrafadas largas y los momentos de quietud escénica me aburrían, pero alcanzaba a darme cuenta de que era el idioma lo que salvaba el alma de todos, que juntos escuchaban y juntos experimentaban la curación que por él les sobrevenía, unidad única que les quedaba y por tanto una sola esperanza. La ternura que los presentes manifestaban hacia él me conmovía, a mí, que procedía de un teatro que polemizaba con el público. Se comunicaban con Jouvet, que me parecía que abandonaba su papel de vez en cuando para regodearse con algún giro del autor, detalle que el público aplaudía con entusiasmo. Hubo algo que me chocó, aunque entonces creí que se trataba sólo de otra rareza francesa: las emociones de Jouvet parecían auténticas, concretas y continuas, aunque estaba rodeado de irrealidad, de una fantasía. Las palabras pues eran por sí mismas el acontecimiento, ellas y las emociones del actor. Todo lo más que yo había hecho había sido suprimir algunas frases de *Todos eran mis hijos* que resultaban demasiado chillonas, demasiado *escritas,* y no un fenómeno de lo que pensaba entonces que era la naturaleza.

No pasaba día sin que se hablase en los periódicos del Plan Marshall. Aunque los gobiernos francés y británico estaban furiosos porque los alemanes también iban a recibir ayuda económica de los norteamericanos y a reconstruir sus industrias antes de que ellos hubiesen restaurado todos y cada uno de los ladrillos destruidos en Inglaterra y Francia. Estaba claro que los alemanes iban a ser nuestros nuevos amigos, y los rusos salvadores nuestros enemigos, algo innoble en mi opinión. La nueva maraña comenzaba a formarse: veinte años después conocería a Theodor Adorno en Francfort y me contaría que, en aquella época, los libros escolares que circulaban por Alemania y que detallaban la historia de Hitler se retiraron a causa de las presiones norteamericanas y se sustituyeron por otros en que no se decía ni palabra de los años de nazismo, un vacío por el que una nueva generación radical alemana maldeciría a los Estados Unidos.

Pensaría en los años sucesivos que aquel cambio violento, aquel arrancar a un país las etiquetas de Bueno y Malo para endosárselas a otro, había contribuido a marchitar la idea misma de un mundo moral, aunque sólo fuese moral en teoría. Si el amigo del mes pasado se podía convertir con tanta facilidad en el enemigo del mes presente, ¿qué realidad profunda podían tener el bien y el mal? El nihilismo —peor aún, la aburrida diversión— respecto de la idea misma de imperativo moral, que se convertiría en el sello de la cultura internacional, nació en aquellos ocho o diez años de reajuste que habían seguido a la muerte de Hitler. Porque yo quería estar junto con los que no cederían, no porque estuviese seguro de ser bueno, sino por la intuición que me decía que no podía haber forma estética sin mundo moral, sólo notas sin pentagrama: convicción indemostrable pero que sentía muy dentro.

Mi primera experiencia de Italia fue un bocadillo de pan blanco italiano con jamón y pimiento, lo mejor que había probado en mi vida, que compré en un quiosco de la estación de Milán. Me sentía más cómodo entre los italianos y en Italia, donde, al contrario que en Francia, nada se tomaba en serio.

Ezio Tedei, anarquista y autor de cuentos que había pasado catorce años en una cárcel de Mussolini, no tenía ni camisa ni calcetines ni ropa interior, se paseaba por Roma en medio del frío de febrero nada más que con unos pantalones, zapatos y un abrigo viejo de mezclilla, y dormía al aire libre, en un balcón descubierto que le había cedido la media docena de familias pobres, que sumaba un total de veinte niños, que sin más ni más había ocupado un palacio que había pertenecido a un alto funcionario fascista. Tras insistirle para que me aceptase una camisa, calzoncillos, hojas de afeitar y calcetines, reapareció días más tarde con su acostumbrada desnudez y contando que mis regalos se los había dado a cierta gente que los necesitaba. Escribía sentado a una mesa que instalaba en el balcón, entre las idas y venidas de incontables familias, abstraído de las conversaciones y gritos que estallaban a un metro de sus oídos. La mesa, de dibujo elegante y fiscalizada en algún despacho secreto, contaba con docenas de cajones y compartimientos donde los demás guardaban pan y embutidos y él sus manuscritos y su preciada pluma Parker.

Durante uno de nuestros paseos por Roma vi que en distintos lugares había una gruesa cadena que mantenía cerrados los postigos de las ventanas: una medida legal, explicó Ezio, que debían obedecer todos los prostíbulos. Quise visitar uno en el acto y me condujo al suyo habitual. En el vestíbulo mismo de lo que antaño había tenido que ser un palacio enorme se alzaba una columna coronada por una pareja de broncíneos amantes trabados en fornicación, la cabellera de la mujer desplegada como por efecto de un huracán. Una alfombra carmesí ascendía por una escalera de mármol que llevaba a lo que había sido un salón de baile con espejos barrocos que iban del suelo al techo. Una catarata de lágrimas pendía del techo recargado de esculturas, iluminadas, aunque mínimamente, por bombillas polvorientas. A lo largo de una pared estaban sentados unos veinticinco hombres de todas las edades, los unos leyendo el periódico, los otros jugando al ajedrez, los de aquí dormidos, los de allá con la vista fija en el otro extremo de la estancia donde estaban en fila unas doce mujeres apoyadas en la pared de espejo, mujeres vestidas a la morisca con pantalón ancho de tejido transparente, con el traje inmaculadamente blanco de la confirmación judía, con la ropa cotidiana de las amas de casa, en bragas y con o sin sostén; de pelo largo, pelo corto, pelo recogido;

descalzas, con tacón alto, con sandalias, con zapatos de calle o zapatos recubiertos de un centelleante rocío de cuentas que imitaban el diamante. Siglo nuestro de cinematógrafo y actores. Tedei y yo nos sentamos junto a los hombres y aguardamos. Las partidas de ajedrez continuaron, los periódicos se doblaban y desplegaban, y las mujeres esperaban distraídas como en la cola de una parada de autobús. Una indiferencia fingida nos unía a todos. Un hombre se levantó en aquel instante sin más motivación aparente que la de la gaviota que se aparta de la bandada para tomar el aire, y recorrió el suelo de taracea hasta llegar donde una mujer que desapareció en su compañía por una puerta como si le fuera a probar unos zapatos. Era tan estimulante como una subasta de ropa antigua. Me acordé de lo que Chéjov había escrito a propósito del malestar que había experimentado al visitar una casa de aquella índole y de mi propia sensación de vacío y distancia cuando, a los dieciséis años, mi hermano y sus amigos me llevaron por vez primera a un piso del Upper West Side. Pero allí en Italia no me sentía a disgusto. Tedei sonreía como un anfitrión orgulloso de una de las atracciones más interesantes de su ciudad natal; la sexualidad, ello era evidente, por lo menos después de veinticinco años de fascismo y una guerra infernal, claro que era interesante, pero mucho menos que comer, tener un techo para cobijarse y ropa para estar caliente. Aquellas mujeres podían ser una necesidad, y recibían el respeto que las necesidades merecen, pero esto era todo. Las grandes películas neorrealistas de la postguerra italiana que se estaban haciendo, *Roma ciudad abierta, El ladrón de bicicletas* y las demás, reflejaban la misma integración de la sexualidad en la vida, una vida que se basaba en las primeras necesidades, la lógica de conseguir comida y el mantenimiento de la familia, las amistades y la solidaridad humana. En 1948 Italia aún no conocía los problemas de la abundancia, por no hablar de la inflación, ni las fantasías añadidas de un yo sin límites ni cadenas. Allí, en aquel mugriento salón de baile, dominaba una humildad común ante la naturaleza de la humanidad, una aceptación aleccionadora.

Pero el atisbo del futuro occidental que había imaginado iba a encontrar en Europa resultaba tan confuso allí como en Brooklyn. El Partido Comunista Italiano podía ser el mayor de Europa, pero aconsejaba con toda la tranquilidad del mundo que se votase a la democracia cristiana en las siguientes elecciones para que Norteamérica no interrumpiese los envíos de comida y el país no se muriese de hambre, porque los rusos no iban a enviar nada en el caso de que los rojos ganasen las elecciones. Me encontraba aún bajo el efecto de una concepción apocalíptica de la historia y tenía que recordarme a mí mismo a cada instante que las multitudes que llenaban las calles y las personas que conocíamos, lejos de ser las víctimas inocentes de la imbecilidad y exhibicionismo fotográfico de Mussolini, o habían apoyado el fascismo en su mayor parte, o no se habían opuesto a él. Sorprendentemente escasos habían sido los que, como Ezio Tedei, habían resultado lo bastante peligrosos para ser puestos a buen recaudo, e incluso ahora hasta él se me antojaba un supremo inocente, por no decir un ingenuo, que aguardase una revolución cuyos signos no veía yo por ninguna parte.

En las afueras de Roma había una zona denominada el Anillo, donde vivían miles de familias sin casa en cuevas sin luz que se habían abierto en precipicios y laderas montañosas. Hasta allí subíamos para estar con aquellas personas flacas como el hambre, que vivían en medio de su propia inmundicia y que tenían que subir arrastrando los cubos del agua que cogían de las bocas de riego de la lejana calle. Desde algunas cuevas podían ver las nuevas viviendas que se alzaban al otro lado de una autopista mientras la lluvia de febrero les salpicaba la cara. Era la Roma de *Ladrón de bicicletas*. No podía ni imaginar, por supuesto, que al cabo de cuarenta años habría más parias en Nueva York de los que había en Roma tras la devastación bélica. Ni habría creído fácilmente entonces en la erosión de las humillaciones, incluidas las mías propias las más de las veces, hasta el extremo de haberme acostumbrado a esta catástrofe y verla nada más que como una lamentable consecuencia de vivir en la imperial Nueva York, la ciudad más excitante del mundo.

Al sur de Foggia ondeaba la bandera roja en todos los ayuntamientos y Longhi y yo nos sentábamos con los campesinos que de debajo de la cama sacaban mapas de los latifundios, las haciendas y cortijos que se repartirían entre ellos una vez que los comunistas ganasen las inminentes elecciones generales. Ya habían escrito su nombre en las parcelas del mapa, sabían dónde iban a estar los límites de cada una y se regocijaban al enseñármelas con sus dedos negruzcos. Tras ir y venir por el país en el curso de aquel invierno, casi tres años después de acabada la guerra, me di cuenta un día de que aún no habíamos visto a un solo italiano gordo. ¿Dónde estaban las madres pechugonas y los padres barrigudos? En Italia ya no había nada, todo había desaparecido. Por doquier nos preguntaban si creíamos que se admitiría a Italia en calidad de cuadragésimo noveno estado norteamericano, y no lo decían en broma.

No resultaba triste, sin embargo, a la manera francesa; la energía italiana era como la cizaña, que arraigaba en cualquier parte, no importaba en cuál. En un pueblo del sureste, todas las tardes a eso de las cuatro, la tía soltera de Vinny, Emilia, maestra de escuela ya cincuentona, se iba corriendo a la plaza, donde tronaban los altavoces con los discursos que se emitían desde la sede del Partido Demócrata Cristiano de Foggia, capital de la provincia, mientras a unos metros temblaba otro altavoz con el furibundo discurso que los comunistas emitían desde Roma. El alboroto era de alivio. Mujer sincera y de una pieza, Emilia se esforzaba por atraer a los que pasaban para que se apiñasen alrededor del altavoz democristiano y dieran la espalda al comunista. Hacia las cinco y media callaban los altavoces y el paseo vespertino podía por tanto comenzar; la disciplina de partido se disolvía cuando el pueblo se comportaba como venía haciendo desde hacía mil años, la gente daba vueltas continuas a la plaza, los jóvenes casaderos se detenían para charlar y mirarse como pingüinos. Emilia quedó fascinada cuando se enteró de que yo era judío porque daba por hecho que ya no quedaba ninguno: y no a causa de lo que aún no se llamaba holocausto sino porque sin saber el motivo creía que todos se habían convertido tras la resurrección de Jesús, o que, de la manera que fuese, se habían desvanecido en las páginas de la Biblia. «Pero usted», me decía con una sonrisa de estímulo, «también cree en Cristo, como es lógico.» Me dio la sensación, cuando le informé de lo contrario, de que por sus píos ojos pasaba un destello de terror mientras me observaba con fijeza, aunque no tardamos en ser amigos otra vez, ya que constaba en su religión que no todo tenía que comprender en la vida. Yo, por otra parte, pensaba aún que no había nada que escapara al entendimiento humano.

Una tarde pasó por la calle una procesión religiosa y detuvo el poco tráfico que había, y mientras esperábamos a que los salmodiantes niños del coro pasasen con el crucifijo dorado y la imagen del santo, me pregunté se las costumbres antiguas estarían tan muertas como se pensaba. Un cuarentón que había delante de nosotros permanecía con la cabeza gacha, el sombrero en el corazón, y cuando pasó la procesión Longhi le preguntó con tacto qué festividad se celebraba. «¿Y yo qué sé?», replicó, volvió a calarse el sombrero y cruzó la calle con premura. Aquello era Italia para mi entonces, una actitud patética refrendada por un chiste cínico. Los franceses se tomaban la catástrofe mucho más en serio, como si les hubiesen dado gato por liebre en lo tocante a alguna victoria o tuvieran mala conciencia por haber colaborado. Los italianos parecían comprender que, como siempre, se habían dejado engañar, esta vez por el oropel de Mussolini. Y, en cualquier caso, lo principal era vivir, no morir por esto o aquello.

En el encantador rompeolas adriático de Mola di Bari, encima mismo del tacón de la bota, había un tipo distinto de procesión a eso de las cinco de la tarde. Longhi tenía una serie de direcciones de familias de estibadores de Red Hook e iba de casa en casa, Cruz Roja unipersonal, dando noticias de Brooklyn, tomando nota de la edad de los niños y de cómo les iba a las mujeres. La otra familia de los maridos, la norteamericana, como es lógico no se sacaba nunca a relucir, aunque se sobreentendía su existencia. El drama de aquellas mujeres se molía grano a grano entre las quijadas de la necesidad económica, y si bien había «primeras esposas» intratables y viejas, otras estaban todavía en los treinta y en sus ojos de gacela se leía el miedo al abandono definitivo. Pero una de las cosas que más gustaban a Vinny era tranquilizar a las mujeres, y éstas se lo comían con los ojos viéndole tan alto para ser italiano y tan saciado de comida buena y sana.

A eso de las cinco veíamos pasear por el puerto una insólita cantidad de hombres que caminaban en grupos, algunos cogidos del brazo, costumbre corriente, aunque no vestidos como otros italianos; llevaban abrigo neoyorquino oscuro y sombrero neoyorquino gris con el ala levantada, camisa blanca abotonada totalmente y sin corbata, y zapatos de ciudad, de punta afilada, de suela delgada y cepillados con pulcritud.

Nos acercamos a cuatro que tomaban café en uno de los bares que daban al mar. Al principio hablaron en italiano, pero la astuta mueca de Vinny despertó sonrisas de complicidad y pasaron con alegría al brooklynés. Estaba claro que se escondían, mientras «los muchachos» aguardaban en Nueva York, Chicago, Filadelfia o Los Angeles a que se hiciese pública alguna acusación oficial, condenados a contemplar la salida y la puesta de un sol infructífero en aquel hermoso pero aburrido destierro hasta que se negociara el apaño y pudieran volver a los Estados Unidos.

Italia estimulaba la obra que se me estaba gestando en la cabeza, *Panorama desde el puente*, aunque no estaba seguro de atreverme a escribir sobre los italianos tan a fondo como creía necesario. Lo único que estaba seguro de comprender era que la diferencia entre Norteamérica y Europa consistía en que Europa era una vasta red de relaciones familiares mientras que en Norteamérica había desaparecido la importancia de los vínculos de sangre. Vinny se sintió obligado a visitar a un primo de Roma, un capitán que trabajaba en la cúpula administrativa del Ministerio de Defensa. Guardias uniformados con polainas y guantes blancos se cruzaban marcando el paso como en una escena de ballet, ante la entrada de lo que equivalía a su Pentágono, con el fusil sujeto ante sí con firmeza. En la diminuta taquilla de información Vinny pidió ver al capitán Franco Longhi, pero el funcionario que había tras los delgados barrotes dijo que lo sentía porque no se admitían visitas sin notificación previa.

—El capitán Longhi es mi primo.

El hombre que había tras la ventanilla no se inmutó.

—¿Su *primo*?

—Yo soy norteamericano. De Brooklyn.

—¡De Brooklyn!

Cogió el teléfono al instante y me pareció ver que se le humedecían los ojos. Segundos después entrábamos en un ascensor y, al salir de él, nos vimos rodeados por tres o cuatro coroneles, un par de generales y lloriqueantes secretarias que miraban con los puños bajo la barbilla el abrazo de Vinny y el capitán Longhi —los italianos se dividen inmediatamente en público y actores—, y en aquel mismísimo meollo del aparato militar italiano se interrumpió todo el trabajo mientras permanecimos sentados alrededor de las mesas durante media hora por lo menos, escuchando a los dos primos que intercambiaban noticias de parientes diversos, algunos de los cuales habían muerto en tal o cual batalla italiana, o bien de enfermedad y a causa de los años. Un general ordenó por fin al capitán que nos invitase a comer y mientras apurábamos la ensalada preguntó a Vinny si tenía algún contacto en la central norteamericana de las plumas Parker; lo único que se podía vender con seguridad en la Italia de 1948 era una pluma Parker auténtica. Por desgracia había muchas imitaciones que se fabricaban en Nápoles, aunque la gente las reconocía ya...

«Así es como termina el mundo» me daba vueltas en la cabeza mientras recorríamos los paseos napolitanos, que, con sus farolas barrocas, o se inclinaban hacia la bahía o habían sido reducidos a escombros por los bombardeos, aun cuando los hoteles que daban a ellos mantenían las luces encendidas para atraer a unos huéspedes inexistentes. Las putas jóvenes paseaban en grupos parloteantes, nos metían mano entre las piernas, se echaban a reír y nos llamaban maricones porque no queríamos ir con ellas. De día, mujeres con la cesta de la colada en la cabeza se paseaban entre el gentío por donde estaban los hoteles de extranjeros, con mano mágica arrebataban el sombrero a los peatones foráneos y, visto y no visto, lo metían en la cesta mientras las víctimas se quedaban dando vueltas como un trompo, en busca de un sombrero que se había desvanecido en el aire. Me encontraba una vez solo en un coche de punto, esperando a que Vinny cambiase dinero en un banco próximo, cuando llegó un joven y empezó a llevarse nuestras maletas literalmente de debajo de mis pies, ni más ni menos que como si nosotros mismos le hubiéramos dicho que lo hiciera. Le llamé la atención en inglés y me miró con cierto aire de reconocimiento civilizado, aunque siguió sacando las maletas del coche hasta que le golpeé las manos con el pie, además ante el que volvió a mirarme, se encogió de hombros y se fue sin sentirse ofendido. Otra actuación.

Y las crueles anécdotas de los napolitanos. La del cura que vio una larga cola de gente del barrio delante de una casa y la siguió escaleras arriba hasta llegar al segundo piso. Allí vio que uno de sus ancianos feligreses cobraba unos céntimos por dejar entrar a la gente en el dormitorio donde se encontraba su hija soltera en la cama con el niño que acababa de tener y que era negro. Por entonces había en Nápoles muchos soldados negros del ejército norteamericano y que una blanca hubiera parido un niño negro era a la vez escandaloso e inconcebible, como un milagro. El cura, como es lógico, montó en cólera. «¡Al parecer no es bastante que tu hija esté soltera! ¡Encima tienes el cinismo de aprovecharte de su desgracia delante de todo el vecindario!» El padre de la muchacha se llevó aparte al cura y le murmuró: «Tranquilícese, padre, en realidad no es mi nieto».

Todo se había venido abajo en Italia, absolutamente todo, aunque en las afueras de Roma se había improvisado un restaurante en un patio con cuatro o cinco mesas bamboleantes y un rótulo en lo alto que decía: ENTRE Y COMA. HASTA AHORA NO SE HA MUERTO NADIE AQUI. Durante un instante histórico estuvimos en un lugar donde se celebraba por todo lo alto el hecho de estar vivo y no muerto, donde reinaba una especie de aristocracia de los supervivientes.

Una especie distinta de superviviente, sin embargo, en el ventoso litoral de Mola di Bari. El alcalde del pueblo nos dijo en privado que a los *ebrei*, los judíos procedentes de los campos alemanes de exterminio, se les había dado cobijo en la serie de imponentes palacios costeros, construidos por destacados fascistas que habían huido o estaban ya en prisión. Vinny dio con ellos, cosa difícil porque los británicos presionaban al gobierno italiano para que impidiese que los judíos de los campos de concentración entrasen en el país, o bien para que, una vez dentro del mismo, les impidiese embarcar hacia Palestina, y nadie quería hablar de su presencia con extranjeros. Todo Mola di Bari y Bari estaban compinchados para guardar el secreto. Los localizamos al anochecer, cientos de individuos alojados en unas veinte casas grandes que daban al Adriático, muchos amontonados casi en los pasillos. Cuando entramos sentí una hostilidad helada que no había experimentado en la vida, una sensación de no existir, de ser transparente. Las mujeres nos daban la espalda para atender a los niños, los adultos y los muchachos pasaban por nuestro lado como ráfagas de aire. Y yo sabía que hacer un movimiento en falso que se pudiera interpretar como una agresión equivaldría a ser hecho trizas. Me acerqué a dos jóvenes, sin afeitar pero aseados, que me miraron con abierta actitud amenazadora. Probé a hablar en inglés, Vinny lo hizo en italiano y al final aventuré una mezcolanza de *yiddish* y alemán con la que me limité a saludarles y a decirles que yo también era judío. No les interesó mi problema ni vieron la forma de que yo les pudiese resolver el suyo, que consistía simplemente en poder embarcar rumbo a Palestina y abandonar para siempre el cementerio europeo. Aquel recelo fue como ácido que me hubiesen arrojado a la cara; hablaba con leña quemada, hierro calcinado, esqueletos con ojos. En el futuro me preguntaría por qué no se me había ocurrido nunca liarme la manta a la cabeza e irme con ellos cuando ellos eran precisamente el fruto de la catástrofe que yo quería evitar de múltiples maneras con mi vida literaria. Hasta el día de hoy, cuando pienso en ellos, en aquellos soportales sombríos, escrutando el mar en silencio y en espera del barco, rechazados por las potencias civilizadas, instalados ilegalmente allí y amenazados por la intervención diplomática de los británicos, me siento incorpóreo, automarginado, avergonzado de mi estupidez, de mi incapacidad para identificarme con ellos.

Me recuerda el mismo agujero que sentí en el corazón cuando supe lo de Hiroshima. ¿Cómo pude haber experimentado tal asombro? ¿Y aquel alivio, también, porque la guerra hubiese terminado finalmente? ¿Cómo pude leer con detenimiento las primeras descripciones de los efectos de la bomba y sentirme orgulloso de la inteligencia humana?

¿De dónde esta automarginación? Un día parecería el centro mismo del problema: no saber imaginar que la voluntad nos hace morir.

Con su vehemente italiano del alma, Vinny preguntó al recepcionista del hotel dónde podíamos comer algo. Eran aún tan escasos los extranjeros en el Hotel des Palmes que el individuo se turbó al decirnos que aún no había ningún restaurante en Palermo, excepción hecha del de la otra punta de la ciudad, que sólo servía cenas. En realidad, según podíamos ver con nuestros propios ojos, hasta el hotel en que estábamos era nada más que de categoría media después de un desdichado bombardeo norteamericano. Europa se me representaba por entonces como un conserje cuarentón vestido de frac, cuello de pajarita, corbata gris de seda con manchas y uñas rotas. El vestíbulo, flanqueado de arcos barrocos con contrafuertes macizos e ideales para ocultar citas y discretas conversaciones comerciales de legalidad dudosa, terminaba bruscamente ante un enorme sudario marrón tras el que se encontraban las ruinas de la derruida mitad del edificio.

En aquel momento apareció el *maître*, hombre más joven y mejor informado; según él, el restaurante del otro extremo de la ciudad servía comidas, sólo que era difícil de localizar porque no ostentaba ningún rótulo en el escaparate. Con ambas manos en posición vertical, nos explicó cómo cruzar la ciudad devastada. Excepción hecha del café matutino, no habíamos comido nada desde el día anterior al embarcar en el transbordador con que cruzamos el estrecho de Mesina en compañía de un montón de obreros sicilianos que habían tenido la sensatez de llevarse su propia comida. Salimos de estampida.

Por fuera, las ventanas del hotel relucían como una patena, signo alentador de la voluntad de vivir, aunque se había acumulado una montaña de escombros junto a la pared lateral, en la que aún se veía el bonito papel decorador, y sobre el dintel de las puertas condenadas discurrían vides moldeadas en yeso. A cada paso que dábamos se alzaban nubecillas de polvo de cemento y la cal nos blanqueaba las cejas. En todas las calles había hombres que subían y bajaban escaleras con desriñonadores capazos de cemento húmedo; de tarde en tarde subía un camarero con delantal llevando una bandeja con pan y café para algún encargado de arriba. Un burro cargado con varas de hierro trataba de morderle el brazo a un chico que quería hacerle avanzar entre los escombros, una camioneta Fiat de chirriante caja de cambios parecía a punto de volcar bajo una carga de seis metros de altura. Majestuosas mujeres de luto con tenue bigote alborotaban calles enteras con irritadas lamentaciones baritonas y azotaban en el trasero a muchachas que tenían ya sus dieciséis años por tal o cual fechoría, tras lo que indefectiblemente las enviaban a casa. Los hombres sólo hablaban con hombres. En la ventana de un segundo piso, una mujer tenía en alto a un niño de pecho, enseñaba a la ciudad uno de sus diosecillos desnudos. Pero, a diferencia de Nápoles, no había putas en las calles de Palermo. En el puerto destruido, los restos de cuyos muelles yacían en el agua, varios batallones de ratas pardas se apiñaban en derredor de una palmera caída, tan indiferentes a nuestro paso como si la ciudad les hubiera extendido una autorización. En el agua que reflejaba los rayos del sol bajo un cielo totalmente azul, las gabarras recogían de un carguero solitario los sacos de trigo norteamericano que mantenían con vida a la ciudad. Dado que faltaban sólo unas semanas para las elecciones generales, el embajador norteamericano se había dejado caer por allí, había pronunciado un discurso y, según se contaba, había cogido un puñado de trigo, lo había derramado sobre la cabeza de un niño deshecho en risas y había dicho, sin ninguna necesidad, que si resultaban elegidos los comunistas, aquel grano, como es lógico, dejaría de llegar: apenas un signo más de que allí se había acabado todo, de que Italia, pedigüeña y puta, no existía ya. De vez en cuando se veía pasar un coche de caballos, una *carrozza* del siglo pasado que volvía a estar en servicio mientras el país retrocedía hacia su propio pasado. Pese a todo, los trabajadores seguían afanándose en subir y bajar escaleras para reconstruir y enlucir paredes al sol, con aquel inmemorial apego italiano por el cemento húmedo.

El restaurante era el único edificio totalmente reconstruido de la pequeña plaza en ruinas y era cierto que no ostentaba ningún rótulo en el escaparate. Al entrar procedentes del exterior soleado nos pareció que las ocho o diez mesas de mantel blanco estaban vacías. El dueño, el primer italiano gordo que veíamos, pareció sorprendido al salir a saludarnos de detrás de una cortina de algodón azul situada al fondo y un tanto nervioso nos preguntó qué queríamos, como si fuéramos sus primeros clientes de la postguerra. Hasta que no nos sentamos no se me ocurrió mirar alrededor, y vi la perpleja fila de personas calladas y sentadas tras una docena de mesas que para celebrar el banquete se habían yuxtapuesto a lo largo de la pared. Aquel solo vistazo me bastó para que me confundiera la heterogeneidad absoluta de su procedencia social. Una rubia oxigenada de club nocturno con generosísimo escote al lado de una morena y tradicional *mamma* siciliana con pañuelo negro en la cabeza; un exuberante muchachuelo de catorce años junto a un jornalero con camisa de dril; un hombre melancólico, con gafas, probablemente periodista o intelectual, entre un obrero fornido y un comerciante macilento de bigote poblado; dos individuos que tenían que ser gangsters con sendos trajes de chaqueta cruzada y bigotillo recortado; otro pendón con perlas en el pelo al lado de un probable médico de cabecera de aspecto bondadoso...

Y todos callados como tumbas, mirándonos con el mayor descaro en aquel comedor por lo demás vacío. Todo se había invertido de pronto; nosotros éramos los actores, los sicilianos el público. El menú fue también una sorpresa, ya que era la primera vez que nos ofrecían cordero y oveja en Italia; en Nápoles y Roma no había más que pollo y pescado. El dueño se frotaba las manos con el tradicional ademán de bienvenida, aunque sus ojos cansados manifestaban aún más preocupación que cordialidad. Nos dejó solos y desapareció —iba a decir «entre bastidores»— tras la cortina azul del fondo.

Longhi se puso rojo como la remolacha mientras consultaba el menú y pareció obligarse a no apartar los ojos del mismo. Murmuró entre un par de labios inexpresivos:

—No mires, pero ¿sabes quién está detrás de ti?

—Mussolini.

—No me jodas, te hablo en serio.

—El rey Víctor Manuel. Balzac. Louis B. Mayer.

—Lucky Luciano.

Al igual que casi todos los lectores de periódicos, yo sabía que a Luciano lo habían desterrado a Italia cuando el fiscal general Thomas E. Dewey le acusó de ser jefe de la Mafia, asesino sin escrúpulos y principal responsable de la prostitución organizada, el juego clandestino y otros delitos por el estilo. Conseguir la condena de Luciano, al principio tenida por imposible, había elevado a Dewey a la categoría de figura nacional; y era muy probable que por segunda vez saliese elegido candidato republicano a la presidencia para competir con Truman en las siguientes elecciones. Luciano era el príncipe de los truhanes, el peor, un auténtico demonio con cuernos.

—No pidáis esa porquería.

Oí el acento brooklynés, alcé los ojos y vi que la cara inolvidable, que reconocí por las fotos, le decía al dueño: «Sírvales lo mismo que a mí», tras lo que cogió una silla y se sentó a nuestra mesa y el propietario se alejó contento, como aliviado de la ansiedad, una vez obtenida la autorización de rigor.

—¡Cholly! ¡Mi madre! —Vinny tendió la mano a Luciano (cuyo nombre propio era Charles) como si el honor que ello le reportaba fuese superior a sus fuerzas. Había sudor, sin embargo, en su rostro.

—¿De dónde eres?

—De los Estados Unidos, Cholly.

—¿De qué parte?

—De Brooklyn, Cholly. Soy Vincent Longhi y éste es Miller, un amigo.

No me dedicó más que una inclinación rápida de cabeza, porque saltaba a la vista que yo no era italiano. Quien le interesaba era Longhi, dado que, ante todo, Brooklyn había sido su base de operaciones.* Se me ocurrió entonces que Vinny era sin duda el primer italiano de Brooklyn de cuya llegada a Sicilia no se le había avisado.

—¿De qué parte de Brooklyn?

—Bueno, Cholly, últimamente estoy mucho en Red Hook —dijo Vinny, que rió confianzudo—. En casa, ¿verdad?

—Sí, es cierto. ¿Y a qué te dedicas?

—Soy abogado.

Luciano asintió muy brevemente con la cabeza y se volvió a mí.

—¿Tú eres abogado también?

—No, me dedico a escribir.

—¿En qué periódico?

—No, Cholly, escribe obras dramáticas... para el teatro, ya sabes.

Luciano asintió dubitativo.

—¿Qué tenéis ahí? —Señaló el estuche de cuero en que estaba mi filmadora Kodak de ocho milímetros.

—Mi cámara —dije.

—¿La puedo ver?

Como transmitido por el suelo, noté un calor físico y, al volverme, vi a mi lado a un sujeto que rebasaba el metro ochenta y que se había detenido junto a la filmadora. De la chaqueta le sobresalía una pistola enor-

---

* La imagen del original no es militar, sino deportiva: *home base*, es decir, «base» (de béisbol). (N. del T.)

me, probablemente un calibre treinta y ocho. No quitaba los ojos de la caja, que abrí en aquel instante para sacar la filmadora. Me la quitó de las manos en el acto y tras dar media vuelta para que no apuntase al jefe, la abrió, la cerró, me la devolvió y dijo «Gracias».

Al seguirle con la mirada advertí que toda la fila de comensales pegados a la pared había desaparecido sin más, se había desvanecido, evaporado, y sin el menor ruido, sin producir el menor roce con el calzado ni el menor rumor con las sillas. Estábamos solos.

Los resortes de Luciano no se habían aflojado nunca con tanta lentitud; nos dedicó una sonrisa apagada, cortés y normal.

—¿Y qué haces por aquí?

—Un poco de turismo —dije.

Casi se echó a reír ante la broma.

—¿Turismo en *Palermo*?

Mientras el ya tranquilo dueño nos servía la comida, Longhi explicó su plan de visitar a las familias y sus deseos de ser diputado. Al igual que Anastasia, Luciano se tomaba muy en serio aquellas manifestaciones de ambición de los jóvenes italianos, por lo que escuchó con mirada atenta y muchos ademanes de aprobación con la cabeza. Fue el momento en que me percaté de que nunca había visto una cara tan radicalmente dividida en dos partes. El lado derecho estaba como encapotado, chupada la mejilla y caída hacia abajo la comisura de la boca. Era el lado con el que mataba. En el izquierdo, sin embargo, el ojo no era frío en modo alguno, antes bien atento, inteligente e inquisitivo, el ojo social, propio del dentista de la familia. Y llevaba gafas sin montura, típicas de la madurez. Aparte de él, el único hombre que tenía la cara igual de dividida era Lincoln, por lo menos que yo supiera.

—¿A quiénes conoces? —preguntó Luciano a Vinny, que tomó una bocanada de aire y recitó una lista de mafiosos a los que yo estaba seguro no conocía personalmente, pero cuyos nombres estaban escritos en la comunidad con las letras de oro del triunfo. Nuevamente como Anastasia, Luciano se sentía muy ofendido por las injusticias que se le infligían en nombre de la ley, ya que se le había prohibido incluso poner el pie en la Italia continental, por no decir ya visitar su querida Nápoles, donde, según él, se le estaba muriendo una tía de la madre que tenía necesidad de verle por última vez. Insistió en pagarnos la cuenta y soltó sobre la mesa un puñado de dinero sin contarlo («Mierda, si no es más que pasta»), y cuando me puse en pie y dije que continuábamos el pequeño paseo de exploración, se ofreció primero e insistió a continuación en llevarnos de vuelta al hotel, donde en realidad no queríamos estar hasta pasadas unas horas. De modo que improvisé:

—La verdad es que quiero escribir sobre Sicilia y me gustaría dar una vuelta para ver cosas.

—Que no, hombre, que no, que tenemos coche, que os llevamos —insistió, con lo que quedó claro que no nos quería perder de vista todavía.

En aquel instante, el servicial propietario del restaurante descorrió la llave de la puerta principal. No me había dado cuenta de que la hubiese cerrado en algún momento anterior.

—Precioso coche —dije, contemplando con admiración el enorme Lancia deportivo de color verde cuando nos instalamos en él, yo al lado del guardaespaldas al volante, y Vinny y Luciano en el asiento trasero.

—Pero donde se ponga un Chevy que se quiten los demás —dijo. Sentía una nostalgia infinita. Y en aquel cautiverio nos devolvieron al hotel, irritante comedia para mí, aunque no para Vinny, a juzgar por su nerviosa frivolidad.

Me dirigí a recepción, en pos de Vinny, y pedí nuestra llave en el momento en que a Luciano le entregaban la suya.

—¡Tenéis la habitación al lado de la mía! —exclamó con los ojos fijos en los míos. Sólo alcancé a decir que sí, que, según indicaban los números de las respectivas llaves, nuestros cuartos lindaban tabique con tabique. Sin el menor deseo de subir me vi entrando en el ascensor, delante de Luciano y no detrás, pese a que le había cedido el paso, ya que era mayor que yo, y subimos sin cruzar palabra, él con la espalda pegada a la pared del ascensor. Ya ante nuestras respectivas puertas, nos despedimos de él con un ademán, incapaces de decir nada.

Vinny se echó de espaldas en la cama con las manos en la cabeza.

—¡Dios mío, Dios mío! ¡Y en la habitación de al lado, nada menos!

—Me sorprendió aquella preocupación sincera—. ¿Es que no lo entiendes? Podríamos ser del FBI, o de alguna banda interesada en abrirle un agujero en la cabeza...

Si algún peligro había, la verdad es que, en colaboración con la desacostumbrada perfección de la comida, me dio sueño, así que me tumbé y eché una siesta. Vinny siguió hablando un rato, pero al final desistió y se durmió también. Por aquel entonces creía yo en muchísimas cosas, por ejemplo en la protección mágica de un pasaporte estadounidense.

Nos despertó un golpe en la puerta. Vinny se puso en pie y escuchó. Otro golpe. Me miró y tragó saliva. Me eché a reír, se le contagió la risa y se dobló para dar rienda suelta a los espasmos. El tercer golpe le enderezó. Alguien estaba más que decidido a vernos y sabía que estábamos en la habitación, y dicho alguien sólo podía ser Luciano o un mensajero suyo. Vinny abrió la puerta.

Un joven alto de belleza extraordinaria se encontraba en el umbral con un gorro azul de punto, de los que se usan en la marina, cazadora a cuadros muy limpia y botas de campesino.

—*Signor* Longhi —dijo con una sonrisa, emanando autoridad y dominio de sí todo su ser, como un joven para quien estuviese hecho el mundo—. Tengo entendido —dijo al sentarse con nosotros y quitarse el gorro de punto con la confianza indiferente de quien es dueño de todo lo que hay al sur de Roma— que desean ustedes recorrer Sicilia.

—Es verdad —dijo Vinny—, pero nos han dicho que no hay gasolina.

—Luciano era el único que conocía nuestro deseo de recorrer la isla.

—*Hay* gasolina —dijo el joven.

—Pero no tenemos coche y es difícil alquilar...

—*Hay* unos cuantos coches. ¿Cuándo quieren partir?

—Bueno, mañana por la mañana, si es posible.

—Sí, es posible.

—Tenemos dinero, pero no mucho. ¿Sabe cuánto nos costará?

—No, no, no, ustedes son mis invitados. Bueno... a no ser que tengan por ahí tabaco americano.

Teníamos, la verdad sea dicha, y abrimos el equipaje para darle unas cajetillas. Al ver los cuatro cartones, cogió tres y se los puso bajo el brazo. El regalo le halagó la vanidad y tras alguna instigación por parte de Vinny, se puso a contarnos su historia. Tenía los dientes como un rosario de perlas perfectas y unas manos que habrían derribado a un caballo a puñetazos, si bien parecía ágil y ligero, sin estómago, un héroe orgulloso de su al parecer mitificado ascenso en la vida.

Tenía veinticuatro años, pero siendo sólo un adolescente cuando los alemanes habían ocupado el país, se las había arreglado para controlar todo el tráfico de verduras de Palermo «con ayuda de los campesinos», es decir, vigilando las vías de acceso a la ciudad con sus fusileros del campo. Durante el último año de ocupación controlaba hasta tal extremo los depósitos de gasolina de la isla que los alemanes —se rió de aquello con alegría tímida— habían renunciado a combatir contra sus hombres, a los que llamaban bandidos, y accedido a pagarle un impuesto por cada camión cisterna que entraba en los límites de la ciudad. El trato fue totalmente satisfactorio.

Terminó la historia, se levantó, nos dio la mano, nos dio las gracias por los cigarrillos y se marchó.

—No ha dicho su nombre —dije.

Reanudamos el paseo por la ciudad medio derruida y al caer la noche nos dirigimos hacia el único «restaurante y club nocturno» que había; al doblar la esquina casi nos dimos de bruces con un individuo que medía apenas metro y medio, y que llevaba capa negra, boina, bastón y unos bigotazos que metían miedo.

—¡Louie!

—¡Vinny!

Despegándolo del suelo, Vinny besó al enano, que había vivido en Nueva York durante una década cuando allá en los años treinta lo había desterrado Mussolini. Pero por fin estaba de vuelta y se le había elegido para el Senado del Parlamento de Sicilia.

Se le recibió de un modo principesco en el restaurante, donde nos dieron una mesa próxima al escenario. Vinny ardía en deseos de contarle nuestras aventuras al senador. Había pasado un lustro en una cárcel de Mussolini por asuntos políticos y escuchó con lo que tomé por menguante alegría el relato nervioso que hizo Vinny del encuentro aterrador con el auténtico Lucky Luciano y después con el joven misterioso.

En otra mesa próxima al escenario, situada a unos seis metros de nosotros, tomó asiento un grupo de clientes. Una mujer pechugona vagamente conocida, con perlas en el pelo, y —¿sería posible?— Lucky Luciano en compañía de su guardaespaldas. El célebre asesino vio a Vinny y se limitó a saludar ligeramente con la cabeza en el momento de sentarse. Me volví con toda la calma que pude.

—Está aquí —murmuré.

Vinny echó un vistazo y agachó la cabeza.

—¡Dios mío! ¡Va a pensar que le seguimos!

—¿Seguir a quién? —preguntó el senador.

—A Luciano. Es ése de ahí.

El senador pigmeo echó un vistazo hacia la mesa de Luciano, introdujo la mano en el bolsillo interior, sacó un revólver chato de cachas de nácar como si se tratase de una estilográfica y lo dejó en el mantel blanco, junto a su vaso de vino. Sonriendo con desprecio bajo el poblado bigote y con voz lo bastante alta para detener a un taxi, exclamó:

—¿Luciano? ¡A Luciano me lo paso yo por los *huevos*!

Siempre he sido lento de reflejos; en su lugar me posee una reacción negativa que me deja helado y retarda todos mis movimientos. Bajé los ojos hasta el plato y observé con atención el dibujo del perímetro mientras con el rabillo del ojo veía que Luciano, el matón y la de las perlas en el pelo se quedaban igual de helados que yo, que los camareros seguían circulando y que el *maître* conducía con amabilidad a otro grupo hacia una mesa.

Con el revólver en la mesa todavía, el senador nos explicó que la Mafia había matado hacía poco a un buen puñado de comunistas y enlaces socialistas y que le alegraría infinito, como suponía que no ignoraba Luciano, enfrentarse con él allí mismo y en aquel instante. Longhi y yo, huelga decirlo, no encaramos la perspectiva con la misma alegría que él, aunque un buen plato de deliciosos spaghetti y un pescado a la parrilla con salsa picante nos levantó el ánimo y sin duda también a Luciano y su gente.

—Estamos en poder de Luciano —dije cuando nos metimos en la cama—. ¿Qué pasará mañana? ¿Aceptamos el coche?

—A lo mejor nos lo ha retirado —aventuró Vinny, medio esperanzado. Preocupados, pero saturados de buena comida y un vino tinto exquisito, nos quedamos dormidos como troncos a pesar de los tres cartones de tabaco que habíamos despilfarrado.

Al día siguiente por la mañana, tal como se nos había prometido, en la puerta del hotel nos esperaba un pequeño Fiat con chófer. El conductor, un cuarentón deprimido con traje arrugado, sin sombrero y con una corbata verde que parecían haber roído los ratones, sobreentendió en el acto que queríamos recorrer toda la isla y nos pusimos en marcha.

Paraíso montañoso pero falto de agua, Sicilia estaba habitada por una población parca en palabras. Al pasar por las calles y los pegujales la gente nos observaba desde las casas y los campos como si se nos fuera a ejecutar de allí a poco y fuese mejor dejarnos en paz. Vinny, sin embargo, proseguía su alegre búsqueda de familias, soltaba sus breves discursos y tomaba nota del nombre de los vivos y los muertos. Todo era de un cinismo mayúsculo pero también conmovedor a fin de cuentas. Lo cierto era que satisfacía la urgente necesidad de aquellas personas por comunicarse con la otra orilla de un océano que no sólo era de agua sino también de indiferencia hacia su espantosa soledad.

Las mujeres, muchas de ellas jóvenes y fuertes, que al principio nos acogían con suspicacia como a terribles visiones del cielo en un lugar donde pocos eran los extranjeros que llegaban con buenas intenciones, no tardaban en deponer la reticencia y se quedaban religiosamente pendientes de las estimulantes noticias que Vinny les daba acerca de los maridos, los hermanos y los hijos que se encontraban allá en Brooklyn, y a Vinny, por supuesto, le encantaba aquel noble papel.

Me intrigaba la forma en que obteníamos el combustible. Nos acercábamos a una tienda aislada en mitad del campo, con un surtidor cubierto de polvo junto a la carretera, nuestro chófer paraba el motor y se limitaba a esperar en silencio. No había signos de vida durante un rato, pero al final aparecía un hombre y, sin decir palabra, se acercaba a la manguera, la metía en el depósito, accionaba el surtidor con la manivela, ponía el tapón otra vez en su sitio y volvía a la tienda sin recibir una lira ni cambiar palabra. Comenzaba a parecer aquello el pantano de los Artículos Gratis, del que no hay retorno. El conductor, mientras tanto, a pesar de que Vinny le podía entender, seguía sin despegar los labios kilómetro tras kilómetro, hora tras hora. Pero al llegar a Siracusa, ciudad aún parcialmente destruida a causa de la guerra, detuvo el coche, paró el motor, salió, abrió la portezuela y señalando a sus espaldas dijo «*Teatro*».*

Bajé y allí estaban, ciertamente, las ruinas del enorme y antiguo teatro griego, rodeadas por una cerca metálica. Ignoraba por qué se había detenido allí; a no ser que Luciano o el joven bandido se lo hubieran indicado, pensando en mí, el dramaturgo. Bajé las gradas de piedra del amplio y soleado anfiteatro, recubierto de enredadera y cincelado en la roca de la montaña, y accedí al escenario de piedra limitado por un precipicio que caía en vertical hacia el mar y por la bóveda celeste de las alturas. Experimenté algo parecido a la vergüenza al pensar en lo asfixiante y privado de nuestro teatro del presente, empobrecido por una psicología que ya no se relacionaba con los destinos universales. ¿Sería posible que catorce mil personas se sentasen de cara al lugar en que me encontraba yo? Era difícil entender cómo se podía escribir tragedias para multitudes tan numerosas cuando las masas de nuestra época exigían vulgarización casi con exclusividad. Si las obras no formaban parte en realidad de las prácticas religiosas, cuesta imaginar qué era lo que las diferenciaba de la normal vulgaridad de la mayoría de las distracciones humanas. Pese a todo, la sola religión no explica de manera satisfactoria la cualidad eterna de la arquitectura, la escultura, las obras mismas: la tensión inagotable de la escueta línea recta que va de las intenciones al estallido de las consecuencias que al final se cumplen. Era pasmoso pensar que el dominio del pasado sobre el

---

* En italiano en el original. (N. del T.)

presente me insuflase un seguro sentido del orden en aquella colonia griega, en aquella ciudad que sólo había conocido unos cuantos intervalos de paz, en aquella tierra jamás tranquila por la que habían luchado desde el fin de la Edad de Piedra casi todas las tribus europeas, desde el norte de Africa hasta Dinamarca. Y pese a todo, en medio de tanto caos, tanto equilibrio... ¿cómo era posible? ¿Qué había salvado de la desesperación a sus habitantes? ¿Por qué aquellas obras están tan llenas de sol? ¿Conocían igual que nosotros la defraudación de las esperanzas humanas, la muerte de los niños? En la traducción que hizo Ezra Pound del *Ayax*, el angustiado grito final del héroe, «IT ALL COHERES!» [¡Todo es lógico!], afirma de manera triunfal que la vida está justificada, incluso su traición y muerte. ¿Consistía la lógica en el triunfo, en la autoafirmación del sistema y por tanto en el visto bueno de Dios, mientras que nuestro flujo de opciones se limita a aliviar la soledad emprendedora del alma desemparentada, del alma autocombativa? Sin duda había un ruido que jamás se escuchaba en aquel lugar: el aplauso; los espectadores debían de quedarse pasmados, remozados en calidad de hermanos y hermanas del sol y la luna.

Casi diez años después me encontraba en un avión, sentado junto al joven director Peter Brook, que me enseñaba unos recortes de prensa sobre un tema que quería convertir en película: la persecución de Salvatore Giuliano, el terrible bandido de Sicilia, prácticamente por todo el ejército italiano. Al final lo habían matado a tiros en el corral de una casa de pueblo. Giuliano era por entonces una leyenda en toda Europa. Los periodistas no acababan de decidirse sobre si había robado a los ricos para dar a los pobres o si, vulgar forajido, había robado a todo el mundo sin distinción. ¿Era un títere de la Mafia? De ningún modo, al menos en apariencia. ¿Un héroe entonces? Tampoco, le gustaba demasiado derramar sangre. Pero las mujeres, según se decía, le adoraban tanto que debía de tener un encanto verdadero. Pasé una página y vi un generoso primer plano de la cara del muerto. En la granulada instantánea vi con toda claridad a nuestro amigo de la cazadora a cuadros.

Longhi perdió las elecciones, esta vez por abrumadora mayoría: sólo una señal, entre otras muchas, de que el clima político estaba cambiando. También yo estaba embarcado en otra empresa por entonces: el viajante de comercio inundaba los muelles de mi imaginación.

Pero detrás del ojo, semejantes a pinturas paisajísticas, habría siempre imágenes de Italia. En un pueblo del interior de Sicilia, un hermoso y soleado día de invierno vi a una docena de hombres alrededor de un pozo situado en el centro de una polvorienta *piazza*. Tendrían entre veintitantos y treinta y tantos años, eran de complexión fuerte, de manos como azadas y la piel quemada de los campesinos, los albañiles y los leñadores. Nos habíamos detenido en un bar cochambroso para tomar un refresco y nos enteramos de que era costumbre que los hombres se allegasen al pozo a eso del mediodía sólo por si, casualmente, los latifundios de los alrededores necesitaban más mano de obra a aquella hora, y como no tenían otra cosa que hacer, se quedaban allí hasta que se ponía oscuro, momento en que volvían a casa. Siempre con hambre, era su vida lo que ponían en venta, pero lo único que comían era tiempo. La imagen encajó de pronto en el circuito correspondiente y quedó vinculada con la anécdota que Vinny me había contado meses antes a propósito del estibador de Red Hook que había desaparecido después de delatar a unos parientes que habían entrado en el país de manera ilegal. La instantánea siciliana de aquellos parados que con hambre y desesperación se quedaban alrededor del pozo volvía monstruosa la idea de la traición cuando ya se las habían arreglado para huir de aquella lenta agonía al sol. Y, sin saber cómo, la historia de aquellos hombres quedó unida en mi imaginación al teatro de las afueras de Siracusa. Pero no estaba preparado para escribir una obra teatral de aquella índole; todavía no.

El frío del invierno era de lo más crudo al volver a Nueva York. Una tarde, después de arreglar ciertos asuntos en el centro, estaba a punto de entrar en una cálida boca de metro cuando entreví *El testamento del doctor Mabuse* en la cartelera de un cine de la Calle 42. Resolví volver a verla. Era una de aquellas películas que con el paso de los años transcurridos desde que la viese por vez primera había acabado por formar parte de mi propio tejido onírico y con la que estaba tan familiarizado como si la hubiera inventado yo mismo.

A las tres de la tarde aquel cine de segunda estaba casi vacío y ver una película en horas de trabajo seguía siendo oscuramente pecaminoso. Peor aún, había estado barajando ideas y bosquejos preliminares destinados a una obra sobre un viajante de comercio y habría tenido que estar en casa, sentado a la mesa de trabajo. Me encontraba aún en la etapa de tener que convencerme a mí mismo de que era capaz de urdir un arco estructural para la historia de los Loman, pues así llamaba yo a la familia. El nombre se me había ocurrido de pronto una noche en que tomaba notas a vuela pluma, sin persuadirme aún de que aquel plan pudiera ser mi siguiente trabajo. «Loman» me sonaba a realidad, a persona que había vivido de veras, aunque nunca había conocido a nadie apellidado así.

Mientras volvía a ver la antigua cinta de Fritz Lang me sumergí en su asombroso argumento, que fui recordando poco a poco. En París se suceden los incendios, los descarrilamientos, las explosiones, pero el comisario de la Sûreté está desconcertado porque no encuentra ningún motivo para estas catástrofes, que no cree ya accidentales, sino obra de delincuentes. Pero no alcanza a imaginar con qué fin ni con qué provecho. Visita a un psiquiatra eminente, el doctor Mabuse, que dirige una clínica célebre de las afueras de París. Tras escuchar al comisario, el médico le explica que, en efecto, es casi seguro que no se trata de accidentes, aunque será muy difícil dar con los causantes. Pueden ser abogados, funcionarios, amas de casa, mecánicos, personas de todas las clases sociales con algo en común: insatisfacción ante la civilización y deseo puro y simple de destruirla. Siendo psicológico y moral, el provecho es imposible de rastrear. El comisario, interpretado por Otto Wernicke,* actor corpulento del tamaño de Lee J. Cobb (al que por cierto aún no conocía y del que no había oído hablar demasiado), manda a sus hombres que vigilen a las multitudes que se agolpan para contemplar los incendios y otras calamidades. Un joven inspector advierte la presencia de un sujeto que contempla el incendio particularmente macabro de un orfelinato y recuerda que le ha visto en otro incendio. Le sigue por la ciudad y llega a una imprenta de grandes dimensiones, cerrada hasta el día siguiente. La tensión directriz de Lang es visceral hasta un punto casi intolerable cuando el inspector se desliza en la oscuridad por entre las prensas gigantescas, sin perder detalle de los movimientos del sospechoso, que abre una puerta metálica y desaparece. El inspector le sigue, abre la puerta, baja por una escalera metálica y accede a un auditorio subterráneo cuya cuarta parte está llena de hombres y mujeres representativos de las distintas clases de ciudadanos de París, desde el ostentoso negociante al trabajador corriente, pasando por el estudiante y el tendero. No parecen tener ninguna vinculación entre sí y se mantienen aislados, con la vista fija en una cortina que cubre el escenario. De detrás de la misma se oye entonces una voz que con tono tranquilo y más bien comercial da instrucciones a propósito del siguiente objetivo, un hospital de París que hay que dinamitar e incendiar. El inspector se lanza al escenario, aparta la cortina... y deja al descubierto un fonógrafo con un disco en marcha. La persecución ha comenzado.

Entra en un pequeño despacho, cierra la puerta en silencio, enciende la luz, toma asiento y telefonea a su jefe, el comisario interpretado por Wernicke. La cámara toma un primer plano de la faz crispada del joven inspector cuando pega el oído al auricular y murmura: «¿Hola? ¿Hola? ¿Lohmann? ¡Lohmann!». La luz se apaga de pronto y la pantalla se funde en negro antes de que pueda indicar el sitio en que se encuentra. Un plano más tarde lo vemos en una clínica, con bata blanca, sentado en una cama, con la mano en el oído empuñando un auricular inexistente, una expresión de pánico absoluto en la cara y repitiendo: «¿Lohmann? ¿Lohmann? ¿Lohmann?».

Se me heló el espinazo al darme cuenta de dónde había sacado el nombre que tan profundamente había arraigado en mi interior. Habían transcurrido más de cinco años desde que viera la película y si me hubiesen preguntado al respecto, en la vida habría dado con el nombre de aquel comisario de la Sûreté. Años más tarde se me caería el alma a los pies al

---

* Arthur Miller está contando en realidad la versión francesa de la película, algo distinta de la versión alemana (prohibida por Goebbels en 1933), aunque el actor que interpreta el papel del comisario Lohmann en esta última es efectivamente Otto Wernicke (el mismo comisario de *El Vampiro de Dusseldorf*). (N. del T.)

comprobar la seguridad con que algunos comentaristas de *La muerte de un viajante* esbozaban una sonrisita afectada a causa del tosco simbolismo de aquel «Low-man» [hombre vulgar]. Lo que en realidad me evocaba el nombre en cuestión era a un hombre paralizado por el terror que en medio del vacío pedía una ayuda que no llegaría jamás.

La memoria embellece de manera inevitable, obligando a la realidad a remitir, igual que el dolor. Cuando los israelitas en fuga vieron que las aguas volvían a cubrir el fondo del mar que Dios había dejado al descubierto y que ahogaban a los egipcios que les perseguían, se sentaron en la orilla para recuperar el aliento y no tardaron en olvidar los años pasados entre disputas mezquinas y encarnizados odios internos.

Solos ante la serenidad del mar azul, les faltó tiempo para ponerse a contar a los hijos lo maravillosa que había sido la vida, incluso bajo el dominio egipcio, donde por lo menos no se olvidaban de que todos eran hebreos y de que por tanto se tenían que ayudar entre sí y conducirse como seres humanos. No como en aquellos momentos, en que cada cual tenía que cuidar de sí mismo, etc., etc. El cerebro cura el pasado como una herida, cualquier tiempo pretérito fue siempre mejor.

Ya en los años sesenta me llenaba de asombro la tendencia a pensar que a fines de los cuarenta y comienzos de los cincuenta había habido una especie de renacimiento del teatro neoyorquino. Porque si fue así, yo no me enteré. Porque el teatro fue entonces para mí como un templo desnaturalizado por las baratijas del comercio, donde las escasas obras de mérito aparecían las más de las veces por casualidad y por lo general envueltas en el celofán de los hitos populacheros, por ejemplo, un actor o actriz de cine interpretando un primer papel.

Dicho lo cual, conviene que maticemos; porque fue también una época en que el público de los musicales y los entretenimientos ligeros era el mismo que el de las obras ambiciosas, un público que aún no se había dividido, como sucedería a mediados de los cincuenta, en público joven y público viejo, en progre y carca, incluso en izquierda, centro y derecha. El difícil objetivo del dramaturgo era pues complacer, no a una élite de adeptos sensibilizados, sino a un público que representaba, en mayor o menor medida, a toda Norteamérica. Con las entradas a precios asequibles, ello significaba que un autor escribía para sus semejantes, y aunque no fuera éste el caso a nivel estadístico, bastaba para abonar una ilusión que de alguna manera se apoyaba en la realidad. A fin de cuentas no se consideró particularmente atrevido representar en Broadway *The Cocktail Party* de T.S. Eliot o una tragedia griega protagonizada por Laurence Olivier o *La loca de Chaillot* de Giraudoux u otras obras ambiciosas. En realidad se trataba de representaciones con una vida más breve que la morralla, aunque ello era previsible, porque la mayoría del público prefería reír a llorar, prefería ver a un actor golpeado por una porra falsa que por una verdad dolorosa.

El balance de todo ello era que los autores serios podían pensar con razón que se dirigían a todo el crisol estadounidense y que por tanto sus obras, con acogida aparatosa o sin ella, tendían a una experiencia total cuya comprensión no necesitaba especialistas ni élites en el secreto. Pese a ser un espíritu automarginado, O'Neill buscó el aplauso del gran público, y Clifford Odets en no menor medida, y lo mismo todos los poseídos por el prurito de profetizar acerca de Norteamérica, desde Whitman y Melville hasta Dreiser, Hemingway y los demás.

La situación de los dramaturgos europeos era radicalmente distinta, la sociedad estaba ya dividida, sin sutura posible, entre la clase trabajadora y sus aliados, comprometidos con un futuro socialista, y la mentalidad burguesa que propugnaba un arte tranquilizador y los placeres de olvidar lo que sucedía en las calles. (Cuando vi las primeras obras teatrales norteamericanas me pregunté de dónde habían salido los personajes. Todos cuantos yo conocía se afanaban por sobrevivir, pero en escena todo el mundo parecía tener los ingresos misteriosamente asegurados, y aunque las obras tenían que tener alguna relación con el «amor», no había nada en relación con la sexualidad, que era lo único que bullía en Brooklyn, que yo supiese por lo menos.) Una vanguardia estadounidense, en consecuencia, aunque sólo fuese porque el dominio de la sociedad por la clase media era inamovible, no podía echar mano de Brecht, o de Shaw, para el caso, sin más ni más, y esperar que su mensaje rebasara el círculo de la minoría heterodoxa que había entrado en el teatro comulgando ya con sus objetivos. Aquélla no era la forma de cambiar el mundo.

Para ello era necesario que una obra llegase justamente a todos los que aceptaban las cosas tal como estaban; gran teatro supone grandes planteamientos o nada en absoluto salvo la técnica. Yo no concebía que un teatro pudiera ser válido si no quería cambiar el mundo, no más que el científico creativo que pudiera tener el deseo de demostrar la validez de todo lo que ya se conoce. Sólo había un autor que tuviera el mismo enfoque que yo, aunque rodease su obra de una aureola del todo distinta. Era Tennessee Williams.

Aunque sólo fuese porque apareció en un momento en que no se podía admitir, bajo ningún concepto, que una figura pública fuese homosexual, Williams tuvo que circular por reductos culturales minoritarios y comprendió mejor que nadie que, si se ponía en contra suya, la mayoría podía representar un peligro insoslayable. Yo vivía, en buena medida, con la misma sensación de extrañamiento, aunque por otros motivos. A decir verdad, jamás le consideré el esteta consagrado que él creía ser. Hay una política radical del alma tanto como de las urnas y los piquetes. Si Williams no era un activista, no era porque le faltasen deseos de justicia, como tampoco consideraba el teatro comprometido hasta la médula con la sociedad y la política, venerable tradición remontable hasta los griegos, ni antiestético ni al margen de sus intereses.

El teatro auténtico —opuesto al académicamente elitista— hurga siempre en la llaga de la inercia propia de una sociedad que siempre quiere negar los cambios y el sufrimiento que éstos implican necesariamente. Pero es con este esfuerzo con el que se desarrolla la musculatura de la obra importante. En otro momento, tal vez quince años más tarde, en los años sesenta, es posible que Williams hubiera tenido que tratar con un público que habría mitigado sus exigencias y creado un entorno sectario de apoyo, y pienso que ello habría limitado el aliento de sus obras y su intensidad. En resumen, no hubo renacimiento en la Norteamérica de los años cuarenta, aunque sí se dio algún equilibrio con el público —equilibrio, podría decirse, entre los heterodoxos y los conformistas— que prestó apoyo suficiente al grito desnudo del corazón y, al mismo tiempo, opuso la resistencia sobrante para obligarle a adoptar una retórica a la vez comprensible por todos y fiel reflejo de las tensiones que habían forzado al autor a tomar la palabra.

Cuando Kazan me invitó a ir a New Haven para ver la nueva obra de Williams, *Un tranvía llamado deseo* —se me antojó un título demasiado chillón, para llamar la atención—, yo experimentaba ya cierta curiosidad envidiosa, dado que aún no era capaz de abordar la obra sobre el viajante de comercio, alrededor de la cual seguía dando vueltas y olfateando con suspicacia. Pero al mismo tiempo deseaba que el *Tranvía* fuese una obra buena; no porque yo fuera un espíritu de ideas elevadas, sino, sencillamente, porque compartía la hipótesis, corriente en la época, de que cuantas más obras interesantes se representaran en Broodway, tanto mejor nos iría a cada uno de nosotros. En la imaginación cuando menos, aún quedaba algo próximo a una cultura teatral a la que con mayor o menor orgullo pertenecíamos y, cuanto más alto se elevase, de más gloria disfrutaríamos. El rey del lugar era entonces el dramaturgo, no el actor famoso o el director brillante, y desde luego que no el promotor o el propietario del teatro, como sucedería tiempo después. (En una reciente entrega televisada del Premio Tony, que se concede en reconocimiento al mérito teatral, no apareció ante el público ni un solo dramaturgo, mientras que dos abogados que dirigían una cadena de teatros recibieron el aplauso general. Me recordó a Calígula cuando nombró senador a su caballo.)

El *Tranvía* —en particular cuando aún era reciente y los actores estaban casi tan sorprendidos como el público ante la vitalidad de la experiencia— me abrió una puerta muy concreta. No fue el argumento ni los personajes ni la dirección, sino las palabras y su liberación, el gozo del autor al escribirlas, la radiante elocuencia de su composición, lo que me conmovió más que todo su pathos. Me tendió un puente hasta Europa, hasta la interpretación de Jouvet en *Ondina*, hasta la entera tradición del desvergonzado júbilo verbal que, con la salvedad de Odets, o habíamos ignorado o, como Maxwell Anderson, sólo habíamos empleado de manera arcaizante, como si la elocuencia sólo se pudiera justificar arropada por el romanticismo sentimental.

Al volver a Nueva York me sentía lleno de vértigo, en movimiento por fin. Con el *Tranvía*, Tennessee nos había dado licencia para hablar a discreción, y esta licencia contribuyó a darme ánimos cuando me centré en Willy Loman, viajante siempre pletórico de palabras o, mejor dicho, hombre incapaz, como Adán, de contener el deseo de darse nombre a sí mismo y a las maravillas del mundo. Yo había sabido desde el comienzo que esta obra no se podría medir según el realismo convencional y por un motivo integral: el pasado está tan vivo para Willy como lo que sucede en el presente y en ocasiones irrumpe con tanta vehemencia que le domina por completo. Yo quería justamente la misma fluidez en la forma y en aquel momento tenía ya claro que ésta tenía que ser ante todo verbal. El lenguaje, desde luego, tendría que ser en principio identificablemente suyo, si bien a la sazón se me antojaba ya plausible infiltrar en él una especie de supraconciencia. La obra, al fin y al cabo, hablaba de los esfuerzos de sus hijos, de su mujer y del mismo Willy por comprender lo que le arrebataba la vida. Y comprender significaba insuflar en la experiencia un lenguaje de apremio, sin trabas, abierto, y no recurrir a las insinuaciones indescifrables y los expedientes dramáticos de lo «natural». Si bien la estructura tenía que reflejar la psicología del modo más directo posible, se trataba empero de una psicología encorsetada y deformada por la sociedad, la vida laboral que Willy había llevado y en la que había creído. La obra podría reproducir así lo que siempre había intuido eran el hombre y la sociedad, un tejido inconsútil, una sola unidad en vez de dos.

Hacia abril de 1948 me pareció que podía dar con una forma de aquella índole, aunque tendría que discurrir, en mi opinión, en un solo escenario, en el curso de una noche o de un día, sin que yo supiese por qué. Una mañana dejé de tomar notas en nuestra casa de Grace Court, en Brooklyn Heigths, y me fui solo a la casa de campo que habíamos comprado el año anterior. Habíamos pasado un verano en aquella vieja granja modernizada por el anterior propietario, un fabricante de tarjetas de visita llamado Philip Jaffe que, a modo de empleo secundario, editaba una pequeña revista para sinólogos llamada *Amerasia*. Mary era una de sus secretarias y gracias a ello nos enteramos de que quería vender la finca. Un par de años después lo procesarían por publicar sin autorización algunos documentos del Ministerio de Asuntos Exteriores firmados por John Stewart Service y otros sinólogos que consideraban inevitable la victoria de Mao y advertían de la inutilidad de que los Estados Unidos siguiesen apoyando a su predilecto, Chang Kai-Chek. *Amerasia* había sido una publicación nada rentable, surgida en parte del deseo de Jaffe de ocupar un lugar en la historia, pero que se enfrentó a los grupos chinos de presión y su creciente violencia contra cualquier opinión que cuestionase las excelencias de las fuerzas de Chang. En el curso del proceso, el fiscal presentó conversaciones escritas que, según Jaffe, sólo se habían podido obtener con micrófonos de largo alcance mientras él y sus amigos paseaban por los solitarios caminos próximos a su casa de campo. Service fue uno de los muchos expulsados del Ministerio de Asuntos Exteriores, que siguió ideológicamente puro pero ciego a la realidad china.

Todo esto, sin embargo, lo tenía muy lejos del pensamiento aquel día;

lo que yo buscaba en mi parcela era un lugar donde construir una cabaña, donde impedir la entrada del mundo y concentrarme en lo que aún me bailoteaba en el rabillo del ojo. En el bosque, no muy lejos, di con un altozano, y luego volví a la ciudad, donde en vez de trabajar en la obra de teatro me puse a elaborar proyectos arquitectónicos, materia sobre la que, la verdad sea dicha, tenía vaguísimos conocimientos y ninguna experiencia.

Un par de carpinteros habría construido en dos días a lo sumo aquella cabaña de tres metros por cuatro pero, por motivos que aún sigo sin entender, tenían que ser mis propias manos las que le diesen forma, en aquel terreno, con un suelo que yo hubiese fabricado y sobre el que me instalaría para emprender la arriesgada expedición hacia mí mismo. En realidad, no tenía más que las dos primeras intervenciones y una muerte: «¡Willy!» y «Sí, soy yo. Acabo de llegar». No me atrevía ni quería ir más allá mientras no pudiese instalarme en el estudio terminado, cuatro paredes, dos ventanas, un suelo, un techo y una puerta.

«Sí, soy yo. Acabo de llegar» me estuvo dando vueltas en la cabeza mientras me estrujaba el cerebro para averiguar cómo ensamblaría en el aire y sin ayuda las vigas del techo, hasta que al final las ensamblé en el suelo y las aseguré a base de martillo y clavos. Cuando cerré el techo, fue un milagro, como si hubiera domeñado la lluvia y enfriado el sol. Y todo el tiempo temeroso de que jamás pudiese ir más allá de aquellas dos primeras intervenciones teatrales. Me puse a escribir una mañana: el pequeño estudio estaba aún sin pintar, olía a madera recién cortada y a serrín, y los paquetes de clavos estaban aún amontonados con las herramientas en un rincón. El sol de abril había tropezado con vidrios en las ventanas y la flor del manzano silvestre despuntaba sus primeros pétalos azul cielo. Escribí todo el día hasta que oscureció y cuando hube cenado volví a sentarme a la mesa y seguí escribiendo hasta la madrugada, entre la medianoche y las cuatro. Me había saltado los pasajes que sabía que no me plantearían problemas e ido directamente a los que tenían que sostener el edificio. A la mañana siguiente tenía ya terminada la primera parte, el primero de los dos actos. Cuando me eché a dormir me di cuenta de que había estado llorando: los ojos me ardían aún y me dolía la garganta de tanto hablar en voz alta, gritar y reír. Al despertar estaba entumecido, con tantas agujetas como si hubiera estado cuatro horas jugando al rugby o al tenis y tuviese que afrontar a continuación otro partido. Tardaría unas seis semanas en terminar el Acto II.

La risa me la producía sobre todo el que Willy se contradijese de modo tan palmario, y la risa me condujo al título una tarde. La muerte del arzobispo, el cuarteto La muerte y la doncella —siempre fue austera y elevada la muerte en los títulos. Ahora la iba a reclamar para sí un bromista, un tráfago de contradicciones, un payaso, y había algo divertido en ello, algo semejante a un coscorrón furtivo también. Sí, y en algún apartado rincón de mi cabeza posiblemente algo político; flotaba en el aire el olorcillo de un Imperio Norteamericano en ciernes, así fuera sólo porque, como yo mismo había presenciado, Europa agonizase o estuviese ya muerta, y yo quería poner el cadáver de un creyente a los pies de los nuevos caudillos y los reyes alegres y confiados. La noche del estreno, una mujer cuyo nombre callo se sintió ofendida y la calificó de «bomba de relojería bajo el capitalismo americano»; deseaba que así fuese, por lo menos que estuviera bajo la bazofia del capitalismo, de esta pseudovida que aspiraba a tocar las nubes encaramándose en un frigorífico y a saludar a la luna con el recibo del último plazo de la hipoteca, victoriosa por fin.

Treinta y cinco años después, la reacción china ante la puesta en escena de Pekín confirmaría sin embargo lo que había venido manifestándose de manera creciente a lo largo de los cientos de montajes que experimentaría *La muerte de un viajante* en todo el mundo: Willy era un personaje representativo de todos nosotros en la actualidad, en todas partes y en todos los sistemas. Podrían desaprobar los chinos sus mentiras y sus exageraciones autoengañosas, así como su inmoralidad con las mujeres, pero se reconocían en él sin lugar a dudas. Y no simplemente en calidad de tipo, sino a causa de lo que ambicionaba. Que era sobresalir, salir del anonimato y la insignificancia, amar y ser amado, y sobre todo, acaso, *valer*. Cuando exclama: «¡Yo no soy un cualquiera! *¡Soy Willy Loman y tú eres Biff Loman!*», el grito es casi un pronunciamiento revolucionario después de treinta y cuatro años de uniformidad (la obra discurre en la misma época que la revolución china). Yo no sabía que en 1948, en Connecticut, estaba enviando un mensaje de resurgente individualismo a la China de 1983, en particular cuando la revolución había significado, como pareció en la época, el esperadísimo imperio de la razón y el fin histórico del egocentrismo caótico y la exaltación egoísta. Bueno, sí. No había tenido en cuenta al joven estudiante chino que en el vestíbulo del teatro dijo a un entrevistador de la CBS: «Nos conmueve porque también nosotros queremos ser el número uno, y ser ricos, y triunfar». ¿Qué es esto sino improvisación humana, que sigue escapando a las redes de la no-libertad?

Tras enviar el borrador a Kazan me pasé dos días pendiente del teléfono. Al final del segundo día de silencio habría aceptado gustoso que me llamara para decirme que era un cajón de sastre, un desbarajuste tan impenetrable como irrepresentable. Cuando al final me llamó, su voz tenía un timbre alarmantemente sombrío.

—He leído la obra —dijo tanteando, como si buscase la forma de darme una mala noticia—. Santo cielo, es muy triste.

—Es como tenía que ser.

—Acabo de terminarla. No sé qué decirte. Mi padre... —Se interrumpió, primero de los muchos hombres (y mujeres) eminentes que me dirían que Willy era su padre. Yo pensaba aún que me estaba dorando la inminente píldora—. Es una obra genial, Artie. Quiero representarla en otoño o invierno. Voy a ponerme a pensar en el reparto. —Hablaba como si acabara de morir un conocido común y yo rebosaba de felicidad. Así es el arte.

Después de varios meses podría volver a ver a mi familia con normalidad. Según su costumbre, Mary acogió la gran noticia con orgullo sereno, como si pensara que una mayor efusividad me perjudicaría, aunque yo pensaba también que seguiría siendo un ciudadano corriente, incluso anónimo (aunque le había echado el ojo al nuevo Studebaker descapotable, el modelo de Raymond Lowey que era el coche norteamericano más hermoso de la época, y me lo compré en cuanto se estrenó la obra). La madre de Mary, sin embargo, que pasaba aquella semana con nosotros, se quedó estupefacta. «¿*Otra* obra de teatro?», dijo, como si el éxito de *Todos eran mis hijos* bastase para toda una vida. Había sido sin saberlo cómplice mía en la forja de esta última al ponerse a chismorrear acerca de una chica de Ohio que había delatado a su padre ante el FBI por haber fabricado piezas de avión defectuosas durante la guerra.

No obstante, ¿quién financiaría el *Viajante*? Kazan y yo bajábamos por Broadway tras haber paseado y charlado en el parque a propósito del estilo que necesitaría la puesta en escena. La sociedad que había formado Kazan con Harold Clurman se había roto recientemente y yo no conocía a ningún promotor. Mencionó a Cheryl Crawford, a la que yo apenas conocía, y a Kermit Bloomgarden, contable metido a empresario teatral y al que había visto por última vez quemándose las cejas sobre el libro mayor de Herman Shumlin hacía un par de años, cuando Shumlin me rechazara *Todos eran mis hijos*. Jamás había visto sonreír a Bloomgarden, pero había trabajado para el Group Theatre y Kazan le conocía, y fuera porque nos detuvimos por casualidad muy cerca de su trabajo, fuera por otra cosa, el caso es que dijo: «Bueno, subamos a saludarle». Cuando estuvimos ante su escritorio y Kazan le dijo que quería que leyese una obra teatral mía, Bloomgarden esbozó una reticente versión de sonrisa o cuando menos el atisbo de la que pensaba esbozar la semana siguiente.

Esta caprichosa transformación de la vida de una persona me recuerda otro paseo con Kazan por la parte alta de la ciudad tras salir del garaje de la Calle 26 en que había dejado el viejo Pontiac para que se lo reparasen. Comenzó a preguntarse en voz alta a quién podría pedir que se hiciera cargo de una nueva academia de arte dramático que se iba a llamar Actors Studio y que iban a fundar entre él, Clurman, Robert Lewis y Cheryl Crawford. Ninguno de los fundadores estaba preparado para dirigir el centro, Kazan, Clurman y Lewis por estar demasiado ocupados con su prometedor trabajo de dirección, y Cheryl por dedicarse a la gestión administrativa. «Creo que el individuo más indicado es Lee Strasberg. La verdad es que dispone de tiempo.» En su momento, Strasberg no sólo fue director del Actors Studio sino también su corazón y su alma, y, para el público en general, también el fundador. Así pues, obtuvo trabajo en la empresa por haber estado en paro en el momento oportuno. Aunque esta circunstancia, si a ello vamos, es una manera tan buena como cualquier otra para salir disparado hacia la gloria mundana.

Willy, en mi opinión, tenía que ser bajo, y no tardamos en advertir que Roman Bohnen, Ernest Truex y otros buenos actores parecían carecer de la talla del personaje, aunque la dieran en lo tocante al físico. Se había enviado el texto a Lee Cobb, actor a quien veía en el recuerdo como una masa colosal envuelta en una toalla en el interior de los baños turcos de una obra de teatro de Irwin Shaw, y con las graciosas exclamaciones de pesar del comerciante zaherido. Tras volar por todo el país con el bimotor de su propiedad, tomó asiento delante de mí en el despacho de Bloomgarden y me dijo: «Es el papel que andaba buscando. Nadie más podrá interpretarlo. Conozco al hombre». Y pareció ser de veras el actor indicado cuando un poco más tarde, en la cafetería de la planta baja, se quedó mirando a la joven camarera y le sonrió de modo encantador como si fuese obligatorio conquistar sus favores para después inducirle a que le sirviera el emparedado de pavo y el café, antes de hacer efectivos los pedidos restantes y sólo después de dar un beso de pasión al pepinillo en vinagre.

Aunque confiaba en su experiencia y en la de Kazan, no estaba en absoluto convencido en lo que a él respectaba, hasta que una noche, en la salita de nuestra casa de Grace Court, se quedó mirando a mi hijo Bob, que estaba en el suelo, y le oí reír por algo gracioso que el pequeño había dicho. La tristeza que había en aquella risa me conmovió; era muy deprimente y a la vez gozosa, y fluía con un timbre barítono alegremente aflautado. Que un hombre tan grande y elegante fingiera sentirse a gusto en un mundo en que evidentemente no encajaba podía resultar enternecedor.

«¿Sabes? Bueno, a lo mejor lo sabes», me dijo un día en el despacho de Bloomgarden una semana antes de comenzar los ensayos, «pero creo que esta obra va a hacer época. El teatro norteamericano ya no volverá a ser el mismo.» Sólo pude tragar saliva, asentir en silencio ante la predicción —que temí augurase una interpretación solemne— y esperar que, de la manera que fuese, se las apañara para insuflar vida en Willy.

Pero cuando comenzaron los ensayos en el pequeño teatro, que cada tanto se cerraba, del desván lleno de ratas del New Amsterdam, en la Calle 42, donde Ziegfield había representado algunos espectáculos privados en los años veinte, Lee parecía en trance, como un bisonte drogado, murmuraba los parlamentos, se mudaba de sitio como si los pies le pesaran un quintal y se conducía como un hombre que hubiese recibido un golpe en la cabeza. «Se está adaptando», me dijo Kazan tres o cuatro días después con voz intranquila. Pasó una semana, luego diez días y lo único que salía de la garganta de Lee Cobb era un murmullo agitado. Los demás actores ajustaban ya el respectivo tono de interpretación, pero cuando Lee tenía que decirles algo, el ritmo de todos ellos se volvía lento hasta bordear el infarto. Kazan no estaba ya tan seguro y hablaba continuamente con él para despertarle un poco de garra. Lee tampoco daba ninguna explicación y yo me preguntaba si de veras tenía la intención de interpretar el papel como hombre que tuviese un pie en la tumba. Kazan y yo comenzamos a llamarle «la Morsa» en privado.

Más o menos el duodécimo día por la tarde, mientras Eddie Kook, el electricista, Jimmy Proctor, el agente de prensa, Kazan y yo estábamos sentados en la platea, Lee, como de costumbre, se levantó de la silla del dormitorio, se volvió a Mildred Dunnock, balbució: «No, ahora hay más gente... ¡Hay más gente!», y al gesticular hacia el desnudo decorado donde figuraba que había una ventana, hizo que en la cabeza se me representase un bloque de viviendas, y el aire, lleno antaño de los aromas de la tierra, se pobló del olor rancio de las cocinas, y comenzó a moverse con miedo, con un realismo tan siniestro que sentí en el pecho un peso insoportable. Al cabo de unos minutos, mientras la escena continuaba, miré en derredor para ver si los demás habían reaccionado del mismo modo. Jim Proctor tenía la cabeza gacha, apoyada en las manos, y lloraba; Eddie Kook parecía aturdido, casi conmocionado, y las lágrimas le arrasaban las mejillas; Kazan, que estaba a mis espaldas, sonreía como un demonio con las manos en las sienes; y supimos que lo habíamos conseguido; en el aire del teatro vacío vibraba una inconfundible corriente vital, la corriente del dolor y las quejas de Willy. También yo me eché a llorar al llegar a un pasaje que no era particularmente triste, y creo que fue porque me sentía orgulloso de nuestro arte, de la capacidad mágica de Lee para imaginar, para concentrar en sí cada partícula de vida desde el Génesis y para dejarla salir al exterior. Era igual que un gigante que estuviera poniendo en su sitio las Montañas Rocosas.

Al terminar el acto, Del Hughes, nuestro afectuoso, práctico, entregado y competente escenógrafo, salió de entre bastidores y se nos quedó mirando. Sus ojos asombrados hicieron que todos nos echáramos a reír. Subí corriendo y di un beso a Lee, que fingió sorprenderse. «Pero ¿qué esperabas, Arthur?», dijo, con los ojos llenos de lúdica vanidad. Dios mío, me dije, ¡es Willy de verdad! Ya en el metro, camino de Brooklyn y de casa, volví a sentir la tensión dolorosa de los músculos que la interpretación había crispado igual que en el momento de escribir la obra. Y cuando pensé en ello más tarde, me dio la sensación de que los prolongados titubeos de Lee a propósito del papel resumían lo que había hecho yo en los meses precedentes a la osadía de ponerme a escribir.

El montaje entero, en mi opinión, fue insólito en comparación con el espíritu abierto con que todo artista comprometido busca sus verdades. Fue un experimentar con ideas a diario, casi minuto a minuto. Había muchos detalles en la obra que no se habían visto anteriormente en el teatro y la circunstancia aportó un calor desacostumbrado a los encuentros y discusiones sobre lo que el público entendería o no entendería. El escenario que yo había imaginado constaba de tres niveles distintos y el mínimo de moblaje necesario para decorar una cocina y dos dormitorios, porque la habitación del hotel bostoniano y el despacho de Howard conjugarían espacios abiertos. Jo Mielziner se hizo cargo de los niveles y diseñó a su alrededor un entorno romántico y de ensueño, y al mismo tiempo de clase media baja. En una palabra, el escenario era emblema de la profunda añoranza de Willy respecto a las promesas del pretérito, con las que su presente estado de ánimo se encuentra siempre en conflicto, por lo que el diseño era a la vez lírico y dramático. El único error notable de su concepción inicial fue instalar un termo de gas en la cocina, símbolo de amenaza que a mí se me antojó redundante y que Kazan acabó por suprimir por considerar que ponía en peligro toda su puesta en escena. Al mantenerse no obstante en equilibrio al filo de los límites corrientes de la verosimilitud, Jo dilataba la realidad de acuerdo con el texto, que es lo que también hizo Kazan al contrapuntear el ritmo verbal de los actores. Hizo que Mildred Dunnock recitara sus largos parlamentos a los hijos durante el primer acto a una velocidad doble de lo que era normal en ella, a continuación la duplicó y al final la actriz —profesora de declamación hasta hace poco— tuvo que disparar las palabras tan aprisa como su capacitadísima lengua podía. Kazan la fue relajando poco a poco, pero los ensayos acabaron por ponerla rígida como una escoba y su interpretación de Linda se caracterizó por las quejas y el sentido de la ofensa y no por la autocompasión y la simple perplejidad. Del mismo modo, para subrayar la vida interior del argumento, la velocidad verbal de ciertas escenas o ciertos pasajes se aceleró o dilató de manera antinaturalista.

Mi único momento de pánico se dio en relación con la culminante pelea del restaurante entre Willy y sus hijos, cuando todo amenaza con venirse abajo. Yo había escrito una escena en que Biff decide contar a Willy que el antiguo jefe al que Biff había pensado pedir dinero para emprender un negocio se ha negado incluso a verle y ni siquiera recuerda que había trabajado en la casa años atrás. Pero al encontrarse con el hermano y el padre en el restaurante, se da cuenta de que la tensión psicológica de Willy no va a soportar toda la verdad catastrófica y adorna la mala noticia. La escena, tal como se escribió originalmente, estaba tan llena de matices y gradaciones relativos a la veracidad que Arthur Kennedy, ciudadano realmente inteligente, tuvo dificultades a la hora de pasar de una verdad a una media verdad, de una verdad a medias a un tercio de verdad, y de aquí a la verdad total, todo ello enunciado en tiradas muy breves y rápidas. Los tres actores, con Kazan al lado, tuvieron que repetir la escena a lo largo de toda una jornada y aun así quedó coja. «No sé cómo hacerla funcionar», me dijo Kazan cuando salimos del teatro aquella noche. «¿Por qué no la simplificas un poco?» Me fui a casa, trabajé toda la noche y elaboré otra escena, que quedó mucho mejor y fue la que al final se representó.

Hubo otros cambios, aunque mínimos, y fue un placer hacerlos porque suponían añadir frases y no suprimirlas o modificarlas. En el Acto I, Willy está solo en la cocina, murmurando para sí, y a medida que el recuerdo se apodera de él, la luz se intensifica, el exterior de la casa se recubre de sombras de hojas, como si fuesen otros tiempos, y los hijos le llaman con voz juvenil y aparecen en escena con el aspecto que tenían de adolescentes. Pese a todo, no había tiempo suficiente para que bajasen de la cama a oscuras en los montacargas especialmente construidos y terminaran de quitarse el pijama para ponerse el jersey, los pantalones y las zapatillas de deporte, así que tuve que añadírselo al monólogo de Willy.

Pero fue fácil porque le gustaba hablar para sí sobre sus hijos y lo que ambicionaba para ellos.

La irrupción y desaparición del presente no tenía que ser sólo indicativa, sino toda una transformación tangible que el público sintiera y al mismo tiempo comprendiese y acabase por temer mientras la insistencia del recuerdo amenaza con aproximar a Willy a su final. La iluminación fue pues de importancia capital, y Mielziner, que se encargaba de la iluminación general, trabajó durante toda una tarde en compañía de Eddie Kook para iluminar una silla.

Willy ha sufrido varios accesos de ira en el despacho de su jefe y Howard ha desaparecido, dejándole solo. Se dirige a la silla del despacho, que antaño ocupara el padre de Howard, Frank, que había prometido a Willy algunas acciones de la compañía en señal de recompensa por sus buenos servicios; al hacerlo, la silla tiene que cobrar vida, como si aún estuviese en ella el antiguo jefe mientras le dice: «Frank, Frank, ¿no te acuerdas de lo que me dijiste...?». Más que estar iluminada, la silla, sutilmente, parecía emanar luz. Pero no se trataba de un simple ejercicio de magia teatral; indicaba que nos habíamos introducido en el circuito de fracasos de Willy, que veíamos el mundo como lo veía él al tiempo que guardábamos una distancia crítica y lo mirábamos con nuestros propios ojos.

Para que la silla destacara y el cambio de iluminación funcionase, todas las luces en derredor tenían que apagarse un poco sin que se advirtiera. Fue entonces cuando Eddie Kook, que se había aficionado tanto a trabajar en la obra que su Century Lighting Company casi había interrumpido las actividades, se dirigió a mí y me dijo: «¿No querías saber por qué necesitamos tantas luces? [Utilizábamos más que la mayoría de las comedias musicales.] El motivo lo tienes ante tus propias narices: para que un escenario se oscurezca hay que emplear más luces». Con menos luces, los actores habrían tenido que recibir una cantidad de luz llamativamente menor que si hubiese muchas, caso en que bastaba con reducirla un poco para crear el cambio sin que se viese el origen o el mecanismo.

El *Viajante* se representó por primera vez con público en el teatro de la Calle Locust de Filadelfia. Enfrente mismo, la Filarmónica de Filadelfia interpretaba la Séptima de Beethoven y Kazan creyó oportuno que Cobb asistiese un rato al concierto, con ánimo, imagino, de preparar al gigante del que dependían todas nuestras esperanzas. Los tres estábamos confabulados para que todos y cada uno de los instantes de todas y cada una de las escenas concordasen linealmente entre sí; sabíamos ya que el papel de Willy se contaba entre los más largos de la literatura teatral y Lee mostraba indicios de cansancio. Nos instalamos en un palco, uno a cada lado de él, invitándole, por decirlo así, a beber el heroísmo de la música, a sumirse sin titubeos en el papel aquella noche. Nos considerábamos, sin embargo, una especie de prolongación de un pasado duradero e inmortal.

Como sucedería en ocasiones mientras estuvo en cartel, no hubo aplausos cuando cayó el telón al final de la primera representación. Cosas extrañas comenzaron a ocurrir entre el público. Al caer el telón, unos se levantaron, se pusieron el abrigo y volvieron a sentarse, otros, hombres principalmente, se habían inclinado con la cara entre las manos y los restantes lloraban a la vista de todos. Se cruzaba el teatro de parte a parte para quedarse luego hablando tranquilamente. Pareció transcurrir una eternidad antes de que a ninguno se le ocurriese aplaudir, pero cuando estallaron los aplausos, fueron interminables. Yo estaba en el fondo y vi a un anciano de porte elegante al que conducían por el pasillo; hablaba emocionado al oído de quien parecía su secretario o ayudante. Era, según supe después, Bernard Gimbel, director de la cadena de grandes almacenes, y aquella noche dio orden de que no se despidiese a nadie de sus almacenes por exceso de edad.

Comenzó entonces el desfile de los miembros del cotarro teatral neoyorquino que estaban de visita para ver las cosas con sus propios ojos, aunque sólo me acuerdo de Kurt Weill y su mujer, Lotte Lenya, que habían acudido con Mab, la esposa de Maxwell Anderson. Tomamos un café en un bar, Weill no hizo más que cabecear y mirarme con fijeza, y Mab dijo: «Es la mejor obra de teatro que se ha escrito», cosa que me atrevo a reproducir aquí porque se repetiría a menudo en los meses siguientes y comenzaría a transformar mi vida.

De la noche del estreno neoyorquino hay dos cosas que recuerdo de manera descollante. Kazan y yo nos encontrábamos al fondo del entrañable Morosco, hace tiempo destruido por la avaricia de los especuladores del suelo y la indiferencia del ayuntamiento, sentados en las escaleras que conducían al paraíso, y Lee decía: «Tuvo, por cierto, una muerte de viajante de comercio...». Todo había ido de maravilla, pero yo estaba al borde del agotamiento porque recitaba por dentro todos los papeles mientras miraba, y de pronto oí: «...en el vagón de fumadores del rápido de Nueva York, New Haven y Hayven».* Es indudable que el público habría tenido que estallar en carcajadas, pero nadie lo hizo. Y al final se creó el mismo clima de fascinación que en Filadelfia, y entre bastidores reinó la misma euforia que yo había acabado por esperar. Un tropel de entusiastas llenaba los pasillos que conducían a los camerinos. Por vez primera se dejaban ver estrellas de cine con motivo de la representación de una obra mía, pero como mi rostro era aún desconocido me pude quedar en un rincón para ver sin ser visto: Lucille Ball y Desi Arnaz, Fredric y Florence March, y más caras y nombres que he olvidado hace tiempo, me decían con su presencia que yo estaba ya metido hasta el cuello en el mundo del espectáculo, sensación paradójicamente incómoda, dicho sea de paso, porque era demasiado material y real para tener mucho que ver con algo resumible en aire y murmullos.

Al final, cuando subí al escenario, donde deseaba encontrar un sitio

---

* El original inglés de *La muerte de un viajante* dice: «...Nueva York, New Haven y Hartford». Este pasaje, por cierto, como algunos otros de traducción difícil, no consta en la «adaptación escénica» que acometiera el académico José López Rubio en los años cincuenta (reeditada por Ediciones MK, Madrid, 1983). (N. del T.)

para tomar asiento y descansar, vi, como en un glorioso delirio de triunfos y recompensas, a tres camareros que con lujosa chaquetilla carmesí de Louis Sherry preparaban bandejas y cubiertos en una mesa de banquete prodigiosamente larga que abarcaba casi la anchura total del escenario. Sobre el blanco mantel de lino había fuentes y bandejas enormes con ternera, pollo y pescado, mezcladas con cubos de hielo y champagne. ¿A quién se le habría ocurrido? ¡Qué gloriosa culminación para una velada triunfal! Previendo el jubiloso mareo del champagne frío, cogí una copa reluciente cuando se me acercó un camarero y con tajante corrección me informó que el señor Dowling había encargado aquella cena para una celebración privada. Robert Dowling, cuya City Investing Company poseía el Morosco junto con otros teatros de Broadway, era un sujeto jovial que frisaba en los sesenta y que había rodeado nadando la isla de Manhattan, hazaña que parecía conmemorar poniéndose muy tieso y con el pecho hinchado. Me gustaban su infantilismo y sus entusiasmos. Comenté que el señor Dowling no iba a negar al autor de la obra una merecidísima copa de vino antes de la cena, pero el camarero, que evidentemente cumplía órdenes, se mostró inflexible. Me quedé sin habla, tenía que tratarse de una broma, pero un poco después, cuando Mary y yo estábamos a punto de marcharnos con los actores y sus amigos, nos detuvimos unos instantes cerca de la salida y vimos con incredulidad casi histérica que la elegante cena de celebración tenía lugar, literalmente, en la pardusca casa brooklynesa de Willy Loman, las señoras con emperifollados vestidos de noche, los hombres con smoking, los camareros de aquí para allá con la comida, en medio de un comedido murmullo conversacional propio del salón del Pierre Hotel, y todos, como es lógico, totalmente insensibles al grupo de mirones que formábamos y que no paraba de gastar bromas al respecto. Me recordó esas escenas del cine soviético sobre los últimos e indiferentes días de la corte zarista. Dowling, individuo por lo demás generoso, se estaba limitando a poner en práctica la encantadora indiferencia del amo, actitud que comenzaría a darse en Broadway cada vez más, aunque tal vez nunca a una escala tan grandiosa, elegante y absurda.

Por dentro, es natural, me sentía ofendido, pero había en perspectiva suficientes parabienes para arrinconar la humillación. Una hora después, más o menos, en la cena del estreno, Jim Proctor me cogió del brazo y me condujo al teléfono. Al otro extremo del hilo sonó la voz apagada de Sam Zolotow, arúspice teatral de aquella generación y colaborador del *Times*, que en aquellos precisos instantes leía directamente de la máquina de escribir la crítica que estaba elaborando Brooks Atkinson; incluso podía oír el tecleo de la máquina por teléfono. Con su típico acento de *Núu Yóok** me fue murmurando emocionado, palabra por palabra, lo que Atkinson escribía ante sus mismas narices —«Arthur Miller ha escrito un drama soberbio. Se mire como se mire, es una obra memorable y llena de matices...»— y mientras se iban acumulando elogios, la voz de Sam se vol-

---

* Pronunciación neoyorquina de «New York». (N. del T.)

vía cada vez más asombrada y cálida, tanto que me dio la sensación de que alargaba los brazos y me estrechaba entre ellos. La conjura que había comenzado en mí y se había extendido a Kazan, los actores, Mielziner y los demás, comprendía ya a Zolotow, a Atkinson y el *Times*, hasta el extremo de que por unos instantes pareció que se había organizado un círculo de personas reconocidísimas porque el común sentido de la vida de su época hubiera encontrado expresión.

Mientras Mary y yo nos dirigíamos a casa, Broadway abajo, a las tres de la madrugada, guardábamos silencio. En la radio acababa de terminar un programa extraordinario, una antología de las críticas elogiosas y arrebatadas que habían aparecido en los diarios matutinos. Mi nombre, repetido continuamente, parecía alejarse de mí y pertenecer a algún otro, acaso a mi espíritu. Todo era deshinchadura y relajación ahora que se había lanzado la flecha, y el arco, tenso durante tanto tiempo, había vuelto a aflojarse. Durante toda mi vida había luchado por el triunfo de aquella noche y allí lo tenía, y yo era aquel hombre aplaudido que, sorprendentemente, tenía poquísimo que ver conmigo, ni yo con él.

Si he de ser franco, habría jurado que era el mismo de antes, que sólo había cambiado la idea que el público tenía de mí; pero tal es el primer espejismo de la fama. La verdad, y me costó mucho más tiempo darme cuenta, es que un reconocimiento de esta índole deja una impronta de arrogancia, ni más ni menos que como si se tuviera en las manos un poder nuevo, el poder de hacer real todo lo que a uno le pasa por la imaginación. Y es susceptible de despertar una sed de vida incontenible y de fomentar la intolerancia ante los antiguos amigos de ineficacia recalcitrante. El artista avanza a ciegas con las manos extendidas y sólo cuando ha golpeado la roca y le ha extraído la forma que ocultaba ésta teoriza y explica lo eternamente inexplicable; no obstante, yo tenía a mis espaldas una tradición racionalista y sabía que tenía que apelar a ella para dar cuenta de mi triunfo.

Acabé por desear el sentido común suficiente para decir que había aprendido lo que había podido de los libros y el estudio, pero que ignoraba cómo hacer lo que al parecer había hecho y que todo ello habría podido ser igualmente una forma de rezar por todo lo que había entendido al respecto. En pocas palabras, o hay intuición para las formas teatrales o no la hay; que hay diálogos aptos para la escena y diálogos literarios y que nadie sabe en profundidad por qué los unos no son los otros, por qué una parrafada teatral llega al público y por qué la literaria se limita a rozarle. Pese a todo, hubo entrevistas macizas y hasta enunciación de manifiestos y, peor aún, una categoría recién conquistada que defender de los inevitables francotiradores. La rata que se las apaña para salir del cubo de la basura hace que un montón de ratas se cuelge de ella para que vuelva al lugar al que pertenece. Así se comportan las ratas.*

---

* El original no dice «rata», sino *crab*, a la vez «cangrejo» y «persona rencorosa». (N. del T.)

Una vez más tuve miedo de no volver a escribir. Y mientras volvíamos a casa Mary y yo, percibí en nuestro mutismo que mi esposa y amiga se resentía de aquellos años de lucha. Nunca se me había ocurrido que pudiese intranquilizarla y abrumarla mi celebridad repentina, que necesitara recuperar la confianza. Siempre la había considerado más segura y resuelta que yo. Deseé un bienestar que no teníamos, aunque ignoraba su naturaleza; sólo percibía su ausencia, su vacío, tan pronto. El afrodisíaco de la fama, todavía anónimo, se presentó e instaló entre nosotros allí en el coche.

Y así surgió el deseo de huir de todo aquello, de volver a ser dichosamente desconocido, y también el miedo de haber quedado expuesto a una peligrosa artillería. Todo era inhumanidad; la fama es la otra cara de la soledad, de las contradicciones de solución imposible: ser anónimo y al mismo tiempo no perder el renombre; en resumen, ser dos personas que a veces estuviesen juntas y hasta hicieran apariciones ineludibles en público, pero que normalmente llevasen vidas distintas, la persona pública perdiendo el tiempo ante Dios y el mundo y el escritor ante el escritorio, tan nervioso y taciturno como siempre, y trabajando. No quería el poder que quería. No era «real». ¿O sí lo era?

Por extravagante que pareciera, la fiesta de Dowling en la salita de Loman acabó por simbolizar una parte del problema; el dolor, el amor, la rebeldía de mi obra teatral podían transformarse en un chorro de champagne. Los sueños de muchos años se me habían vuelto demasiado reales y la realidad era inferior al sueño y carecía de todo compromiso y entrega.

De vez en cuando, en el curso de los meses siguientes, me sentaría al fondo del teatro para observar algunos fragmentos de la obra y averiguar qué era lo que me disgustaba de ella. Era asombrosamente eficaz, aunque habría podido meter un camión entre algunas de las dilatadas pausas de Lee, que empañaban su interpretación con algo más que un asomo de exceso. Dado que Kazan estaba fuera, embarcado en otro proyecto, Lee se había dedicado a dar nuevas instrucciones interpretativas a Arthur Kennedy y a Cameron Mitchell y a disfrutar más que a sufrir con las angustias del personaje. Estos problemas, sin embargo, no hicieron más que corroborar mi convicción de que, con mi complicidad, la idea general de la puesta en escena había limado en cierto modo las asperezas de mis intenciones originales, mucho más asépticas. No sabía nada de Brecht por entonces ni de ninguna otra teoría sobre el distanciamiento escénico; percibía sin más que había *demasiada* identificación con Willy, demasiadas lágrimas, y que las ironías de la obra quedaban minimizadas por culpa de toda esta empatía. Me recordé a mí mismo que, al fin y al cabo, la había escrito para que se representase en un escenario con tres niveles distintos, con una melodía de flauta flotando en el aire y sin transiciones amortiguadoras: una estructura austera, había pensado yo. Pero al mismo tiempo no podía reprimir la ternura que sentía hacia los personajes.

Me puse a trabajar en *The Hook*, el guión cinematográfico sobre el malhadado intento de Panto por derrocar el gangsterismo feudal de los muelles de Nueva York. Cuando lo hubo leído, Kazan aceptó dirigirlo, aunque le pareció oportuno que antes fuéramos a Hollywood para conseguir el respaldo de alguna productora importante. Kazan estaba contratado entonces por la Twentieth Century-Fox, pero ésta no quiso ni mirar aquella historia triste de final pesimista. Decidimos dirigirnos pues, entre otros, a Harry Cohn, presidente de la Columbia Pictures y un experto conocedor de los muelles de Manhattan Sur que sin duda sabría de qué hablaba el guión.

Al partir en el *Super Chief* una mañana de primavera de 1950, Kazan y yo volvimos a las andadas conspiratorias, como dos heterodoxos solitarios que planeasen revolucionar la pantalla norteamericana con algunas verdades como puños. Aunque la historia se nos había adelantado y el país estaba por entonces a punto de derrochar su idealismo combatiendo al comunismo en Corea, la verdad es que la noticia nos afectó sólo de un modo abstracto. Hacía meses que no sabía nada de Longhi y Berenson y aún tardaría medio año en enterarme de que se les había prohibido la entrada a los muelles en virtud de un nuevo sistema de seguridad de la Comandancia del Puerto que exigía pases personales a cuantos quisieran acceder a los embarcaderos.

Camino de la costa occidental en el *Super Chief*, hacíamos comentarios con el guión en las rodillas. Según Kazan, la película tenía que apartarse de la tradición de *Roma, ciudad abierta* y las demás películas neorrealistas italianas. Pero ¿de veras cabía la posibilidad de que una productora financiase una película que contradecía con tanta violencia la idea hollywoodense del entretenimiento? Es verdad que en Hollywood se habían hecho películas sociales, aunque generalizadoras y envueltas en muchas buenas intenciones, pero el caso es que aquélla no era una película que plantease problemas; era reportaje puro, puesto que el sindicato del que se hablase tenía que ser la Asociación Internacional de Trabajadores Portuarios y ningún otro, el puerto tenía que ser el de Nueva York y los policías sordos y ciegos tenían que ser policías neoyorquinos. Lo teníamos casi todo en contra, pero si por una casualidad hacíamos la película, alcanzaríamos alguna gloria e incluso, en pequeña medida, contribuiríamos a forjar el futuro. En 1950, el futuro era aún más incierto que antes, pero fuera como fuese estábamos a su merced, igual que las velas fláccidas y deshinchadas están a merced del viento.

Cuatro

Mi sentido de la realidad de la vida de los estibadores se había enriquecido gracias al viaje a Italia, que me había revelado su anterior bagaje europeo. También es verdad que, durante la guerra, había estado casi dos años en el Depósito Naval de Brooklyn, cuyos operarios, en un porcentaje cercano a la mayoría, eran italianos. Mientras trabajaba trece de cada catorce noches entre las cuatro de la tarde y las cuatro de la madrugada, había tomado contacto con sus preocupaciones familiares. Aunque también podían ser complejamente traicioneros entre sí, y el depósito abundaba en dramas sicilianos, tipos sorprendidos en brazos de la mujer ajena y que tenían que huir por los tejados o que buscaban la manera de engañar a un amigo para acostarse con su novia. Mi superior era Ipana Mike y se llamaba así porque le faltaban los incisivos superiores. Llevaba la gorra ladeada, se comía seis bocadillos de pan de molde con espinacas a medianoche (cuando el pan estaban ya mohoso y húmedo) y no paraba de hablar por teléfono con sus novias, una de las cuales trabajaba de empaquetadora en Macy's, en el turno de noche; yo tenía que salir del depósito a menudo para llamarla y concertar sus citas. Abandonaba los cálidos brazos de la joven y se iba a casa corriendo, con su mujer, que le mantenía caliente la cama, y en ocasiones, al mediodía, acosaba a otra cuando salía para comer de los grandes almacenes Abraham and Strauss, donde trabajaba. Aparte de ayudar a ganar la II Guerra Mundial, Mike estaba siempre ocupado.

Estaba muy resentido con su mujer, con la que se había casado por obligación a fines de los años treinta por culpa de su abuelo, un emigrante de Calabria que había llegado a los Estados Unidos con un baúl de dinero, toda una fortuna, según se creía, obtenida al vender sus propiedades poco antes de cruzar el charco. A pesar de que estaba loco por una zagala irlandesa, una jamona inapelablemente descalificada por el viejo, éste le prometió el botín si se casaba con una mujer respetable, pero la noche de bodas descubrió que los enjundiosos fajos de liras del baúl equivalían aproximadamente a trescientos cinco dólares norteamericanos y se negó a consumar su matrimonio. El abuelo montaba guardia de noche ante la puerta del dormitorio, en espera de que la mujer saliese y le informase que había perdido la virginidad. La otra salida de Mike era recibir una paliza a manos del abuelo, un gigante de puños de granito y un sentido de la propiedad a prueba de bomba. Y no es que Mike fuera malo con los puños, pero nadie se lía a tortazos con el propio abuelo.

Al igual que cientos de hombres que servían en el depósito, Mike había convertido en arte los mil trucos destinados a eludir el trabajo a bordo de los buques de guerra y encontraba rincones inaccesibles donde echarse a dormir, aunque se trataba tanto de un reconocimiento realista de la necesidad que la marina tenía de él cuanto de un que-os-den-por-culo-a-todos, que por supuesto también intervenía. Porque el depósito estaba saturado de personal, la planificación a menudo era caótica y un hombre más o menos podía no tener demasiada importancia en aquel hervidero. Un genio, que había improvisado un catre en las oscuras regiones superiores de la sala de máquinas de un crucero de guerra, despertó por la mañana, y cuando se disponía a irse a casa advirtió que se encontraba en alta mar. No volvió a su pocilga de Red Hook hasta seis semanas después.

Pese a todo, Mike tenía su sentido de la ética y cuando de veras creía que no se le estaba explotando, podía comportarse como un trabajador asombrosamente lleno de recursos, en particular cuando nos llevaban de noche en camión para reparar los barcos de guerra que esperaban en el Hudson la hora de salir en busca de los submarinos alemanes, que se sabía acechaban del otro lado de Sandy Hook. Muchas veces, con el cortante viento invernal azotándonos la cara, enderezábamos barras de acero y soldábamos puntales rotos en la base de las cargas de profundidad sin que se le escapara la menor queja. Estábamos muy unidos por entonces, ya que confiábamos el uno en el otro a la hora de evitar las inmersiones en el agua helada, por más que aquello no significara que me hubiese convertido en siciliano *honoris causa*. Además, es probable que se sintiera marginado por mis silencios relativos a lo que había hecho antes de estar en el depósito, un vacío consciente por mi parte, puesto que sabía que ni él ni los restantes miembros de nuestro equipo de mantenimiento creerían que yo había renunciado al puesto presuntamente ventajoso de guionista radiofónico para congelarme a bordo de un barco en el río.

De Sammy Casalino, de mi misma edad y graduación, carenero de tercera, me había hecho demasiado amigo para seguir escondiéndole mi pasado, sobre todo cuando corrió el rumor de que yo había estado unos años en la cárcel. Al final le conté que era escritor. El había hecho estudios secundarios y tenía un espíritu sensible al arte y la cultura, un rebelde a su manera que había contraído matrimonio con una chica judía. «Detesto el racismo», decía, aludiendo no sólo al antisemitismo ampliamente difundido en el depósito, sino también a las palizas ocasionales que recibían los marineros británicos a manos de los trabajadores italo-norteamericanos, que les asaltaban por sorpresa en Adam Street en plena noche porque Gran Bretaña había «traicionado» a Italia al declararle la guerra. Que al mismo tiempo reparasen y construyesen buques cuya misión era aniquilar Italia demostraba lo duro que era ganarse la vida en aquel mundo concreto, aunque la verdad es que al mismo tiempo que se peleaban en nombre de Mussolini, eran partidarios acérrimos de Roosevelt y de los mismos Estados Unidos, con los que *Il Duce* estaba en guerra.

Era un mundo dominado por la anarquía y que de vez en cuando dejaba al descubierto sus absurdos de base, como cuando el contramaestre del fondeadero hizo circular una nota en que pedía que no se derrochase el cadmio, que tenía que importarse por mar y con grandes riesgos y costes. Nos servíamos del cadmio y del fundente en las zonas sumergidas del casco porque el primero no se oxidaba. Doce horas después, la mismísima noche siguiente, los hombres se lanzaron sobre el cadmio y el fundente para hacer brazaletes con el segundo y anillos con el primero, que podía alcanzar un brillo semejante al de la plata.

El malestar de Sammy y el mío propio acabó por unirnos, y aquella misma noche, mientras comíamos el bocadillo, me contó un sueño que le atribulaba.

—Yo entraba en el dormitorio de mi prima, que se llama Rita, y la veía en la cama mirándome, ¿y sabes qué? Pues que me echaba encima de ella. *¡Encima de ella!* Despertaba sudando igual que un cerdo. ¿Tú sabes qué leches significará?

Le sugerí con tacto que a lo mejor significaba que le gustaba su prima.

—Bueno, sí, siempre me gustó un rato largo.

¿Y no sería que, en el fondo, deseaba acostarse con ella?

—¿Con *ella*? ¡La madre que te parió, pero si es *mi prima*!

Y aquí terminó todo.

Como ya había previsto, decir a Sammy que yo era escritor no fue para él más que otra prueba de que ocultaba una temporada en la cárcel, por lo que, en vez de seguir callando mi pasado, me sentí incitado a impresionarle contándole la verdad. Dio la casualidad de que un guión mío sobre Amelia Earhart, la aviadora que había desaparecido en el Pacífico Sur hacía unos años en circunstancias desconocidas, se iba a emitir un lunes por la noche en el programa radiofónico de Du Pont «Cavalcade of America», con la participación estelar de la actriz de cine Madeleine Carroll. Al salir del depósito poco después de las cuatro de la madrugada de aquel lunes y dejar atrás a los centinelas, le dije:

—Esta noche van a radiar una obra mía. Ya verás como me mencionan.

La mirada que me dedicó era una mezcla de dudas sobre mi salud mental y el miedo que de un modo subrepticio le daba.

—¿De veras? —dijo.

—De veras —dije—, a las ocho por la NBC. Mi nombre se mencionará al final.

Cuando volví al trabajo el martes y, como siempre, coincidí con Sammy a bordo del averiado crucero británico que nos habían encomendado, esperé en vano que hablase del programa y al cabo de unas horas de intriga le pregunté si se había acordado de poner la radio. Oh, sí, la había puesto y escuchado. ¿Y había oído mi nombre? Desde luego que lo había oído. ¿Entonces?

—Que era todo verdad —dijo en son de queja.

—No te entiendo.

—La historia. Salvo el final, nadie sabe cómo cayó ni dónde, así que me imaginé que habías escrito esa parte.

—No, Sammy, yo lo escribí todo. Se basa en hechos que se conocen, pero los personajes que se oyen son actores radiofónicos de una emisora de Manhattan y alguien tiene que escribir lo que dicen. Quiero decir que Madeleine Carroll no es Amelia Earhart.

—Eso ya lo sé, joder.

Se quedó mirando al vacío con aire soñador; «escribir» significaba inventar. Y creo que fue entonces cuando cayó en la cuenta de que había creído que Madeleine Carroll era de verdad Amelia Earhart cuando hablaba, y que al mismo tiempo era imposible puesto que la Earhart estaba muerta. Para incrementar la confusión yo le había dicho que estaba en el depósito voluntariamente para contribuir a los esfuerzos de guerra, cuando sabía muy bien que podía ganar mucho más dinero en la radio, experiencia emocionante por añadidura. Aquel cúmulo de verdades le decepcionó y desde entonces su trato se volvió más bien formal. Es decir, hasta que fue incapaz de silenciar otro sueño que había tenido en relación con su prima Rita, a la que había visto sacar la basura y dejarla en la acera, delante de su casa, y al inclinarse para depositarla en el suelo «se le abrió totalmente el albornoz». En otra ocasión subía la prima por una escalera de mano que él sujetaba desde abajo y sufrió una sacudida, «así que miré hacia arriba y... ¡la leche!». Al entrar en el depósito todas las tardes a las cuatro menos cuarto con sus zapatos reglamentarios de puntera metálica y abrochada hasta el cuello la cazadora marrón, bajadas las orejeras de la gorra, y al abrir la caja de herramientas en el puesto de guardia de la entrada, Sammy tenía el mismo aspecto que los otros inidentificables sesenta mil que había en el lugar, todos con la misma caja de herramientas y sueños tan turbadores como personales e intransferibles.

Cuando se llenaba una dársena seca y el barco que fuese, en vez de tocar fondo, entraba a flote en el puerto y surcaba la bahía, no era yo el único que se lo quedaba mirando, pensando que había sido un milagro que lo hubiésemos reparado con nuestro caos y nuestra incompetencia, nuestro parloteo y nuestras payasadas, nuestro hurtos y nuestros ocasionales momentos de abnegación laboral. Más de uno se volvía a un compañero para preguntarle: «¿Cómo coño lo habremos hecho?», mientras el buque se perdía en la niebla matutina, rumbo a la guerra.

Dado por inútil para el servicio militar, quise justificar mi existencia poniéndome a escribir guiones bélico-patrióticos para la radio, patrocinados sobre todo por Du Pont y U.S. Steel. Todos formábamos una gran familia feliz que luchaba contra un enemigo común, pero cuanto más ganaba en experiencia más seco me sentía escribiendo aquellas cosas, que eran más una forma de gritar que de escribir. Con todo y con eso, era dinero fácil y me permitía seguir elaborando obras teatrales y relatos y me ocupaba menos tiempo que dar clases o ejercer otro trabajo. Un sujeto rubio, gordo y descomunal, llamado Homer Fickett, gestionaba y dirigía «Cavalcade» desde la sede de Madison Avenue de la casa Batten, Barton, Durstine and Osborn, sin duda la agencia de publicidad más grande de la época y laringe de toda Norteamérica a la hora de contribuir a reciclar el tema del beneficio necesario en motivos más elevados. Había sido Bruce Barton el que dijo que Jesucristo había sido el más grande vendedor, dando a entender con ello, en buena lógica, que los publicistas eran misioneros disfrazados y BBD&O una facultad de teología a la moderna. Las secretarias se lavaban con jabón Pears y las pálidas mejillas de Homer se sonrojaban cuando me hacía guardar en el bolsillo del abrigo mi ejemplar de *The Nation*, o de *New Masses*, o incluso de *Partisan Review*, no fuera que los descubriese algún ejecutivo pulcramente afeitado.

Homer me necesitaba; me había convertido en un comodín al que podía telefonear movido por la urgencia para que ideas y terminara en el plazo de un día un guión de media hora. Dos o tres veces al año se ponía a ensayar con un guión demasiado mediocre para «Cavalcade», verdadera cruzada popular radiofónica, aunque estas alarmantes revelaciones solía tenerlas cuando apenas faltaban dos o tres días para la emisión. Daba entonces un telefonazo lleno de desesperación y, tras saber que contaba conmigo, me hacía llegar un libro sobre algún episodio de la historia estadounidense, yo me lo leía el miércoles por la noche, apañaba el jueves un guión de media hora y se lo enviaba a Madison Avenue el viernes por la mañana. Seleccionaba los actores, lo ensayaba y lo tenía listo para emitirlo el martes por la noche, con una orquesta de treinta músicos para amenizar las interrupciones. Por este trabajo percibía yo quinientos dólares, importante cantidad de dinero en una época en que el Nash-Lafayette de segunda mano me había costado dos mil quinientos y la casa de Grace Court cerca de veintiocho mil. (El último precio del que tuve noticia, en los años sesenta, fue tres cuartos de millón.)

No obstante, había de vez en cuando algún tema de interés, como la historia de Benito Juárez, el cabecilla mejicano del siglo XIX, que a BBD&O, inexplicablemente, le pareció una idea genial, ya que Du Pont tenía muchas inversiones y fábricas al sur de la frontera. No había ninguna prisa y decidí divertirme escribiendo el guión en verso, recurso más elegante para condensar las incontables peripecias de la enternecedora vida de Juárez.

Juárez fue contemporáneo de Lincoln, al que adoraba, un revolucionario rústico y poco común por sus convicciones democráticas. Por una vez escribí con cierto interés, con una forma bastante nueva, por su necesidad orgánica de imaginería, que contribuiría a sintetizar una singladura épica en veintiocho minutos. Tras terminar el guión una tarde, decidí ir andando hasta Manhattan y enseñárselo a Homer antes de pasarlo a máquina.

La emisora 8-A de la NBC era la central desde la que se emitían los programas de relieve. Abrí las puertas insonorizadas, entré en un recinto enorme del tamaño de una pista de baloncesto y oí una voz impresionan-

199

te, aunque lejanamente conocida, entre el bajo y el barítono. Al principio supuse que pertenecería a un actor que interpretaba una escena violenta, pero al acercarme más vi que los seis u ocho actores allí reunidos ostentaban una expresión de auténtico nerviosismo en el rostro y que algunos mantenían los ojos bajos para no mirar al locutor gigantesco que, según advertí al instante, era Orson Welles.

No interpretaba ningún papel, sino que rugía hacia la cabina de sonido, de cuyo interior, por el sistema de radiofonía interna, surgían respuestas débiles y entrecortadas cuando aquél se detenía a recuperar el aliento. La voz de la cabina era la de Homer Fickett y trataba de calmar al actor.

—Vamos, vamos, Orson, no es tan malo.

Los puños de Welles trazaron un arco desde las rodillas hasta el techo.

—¡Es una CARICATURA, una FARSA, una distorsión consciente y despreciable de HECHOS COMPROBADOS con el único objetivo de justificar lo imperdonable!

—Pero Orson... —balbució el pobre Homer, tratando de interrumpirle con mansedumbre. La humillación prosiguió. Everett Sloane, Joe Cotten, Mercedes McCambridge... prácticamente toda la Mercury Theatre Company estaba allí, al menos en efigie, y sin poder continuar.

El verdadero adversario de Welles, según parecía, el causante de su cólera, era otro habitante de la cabina, un tal profesor Monaghan, historiador de Yale, que por lo general revisaba los guiones sobre la historia estadounidense por cuestiones de exactitud y que, según Welles, o había bebido o era tan inmoral que había mantenido las adulteraciones por las que el actor protestaba. Welles se quejaba con tanta seguridad porque un antepasado suyo, Gideon Welles, había sido el ministro de Marina complicado en el episodio concreto que en la adaptación radiofónica se había hecho pasar por un gran triunfo norteamericano en América Latina, cuando la verdad era que se había tratado de una catástrofe lamentable.

Agotada la ira, Welles guardó silencio y Homer salió de la cabina para rogarle que continuara con el ensayo. Welles volvió a negarse en redondo. Homer se puso blanco como la tiza; apenas faltaba un par de días para la emisión y la cosa podía terminar en el juzgado de guardia. Welles se mantuvo en sus trece.

Los ojos de Homer se posaron en mí y le indiqué por señas un rincón de la amplia emisora. Tenía el guión sobre Juárez en el bolsillo de la chaqueta y le susurré que, en mi opinión, Welles podía ser un Juárez magnífico, sobre todo porque le encantaba jugar con las inflexiones de la voz. Homer, a la sazón un pez fuera del agua, miró sin ver el fajo de cuartillas que le tendí, fue donde Welles y tras presentarnos con un murmullo se las entregó. Welles contempló con gran escepticismo el desordenado guión dialogístico escrito a lápiz, pero se percató de que la obra comenzaba con media página de narración en verso, cosa que pareció sorprenderle. Los actores le observaban en silencio mientras leía para sí; sus labios comenzaron a moverse para encontrar la inflexión justa de cada frase y, sin mirarme siquiera, se acercó a un micrófono y leyó la página, subrayando las sílabas como si censurase al profesor, que se había quedado en la cabina de sonido. Aliviados lo indecible, los actores se concentraron en derredor del micrófono. Mientras pasaban las páginas y miraban los unos por encima del hombro de los otros, representaron la obra. Yo entré en la cabina con Homer y escuché pasmado la genialidad de Welles con el micrófono; parecía meterse en él, su voz llena de matices reptaba hasta el interior del cerebro de quien le escuchaba. Ningún actor tenía tanta confianza ni sabía imponer a un altavoz su presencia pura. Ya era un jovencito ágil, como yo a los veinte años, ya reía con malicia a mandíbula batiente, ya adoptaba el aire noble de un señor. Al final de la lectura salí de la cabina, me atrajo hacia sí para abrazarme con afecto y me fui a casa en metro y aureolado de triunfo.

Apenas había cruzado la puerta para dar cuenta a Mary, que se mostró tan complacida como yo, de lo sucedido aquella tarde increíble cuando llamó Homer por teléfono para decirme que tal vez hubiera algún problema con Du Pont a propósito del guión y que a la mañana siguiente tendría que entrevistarme con un pequeño comité de la compañía patrocinadora.

Había tres o cuatro individuos de aquéllos en Madison Avenue y se habían desplazado desde Delaware sólo para hablar conmigo, dado que faltaba muy poco tiempo para la emisión. Los acaudillaba Russ Applegate, individuo de pelo cano, de buenos modales aunque inflexibles, y director de relaciones públicas de la compañía. Una de sus objeciones se refería a las palabras «adonde escapaban los loros», ya que no había loros en el bosque concreto por el que Juárez había huido de sus perseguidores. Accedí en el acto a buscar otra imagen para aquel párrafo, pero el ejecutivo, cuya puntualización se había aceptado tan bien, se sentía tan victorioso que se puso a cuestionar el bosque, que conocía personalmente por haber estado en él durante la casi totalidad de los sesenta minutos que componen una hora. Me asombró el espectáculo de aquellos hombres hechos y derechos a quienes se había enviado desde Delaware para censurarme una frase. Pero entonces vino lo bueno.

En una escena, sacada del libro que me había mandado BBD&O, las tropas de Juárez cruzaban Río Grande de noche para recoger un montón de fusiles depositados en la orilla estadounidense por orden de Lincoln, que apoyaba a Juárez frente al emperador Maximiliano, el principio de la casa de Habsburgo al que los franceses habían nombrado gobernador títere del país. La escena tenía que suprimirse.

—Pero si la saqué del libro que me enviaron ustedes, y es una buena escena. Además, revela la actitud amistosa de los Estados Unidos hacia la revolución mejicana y explica la fe de Juárez en Lincoln.

En realidad, BBD&O había escogido la historia de Juárez para conmemorar el Día de las Américas, que coincidía con el día de la emisión radiofónica. Applegate no dio su brazo a torcer. La escena no podía tolerarse. Insistí. Resultaría difícil sustituirla por otra a hora tan avanzada del día, cuando faltaban aproximadamente veinticuatro horas para la emisión, y en cualquier caso no se me ocurría con qué reemplazarla. Pregunté cuáles eran los inconvenientes de la escena.

Applegate titubeó y al cabo dijo que no querían que volviera a acusarse a Du Pont de tráfico de armas en América Latina.

Pero había sido Lincoln quien había ordenado que se dejaran las armas allí, no Du Pont.

—Eran armas de la casa Remington, y Remington está vinculada con Du Pont —dijo Applegate—, a nivel financiero.

Después de más de cuarenta años me es imposible recordar si suprimí o no la escena, pero quiero pensar que al final la dejaron donde estaba, temblando, sin duda, ante las posibles consecuencias. Al igual que muchos poderosos de Norteamérica y otros países, a menudo tomaban las decisiones más extrañas e inverosímiles. En otra ocasión me encargaron que escribiese la historia de los hermanos Merritt, para lo cual me suministraron dos libros que me informaron sobre lo que, en mi sentir, era la historia empresarial más brutal y piratesca que había visto en mi vida. Dicho en pocas palabras, los hermanos Merritt eran unos mineros de Minnesota que antes de finalizar el pasado siglo y gracias a la intervención de un piel roja —aunque, según ellos, se había tratado de la Providencia— habían encontrado una veta de hierro puro a flor de suelo, que registraron inmediatamente. Resultó que se trataba nada menos que de la mina de hierro más grande de la faz de la tierra, la legendaria Mesabi Range. La noticia se difundió con rapidez hasta Nueva York y el primer John D. Rockefeller envió en el acto a su ministro baptista particular para que convenciese a los hermanos de que le vendieran los derechos. Porque John D. era hombre religioso y sus agentes le habían informado que los Merritt eran muy temerosos de Dios. Pero los Merritt no quisieron vender, ya que pensaban explotar la mina por su propia cuenta y entregar los beneficios a los indios y a los pobres, idea cuya nobleza hizo que Rockefeller se estremeciese de pies a cabeza. Poco después, como es lógico, y tras organizar la infraestructura necesaria para dar comienzo a las operaciones, los modestos hermanos se quedaron sin dinero y el ministro de Rockefeller no tardó en reaparecer, esta vez con una oferta que apoyaba sus intenciones de ayudar a los pobres. Rockefeller, pasito a paso, les fue dando cada vez más caña y acumuló pagarés firmados por los hermanos Merritt hasta que llegó el día en que, según declararon ante un comité investigador del Senado un par de años más tarde, «Rockefeller era el dueño de Mesabi y ellos no tenían ni para el autobús de Duluth». La posesión de aquella veta sin límites permitió la fundación de la U.S. Steel Corporation al otro lado del lago y fue la verdadera causa del auge industrial de las ciudades mesooccidentales de Michigan y Ohio. Era una historia fabulosa y, por increíble que pareciera, no sólo la iba a patrocinar Du Pont sino que, además, la noche de la emisión, los altos ejecutivos y otros personajes de la compañía iban a celebrar banquetes por todo el país y a escuchar la radio de manera colectiva.

Llamé a Homer para preguntarle si había leído el material previo. Sí, conocía la historia.

—¿Y la van a radiar? —le pregunté.

—Tú escríbela y ya veremos.

Escribí el argumento de un tirón, ciñéndome al máximo a las fuentes. El guión se aprobó y ensayó rápidamente, se emitió y los aduladores locales de Du Pont quedaron encantados. La familia Du Pont, compuesta casi por sordos que tenían que enchufar a la radio un aparato otoacústico, se mostró muy entusiasta también, según se dijo.

Más tarde pedí a Homer que me lo explicase.

—Ellos lo ven de otro modo —dijo—. Para ellos es un ejemplo de la previsión, perspicacia y habilidad de Rockefeller a la hora de fundar una de las compañías mineras más importantes (en realidad, la más importante), de manera eficiente y por el bien de la humanidad. Un ejemplo de lo que pueden conseguir el espíritu emprendedor y la imaginación.

—Pero en realidad —dije—, el ministro les tomó el pelo al decirles que John D. iba a entregar los beneficios a los pobres, etc., etc. Fue una estafa en toda regla. El comité investigador del Senado no cabía en sí de indignación.

—Es verdad —contestó Homer—, pero ellos lo ven de otro modo. Los Merritt eran sencillamente incapaces de administrar toda la riqueza que tenían entre manos, y los intereses del país, y también los de la humanidad, pedían la intervención de quien estuviese capacitado.

—O sea que a Dios rogando y con el mazo dando.

—Y aquí paz y después gloria.

«Que vemos lo que queremos ver» se volvió a dramatizar años más tarde cuando *Un hombre de suerte* inauguró su andadura prebroadwayana en Wilmington, Delaware, sede de la casa Du Pont. El actor que interpretó el papel de David Beeves fue Karl Swenson, que durante años había sido uno de los intérpretes principales de «Cavalcade», motivo por el que Russ Applegate nos invitó a tomar una copa con él en el Du Pont Hotel antes de una de las funciones. Se presentó con su mujer y con dos de sus subejecutivos y sus respectivas señoras, complacido de que nosotros, graduados del programa de Du Pont, fuésemos a estar en Broadway. De manera inevitable, la charla se centró en la política, ya que Roosevelt se iba a presentar por cuarta vez a las elecciones presidenciales en una campaña excepcionalmente dura frente a Thomas Dewey. Applegate, ojos y orejas de la casa Du Pont en lo que afectaba a sus relaciones con el mundo, se dirigió entonces a Swenson, que, como actor rico que era estaba obligado a ser republicano, y con anticipada sonrisa de satisfacción le preguntó:

—Bueno, Karl, ¿cómo ve usted las elecciones?

Swenson, que en realidad era demócrata en secreto, pareció incómodo mientras hacía como que meditaba unos instantes. En aquellos días, los empleados de banca y de las compañías importantes ocultaban sus pegatinas y brazaletes en favor de Roosevelt hasta que salían a la calle. Además, era de Du Pont el dinero que financiaba a la Liga por la Libertad, el grupo de presión ultraderechista. La pregunta de Applegate, por tanto, iba con segundas, habida cuenta, sobre todo, de su sonrisa superconfiada. Swenson optó por enseñar todas sus cartas.

—Bueno —dijo con lentitud, echándose atrás un rizo rubio platino y exhibiendo una sonrisa encantadora—, ya que me lo pregunta, yo tengo la impresión de que la mayoría votará por Roosevelt.

—¡Roosevelt! —exclamó Applegate, casi gritando y con los ojos encogidos por el resentimiento—. Pero hombre, eso es imposible, ¡nadie de cuantos conocemos va a votar por él! —Y miró a sus dos subordinados para corroborar que no le iban a fallar en el último momento. Como se sabe, Roosevelt ganó sin problemas las elecciones.

No me cabía la menor duda de que el egoísmo y los compromisos ideológicos cegaban a Applegate, y ello hasta un punto casi cómico. Detestaba a Roosevelt y al New Deal [Nuevo Plan de Reformas Económicas] con un fervor casi religioso, y pese a ello no se traslucía el menor atisbo del mismo en la publicidad de su empresa ni en el curso normal de su vida profesional cotidiana. Yo, con un punto de visto ideológico opuesto, me conducía más o menos como él, y esta doblez, esta servidumbre respecto de un civilizado código civil del comportamiento, originaba cierta irrealidad. Supongo que eran unos buenos modales impuestos por la guerra, porque con la victoria y la desaparición de Roosevelt, con los Estados Unidos convertidos en la nación más poderosa de la tierra y la única solvente, se rompió el freno de sujeción y se inauguró una nueva época de acusaciones desbocadas y hasta jubilosas, quiero decir la época de los comités parlamentarios de inquisición política, del mcCarthysmo, de legislación abiertamente antiizquierdista, como la Ley de McCarren-Walter, que ordenaba investigar las intenciones políticas de todo extranjero que quisiera entrar en el país, aunque fuese de visita. Tendría motivos para recordar aquella escenita en los años sucesivos cuando la gente «que conocemos» se vengasen de las dos décadas de aislamiento político y cultural impuestas por las presunciones liberales e izquierdistas acerca de lo real y verdadero. La cómica estrechez mental de Russ Applegate me recordaría un día la mía propia.

La primera obra de teatro que había querido escribir había versado, de manera más bien inevitable, sobre un conflicto industrial y sobre un padre y sus dos hijos; fue, en el terreno teatral, lo más autobiográfico que escribiría en mi vida. Yo andaba detrás de un Premio Hopwood, que en Michigan era el equivalente estudiantil del Nobel. Pero tenía dos empleos y todo un horario académico, y entre que lavaba platos tres veces al día y daba de comer a tres pisos llenos de ratones de un laboratorio de genética situado en un bosque periférico, al llegar la noche me metía en la cama totalmente agotado. Había gastado casi todo el dinero con que había llegado a Michigan el año anterior para matricularme en primero (había que enseñar una libreta de ahorros con un saldo mínimo de quinientos dólares para que el centro docente se convenciera de que el alumno no iba a degenerar en paria costeado por el erario público). El empleo de las ratoneras me proporcionaba dinero en efectivo, quince dólares al mes que pagaba la National Youth Administration [Instituto Nacional de la Juventud] de Roosevelt, que sufragaba los empleos estudiantiles administrados por las universidades. Todas las tardes, a las cuatro, recorría los tres kilómetros y pico que me separaban del laboratorio, donde yo y otro estudiante, Carl Bates, abríamos las cajas de verduras pasadas recogidas en las tiendas de Ann Arbor y las repartíamos entre los cientos de jaulas amontonadas en estantes que iban del suelo a la techumbre. En cada jaula había una chapa metálica de identificación y cuando los miles de roedores nos oían entrar en el silencioso edificio rodeado de árboles, se ponían como locos y el tintineo de las chapas me producía escalofríos a lo largo del espinazo. Había dos biólogos, jóvenes y de ambos sexos, que trabajaban en la planta baja, en una sala pequeña, y al parecer jamás pronunciaban palabra. Llevaban a cabo una investigación genética de amplio espectro que exigía la separación absoluta de distintas familias de ratones, que se marcaban con agujeros en las orejas de dibujo diferente que clasificaban a los especímenes individuales en el conjunto del cuadro general. Si se escapaba un ratón, sonaba inmediatamente un fuerte timbrazo para que no se metiera en la jaula que no le correspondía y echase a perder el trabajo de un año. Fui yo, desde luego, quien se ofreció voluntario para confeccionar una ratonera que cazase a los ratones sin hacerles daño, pero después de medio semestre de trasteo tuve que desistir. Había ratones de todos los tamaños imaginables, algunos tan pequeños que si se hubieran colgado de un cabello apenas si se habría doblado éste, tan pequeños que la puerta que se cerraba tras un espécimen minúsculo bastaba, a causa de su delgadez, para cortar la cola de un colega mayor o guillotinarle el cuello atascado.

Había asimismo otras distracciones, como los coitos ocasionales que los dos silenciosos investigadores practicaban en la mesa de la reducida estancia y que no eran sino excitante reproducción de lo que hacían los ratones, como el delicado tintineo de las chapas evidenciaba de continuo. Yo estaba encargado además, una vez a la semana aproximadamente, de coger los ratones que habían sobrevivido a su utilización y llevarlos en una jaula a un cobertizo que había tras el laboratorio, pequeño, de techo bajo, sin ventanas y oscuro como boca de lobo, donde dos búhos encaramados en una repisa se relamían de gusto cada vez que entraba con las víctimas. Los pájaros murmuraban y ululaban en son de amenaza, agitaban las alas y se removían en la repisa, impacientes porque soltara los ratones, tarea ésta nada fácil, cuando se aferraban al alambre y tenía que sacudir la jaula con energía para que cayeran en el suelo alfombrado de paja, desde donde, a veces, se me colaban pernera arriba para ocultarse. Mientras cruzaba dando saltos la puerta vieja y astillada, temeroso de pisar y aplastar algún espécimen histérico, tenía que acordarme de que también aquello poseía su importancia científica, ya que todas las semanas un postlicenciado removía la paja del suelo y contaba los ratones supervivientes para saber qué color se defendía mejor. Puntualmente se tomaba nota de que los ratones blancos, naranja y amarillo, esto es, los colores claros, habían sido devorados, ya que los grises y pardos eran más aptos para sobrevivir. Esta conclusión se me antojaba de lo más pronosticable, pero los científicos que tomaban notas en sus cuadernos de anillas me inspiraban todavía un respeto casi religioso y pensaba que allí tenía que haber algo que desbordaba mi entendimiento. Pero no lo había.

Cubo de hormigón que destacaba en medio de la espesura, la casa de los ratones estaba casi siempre vacía de seres humanos cuando llegaba corriendo a media tarde y resultaba extraño pensar en aquellos miles de roedores, cada uno con su diminuto cerebro conspirador, metidos en las jaulas e ideando la forma de escapar. Por otra parte, Carl Bates me revolvía el estómago cada vez que se preparaba una ensalada con la comida de los ratones, cortando los fragmentos pasados de los pomelos, las zanahorias y las lechugas. Pero tenía que ahorrar hasta el último céntimo para poder enviar a su familia un par de dólares a la semana. Tenía la cara espantosamente llena de granos, pero estaba siempre sorprendentemente alegre, quizá por haberse criado entre los patatales del norte de Michigan, donde los días, tal imaginaba yo, eran largos y silenciosos. En contraste con la irascibilidad de Nueva York y de los judíos que había conocido, la impasibilidad emotiva de Carl amplió la educación de mi carácter. Su hermano mayor se había convertido a la Ciencia Cristiana y no paraba de rezar por su aplastado pulgar derecho, sobre el que le había caído un motor de coche en la Escuela de Formación Profesional. Acompañé a Carl cierta vez que fue a visitarle y vi que se esforzaba con serenidad por convencerle de que fuera al hospital, porque el dedo parecía morírsele en la mano, pero él siguió dale que te pego con Mary Baker Eddy hasta que, al cabo de una semana aproximadamente, comenzó a curársele. Materialistas como éramos, Carl y yo seguimos con nuestra postura escéptica. En 1935 era tan inútil rezar por Norteamérica como por un puente que se hubiera hundido.

Resolví quedarme en Ann Arbor en vez de ir a casa y aprovechar la semana de vacaciones de primavera para escribir la obra teatral. Nunca he sabido con seguridad por qué tenía que ser una obra de teatro y no un cuento o una novela, pero era como la diferencia que hay para un artista plástico entre una escultura y un dibujo: me parecía más tangible. Una obra de teatro se podía recorrer, suscitaba un placer arquitectónico ausente en la prosa normal. Aunque es posible que fuera sobre todo por mi amor a la imitación, a reproducir voces y sonidos: al igual que casi todos los dramaturgos, soy un poco actor.

A decir verdad, había visto pocas obras de teatro, aparte de las que viera muchos años atrás en Harlem y de un reciente montaje universitario del *Enrique VIII*, en que interpreté el papel de un obispo que por suerte no hablaba y se limitaba a asentir con gravedad cuando se lo apuntaban. Vivía en North State Street número 411, una casa que pertenecía a una familia apellidada Doll. Uno de los hijos, Jim, tenía la habitación al otro lado del pasillo y en ella confeccionaba los ropajes teatrales con la máquina de coser, basándose en sus propios figurines. Con un presupuesto irrisorio creó un caudal de prendas renacentistas de riqueza increíble, incluido el célebre collar de Enrique de preseas en forma de ese y que confeccionó con vulgares ganchos de cortina que compró en una ferretería y que pintó de color dorado. Cuando las vacaciones de primavera estaban ya al caer, pregunté a Jim cuánto duraba un acto y me dijo que media hora más o menos. Me puse a escribir y en cosa de un día y una noche terminé lo que en mi sentir era el Acto I. Puse la alarma del despertador para media hora después y leí en voz alta, y en el segundo preciso en que caía el telón sonó la alarma ante mi desconcierto. En aquella época era normal, por supuesto, la idea de una forma fija como aquélla. Hubo de pasar algún tiempo antes de conocer a Strindberg, al Ibsen místico y no al preocupado por las reformas sociales, y a los expresionistas alemanes. En un puñado de revistas teatrales de vanguardia, casi todas de izquierdas, había empezado a leer obras contestatarias en un acto sobre los mineros, los estibadores, etc., etc., pero ninguna se acercaba ni por asomo a la obra de Clifford Odets, el único poeta, en mi opinión, no sólo del teatro de protesta social sino también de todo el teatro neoyorquino. Y el único teatro que existía estaba en Nueva York, ya que los teatros universitarios se dedicaban casi en exclusiva a reponer los últimos éxitos de Broadway y encima comedias por lo general. Los más inquietos montaban de tarde en tarde algún clásico griego o una pieza de Shakespeare, pero se trataba de representaciones soporíferas.

La idea de escribir teatro estuvo siempre relacionada con el concepto que tenía de mí mismo. Fue un proceso de autodescubrimiento desde el comienzo y siempre lo sería; decir lo indecible era una especie de libertinaje y jamás escribiría nada bueno que en cierto modo no me hiciera sonrojar. Escribir significó desde el comienzo libertad, extender las alas, y una vez entreví el primer indicio de que lo que yo escribía llegaba a los demás, abracé la hipótesis de que en mi interior se estaba gestando algo público, de que lo que me confundía o conmovía a mí tenía que conmover a los demás. Fue una especie de bendición que inventé para mi propio gobierno. Como es lógico, llegaría el momento en que me consideraría privado de dicha bendición, pero aún faltaba mucho tiempo.

Después de trabajar día y noche y dormir apenas unas horas, totalmente destrozado, en toda la semana, acabé la obra en cinco días y se la entregué a Jim para que la leyese. Me desesperaba la posibilidad de que no le gustara, pero lo cierto es que jamás había conocido una exaltación como aquélla: era como si levitase y el mundo diese vueltas a mis pies. Al igual que mi padre en los períodos de tensión insoluble, me puse a dormir como un lirón después de haber entregado el manuscrito. Me despertaron las risas. Procedían de la habitación de Jim. El estómago se me encogió de pánico y esperanza.

Jim Doll medía unos dos metros, lo mismo que su madre, su padre y su hermano, familia de gigantes que tenían que bajar la cabeza cada vez que cruzaban una puerta de su casita mesooccidental del XIX. Me sentía atraído por Jim, el primer hombre de teatro con experiencia que había conocido. Cuando hablaba de las obras publicadas que leía yo, éstas perdían parte de su grandiosidad monumental y hacía que viese sus defectos y puntos flojos. También era el primer homosexual que conocía y sus sufrimientos —en aquella época y en el Medio Oeste por añadidura— dieron lugar a una especie de hermandad entre inadaptados.* Tenía un amplio conocimiento del teatro europeo y me hizo conocer las obras de algunos dramaturgos, en particular de Chéjov, al que idolatraba.

Se abrió la puerta por fin, cruzó el pasillo, entró en mi habitación y me devolvió el manuscrito. El placer estético sensibiliza y la cara larga y huesuda de Jim en aquellos momentos era semejante a la de un niño, a pesar de la sonrisa que picardeaba estirando hacia abajo el lado izquierdo del labio superior, con objeto de ocultar los incisivos que le faltaban, condición no infrecuente en aquellos tiempos difíciles.

—¡Es toda una obra de teatro, sí señor! —Reía con una franqueza que no le había visto nunca—. Es sorprendente cómo discurre la acción y lo absorbe todo, en vez de ir en pos de significados. Creo que es la mejor pieza estudiantil que he leído en mi vida. —En su faz despuntó algo parecido al amor, algo, por increíble que parezca, semejante al agradecimiento.

En el exterior, como aún estábamos en el período de las vacaciones primaverales, Ann Arbor estaba vacío. Quise pasear en medio de la noche, pero me fue imposible mantener un paso tranquilo. Tenía los muslos tan fuertes y resistentes como barras de hierro. Corrí colina arriba hacia el vacío centro de la población, crucé el patio de la Facultad de Derecho, bajé por la parte norte de la ciudad universitaria, la cabeza en las estrellas. Había hecho reír a Jim y que me mirase como no lo había hecho nunca. La fuerza mágica de trazar caracteres en un pedazo de papel y de llegar a otro ser humano, de hacerle ver lo que yo había visto y hacerle experimentar mis emociones... había proyectado una nueva sombra sobre la tierra.

¡Imaginaos si además ganaba un Premio Hopwood! ¡Doscientos cincuenta dólares por el trabajo de una semana! Aún estaba acostumbrado a pensar como un trabajador: había tardado dos años en ahorrar los quinientos dólares necesarios para ir a Michigan, dos años de metro mañana y noche, de soportar las asfixias del verano y un frío invernal que pelaba en aquel establecimiento de accesorios automovilísticos.

Los almacenes Chadick-Delamater, en el cruce de la Calle 63 y la Décima Avenida, donde hoy se alza el Metropolitan Opera House, representaron mi entrada en el gran mundo que se abría más allá de mi casa y el colegio. Era el establecimiento mayorista de accesorios automovilísticos

---

* El término que utiliza Miller es *misfits*, que como se sabe es el que empleó para titular el guión de la película que dirigió John Huston en 1961, *Vidas rebeldes*. (N. del T.)

más grande al este del Mississippi, una casa antigua que vendía piezas de recambio a todas las tiendas y garajes de la costa oriental. En sus cinco plantas llenas de cajas y estanterías se acumulaban piezas de todos los modelos últimos, así como algunas otras, de recuerdo ya inaprehensible, para automóviles y camionetas construidos por ignotos fabricantes mucho antes de que estallara la I Guerra Mundial.

Joe Shapse, compañero mío de clase en el Lincoln High, era hijo de un minorista cuyo local, justo al final del puente de la Calle 59 de Long Island City,* reparaba los camiones de la compañía del gas, entre otros, y era un buen cliente de Chadick-Delamater. Yo había conducido el camión de reparto de Sam Shapse durante unos meses al acabar la enseñanza secundaria, había ido a recoger algunos accesorios en Chadick y había acabado por entender un poco el negocio, aunque me había perdido más de una vez por Long Island City en un solo día y en términos generales yo no era precisamente el gran hallazgo de Sam en cuanto a conducir camiones. El verano de 1932 fue probablemente el punto más bajo de la Depresión y el taller de Sam estaba casi muerto. Todo era muy sencillo: nadie tenía dinero. El que sería el último gobierno republicano en el curso de dos décadas estaba a punto de recibir el finiquito, sin ideas, y para nosotros como si dijéramos en el cubo de la basura, falto incluso de la retórica de la esperanza. Los recuerdos que tengo de aquel año en particular, de cuando me desplazaba con el camión por las calles, cruzaba los puentes, subía al Bronx, salía hasta Brooklyn, me configuran una ciudad fantasma que poco a poco se iba cubriendo de polvo, manzana tras manzana, cada vez con más rótulos de «SE TRASPASA» en sucios escaparates de tiendas y talleres abiertos muchos años antes y en la actualidad cerrados. Fue también el año de las colas en las panaderías, de hombres sanos y robustos que formaban en batallones de seis y ocho en fondo a lo largo del muro de algún almacén, en espera de que este o aquel organismo municipal improvisado, o el Ejército de Salvación, o cualquier iglesia, les diese un tazón de caldo o un panecillo.

Los ciudadanos se miraban de un modo conmovedor por la calle, siempre parecía haber una especie de interrogante en los ojos: «¿Te va bien? ¿Tienes algo para mí? ¿Trabajas? ¿Dónde podría encontrar algo? ¿Cuándo terminará esto?». Sólo en este terreno se mostraba la gente menos recelosa, sobre todo en los barrios obreros como Long Island City, porque también había violencia. Estábamos todos en un barco encallado y nos paseábamos por cubierta con los ojos puestos en un horizonte que era todos los días el mismo. Fue entonces cuando Sam tuvo que despedirme. Era un hombrecillo de carácter bonachón, partidario de Hoover y republicano de toda la vida, que había renunciado a defender a su presidente. Al igual que muchos otros en 1932, se había limitado a dejar de hablar de política: todo era demasiado difícil, una epidemia de catástrofes encadenadas que nadie podía detener.

* Barrio noroccidental de Queens, distrito de Nueva York. (N. del T.)

Volví pues a quedarme en casa sin hacer nada y a escrutar con ansiedad todas las mañanas los escasos anuncios del *Times* que solicitaban empleados. En aquellos días era corriente que en los anuncios se concretase lo que se quería: «blanco», «gentil», y a veces «cristiano». Y el ojo se acostumbraba pronto a recorrer las columnas automáticamente y a detenerse sólo en los anuncios exentos de aquellas advertencias: pues no otra cosa eran para mí, advertencias de que me mantuviese al margen. Fueron tiempos en que ser judío era como ser un poco negro; ambos grupos aún se comprendían entre sí. Incluso habían anuncios que especificaban: «protestante», y muy raras veces: «católico practicante», como si la ciudad se hubiera dividido en clanes aterrados por los pecados de los demás. Mi desprecio por este sectarismo contribuyó sin duda a que tiempo después me casara con una gentil.

Cierta mañana di un salto al ver un anuncio sin abreviaturas de advertencia en el que se solicitaba empleado por quince dólares a la semana en un establecimiento de Manhattan de accesorios automovilísticos al por mayor. El teléfono y la dirección me resultaban conocidos. Se trataba de los almacenes Chadick-Delamater. Llamé en seguida a Sam Shapse, para que me autorizase a utilizar su nombre como referencia y por supuesto aceptó. «Pero cuéntame lo que te digan cuando vayas.» Ignoraba qué había tras esta condición.

Reconocí al gerente, Wesley Moulter, por los viajes que había hecho en el pasado para recoger piezas. Tomé asiento junto a su mesa, limpio como los chorros del oro y con la única corbata que tenía, con los pies bien apoyados en el suelo para que no se me viera el agujero del zapato, y le hablé de mi experiencia laboral con Sam. Con sus treinta años, Moulter estaba a cargo de todo el establecimiento por un sueldo de treinta y seis dólares semanales. Signo indicador de su posición ejecutiva, llevaba corbata a rayas, el cuello abotonado y arremangada la camisa hasta la mitad del antebrazo con dos vueltas impecables; el empleado corriente se la arremangaba por encima del codo. Individuo serio pero no antipático, tenía cabello espeso y rojizo, muy rizado, una cara ancha y aplastada y cuello grueso. Tenía la mesa junto a la ventana que daba a la calle, a pocos metros de donde los contables, tres mujeres y un hombre, se afanaban en su trabajo. Las paredes de aquel sector administrativo eran bloques desnudos de hormigón y mientras hablaba con Moulter descansaba la vista fijándome en las grietas de la argamasa. Me dedicó cinco minutos, asintió un par de veces, tomó nota de mi teléfono y dijo que tendría noticias suyas.

No hice nada al día siguiente, salvo merodear junto al teléfono del comedor, que, al igual que todos los objetos que se miran un buen rato, comenzó a tener vida, espíritu animado de un silencio burlonamente pertinaz. La avidez por el empleo me corría por todas partes, igual que una comezón que me esforzase por olvidar. El salario de quince dólares no sólo era tres veces superior al sueldo normal de un «mozo», sino prueba también de que Chadick era una empresa importante. Y desde la posición ventajosa de conductor de camión, yo había tenido siempre, la verdad sea dicha, cierta aureola, ya que trabajaba con las mejores marcas: distribuidores Bear, culatas Timken, cigüeñales Detroit, diferenciadores Brown and Lipe, cables de contacto Packard-Lackard, anticongelantes Prestone, juntas y radiadores Gates, abrazaderas y pernos para émbolos Perfect Circle: nombres sólidos que hablaban de casas importantes y firmes como rocas. Al entrar en Chadick se pisaba suelo de hormigón y no los suelos resquebrajados de otros talleres de accesorios automovilísticos. El lugar estaba siempre limpio y tenía la dignidad propia de un banco, como las oficinas de la Brooklyn Union Gas, donde pagábamos los recibos todos los meses. Estaba claro que ofrecían quince dólares y no doce porque esperaban más del personal que contrataban, y yo, que me encontraba en la línea de salida, estaba ya listo para lanzarme a la carrera con mis dieciocho años recién cumplidos, pero el teléfono no sonó.

Cuando se me fue la euforia, comprendí el necesario motivo de aquel silencio, aunque no me desanimó particularmente, creo; tamaña exclusión no recibía aún el nombre de discriminación y no era más que el orden natural de las cosas. Significaba sencillamente que tendría que sondear el mundo norteamericano por otro conducto.

Aquella noche me llamó Sam Shapse para preguntarme si me habían contratado y cuando le dije que no, respondió: «Te van a dar el empleo. Sabes más de este trabajo que ninguno de cuantos dependientes puedan encontrar. Es porque eres judío. Pero la mayoría de sus clientes son judíos; les llamaré mañana a primera hora. Tú prepárate para acudir, ¿de acuerdo?».

Moulter me llamó a media mañana del día siguiente y me dio la buena noticia, cogí el trolebús que bajaba por Gravesand Avenue hasta la parada de metro de Church, de aquí me desplacé hasta Times Square, donde hice transbordo, cogí el tren de cercanías hasta la Calle 66, anduve un rato a continuación hasta la 63 y subí las escaleras metálicas que me introdujeron en los silenciosos y tranquilos almacenes. Salvo Moulter y otro individuo, todos eran irlandeses, todos sin excepción, y cuando empecé a moverme entre ellos, prácticamente me tenía que detener para que me olisquearan, porque nunca habían tenido a ninguno de mi estirpe en aquel chiquero.

Las contables fueron las primeras en compadecerse; Dora, una de las tres, me puso a trabajar tras un montón de cigüeñales. Solterona ella (e igual de delgada y con las mismas muñecas semitransparentes que la baronesa Blixen, con quien un cuarto de siglo después pasaría una tarde), me murmuró, por entre sus dientes saltones y lo que acabé por saber era un resfriado crónico de nariz, que me gustaría el sitio, que era un lugar estupendo para trabajar. Le di las gracias, pero me di cuenta de que el empleo, consistente en encontrar accesorios a lo largo y ancho de las cinco plantas a tenor de los pedidos clavados con un pincho en el escritorio de Gus, de sesenta y cinco años, encargado de la sección de embalajes —tenía el mismo mostacho que el Káiser Guillermo, unas cejas canosas terribles y una barriga tan sólida como un balón de rehabilitación para minusválidos—, sólo resultaría fácil y llevadero cuando supiese dónde se encontraba cada cosa. La acogida que se me dispensó no tardó en cambiar de tono cuando los empleados se cansaron de que les preguntara continuamente por tal o cual artículo. De modo y manera que a las cinco y cuarto, cuando todos se hubieron ido, comencé por el extremo de un pasillo de contenedores, subí a la escalerilla de mano con ruedas y me puse a mirar en los contenedores para saber qué había dentro de cada uno. No tardé en oír pasos en el suelo de hormigón y, al bajar la vista, vi que Wesley Moulter rodeaba la escalerilla, camino del cuarto de baño, con una toalla de lienzo en el antebrazo. Le saludé con la cabeza, pronto a explicarle mi intención, indiscutiblemente loable, de quedarme un rato, pero antes de abrir la boca siquiera me fulminó con una mirada fría e inexpresiva y me dijo: «¿Qué? ¿Haciendo planes para apoderarte del almacén?», y siguió andando por el pasillo hasta llegar al lavabo.

El estómago no se me desencogió hasta encontrarme a mitad de camino de Brooklyn. Tal vez fuera mejor no oponerse al desprecio que ya sabía era el sentimiento general que imperaba en relación conmigo. La breve visita de Dora, medité, había tenido por objeto comunicarme que ella no era como los demás, pero ¡qué frágil aliada! No dije nada a mi familia durante la cena; no tenía objeto estropearles la alegría que les embargaba por haber encontrado yo un empleo. Kermit, romántico siempre en estos menesteres, pensaba que había avanzado de manera bárbara por conseguir que me contratara una compañía tan importante. Todos sabíamos, por supuesto, que sin la intervención de Sam Shapse no me habrían contratado, pero ya se había puesto en marcha el principio psicológico de negar la realidad. Yo quería el empleo en Chadick a toda costa y temía que una temporada de ocio me debilitase, como le ocurría a muchos chicos del barrio que no tenían dinero para continuar los estudios, y la necesidad objetiva creó la actitud necesaria: negué que mi jefe Wesley Moulter no me podía ver ni en pintura y cuando fui al trabajo a la mañana siguiente saludé con alegría a todo el que me pareció candidato propicio y me puse a cumplir encargos con la mayor premura. En los momentos de tranquilidad, cuando no había encargos y los empleados se quedaban en torno de la mesa de embalajes del fondo de la última planta, aprendí muy pronto a mantenerme al margen, mirando y escuchando con la boca insólitamente cerrada para no dar la sensación de que buscaba su amistad o su tolerancia.

Pero al cabo de unas semanas ya hacía el ganso como todos los demás. Se habían dado cuenta de que en realidad no era más listo que ellos, sino más tonto si acaso para ciertas cosas; porque el miedo al judío es ante todo miedo a su inteligencia, facultad misteriosa y diabólica que puede confundir y poner trampas al incauto. Es miedo asimismo a las personas que no parecen vivir de acuerdo con las mismas normas del que juzga, una imagen refleja de la valoración que el judío hace del gentil. En Chadick aprendería a apretar la mano de un hombre cuya esposa había estado a punto de perder a su hijo pequeño la noche anterior en el piso sin calefacción que tenían en Weehawken; estaba tan conmocionado —horas más tarde, cuando tuvo tiempo de darse cuenta de lo que había estado en un tris de suceder— que se echó a temblar de pronto y la cara se le contrajo como si hubiese sufrido un ataque. Se trataba de Huey, un almacenero de veintiocho años que ceceaba y que estaba siempre en un callado estado de tensión por tener que alimentar a sus cuatro hijos con los dieciocho dólares que recibía a la semana.

Mientras discurría el tiempo y se sucedían las estaciones del otro lado de los sucios ventanales de la sala de embalajes, que daban a los ailantos de los patios traseros y a un burdel de cinco pisos recién inaugurado —saludábamos a las jóvenes putas desnudas que tomaban el sol por la mañana con las piernas cruzadas como los hindúes encima de la cama—, la resistencia y autodisciplina de los empleados de Chadick llegó a conmoverme, aunque sabía lo suficiente para no hacerme ilusiones respecto a que todos fuéramos «iguales». El trayecto de hora y media de todas las mañanas me lo pasaba leyendo novelas o el *Times*, periódico que aquéllos leían a veces con afectación sospechosa, pasando las páginas con la punta de los dedos, como si fueran de papel biblia. Y cuando Dora, en quien había confiado, divulgó que yo estaba ahorrando para ir a la universidad, la conclusión moral a que llegaron fue que los judíos no se gastaban en vino todo el jornal, por lo que volvimos a distanciarnos. Además, por querer ir a la universidad no sólo trataba de escapar al destino común de todos ellos, sino que además, de manera implícita, daba a entender que era mejor persona. Con todo y con eso, las preguntas que me hacían a propósito de mi extraña gente eran sobre todo a propósito de nuestras costumbres familiares, porque hasta cierto punto les impresionaba y confundía que a un sujeto sano como yo no le obligasen a contribuir al sostén de la familia, sino que por el contrario le dejasen ahorrar para costearse una educación. Casi todas las semanas, dicho sea de paso, ingresaba en el banco trece de los quince dólares del jornal, con la esperanza de reunir la cantidad estipulada de quinientos hacia julio o agosto de 1934, a tiempo de matricularme en Michigan para el semestre que comenzaba en septiembre.

Sólo una vez se me cayó la máscara de la resignación, si es que se la puede llamar así. Como de costumbre, estaba revolviendo los artículos de un contenedor en mitad de un pasillo, no había oído los pasos de Huey, que se me había acercado por detrás, y al retroceder para dejar sitio a la escalera, la rueda de ésta le pisó el pie. Era un individuo gordo, de pies planos y hombros caídos, y solía hacerse cortes en los zapatos con una navaja de afeitar para poder mover a gusto los gruesos dedos. El dolor hizo que me lanzase un puñetazo a la nariz al tiempo que exclamaba: «...cabrón». Al principio me pareció que había dicho «judío», pero como me agaché y el puño dio contra un contenedor sería incapaz de jurarlo. Tardó un par de minutos en liberar la mano, porque había perforado el contenedor, y los nudillos le sangraban a causa de los rasguños producidos por la hojalata. Parecía muy furioso al alejarse con la mano envuelta en un pañuelo, pero sobre el incidente no se dijo una palabra más.

Cuando en agosto de 1934 me despedí de Chadick-Dalamater ya había adiestrado a Peter Damone, el primer italiano que trabajaba en la casa, un joven siciliano, cerrado y digno que no sonreía ni por casualidad y que no tardó en quedar al margen de todos los cotilleos confidenciales, al igual que yo había estado al margen de algunos; y a Dennis MacMahon, un joven gigante, recién desembarcado y con un acento irlandés encantador que pegó papel de embalar a las ventanas para no tener que ver a las putas todos los dichosos días que pasase allí. Tuvo que luchar para no caer en el alcoholismo, como le pasaba a la mayoría en algún momento de su existencia obrera, de manera comprensible a mi entender, dado que sabían que no había ningún futuro en absoluto para ellos en aquel lugar, y al mismo tiempo que debían sentirse agradecidos por tener trabajo en aquellos días. La contención de la cólera, sin embargo, no siempre surtía efecto.

Gracias a la imaginaria cola de parados que aguardaban para ocupar nuestro puesto en cuanto nos quejáramos de las condiciones de trabajo, aprendimos a encajar los golpes contra el yo sin mover un músculo. Si, por ejemplo, uno de nosotros se encargaba de un pedido de guarnición para frenos, tenía que cortarlo en la rueda sin protección, sin careta ni gafas, aunque el material era de amianto comprimido, tan duro y frangible como el ladrillo. Un nube de hediondo polvillo de amianto envolvía el lugar en que se cortaba, a veces se desplazaba hacia las oficinas centrales incluso, y de tarde en tarde la rueda se rompía y esquirlas afiladas como vidrios surcaban el aire de toda la sala de embalaje. Nunca se nos ocurrió que el peligro que la operación entrañaba pudiera ser anormal. Una vez me dio en el pecho un pedazo de rueda rota, pero como era invierno y la temperatura oscilaba siempre entre los diez y quince grados centígrados, llevaba puestos el jersey y la cazadora; apenas sentí el impacto y me limité a instalar otra rueda y a seguir cortando guarnición para frenos. Los periódicos decían que se estaban fundando sindicatos nuevos en distintas ramas industriales y cuando hablé de ello con Huey y los demás trabajadores, me miraron con algún recelo ante la perspectiva de enfrentarse al gran jefe (cuyo verdadero nombre hace tiempo que olvidé, pero al que bauticé «Mr. Eagle», [Señor Aguila], en una obra de teatro sobre aquellos almacenes que escribí veinte años más tarde). En cualquier caso, sabíamos que no éramos mano de obra cualificada y que se nos podía sustituir con facilidad. La verdad es que, faltos de orgullo por lo que hacíamos para ganarnos la vida, éramos exactamente igual que otros trabajadores de entonces, incluso que algunos cualificados. Si se hubiera presentado a la sazón un organizador sindical, nos habríamos considerado por debajo de la categoría de obreros dignos de sindicación.

De Mr. Eagle se decía que poseía otros establecimientos, motivo por el que sólo lo veíamos un par de días por semana. Según Dora, había estudiado en Princeton y practicaba los deportes náuticos, datos que podían comprobarse mirando por las únicas ventanas limpias del lugar, las de los tabiques de separación que limitaban su pequeño despacho; en la pared había un grabado enorme en que se veía un barco de vela, insulto para la mirada en el calor del verano, porque, como es lógico, no sólo no disponíamos de aire acondicionado sino que tampoco teníamos un triste ventilador y la temperatura del termómetro de un metro de longitud, con el reclamo «Prestone» impreso en azul y rojo, que colgaba junto al mostrador de la entrada, subía a menudo por encima de los treinta y dos grados centígrados. A nadie se le ocurrió nunca pedir a Moulter que pidiese a Eagle un ventilador. Lejos de ello, una cola uniforme entraba y salía sin cesar del único lavabo que había junto a la mesa de embalaje desde la que se veían las putas, con objeto de remojarse la cara con el agua tibia que salía del grifo y que caía en la mugrienta pila marrón, la misma que Mr. Eagle utilizaba. Y no parecía una falta de corrección el que, de vez en cuando, Mrs. Eagle, una joven más bien limpia y educada que siempre parecía vaporosamente vestida para ir a una fiesta en pleno día, atase sus dos enormes y enfermos perros de lanas a la gran báscula de hierro mientras ella se iba de compras durante unas horas. Como debajo de la báscula vivía una respetable colonia de ratones grises con docenas de miembros, los perros no paraban de dar zarpazos a la base metálica y ladraban como si tuviesen las cacerías campestres grabadas a fuego en la cabeza. Lógicamente, el macho de la pareja se meaba de vez en cuando en la báscula, planteando el interrogante de cuál de nosotros iba a limpiar el charco; nuestra única rebeldía consistía en dejar que se secase solo. Disfrutábamos viendo a Mrs. Eagle sortear el charco cuando volvía para desatar a las bestezuelas, tras lo que nos daba las gracias por haber sido pacientes con ellas, ya que no estaban acostumbradas a la vida urbana.

En *A Memory of Two Mondays* [Recuerdo de dos lunes], la obra en un acto que escribí a mediados de los años cincuenta, me esforcé por retratar la situación, aunque sólo en el extranjero tuvo repercusiones: en Latinoamérica, Italia, Checoslovaquia y los países menos adinerados de Europa, donde aún se daban aquellas condiciones de trabajo y aquella mano de obra, o donde aún se recordaban. En la Nueva York de 1955 subía la bolsa y el dólar era la única divisa fiable del mundo, y una obra sobre la clase obrera era lo último en que se quería pensar. Cuando la escribí ya se habían representado cinco obras mías en Broadway, aceptadas y, como bien sabía para mi sayo, rechazadas por lo que yo creía aún era la aberración característica de la sociedad norteamericana conocida por época de Eisenhower. Una obra así, pensaba yo, con su defensa tácita de la solidaridad humana, era una manera de decir que tenía que haber algo auténtico aparte de amasar riqueza, aunque sólo fuese como recuerdo de una época ya fenecida. Pero la nostalgia, supongo, se reserva para la remembranza de los placeres, no del dolor o de la realidad vulgar.

Como fuese, el día de finales de verano de 1934 en que·me marché de Chadick-Delamater, sólo Dora pareció darse cuenta del hecho, del mismo modo que sólo ella se había dado cuenta, dos años antes, de que yo había llegado. Hasta Dennis, el amigo más íntimo que tenía allí, se limitó a levantar la vista cuando me despedí de él mientras embalaba un cigüeñal. Jim Smith, el antiguo boxeador indio y ya octogenario, pasó ante mí con la colilla de puro centrada en la boca fruncida y con la cabeza muy alta mientras leía con las gafas puestas un pedido que tenía en la mano, y Johnny Drone, con las mismas espinillas en la nariz que dos años antes, tiesa de mugre la corbata azul marino que llevaba y que era una de las tres iguales que tenía, me dedicó una ligera inclinación de cabeza, se apoyó en la otra pierna, como si estuviese dentro de un caldero hirviendo, y me dijo: «Pasa por caja». Había ya otros dos empleados irlandeses a los que nunca había llegado a conocer porque apenas daban golpe y desaparecían durante horas en el interior del montacargas para jugar a los dados con los primos que entraban por la calle. Para molestar al ingenuo y puro Dennis, que, no obstante, hacía tiempo que había perdido el campesino rubor irlandés de las mejillas, una tarde tomaron asiento en su mesa de embalar y, en voz bien alta y con pelos y señales, contaron que, el fin de semana anterior, se habían llevado a casa a una chica de un baile de Paterson y la habían violado por turno mientras el que estaba libre conducía el camión que les habían prestado. La cólera de Dennis había desembocado en la primera y única pelea a puñetazos que había presenciado allí. Hizo que Wesley Moulter bajase corriendo de su despacho para sujetar a Roach, uno de los dos empleados, que estaba castigando a Dennis en el estómago, mientras yo sujetaba a Dennis y Dora y un par de mujeres gritaban y amenazaban con llamar a la policía, antes de que se restaurase el normal sopor que reinaba en el establecimiento.

Cierto día de mediados de los cuarenta, unos diez años después de abandonar aquel trabajo y matricularme en Michigan, me encontraba a unas manzanas de distancia y por primera vez en muchos años sentí un impulso de curiosidad tocante a mi relación con aquellas personas, por lo que decidí hacerles una visita de orden sentimental. Tomé la travesía de Broadway, subí las escaleras, abrí la puerta metálica y me sorprendió ver una atmósfera totalmente distinta. El mostrador era ahora de madera contrachapada y un tabique que hablaba de la nueva categoría conseguida aislaba a los clientes de los pasillos de contenedores, así como de las oficinas que aún tenían que estar detrás de él. En el mostrador había un par de mecánicos en espera de que se les despachara y en aquel instante un sujeto descomunal y rubio cruzó la puerta del tabique para atenderles. Era Huey, aunque hinchado a causa de la madurez, disfrazado por el transcurso de una década. Llevaba camisa y corbata presentables y las mangas de la camisa pulcramente subidas hasta medio antebrazo, al estilo ejecutivo, y aunque no le pude ver los pies estuve seguro de que ya no calzaba zapatos con cortes. Los mecánicos se fueron con sendas cajas de accesorios, me acerqué al mostrador y le saludé con la cabeza. Aguardó a que le expusiera qué quería y entonces le dije:

—¿Cómo estás, Huey?

La desmemoria le achicó los ojos, y una sorprendente suspicacia también. Me turbaba tener que decirle mi nombre. Saltaba a la vista que estaba ocupado.

—¿Qué quiere? —preguntó, esperando aún que le formulase un pedido. Le conté que había trabajado dos años en la casa. Al igual que la Depresión, el tiempo pasado en Chadick era ya un sueño; no sólo no me recordaba sino que además parecía irritado porque le obligase a adivinar el objeto de mi presencia. Su cortante falta de interés incluso por esforzarse en recordar hizo que me sintiese deprimido, la charla comenzó a flaquear y me fui apenas dos minutos más tarde, cerrando a mis espaldas la puerta metálica por última vez. Reinaba el mismo olor metálico y anónimo que cuando me tomaron la filiación y que cuando me dieron el finiquito, un olor que me recordaba al depósito de la Marina y a las fábricas, un olor que siempre me resultaría estimulante, augurio de solidaridad de fabricantes y productores, pero que a la larga, puesto que los hombres acaban igual que empiezan, es decir, solos, me resultaría deprimente.

Mientras paseaba aquella tarde me pregunté qué había esperado de aquel regreso a Chadick-Delamater. ¿Demostrarles que había triunfado, que ya era un escritor que contaba con un fracaso en Broadway y con una novela, *Foco*, adquirida por una sorprendente cantidad de personas? Pues sí, pero se trataba de algo más que de fanfarronear; en cierto modo había querido detener el tiempo, tal vez robar parte del que se nos había robado a nosotros, pero la ineficacia —o la negativa— de Huey a la hora de recordar había hecho que volviera en mí. Era muy extraño que todo el personal se me hubiera quedado grabado en la memoria mientras que yo había desaparecido de la suya. ¿Cómo podía Huey haber borrado del recuerdo de un modo tan absoluto el momento en que le cogí la mano para animarle durante el repentino acceso de miedo que sufrió al saber que su hijo había estado a punto de morir de frío en su casa, o la coyuntura en que me descargó un puñetazo? ¿Es por esto, me pregunté, por lo que existe la literatura, porque es un testimonio frente al olvido? ¿Y no sólo para el escritor, sino también para todos aquellos que bregan en las profundidades adonde nunca llega el sol de la cultura?

Compré un periódico y bajé por Broadway leyéndolo. Los sufrimientos de Rusia eran de dimensiones colosales, pero la guerra se volvía contra Alemania poco a poco. Se decía que en el enfrentamiento con Japón, que acontecería más tarde o más temprano, moriría medio millón de estadounidenses. Dos veces me habían rechazado ya para el servicio. Mi hermano estaba en algún lugar de Europa. Pese a todo, la ciudad parecía siniestramente insensible. ¿Qué significado tenía todo aquel derramamiento de sangre? ¿Importaba que muriese mi hermano? Puesto que no estaba movilizado, tenía tiempo para formularme tales preguntas. Y se me ocurrió que, en privado, los ciudadanos se preocupaban por el sentido de las cosas, pero se sentían demasiado inseguros para admitirlo y aceptaban por el contrario los embustes oficiales relativos a trascendentes objetivos patrióticos que un día lo justificarían todo. Deseé hablar por ellos, decir lo que ellos no sabían decir por falta de arte.

En los ocho años transcurridos desde que en 1936 obtuviera mi primer Premio Hopwood había escrito cuatro o cinco obras de duración normal; la versión novelada de *Un hombre de suerte; Situación normal,* libro periodístico sobre la instrucción militar basado en las investigaciones previas que había hecho para elaborar el guión cinematográfico de *The Story of GI Joe* [También somos seres humanos]; y aproximadamente dos docenas de guiones radiofónicos de los que había estado viviendo. Paseaba por la ciudad en tiempo de guerra con la ineludible inquietud del superviviente. Incluso había tratado de ser útil solicitando un empleo en la Office of War Information, el departamento de propaganda y espionaje, pero con mi francés de manual y falto de contactos poco era lo que podía ofrecer y me rechazaron. Al parecer no formaba parte de nada, de ninguna clase, de ningún grupo influyente; era como una segunda enseñanza crónica en que todos los demás corrían a este o aquel club o conferencia con un profesor, mientras yo me quedaba quieto, esforzándome por adivinar qué pasaba. Sólo estaba seguro de que la literatura no tenía nada que ver con la invención; yo no podía ser el Dickens de *El libro de todas las cosas,* con la cabeza rodeada de retratos de personajes que habían brotado de ella como por ensalmo. La ciudad que yo conocía era ilógica y, sin embargo, su voz estrangulada parecía pedir un significado para los sacrificios que empapaban los periódicos todos los días. Y aunque psicológicamente apto —joven en forma al que se impedía ir a una guerra en que otros morían, pertrechado con la angustia vitalicia de las autoacusaciones que rayaban a veces en un patológico sentido de la responsabilidad—, era sin duda inevitable que el egoísmo, la picaresca y la rapacidad económica de la parte civil embotara mi sensibilidad ante los sacrificios de los soldados y la santidad de la causa aliada. Yo era una cuerda tensa en espera de que la soltasen, en espera, como al final resultó, de *Todos eran mis hijos,* que, como ya dije, me inspiró la persona que menos me podía imaginar: la madre de Mary, la señora Slattery.

Ninguna obra de interés tiene una sola fuente, al igual que ninguna persona existe psicológicamente en un solo lugar y un tiempo únicos. Pese a ello, como decía Tolstoi, queremos ver el alma del artista en su obra, por lo que el artista debe comprometerse consigo mismo y afirmar su autorretrato con firmeza. Yo quería convertir el espíritu en un hecho, transformar en circunstancia lo que yo creía era un deseo normal de sentido. Quería escribir una obra que se afirmase sobre las tablas como una piedra caída del cielo, innegable, un hecho tangible. Y me había adentrado en este camino particular hasta el extremo de exigírmelo no sólo a mí mismo sino también al teatro como género.

Un día de primavera de 1936 se mencionó mi nombre en calidad de ganador de uno de los premios Hopwood ante los concursantes e invitados que se habían reunido y me sentí contento, como es lógico, pero también próximo a la turbación, y rogué porque todos olvidaran pronto aquella obra desdichada en beneficio de la siguiente, que sin duda me iba a salir mejor.

Llamé inmediatamente a mi madre, que lanzó un grito, soltó el teléfono y salió corriendo al exterior para despertar a parientes y vecinos al nuevo día que despuntaba, mientras el dinero recién ganado se me iba a las arcas de la telefónica. Ya era célebre en la Calle 3 y nunca más volvería a ver que la vida se me marchitaba jugando a rugby en la calle a todas horas, y no hay fama más gratificante. El premio me permitió saborear en concreto una especie de venganza contra una señora, mi tía Betty, viuda de Harry, el hermano de mi madre, que se autocalificaba de vidente, cartomántica y mística, a quien mi madre había hecho que me leyera las cartas hacía dos años, la víspera de mi partida hacia Michigan. Betty, bailarina de revista antaño, había sido mujer muy frescachona y atractiva. Al saber, hacía veinte años, que su hijo era mongólico, abrazó la religión y, esperanzada, se había puesto a buscar fantasmas por el rabillo del ojo mientras le limpiaba la barbilla a Carl, al que unas veces reprendía llena de cólera, otras se burlaba en sus narices de sus balbuceos y las restantes le engalanaba con trajes y corbatas caros para pasear con él y enseñarle cómo había que cogerla del brazo, y a conducirse como un caballero de verdad.

La noche anterior al viaje me había hecho sentar a la mesa de su comedor y me había echado las cartas. Mi madre se mantenía a cierta distancia de nosotros para que sus vibraciones nerviosas no se confundieran con las que brotaban de mí. Mi padre estaba en la salita, jugando a tomar el pelo a Carl.

—Así que te gusta Mae West, ¿eh, Carl?

—Sí, sí, sí, ¡me lo comería!

—¿Por qué te lo comerías?

—Es muy guapo.

Mi hermana Joan, con diez años y pico, estaba arriba probablemente, probándose los vestidos de mamá con su mejor amiga, Rita, de la que yo sospechaba, y con razón según se comprobó, que nos robaba ropa interior desparejada, y que se estaba probando una tras otra las joyas de mi madre, con la vista puesta, sin la menor duda, en la escasa bisutería de valor que aún quedaba. Kermit, imagino, estaba o fuera con una chica o escribiéndome en el dormitorio una de sus sinceras esquelas exhortatorias, su estilo era una continuación de las cartas victorianas de la I Guerra Mundial que el pobre tío Moe nos mandaba desde el frente. En resumen, me iba y los iba a abandonar a todos, nuevo José que hacía la maleta para cruzar el desierto y embaucar un día al faraón. Sabía que aquella última noche que pasaba en casa era una de las crestas de la pequeña ola de mi vida.

Silencio de expectación cuando Betty puso en fila con cuidado la última carta y procedió a establecer arcanas correspondencias en la serie de los naipes, que comenzó a amontonar acto seguido. Pausa. Nueva recogida de cartas en medio de un silencio sepulcral. Tía Esther, limpia hasta la obsesión, entró para despedirse de mí y desearme suerte, pero antes de abrir la boca siquiera fue *shhhh*ilenciada por mi madre y quedó quieta y sin decir ni pío, contemplando las operaciones de Betty y quitándose la pelusilla de un pecho casi inexistente.

Betty cabeceó en aquel instante con tristeza.

—No le va a ir nada bien. Lo expulsarán al cabo de unos meses. —Un horror eléctrico chisporroteó en los ojos de mi madre. Betty me miraba ya a mí y me rozó con mano compasiva—. No malgastes el dinero. Quédate en casa. Es inútil que vayas.

Aunque por entonces era un ingenuo, se me ocurrió pensar, mientras observaba su rostro redondo y sensual, que a lo mejor había allí más celos que mensajes ultraterrenos. Pero al instante rechacé el pensamiento recriminador: al fin y al cabo era de la familia y tenía que quererme bien. La verdad era que me había tocado el desnudo nervio supersticioso y me deprimió por decirme ni más ni menos lo que yo temía. Recuperándose con valentía, mi madre sirvió café en el acto con uno de sus gruesos pasteles de merengue y transformó la ocasión en una fiesta en que la noticia de la llegada del pastel motivó raudales de felicitaciones antes de que la noche se extinguiera. A la mañana siguiente, Kermit y mi padre fueron al autobús para despedirme, como si me marchase rumbo al corazón de Asia, y, en el último segundo, Kermit se quitó el sombrero —siempre estaba muy guapo con sombrero y yo ridículo— y me lo encasquetó en la cabeza a modo de regalo de despedida. No perdí aquel sombrero hasta cuatro años más tarde, la última vez que fui a casa en autostop, en un trigal próximo a Oneonta, Nueva York, un día lleno de sol y vientos primaverales, cuando una ráfaga inesperada me lo arrebató de la cabeza igual que un globo infantil y lo llevó a cierta distancia, en el segundo preciso en que corría hacia un coche que se había parado en aquella carretera solitaria.

En la primavera del 36 y con el Premio Hopwood no temía ya el fracaso académico, pero quería que Betty admitiese la distinción, supongo que para creer yo también en ella, puesto que aquella noche mi tía no había hecho más que poner en palabras mis propias dudas. Sólo a intervalos era mi triunfo una promesa de acontecimientos venideros; apenas hube cobrado el cheque del Premio Hopwood cuando di comienzo a la costumbre, que no he perdido jamás, de preocuparme por si me quedaba alguna otra cosa que escribir. Con aquella primera obra había agotado todo lo que sabía sobre la familia y sabía muy poco sobre los demás. Por otra parte, el hilo principal había sido la ofensiva del hijo mayor contra el padre a causa de la actitud antisocial de éste por reprimir una huelga en su fábrica. Tras dejar fuera de combate a mi padre ficticio, tuve no obstante la satisfacción de obtener la aprobación del auténtico y ya no tuve necesidad de fingir ante él que estudiaba periodismo, una profesión de verdad, con jefe y salario. En cuanto a Kermit, ante el que me sentía un poco culpable por haber dejado sobre sus hombros toda la carga familiar mientras yo, el estudiante menos dotado, iba a la universidad, creo que el premio le ayudó a pensar que su sacrificio no había sido inútil, aunque es posible que para sí se preguntara por qué no era él también un galardonado. Pero estaba al servicio del padre idealizado del mismo modo que yo me había puesto al servicio de la destrucción de este ideal. El premio me facilitó toda clase de ventajas. Me reportó el sufrido placer de escuchar al profesor Erich Walter, cuando, en su clase de redacción, leyó mi obra, en un gesto sin precedentes, como ejemplo, según dijo, de condensación lingüística. Aquel hombre distraído y encantador —cuya corbata le salía las más de las veces por debajo del pico del cuello de la camisa y que al entrar en el aula solía olvidar que se quitaba el abrigo y al cabo de media hora lo descubría en el suelo y se lo quedaba mirando desde la tarima, con las gruesas gafas sin montura, preguntándose cómo se habría caído de la percha—, Erich Walter, insistía en leer mis diálogos neoyorquinos con su nasalización mesooccidental, que ofendía al oído, en particular cuando la exclamación *Oh, yeah* la pronunciaba *Oh, yay*.* Pero la interpretación era tan deliciosa que cuando un pasaje despertaba las risas de los estudiantes, alzaba los ojos con las mejillas rojas como manzanas y me sonreía con orgullo desde el otro extremo de la larga mesa. Poco antes de acabar el curso me sorprendió invitándome a dar un paseo con él después de clase. Los profesores me inspiraban tanto respeto que aquella distinción personal hizo que el concepto que tenía de mí mismo, estudiante de segundo año, creciera varios metros antes incluso de oírle hablar. Lo que quería decirme era que mis ejercicios de redacción acusaban una tendencia a la crítica y que podría hacerme crítico si me dedicaba a estudiar, digamos, durante diez años. ¡Diez años! ¡Cumpliría los treinta antes de escribir una sola crítica! Sólo pude asentir con circunspección, como si tuviera intención de meditarlo, aunque en realidad pensaba que me impondría como dramaturgo en cosa de un año, dos a lo sumo: pero no nueve, decididamente, como acabó demostrándose. Walter me remitió a Kenneth Rowe, que enseñaba teatro y que me aceptó en su clase. Rowe no tardó en convertírseme en una mezcla de juez crítico y confidente. Al margen de su amistad, que significó mucho para mí, su principal contribución a mi desarrollo fue interesarse por la dinámica de la construcción teatral, materia que no solía figurar como asignatura en las universidades. Su erudición y apoyo me resultaron de capital importancia y cuando pasó a ser consejero del Theatre Guild, para el que leía las últimas novedades, este meritorio cargo profesional añadió peso a sus estímulos.

Fue el mismo Erich Walter quien, a comienzos de los años cincuenta, me hizo pasar al despacho que tenía en el nuevo minirrascacielos administrativo para ayudarme en mi artículo de *Holiday*. Vicerrector de la universidad a la sazón, llevaba un traje formal muy bien cortado y una serena corbata que ya no le salía de debajo del pico del cuello, sino del cen-

---

* *Oh, yeah* se pronuncia aproximadamente *Ou-yé;* el sonido inequívoco de *Oh, yay* es *Ou-yéi.* Lo que hace el tal profesor Walter es convertir la forma coloquial *yeah* en la más académica *yea*, que suena igual que *yay*. (N. del T.)

tro del mismo, y tenía un par de secretarias en el antedespacho, pero aún ceceaba y tenía las mejillas coloradotas y escuchaba con mucha atención, siempre dispuesto a quedar encantado. Esperaba, me dijo, que en mi artículo se hablase del mcCarthysmo, ya que su espíritu paranoide impedía la comunicación entre estudiantes y profesores y, en connivencia con la contemporánea institucionalización de las oposiciones para licenciados, inculcaba en los jóvenes una mentalidad homogénea y conformista. El principal objetivo de los estudiantes en aquellos días era, subrayó, no desarrollar la facultad que fuese para saber distinguir lo verdadero de lo falso, sino integrarse en la Norteamérica oficial. «Se han vuelto expertos en obtener buenas notas, pero ahora son menos los que se entretienen en la entrada, ya no se habla por el gusto de hablar», o de especular acerca de los males del mundo y de las soluciones ideales, tema por el que ningún empresario se interesaba y que hasta podía ser sospechoso. Fue Walter quien me remitió al profesor de orientación, quien, con toda inocencia, sin la menor idea del siniestro significado de sus palabras, me reveló como si tal cosa que el FBI estaba reclutando estudiantes que informasen de los profesores que formulaban observaciones de carácter radical, y pidiendo al mismo tiempo a los profesores que informasen sobre los alumnos que manifestaran ideas peligrosas. La sombra del delator sin rostro no había oscurecido del todo la vida universitaria de los años cincuenta, pero el vicerrector comenzaba a tener mucho miedo del futuro.

Con el Premio Hopwood de 1936 en el bolsillo, mi sol espiritual ascendente, no me fue difícil enfrentarme en la palestra de la imaginación a los dramaturgos que estaban en el candelero de Broadway: a Clifford Odets en primer lugar, y a Maxwell Anderson, a S.N. Behrman, a Sidney Howard, a Sidney Kingsley, a Philip Barry y a una docena más cuyo nombre desapareció con la temporada que les fue propicia. Con todo, no había al parecer ningún norteamericano que explotase un filón relacionado con el que había dado en considerar mío, excepción hecha de Odets y, durante unas semanas, también de Anderson, que en mi sentir trataba de romper con la vetusta manía naturalista de Broadway. Pero había en su obra algo artificial y anticuado que pronto se me volvió deleznable.

En cuanto a Eugene O'Neill, su obra, con la jerga sosa de los años veinte, a mediados de los años treinta parecía una reliquia, y además de un fatal espíritu tautológico que me invitaba a dormir cuando me esforzaba por leerle, hacía sospechar que buscaba con tesón cierta grandilocuencia. Uno enfoca a los escritores desde el propio momento histórico y desde aquél en que yo me encontraba O'Neill parecía el dramaturgo de los ricos místicos, de la alta sociedad, el Theatre Guild y la «cultura» escapista. Pasarían muchos años hasta que brotara en él una faceta diametralmente opuesta, su malestar se presentaría de un modo más absoluto y más alejado del terrenal consuelo que cualquiera de los conflictos de Odets, único autor que me había parecido puro, revolucionario, el portador de la luz.

Ello, lógicamente, por su compromiso con el socialismo y aquella idealización de lo soviético que tan difundida estaba en Occidente, pero también, en no menor medida, por la esperanzada desesperación y lirismo de sus piezas. O'Neill había iniciado su década silenciosa justo cuando la meteórica carrera de Odets se había iniciado y ello parecía demostrar el marchitamiento de su individualismo fosilizado, un ansia necrológica de salvación personal que recordaba a los alcohólicos años veinte, en contraste con la juvenil protesta de Odets contra el presente insoportable. Como siempre, caíamos en la trampa de juzgar a los escritores por lo que parecían defender y no por lo que escribían, por la propaganda crítica que les rodeaba y no por sus méritos literarios.

Tendría que esperar hasta fines de los cuarenta, década totalmente diferente, para darme cuenta de que estaba en un error; pese al muy ineficaz montaje original de *The Iceman Cometh* en 1946, la misma temporada en que se estrenó *Todos eran mis hijos*, estaba muy impresionado por la hostilidad radical de O'Neill hacia la civilización burguesa, mucho más grandiosa que cuanto había salido de la pluma de Odets. Los personajes de Odets eran marginados porque —si se mira bien— no podían integrarse en el sistema, los de O'Neill porque necesitaban a toda costa salirse de él, rechazarlo, con toda su complacencia jactanciosa y su puritana aspiración a los valores espirituales cuando en realidad producía hombres vacíos y grises, afectados por una desesperación inefable. Si el baremo del radicalismo hubiera sido, no las automáticas etiquetas periodísticas como «católico», «judío», «trágico», «conciencia de clase», sino el contenido, O'Neill se habría consagrado como el primero y principal autor anticapitalista. A fin de cuentas, Odets se habría contentado con reformar el capitalismo mediante unas cuantas dosis de socialismo; O'Neill no concebía para el sistema ninguna esperanza en absoluto, pero, a diferencia de Odets, no estaba en ningún movimiento político, por lo menos desde su juventud socialista. O'Neill escribió sobre los miembros de la clase obrera, sobre las prostitutas y los marginados sociales, incluso sobre los negros que vivían en un mundo blanco, pero como el ciudadano ya no estaba vinculado con el marxismo, el trabajo del dramaturgo no se enfocó nunca como la crítica del capitalismo que objetivamente era.

Tampoco se comprendió del todo al verdadero Odets en su tiempo. Podía agitar una bandera roja y ser feliz una temporada surcando los cielos como un «pájaro vengador de la clase obrera», pero no hacía sino señalar una esperada certidumbre que no poseía en realidad, como acabó demostrándose. Fue un romántico norteamericano, tanto un hombre de Broadway como un abanderado de la clase trabajadora, más probablemente esto último. Llamarle contradictorio no es sino decir que vivía y sufría con intensidad. Harold Clurman, su director escénico y amigo más íntimo, habiendo ido a Hollywood a visitarle, le leyó una frase que habían escrito acerca de él: «Para Odets, Hollywood es el Pecado», y se echó a reír. «¿De qué te ríes?», le replicó Odets, como hombre que hubiera perdido su norte moral.

Era fácil acusarle por perder el tiempo con guiones de cine, la mayoría de los cuales no se filmó nunca, pero ¿a qué teatro podía mantenerse fiel? El teatro comercial de Broadway es un organismo que corrompe el aire que le da la vida; Odets se sintió burlado y rechazado en sus últimos años, igual que Williams y O'Neill. También yo acabé bebiendo de este cáliz de amargura, aunque no de un modo tan devastador, quizá porque nunca me hice demasiadas ilusiones respecto de que se me hubiera aceptado plenamente y no se me vino el mundo encima cuando comprendí que el matrimonio entre el arte y la comercialidad era imposible. La historia del teatro norteamericano es una tautología espantosa: a los abrazos de congratulación no tardan en seguirles el rechazo o el desprecio, y esto es válido, sin excepción alguna, para todo dramaturgo que se atreva a correr riesgos y no opte cómodamente por repetirse.

Odets irrumpió con brío a mediados de los años treinta con *Waiting for Lefty*, que Clurman calificó de «manifiesto callejero», y a continuación con *Awake and Sing!*; se trató de un fenómeno inusitado, de un desafío izquierdista al sistema, más aún, del poeta que de súbito salta al escenario y despoja a la clase media de su dignidad, que chilla, grita y maldice igual que se haría en las calles de Manhattan. El lenguaje, por primerísima vez en los Estados Unidos, corroboraba la unicidad de un dramaturgo, ya que el contexto de su aparición era un teatro antipolítico y antilírico, con obras de éxito como *Cena a las ocho, Damas del teatro, La calumnia, El bosque petrificado* e *Historias de Filadelfia. Sinfonía de la vida** fue lo más próximo al lirismo, aunque su lenguaje era pacato en comparación con el de Odets. Y como era un diamante tan en bruto, las imágenes de éste se cargaban al instante de aquel sentido de la responsabilidad social y moral que fue su barricada de toda la vida. La verdadera cruz que soportó en el seno de una cultura popular que exigía entretenimientos inmediatos y agradables no fue su radicalismo, real e hipotético, sino su arte. El apolítico F. Scott Fitzgerald caería en un conflicto muy parecido, en el caso de Odets representado por el Joe Bonaparte de *Golden Boy*, que, según Clurman, es el mismo Odets, un hombre escindido entre el deseo del dinero fácil y el oropel pugilístico-hollywoodense-broadwayano, y la pasión por el violín, por un arte capaz de expresar la intimidad de su alma.

Al volver a Nueva York de vacaciones, tenía el cerebro lleno de la belleza de los montajes del Group Theatre. Con mi indómita tendencia a idealizar todo lo que se alzase contra el sistema —incluidas las convenciones teatrales de Broadway—, me arrebataba la pura presencia física de aquellos espectáculos, los escenarios y la iluminación de Boris Aronson y Mor-

---

* Para comodidad del lector, los títulos de las obras teatrales que cita Arthur Miller se han traducido de acuerdo con el de las películas que se basaron en ellas. He aquí los títulos originales: *Dinner at Eight* (de George S. Kaufman), *Stage Door* (de Edna Ferber y George S. Kaufman), *The Children's Hour* (de Lillian Hellman), *The Petrified Forest* (de Robert E. Sherwood), *The Philadelphia Story* (de Philip Barry), *Our Town* (de Thornton Wilder). (N. del T.)

decaí Gorelik, y el silencio tan particular que rodeaba a los actores, que parecía al mismo tiempo natural y suprarreal. En la actualidad soy capaz de reproducir en el teatro de la memoria algunas de las grandes escenas que interpretaron Luther y Stella Adler (hijos de Jacob, el héroe de mi padre), Elia Kazan, Bobby Lewis, Sanford Meisner y los demás, y hasta de situar a cada actor en el punto exacto de las tablas en que estuvieron hace cincuenta años. Se trata menos de una hazaña memorística que de un homenaje a la capacidad de aquellos actores para concentrarse, para *ser* en escena. El tiempo se detiene cuando los evoco. El ademán insignificante no parece haberles tentado nunca. Lo más parecido a aquellas representaciones que he visto fue la puesta en escena del Abby Theatre de *Juno and the Paycock,* con Sara Allgood y Barry Fitzgerald, que encogían el alma como ante la verdad inmutable. Hay también color en mis recuerdos; Gorelik y Aronson se servían del color con intenciones interpretativas, igual que los pintores, por sus efectos subjetivos y no sólo por su precisión naturalista. Me enteraría tiempo después de las riñas internas del Group, de las depresiones nerviosas, el egoísmo y la altanera ambición de algunos de sus miembros, pero desde mi asiento de anfiteatro de cincuenta y cinco centavos todo era un delirio de integridad sin tacha en cuanto a los objetivos y medios artísticos, como a menudo era realmente. No fue la primera ocasión en que el arte era más noble que el artista.

Ni a mí ni a otros autores jóvenes que yo conocía nos parecía que el teatro de Lillian Hellman tuviese mucho que ver con estas obras airadas y provocadoras. A pesar de que analizaba su fariseísmo, la clase media de sus obras parecía tan inamovible como irrelevante, tanto que constituía una sorpresa saber que, como ciudadana, era de izquierdas. Había además cierta elegancia en sus diálogos que la apartaban del teatro de protesta, muy irreverente y estimulante en la época. De un modo sin duda injusto, a algunos nos parecía más broadwayana que del sector heterodoxo, con aquellas tramas suyas que nunca cojeaban y una premeditación que probablemente éramos demasiado jóvenes y, como escritores, demasiado descuidados para apreciar. Nosotros no buscábamos revelaciones paulatinas, sino el estallido rejuvenecedor de la ira de los justos. Además, el núcleo de la decadencia era Hollywood y a ella, al parecer, se la veía allí con ojos demasiado benévolos para que fuese depositaria de las esperanzas de uno. Lo que, sencillamente, tal vez sea otra forma de decir que, como rebeldes, no sabíamos idealizar a los triunfadores, porque parecía improbable que una auténtica portadora de luz malgastase tanto su vida trabajando para Sam Goldwin y los demás mercaderes.

Mi purismo estaba aún incólume durante la década de los treinta, tanto que, en determinado punto de 1939, meses antes de abandonar la universidad y permitirme desempeñar un empleo en el Federal Theatre Project por veintitrés dólares a la semana, no tuve el menor empacho en rechazar una oferta de doscientos cincuenta semanales que me hizo un tal Coronel Joy, representante de la Twentieth Century-Fox, para ir a trabajar para esta compañía junto con docenas de autores jóvenes que, como solía decirse, partían para California en vagones de ganado. Una tarde se organizó una fiesta para despedir a unos cuantos, izquierdistas todos, algunos de ellos colaboradores de la página literaria de la revista *New Masses*. Dos en concreto habían escrito sendas obras de teatro no representadas y que a mí se me antojaban de algún mérito, y cuando les pregunté por qué abandonaban el teatro, uno me respondió: «¿Tú sabes la cantidad de gente que ve una película? Queremos llegar al pueblo». Pero ¿con *qué*? Todos sabíamos lo estrechamente que se vigilaba una película. Y como sin duda no había ninguna contradicción entre las convicciones sociales de aquel hombre y su recién descubierta avidez de ponerse en venta, le pregunté: «¿Hablarías del mismo modo si la Fox te pagara treinta y cinco dólares semanales?». Sigo sin comprender aquel ansia de servidumbre. La idea misma de que otra persona me revisase una obra para publicarla, de que me cambiase siquiera una sola palabra, era suficiente para ponerme la piel de gallina y, vamos, someter páginas propias a un productor que se convertía en amo y señor de lo que uno escribía en el instante en que uno lo escribía, era carecer de principios. A decir verdad, el proceso mismo de cambiar arte por dinero resultaba repugnante. Incluso a fines de los cuarenta me turbaba y me parecía mentira que un actor pudiese hablar de su asesor laboral y de finanzas. ¡Un artista con asesor de *finanzas*! ¡Y con asesor *laboral*!

En realidad yo no estaba por encima de los deseos de triunfo y del poder que éste acarrea, un poder expresado en riqueza y fama, inevitables compañeros suyos en el teatro, aunque el triunfo sólo era legítimo si se obtenía sin sacrificar la independencia, palabra que yo vinculaba en particular con el teatro. Odets, se dijo, se había mudado al número 1 de la Quinta Avenida, uno de los más elegantes edificios de Nueva York, y poseía *cientos de discos*. Nunca recorría las calles del Village sin echar un vistazo a aquella casa impresionante que daba a Washington Square, imaginándomelo con anaqueles rebosantes de discos de música clásica al alcance de la mano, y sin duda con hermosas actrices tumbadas en uno de sus numerosos sofás, mientras él, con su melena ondulada, contemplaba melancólico la ciudad que esperaba del tecleo de su máquina de escribir las escenas que la electrizasen y salvaran. Una obra de Odets se esperaba como la última noticia periodística, como si gracias a él supiéramos qué pensar de nosotros mismos y de nuestro futuro. Pero en aquellos años de la década radical de los treinta, cuando el prestigio de los comunistas estaba en lo más alto, corrían rumores de que incluso los expertos de Wall Street consultaban con los intelectuales del PC, en busca de orientación sobre la siguiente crisis del sistema. El marxismo era magia, y Odets tenía la varita, pero sostenerse durante mucho tiempo era un acto de levitación imposible.

Durante cuatro o cinco años no hubo ningún escritor que sintetizase hasta tal extremo la unicidad simbólica de su época. O'Neill surgió de Jeremías, Odets de Isaías; espíritus proféticos ambos, fueron dramaturgos con importancia política, no genios teatrales sin más.

Ni que decir tiene que mis impresiones pasaban por el filtro de la enorme distancia que había entre el ático del número 1 de la Quinta Avenida y el asfalto de la calle, y de la mayor aún que mediaba entre Nueva York y Ann Arbor, donde, además de estudiar y trabajar, escribía una obra de duración normal cada semestre. Para solucionar los problemas teatrales que hoy me acucian, leo ahora de un modo diferente de como lo hacía entonces, entonces leía obras de todas las épocas del teatro occidental, hacía como si las obras de Chéjov, de Eurípides, de Ernst Toller acabaran de estrenarse o aún estuvieran sin terminar, como si aún fueran susceptibles de revisión y mejora, y ensayaba soluciones distintas de las elegidas por los respectivos autores. No me las imaginaba como obras maestras esculpidas en mármol, sino como improvisaciones que los autores habían renunciado a perfeccionar. Al considerarlas productos provisionales, era incapaz de percibir la homogeneidad que les atribuía Aristóteles; *Áyax*, por ejemplo, me parecía de una naturaleza totalmente distinta de *Edipo en Colono*, y todo se confiaba al expediente práctico y familiar de contar lo sucedido y de mantener la tensión dosificando el tema o paradoja internos. Me obsesionaba el concepto estructural básico de los griegos de un pasado que se remontaba tan atrás que sus orígenes se perdían en el mito, salía a la superficie en el presente y ponía en un dilema a los personajes del escenario, que quedaban abrumados y anonadados por la asombrosa serie de aparentes coincidencias que descubrían sus vínculos con el pasado. (¡Poseer el pasado es adquirir importancia!) Pero la revelación de estos vínculos ponían también al descubierto su naturaleza verdadera; era la unicidad de cada personaje lo que paradójicamente revelaba su vinculación con el destino común.

Y, como es natural, la finalidad de toda la máquina era demostrar la fuerza del mundo invisible, representada por el largo brazo de la venganza sobre los infractores de la ley moral; ¿y qué era la ley moral sino la ininterrumpida y sagrada supervivencia social del hombre? Retribución bella porque demostraba la importancia de ciertas cosas. Las Erinias, aullantes furias de las divinas fuerzas de seguridad, estaban en el mundo para mantener el equilibrio de la infinita necesidad autocorrectora de la Naturaleza, su fobia al despilfarro destructor del hombre.

No podía encontrar un proceso de este jaez en Odets, sólo escenas explosivas aisladas sin impulso coordinador de conjunto, siempre con la excepción de *Rocket to the Moon*, su único acierto de verdad como escritor, y obra con un símbolo central que sabe emitir energía integral, no sólo retórica, y de un modo natural. Me parecía interesante que, al igual que O'Neill, trabajase dentro y en contra de una ortodoxia, pero O'Neill se había liberado de su catolicismo tras muchos esfuerzos, mientras que el marxismo todavía —en los años treinta— obligaba a Odets a distorsionar las cosas.

Conocí a Odets en persona en 1940, cuando alcé los ojos de una mesa de libros de segunda mano de Dauber and Pine, en el cruce de la Quinta Avenida con la Calle 12, y lo reconocí por las fotos, aunque estaba más consumido de lo que había esperado. Iba a marcharse con dos gruesos volúmenes amorosamente apretados contra el pecho, y como yo sólo había entrado a curiosear, porque los ingresos que percibía por los guiones radiofónicos se reducían casi a cero en aquellos instantes, le seguí a la calle, cosa que no había hecho en mi vida. Tenía el pelo ralo y suelto, igual que helechos plumosos, y en su faz macilenta había una expresión más bien asombrada. Fui tan ingenuo que le dije que yo también era dramaturgo, noticia que, ante mi sorpresa, pareció cerrar una puerta entre nosotros de una vez para siempre. Yo no sabía que a menudo recibía abordajes como aquél, pero así y todo le pregunté por lo que estaba escribiendo a la sazón y, tras afianzar los libros que llevaba, respondió: «Estoy con una obra sobre Woodrow Wilson».

Dieciocho años más tarde conoció a Marilyn Monroe en una productora de Hollywood y concertó una cita para que cenáramos juntos, pero nuestros caminos volverían a cruzarse antes, en 1949, en la Cultural and Scientific Conference for World Peace [Convención de Intelectuales y Científicos por la Paz Mundial], que se celebraría en el hotel Waldorf-Astoria, donde coincidiríamos en el grupo de artistas durante el que sería un giro copernicano del curso de la historia.

Era peligroso participar en aquel fatídico intento de recuperar la alianza de los años de la guerra con la Unión Soviética frente a los crecientes apremios de la Guerra Fría, lo que no se ignoraba en su momento. Para mí, sin embargo, la convención fue un esfuerzo por continuar una buena tradición que estaba ya amenazada. En realidad, los cuatro años de alianza militar contra las potencias del Eje no fueron más que un respiro en la prolongada hostilidad que había comenzado en 1917 con la Revolución misma y que no había hecho sino reanudarse al quedar aniquilados los ejércitos de Hitler. Pero no había duda de que sin la resistencia soviética el nazismo habría conquistado toda Europa, incluidas las Islas Británicas, y de que habría sido muy posible que los Estados Unidos se hubieran visto obligados a mantener una postura neutral en el mejor de los casos y, en el peor, a un pacto con el fascismo, al principio desagradable pero cómodo al final; tal por lo menos pensaba yo. Así pues, el brusco giro posbélico contra la Unión Soviética y en favor de una Alemania purgada de nazis no sólo me parecía innoble sino que además amenazaba con desembocar en otra guerra que ciertamente podía acabar con Rusia pero también con nuestra propia democracia. El aire olía cada vez más a beligerancia. Y yo pensaba que o se pronunciaba uno contra la guerra o perdía algo de honor y todo el derecho de quejarse en el futuro.

Paradójicamente, sin embargo, yo no habría podido aceptar la presidencia de uno de los grupos ponentes si el *Viajante* no hubiera sido una obra aplaudida en todas partes. A decir verdad, me sentía mejor con un pie fuera del habitual mundo del espectáculo, pero una vez que se me invitó no me pude negar.

A medida que se acercaba el día de la apertura de la convención, au-

mentaban las probabilidades de que hubiera represalias contra los partici- ·
pantes. Aunque algunos no eran más que liberales preocupados como el
astrónomo de Harvard Harlow Shapley, el compositor Aaron Copland y
el pintor Philip Harlow, o bien astros y estrellas del firmamento literario
como Lillian Hellman, Norman Mailer, Mark Van Doreb, Louis Untermeyer, Norman Cousins y una veintena más, también tomaría parte el
radical Odets, así como algunos soviéticos de carne y hueso, entre ellos
el compositor Dmitri Shostakovich y el escritor A.A. Fadeyev.

El Comité de Actividades Antiamericanas se había convertido ya en
una permanente policía del pensamiento en Hollywood, aunque había
hecho incursiones en Nueva York para investigar los dos o tres puntos
oscuros de un puñado de destacados actores de teatro, y habida cuenta de
los nombres célebres que iban a intervenir en la convención, era indudable que el Comité estaría interesadísimo. Para colmo, la víspera
de las jornadas la revista *Life* publicó una página doble llena de fotos
de pasaporte de las docenas de norteamericanos catalogados como participantes o seguidores, todo un fichero de delincuentes. Y, la verdad sea dicha,
a medida que pasaban los meses, «Seguidor de la Convención Waldorf» o
«Participante» se convertían en claves de creciente importancia para deter-
minar la deslealtad del individuo en cuestión. Por si esto no bastara, la
prensa dijo que todas las puertas del Waldorf-Astoria quedarían bloquea-
das por un piquete de monjas que rezarían por el alma de los participantes, trastornados por las pompas y vanidades de Satanás. Y no fue mentira ya que la mañana inaugural, al dirigirme a la entrada del Waldorf, tuve
que pasar por entre dos amables hermanas arrodilladas en la acera. Incluso entonces fue desconcertante contemplar aquel orbe de manifestaciones
y gestos simbólicos.

El público del grupo que yo presidía —mi misión sólo consistía en
decir el nombre del orador de turno y en identificar a los miembros del
público que quisieran tomar la palabra— fue asombrosamente escaso, prueba del miedo que flotaba en el ambiente. No se dejaron ver más que veinte o treinta personas, entre las que ocho o diez eran abiertamente hostiles
al acto. Allí estaban Mary McCarthy, y también el compositor Nicholas
Nabokov, con quien años después trabaría una sólida amistad, y un puñado
de intelectuales procedentes de grupúsculos anticomunistas y trotskistas.
Como nunca había asistido a una convención así, no sabía qué iba a suceder con exactitud. Dos oradores leyeron sendos manifiestos en que pedían al mundo el mantenimiento de la alianza norteamericano-soviética
de cuando la guerra. Dmitri Shostakovich, bajito, frágil, miope, tieso como
el palo de una escoba y sin alzar los ojos ni una sola vez de la tesis en-
cuadernada que tenía en la mano, leyó una declaración formal en la que
afirmaba las intenciones pacíficas de los soviéticos. Cuando acabó de hablar, tomó asiento y quedó con la mirada por encima de la cabeza de los
presentes, autómata inabordable. El individuo que le acompañaba no hizo
el menor amago de presentarle a cuantos componíamos el resto del grupo
ponente al que pertenecía el músico. Ya no recuerdo qué dijo el contin-

gente antisoviético, sólo que identifiqué a tres o cuatro que se pusieron en pie y, dirigiéndose sobre todo a Shostakovich, hablaron de la persecución que sufrían los artistas en la Unión Soviética y de la ocupación rusa de la Europa oriental. El gran compositor, que sin saberlo yo sostenía en aquel preciso momento un duelo mortal con Stalin, guardó silencio y no hubo lugar a ningún debate en la convención, que terminó sin pena ni gloria, aunque estatuyó un nuevo y más alto nivel de hostilidad en la Guerra Fría. Que un simposio de escritores y artistas pudiera provocar tanta ira y sospecha pública fue un fenómeno realmente novedoso en el mundo posbélico.

Incluso en la actualidad, casi cuarenta años después, hay algo tenebroso y amedrentador que ensombrece el recuerdo de aquel simposio, en el que cada cual estaba, como en cierto chiste de Saul Steinberg, con un bocadillo lleno de garabatos del todo ilegibles. Porque allí nos tenías, un ejército de individuos inteligentes y un puñado de genios de verdad, y sin que retrospectivamente ninguna de las partes tuviese razón, ni los defensores de los soviéticos ni los desgañitados eritrófobos; por decirlo pronto y bien, la política es opción y no son infrecuentes las ocasiones en que no hay nada por lo que optar; en que no hay escaque libre en el tablero para mover las piezas.

Entonces le llegó el turno a Odets. Había pasado prácticamente toda aquella década en Hollywood, aunque aún hablaba de seguir escribiendo teatro y a decir verdad escribiría la última obra pocos años después, *The Flowering Peach*. Hasta aquel momento preciso yo no había obtenido de él más que un indiferente saludo con la cabeza, supongo que a causa del resentimiento competitivo que sentía hacia mí. *Las brujas de Salem*, que aún tardaría cuatro años en nacer, sería la única obra teatral broadwayana que reflejaría la histeria anticomunista; Odets la pisoteó delante de Kazan diciendo que no era «más que una historia sobre un matrimonio mal avenido». Un juicio algo más generoso lo emitió Lillian Hellman, que, al cabo de veinte minutos casi silenciosos de paseo conmigo después de asistir a una representación de la obra en la semana pre-broadwayana de Wilmington, Delaware, me espetó: «Está bien». Si los que estábamos en la izquierda participábamos en una conspiración, como se decía casi a diario, la verdad es que no descollábamos por nuestra generosidad y apoyo al compañero de viaje. No es echarme flores confesar que yo no sentía tamaña animosidad hacia ninguno, sin duda porque estaba convencido de que, si hubiera habido una competición, el ganador habría sido yo. Pero la verdad es que nunca he visto tanto resentimiento entre colegas como entre los escritores izquierdistas, sin duda a consecuencia de mi arrogancia no menos que de la arrogancia de los demás.

El público guardó silencio para escuchar a Odets. Yo no tenía la menor idea de lo que iba a decir, ignoraba cuál era su postura actual hacia la Unión Soviética, al igual que ignoraba la mía propia, más allá del convencimiento de que había que oponerse a la cruzada antisoviética en ciernes.

Parecía distraído cuando se puso en pie, sin corbata, desabrochado el cuello de la camisa y abierta la americana. Recordé que, años antes, le había imaginado como un militante resuelto, pero parecía muy melindroso e infantilmente sensible. ¡La de papeles que interpretamos! Tras esforzarse por adoptar una actitud digna, dio comienzo a un discurso sorprendentemente teatral que hasta el día de hoy no he olvidado y que me obliga a pensar que la historia no es más que una novela llena de coincidencias.

Lo cierto es que estábamos en 1949, unos quince años después de que Odets fuese el ariete de la rebelión teatral contra la postrada Norteamérica de la Depresión. Sin embargo, no sólo se le seguía identificando con aquella época, sino que, a pesar de la década prodigiosa que había pasado en Hollywood, aún creía que tenía que hablar como lo hubiera hecho en 1935; impotente ante su propio pretérito, se sentía obligado a ser «Odets» otra vez.

Pero ¿y yo? Si no estaba seguro de mi propia postura, ¿por qué me arriesgaba a los ataques presidiendo la jornada, gesto que intuía entorpecería mi libertad en los años venideros más que nada de cuanto hubiera hecho hasta entonces?

Dos años antes había tratado de definir de una vez por todas mi posición filosófica en relación con el marxismo. *Todos eran mis hijos* había obtenido algunas reseñas muy favorables, pero también otras bastante indiferentes, y su futuro era dudoso; el *Daily Worker* no hacía más que elogiarla, augurando que su veracidad la condenaba a ser un fracaso comercial. Pero cuando Brooks Atkinson la convirtió en un éxito de público gracias a un par de artículos en el *Times,* el *Worker* dio marcha atrás y la calificó de especiosa apología del capitalismo, porque, a fin de cuentas, Chris Keller, el hijo del patrón que ha vendido al ejército piezas defectuosas, provocando accidentes en aviones de combate, lejos de convertirse en revolucionario hereda el negocio de buena gana. Me pasó por la cabeza, entre otras cosas, que para la izquierda el fracaso era la mejor prueba de la pureza artística.

Para aclarar mis propias ideas sobre el tema, escribí un ensayo alegando que si el marxismo era una ciencia de la sociedad, el escritor marxista no podía desvirtuar la probabilidad social ni sus propias observaciones sinceras para demostrar un argumento apriorístico de propaganda política. En otras palabras, en la vida real Chris Keller no se convertiría en revolucionario y, de cualquier manera, no era éste el tema de la obra. En última instancia, las conclusiones preconcebidas son contrarias al espíritu científico. Leí el ensayo ante un numeroso grupo de autores de la zona teatral del centro y vi que provocaba mucha confusión. Pues daba la sensación de que yo decía que el arte, el buen arte por lo menos, está en contradicción con la propaganda, en el sentido de que el escritor no puede fabricar la verdad, sino sólo ponerla al descubierto. Por lo tanto, el escritor tiene ante todo que respetar lo que existe, de lo contrario debe renunciar a la idea de desenterrar los ocultos principios operativos de su época. En principio, el marxismo no es ni mejor ni peor que el catolicismo, el budismo o la ideología que sea, en tanto que vehículo artístico para la enunciación de la verdad. Lo único que se podía decir era que una filosofía ayudaba al artista si le estimulaba hacia lo sublime y le impedía vulgarizar sus dotes.

De hecho, a aquellos autores procedentes de los distintos sectores de la opinión izquierdista, la mayoría de los cuales admiraba sin duda *Todos eran mis hijos*, les dije que yo no habría escrito obras si hubiera seguido la línea que el Partido defendía en la época, porque durante la guerra los comunistas atacaban todo cuanto entorpeciese la unidad nacional; las huelgas ni se planteaban y la continuidad o no de toda la máquina social iba a entrar en un compás de espera. Como el resto del mundo, por supuesto, yo sabía que aquello era una estupidez, que la guerra iba a rendir montañas y cordilleras de dividendos y que los elevados objetivos morales del frente antifascista, si querían tener alguna realidad, tenían que oponerse al estado actual de cosas. Lo cierto es que mientras trabajaba en *Todos eran mis hijos* en el curso de casi dos años, pensaba que para cuando se representase era más que probable que aún estuviésemos en guerra. La obra sería pues como una bomba que estallaría sobre todo ante la comunidad financiera y su cacareado pero rentable patriotismo... ¡suyo y de los comunistas!

En efecto, semanas después de estrenarse, un ingeniero remitió una carta al director del *Times* alegando lisa y llanamente que la trama era técnicamente inverosímil, porque todas las piezas del motor de un avión se revisaban indefectiblemente con rayos X para detectar los fallos que Joe Keller escamotea ante los inspectores militares. El resto de la carta se dedicaba a acusar a la obra de ser pura y simple propaganda comunista. Y en agosto de 1947, apenas siete meses después del estreno, se prohibió su representación ante los soldados americanos en Alemania a causa de las enérgicas protestas de los Veteranos de Guerra Católicos, cuyo portavoz, un tal Max Sorensen, aunque admitía que no la había visto por estar «demasiado ocupado para ir al teatro», la condenaba por ser «un medio de propaganda de la política del PC» y exigía el nombre «del funcionario del Ministerio de Defensa, responsable de la ultrajante disposición». (Faltaban aún cinco años para que Joe McCarthy saltase a la palestra pública, pero las notas de su prólogo musical rasgaban ya el aire.) Sorensen recibió el apoyo inmediato del socialista *New Leader,* cuyo feroz antiestalinismo le impedía ver las más sencillas realidades norteamericanas de la época, que eran las que la obra presentaba.

No tuve que molestarme en replicar a estas acusaciones porque un comité senatorial denunció a la Wright Aeronautical Corporation de Ohio por haber cambiado las etiquetas de «En mal estado» de los motores defectuosos y haber puesto en su lugar las que decían «Utiles para el servicio», y por haber actuado en connivencia con inspectores militares sobornados que habían enviado al ejército cientos de motores estropeados. Como señaló Brooks Atkinson en uno de sus varios artículos de réplica, la empresa Wright había «conseguido que el gobierno aceptase piezas de motor defectuosas falseando las comprobaciones, falsificando los informes y no destruyendo el material defectuoso». Atkinson olía el futuro; mis atacantes, dijo, «propugnan la censura y el recorte de libertades. Se sentirían más felices si todo el arte fuese inofensivo y no tuviese nada que ver con las ideas de verdad». Muchos funcionarios fueron a parar a la cárcel por el caso Wright, mientras que en mi obra, el pobre Joe Keller, acosado por la culpa, se volaba los sesos. Por si esto no bastara, habría sido difícil que la Wright Corporation se hundiera por retirar sus motores defectuosos; en cambio, la pequeña empresa de Keller no habría podido fabricar accesorios defectuosos, y no digamos ya facturarlos.

Si mi pequeño ensayo puso el dedo en la llaga, la verdad es que no suscitó ninguna polémica en la izquierda, aunque sí me aclaró a mí algunos puntos.

Mientras tanto, como presidente del grupo artístico de aquel simposio «prosoviético», la izquierda anticomunista no cesaba de hostigarme. Pero es el recuerdo de Shostakovich lo que me asalta cuando pienso en aquel día; ¡qué mascarada fue todo! Reciente blanco de la campaña estalinista contra el «formalismo», el «cosmopolitismo» y otros delitos contra la línea oficial, había prometido corregirse rastreramente; el panfleto que nos había leído de forma maquinal y el silencio subsiguiente, ¿habían sido deudas marginales que había tenido que satisfacer para no sufrir un castigo peor? Pasarían treinta años hasta que se conocieran las amenazas físicas y las torturas espirituales que había tenido que soportar bajo el mismo régimen que había accedido a representar en el Waldorf. Sólo Dios sabe lo que pensaba en aquel salón de actos, qué fisuras le resquebrajaban el espíritu, qué necesidad de gritar y qué fuerza de voluntad para contener el grito y no tranquilizar así la conciencia de los Estados Unidos y la nueva política beligerante hacia su país, el mismo que había convertido su vida en un infierno.

En cualquier caso, fueran cuales fuesen mis recelos hacia el marxismo dogmático, no estaba entonces en mi ánimo el unirme a la cruzada antisoviética, sobre todo porque al parecer implicaba falsear y renegar del pasado radical norteamericano, por lo menos como yo lo había conocido y experimentado. El resultado último, aun sin ninguna razón a mano, era mi creciente empeño en resistir el vendaval; por ello aguardaba a que comenzase Odets, más convencido que nunca de que mi papel en la tormenta consistía en perseverar y mantenerme al margen.

Cuando Odets se dispuso a hablar, el silencio de la sala se propaló hasta el contingente anticomunista, separado del resto por un sector de sillas vacías. Con voz casi inaudible, preguntó Odets, en aquel instante: «¿A qué se debe esta amenaza de guerra?».

El silencio se hizo más profundo y el orador prolongó la pausa. Me pasó por la cabeza el temor de que exagerase la retórica teatral. Aunque era innegable que hasta el momento tenía al público pendiente de sus palabras.

«¿Por qué», añadió en un murmullo, «nos tendemos la mano, artistas y filósofos, casi sin esperanza ya? ¿Por qué ya no siguen diciendo nuestros políticos que no puede ni debe haber guerra entre nuestros países? ¿Cuál es la causa? ¿A qué se debe este peligro de guerra?»

La pregunta culebreó en medio del silencio y el público se echó hacia delante, ávido de oírle. Muy despacio, alzó la mano por encima de la cabeza, cerró el puño y exclamó a pleno pulmón: «¡Al DINEROOOO!». Estupefacción. Se esbozaron algunas sonrisas. Pero en términos generales aquel ímpetu surtió su efecto.

Hubo otra pausa y otra serie de interrogantes que preguntaban a qué había que atribuir el que estuviéramos en peligro, y una vez más brotó el grito: «¡Al DINEROOOO!».

A la cuarta o quinta vez el público no pudo por menos de reírse con disimulo, y lo peor era que Odets no se daba cuenta al parecer de que se estaba acercando al umbral del ridículo. Me puse a sembrar cizaña en mis adentros; ¿qué había estado haciendo él en Hollywood sino desperdiciar su inteligencia a causa del dinero? Si aquel *cri de coeur* hubiera brotado del pecho de un hombre entregado totalmente a la escena y a su arte y no de un vendido embaucado por el espejismo de que Hollywood le permitía decir la verdad, se habría metido al público en el bolsillo. ¿Por qué habría tan pocos norteamericanos incorruptibles e intachables a ojos de las personas honradas? Odets, evidentemente, no era más que una pequeña fracción del problema. ¿Se trataba sencillamente de que lo consumíamos todo, incluso a los oráculos de la verdad, a tal velocidad que ninguno parecía madurar nunca? Pese a todo, aquel extravagante gesto de desafío había necesitado no poco valor, dado que casi todos los columnistas poderosos de Hollywood tenían a la izquierda entre ceja y ceja y deseaban que corriera la sangre.

En 1958, en medio de los preparativos para el rodaje de *Con faldas y a lo loco*, Marilyn conoció a Odets y le entregó el guión de *The Misfits* [Vidas rebeldes]; el dramaturgo sugirió que cenasen juntos para charlar al respecto y —cosa que le interesaba más— también a propósito de un proyecto cinematográfico propio por el que tal vez se interesase ella. Yo dividía el tiempo por entonces entre Connecticut y California, y mientras trataba de sacar adelante una obra de teatro prestaba a Marilyn toda la ayuda que podía. La tarde de la cita llamó Odets al bungalow del Beverly Hills Hotel que ocupábamos, con objeto de confirmar el lugar y la hora, y le tuve que decir que Marilyn se sentía indispuesta. Era su día libre y en aquellos instantes procuraba dormir, ya que apenas lo había hecho la noche anterior. Durante los cinco años cortos que estuvimos juntos pasaba un infierno cada vez que tenía que rodar una película y este sufrimiento comenzaba a acercarse ya a un punto intolerable. Odets le resultaba simpático y no quería darle plantón, por lo que me pidió que acudiese yo a la cita en su lugar. Como es lógico, a Odets le desilusionó la perspectiva, pero yo me prometí una conversación sosegada con aquel hombre que tantas cosas contradictorias había significado para mí y para el teatro de nuestro tiempo.

Subí a su viejo Lincoln polvoriento, que se había detenido ante el hotel. No parecía haber envejecido mucho en la década que había transcurrido desde la Convención Waldorf; aún había algo conmovedoramente juvenil en sus modales que no embargaba una pequeña dosis de fingimiento por tener que cenar solamente conmigo. Nueve años menor que él, me sentía más adulto o por lo menos no tan inseguro e inquieto, y lo cierto es que, todavía en el coche, se volvió a mí y me preguntó: «¿Dónde le gustaría cenar?».

Puesto que era él el que vivía allí desde hacía veinte años, le dije que me contentaría con cualquier sitio que a él le gustase, pero insistió alegando: «No conozco muy bien la ciudad». Esta falsa ignorancia, no astuta y artera sino transparente hasta lo infantil, le dejaba totalmente inerme y me pregunté si no estaría esforzándose por convencerse de que en realidad no había pasado tantos años metido en la industria que en público afirmaba despreciar. Un rato antes, mientras le esperaba, había tomado la decisión de contarle cuánto había significado su obra para mí en los años treinta, cuando era estudiante, pero me resultaba imposible valorar su pasado ahora que lo veía tan sensible y a la defensiva.

Tras unos minutos de titubeo, se acordó de un restaurante, pero aun así equivocó dos veces el camino y se puso a mirar el nombre de las avenidas principales como si fuera la primera vez que las veía. La cena murió antes de nacer siquiera, porque, como ya había barruntado yo, le interesaba poco *Vidas rebeldes;* sólo cuando el tema Marilyn se introdujo en la charla abrió las compuertas de la cordialidad natural, olvidada ya la actitud defensiva, e hizo preguntas de admirador con los ojos dilatados por la fascinación. «Lee libros, ¿verdad?», inquirió, como si Marilyn hubiese sido un hermoso trofeo o una retrasada mental con rasgos geniales. Le dije que sí y lo dejé correr. Pese a ello, con la posible excepción de *Chéri* de Colette y un puñado de cuentos, no había leído nada en su vida, que yo supiera. No era necesario: Marilyn pensaba que podía captar la *idea* de un libro —y a menudo la captaba— leyendo sólo unas cuantas páginas, y casi todos los que abría le parecían o inútiles o falsos. Como no tenía pretensiones culturalistas, no tenía necesidad de molestarse con nada que no la entusiasmase. Era incapaz de reprimir su desconfianza hacia las obras de ficción, no le interesaba más que la verdad literal, como la que se extrae de los documentos. Un relato de Bernard Malamud le disgustó mucho porque al parecer no consideraba la violación una tragedia catastrófica y un hecho despreciable. «Ese escritor no sabe lo que es una violación y no debería fingir que lo sabe.» Le insinué que a lo mejor contemporizaba para que el lector accediese a un sentimiento más profundo, pero el malestar femenino no aceptó que se ironizase literariamente a propósito de una humillación que ella misma había experimentado. Y hubo muchas otras ocasiones en que el sentido del humor le desaparecía como por ensalmo si había de por medio escenas de sufrimiento. Por debajo de todo su ingenio y despreocupación, la muerte la acompañaba en todo momento dondequiera que estuviese, y es posible que fuera la inadvertida presencia de la parca la responsable del patetismo de Marilyn, haciendo cabriolas como estaba ante las puertas del olvido.

Fue en esto una freudiana nata; al hablar no incidía en equivocaciones fortuitas, en deslices inocentes; cada palabra o ademán indicaba una intención secreta, consciente o no, y las observaciones más aparentemente inocuas podían esconder una amenaza siniestra. Yo siempre me había equivocado en el sentido opuesto, para suprimir las hostilidades en derredor y no enemistarme con la vida, costumbre que ya había originado serios malentendidos entre nosotros. Aquella muchacha de oro, alegre como unas castañuelas en el cine y cuya capacidad para leer como un ser humano normal constituía una sorpresa incluso para un hombre tan sensible como Odets, era de otra índole, pero para Odets y otros observadores mucho más sagaces anteriores y posteriores a él, su verdadera naturaleza consistía en la felicidad que irradiaba. Mientras tomábamos el postre y el café en el restaurante italiano a la neoyorquina y más bien vulgar, se me antojó que Odets compartía algún rasgo de la particular ingenuidad perceptiva de Marilyn; que, al igual que ella, era un angelito con instintos autodestructivos que se peinaba sin darse cuenta con una pistola cargada.

Estábamos en 1958 y habían pasado unos seis años desde que Odets «cooperase» con el Comité de Actividades Antiamericanas y dos desde que yo me negase a hacerlo y fuera condenado a ir a la cárcel por desacato. No obstante, el número que había organizado en Washington siempre me pareció más una coda patética que un punto de tensión máxima. La verdad aplastante y significativa, lo pensé entonces y lo sigo pensando ahora, fue la barbarie del Comité, su odio hacia el artista, la envidia que sentía hacia el poder de sus víctimas de atraer la atención pública y además ganar mucho dinero con ello. Odets era más que un individuo para su generación; representaba lo que significaba sobrevivir como artista en los Estados Unidos, sobre todo en el mundo teatral. Era un rasgo norteamericano hasta la médula el que le había apuñalado por la espalda: lo había querido todo. Su amigo de toda la vida, el escenógrafo Boris Aronson, comentó una vez: «Odets tiene un problema; quiere ser el más grande en todo. El más adúltero y el mejor padre de familia; el mejor amigo de Billy Rose y el mejor camarada de los jefazos comunistas; el mayor dramaturgo experimental y al mismo tiempo el guionista de cine mejor pagado. ¿Quién puede serlo todo sin reventar? Lo único que nunca le gustó fue ofender al prójimo. Y eso es poco corriente en una persona así».

Del mismo modo, al declarar ante el Comité, echaría pestes contra todos sus componentes en determinado momento y sin modificar ni un ápice el tono indignado les confirmaría a continuación el nombre de los miembros del Partido que había conocido. No tuvo los pies en la realidad ni siquiera en su lecho de muerte. Con el organismo destruido por el cáncer, levantó el puño de pronto, trató de incorporarse y, apenas sin aliento, murmuró a un amigo que estaba junto a él: «Odets volverá. Odets está aún en sus comienzos». Norteamérica era un puñado de promesas y Odets se había aferrado a todas ellas con uñas y dientes.

Harold Clurman, menos ciego aunque de tarde en tarde ascendía a la nube de Odets, le incitaba de continuo a abandonar Hollywood y «volver», como quien dice, a una religión en cuyo seno se le remozaría el espíritu. Por supuesto no había nada a lo que volver, ni teatro ni cultura teatral, sólo industria del espectáculo y algunos edificios, y aun éstos llamados a desaparecer cuando los inminentes hoteles de lujo derribaran aquellas casas antiguas y dignas y las convirtieran, una tras otra, en montones de ladrillos. En el teatro norteamericano, la moraleja es siempre la misma y siempre igual de aburrida: el camino más rápido para llegar al fracaso es el éxito, y si no lo recorre uno por su propio pie, siempre hay una multitud dispuesta a dar un empujoncito.

Una obra de teatro, incluso la de corte crítico y airado, es siempre, a determinado nivel, una carta de amor al mundo que espera con ansiedad una respuesta amorosa. La cuestión es saber afrontar el silencio del rechazo y ponerse a escribir otra carta: y al mismo amante, nada menos. Es toda una aventura para los muy jóvenes, como es lógico, pero con los pies bien arraigados en el jardín de Narciso. Dos años después de salir de Michigan ya había escrito seis obras de teatro, una de ellas una tragedia al gran estilo, sobre Moctezuma y Cortés, y todas rechazadas por los únicos empresarios que había en la época, a saber, los de Broadway. La obra sobre Moctezuma, enviada al Group, ni siquiera mereció un acuse de recibo.

Frisando ya en los treinta y después de añadir al montón otras dos o tres obras no representadas, comencé *Todos era mis hijos* a modo de última tentativa dramática. Conocía dramaturgos de casi cuarenta años que aún esperaban el momento de perder la virginidad escénica, pero la vida era demasiado interesante para desperdiciarla rondando la puerta de los empresarios. Hice una apuesta conmigo mismo: retendría aquella obra hasta que estuviera totalmente convencido de que cada página formaba parte integral del conjunto y funcionase; luego, si mi criterio resultaba equivocado, abandonaría el teatro y cultivaría otras formas literarias. Cuando después de dos años de trabajo, en 1947, envié *Todos eran mis hijos* a mi agente, Leland Hayward, yo era ya un dramaturgo norteamericano, vale decir, un darwiniano que había aprendido a no esperar clemencia (aunque en secreto pudiera esperar un poco).

En los años cuarenta era una profesión muy ardua. La revista *Time*, a los dramaturgos que escribían obras de éxito los llamaba *cracks* [fenómenos], dando a entender que se trataba de algo así como tirar al blanco, algo activo y muy técnico, con premios cuantiosísimos por dar en la diana, sin mojigaterías intelectuales a la hora de ensamblar una obra, antes bien oficio de mecánicos que mastican el puro y están al servicio —según el mito oficial de la época— de todo el pueblo norteamericano.

Y era un público intransigente ante las parrafadas largas, ignorante de cualquier alusión literaria, tan despiadado con los perdedores como la masa aficionada al boxeo e igual de cobarde ante los ganadores, un público que oía la palabra *cultura* y corría a calarse el sombrero. Evidentemente, había personas de gran sensibilidad entre el público, pero una obra tenía que ser lo bastante elemental para llegar a todos, sin distingos. Un efecto saludable de la naturaleza de este público, a la vez que real e imaginario, fue un giro hacia obras formalmente impecables, con personajes y argumentos que recurrían a los expedientes verbales lo menos posible y dramatizaban al máximo mediante la acción. Ello hacía que las parrafadas fueran cortas y que la interpretación fuese activa antes que reflexiva. Aunque éramos diferentes en tanto que escritores, Tennessee Williams y yo disfrutábamos satisfaciendo estas exigencias rigurosas. Estaba muy, muy lejos la época en que a un personaje se le permitía estarse quieto en un punto, complaciéndose con páginas y páginas de monólogo, mientras los actores en derredor permanecían inmóviles y callados, en espera de que acabase el recital. (Cuando O'Neill caía en estas autocomplacencias, la parrafada no tenía fin, y si lo tenía se malograba.) Más lejana aún estaba aquella otra en que los momentos de aburrimiento mortal se consideraban síntoma de que en escena se estaba dando un acontecimiento culturalmente insólito. La novedad revolucionaria de *The Glass Menagerie* [El zoológico de cristal, de Tennessee Williams], por ejemplo, radicaba en su elevación poética, pero era su férrea estructura dramática subyacente lo que legitimaba el vuelo de la poesía. La poesía en el teatro no es, o por lo menos no debería ser, una causa, sino una consecuencia, y la mentada estructuración de narración e interpretación hacía que esta obra intimista estuviera al alcance de cualquier persona sensible.

Llegaría la época en que la parrafada narrativa parecería desfasada; la Bomba se había llevado consigo la credibilidad de tales verborreas. El mundo no se iba a terminar ni con una explosión ni entre alaridos, sino con dos personas en un basurero que en vano tratarían de descifrar lo que el otro quiere decir. Aunque era difícil no estar de acuerdo, yo aún era incapaz de pasearme un buen rato por las calles de Nueva York sin encontrarme con personas a las que hacía años que no veía y que habían mezclado sus huellas con las mías, o con las de mi padre, o con las de mi hermano; la ciudad me parecía aún hecha de tiempo, tiempo para el proceso de declive y transformación, tal y como siempre había sido.

Cuando paso por el cruce de la Calle 47 con la Sexta Avenida en la actualidad, el lugar se me antoja tan inhóspito como en 1938. Sólo que en aquella época, en la planta baja de un edificio de cuatro pisos y sin ascensor, había un viejo estanco con pipas polvorientas, sin tocar desde hacía años, tras un escaparate mugriento. Cuando subía por las oscuras escaleras, el señor Franks estaba ya en el descansillo del segundo saludándome con amable y distraído movimiento de la mano. Acababa de salir de la universidad y la misión que me llevaba allí era, en teoría, integrarme en el WPA Theatre Project.

—Vaya, vaya —dijo entre risas, dándome la mano y encabezando la entrada en el pequeño apartamento—. Sidney no ha llegado aún, pero no creo que tarde más de unos minutos. Sólo ha ido al centro al recoger el uniforme. —Siempre le llamaba Sidney aunque los demás éramos Bernie o Danny o Artie o Sam, y era un hombre que cumplía aún con ciertas formalidades, como los cuellos almidonados y las corbatas de seda. Con amabilidad anticuada y el voraz deseo de compañía del hombre que está solo toda la jornada, me indicó por señas que me sentara en el raído y antaño elegante sillón de orejas que recordaba de la infancia, cuando Sid y yo jugábamos en su casa de la Calle 110, y el parque, mágico y misterioso, se extendía a nuestros pies cuando al ponerse el sol nos asomábamos por las ventanas del sexto para soltar las luciérnagas capturadas.

El señor Franks, cuando no abría la boca, parecía gozar de buena salud, con su faz redonda y despejada y su amable sonrisa de cortesía, la corbata azul marino fluyendo del cuello tieso con el nudo hecho a la perfección y los gemelos de oro brillando incluso a la luz grisácea que entraba por las sucias ventanas traseras. El lugar era un bazar amueblado, lleno hasta los topes con los enseres que habían ocupado las once habitaciones de su piso anterior, entre ellos las alfombras, enrolladas y apoyadas como columnas en una torre de baúles y maletas que llegaba al techo.

Le pregunté si había llegado el inspector.

—No, nadie. Tal vez llegue hoy.

—¿No le importa que espere aquí?

—No, qué va, todo lo contrario. ¿Te apetece una taza de té? —Tras siete años de estancia allí, porque se había mudado en 1931, era lo único que había aprendido a cocinar.

Había olvidado ya, aunque la víspera había estado también allí, esperando como el presente día, qué generoso y servicial se había vuelto en aquellos años. Porque allí estaba, semejante a un criado, contento con esperar a que yo reanudara la charla o que me mantuviera en silencio. También había olvidado la frecuencia con que decía «Vaya, vaya» y las variantes que había inventado con ambos términos.

—Dicen que va a hacer un verano muy caluroso.

—Vaya-vaya. [Esperémoslo].

—Aunque no faltará la lluvia.

—¡Vaya, vaya! [Sorpresa a medias.]

—Parece que va a haber más trabajo.

—Vaya... vaya. [Escepticismo risueño.]

En los últimos años parecía la personificación de las experiencias de la crisis económica. Hasta 1930 había sido un banquero próspero con una familia activa e inteligente. Entonces, en el plazo de unos pocos meses, los activos bancarios se le habían esfumado, la mujer había muerto y la hija se había suicidado. Que estuviese allí sonriéndome de aquel modo me incitaba a huir, como una profecía adversa, y lo que empeoraba la situación era que fuese tan cordial y simpático conmigo.

Acudía allí todos los días desde mi casa de Brooklyn para hacer creer al inspector de la Seguridad Social que vivía en aquel piso. Para integrarse en el WPA Theatre Project era necesario figurar antes en las nóminas del seguro de desempleo, aunque en realidad era imprescindible no tener casa y estar casi sin un céntimo. Y para dar comienzo al trámite administrativo había ido con mi padre a las viejas oficinas de la Seguridad Social, sitas junto al Hudson, donde había presentado la solicitud y donde interpretamos una estupenda escena de indignación paterna y rebeldía filial. El funcionario nos observó cuando escenificamos por qué no se me dejaría dormir nunca más en casa, suspiró y estimó suficiente la interpretación, sin creer necesariamente otra cosa que no fuese nuestra penuria económica. El paso final consistió en recibir la inesperada visita de un inspector que quería saber si yo vivía de verdad en aquella casa con personas con las que no estaba emparentado. Mi supuesto camastro, en el que no había dormido nunca, estaba al pie de una ventana y mi abrigo colgaba de una percha clavada en la pared, encima de un aplique de lámpara de gas. Un detalle bonito fue el par de zapatos de deporte que se instaló bajo el camastro, ya que por entonces no me quedaban más que unos zapatos de piel.

Dado que el señor Franks era incapaz de hacer el último esfuerzo coloquial, no tardamos en guardar silencio. Lo que pasaba es que después de 1930 ya no tenía nada que decir. En el estante de un aparador que había a sus espaldas estaba el título de Sidney de diplomado en ciencias por la Universidad de Columbia y junto a él el correspondiente certificado *cum laude*. En aquellos instantes estaba en el metro, procedente de una tienda próxima a la jefatura de Center Street, con su primer uniforme de policía. Advertí que el señor Franks ya no fumaba y lo recordé con la colilla de puro empotrada en la cazoleta de la pipa cuando, todas las mañanas a primera hora, cruzaba la acera de la Calle 110, enfrente mismo de nuestra casa, donde Alfred, el chófer, le recogía con la limusina Locomobile de color beige para efectuar el trayecto de rigor hasta Wall Street.

Pasos de alguien que subía corriendo la escalera. Sidney entró antes de que el señor Franks pudiera levantarse del sillón. Traía bajo el brazo una caja alargada de cartón. «¡Hola!» Nos echamos a reír cuando desató el bramante y sacó la chaqueta azul. Sid era alto, con ojos y pelo negros como el carbón, pestañas largas y labios carnosos y bien dibujados. Era un rostro animado por una curiosidad estimulante y una inteligencia pronta al ingenio y a la réplica. Se puso la placa en la chaqueta y la dejó allí para que la contemplásemos, al tiempo que se miraba en el ladeado espejo de cuerpo entero y marco de caoba. Se volvió entonces a mí y correteamos por la habitación entre carcajadas. El cuello de la chaqueta le quedaba holgado, las mangas un poco largas. Le probé la gorra y había espacio entre sus sienes y la guarnición interior.

—¿Qué harás si ves que pasa algo?

—Me han dado silbato y todo. Llamaré a la policía.

Sonó un golpe en la puerta. Callamos en el acto. Nunca recibían visitas. Tenía que ser el inspector. Sid abrió la puerta. El individuo preguntó por mí nada más introducir un pie en la casa, a todas luces acostumbrado a entrar sin que se le invitara, pero el uniforme de Sid mermó aquella seguridad maleducada, si bien quedó confuso ante los pantalones ligeros de color crema. Incrédulo hasta la médula, pidió que se le enseñara dónde dormía yo, dónde tenía la ropa. Se lo enseñamos todo, incluso la toalla que tenía en la caja de cerillas que hacía las veces de lavabo. Se fue sin decir ni adiós, dejándome con la palabra en la boca. Cuando se cerró la puerta, el señor Franks se dirigió a mí y exclamó: «¡Vaya, vaya!» [Ya está todo arreglado, ¿no?].

Sid colgó el uniforme, sacó el revólver de la caja y lo cargó con cartuchos. El señor Franks miraba. «Vaya, vaya», dijo con seriedad, dando a entender que la vida de su hijo estaba cambiando de veras. La sonrisa de Sid le fue desapareciendo de la cara mientras cargaba el arma. Comprendí entonces que era un policía de verdad.

Desde que se diplomó dos años antes, su vida había sufrido la involución típica de aquellos tiempos. Cómo vivir había comenzado por ser un problema analítico tocante a cómo situarse para interceptar el flujo de dinero de la sociedad. Pensaba con estas abstracciones objetivas. Como no había trabajos productivos, las letras de canciones, la publicidad —lo que él llamaba cháchara— se solicitaban mucho. Acudió a la biblioteca de la Calle 42 para estudiar las posibilidades, siguió unos cursillos gratis no sé dónde y, para hacer prácticas, analizó los anuncios de ropa interior Fruit of the Loom y se estrujó el cerebro para ver si daba con mejores ideas para el producto. Como todo quedase en agua de borrajas, se unió a un equipo de vendedores de aspiradoras a domicilio. Centradas las energías en el nuevo problema, no tardó en convertirse en el empleado de más ventas de la compañía, y se le asignó un equipo propio y toda la zona suroccidental del Bronx. Sus óptimos resultados, según él, fueron fruto de la objetivación de la necesidad que tenían las mujeres de comprar aspiradoras, que en términos generales necesitaban, añadía, tanto como un agujero en la cabeza.

Yendo de puerta en puerta había descubierto que los ciudadanos, las mujeres sobre todo, preferían tranquilizar a un extraño a entrar en conflicto con él. El truco, pues, consistía en hacer preguntas cuyas respuestas tuviesen que ser afirmativas. «¿Es éste el 910 de la Avenida Fairview?» «Sí.» «¿Es usted la señora Brown?» «Sí.» «¿Tiene usted alguna alfombra?» «Pues sí»; y así sucesivamente.

—Cuando llegábamos al asunto de la aspiradora, las tenía diciendo que sí a tal velocidad que no podían detenerse. La segunda etapa es el sentimiento de culpa. Desembalas el aparato, siempre nuevo y en una caja nueva, que hay que romper cuando se abre; abrir la caja rompiéndola origina cierto sentido de la obligación y el esfuerzo que supone el desembalaje hace que se sientan en deuda con uno. Cuando te pones a pasar la aspiradora por la alfombra, ya han mordido el anzuelo; les has hecho la faena, tienen que dar algo a cambio, han consumido el precioso tiempo del vendedor...

Al cabo de un año más o menos empezó a disgustarle el empleo, aunque —o tal vez porque— los más elevados peldaños de la compañía estaban a su alcance. Asistía a unas reuniones de trabajo en la sucursal de Albany y uno de los vicepresidentes le invitó a comer. Al parecer la coyuntura le dejó peor, se puso a analizar la situación y no pudo por menos de admitir que se pasaba mintiendo todo el tiempo durante seis días a la semana, inventando necesidades donde casi nunca existía ninguna en realidad. Renunció a los cigarrillos, no porque fuesen perjudiciales para la salud, cosa de la que por entonces se hablaba muy poco, sino porque le fastidiaba responder afirmativamente a la publicidad tabaquera. También renunció a los puros, excepción hecha de una marca, exenta de etiquetas y de anuncios, que vendía el estanquero de la planta baja. En la época en que se presentó a los exámenes para ingresar en la policía había llegado ya a ciertas conclusiones inamovibles, todas ellas alcanzadas de manera objetiva. Estábamos en el autoservicio de la esquina ante un par de pasteles de arándanos y sendas tazas de café cuando me lo explicó.

—No tengo una inteligencia fuera de lo común. Sé que sería un buen ingeniero, pero hoy nadie da nada por ellos y las cosas seguirán igual a menos que haya otra guerra. Por eso, si entro en la policía, podré ahorrar lo suficiente para volver a estudiar y obtener un título de ingeniero. Hay dos cosas que no soporto: la inseguridad y la cháchara. Un ingeniero es una cosa sólida, pero he de prescindir de ello por ahora. En la policía hay seguridad, y la cháchara es mínima, por lo que sé.

Quizá fue esto lo que nos hizo estallar en carcajadas cuando se puso el uniforme por primera vez; el que fuese una máscara grosera, nada más que un disfraz, un absurdo y una puerilidad. Y también fue por esto por lo que dejamos de reír cuando se puso a cargar el revólver: porque algo nos dijo en nuestro interior que aquel objeto era él en realidad.

Continuamos viéndonos un par de veces al año a comienzos de los cuarenta. Al principio siguió considerándolo un empleo provisional, pero una vez que se casó fue cambiando de punto de vista y con la guerra encima pensó que lo mismo daba llevar un uniforme que otro, ya que le habían disparado en Harlem unas cuantas veces y con idéntica facilidad podía encontrar la muerte aquí que en el ejército.

Al cabo de un tiempo caí en la cuenta de que era siempre yo el que concertaba nuestros encuentros. Admitirlo era incómodo, pero a medida que aumentaba mi renombre literario aumentaba nuestra distancia. Además, estaba obsesivamente resentido por la corrupción del equipo municipal de La Guardia, que en términos generales se consideraba liberal y honrado. Hablaba con humor menguante del cinismo de Roosevelt y durante la cuarta y última campaña presidencial de éste me reveló que ya estaba harto de votaciones. Hasta que fui incapaz de imaginarme su futuro, ni el suyo ni el del país.

Una noche tomamos una cerveza en un bar irlandés de la Tercera Avenida, no muy lejos de la comisaría en que trabajaba. Nuestros silencios se habían vuelto más prolongados. Había en él algo inexorable y negativo que me ahuyentaba. Y sin embargo le veía a veces como le había visto en la infancia, un muchacho de ojos despiertos, el muchacho singular que tenía la previsión necesaria para atesorar las canicas de un verano para otro.

—Cuando me meto en un callejón oscuro en persecución de cualquier cabronazo —dijo—, no pienso en su educación de mierda ni en su infancia necesitada. —Y no obstante no tenía ni un solo amigo entre los colegas de trabajo—. Por las mañanas voy a trabajar con el cuerpo a cuestas y lo devuelvo a casa por las noches. —Los demás policías eran reaccionarios, antisemitas e ignorantes sin remedio. Pero ya se había esfumado la intención de reanudar los estudios—. Voy a quedarme hasta el final; quiero la pensión y se acabó. A lo mejor me hago ingeniero después, o quizá me quede en casa haciendo monigotes de papel con el periódico, no lo sé.

Pese a ello, recuperaba parte de la antigua jovialidad cada vez que veía a mis padres, con los que se sentaba para hablar de su infancia y de los años anteriores a la crisis económica. En el curso de estas visitas parecía un huérfano. Mi madre, que conducía todas las conversaciones hacia las cuestiones íntimas, le hizo confesar que con su negativa absoluta a comulgar con las dobleces del mundo de los negocios había desembocado en otra posición igual de falsa e insincera. Se sentarían todos juntos en nuestro soportal un domingo por la tarde, de cara al huerto, donde mis perales y manzanos —semejantes a anguilas, los había comprado en 1930, en Cortland Street, a treinta y cinco centavos la unidad— extendían sus ramas, Sid con las piernas estiradas, los pies en la barandilla y abierta la chaquetilla de popelina que dejaba al descubierto la funda del revólver en la cadera. Cada tantos meses se presentaba de aquel modo para oír hablar a mi madre acerca de la suya, a la que no podía recordar por más que lo intentase. Era un vacío ilógico en su vida.

—Era una mujer elegante e inteligente. Pero en cuanto caían cuatro gotas, iba a la escuela con tus botas de goma y esperaba a que salieras. ¡Su Sidney! Dios mío, no pensaba más que en ti... —Al oír esto, la cara se le suavizaba, se le volvía casi radiante, porque a través de la voz de mi madre sentía cerca a la suya. Adoraba a mi madre por estas descripciones que devolvían un poco de dulzura a su vida, aunque ella no paraba de decirle sin el menor remordimiento que cambiase de oficio.

—Es que, cuando no se tiene talento para destacar en nada... —decía él, esforzándose por explicarlo todo una vez más.

—No me vengas con ésas, Sidney, el país comienza a recuperarse y tú aún eres joven. Con la cabeza que tienes, podrías colocarte donde quisieras. —Y yo veía en sus ojos negros el chispear de la tentación, y se me ocurría que a lo mejor se había declarado en huelga contra la vida por despecho, porque su madre le había abandonado al morir.

Durante la última parte de las visitas se quedaba contemplando el huerto, mordisqueando el puro barato, y para mí que yo veía lo mismo que él: no una recuperación económica, sino el hundimiento que le seguiría; la Depresión le había dejado clavado un cuchillo en el cerebro. Al marcharse, mi madre le hacía bajar la cabeza y le besaba en los párpados, con tanta dulzura como si fuera un niño a punto de irse a la cama.

Dejamos de vernos en cierto punto de mediados de los cuarenta. Siempre estaba ocupado las noches en que sugería un encuentro y acabé por desistir. Luego, en 1955, paseaba por Lexington Avenue cuando me pareció verlo en un grupo de ocho o diez hombres con cazadora y camisa de manga corta y que se me antojaron policías. Era una magnífica tarde primaveral, a eso del crepúsculo, cuando la luz es morada, la misma luz que esperábamos para soltar las luciérnagas.

El *World-Telegram*, el *Journal-American* de Hearst, además de Walter Winchell y Ed Sullivan en su columna del *Daily News*, habían estado publicando ataques contra mi pasado izquierdista desde hacía tres o cuatro semanas. Había pasado la mitad del verano en las turbulentas calles de Bay Ridge, en busca de información sobre las bandas de jóvenes pendencieros —lo que entonces se llamaba delincuencia juvenil— para una película que iba a hacerse con la ayuda del ayuntamiento. Según hube de saber más tarde, el Comité de Actividades Antiamericanas había enviado de Washington a una señora llamada Dolores Scotti para comunicar en privado a los funcionarios municipales en contacto conmigo y con el proyecto que el Comité estaba haciendo gestiones para «identificarme» como miembro del Partido Comunista, y que, aunque aún no había ningún resultado, lo mejor sería romper toda negociación conmigo. Alertados, los voceros periodísticos del Comité se quejaron todos a una hasta que el ayuntamiento retiró su cooperación, dando al traste con todo el proyecto. Era la época de las listas negras, la época en que se destruyó la vida profesional de muchos actores amigos míos y en que era difícil encontrar alguna resistencia efectiva a aquel incruento fascismo norteamericano.

El grupo de agentes se dirigía a la comisaría del cruce de la Calle 67 con Lexington y sus componentes sostenían una conversación animada cuando se detuvieron unos instantes en la esquina. Me acerqué a ellos por detrás. Hacía años que no veía a Sid y lo único que sentía era la alegría de volver a verle. Lo llamé por su nombre desde unos diez metros.

Estoy seguro de que reconoció la voz, pero se limitó a volverse a medias cuando me vio acercarme con la mano extendida. Con sonrisa tensa me devolvió el apretón por encima y me soltó la mano en el acto. Los otros policías se habían alejado y nos miraban desde cierta distancia. «Tengo que hacer el informe», dijo Sid, con lo que se dio la vuelta y se reunió con sus compañeros cuando éstos doblaban la esquina, camino de la comisaría.

Recordé entonces que mi foto había aparecido un par de veces en el *Daily News* en las últimas semanas y que hacía apenas unos días el *World-Telegram* había publicado un editorial al efecto de que se me «permitiese» escribir el guión de la película sobre la delincuencia —a fin de cuentas, pasaba por ser un periódico liberal—, pero sin que mi nombre figurase en ella para nada. En ningún bando hubo reacción alguna contra aquella forma totalmente soviética de tratar a los escritores contumaces.

Durante los treinta años siguientes no pasaría ante aquella comisaría sin preguntarme si Sid había tenido miedo de verse complicado o si se había convertido sinceramente, si era un neoconservador prematuro. Recuerdo que seguí andando hasta llegar a la esquina, a tiempo de verle subir las escaleras y cruzar la puerta flanqueada por dos esferas verdes que arrojaban un halo de iridiscencia sobre el pelotón de jóvenes agentes que ascendía la escalinata. Sid estaba ocupado aún hablando con uno de ellos. Me dio la sensación de que por fin había hecho amigos.

Su animosidad me caldeaba aún el rostro y al instante le recordé vaciando el frasco lleno de luciérnagas en la Calle 110. Mientras bajaba por Lexington me preguntaba si ahora éramos más conscientes que en tiempos pretéritos de que la vida era una sucesión de coincidencias antes que un desarrollo gradual, y si era esta conciencia lo que había derrocado las formas tradicionales del arte. En mi propio trabajo tenía necesidad de saltar de un punto decisivo a otro, igual que en un montaje cinematográfico, igual que en la prosa joyceana, con sus cadenas de vocablos pirotécnicos, igual que en esas figuras de Picasso que se ven desde distintos ángulos superpuestos, cicatrizando las fisuras temporales. La vida era una incesante revelación múltiple. ¿Me lo parecía porque todo cambiaba entonces con tanta rapidez y la verdad era más un fluido que un hecho? ¿Y se debía ello a que, en Norteamérica por lo menos, se vivía con tanta previsión e inquietud?

Los árabes llaman «malditos» a los cruzados —como hacían los judíos de la Europa medieval, que a menudo eran diezmados por sus huestes cuando iban a liberar Jerusalén, la ciudad santa—, mientras que la imagen cristiana del cruzado es toda nobleza, el epítome del hombre ideal. ¿Qué concepción corresponde realmente a la historia?

El tiempo de una persona es la experiencia que tiene del mismo, y parte de la mía fue Smedley D. Butler, un general de división retirado que fue a Ann Arbor a dar una conferencia cierto día de 1935.

Subí a la habitación de su hotel para entrevistarle para el *Daily*. Era un hombrecillo ancho de pecho que tenía que estirarse un par de centímetros para dar la talla que exigía la Infantería de Marina y que había pasado de soldado raso a una de las graduaciones más altas del cuerpo combinando la dureza de la calle con la inteligencia. Durante años había dirigido operaciones anfibias en Nicaragua, Haití, Cuba, la República Dominicana y Honduras para sofocar la correspondiente rebelión contra el régimen apoyado por Norteamérica, sin poner nunca en duda que, al igual que cualquier policía, estuviese manteniendo la paz en beneficio de la mayoría. Hasta que llegó el día en que recibió la orden de desembarcar en Méjico y al llegar a puerto le recibió un caballero que representaba a la sucursal mejicana del National City Bank. La población, según recordaba el general, estaba tranquila y en orden mientras la recorría sentado junto al directivo del banco, que le condujo inmediatamente a su despacho, donde aguardaban otros personajes de relieve. Abierto sobre la mesa había un mapa del país con indicaciones que señalaban las zonas en cuyo subsuelo se sabía que había petróleo. Los naturales del lugar, sin embargo, se habían negado a obedecer las órdenes gubernamentales de abandonar la tierra para que los equipos de perforación pudiesen trabajar, y aquello, según el banquero, iba contra la ley, puesto que, de acuerdo con la Constitución, el gobierno había confiscado toda la tierra. Además, había grupos organizados que hostigaban a las tropas regulares y era a estos guerrilleros armados a quienes tenían que eliminar los marines.

El general, previendo sus propias bajas, dijo que tendría que consultar con la embajada norteamericana antes de dar comienzo a una guerra. Pero la embajada norteamericana estaba ya representada en aquella habitación por un alto funcionario que dijo que el embajador compartía la opinión del representante del National City y que sin lugar a dudas le daría el visto bueno.

La conferencia que dio Butler aquella tarde fue básicamente una repetición de lo que ya había dicho por escrito: «Contribuí a convertir Méjico, y Tampico en particular, en un reducto de los intereses petroleros norteamericanos... Ayudé a que Haití y Cuba fueran lugares seguros para que el National City Bank pudiera obtener beneficios... Ayudé a sanear Nicaragua para la banca internacional de los hermanos Brown en 1909-12. Llevé la libertad a la República Dominicana en beneficio de los intereses azucareros de Norteamérica en 1916. Puse "orden" en Honduras en beneficio de las compañías fruteras norteamericanas en 1903». Pero fue aquella salvaje utilización de sus tropas por el banco, que arriesgaba un montón de vidas norteamericanas por la seguridad de intereses privados, lo que le hizo cambiar radicalmente de actitud.

Concibió la idea de elaborar una enmienda constitucional tendente a prohibir que ninguna embarcación militar norteamericana navegase más allá del límite de las doce millas. Era una fórmula concisa y tajante en pro de una Norteamérica no imperialista y militarmente neutral. Estaba sentado ante mí, fumando un puro, sin sonreír, muy tieso y con la barbilla adelantada. Yo sabía ya, incluso en aquella época, que se trataba de un sueño imposible, pero lo compartía con él. Lo que me confirmó aquella tarde fue que los que manejaban el dinero hacían con nuestra vida lo que se les antojaba.

El Hill Auditorium se había llenado a medias para oírle. Mi artículo del *Daily* apareció con una foto suya y resumía los distintos aspectos de su posición. No recuerdo haber oído hablar más del general de división Smedley Butler, pero he pensado en él con frecuencia, sobre todo en los últimos años, cuando leí que nuestros barcos, una vez más, se apostaban ante las costas de cierto país latinoamericano y se hablaba por enésima vez de nuestra política de ayuda y pacificación. Pero si la resistencia a esta política ha aumentado en el medio siglo transcurrido, también lo ha hecho la complejidad de la realidad afectada. A diferencia de lo que ocurría en 1935, el comunismo y el peligro soviético son hoy el único problema, aunque parece que la esencia apenas ha cambiado: pobreza y corrupción política en Centroamérica, revueltas en contra y la determinación norteamericana de que no cambie nada fundamental salvo lo que nos convenga. Aunque Butler no tenía un pensamiento político definido y saltaba a la vista que no era ningún radical, la pureza de su indignación porque los soldados tuvieran que sacrificarse para que otros se beneficiasen económicamente confirmaba totalmente que el mundo tenía que evolucionar al margen de los imperativos del capital privado. Mientras contaba su sencilla historia al público estudiantil del Hill Auditorium en 1935, el público neoyorquino que asistía a la representación de *Waiting for Lefty* de Odets se ponía en pie con el puño en alto y coreaba los gritos de los actores de «¡Huelga! ¡Huelga!», como si una huelga de taxistas fuera la clave simbólica de todas las libertades. Así era la época. Y así, cuando catorce años después se levantó Odets para proclamar en la Convención Waldorf que «¡El DINEROOOO!» era el motivo de las tensiones USA-URSS, es posible que como análisis político se tratara de una afirmación simplista, pero para mí fue un índice de que nuestra conciencia no estaba tan limpia como antaño. Y cómo iba a estarlo si en 1949 no se conocía un solo país que hubiese votado libre y mayoritariamente por un régimen comunista, mientras que todo el mundo sabía que hacía muy poco el Partido Comunista de Checoslovaquia, a pesar de contar con muchos seguidores, había organizado un golpe de estado para derrocar al gobierno legítimo de este país democrático.

La cuestión es que, en los años treinta, hubo un período en que el futuro aún tenía alicientes, pero con el fin de la guerra, la invención de la Bomba y el incremento de las hostilidades entre el Este y el Oeste, la única perspectiva lícita que al parecer quedaba al individuo era esperar el siguiente latido de su propio corazón. Creer en una filosofía política era como estar de acuerdo en que a uno le arrancasen todos los dientes o le amputasen un miembro o le sacaran un ojo y ello sin ningún motivo de peso. Sin embargo, tenía que haber una forma de salir de aquella incertidumbre. Por eso se afanaba la gente en negar lo que sabía o sospechaba era la verdad y en vez de hablar de verdades hablaba de no perder la esperanza.

No otro fue el clima imperante en cierta cena a la que Lillian Hellman me había invitado hacía más de un año, para que conociese a dos jóvenes delegados yugoslavos de las Naciones Unidas. Pensaba la escritora que sería una estupenda oportunidad para recabar información interna sobre la reciente expulsión de Yugoslavia del Komitern, acontecimiento que había estallado como una bomba en todo el mundo. Era la primera ruptura del aún reciente frente posbélico de países comunistas fronterizos organizado por los rusos y provocó tal conmoción que muchos pensaron que tenía que tratarse de un ardid, del mismo modo que años después, nadie creería que los comunistas chinos hubiesen roto de verdad con los rusos. Tanto en el bando prosoviético como en el bando contrario se partía de la base de que todos los comunistas estaban unidos por una especie de vínculo sanguíneo con Stalin, un Lucifer con control absoluto sobre sus invocadores que se habría convertido en nube de humo en cuanto por la cabeza servil de éstos hubiese pasado un pensamiento antirruso. Por el contrario, lo que comenzaba a adquirir primacía era el nacionalismo visceral, un motivo casi barrido de la existencia tanto por el marxismo cuanto por el racionalismo capitalista.

Me sorprendió la juventud de los dos delegados; apenas tendrían treinta años. Con sus caras eslavas impasibles y serias, y su deseo de no disgustar a Lillian, permanecían sentados a la elegante mesa como en un examen escolar, hablaban con tiento, no bromeaban ni por asomo a propósito de Stalin o los rusos, si bien lamentaban en tono quejumbroso la necesidad de Tito de independizarse de la tutela rusa. Sus novedades consistían en que los soviéticos habían dejado sin sangre a Yugoslavia confiscándole maquinaria y todo cuanto se podía y obligándola a firmar acuerdos económicos que siempre eran desventajosos para Yugoslavia y favorables a Rusia. La teoría, que Tito había calificado por fin de pretexto y fraude, decía que para asegurar la supervivencia del socialismo, había que asegurarlo primero en Rusia, la gran protectora.

Pero el segundo punto que querían que Lillian entendiera aquella noche era que Yugoslavia no se había vuelto antisoviética. Se trataba sólo de un caso extremo de supervivencia nacional y se esperaba que llegase el día en que Yugoslavia estuviese otra vez hombro con hombro con la Unión Soviética, pero como iguales, no en calidad de colonia.

Lillian, que hacía pocas preguntas, escuchaba con desusado silencio y parecía casi de piedra, en medio de la nube de humo de su cigarrillo. Emocionalmente tenía que estar tan impresionada como yo por aquellos hombres; no eran intelectuales de clase media desengañados por la disciplina socialista práctica, sino antiguos guerrilleros que habían luchado contra los nazis en el monte. Mientras hablaban, una llama se agitaba, titubeaba y amenazaba con apagarse. Hablaban de desmembración de lo que publicitariamente había sido una fraternidad de estados que durante mil años habían combatido entre sí pero que al final se habían unido sobre una base socialista de ayuda mutua y desarrollo pacífico. Tal había sido el sueño engendrado por la peor guerra de la historia europea y allí teníamos a dos jóvenes veteranos para quienes la conducta de Rusia no difería de la del Imperio británico en las explotadas India o Malaca. Además, siendo yugoslavos primero y comunistas después, daban a entender que el nacionalismo —esa pesadilla de la izquierda y sueño tradicional de la derecha— no sólo estaba bien en un rojo sino que era también la última defensa de los pueblos pequeños ante las grandes potencias rapaces, de las que la Unión Soviética era claramente una. En resumen, había vuelto el Hombre Caído, y para dominar el mundo ni más ni menos que como lo había dominado antes de la guerra, sin haber aprendido nada, sin que nada hubiera cambiado en serio. La inutilidad de todo era algo sobrecogedor. E inadmisible. Que un estado socialista pudiera explotar de aquel modo a un estado socialista hermano, sobre todo a los heroicos yugoslavos antinazis, era un idea que ofendía todo sentido de la dignidad.

Cualquier compromiso profundo tiende a elevarse hacia lo sublime y los sacrificios sin cuento que Rusia había hecho durante la guerra aún compensaban al parecer las acusaciones de crueldad para con los disidentes y los rumores de antisemitismo. Porque ni siquiera Orwell, con todo su odio hacia los soviéticos, tenía conocimiento de la existencia de los *gulag* —ni de sus enormes dimensiones ni de su barbarie—, y hasta él había dado a Stalin un margen de confianza.

Era sin embargo imposible descalificar a aquellos dos jóvenes, que, tras terminar su relato, se quedaron mirando a Lillian para ver cómo reaccionaba. Con el traje mal entallado, demasiado prieto para su musculosa complexión, el cuello de la camisa arrugado y la faz rubicunda, parecían, en aquel salón elegantemente amueblado del East Side, campesinos endomingados que presentasen una súplica a una gran señora. También yo me quedé mirando a Lillian y me pregunté por qué su reacción era tan importante para ellos. Había estado en Francia e Italia el año anterior y por primera vez había sido testigo del respeto y reverencia más bien sorprendentes que los europeos sentían hacia los escritores que combatían en la palestra política, aunque se me antojaba muy extraño que para los políticos puros como aquellos dos hombres significase tanto lo que Lillian Hellman pensara de su actitud política.

Estábamos sentados a la sazón en el sofá, de cara a ella, mientras la escritora jugaba con su copa, la cabeza leonina inclinada con intención resuelta. Diez años mayor que yo, Lillian poseía para mí una aureola mística, fruto de su intransferible encanto de noble sureña, casada al mismo tiempo con posiciones prosoviéticas. Gobernaba una especie de salón por el que podía decirse que circulaba el mundo trascendente: absolutamente todos, desde abogados izquierdistas, dirigentes sindicales y teóricos marxistas como Leo Humernan hasta su compañero Dashiell Hammett, importantes cirujanos, psiquiatras célebres, estadistas, diplomáticos de la ONU, financieros acaudalados, escritores de todos los pelajes, productores y guionistas de Hollywood, y por supuesto sus colegas los profesionales de Broadway. Nunca me sentí totalmente a gusto allí, supongo que en parte porque aún me resultaba difícil relajarme en presencia de gente distinguida, ya que flotaba en el aire un inevitable tufo de jerarquía que impedía concentrarse en el tema de que se tratara; sentía uno la deprimente obligación de deslumbrar con una observación aguda o una anécdota curiosa, a ser posible sobre la vida que latía más allá o por debajo de aquel refinado nivel social. Tendía a encerrarme en mí mismo ante aquel estilo elevado y parecía arisco y a la defensiva ante el puro alarde competitivo que todo ello entrañaba.

Aquella noche, sin embargo, reinaba un clima completamente distinto mientras el aire fresco de las montañas yugoslavas soplaba en el salón insólitamente vacío, por entre las cortinas de terciopelo y las molduras talladas, los recuerdos de plata de las magníficas mesillas de rosal, la foto de una Lillian más joven que miraba altanera al vacío desde el piano, con la larga cabellera acariciándole los hombros. Sentada en un sofá, bebiendo a sorbos de la copa mientras el relato de los delegados se acercaba al final, se encontraba una Lillian apocada hasta un extremo para mí desconocido; siempre tenía una réplica viva, una risa desarmante, una opinión desnuda y sincera en su interminable guerra contra los farsantes. Parecía intuir que las personas casi siempre sabían más de lo que decían y que la vida, para eludir las responsabilidades, era menos un misterio que un desengaño voluntario. Su misión en la vida era pues enfrentar a las personas con lo que éstas sabían pero no tenían el valor de decir. No transigía con la excusa de la inconsciencia, como tampoco con la inocencia absoluta, ante cuya sola intuición sacaba las uñas. Lo que no equivale a decir que no viese su propia ridiculez, aunque lo hacía las más de las veces desde un ángulo particular; a veces se consideraba una jovencita más bien poética y cándida que se había visto obligada a asumir una potestad desproporcionada que no creía poseer. Esto es, obligada por otros, en particular por hombres débiles sin valor ni voluntad, pero también por mujeres coquetuelas y casquivanas cuya cobardía la instaba a empuñar el timón y a alejar con desafío la nave de los arrecifes de la mentira. En estos arranques más frágiles y femeninos parecía necesitar un jefe, un amo, igual que un potro rebelde que corre al galope hasta la mano del domador y se detiene, pero sale huyendo cuando se le acaricia. Se le pasaban pronto empero estas poses de ingenuidad adolescente e incluso se reía de los intentos de huir de sí misma, un «sí misma» que a la postre era incapaz de resistirse a los papeles de jefatura ejemplar, cuando no de dominio.

Mientras los yugoslavos aguardaban, se volvió a mí con una expresión interrogante en que por vez primera me pareció ver su impotencia para contestar. Pero la opinión que para mí contaba era la suya, no la mía; ¿qué sabía yo de los Balcanes o de alta política, salvo lo que leía en los periódicos? Era ella quien conocía el paño.

Sólo recuerdo una cosa de la partida de los delegados; los dos llevaban idéntico sombrero gris de fieltro, sin duda comprado a la vez en Nueva York, y sin darse cuenta lo estrujaban con las manos mientras se deshacían en inclinaciones de despedida en la puerta, con los ojos llenos de incertidumbre. Una vez que se hubieron marchado y de vuelta en el salón, Lillian insistió en que tomáramos otra copa. No cruzamos palabra mientras sirvió el licor. Volvió a sentarse en el sofá y con la voz embargada por una duda gigantesca me preguntó: «¿Les has creído?».

Alcancé a oír los carromatos que formaban en círculo alrededor del campo de prisioneros, y el rechinar de los razonamientos que se amontonaban en las barricadas. Había creído a los delegados, totalmente, pero también sentía el fuerte tirón de la lealtad hacia el pasado y los sentimientos antifascistas, prosoviéticos, de años pretéritos. No éramos investigadores de la verdad sino defensores de una ortodoxia asediada y hecha añicos, en cuyo seno, pese a todo, aún se mecía una especie de verdad sagrada sumida en horrible confusión. Años después seguiría acusándome de haber abonado una lealtad equivocada en mayor medida que Lillian, porque yo era consciente de estar escindido por lo que sospechaba con intensidad o ya sabía, mientras que ella parecía obstinada y del todo convencida; así pues, si bien estaba más equivocada que yo, también fue más honesta, porque siempre le resultó más fácil negar cualquier contradicción turbadora que desvirtuase la fidelidad que sentía hacia sus propias creencias. Temía más al miedo mismo que a la mentira; lo importante era resistir siempre con ahínco. Su lealtad al ideal soviético tenía para ella un valor muy semejante al de la lealtad que se guarda a un amigo. La integridad consistía en no abandonar el barco, aunque derivase en una dirección imprevista, susceptible de acabar con la vida de todos los pasajeros. Su fidelidad era sin lugar a dudas su faceta más conmovedora, como lo demostró su inquebrantable amistad con Dashiell Hammett y Dorothy Parker durante los horribles años de decadencia de éstos.

Contesté a su pregunta diciendo que me habían parecido sinceros. Ella dijo algo en el sentido de que todo podía saltar por los aires, a no ser, claro está, que se descubriera que Tito era un provocador norteamericano. Se había limitado a repetir una especulación que en aquellos días se oía por todas partes.

Dos décadas después, estando en Moscú de visita con mi mujer, Inge, me entrevisté en privado con Ilyá Ehrenburg y otros supervivientes soviéticos de la pluma que en el preciso momento en que se celebraba la cena de Lillian vivían con el terror del presidio o de castigos peores y a quienes el régimen de Stalin crucificaba espiritualmente: «Dormíamos con el oído atento al ascensor cuando se oía a las tres de la madrugada, y conteníamos el aliento hasta que pasaban por nuestro piso sin detenerse», contó a Inge. En coyunturas así, recordar veladas como la pasada con Lillian era un viaje alucinante: desde esta perspectiva parecíamos bufones de la historia, pulgas en la crin de un caballo al galope cuyo rumbo pensábamos que variaba de acuerdo con lo que creíamos y no creíamos.

Mientras me ponía el abrigo para marcharme de casa de Lillian no me atreví a decirle ni a confesarme lo deprimido que estaba por las dudas e incertidumbres. Pero cuando nos dimos la mano para despedirnos, advertí que parecía haberse recuperado y que una vez más parecía fuerte, entera y orgullosa, como si algo hubiese encontrado ya solución para ella. Creo que fue entonces cuando por primera vez caí en la cuenta de que siempre había tenido miedo de llevarle la contraria. Estaba libre de la culpa, que era mi compañera vitalicia, y con sus responsabilidades a cuestas miraba mucho más al frente que a su propia interioridad. Claro que si nunca fuimos amigos sinceros fue sin duda por nuestra competencia en el teatro. Creía de verdad que estaba muy resentida por mi triunfo. También es posible que por mi parte hubiera una especie de incomodidad primordial ante las gentes de buen tono y brillantes, herencia de la tímida turbación de mi padre ante los extrovertidos Newman y sus semejantes. Por último, al igual que muchos hombres, tenía un miedo crónico a las mujeres prontas a convertir lo menos pensado en tema moral. La exclamación «¡Es vergonzoso!» acudía con tanta facilidad a sus labios que hasta ella acababa riéndose de su reiterativa indignación ante las conductas aberrantes que proliferaron cuando la década de los cincuenta acabó con las simplicidades de los últimos veinte años y dio a luz formas nuevas, asombrosas y extrañas.

En resumen, y por decirlo con buenas palabras, en aquellos años de tremenda crisis histórica hubo suficiente desilusión, si no deshonestidad, para que todos se llevaran su parte, fuera cual fuera el lugar en que estaban.

No se puede comprender a nadie de mi generación sin aludir a nuestras relaciones particulares con «el Dios frustrado» del marxismo, aunque he acabado por pensar que la expresión es injusta. No se trató de Dios, sino de un ídolo. El ídolo dice punto por punto qué hay que creer, mientras que Dios presenta alternativas entre las que el individuo elige libremente. La diferencia dista de ser insignificante; ante el ídolo, los hombres son como niños sin independizar, ante Dios sufren la carga y al mismo tiempo la libertad de participar en las decisiones de la creación infinita. El problema tiene múltiples facetas y no está hoy más cerca de solucionarse de cuanto lo estuvo a comienzos de los años treinta, ni lo estará mientras la sociedad occidental siga marginando espiritualmente a tantos miembros suyos, privándoles de los placeres de la vida y la cultura hasta el extremo de desear que gobierne su vida una voluntad superior.

Volví a acordarme del ídolo y de Dios en Turquía, adonde fui en 1985 con Harold Pinter por encargo del PEN Internacional y de la Comisión de Observación de Helsinki. Había transcurrido mucho tiempo desde la década de los treinta, pero había charlado con escritores turcos que me habían hecho retroceder cinco décadas, a Brooklyn, a Ann Arbor y a Nueva York. Fueron conversaciones que habríamos podido sostener en muchos otros sitios, en Pekín, en La Habana y en Nueva York, en Moscú, en Phnom Penh, en Praga, en aquel punto de la historia.

A algunos de estos escritores los habían torturado a conciencia en sombrías cárceles turcas por ser miembros de una organización pacifista que se oponía a que Turquía dependiera tanto de los Estados Unidos como de la Unión Soviética. Eran izquierdistas más o menos convencionales, como lo son la mayoría de los ciudadanos cultos en el Tercer Mundo, y despreciaban el que Norteamérica se arrogase principios democráticos cuando lo único que sabían de nosotros era que apoyábamos en todas partes las dictaduras derechistas, entre ellas el régimen militar turco que les había puesto entre rejas.

Nos habían invitado a cenar en un restaurante unos veinte de ellos, y mientras comíamos y bebíamos en abundancia comenzó a surgir cierta hostilidad, difícil de entender porque estábamos allí para que la atención mundial se fijara en su situación. Un hombre se puso en pie con una copa en la mano y una expresión de burla, y brindó: «¡Por el día en que seamos lo bastante ricos para ir a Norteamérica a investigar el cumplimiento de los derechos civiles!». Cuando hablé con él más tarde me resultó difícil saber si era un agente provocador del gobierno reaccionario que trataba de ridiculizar nuestra misión o sencillamente un comunista que me atacaba por ser norteamericano, el archienemigo.

Otro escritor, sentado junto a mí con la cabeza llena de vodka entre las manos, me dijo:

—Si me detienen, huiré del país. No podría soportar otra vez la tortura. —Vestía chaqueta deportiva a cuadros, pantalón de diario y corbata de reps, y llevaba el pelo muy corto, al estilo universitario de los años cincuenta—. ¿Es usted marxista? —me preguntó de súbito.

—¿Qué es ser marxista? —le repliqué.

Me miró con incredulidad.

—¿Qué es ser marxista? ¡Ser marxista es ser marxista! —Pero había más dolor que rabia en aquel hombre.

—¿Quiere usted decir que los marxistas chinos son iguales que los marxistas soviéticos cuando tienen enfrentados en la frontera a los dos ejércitos movilizados más grandes del mundo? Hay allí unos dos millones de hombres y en ambos lados hay una foto de Karl Marx clavada a un palo. ¿Y qué me dice de los marxistas chinos que luchan contra los marxistas vietnamitas en el lado vietnamita de la frontera? ¿Y de los marxistas vietnamitas y camboyanos, enfrascados en una guerra a muerte? ¿Y de los marxistas camboyanos de Pol Pot enfrentados con los marxistas camboyanos provietnamitas? Por no hablar también de los marxistas israelíes y los marxistas sirios.

Vi que había herido sus sentimientos; nunca había querido enfocarlo de aquel modo y estaba desesperado porque sobrellevaba las huellas corporales de una tortura sufrida en aras de una fe monolítica cuya existencia decidía yo tan a la ligera. Se puso furioso.

—¡No, no, sólo hay un marxismo! —exclamó, ahogando casi la música de la bandolina que tocaban junto a él y la voz rítmica de un cantante folklórico.

No insistí, pero pensé en el «cristianismo único» que sembraba la muerte en Irlanda y en el «único Islam» que hacía otro tanto en el Líbano. Y en el siglo XVII, cuando la Guerra de los Treinta Años estuvo a punto de destruir toda Europa en nombre de Cristo. Y en el «judaísmo único» de Israel y la criminal hostilidad entre judíos ortodoxos y judíos seglares.

—Es posible que el mundo esté organizándose otra vez en tribus —dije—. Los restos de las culturas antiguas despiertan de su largo sueño y es posible que el marxismo sea el envoltorio racionalista que da un aire moderno a esta irrupción de tribalismo atávico...

Me interrumpió un interlocutor nuevo; era Aziz Nesin, autor de unos noventa libros humorísticos y de poesía, marxista desde su juventud y socialista a la sazón. Lo habían encarcelado muchas veces y en cierta ocasión, hacía unos años, había estado seis meses en la cárcel por ofender al Sha de

Persia en una de sus obras. Todos los turcos conocían su nombre y su historia: que había abandonado la academia militar y acabado por luchar contra las dictaduras militares, apoyadas por los Estados Unidos, de sus antiguos compañeros de estudios. A los cincuenta años era un hombrecillo, rico al parecer, de dignidad imponente.

—Stalin, nada más acabar la última guerra, quiso apoderarse de una provincia oriental y del estrecho del Bósforo —dijo—, y en la actualidad Rusia nos sigue disputando zonas de nuestra parte de la frontera, una región inmensa.

Quedé algo confuso; era un tanto raro que un hombre de izquierdas, en conversación con un norteamericano, acusara a los soviéticos. Dije que, por lo visto, el marxismo no había puesto freno al expansionismo ruso, por lo menos en aquella parte del mundo, y él lamentó estar de acuerdo, si bien con una agitada incertidumbre en los ojos.

El primero, el que había padecido tortura y llevaba chaqueta deportiva, también asintió con pesar y sin aparente cambio de tema comentó:

—Sí, el imperialismo norteamericano tiene bases de misiles a lo largo de la frontera, ¡docenas de bases! —Mientras calculaba la magnitud de la presencia militar norteamericana en Turquía, la reclamación soviética de la provincia turca desapareció en un abrir y cerrar de ojos.

—Entonces, en tanto que marxistas —dije, esforzándome por seguir el itinerario de su pensamiento—, ¿cómo se sitúan ustedes entre los dos gigantes? Porque los dos representan un peligro para la independencia turca, ¿no?

Se me quedaron mirando con notable desconcierto. Sin ser exactamente una negación ni tampoco una afirmación de que de veras se encontrasen entre el martillo y el yunque igualmente censurable, parecía más bien una suspensión metafísica, un punto de encuentro entre la lógica de una polémica y lo inadmisible de sus previsibles conclusiones. Había tropezado con un fenómeno —el misterio de la automarginación— que había azotado incontables lugares durante los años de posguerra.

Los que se guían por ideas, cuando afrontan pruebas de que están equivocados, se aferran a sus convicciones con más empeño para resistir el peligro de la desesperación. Perder la esperanza es corromperse. Y allí estaba yo con dos marxistas, a unas horas de la frontera soviética, que creían que los rusos querían devorar un pedazo septentrional turco y que sin embargo centraban casi todo su rencor en los Estados Unidos. No importaba la realidad soviética; Rusia era el enemigo de sus enemigos y ello bastaba; es decir, les bastaba para no cejar ante los males en que vivían inmersos.

Conocía su desesperación; porque es lo único que existe o puede existir cuando la marginación es el precio del pensamiento moral y los hechos se arrinconan como simples detalles.

La reaparición de la derecha norteamericana a comienzos de los cincuenta, el ataque dirigido por el senador McCarthy contra los usos y costumbres de la sociedad liberal, fue, entre otras cosas, una caza del independiente, y con celeridad pasmosa el conformismo se convirtió en el nuevo estilo del momento.

A comienzos de los cincuenta sabía ya de guionistas radiofónicos que no podían encontrar patrocinador que les contratase. Al principio se pensaba que si no eran del Partido tenían que ser allegados muy íntimos, y que por tanto la sociedad en conjunto quedaba al parecer intacta. Pero a la sazón, cuando Norteamérica ensayaba con la primera bomba de hidrógeno, condenada por muchos por inmoral, y aumentaban las posibilidades de que los rusos tuviesen otra muy pronto y de que Mao Zedong expulsase a Chang Kai-Chek, una ciénaga pegajosa comenzó a sustituir a la tierra sólida que pisaban los pies liberales y ni siquiera de un día para otro se estaba seguro de que no se fuera a hundir igual que un flan. Cierto día dio la sensación de que se hundía en Brooklyn Heigts.

Louis Untermeyer, ya sesentón por entonces, era poeta y antólogo, un neoyorquino a la antigua usanza, de porte elegante, larga nariz aristocrática y un apasionado de la conversación, en particular sobre escritores y literatura. Cuarenta años antes había abandonado el negocio de joyero de la familia para dedicarse a la poesía. Se había casado cuatro veces —dos con la misma mujer, la poetisa Jean Starr—, había dado clases, escrito y publicado, y gracias al rápido auge de la televisión se le había conocido de la noche a la mañana a escala nacional como a uno de los habituales de «What's my Line?», programa popular matutino en que él, la periodista Dorothy Kilgallen, el editor Bennett Cerf y Arlene Francis adivinaban la ocupación de un concursante invitado haciéndole la menor cantidad posible de preguntas en el breve espacio de que disponían. Todo ello con bromas y tomaduras de pelo, terreno en que Louis era un maestro amenísimo, ya que se acordaba de todos los chistes y juegos verbales que había oído en su vida.

Louis amaba la poesía y a las jóvenes, aunque no necesariamente por este orden; al cumplir los ochenta y cinco manifestó: «Aún las persigo. La única diferencia es que ahora ya no recuerdo por qué». Contaba con antiguos amigos entre los grandes poetas estadounidenses —por ejemplo William Carlos Williams, Robert Frost, Edna St. Vicent Millay, Marianne Moore— y era persona capaz de estarse toda una tarde con espíritus afines nada más que charlando e intercambiando muestras de ingenio. Una noche fui testigo del insólito homenaje que le rindió el principesco y más anciano Robert Frost, que escuchó inmóvil una larga conferencia de Louis sobre etimología. Aquella tarde, Red [Rojo], mi pequeño perro de lanas —un animalejo indómito que regalé más tarde al concesionario que me vendió el Ford y de cuyo establecimiento expositor salí corriendo antes de que se arrepintiese—, había escapado a la calle por la puerta de Willow Street, lo había atropellado un coche que pasaba, se había vuelto aún más loco y había echado a correr a la desesperada hacia Borough Hall, conmigo detrás. Frost escuchó por la noche el relato de mi persecución y, petrificado como una cabeza del Monte Rushmore, dijo muy despacio: «Parece un perro divertido».

Louis disfrutaba mucho de la vida, sobre todo ahora que era muy célebre y ganaba mucho dinero en la televisión. Su mujer actual y definitiva, Bryna —bautizada según William Jennings Bryan por unos padres que militaban en el Partido del Pueblo—, era la directora de *Mademoiselle* y tenía un ingenio digno de su marido, aunque nadie podía rivalizar con la energía de Louis; se ponía éste a hilar juegos de palabras en chorros tan incontenibles que la única forma de pararlos que tenía ella era ponerse a gritar en medio de la estancia con las manos en los oídos. En el silencio subsiguiente Louis se sentaba al piano y se ponía a tocar algo de Beethoven a todo meter. Educados y cultos y a la sazón con un fabuloso cheque todas las semanas, vivían en un piso de Brooklyn Heights pequeño y atestado pero confortable.

Reverso de su confianza en el mundo, Louis no sabía al parecer lo que era la culpa. El único autorreproche que le oí lo barbotó de repente, a sus noventa años: «He escrito demasiado», y quizás de un modo superficial asimismo. Supongo que fue la inocencia lo que le hizo estar desprevenido el día en que llegó a los estudios de televisión una hora antes de comenzar el programa, según tenía por costumbre, y el director le dijo que ya no se contaba con él. Parece que por haber figurado en la revista *Life* como uno de los promotores de la Convención Waldorf había habido una serie de cartas para protestar por su aparición en «What's my Line?», cartas que habían amedrentado a los clientes publicitarios del programa y determinado el despido de Louis.

La verdad es que el director lo había tenido de profesor de literatura años atrás y le disgustaba despedirle, sobre todo porque contratarle había sido idea suya. Pero como contaría Louis años más tarde, una vez que se hubo recuperado del mal trago, el director le dijo: «Lo malo es que sabemos que no tiene nada que confesar, aunque no lo creerá nadie. Parecerá pues que se niega usted a ser un buen norteamericano».

Volvió a su piso. Por lo general coincidíamos en la calle un par de veces por semana o bien nos llamábamos casi todos los meses, pero lo cierto es que dejé de verle por el barrio y no supe nada de él, y cuando llamaba respondía siempre Bryna alegando oscuramente que ya no quería hablar con nadie por teléfono y que prefería esperar a que volviéramos a vernos todos. Pero eso no ocurrió. Pésimo televidente, ni me di cuenta de que faltaba del programa y supuse que me llamaría cuando le apeteciera.

Louis estuvo sin salir de su casa durante casi año y medio. Un terror sobrecogedor y paralizante se había apoderado de él. Más que un terror político, lo que pasó es que en realidad había sido testigo de la fragilidad de las relaciones humanas y se había entregado al pánico. Siempre había prodigado y recibido mucho amor, sobre todo en aquel programa de TV en que sus chistes se celebraban por todas partes, y de pronto lo habían echado a la calle, anulado de un plumazo. Fue éste uno de los ingredientes que alimentaron el tema central de *After the Fall* [Después de la caída], obra teatral que yo escribiría al cabo de más de una década.

Un hombre como Louis Untermeyer no se derrumbaba, creo, por motivos exclusivamente personales, sino también por motivos históricos: la seguridad del pasado doméstico le había desaparecido de pronto de debajo de los pies. El problema es si dicha seguridad existió en algún momento. Uno de los atractivos provincianos que tenía para mí Ann Arbor en los años treinta era su tranquilizador contraste con la salvaje Nueva York, donde un hombre podía estar muriéndose en plena tarde en la Quinta Avenida sin que durante un buen rato se detuviera nadie para saber qué le pasaba. Dos décadas después la ciudadanía recordaría los años treinta con nostalgia, como una época de generosidad y espíritu solícito.

¿De dónde ha salido la idea de que alguna vez hubo solidaridad y de que su desaparición fue catastrófica? A menudo da la sensación de que los indigentes años treinta son el punto fijo inconsciente por el que se mide todo lo posterior, incluso para los jóvenes que sólo conocen aquellos años por sus padres y lo que han leído. No es que la ciudadanía fuese más altruista, sino que llegó un momento —creo que alrededor de 1936— en que los ciudadanos apolíticos pensaron por vez primera que la acción colectiva era una forma de salir de una situación insoportable. De la amarga necesidad brotaron el sindicalismo obrero y los primeros planes de ayuda sistemática del gobierno nacional, el reactivo cooperativismo agrícola, el TVA [Comisaría para el Desarrollo Hidráulico de la Cuenca del Tennessee] y otros planes estatales que crearon puestos de trabajo y llevaron la electricidad a amplias zonas necesitadas, repararon y construyeron puentes y acueductos, llevaron a cabo amplios programas de repoblación forestal, instituyeron becas para estudiar e investigar la historia popular del país —sus canciones y cuentos se reunieron y publicaron por vez primera—, y todo este hervidero de actividad imaginativa forjó la imagen de un gobierno que pese a todos sus patinazos y derroches estaba con el pueblo. Hemingway escribiría: «Un hombre solo no tiene ni una cabrona posibilidad de mierda», sorprendente confesión de un solitario profesional de que un nuevo tipo de héroe había aparecido en escena, un hombre cuyo autorrespeto exigía solidaridad con el prójimo. Cuando era estudiante hubo una época en que todas parecíamos estudiar para ser asistentes sociales.

En 1936, durante mi penúltimo año de estudiante, sabía ya lo que era la vida y no cabían los sentimentalismos. Mientras empujaba carretillas en el centro textil de Nueva York —uno de mis empleos estivales— tenía que defender mi puesto en la fila de correos y pelear con los cretinos que querían colarse para certificar sus envíos a la hora de cerrar; los días en que me había pasado conduciendo nueve horas el camión de Sam Shapse por entre el tráfico de la ciudad habían sido una lucha sin fin por el aparcamiento y la entrada en los puentes, una lucha guarnecida por el miedo de que me desvalijaran el vehículo cuando lo abandonaba para entregar o recoger accesorios. La sensiblería de las canciones, obras de teatro y películas populares de la época parecía extrañamente fuera de lugar incluso entonces. Cierto episodio de *Las uvas de la ira* de Steinbeck en que un tendero deja que una familia hambrienta se lleve gratis un pan de diez centavos podía ser inspirador, pero tenía poco que ver con las realidades que yo había experimentado.

Y cuando me desplacé de Ann Arbor a Flint, Michigan, el día de Año Nuevo de 1937 con objeto de informar para el *Daily* del comienzo de las huelgas de brazos caídos en la planta Fisher I de la General Motors, mi identificación con los trabajadores no tuvo nada de abstracto; de hecho fue mi experiencia en el mundo obrero lo que provocó mi asombro ante aquella solidaridad inusitada. Me resultaba poco menos que increíble que cientos de trabajadores fabriles normales, muchos de ellos contratados en los estados sureños, donde la hostilidad a los sindicatos era endémica, hubieran parado las máquinas sin más ni más, hubieran cerrado las puertas de la factoría por dentro y se negaran a salir mientras no se reconociese al sindicato en tanto que agente negociador.

Llegué a mediodía tras hacer el trayecto desde Ann Arbor con un joven conductor de pruebas de la Ford cuya misión consistía en hacer rodar el nuevo modelo turístico que se lanzaría al cabo de dos años y en informar por teléfono a la fábrica de Dearborn cuando algo fallaba. La Ford era la más furiosamente antisindical de todas las factorías y aquel chico sureño, contento de tener compañía, me habló de los gases lacrimógenos que, según sabía todo el mundo, había hecho poner Henry Ford en el sistema de lluvia antiincendios de la fábrica por si sus trabajadores se declaraban en huelga de brazos caídos. «Hombre, en la Ford se declaran en huelga y yo me vuelvo disparado, porque en ese sitio acabarán matando a más de uno», dijo riéndose. El espíritu del fascismo tenía entonces una vitalidad alarmante en todo el mundo y el episodio de Flint parecía alzarse en abierta oposición al mismo.

La planta Fisher se extendía a lo largo de una ancha avenida con la fachada hacia el edificio de administración de la General Motors, donde trabajaban los oficinistas y directivos. Ambos edificios estaban conectados por un puente cubierto que salvaba la avenida divisoria. Temeroso de mezclarse en nada que tuviera alguna relación con sindicatos, el conductor de la Ford echó un vistazo a la calzada y salió de estampida, abandonándome allí. Y, bueno, prácticamente a mis pies había tres soldados de la Guardia Nacional, dos en cuclillas y el tercero boca abajo en la acera, al cuidado de una ametralladora sobre trípode que apuntaba hacia un anexo de dos pisos del edificio central. Supe después que ya habían disparado contra tres obreros que tomaban el aire en el tejado y herido a uno de ellos. Más soldados se desplazaban en silencio, el fusil preparado, y dos camiones militares llenos de jóvenes fusileros bloqueaban las dos salidas de la calle. Dos coches de policía yacían en posición curiosa, volcados, según se me dijo, por las mangueras que los trabajadores habían conectado con las salidas de agua caliente para mantener a raya a la policía y los soldados. Para evitar invasiones por el puente cubierto, lo habían bloqueado soldando varios chasis de Chevrolet en sentido vertical en un extremo. Era el tercer día de huelga. El silencio dominante lo rompía sólo un saxofón que tocaba en sordina dentro de la factoría, donde una improvisada orquesta de jazz interpretada periódicamente unas canciones y desaparecía. En aquellos momentos el saxofonista parecía enfrascado en un solo de prácticas. Asomadas a una ventana del segundo piso había múltiples cabezas que miraban al grupo de esposas que se había presentado con cajas de comida, que los obreros subían con cuerdas mientras parloteaban todo el rato y se reían de tarde en tarde de alguna conversación; al terminar, las mujeres saludaron con la mano y se fueron. Se me dijo que, dentro, los hombres se sentaban y dormían en asientos de coche, pero cuidando de cubrirlos antes con papeles; por extraño que pareciera, el derecho a la propiedad privada seguía siendo totalmente sagrado para ellos.

Encontré la oficina del sindicato en un callejón, subí un tramo de escalera y entré en un pequeño despacho que daba a un almacén vacío, desde donde, según había oído decir, dos hermanos dirigían la huelga. Un joven con gorra de béisbol miraba por la ventana. Me echó un vistazo y se presentó como Walter Reuther (se rumoreaba que su hermano Victor, que había viajado a la Unión Soviética, era socialista). Pregunté a Walter cómo estaba la situación. Era un individuo pálido y meditabundo, pelirrojo y con una atención hacia mí, simple universitario y aprendiz de periodista, sencilla, directa y respetuosa. Yo había esperado un tío duro sin el menor interés por lo que yo hacía.

—Bueno, veamos —dijo, echándose atrás en la silla—. Creo que en este momento hay más de trescientos afiliados...

¡Trescientos! Una cantidad sorprendente, me dije. Muchos periódicos habían dicho que todo era una pompa de jabón y que no tardaría en reventar, ya que se trataba de un esfuerzo sin precedentes por sindicar a obreros sin cualificar y no a mecánicos, torneros o carpinteros, cuyos sindicatos de élite se habían fundado con el cambio de siglo.

—Pero cada día que pasa tenemos más miembros.

—¿Cree usted que obtendrán reconocimiento? ¿Cuánto cree que aguantarán ahí dentro sin aburrirse?

—Yo creo que aguantarán.

—¿Le puedo preguntar por qué?

Una sonrisa le pasó por los labios.

—Empieza a gustarles. —Nos echamos a reír—. Llevan mucho tiempo juntos. Ahora comienzan a tener orgullo de clase y tienen ánimo por toneladas.

Mientras hablaba con Walter Reuther me di cuenta de que no se consideraba jefe de aquel acontecimiento increíble, sino, a lo sumo, el guía orientador de una energía que había comenzado a hervir desde abajo. Había oído decir que los comunistas dirigían algunas sindicaciones salvajes, pero nadie me supo decir dónde estaban y yo fui incapaz de averiguarlo.

Tuve que volver a la facultad antes del Día de la Victoria, 11 de febrero de 1937, cuando la patronal cedió y reconoció legalmente a los United

Auto Workers. Aquello hizo que me sintiese más seguro en el mundo y, al igual que a otros creadores de arte y literatura de la época, me dio la sensación de que una belleza nueva estaba a punto de salir a la luz. No se me ocurrió pensar que paralelamente se gestaba una nueva fuerza represiva que a menudo presentaría ante el mundo una cínica cara de gangster y que, por cierto, me censuraría un guión cinematográfico: pero ello acontecería quince años más tarde. Hay que decir, sin embargo, que la vida de UAW fue notablemente democrática.

El sentido de las cosas no deja de cambiar. Fue el espíritu de los años treinta lo que Odets —ya desfasado en 1949— quiso exhumar en la Convención Waldorf. Cuando me acuerdo de las monjas de cara refregada y asustada que me miraban mientras me abría paso entre ellas y cuando, casi cuatro décadas más tarde, leo que los curas católicos del Tercer Mundo, lejos de conducirse como lacayos de los ricos, socorren a los pobres y a menudo encabezan revoluciones, pienso que el mundo evoluciona. En nuestros días, igualmente, un concilio de obispos católicos estadounidenses condena el despiadado espíritu represivo de una política nacional satisfecha de permitir que el analfabetismo, el racismo y el hambre se ceben en amplios sectores sociales, y pienso en la inutilidad de discutir estos asuntos con aquel piquete de monjas arrodilladas a la puerta del Waldorf. Ellas y yo vemos por fin el mismo mundo, pero yo he cambiado tanto como ellas.

Al terminar *Todos eran mis hijos* tras dos años de trabajo, envié la pieza a Herman Shumlim, director y empresario de las obras de Lillian Hellman. Después de tres o cuatro días me dijo que no la había comprendido. Herman era un empresario tan fabuloso como el mismo Broadway, un individuo muy serio y de principios inflexibles, pero amable y muy tranquilo; hasta que, según se me dijo, perdía la calma. Al parecer la había perdido con Lillian, ésta con él y habían roto la asociación. A pesar de que necesitaba mucho otro dramaturgo social, mi obra, evidentemente, no le interesaba. No alcanzaba a imaginar qué le había disgustado y me supuso una crisis aquel dictamen desfavorable después de trabajar dos años con el mayor esmero, en particular porque había prometido dejar el teatro si *Todos eran mis hijos* fracasaba.

Mary, yo y nuestro primer hijo, Jane, pasábamos los veranos en una cabaña alquilada cerca de Port Jefferson, Long Island, y en ella, en la mesa de la cocina de tablero de porcelana, había acabado la obra. Había entregado una copia a Ralph Bell, antiguo amigo y vecino estival con quien había estudiado en Michigan y que ahora trabajaba de actor teatral y radiofónico. Su mujer, Pert Kelton, mayor que Ralph, había nacido en el mundo del espectáculo, había estado en el Ziegfeld Follies y era cantante de ópera y actriz de Broadway. Fue la primera esposa televisiva de Jackie Gleason en su programa «Honeymooners», la señora Kramden original. Ella leyó la obra de teatro y me dijo que era tremenda, «igual que una ópera», y el cumplido, más sus ojos abiertos como platos a causa del asombro, mitigaron el efecto de la negativa de Shumlin. Pert, a quien Charlie Chaplin había regalado sus célebres bastón y sombrero hongo en los años veinte como prueba de admiración por haberle imitado en Follies, tenía un sentido del humor bastante crudo y una risa hiriente. Creía en la Ciencia Cristiana y luchaba por curarse los ataques epilépticos que sufría. En aquel verano de 1946 no podíamos ni imaginar que cuatro o cinco años después, aquella mujer, conocida a escala nacional como protagonista del programa de TV con más audiencia del país, recibiría un telegrama —en un hospital de Chicago, donde se recuperaba de una dolencia menor— en que se le diría que estaba despedida. Según reveló al final de una serie de averiguaciones, la causa había sido que Ralph había participado una vez, muchos años antes, en una manifestación del Primero de Mayo. Yo sabía que Ralph no tenía absolutamente ningún contacto con la izquierda y que lo único que había ocurrido es que se había lanzado a la calle con un grupo de actores para protestar por lo que tocase aquel año; en cuanto a Pert, ni siquiera había votado una sola vez en su vida.

Era una situación no muy distinta de la de Untermeyer y la brutal indiferencia con que, por así decirlo, la habían echado a puntapiés a la calle, la asustó tanto que en lo sucesivo tendría siempre una reserva de clandestinidad, aunque siguió trabajando en el teatro y el cine con bastante éxito mucho después de que desapareciese la locura de las listas negras. Pienso que en 1946 no habríamos podido creer que tales listas negras fueran posibles, que la corriente de la vida y el trabajo de una persona se pudiera desconectar como si tal cosa, dejando inactivos los cables.

Como ya he dicho, también remití la obra de teatro al deslumbrante Leland Hayward, agente mío por lo menos nominalmente. No hubo respuesta. Al cabo de una semana más o menos fui a su despacho, pero me dijeron que no la había leído, que se encontraba en California y que estaba ilocalizable. Repliqué a la nerviosa secretaria que quería que me devolviesen todos mis manuscritos en el acto y que iba a prescindir de los servicios de la agencia. Lo saco a relucir porque el episodio me recuerda que, sin saber cómo, había adquirido la seguridad de que ya no había quien me detuviese. Es posible que se tratara sólo de la soberbia de la desesperación, pero lo cierto es que recogí los manuscritos de mis anteriores obras teatrales y me marché. Pero no sin que la secretaria me convenciera de que dejase la nueva obra para que la leyese una señorita llamada Brown.

Kay Brown sería mi agente durante casi cuarenta años. Me telefoneó a Port Jefferson al día siguiente para decirme que la obra era colosal, que para ella sería un honor tramitarla y que sabía dónde enviarla ahora que Shumlin la había rechazado. Mary, Jane y yo volvimos a Nueva York aquel mismo día. Puse en marcha el viejo Nash-Lafayette de dos puertas, que con la cuna y los juguetes de Jane y nuestras cosas iba de bote en bote, y al salir de la autopista del Sur se nos reventó un neumático. A modo de señal de que se avecinaban grandes cosas, había un almacén de neumáticos a veinte metros y compré otro por veinte dólares, desembolso que en realidad no me podía permitir. Ya había oído hablar de Elia Kazan y desde luego también de Harold Clurman, uno de los dirigentes del Group Theatre y su figura más literaria. El Group se había disuelto hacía cinco años y ambos habían comenzado hacía poco una asociación con objeto de financiar la representación de obras de teatro. Kay pensaba que a lo mejor les interesaba la mía, y también al Theatre Guild. Al cabo de un par de días las dos compañías querían reservarse los derechos de representación de *Todos eran mis hijos*. La directora del Guild, Theresa Helburn, tenía más derecho que nadie porque cuando el Bureau of New Plays me seleccionó para un premio nacional, allá en 1937, ella estaba al frente del jurado. Y el Guild había sido la compañía que había respaldado a O'Neill al principio, aunque en los últimos años su reputación era más suntuosa y «teatral» de lo que yo habría deseado.

Kazan y Clurman, por el contrario, habían estado entre los creadores de aquella mezcla de Stanislavsky y protesta social, propia de los años treinta, que realmente me tentaba. No me costó mucho decidirme por la nueva compañía, aunque no sabía con cuál de los dos quedarme en lo concerniente a montar la obra. Clurman, en mi sentir, había sido el hombre-ideas del Group; había dirigido todas las obras de Odets en los años treinta y para los independientes y periféricos como yo era ya una figura legendaria. De Kazan, sin embargo, se me dijo que era más vital y que tenía más iniciativa, si bien era más joven que Clurman, su mentor, pero menor reputación. Por entonces conocía a muchos actores y entre unos y otros me representaron a un Clurman quizás inspirado pero a menudo chapucero y a un Kazan astuto que sabía pulsar la tecla justa de los actores.

Ni que decir tiene que reunirme con los dos en su despacho con objeto de elegir a uno fue una experiencia dura. Si existían los expertos en dirección teatral, allí tenía a dos de los más grandes. Creo que pasados los cinco primeros y delicados minutos me enamoré de los dos. Me elogiaron la obra y me dieron las gracias por haberles preferido al Guild, lo que ya era un triunfo para la nueva compañía. El aire estaba electrizado de vitalidad. Kazan sonreía por debajo de la enorme nariz, la cabeza inclinada como un boxeador, y Clurman se echaba atrás frotándose las manos como si fuera a lanzarse sobre un pavo asado. El lugar irradiaba alegría. E impaciencia. Era una época en que aún se pensaba que lo más importante que podía hacer un ser humano, con la posible excepción del médico que salva una vida, era escribir una buena obra de teatro.

Habían transcurrido aproximadamente diez años desde que preguntara a Jim Doll cuánto duraba un acto normal. En aquellos tiempos de crisis había irrumpido Harold Clurman cual sacerdote de un teatro de nuevo cuño que iba a clamar contra la injusticia y a curar el espíritu enfermo de la nación. Kazan había aparecido en *Waiting for Lefty* y yo le había visto en *Golden Boy* en el papel de Fuseli, el gangster que aparece en la puerta del gimnasio y, mientras ve a Luther Adler golpear el saco de arena, se echa amenazadoramente hacia delante sin despegar los talones del suelo y dice: «Me interesa ese pollo». Qué delicia, qué enérgicas y diáfanas pinceladas de caracterización teatral. Y allí tenía a los dos, deseosos de dirigir mi obra. Había llegado.

Había llevado una vida casi aislada, recurriendo de vez en cuando a los guiones radiofónicos para pagar las facturas y trabajando todos los días en *Todos eran mis hijos* hasta que la obra me pareció tan lista como una sartén que echa humo. Era emocionante, como suele serlo la primera vez, acudir todas las mañanas a las oficinas de producción de la Calle 57 Este para ver a Clurman y a Kazan entrevistarse con los actores. Si he de ser franco, ninguno se parecía a las personas «de verdad» en que había basado mis personajes, las jóvenes eran demasiado guapas y los jóvenes demasiado guapos; incluso cuando parecían normales poseían la sobrecarga interpretativa de que carecen las personas corrientes. Temía la irrupción de lo artificial. Y creo que en aquellas cinco o seis semanas de selección de actores aprendí más sobre el teatro que durante el resto de mi vida.

La capacidad kazaniana de objetivar la personalidad de los actores era realmente un ejercicio de psicología clínica. Podía entrar en una relación muy personal con el actor y al mismo tiempo mantenerse al margen para calibrar el efecto que produciría en el papel. Ya conocía o había visto actuar a aquellos con quienes al final nos quedamos, de modo que no tuvo ni que plantearse la cuestión de la capacidad interpretativa. Clurman, que olía como una perfumería, se encargó de entrevistar a las señoras, trabajo diario que le llenaba de un entusiasmo y una alegría que casi echaba espuma. Al parecer no reparaba nunca en los defectos de las mujeres, sólo en sus puntos positivos: podían tener cuatro orejas, pero también unas piernas de miedo, unos ojos fantásticos o una risa encantadora. Walter Fried, administrador de la compañía y máquina de fumar puros, en modo alguno indiferente al desfile de hembras que pasaba ante su escritorio, añadía sus ceceantes deseos de éxito a las plegarias de Clurman, que, en cuanto la oficina se quedaba vacía, hacía que su joven secretaria, otra de sus fieles devotas, se arrodillase para limpiarle los zapatos mientras él se frotaba las manos con alegría, reía a mandíbula batiente y ordenaba a Dios: «¡Dame una obra de éxito, una obra de éxito!».

Este *Diktat* tenía su propia significación histórica en 1947, porque estaba unido al recuerdo de los años siempre indigentes del Group Theatre, años que con la presente producción comercial se consideraron oficialmente saldados y concluidos. A partir de ahora, los papeles se negociarían con los actores más aptos y atractivos en vez de adjudicarse al personal del mismo Group, que en ocasiones había sido más inevitable que deseable. Clurman era propenso además a un nuevo realismo escénico; nuestra obra no buscaría los guiños y concesiones de un público confabulado y deseoso de pasar por alto los pasajes insípidos y de aplaudir solamente los detalles de audacia artística o crítica social. A pesar de su —para mí, por lo menos— aparente desilusión por no haberle elegido a él para que la dirigiese, Clurman, en uno de sus incontenibles arranques de entusiasmo, descargó un puñetazo sobre una mesa, se puso en pie y aulló: «¡Maldita sea, esta obra es *la leche*!».

Kazan, que había sido director escénico de Clurman en el Group y aún consideraba a éste un padre y un maestro, estaba igual de entusiasmado acerca de las posibilidades de éxito, pero era mucho más calculador y se esforzaba de manera inexorable por adoptar un punto de vista objetivo. Lo importante era lo que le sucedía al público y no había que esperar ni clemencia ni disculpas. Clurman apelaba tácitamente a un tribunal supremo de la cultura a cuyos pies depositaba sus ofrendas artísticas; si fracasaba en el teatro real, siempre podría consolarse con la trascendencia del valor superior, aunque no cotizado mundanamente, de su trabajo. Kazan sólo miraba al cielo para ver si llovía, no para buscar juicios de apoyo, y lo que los actores obtenían de él era más preparación profesional que dirección. Señalaba a un actor, se acercaba a él, y le pasaba el brazo por los hombros con afectuoso abrazo de hierro. «El noventa y cinco por cien del trabajo consiste en elegir a los actores», solía decir, pues el público sólo sabe lo que ve y oye, no lo que el autor o el director han querido poner ante él. Guió a los actores sin descanso en *Todos eran mis hijos* tal y como había hecho yo conmigo mismo al escribir la obra. En un ensayo forzó poco a poco a Karl Malden —en el papel del ofendido abogado, hijo del injustamente encarcelado socio de Joe Keller— a sufrir un estallido emocional tan auténtico que se enfadó en pleno escenario y se quedó mirando a la actriz que hacía el papel de hermana suya, Lois Wheeler, incapaz de pronunciar palabra, bamboleándose, mareado y al borde del desmayo. Kazan quedó satisfecho de haber sacado a Malden de sus casillas.

Y lo mismo con Arthur Kennedy, cuyo bondadoso idealismo del primer acto tiene que mutarse en rabia criminal en la culminación del segundo, escena que Kazan sabía que iba a salvar o a hundir la obra. Había dispuesto la escena de modo que Ed Begley, el padre culpable, estuviera sentado, lleno de remordimiento, con la cabeza entre las manos, cuando Kennedy le descargaba el puño en la espalda. Después de varios ensayos, Begley tenía la espalda francamente dolorida y se tuvo que poner un pedazo de caucho bajo la chaqueta para amortiguar los golpes, tal era el realismo de las emociones de aquella interpretación.

Kazan andaba sobre ascuas aquellos días, estaba poniendo a prueba sus facultades casi al cien por cien y trabajaba con gran seguridad y discreción. Me había pedido que hiciera un corte de importancia en una tirada larga en que el médico-vecino lamenta el agostamiento del idealismo de su juventud, consejo al que me resistí hasta que comencé a oírlo, al igual que Kazan, como un ejercicio de autor y no como un resultado anómalo de la estructura básica de la obra. Para estas cosas confiaba, aunque de ningún modo tan absolutamente como se decía, en la capacidad analítica de su mujer, Molly. Sé por experiencia propia que Molly era muy hábil a la hora de identificar los nervios de un argumento y las estructuras psicológicas, pero a veces tendía a suprimir articulaciones peligrosamente próximas a la columna vertebral de una obra. Kazan era mucho más poeta, aunque en ocasiones no sabía si exagerar la fantasía de una obra o ceñirse con prudencia a sus principales líneas argumentales. En cierto sentido, no obstante, y no sólo en el teatro, Molly era su conciencia, una presencia en la que confiaba y que al mismo tiempo evitaba con astucia, según la ocasión.

En los montajes de Kazan, la vida tenía ese secreto aire de conspiración que ya he descrito, una conspiración no sólo contra el teatro existente, sino contra la sociedad, contra el capitalismo: de hecho, contra todos los que no formaran parte de la representación. Se acercaban a él y le susurraban al oído, y también se susurraban entre sí, con miradas de soslayo. Para mí todo era nuevo y muy estimulante, aunque apenas sabía lo que pasaba. Lo que sí sentía era amor por aquel hombre, con su insaciable deseo de extirpar todo punto débil. Uno sabía que figuraba en la selección A del equipo y que el objetivo era ganar, y ningún margen de seguridad era demasiado grande. El público era el enemigo al que había que imponerse y dominar como a una mujer, y al que sólo después se podía amar. Lo que abría el camino hacia la victoria era tener clara la misión de la obra, su razón de ser, así como las motivaciones del actor y la forma de su personalidad y sus dotes. Pero el virtuosismo de Kazan no era meramente técnico; del Group y sus antecedentes rusos y europeos había aprendido que una puesta en escena es, o debería ser, un tajo en el grueso de la cultura de la que surge, y que nuestra época la interpretamos comunicándonos no sólo con el público, sino también con otras obras, con la pintura y con la danza, con la música y con todas las formas de expresión humana. Así, a un actor lo enviaba a que escuchase una pieza de jazz concreta, a otro le hacía leer una novela en particular, a otro lo mandaba a un psiquiatra y a otro se limitaba a darle un beso. Además, aunque jamás hablaba de políticos ni de ideas políticas, se daba por sentado que se identificaba con el idealismo de la izquierda y que su lealtad sentimental e intelectual estaba con los trabajadores, los pobres y los humildes. Al igual que Odets, ostentaba los marchitos colores de los años treinta en los cuarenta y los cincuenta, los ecos de la cultura antifascista que habían unido antaño a todos los artistas del mundo.

Se sobreentendía, empero, incluso en 1947, que Kazan estaba solo en este entorno de principios tácitos. Clurman, su amigo del alma y codirector, que compartía casi todos sus puntos de vista sobre la vida y el teatro, jamás ofrecía su amistad personal fuera de las paredes del teatro ni daba ninguna muestra de actitud política. Daba a entender tácitamente que estaba en el mismo tren mientras aguantase, pero que sus intereses podían instarle a bajar un par de paradas antes que uno. Curiosamente, mientras que Kazan, en términos generales, era cordial pero tranquilo en escena, Harold podía despotricar, desgañitarse y hasta subirse por las paredes, aunque sus arrebatos no le hacían olvidar nunca una cita para cenar. Al mismo tiempo, sin decírselo a nadie, visitaba a un actor enfermo o achacoso y durante un par de horas le cogía la mano. Pero el trabajo era el trabajo y se guardaba de prometer más de lo que pudiera dar: acaso un poco menos.

En resumen, llevaba el egoísmo escondido en la manga, igual que su corazón de oro.

Por el montaje de Kazan supe de la belleza que yace en la expresiva integración de los medios. Cuando se decoró el escenario, me desconcertó el montículo que había en el centro del patio herboso y que tenían que rodear los actores para no tropezar. Molestaba sobre todo a las mujeres, cuyos tacones se trababan en él, así que pregunté a Kazan qué hacía allí aquello. Reprimiendo una sonrisa atribulada, me confió con toda tranquilidad:

—Es una tumba.

—¡Una tumba! ¡Si es el patio trasero de una casa!

—Pero el decorado denota un cementerio. No sé, puede que Max haya hecho bien. Mira, dile que te lo explique él y luego me cuentas lo que te haya dicho.

Mordecai Gorelik, conocido por Max, era otro veterano del Group, un genio irascible que diseñaba decorados que podían parecer el consultorio de un dentista, o un gimnasio, o lo que fuese, pero que se estructuraban, en su cabeza por lo menos, en torno a una epifanía metafórica que sintetizaba la imagen básica de la obra en cuestión. Fui a ver a Max y le dije que me preocupaba el que los actores pudieran darse un batacazo con aquel montículo y me destrozasen la obra. Era un Abraham sin barba, un fanático duro como los adoquines, con la infalibilidad de un terrorista y la sonrisa —le bailoteaba en los labios cuando en una discusión vapuleaba a un contrincante— de un ángel exterminador ensangrentado.

—¿Tropezar? No he visto tropezar a ninguno.

—Bueno, un poco sí y hace que se sientan inseguros.

—Pues si se sienten inseguros que hablen con el director, la inseguridad es cosa suya.

—Pero, Max, ¿qué objeto tiene poner una joroba así en medio del escenario?

—Has escrito una obra de ultratumba —dijo tan categóricamente como si leyese un anuncio luminoso en mi encéfalo—, no un documental. La acción discurre en un cementerio donde está enterrado el hijo, que es además la subterránea conciencia ajena que sale de la tierra para perseguirles. Será una molestia, pero les recordará en todo momento de qué hostias va la obra en realidad. ¡O sea que la joroba se queda donde está!

Si he de ser sincero, fui admitiendo poco a poco que de un modo tal vez intangible el montículo parecía unificar los movimientos escénicos alrededor de una única obsesión inconsciente, de fuerza indudable. Y si alguien tropezaba de tarde en tarde, quizás sirviera para recordar que la obra versaba ciertamente sobre una mala conciencia. Al margen de si funcionaba o era un detalle superfluo, lo cierto es que Max aterrorizó a Kazan, y a mí, y a todos los demás, hasta hacernos creer que sí, ya que la otra alternativa era enfrentarse a él, todo un suicidio.

Kazan, Clurman, Gorelik, Arthur Kennedy, Karl Malden: todos estaban vinculados con el desaparecido Group, cuya influencia en el teatro, no obstante distorsionada y embrollada, se mantuvo durante las décadas que siguieron y rebasó las fronteras de los Estados Unidos. De manera inevitable, me tomé su idealismo con más seriedad que ellos, aunque yo no era actor y me podía permitir el lujo de que el oportunismo me entristeciera; ellos tenían que ganarse la vida y cuando llegó el tren de los lingotes de oro, muchos subieron antes de que se detuviera en la estación. En los ensayos eran como un equipo de rugby, se ayudaban, aconsejaban y criticaban, ya que el ideal del Group había antepuesto la cohesión del conjunto al estrellato individual, que consideraban síntoma de cinismo artístico.

La primera representación, que se celebró en New Haven, además de llegar al público, reavivó el apagado idealismo de los años de la guerra y la perspectiva de que una obra tan seria fuera realmente un éxito de público instó a los actores a una búsqueda febril de todos los detalles nimios que no contribuyeran al efecto de conjunto. Cuando la obra se estrenó en Boston y luego en Nueva York, la puesta en escena era como un proyectil de trayectoria recta y limpia que clavaba al público en los asientos.

Aceptar que la fama no es más que una forma distinta de soledad puede costar mucho tiempo. Sobre todo en aquella época en que el teatro se consideraba tanto una técnica como un arte, una obra seria que se hiciese con un público en Broadway era una hazaña envidiable, tanto más cuanto que las intentonas solían fracasar. Ya no el observador sino el observado, negué al principio que algo fuera a cambiar en mi vida, y ello sucedió cuando, un par de meses después de que *Todos eran mis hijos* se estrenase en Broadway, acepté aquel trabajo en la fábrica de Long Island City, como si dijéramos para reforzar mi continuidad con el pasado. Trabajaba casi toda la semana ante un mostrador circular junto a seis u ocho compañeros de ambos sexos, tan silenciosos como presos que cumpliesen condena, montando las tablillas de separación de las cajas de cerveza. La obra me daba unos dos mil dólares semanales y en la fábrica cobraba el salario mínimo, cuarenta centavos la hora. Al cabo de unos días, la irrealidad de la fuga de y hacia mí mismo me agotó las energías y me despedí. No hice cábalas entonces acerca de mis sentimientos, pero creo que trataba de formar parte de una comunidad en vez de aceptar formalmente mi aislamiento, que es lo que la fama parecía exigir. Aunque en realidad no existía comunidad alguna; aquellos obreros no habían estado en un teatro en toda su vida y probablemente no estarían jamás. Si a un nivel sublime se me figuraba que hablaba con ellos, no era más que ilusión mía y esto era algo que a duras penas habrían entendido.

Pero es que también me atormentaba el hecho de haber sobresalido y las contradicciones de la antigua competencia fraterna volvieron a inflamarse, porque ni las podía desechar ni aceptar abiertamente. Quería y no quería descollar más que mi hermano, mejor dicho, el hermano menor que había en mí no quería, por más que supiera a la perfección que Kermit acogía con orgullo mi triunfo. Pero el primer templo está en el propio cráneo y los dioses miran aquí en dos direcciones. Como fuera, tras depositar a los pies del ídolo el trabajo embrutecedor y mal pagado de una semana, volví a casa y a mi vida de escritor. También había saldado otras deudas con *Todos eran mis hijos,* que en realidad era mi única obra sólida entre siete u ocho de forma poética más libre y errática; esperaba acometer ahora aquel aspecto de mi utopía personal que era, tal imaginaba, un camino abierto en mi propio caos.

Trabajar en la fábrica de cajas había sido una forma de dar la espalda a la vida aislada del escritor, pero no era la primera vez que lo había intentado. El año que había pasado durante la guerra en el depósito de la Marina, aunque del todo voluntario, había sido en parte una manifestación del mismo deseo comunitario, porque el trabajo radiofónico que hacía para distintas entidades públicas contribuía más a los esfuerzos bélicos que reparar barcos. Dejé el depósito a comienzos de 1943, cuando Herman Shumlin me recomendó a Lester Cowan, un productor de Hollywood que buscaba un escritor joven que elaborase un guión cinematográfico a partir de *Here is your War,* serie de artículos del más querido de los corresponsales de guerra de los Estados Unidos, Ernie Pyle, de la United Press. Estaba aún a dos años de distancia del estreno de *Un hombre de suerte* y no me conocía nadie, pero el prestigio de Shumlin como director y empresario fue suficiente para que Cowan me ofreciese setecientos dólares semanales por ingeniar una película basada en el libro de Pyle. Llevaría recorrido un trecho muy largo cuando el proyecto se transformaría en *También somos seres humanos,* pero no sin que otros cuatro o cinco guionistas tocaran, retocaran y recompusieran el guión que escribí originalmente sobre las vicisitudes bélicas de una compañía de infantería.

Con los prejuicios que tenía contra considerar un arte a los guiones de cine —los forjaba la voluntad, no el alma—, me fue difícil sentir algo más que un frío interés técnico, pero aprendí más de lo que esperaba en los meses que siguieron, cuando fui de Fort Benning a Camp Campbell y otra media docena de campamentos de instrucción de reclutas, con ánimo de comprender a los soldados y una guerra que sólo unos cuantos expertos, vueltos del frente para adiestrar a otros, habían experimentado ya. En el teatro europeo de operaciones, nuestro único enfrentamiento serio se había dado en el norte de Africa, la batalla del Paso de Kasserine, donde los alemanes nos dieron una paliza.

A diferencia de lo que sucedería en las guerras totalmente distintas de Corea y Vietnam, no recuerdo signo alguno de que los artilleros, las tropas aerotransportadas, los paracaidistas y los infantes de los campamentos dudaran de nuestra victoria final, que sólo era cuestión de tiempo. Para muchos, además, el ejército era una forma de salir de la Depresión, que la mayoría estaban convencidos de que volvería cuando la guerra terminase. No dejé de rastrear las ideas que les impulsaban, pero las motivaciones bélicas se parecían mucho a las que mueven a jugar al rugby: era algo que había que ganar por orgullo. Con todo y con eso, escribí una obra documental, *Situation normal,* la primera que publiqué, en la que me esforcé por encontrar una intención más elevada en aquellos hombres. A decir verdad, la minoría que buscaba a tientas un sentido a la guerra, al margen de la réplica norteamericana al ataque japonés, acabó por no saber distinguir lo blanco de lo negro, pero aun así era un mundo muy alejado del nihilismo de Vietnam, incluso de la guerra de Corea. Aunque incapaces de decirlo con palabras, compartían la convicción de que había principios en juego en la que fue la carnicería más grande de la historia, una guerra que literalmente se disputó en los cinco continentes del planeta, en el aire y bajo la superficie de los océanos.

El guión de cine que escribí reflejaba mi instintiva suspicacia democrática ante el estrellato; me esforcé por hacer que cada uno de los miembros de la compañía fuese el centro de la guerra, con la misma importancia que los demás. Trabajé cinco o seis semanas en casa, solo, acumulé no menos de ciento cincuenta páginas manuscritas, tras lo cual Cowan me emplazó en Hollywood. Antes le tuve que acompañar a Washington para entrevistarnos con los mandos del Ejército de Tierra y explicarles la película, que necesitaría mucha cooperación y pertrechos militares, amén de unos cuantos submarinos y buques de guerra. El porqué de estos últimos lo ignoraba porque yo no había escrito ninguna escena naval, pero los movimientos de Cowan eran insondables. Había sido entrenador de baloncesto, era bajito, era de Ohio, tenía la nariz aplastada y una sonrisa que parecía una rodaja de melón.

En Washington, con mi ingenuidad, como siempre, inexpugnable, estuve tres días con sus noches conociendo generales y coroneles al parecer convencidos de que la película les iba a hacer célebres en todo el mundo. Que en el guión no había ningún personaje de su graduación era un detalle que yo conocía demasiado bien para sacarlo a relucir. A pesar de que la guerra azotaba el mundo entero, Cowan podía coger un teléfono y hacer que bandadas de jefes y generales del ejército se congregasen para oírme hablar de la película, cuya mayor virtud, según repetía él sin parar, era que iba a conceder «el protagonismo de la guerra al soldado raso y a exponer que él era lo más importante», sorprendente idea nueva ante la que sólo podía haber patriótico consenso. Yo apretaba los dientes y tenía que hacer un esfuerzo para no marcharme con el alba cada nuevo día.

Pero Washington también tenía sus pathos. Joe Liss, amigo mío y guionista radiofónico que trabajaba a la sazón para la sección de antropología de la Biblioteca del Congreso de los Diputados, me invitó a cenar con su mujer y una joven amiga de ambos, cuyo marido se decía que había desaparecido camino de Murmansk hacía unos meses; su destructor o se había averiado o hundido mientras escoltaba a los barcos mercantes que iban a Rusia con suministros norteamericanos. Mientras observaba el rostro distraído de la joven, la guerra se me hizo real de pronto. Casi todos los días acudía a un negociado de la marina para hacer pesquisas, como si aún hubiera esperanzas para el joven marido. Bailé con ella. Me dijo que ahora se acostaba con marineros jóvenes. La confesión me pareció chocante y también muy conmovedora, ya que intuí que por mediación de aquellos marineros se adentraba ella en aquel mar en que yacía muerto el hombre amado. Deseé acostarme con ella, estimulado casi tanto por lo poético de la situación como por su cuerpo, ya que no encajaba del todo en mi concepto de belleza. Pero el hálito de la muerte la había aferrado voluptuosamente a la vida, a la sexualidad, le había fomentado cierta inclinación a lo catastrófico. Mi temor al sufrimiento, que por lo general tenía a buen recaudo, reaccionó ante el suyo y supe que no era ya tan altruista y desinteresado como había querido imaginar.

Estaba tan absorto en mí mismo que en el largo trayecto a Hollywood hablé indiscretamente con Mary de la atracción que había sentido hacia aquella mujer, comentando que de no estar casado me habría gustado dormir con ella. No fue en modo alguno una confesión desgarrada y en otra cultura quizás hubiera pasado por una veleidad masculina más o por un informe sobre la naturaleza humana, pero se encajó con tal malestar y repugnancia —como si yo hubiera ansiado utilizar un cepillo de dientes encontrado en los lavabos de una estación— que nuestra confianza mutua quedó muy deteriorada. Si bien la reacción de mi mujer fue absurda y exagerada, había intuido sin embargo una verdad; le había hecho conocer la existencia de la parte de mi naturaleza que discurría casi al margen de nuestro matrimonio. Al igual que casi todas las confesiones de este tipo, la mía me había chamuscado la cara y cuando llegamos a Hollywood estábamos tristes y en tensión.

Pero mi optimismo nato despejó pronto el cielo de nubarrones, persuadido de que estaba hecho para el sagrado matrimonio único: pues allí me tenías, con veinticinco años largos y sin que ninguno de mis amigos se hubiera divorciado. La trivialización norteamericana del matrimonio no se había vuelto aún moneda corriente y me inquietaba haber roto la armonía del mío, en particular de un modo tan necio e innecesario.

Trabajaba mientras tanto, o trataba de hacerlo, en un despacho de los General Service Studios, edificio cochambroso de una planta cuyas ventanas daban a una amplia superficie de césped y, más allá, a los enormes platós insonorizados donde se estaban filmando dos o tres películas. Se había entregado copias de mi guión a varios directores, uno de los cuales había participado en el arriesgado ataque británico contra Dieppe; se presentaba todos los días, conferenciaba en privado con Lester y al cabo de unas semanas me llevó aparte y me preguntó si me pagaban, porque a él no. Era el primer cerebro del pelotón cuyas ideas se ordeñarían a conciencia antes de que se le permitiese siquiera marcharse con las ubres secas. Lester, entre tanto, hacía que los mandos me enviasen a un soldadito desdichado tras otro para que me contase sus experiencias bélicas, aunque era probable que no pudiera introducir ninguna en el guión. Acabé por sentir vergüenza ante aquellos jóvenes ilusionados por la idea de participar en la película y que se pasaban todo el día sentados en la sala de espera hasta que también ellos se cansaban y se iban.

Una noche, por fin, se presentó Laurence Stallings en persona, que se contaba entre los guionistas más célebres, coautor con Max Anderson del guión de *What Price Glory?* [El precio de la gloria, de John Ford] y guionista de otras películas bélicas, entre ellas la que prefería de pequeño, *The Big Parade* [El gran desfile, de King Vidor]. Había perdido una pierna en la I Guerra Mundial y cojeaba con una reciedumbre que realzaba su autoridad marcial a mis ojos. Mientras nos llevaba el chófer con majestuosidad bajo el ocaso hollywoodense, me sentí un privilegiado por haber sabido alcanzar aquella vida y aquel empleo con el que podía poner mi inteligencia al servicio de la guerra antifascista.

Stallings hablaba con voz suave y más bien dulce.

—Su guión es muy bueno, sobre todo si tenemos en cuenta que no ha estado nunca en el frente. El recurso de no destacar a ningún personaje puede resultar conmovedor e introducirá poco a poco la idea de que el protagonista es la compañía y tal vez todo el ejército. Es un enfoque muy inusual. No lo había visto hasta ahora.

Lleno de alborozo, le conté que había querido simbolizar, mediante un hincapié casi idéntico en todos los miembros del grupo, los ideales democráticos de la guerra. Fui más allá aún y le comenté el entonces increíble toma y daca del frente oriental, donde los rusos parecía que empezaban a ser capaces de rechazar a los alemanes, que hasta el momento habían pasado por ser los inevitables vencedores a causa de su superioridad tecnológica y su habilidad estratégica.

—El fervor ideológico de los rusos ha resultado decisivo —dije.

—La causa no es ésa exactamente —replicó Stallings, dedicándome una débil sonrisa de anciano—. Lo que ocurre es que emplean las Divisiones de Honor. El soldado de una División de Honor no piensa en el socialismo, está allí con su bigotazo y su uniforme especial y no piensa en retirarse, ni por asomo, porque es un guardia de Honor. Esto es lo que tiene usted que vigilar en su guión: no se esfuerce en darle demasiado mensaje. Una batalla no se libra por creencias o por ideas, se libra por los compañeros más cercanos y por uno mismo y por no quedar como un cagón y un cobarde. La guerra es como si el mundo entero se convirtiera en un bar lleno de borrachos. Y hay algo más.

Advertí entonces que Lester se había adelantado para decirme algo. La charla no carecía de segundas intenciones. El auténtico tema era mi futuro en aquel proyecto cinematográfico, y el trabajo que había hecho a lo largo de varios meses quedó de pronto pendiente de un hilo.

—Tal como está ahora —prosiguió Stalling—, el guión no se filmará nunca. —Me quedé de piedra. ¿Por qué no iba a rodarse si Lester parecía tan entusiasmado?—. Está entusiasmado y con razón porque está muy bien hecho. Pero escúchame, Arthur: todas las películas de guerra son siempre la misma película. Hay un tipo alto y un tipo bajito; son de estatura distinta para que se les pueda identificar inmediatamente en las escenas de humo y explosiones. Hay una chica a la que conquista uno de los dos, aunque ella ama al otro y es ella quien le conquista a él. Al final tienen que abandonarla porque es extranjera, y da mucha pena. Uno de los dos puede recibir un balazo, en el brazo preferentemente, o una herida que precise un vendaje en la cabeza. El coche se detuvo ante la casa que había alquilado. Stallings me palmeó la rodilla.

—Podría usted arreglarlo. Pruebe a ver.

El vehículo se perdió en la noche azul que ennegrecía. Sumergido en la pleamar erótica de Hollywood, estaba confundido por haber derrochado tantos esfuerzos y esperanzas, ya que no tenía el menor deseo de copiar *El gran desfile*, que básicamente era lo que Stallings me había contado. Aunque sólo fuera por ello, me había comprometido a no idealizar a Ernie Pyle ni a los hombres que él quería justamente con la clase de cine que Stallings me había bosquejado.

Todas las grandes productoras habían ido tras los derechos de adaptación cinematográfica de *Here is your War*, pero Cowan, productor independiente, había convencido a Pyle —de manera provisional, como no tardé en saber— porque sólo él se había comprometido a que el protagonismo recayese, no sobre Pyle, sino sobre los soldados. Pyle gozaba de una posición única en el ánimo del público; los familiares de los soldados, ávidos de noticias, le leían a diario con mucha más confianza que a ningún otro corresponsal porque siempre daba el nombre y la dirección de los hombres que conocía en ultramar. A decir verdad, no sólo compartía sus peligros sino que presenciaba más combates que casi ningún soldado, ya que iba de unidad en unidad para quedarse en el frente cuando las tropas se retiraban para reorganizarse.

No iba en busca de personajes pintorescos ni de hombres con grandiosa conciencia patriótica. La muerte era una catástrofe humana para ambos bandos. Antes de la guerra había recorrido el Medio Oeste con su pequeño Ford en compañía de su mujer y se había dedicado a hablar con los lugareños de la calle mayor para coleccionar las anécdotas y emociones más corrientes y participarlas a sus lectores. El tono de su gaceta diaria era amable, cálido, desenfadado, pueblerino. La guerra no era más que una calle mayor atribulada por muertes repentinas.

Hasta que no fui a visitarle a Albuquerque, Nuevo Méjico, no supe que se había negado a firmar un contrato con Cowan mientras no viese el guión. Pero en aquel entonces, meses antes de mi fatídica charla con Stallings, sólo se le podía enseñar unas secuencias y notas sobre escenas que aún no había escrito. Mientras estaba con él en su sala de estar de Albuquerque, me fui dando cuenta de que se me había enviado allí para convencer al corresponsal más querido de Norteamérica de la integridad de Cowan y de las elevadas intenciones del film. Como un auténtico ingenuo de película, me había ganado primero a los jefazos y ahora le tocaba el turno a Pyle: misión mucho más difícil porque la sola palabra «Hollywood» era para él sinónimo de estafa.

El C-47 en que había partido de Hollywood aterrizó empapado en vómito, no sólo mío sino también de las dos docenas de pilotos de aviones de combate que, tras servir en el Pacífico, estaban de permiso. Una tormenta había estallado sobre las Rocosas con gran aparato eléctrico y el avión se había puesto a dar vueltas, había caído y subido un centenar de metros en cuestión de segundos, las alas se habían agitado de modo alarmante y en cierto momento habíamos peinado los árboles de la falda de una montaña. El único pasajero que no se alteró fue una mujer de casi setenta años, sentada en la hilera monoplaza de la derecha con las piernas cruzadas, leyendo un periódico cuando casi estábamos cabeza abajo y comiendo chocolatinas de almendras. Quedamos tan destrozados que los pilotos prosiguieron el viaje en tren. Una vez en tierra, y al igual que ellos, me puse a desentumecerme los tobillos mientras me dirigía al interior de la terminal del sencillo aeropuerto, donde aguardé a que llegara el taxi que me había mandado Pyle. Ya en el hotel, me eché de espaldas en la cama y advertí que las piernas se me levantaban solas. Me incorporé, me eché otra vez al cabo de un rato, pero volvieron a levantárseme sin control alguno. Me tendí por fin de costado y las dejé descansar formando un ángulo recto con el tronco. Una semana después, mientras estaba en el aeropuerto en espera del avión de Nueva York, Ernie me presentó a la mujer de la tienda de regalos y la empleada me reconoció: «Creí de veras que había sufrido usted un ataque la semana pasada y a punto estaba de llamar a una ambulancia cuando se presentó el taxista. No creí que pudiera usted dar un paso. Parecía un cadáver».

Como es habitual en los héroes de Norteamérica, Pyle era un hombre atormentado, inseguro de sí y acosado por la culpa. De complexión frágil, de pelo amarillento y ralo casi hasta la calvicie, amable y humilde, parecía el menos indicado del mundo para desear el combate. Vivía con su mujer, que a la sazón estaba en el hospital siguiendo un tratamiento contra —lo subrayó al decirlo— el alcoholismo. La casa se alzaba en una parcela pequeña y era una de las veinte o treinta que se habían construido hacia poco en la periferia de la ciudad. Sin saber por qué, el sitio se me antojaba insalubre y desdichado, aunque cuando se salvaba la escalinata y se contemplaba la altiplanicie, el paisaje interminable de Nuevo Méjico desplegaba sus pictóricos matices de ensueño, siempre cambiantes, siempre nuevos. Cuando paseábamos después de cenar, a luz del crepúsculo, la calle mayor estaba vacía y el coche que pasaba de tarde en tarde no hacía sino realzar el impresionante silencio de aquella población reducida. Una tarde vimos a un indio en una esquina con un hato bajo el brazo y con la vista fija en el sol poniente. Creí que esperaba a que cambiase la luz del semáforo, pero cuando cambió siguió inmóvil. Muchos años después lo introduje en el guión de *Vidas rebeldes*, pero John Huston, intolerante con aquel símbolo de los marginados de Norteamérica, lo barrió con la cámara sin llegar a enfocarlo siquiera. Supongo que su simbolismo era demasiado personal para que tuviese importancia para otros.

En aquellos paseos vespertinos y coloreados de azul caí en la cuenta de que Cowan me estaba utilizando para que Ernie firmase el contrato, de modo que le dije que yo no tenía ningún control sobre el guión definitivo y que no basase su decisión en la buena impresión que yo le diese. Pero tenía tal deseo de inmortalizar al soldado raso norteamericano que se convenció de que mi sola presencia garantizaba la dignidad del guión. Me sentí tan halagado que me convencí a mi vez en el mismo sentido y nos regodeamos juntos en aquella feliz esperanza.

Una noche le conté el argumento de *Un hombre de suerte,* cuyos derechos me habían solicitado para producirla al año siguiente. De cara al fuego de la sala de estar apenas sin muebles, se la reproduje entera, corrigiéndola al mismo tiempo, y vi que su cara iba adoptando una expresión de asombro y espanto incomprensibles. Al terminar me preguntó: «¿De dónde has sacado el argumento?». Lo había inventado, le dije, aunque me había inspirado en la historia de aquella pariente de mi mujer. «Es que es la historia de mi vida», replicó.

Por lo que dijo, había sido demasiado apocado y humilde para imaginar que se convertiría en la estrella del periodismo que era ahora. A decir verdad había sido su introversión lo que le había instado a concebir la rentable idea de recorrer los pueblos con su mujer, dado que de este modo evitaba los reportajes llamativos y la habitual necesidad que tenían los periodistas de impresionar a los lectores. Y había sabido crear públicamente la imagen de un romántico par de camaradas que quiere saborear las sempiternas verdades de la olvidada mayoría norteamericana. La suerte, según él, le había acompañado siempre y jamás había comprendido por qué su vida profesional había sido tan afortunada. En su desván anímico acechaba la liebre del desastre para saltar cuando menos se esperara.

Estábamos bebiendo y entusiasmándonos con nuestra vida inesperadamente interesante cuando, sin apartar los ojos del fuego, dio comienzo a un largo relato sobre una experiencia que había vivido en Italia. No hacía muchos meses aún, había dado con «un montón de soldados italianos y alemanes muertos. Yacían a la buena de Dios y los tenían que haber matado más o menos a la vez, porque ya había comenzado el *rigor mortis* y casi todos tenían una erección impresionante. El pene asomaba por la bragueta de más de uno. Habría unos doscientos». Recordaba haber leído el reportaje, aunque, como es lógico, no hacía mención de las erecciones. Entonces, sin mirarme apenas: «De pequeño me pasó una cosa...», pero calló antes de decir lo que no hacía falta que dijera.

Me llegó el turno de confesarme y ante mi propia sorpresa le hablé de la mujer de Washington cuyo marido había desaparecido en el mar, pero se anticipó a mis intenciones y me interrumpió: «No, por favor, no vuelvas a hacer una cosa así. El matrimonio lo es todo. Todos esos líos sexuales no sirven para nada... Se cree que son necesarios, pero no es verdad. Tu mujer tiene que ser maravillosa...». Lo que me llamó la atención de pronto fue la intensidad e inocencia de su preocupación y lo que supuse era un poco de envidia por mi buena suerte carnal.

Pero la principal noticia que me comunicó aquella noche y las siguientes fue que se negaba a odiar a los soldados enemigos, hombres tan atrapados como nosotros en aquella matanza. Gracias a este enfoque respetuoso y sacrificado de una catástrofe humana que iba más allá de la política, entreví por primera vez su naturaleza trágica y me dije que nunca defraudaría su esperanza de que de allí surgiera una película digna, una película que desde luego no versaría sobre un tipo alto, un tipo bajito y una chica.

De vuelta a Brooklyn al cabo de unos días, me llamó Lester para decirme que Ernie había firmado el contrato, que la película era ya «cosa hecha» —como si alguna vez me hubiera dicho que no lo era— y que la United Press celebraba una fiesta de homenaje a la que me había invitado el mismo Lee Miller, el director de la entidad de la que Ernie, como es lógico, era la estrella. Subí al metro mientras trataba de olvidar el realismo de Stallings de hacía unas semanas y pensando en el nuevo encuentro con Pyle.

Eran ya las diez de la noche pasadas cuando el grifo de las bebidas de las oficinas de la UP se cerró el tiempo suficiente para que unos diez o doce nos escapáramos al Club 21 para cenar alguna cosa. Allí, en el comedor ya medio vacío, sentado solo a una mesa y llevándose a la boca las migas de un trozo de pan, se encontraba otro héroe norteamericano, John Steinbeck. Resultó que era un viejo amigo de Miller, que lo había mandado a Rusia y a otros lugares como corresponsal. No pudimos por menos de sentarnos con él.

Hasta entonces no había visto a Steinbeck en persona y me chocó que, al igual que Ernie Pyle, se ruborizase con tanta facilidad, aunque, a diferencia de Pyle, daba la sensación de desear las expansiones carnales, de querer ofrecer una imagen enérgica, capaz y muy del oeste, mientras que su sensibilidad elemental y sus sentimientos quedaban ocultos por un ingenio agresivamente cínico que podía bordear la crueldad. Había escrito escenas —en *El pony rojo*, en *De ratones y hombres*, en el cuento «La hija» y por supuesto en *Las uvas de la ira*— que se habían grabado en la memoria de Norteamérica como el perfil del indio en la moneda de cinco centavos, y me desilusionó un tanto encontrarle perdiendo el tiempo en aquel sitio decadente. Me senté, como era natural, al extremo de la mesa y no hablé con él. Pyle ni comía ni bebía y supuse que por algún motivo se le habían ido las ganas de celebrar nada. Cuando nos pasaron la nota, Steinbeck la cogió de un zarpazo y sólo cuando Lee Miller protestó diciendo que la UP corría con los gastos se ablandó lo bastante para echarlo a suertes. Perdió y pagó los cientos de dólares a que subía la cuenta. Fue un ademán excesivo y los demás quedamos en posición un tanto incómoda mientras él arreglaba la operación con el camarero.

Ya en la calle, Pyle me llevó a un lado y me dijo: «Espero que sigas en ello. ¿Verdad que no permitirás que lo echen a perder?». Le prometí hacer lo que pudiera y me dijo que a lo mejor no nos veríamos hasta que terminase la película porque había decidido volver a ultramar, pese a los ruegos de Lee Miller a propósito de que ya se había arriesgado mucho y que se podía quedar escribiendo para la UP lo que quisiera durante el resto de su vida. Pero la infelicidad que le embargaba en Norteamérica se le veía en los ojos, tanto más en aquellos instantes, los últimos de una noche de falsa alegría. Nos dimos la mano. En 1945, en el curso de la invasión de un islote japonés llamado Ie Shima, murió en una trinchera con la cabeza agujereada por un proyectil. Había tenido más suerte de la necesaria. Quizá no podía soportar la idea de sobrevivir a su propia muerte o a su época.

Anduve con Steinbeck por la Sexta Avenida, camino de su casa. Una inquietud rayana en el frenesí revelaba su ansiedad y disgusto consigo mismo. Su alcoholizada esposa se había caído hacía poco de un balcón de casa y sufría el particular conflicto de los célebres: deseo de confiar y desconfianza hacia todos los confidentes. Parecía un pueblerino torpe fuera de su ambiente; es que había cogido la nota como un provinciano y un escritor neoyorquino ni por asomo habría pagado la cuenta de diez personas a las que no hubiera invitado; el gesto hablaba más de inseguridad interna que de nobleza confiada. Hacía frío pero no llevaba abrigo, y mientras nos aproximábamos al parque disfrutaba con el viento cortante que aspiraba a pleno pulmón. Era como un gigante encadenado hecho para vivir en contacto con el sol, el agua y la tierra, no con el asfalto y la picaresca de las ciudades. No tenía ya el rostro maculado por los colores de la turbación y había abandonado las risotadas sarcásticas a propósito de cualquier amarga verdad sobre quienquiera —en el restaurante había sido ironía risueña pura—, aunque aún estaba nervioso, desasosegado y triste. No sabía entonces que acababa de romper con su esposa. Que un autor de prosa tan precisa y matizada pudiera ser tan inseguro a nivel personal rebasaba mis experiencias.

Me despedí de él y fui andando hasta el metro. Mientras esperaba en el tren casi vacío a que se cerraran las puertas, entró un viejo judío ortodoxo con el inevitable envoltorio de papel marrón atado con bramante. Barba cana y larga, sombrero negro de fieltro y ala ancha, los aladares tradicionales y toda la energía febril del superviviente. Hombres así me habían parecido siempre atavismos, fósiles de un pasado muerto y enterrado. Mi padre había conocido judíos ortodoxos en la industria de la confección y manifestaba cierta irritación ante su forma de vida; o pedían limosna o eran comerciantes más listos que el hambre, acusación que me resultaba difícil encajar.

Mientras miraba a los escasos usuarios de ambos extremos del vagón, parecía transpirar a causa del nerviosismo. Al final optó por sentarse junto a mí. La rojez de sus mejillas me recordó los rubores de Steinbeck en el restaurante. Una noche llena de nerviosos. De pronto se inclinó hacia mí y con la boca muy cerca de mi oído, me preguntó:

—¿Es usted judío?

—Sí.

—¿Usted es judío? —repitió, en espera de ulteriores confirmaciones, a horcajadas sobre el cortante filo de la confianza.

—Ya le he dicho que sí.

Los ojos se le dilataron con aprensión al tiempo que se jugaba el todo por el todo.

—¿Hay parada en Canal Street?

Me entraron ganas de reír, pero asentí con la cabeza y le dije que, en efecto, había parada; y pareció relajarse satisfecho, lo que también supuso un alivio para mí. Por mediación de la manga percibía el calor de su cuerpo. Que a personas así se las persiguiera como a animales nunca dejaba de parecerme increíble. Me dije que iba a resolver todos los problemas que hubiese en el guión y a dejar claro que apoyaba de manera incondicional a los soldados que teníamos combatiendo contra el enemigo, aunque lo haría dando a cada personaje un espacio en la película y un punto de vista propio.

Semanas más tarde volvía a Hollywood y me desalentó el ver que por las oficinas de Cowan deambulaba otro director en ciernes que añadir a la lista, y también sin salario. Una tarde me encontraba mirando por la ventana de los estudios sin saber qué hacer cuando, al igual que en un sueño, apareció en el césped un coro perfectamente formado de niñas que llevaban idénticas cajas metálicas para guardar el bocadillo; tomaron asiento bajo un arco griego de color blanco, de dos pisos de alto, sustentado por columnas dóricas, procedente de algún plató, y se pusieron a comer. Llevaban media cara pintada de blanco y la otra media de verde para entonar con las mallas, los calcetines y los zapatos, igualmente bicolores. De vez en cuando se levantaba una joven de piernas largas y preciosas y se desplazaba como una gacela humana para cuchichear con otra. No podía oírlas y el silencio daba a la escena un clima de alucinación. Apareció un tractor tirando de un carromato de circo con ruedas con un oso pardo enorme detrás de los barrotes. Se detuvo en medio de las chicas, que se echaron a reír y saludaron con alegría al oso, que las miraba como si también él estuviera soñando.

Un antiguo y voluminoso Minerva abierto, conducido por un chófer de uniforme, entró en escena en aquel momento y se detuvo con gracia debajo mismo de la jaula. Era la clase de coche señorial y fantástico que a Sid Franks y a mí nos gustaba contemplar junto al bordillo en la Calle 110. Una enfermera de uniforme blanco se alzó del asiento trasero y ayudó a ponerse en pie a un anciano. Acto seguido le ayudaron a bajar dos hombres que habían salido a todo correr de uno de los platós a prueba de ruidos de fondo. El pasajero, según advertí en aquel mismo instante, era W.C. Fields.

Se colocó junto a la jaula una escalerilla portátil y el genial comediante, que llevaba sombrero de paja a pesar del frío glacial que hacía, subió los dos o tres peldaños que conducían a una tarima situada al mismo nivel que el suelo de la jaula y donde se encontraba un fotógrafo con una Graflex. Le dieron una manzana y Fields pasó la mano entre los barrotes para que el oso se incorporara. El animal miró la manzana, soñoliento y sin ningún interés. Fields se la arrojó y el oso se la comió, pero no se levantó para ello. El actor cogió otra manzana y volvió a sostenerla entre los barrotes, pero nuevamente sin resultado. De pronto, sin que mediara ningún motivo visible, el oso se puso en pie, aferró los barrotes con las gigantescas zarpas y estiró el hocico hacia la manzana, que Fields mantenía fuera de su alcance. La cámara se disparó: foto de Fields a unos centímetros del oso y con una expresión sorprendentemente osuna mientras cruzaba la mirada con el plantígrado.

Mientras el oso se mantenía erecto en busca de la manzana, Fields, con sumo cuidado, sacó del bolsillo interior una pistola de agua y con expresión de alegría perversa disparó justo a la cara estupefacta del animal. Este retrocedió y a punto estuvo de caerse. Fields, con agilidad pasmosa, bajó corriendo la escalerilla, subió al vehículo y éste se alejó al instante mientras la enfermera cubría las rodillas del actor con una manta.

No me resultaba fácil volver a concentrarme en la epopeya sobre la II Guerra Mundial que me esperaba en la mesa. A fin de cuentas había puesto punto final a la parte imaginativa y lo único que hacía era cambiar de sitio algunos elementos argumentales, mientras Cowan, de manera crítica, insinuaba que al guión «aún le quedaba camino que recorrer». Pero ¿hacia dónde y con qué objeto? El contraste entre los sacros sacrificios de la guerra y la estupidez hollywoodense comenzaba a reconcomerme ahora que había agotado la imaginación. Las chicas se habían marchado del césped, el oso y la jaula habían desaparecido y sólo quedaba el arco griego, vacío e insípido.

Me llamó la atención el ruido de una moto debajo mismo de la ventana. Un individuo con indumentaria de cuero negro, casco negro, guantes como el azabache y polainas negras de cuero bajaba de la moto negra. Un mensajero de lo más hollywoodense, me dije. Volví a tratar de concentrarme en el guión, pero sonó un golpe en la puerta. Al abrir vi al motorista con el casco bajo el brazo en el momento de descalzarse los guantes. Ante mi sorpresa, llevaba gafas y era un cuarentón. Supuse que me traía un mensaje especial de Cowan, que en aquellos instantes estaba otra vez en Washington, sin duda gestionando la movilización de cien mil carros de combate y un millón de soldados.

—Miller, ¿no?

—Así es. —Aguardé a que me entregara el sobre.

—Yo soy LeMay. Y soy colaborador de usted.

—¿Colaborador mío?

—¿No se lo ha dicho Lester? Me ha puesto a trabajar en el guión, junto con usted.

—No, no me ha dicho nada. Pero pase y siéntese.

En aquel instante había resuelto, sin esfuerzos ni conflictos, abandonar el trabajo, aunque tenía curiosidad por saber cómo funcionaban estos trámites.

Nos sentamos ante la única mesa. Alan LeMay, cuyo nombre fui relacionando poco a poco con películas de aventuras, parecía un artesano satisfecho y contento de abordar otra misión problemática. Sacó del bolsillo un fajo sin estrenar de tarjetas de fichero y lo dejó encima de la mesa.

—Creo que sería conveniente llevar una ficha de cada personaje...

—Disculpe —dije—, pero ¿ha leído usted el guión?

—No, aún no, ya lo haré. Y pienso que ahorraríamos tiempo si me diera usted el nombre de cada personaje para hacerle una ficha.

—¿Y qué haremos con las fichas?

—Lo que haremos será combinarlas para reducir la cantidad de personajes. En otras palabras, bajo cada nombre anotaremos las hazañas personales del individuo en cuestión y buscaremos la manera de atribuir varias hazañas a un solo personaje en vez de a tres o cuatro.

—Entiendo. Así pues, al final nos quedaremos... ¿le parece bien con un tipo alto y un tipo bajito?

—No necesariamente con dos. Podemos quedarnos con tres, con cuatro incluso, aunque tendrá que haber un personaje con estrellas y un amigo íntimo suyo, o algo así. Por cierto, ¿ha comido ya?

—Aún no. ¿Vamos en la moto?

—Estupendo. Conozco un sitio a cosa de un kilómetro.

Al salir del despacho, y por primera vez desde que estaba en Hollywood, me sentí a gusto. Me detuve ante la mesa de la secretaria de Cowan para que remitiese a Washington un telegrama agradeciéndole la oportunidad de escribir el guión de la película, pero puntualizando que en ningún momento se me había dicho que iba a tener un colaborador y que volvía a Nueva York al día siguiente, dando mi trabajo por terminado.

LeMay se movía en medio del tráfico de un modo que daba miedo, y el paseo en el asiento trasero de la Triumph resultó de fábula. Besábamos la calzada en las curvas y al llegar al restaurante nos detuvimos con un frenazo tan repentino que a punto estuve de resbalar por su espalda de cuero y saltar por encima de su cabeza.

LeMay trabajó sin duda en el guión lo mejor que pudo y, como es lógico, fue sustituido por otro guionista que a su vez lo fue por un tercero, pero al final acabó filmándose *También somos seres humanos* y el resultado fue asombrosamente bueno. Desde luego, había perdido casi toda relación con el esquema de partida y se había transformado en la sencilla historia de un capitán de infantería, interpretado por Robert Mitchum, que al final muere. Era una historia conmovedora pero sin ninguna inventiva formal ni interés para mí. A Ernie lo interpretaba Burgess Meredith, a la sazón juvenil y espontáneo y con una fresca inteligencia a la norteamericana. Me pareció, no obstante, que se había suprimido un nivel dimensional de Pyle, no en la filmación, sino en la concepción del guión. No me di cuenta hasta décadas después, durante la guerra del Vietnam, cuando do recordé la observación de Pyle de que todas las guerras eran guerras civiles entre hermanos y que este fratricidio eclipsaba cualquier gloria compensatoria y amenazaba con cercenar de raíz toda intención trascendente. La película, como es natural, versaba sobre una guerra entre enemigos, ya que en la época era poco menos que imposible poner en un mismo plano a los alemanes y a quienes les combatían. Sin embargo, con su lenguaje corriente de la calle mayor, Pyle había entrevisto la guerra en el horrible plano de la tragedia —palabra que le habría espantado por demasiado intelectual—, y aunque Cowan sacó adelante un producto respetable que honraba a Pyle y a los norteamericanos, fue un retrato mucho más superficial que el que ése y éstos merecían.

Mi nombre, como es lógico, no figuró en los títulos de crédito, aunque al cabo de seis años —después de *Todos eran mis hijos* y *La muerte de un viajante*— recibí una tarde un inesperado telefonazo de Cowan, pertrechado con su risita monótona y transparente, para preguntarme si me gustaría que se incluyese mi nombre con motivo del relanzamiento de la película. Le dije que, a mi juicio, el guión no era mío.

—Pero quedó mucho de lo que escribiste, Arthur. En realidad, casi todo lo mejor era tuyo.

—¿De veras? Es posible, aunque no recuerdo haber reconocido nada.

—Entonces, medio en serio, medio en broma, añadí—: Lester, tengo una solución. Tú me das veinte mil y yo dejo que incluyas mi nombre.

Se echó a reír, me eché a reír y, por lo que a mí respectaba, aquél fue el final definitivo de *También somos seres humanos*.

Cinco

Albuquerque otra vez, pero Pyle llevaba unos cinco años muerto y había transcurrido casi una década desde que paseamos intercambiando incertidumbres por una calle mayor vacía y bañada por el claro de luna. El *Super Chief* repostaba agua en el apartadero bañado por el sol. Fui hasta el último vagón y me quedé contemplando la desnuda vía férrea que se perdía en el pardo Nuevo Méjico. Aquel silencio me estimularía siempre, el anchuroso cielo tan diáfano y azul como la Creación. Para ser un hombre de treinta y cinco años, me daba la sensación de que no había hecho nada más que trabajar; había tenido, como dice Thornton Wilder en *The Matchmaker,* muchas aventuras pero ningun experiencia. ¿Cuándo, me preguntaba, se deja de trabajar para ponerse a vivir?

Era consciente del fluir del tiempo y de que lo desperdiciaba, impotente como era para abarcar la grandeza de la historia norteamericana que sabía me rodeaba por todas partes en este continente obsesionante. Estaba orgulloso de *Todos eran mis hijos* y del *Viajante,* pero pertenecían ya al pasado. Volví a recordar al indio solitario que Ernie y yo habíamos visto de cara al ocaso en una esquina de Albuquerque. Era absurdo, pero me sentía solo por no verle e imaginé que si daba con la esquina, a pesar de los años transcurridos aún estaría allí, en pie, perdido en aquella contemplación inmóvil y llena de tristeza. En la imaginación se me había transformado en rasgo natural de aquel paisaje.

Me emocionaba la idea de llegar a Hollywood al día siguiente, esta vez con algunas aplaudidas obras de teatro a las espaldas y un guión de cine interesante que me satisfacía haber escrito aunque nunca llegara a filmarse. Era también un intento de desbrozar un camino que me llevase al núcleo de Norteamérica, al punto de creación más allá del cual no hubiera nada.

Sentado en una caja de cervezas que alguien había dejado junto a las vías, fantaseé con que yo era un lugareño que se había acercado para ver pasar los trenes. La fascinación de otra identidad y de perderse en Norteamérica. En alguna parte de mi vida había una equivocación. Es posible que, sencillamente, me hubiera casado demasiado joven.

Kazan leía el guión sobre los muelles en nuestro compartimiento. Era una historia convincente que había forjado yo mismo, sí, pero no la había vivido y por tanto no era totalmente de fiar.

Un gato gris apareció de debajo del tren y se me quedó mirando. Para él, quizá, yo pertenecía a aquellas tierras. Seco como un abanico, arqueó el lomo para restregarse con fruición contra la rueda caldeada del vagón. Si el tren se iba y optaba por no subir, pensé, en Nuevo Méjico no conocía a nadie. Me dejé acariciar por un sentimiento de libertad y de posibilidades infinitas.

A decir verdad sólo había conocido a un natural de Nuevo Méjico y pensé en él en aquellos instantes, el único hombre que conocía que llevaba gafas de cristales octogonales y que se peinaba con raya al medio. Era chato y poseía un imperturbable aire holandés. En 1950 habría sido muy difícil explicar a los norteamericanos por qué Ralph Neaphus había tenido que morirse —tal vez incluso haberlo querido— a los veintitrés años, en la primavera de 1937.

Criado en un rancho de Nuevo Méjico, Ralph no había estado jamás al este del Mississippi antes de ir a la Universidad de Michigan. Con su pinta de maestro de escuela, era uno de esos hombres del Oeste de hablar quedo que tardaban un mundo en decidirse y a los que por tanto no se podía hacer cambiar de opinión. Meses y meses estuvimos lavando platos juntos en la cocina de la casa de comidas de la Cooperativa y apenas si hablamos de política. De todos modos era poco lo que cabía discutir a propósito de España: el tema no nos planteaba ninguna duda, había que parar los pies a los fascistas. No se me ocurrió preguntarle si era comunista; entonces importaba poco. Y los voluntarios en modo alguno eran todos miembros del Partido.

Mientras cruzábamos Ohio en dirección al este —con mi pequeño Modelo T 1927 de dos puertas que nos venía estrecho y que acababa de comprar a un licenciado por veintidós dólares—, sobrellevaba mi indecisión como una especie de adversidad. Ora estaba dispuesto a liberarme y a partir con él para unirnos a la Brigada Abraham Lincoln que combatía en España, ora me aterraba la idea de no vivir para escribir una gran obra de teatro. Lo peor de todo era la enceguecedora perspectiva de decir a mi madre que me iba a la guerra. Nunca se me ocurrió pensar que sobreviviría si me marchaba. En Ralph, sentado junto a mí, silencioso como el mismo Nuevo Méjico, mientras el motor de hierro del coche runflaba con lealtad, pensaba como si ya estuviera muerto. Cayó la noche, se puso a llover. Estábamos al este de Buffalo, íbamos por la Nacional 17 y subíamos las montañas. El único limpiaparabrisas tenía que moverse a mano y cualquier bache haría perder el control del volante si se sujetaba solamente con una mano mientras con la otra se accionaba el limpiaparabrisas. La lluvia se fue haciendo cada vez más densa hasta que ya no vi nada en absoluto, así que me aparté con prudencia hacia el arcén y noté que las ruedas se hundían en la tierra. Pensando que nos habíamos metido en algún sembrado, detuve el coche y apagué el motor y las luces. La capota de lona resonaba como si nos estuvieran cayendo oleadas de metralla encima.

Sentados allí hombro con hombro y echando vaho en medio de la oscuridad, le pregunté por vez primera por los trámites que había que hacer. Le habían dado unas señas del centro de Nueva York, donde tenía que presentarse. El Partido le daría los papeles que necesitara. No sabía si para unirse a la brigada había que vestir uniforme, pero lo dudaba y esperaba entrar en combate indumentado con su propia ropa, lo que se me antojó una imagen extraña: «Soy muy bueno con el fusil» fue la primera y única frase descriptiva que le oí en relación consigo mismo. Aunque no me pareció insólito que un militante de izquierdas reprimiese los sentimientos personales, que al fin y a la postre carecían de importancia: sólo el deber la tenía. Había en ello algo rayano en la psicología del sacerdocio. Traté de sonsacarle; ¿había dicho a sus padres que se iba?

—Sí —dijo, y no me informó de más.

—¿Qué piensan al respecto?

En la tiniebla negra sólo pude oír que se volvía hacia mí con lo que tomé por sorpresa.

—Lo ignoro —dijo, como si jamás se le hubiera ocurrido pensarlo. Se había convertido en el novio de la guerra.

En el curso de medio siglo, España sería siempre la sombra que se proyectaría sobre todas las guerras de liberación y la mirada prolongada y alentadora de Ralph Neaphus se cernería sobre China y Vietnam, el *maquis* y el FLN argelino, y sobre todas las docenas de guerras de hombres valerosos e inexpertos contra ejércitos regulares.

La lluvia no amainaba y yo había conducido todo el día. Como no era probable que pudiésemos dormir los dos en el coche, saqué del portaequipajes el impermeable amarillo de plástico y cedí a Ralph el asiento. Me eché en el suelo mojado, apoyé la mejilla en el brazo y me quedé dormido al instante con la lluvia rociándome la cabeza.

Me despertó la luz solar. Al abrir los ojos vi un par de zapatos femeninos, dos tobillos gruesos y dos piernas abiertas unos centímetros. Desde lo alto me contemplaba una irritada faz cuarentona. Tras la faz se encontraba la casa. Estábamos en el césped inundado y surcado por las huellas profundas que habían dejado las ruedas del coche. Quise darle explicaciones, pero la señora estaba demasiado enfadada, así que subí al vehículo y nos marchamos inmediatamente.

Al cabo de unos kilómetros comenzó a aflojarse la correa delantera del diferencial, abrí la caja de cambios y la tensé. Bramó el motor, pero montaña arriba nos quedamos casi en punto muerto. Por tanto di la vuelta al coche y subimos de espaldas. Los conductores que nos alcanzaban, creyendo que bajábamos la cuesta por el lado contrario de la carretera, frenaban en seco para evitar el choque, a continuación reanudaban el ascenso despacio y nos rebasaban, a menudo insultándonos, aunque un par nos lanzó desenfadados gritos de ánimo. Luego se descargó la batería, los frenos dejaron de funcionar y cuando cruzábamos los pueblos tenía que meter la marcha atrás para reducir la velocidad mientras Ralph y yo aporreábamos las portezuelas y gritábamos a los lugareños que se apartasen. Yo tenía tres dólares, centavo más o menos, y Ralph había invertido los cuatro que tenía en llenar el depósito, por lo que no había ni que pensar en reparaciones. Teníamos que llegar a Nueva York y a la guerra civil española para que Ralph muriera en ella e íbamos a tener que hacerlo con el coche en aquel estado. Casi le tenía ya escrito el epitafio y hasta comenzaba a parecerme un hombre hermoso, lo que no era ni vuelto de espaldas, porque tenía la nariz un tanto respingona, miraba como si no viese tres en un burro y tenía un cuello peligrosamente tieso, un cuello ingenuo, también, en cierto modo.

Por último, cuando entrábamos en el puente de George Washington, las ruedas delanteras contrajeron un repentino baile de San Vito, igual que un coche circense de pega. Apenas podía sujetar el volante. El sol se reflejaba cegador en las aguas del Hudson aquel alegre día de junio. Nos acercábamos al extremo neoyorquino del puente cuando apareció un policía, alzó la mano con aburrimiento y yo metí la marcha atrás para detener el vehículo sin llevármelo por delante. El motor emite un quejido cuando se hacen estas cosas, pero se detiene, si bien jadeando como un asmático. El agente se acercó a mi ventanilla sin dejar de mirar el coche por todas partes y con esa parsimonia que suelen tener los policías. Era otro ingenuo.

—No querrá usted meter este cacharro en la ciudad, ¿eh?, porque no creo que tenga licencia para matar a nadie. En esta ciudad hay muchas personas, ¿me comprende?, muchos coches y objetos. —La matrícula de Michigan le había convencido sin duda de que veníamos de alguna población que a lo sumo contaría con un par de calles.

—Bueno, yo sólo quería llegar a Brooklyn; después no volveré a conducirlo nunca más...

Se quedó cabeceando, sin saber qué hacer ni qué decir y a mí se me ocurrió demostrarle mi inocencia preguntándole cómo se iba a Riverside Drive. Con la matrícula de Michigan y dos maletas atadas con cuerdas en el estribo de la parte de Ralph, digo yo que merecíamos alguna compasión, y el caso es que el policía me señaló un poste y me dijo:

—¿Ve esa señal?

—La veo, la veo —dije del modo más palurdo que supe.

—Pues ahí dice Calle Ciento sesenta y nueve, ¿lo ha comprendido? Pues bien; usted gire a la derecha y se fija en todas las esquinas, donde tiene que poner Ciento sesenta y ocho, Ciento sesenta y siete, Ciento sesenta y seis, Ciento sesenta y cinco...

—Ah, se refiere usted a las calles, ¿no?

—Exactamente, exactamente. Me refiero a las calles. Cuando llegue a la que pone Ciento sesenta y cuatro, gire a la derecha y llegará al paseo. Pero vaya muy despacio, ¿me entiende? No corra. Brooklyn no se moverá de su sitio. Tómeselo con calma y buena suerte.

—Un millón de gracias, ¿eh?

—Y procure no matar a nadie.

Ralph quería ver la Calle 42, así que dimos la vuelta para atravesar la ciudad y al cruzar Broadway se giró en círculo para asimilarlo todo por primera y última vez. Era antes del esplendor de la cocaína y la heroína, pero las luces chillonas de las marquesinas de los teatros y cines estaban encendidas en pleno día y la atmósfera bronca y autopublicitaria era tan falsamente alegre como siempre. El mismo gentío móvil que atestaba Broadway a mediodía, los jóvenes que bajaban del Bronx o que subían de Brooklyn para ir al Paramount y al Palace, mordisqueando el frankfurt de cinco centavos pero hambrientos del oropel esperanzador de estos cines fastuosos, tan distintos de la árida tristeza de los locales de su barrio.

Mientras íbamos por uno de los seis carriles de la Ocean Parkway, el Modelo T, semejante a un caballo que se acerca al establo, abandonó el templequeo y se puso a funcionar bien, lo que nos permitió relajarnos en aquella autopista semivacía. Los caballos que circulaban por el camino de herradura desconcertaron a Ralph, que apenas podía creer que se pagase por montar en ellos, no digamos ya para además no ir a ninguna parte. Le dije que yo lo había hecho muy a menudo, por dos dólares la hora. Como hombre en país extranjero, adelantaba la cabeza para contemplar los kilómetros de limpias casas unifamiliares. Al llegar a la mía nos recibió mi madre, le preparó una cama en el sofá, pero se puso rígida, temerosa de que pudiera contagiarme, cuando se enteró de su destino. Sus ojos se volvían amenazadores cada vez que le mencionaba su inminente viaje transatlántico hacia España. Ralph guardaba silencio al respecto, ya que la Brigada Lincoln era una organización militar ilegal. La tercera y última noche que pasó con nosotros se nos pegó su silencio, a pesar de nuestras torpes intentonas por animar la conversación. Empecé a odiar a mi madre por aquel deshonroso egoísmo de retenerme y me recordé a mí mismo que ya tenía más de veintiún años, edad suficiente para decidir por mi cuenta; aunque me contenía el que Ralph ya se hubiera licenciado mientras que a mí me faltaba un año aún: como si para morir en un guerra hubiese que tener un título. En realidad yo casi nunca tenía miedo de morir; nadie moría a los veintiuno o veintidós años y menos si gozaba de buena salud. Salvo Ralph, posiblemente. En cualquier caso, no encontraba en mí la palanca que me impulsase del mismo modo que a Ralph. Mientras cenábamos en silencio durante la última noche, ninguno trataba ya de mantener una charla protocolaria porque Ralph parecía estar encerrándose en una especie de membrana, el aislamiento del comprometido. Es posible que se diera ánimos para no cejar en el empeño, pero a mí me dio la sensación de que los pocos días que habíamos pasado juntos no habían hecho sino fortalecerle poco a poco frente a las trivialidades de la vida normal.

A la mañana siguiente lo acompañé a lo largo de las tres manzanas que había hasta la estación del metro elevado que había utilizado yo durante dos años para ir al trabajo del almacén y comprobé que los vagones aún eran ventisqueros de madera con estufas de carbón, alrededor de las cuales, en invierno, se ponían los usuarios estirando los dedos enguantados. Quise romper la distancia que nos separaba mientras andábamos, porque era como una suerte de desconfianza; a fin de cuentas estaba cometiendo un acto ilegal. La palabra *destino* no se había incorporado aún a mi vocabulario, pero aquella mañana supe que yo no iba a ir a España, que mi derrotero estaba en otra parte. En la puerta giratoria de la entrada volvió la cabeza, me dedicó un saludo seco y silencioso y se metió en el tren desvencijado mientras le golpeaba la pierna la pesada maleta en que había embutido todo cuanto poseía en el mundo. Tan enfrascado estaba en su misión que en aquellos instantes me pregunté si le importaría algo morir. Bajé tambaleándome la larga escalera metálica que llevaba a la acera y me dirigí a casa, pasé ante los dos solares vacíos en que solíamos jugar al rugby, contento a causa del sol primaveral, el despejado cielo azul, el silencio grato y limpio de Brooklyn a mediodía, contento a causa de una fuerza que sentía expandirse en mi interior, y al entrar en la Calle 3 procedente de la Avenida M, eché a correr a toda velocidad y llegué a casa con el corazón dando tumbos. Entré y vi a mi madre junto a la estufa, al fondo de la cocina. Me miró con complacencia, ya que había vencido. Cosa que le reproché, pero más aún mi propia complicidad con ella. No pude permanecer allí en su compañía. Abrí la puerta trasera y salí al soportal gris, el soportal que yo mismo había construido hacía siete años y que seguía —sólo yo estaba secretamente al tanto de ello— separándose del edificio principal a razón de dos centímetros por año.

Cuando volví a la facultad para terminar el último año de carrera, la noticia de que a Ralph Neaphus lo habían hecho prisionero era la comidilla del campus. ¡Luego estaba vivo! Me sentí muy feliz, como si me hubiera liberado de una maldición. Más tarde, dos o tres semanas después, llegó el comunicado de que los moros de Franco habían fusilado a sus prisioneros y de que él estaba entre ellos. Fue una de las deudas que sobrellevaría por dentro, una fuerza invisible que me apremiaría más que cruzar el piquete de monjas en derredor del Waldorf una década más tarde, una de las muchas deudas privadas que arrastraríamos todos aquellos que habíamos comprometido el alma en aquel acuerdo general, en aquella coalición, mejor dicho, en aquel estado espiritual antifascista. Quizás ni siquiera un estado espiritual, sino un clima de oposición a la tendencia al parecer universal hacia lo que Odön von Horváth llamaba «era del pez», y en que sonreír, matar y comer eran los únicos signos de vida humana.

Hollywood evocará siempre en mí una mezcla de aromas contrapuestos. Una pleamar erótica, según dije, la humedad de los netos pliegues de la carne de mujer mezclada con un estimulante olor de sal marina; el aire excitante de una travesía marítima y el ozono rancio del interior de un plató insonorizado; la gasolina penetrante y el perfume de un lápiz de labios; el cloro de las piscinas y la fragancia inodora de los rododendros y las adelfas, esfuerzos de la naturaleza por obtener una flora plástica, plantas que en realidad pertenecen a las montañas, no al recuperado desierto de Los Angeles, donde la artificialidad añade su lozanía perenne a la perfección opresora.

Nos recibió en la estación un empleado de la Twentieth Century-Fox que entregó a Kazan las llaves de un pequeño Lincoln negro y que se despidió de nosotros con apenas una inclinación de cabeza cuando arrancamos.

Tenía ya treinta y cinco años, pero aún medio contemplaba el mundo como si fuera un adolescente. En 1950 Hollywood no había perdido las etiquetas de esplendor simbólico, éxito y evasión que tuviera antaño para los chicos de los institutos de Brooklyn. Al mismo tiempo, mientras cruzábamos Los Angeles en dirección a Beverly Hills, mis sentimientos eran satisfactoriamente distintos de los que me habían embargado cuando había ido a trabajar, todo un desconocido, en la película de Cowan hacía casi ocho años; el lugar simbolizaba ahora el poder, la utilidad del poder que por lo visto me había ganado con las obras de teatro. A la luz implacable del sol me di cuenta de que me estaba poniendo serio justamente porque el muchacho que me palpitaba por dentro husmeaba la sexualidad y el sentido de aventura que había en la realización de una película. Las productoras aún tenían la sartén bien sujeta por el mango y la idea de que el guionista dispusiera libremente del guión —o, para el caso, que lo hiciera el director— ni siquiera se planteaba. Partía de la base de que en los días venideros íbamos a entablar una dura lucha, pero el premio valía la pena: una película veraz sobre una turbia sentina bajo el Sueño Americano. Todo era contradictorio, en mi interior y en mi exterior. Y también mi relación con Kazan era compleja.

Al igual que a otros autores que habían trabajado con él, me tenía por una especie de socio, aunque sin olvidar en ningún momento que se trataba de una ilusión, ya que cuando se produce una película o se monta una obra de teatro los responsables se reúnen en principio como elementos de un organismo creador y no por amor o respeto mutuo. Nunca vi que Kazan hablase o llamase por teléfono sin un motivo concreto en aquella época en que, ya con cuarenta y tantos años, se estaba labrando un porvenir profesional. Pero cuando condescendía con funcionalizar su trabajo, ello formaba parte del atractivo que ejercía sobre los autores, que tratan continuamente de soslayar los despropósitos a causa de la avidez de llegar a un núcleo sistemático que genere las chispas y hogueras desconcertantes de la caótica existencia.

Entramos en Beverly Hills, perfección a derecha e izquierda de ricos y famosos que no pudo por menor de impresionar a mi corazón ambicioso y de sembrar inquietud en mi ánimo. El lugar era de una excelencia que deprimía: y es posible que fuera aquello, materialidad pura que colmaba todas las aspiraciones. El castillo estilo Tudor separado por un seto de la granja estilo Nueva Inglaterra separada por un camino de la villa estilo regional francés. A cada cual su personal delirio, vivificado sólo por el silencioso y pequeño jardinero japonés que en compañía de su hijo iba de un parterre inmaculado a otro para recoger la fronda marchita del suelo, la hoja crujiente, seca y atrevida, mientras alrededor nada se movía, se agitaba ni gritaba, inmóviles las casas en su hechizo de totalidad y garantizadas contra cualquier eventual decrepitud, demasiado perfectas para morir. Y allí me encontraba yo, para llevar a aquel profundo sueño de paz un guión sobre un viejo muelle donde el sol tenía que abrirse paso por entre la basura y el olor acre del hierro, un bajo fondo donde nada parecía terminado, antes bien resquebrajado y en trance de hundirse. Muy joven en comparación, Beverly Hills parecía congelado en una autosanción eterna. Por supuesto que dentro de las casas bullía la locura, pero yo aún no sabía nada de aquello.

Pensaba quedarme una semana. Nos instalamos en la casa de Charles Feldman, antiguo agente y ahora productor en alza (*Un tranvía llamado deseo*, su última película, la había dirigido Kazan), hombre educado y elegante, cercano a los cincuenta y ávido de ser útil a Kazan. Yo seguía corrigiendo el guión, demasiado largo pero con suficiente buena traza, en opinión de Kazan, para que se aceptase. Este había remitido ya una copia a Harry Cohn, presidente de la Columbia. Yo podría seguir trabajando en él un par de días, mientras Cohn se lo pensaba.

Pero era imposible concentrarse. Sentado ante una mesa de desayuno junto a la piscina de Feldman, el agua se disolvía bajo el sol que reverberaba en el pan de molde con jamón, los huevos pasados por agua y la salsa holandesa —el menor esfuerzo por evocarlo es ya un indicio de falsedad. Un criado filipino me servía café y cuanto se me ocurriera tomar. Al final desistí y me quedé mirando la vegetación exenta de pájaros, preguntándome si aquello era lo que significaba «estar in». Fue una pregunta a la que nunca sabría contestar; es posible que Hollywood no sea más que un grabado de Escher al natural, sin espacios interiores, sólo con exteriores, puesto que todos aquellos con quienes me encontraba se tenían por extemporáneos que estaban de paso siempre, igual que los políticos en Washington.

Mientras tanto, cada noche había una «fiesta». Aunque por toda la casa seguía habiendo fotos de su joven esposa, Feldman estaba divorciado o separado y para cenar éramos por lo general ocho o diez. Las costumbres dominantes me interesaban e intrigaban; aunque llegasen por parejas, resultaba que los componentes de éstas se habían conocido hacía poco, a veces una hora antes, y las mujeres —muchas de ellas, si no todas, ávidas de alcanzar el estrellato— llegaban y se iban solas en su propio coche. Uno tardaba en darse cuenta de que estaban a tu disposición. Tiempo después escribiría en un poema, «Lines from California» [Versos desde California], que para tener éxito en Hollywood una mujer tenía que tener coche. Después de la cena, los comensales tomaban asiento en la sala de estar, lujosamente sobria, o salían a la piscina para entablar conversaciones más íntimas, o se ponían a bailar mientras escuchaban sabrosos discos de grandes orquestas. En cierto momento bailé con una damisela alta y elegante, una heredera, según me contaron, que había ido a Hollywood a convertirse en actriz célebre. Pero me fue difícil saber si su silencio inconmovible significaba desprecio, temor o alguna inercia de elevada magnitud que le hubiera sobrevenido bajo el aplastante peso de la riqueza. Jack Warner se presentó una noche y comprobé que se parecía muchísimo al actor Victor Moore cuando interpretó el papel de Wintergreen, el idiota que se presentaba a las elecciones presidenciales en *Of Thee I Sing*, ya que estuvo sentado en un sillón de respaldo alto, sonriendo de oreja a oreja y contando un chiste tras otro durante más de una hora, ritual típico de las fiestas hollywoodenses, sin lugar a dudas. La Warner Brothers, sin embargo, con una conciencia social algo mayor que las restantes productoras, había hecho algunas películas localistas y biográficas. Durante un fugaz momento me pregunté si no sería yo un snob que tratase de reprimir el perverso atractivo que me suscitaba su categoría intelectual, porque me recordaba a mi padre, que habría inspirado un respeto semejante de haber prestado dinero a Bill Fox.

Warner sólo quería hablar en serio con Kazan, al que le habría gustado contratar pese a su reputación izquierdista. En calidad de testigo cooperador del Comité de Actividades Antiamericanas, no tardaría Warner en asegurar con mucha seriedad a sus miembros que siempre había tenido por costumbre «volverme de espaldas cada vez que veía acercarse a un rojo de ésos». (Palabras que un cuarto de siglo después me ayudarían a comprender un poco la violencia de las expulsiones de la Revolución Cultural china.)

Los temas que prácticamente eran de rigor en aquellas veladas eran por lo visto la sexualidad y la búsqueda de empleo. Al reflexionar años después me acordaría de la corte de Luis XIV, donde los individuos se dedicaban, de un modo muy parecido, a ir de un sitio para otro y a intrigar con la esperanza de introducirse en los pasillos del poder. No obstante, en Versalles las mujeres tenían y administraban poder a menudo, mientras que en Hollywood nunca poseían otra cosa que el placer de haberlo saboreado de pasada y, ya en la vejez, el recuerdo de haber estado a su servicio. Mi porcentaje adolescente, pese a todo, no podía por menos de quedar asombrado ante los hombres y mujeres que había visto en la pantalla y ante directores que conocía de nombre desde hacía mucho, y mientras aguardábamos el dictamen de Harry Cohn a propósito del guión, me puse a fantasear con aquellas cenas y sus afamados comensales. Puesto que mi entorno habitual consistía en cuatro paredes rodeando la mesa que sostenía la máquina de escribir, se trataba de un fantaseo fascinante pero irreal, y tampoco las conversaciones eran siempre tediosas; las oscilaciones políticas del país, por ejemplo, tenían influencia directa sobre las películas que era posible considerar lícitamente en perspectiva, de modo que había algo más que interés formal por lo que realmente pasaba tras los titulares de prensa. La voracidad que despertaban allí los chismes internos era mayor que en ninguna otra parte. Nunca había visto que la sexualidad se considerase con tanta indiferencia como una recompensa del éxito; el inmemorial derecho de los poderosos a llevarse a la cama a las mujeres que quisieran, derecho reclamado por hombres de todo el mundo, desde Darryl Zanuck hasta Mao Zedong, se ejercía allí hasta el aburrimiento, aunque era una provocación pese a todo.

En el curso de una de aquellas veladas nocturnas, una joven a la que Kazan me había presentado hacía unos días engendró, con ayuda de sus burlas mal contenidas, un creciente núcleo de interés entre los comensales. Su agente y protector, Johnny Hyde, había muerto hacía poco, pero no sin haberle conseguido unos cuantos papeles pequeños que habían hecho que John Huston la contratase para interpretar el papel de amante de Louis Calhern en *La jungla de asfalto*. Con un papel en que prácticamente no hablaba, había causado un impacto tremendo. Yo había tenido que meditar unos instantes para recordarla en la película. Había parecido más un adorno que una actriz, una apostilla satírica casi silenciosa al poder oficial y falsas propiedades de Calhern, la rubia imbécil y quintaesencial que va del brazo del mundano y corrupto representante de la sociedad. En aquella estancia llena de actrices y esposas de próceres, todas deseosas de vestir y comportarse con la ostentosa discreción de una señora, Marylin Monroe parecía ridículamente provocativa, un pájaro extraño en medio del gallinero, aunque sólo fuera porque el vestido se le ceñía de un modo descarado, afirmando más que sugiriendo que tenía un cuerpo debajo y que era el más apetitoso de la estancia. Y parecía más joven e infantil que cuando la había visto por vez primera. El resentimiento femenino que la rodeaba en casa de Feldman era casi tan sólido como un gas lacrimógeno. Una excepción fue la actriz Evelyn Keyes, ex mujer de Huston, que se la llevó al exterior y se sentó con ella en un banco, y que, más tarde, mientras miraba cómo bailaba con no sé quién, me dijo en voz baja: «La despellejarían viva». En vano buscaba el ojo el menor defecto en la arquitectura de sus formas mientras bailaba con su pareja, ya que su perfección parecía inducir a buscar la lacra inevitable que la asemejara a los demás mortales. Era pues una perfección que suscitaba el deseo de protegerla, aunque al mismo tiempo imaginaba yo la dureza de que habría tenido que rodearse para haber sobrevivido allí tanto tiempo y con aquel éxito relativo. Aunque, según parecía, por el momento estaba sola en el mundo.

Días antes había ido a los estudios de la Twentieth Century-Fox con Kazan, que estaba contratado por la casa y tenía muchos amigos que trabajaban en los platós insonorizados. Uno de éstos, antiguo montador suyo, dirigía a la sazón *As Young as you Feel,* una comedieta con la bestia negra de mi padre, Monty Woolley, y, con un papel pequeño, Marilyn. Hacer una película aún era para mí un trabajo exótico, fantástico y lleno de misterio. Acabábamos de llegar a un plató que representaba un club nocturno cuando a Marylin, que llevaba un vestido negro de gasa, se le indicó que cruzase la pista, con lo que atrajo la mirada cansada del barbudo Woolley. La cámara la enfocaba por detrás para acentuarle el cimbreo de las caderas, movimiento lo bastante fluido para resultar cómico. En realidad era su forma natural de moverse: en una playa, sus huellas habrían seguido una línea recta, el talón habría caído exactamente delante de la última huella de los dedos y la pelvis habría tenido que acometer un movimiento oscilatorio.

Cuando terminó el rodaje, se acercó a Kazan, a quien Hyde se la había presentado en el curso de una visita anterior. Yo estaba a unos metros y la veía de perfil sobre un fondo de luz blanca, con el pelo recogido en lo alto de la cabeza; lloraba bajo un velo de gasa negra que alzaba de vez en cuando para enjugarse los ojos. Cuando nos dimos la mano, su movimiento corporal me transmitió una descarga, sensación que no casaba con la tristeza en medio de tanto oropel y tecnología y de la confusión que causaban los preparativos de una nueva sesión de rodaje. Después me contaría que se había echado a llorar mientras contaba a Kazan que Hyde había muerto llamándola en la habitación del hospital donde la familia de aquél le había prohibido entrar. Le había oído desde el pasillo y se había marchado, como siempre, sola.

Acabado su pequeño papel en aquella película, al día siguiente entró inmediatamente después de nosotros en el despacho de Harry Cohn en la Columbia Pictures. Era muy grande el despacho en cuestión, pero un no sé qué de improvisado en los entrepaños baratos y sucios y procedentes de los almacenes me habló de su fuerte apego a la realidad, de que había salido de los bajos fondos portuarios del sur de Manhattan. Soñador endurecido que alardeaba de no tener ningún accionista importante, Cohn era el último del linaje de mi padre, junto con Jack Warner y algún otro que se estaba muriendo. Apenas podía apartar los ojos de Marilyn; mientras trataba de recordar dónde la había visto antes, se paseaba ante ella subiéndose los pantalones igual que un taxista de Manhattan que se dispusiera a pelear con alguien. Su cara se me ha desdibujado de la memoria, pero no su brusquedad ingenua mientras la comía con los ojos y le gruñía: «Yo a ti te he visto en alguna parte», en tanto ella permanecía con su particular equilibrio angustiado entre la diversión y la vergüenza. Bañada por un rayo de sol que se filtraba por el borde de la persiana marrón, el rostro de Marilyn parecía hinchado y no particularmente hermoso, pero apenas podía mover un dedo sin que el corazón se extasiara ante la belleza de sus curvas.

—No vamos a sacar ni un centavo con esta película —manifestó Cohn con jactancia cuando se hubo acomodado tras el escritorio. Pero seguía en un estado de ensoñación y se interrumpía para apretar un botón y gritar por el interfono a la secretaria que estaba del otro lado de la puerta cerrada. Conocía palmo a palmo el complejo de los estudios y qué estaba sucediendo en todas partes, y enviaba órdenes y preguntas a aquellos pabellones semejantes a cuarteles al tiempo que seguía hablando de nuestra película—. Pero yo salí de allí —dijo, golpeando el guión con un dedo peludo— y sé todo lo que pasa. No ganaremos ni un real, pero voy a daros mi apoyo siempre que no pidáis dinero hasta que haya beneficios. Y voy a daros mi apoyo —se volvió y señaló a Kazan— porque después de ésta quiero que hagas otra película para mí. —De pronto, se volvió a Marilyn y le dijo—: ¡Ahora te recuerdo! —La circunstancia del recuerdo era, por lo visto, desagradable; en realidad había querido que subiera con él a su yate y ella había puesto la condición de que la mujer del productor les acompañara: grave ofensa que durante unos instantes le tiñó la frente con el rojizo rubor de la cólera. La memoria pareció empujarle otra vez hacia los botones. Se inclinó sobre la mesa, apretó uno y chilló—: ¡Que venga Fier! —Se quedó meditando unos segundos, cada vez más irritado, apretó el botón otra vez y graznó con todas sus fuerzas—: ¡Fier! ¡Que venga inmediatamente!

Se oyeron pasos precipitados en el exterior, se abrió la puerta y dejó pasar a un sesentón bajito con cuello duro, lazo y gemelos: era Joe Fier, mayordomo de Cohn. Sudaba y respiraba con pesadez, sin duda porque había llegado corriendo.

—Sí, señor Cohn —alcanzó a decir entre jadeos, rojas las mejillas y blanca como la lejía la calva cabeza.

Con un desprecio que despertaba la vergüenza ajena, Cohn le dio una orden rutinaria, le dio la espalda a continuación y con calma absoluta reanudó la conversación en el punto que la había dejado, con la mirada puesta otra vez en Marilyn, que se mantenía aparte, sin decir palabra, los ojos bajos. Fier se alejó sin hacer ruido tras haber interpretado el papel de víctima del poder de Cohn, exhibición cuyo objeto había sido ejemplificar el sometimiento que nos aguardaba.

—¿Quedamos así? No habrá dinero mientras no haya beneficios, ¿de acuerdo? Vamos, si es que sois lo bastante maricones e idealistas. —Le desapareció la sonrisa, pero a mí se me antojó aceptable la proposición: él ponía su dinero y su productora, yo el guión y Kazan su trabajo.

Acordadas las condiciones, Cohn dijo que el guión lo tendría que revisar su encargado de relaciones laborales, porque el argumento tenía que ver con los sindicatos. Aquello me pareció bastante raro, pero como estaba en un mundo para mí totalmente nuevo, desconocía los precedentes y no puse objeciones. Tras lo que Cohn dio otro berrido por el interfono solicitando la presencia del mentado ejecutivo, que se personó al instante, un caballero de la Ivy League, insólito a primera vista a causa del cuello duro, el lazo y lo mucho que recordaba a las formalidades de la Costa Este. Era el representante de la empresa que negociaba los contratos laborales. Con su cara de yanqui tan impecable como imperturbable, parecía hombre serio que no derrochaba emociones a la ligera, sonreía con circunspección y apenas dejaba que un frunce le adornara los ojos. Cohn le había entregado el guión la víspera y cuando le pidió su parecer, el otro dijo que le parecía magnífico y, por lo que sabía, un retrato muy fiel de lo que ocurría en los muelles de Nueva York. Cohn pareció impresionado por vez primera y me miró con un asomo de respeto ahora que los elogios venían de un ciudadano de cabeza práctica y no de un patán del mundo del espectáculo.

Un aire relajado pareció envolver a Cohn, sin duda porque pensaba que se había apuntado un tanto al conseguir que Kazan y yo aceptásemos aquel ventajoso acuerdo y también porque tenía la esperanza de ganar más puntos produciendo una película de un realismo sin precedentes, acerca de un importante problema social que ninguna otra productora abordaría. Contento de sí mismo, sacó un libro del cajón, me lo tendió y me dijo que considerase la posibilidad de escribir un guión basado en él. Yo no tenía ninguna intención de que me contrataran, pero convine en leerlo. Aún me costaba creer que hubiéramos conseguido lo que nos habíamos propuesto y que además fuéramos a denunciar la situación de los estiba-dores; no cabía en mí de gozo por lo que iba a suceder a causa de algo que había comenzado como una frase garabateada con tiza en las paredes de Brooklyn Heights. Miré a Marilyn, que a su vez me miraba y sonreía a escondidas para no volver a llamar la atención de Cohn. Kazan hablaba sobre las fechas de rodaje y del largo plazo que esperaba se le concediera para filmar la película. Marilyn me despertaba el deseo de un modo apre-miante y pensé que o me iba aquella noche o perdía la cabeza.

—Haré que el FBI lo compruebe —dijo Cohn con su voz malhumora-da, y durante unos instantes me pregunté qué tendría que comprobar el FBI. Se refería al guión. Creí que nos tomaba el pelo.

—¿Qué es lo que hay que comprobar? —pregunté perplejo.

Cohn se encogió de hombros.

—Hay allí un buen tipo y me gustaría que le echara un vistazo. Es porque va sobre los muelles.

Mientras nos desplazábamos bajo la inagotable luz del día me pregun-té qué hacíamos allí. Si Cohn quería que se revisaran los antecedentes de Kazan y míos, no les hacía ninguna falta leer el guión. La experiencia amenazaba con convertirse en el triunfo más breve de mi vida, pero espera-ba que al final todo saliera bien, aunque sólo fuese por el cariño que Cohn parecía tener a aquel argumento, sin duda a consecuencia de sus experien-cias portuarias juveniles y del entusiasmo objetivo que había manifestado su encargado de relaciones laborales. Recordaba haber leído cosas sobre las infiltraciones gangsteriles en los sindicatos hollywoodenses y me pre-guntaba si *The Hook*, que así se titulaba el guión, llegaría a ser la bomba indirecta que Cohn quería arrojar.

En cualquier caso, Cohn no se había comprometido aún y pensé que lo mejor sería que nos quedáramos un par de días, hasta que el FBI hu-biera dado su veredicto. Con lo que nos dedicamos, los tres, a visitar a los amigos de Kazan: despertamos a Robert Ardreys y a su mujer en plena noche, tomamos una copa con Alfred Newman, el director musical del *Tranvía*, y nos reímos como salvajes de nuestras propias tonterías, esti-mulados no sólo por la belleza de Marilyn, sino también, en mi sentir, por su orfandad, que subrayaba su explosiva presencia; no tenía literal-mente ningún sitio adonde ir ni conocía a nadie a quien recurrir.

Nos metimos en una librería porque Marilyn tenía interés por el *Via-jante*. Cuando le entregué un ejemplar que había localizado en la sección de teatro, vi por el rabillo del ojo que un hombre, chino o japonés, la miraba con fijeza desde el pasillo contiguo mientras se masturbaba por encima del pantalón. Ella no se había percatado y la alejé inmediata-mente del individuo. Llevaba blusa y falda normales, de ningún modo provocativas, pero aun en un sitio como aquél, con la atención apartada de sí misma, el aire que la rodeaba estaba electrizado. Había dicho que le gustaba la poesía y compramos alguna cosa de Frost, de Whitman y de E.E. Cummings. Resultaba curioso verla leer a Cummings para sí, mo-viendo los labios: ¿qué pensaría de una poesía a la vez tan sencilla y tan compleja? Me resultaba imposible situarla en ninguno de los mundos que conocía; al igual que un tapón de corcho que flotase en el mar, lo mismo había podido comenzar el viaje en la otra punta del mundo que cien metros playa abajo. Había aprensión en sus ojos cuando se puso a leer, la expresión del estudiante temeroso de ser cogido en falta, pero de pronto se echó a reír del modo más natural del mundo, instigada por la pequeña sorpresa que hay en el poema sobre el vendedor de globos cojo: «¡y es primavera!». El cándido asombro que se le dibujó en la cara por responder de un modo tan fácil ante un texto tan complejo tendió entre nosotros un filamento de conexión. «¡Y es primavera!», repitió cuando salimos en busca del coche y volvió a echarse a reír como si se le hubiera dado un regalo imprevisto. Cómo habría complacido a Cummings una reacción tan natural, me dije, y resolví otra vez marcharme de California lo antes posible.

Seguíamos sin tener noticias de Cohn. Renuncié definitivamente a concentrarme en el guión, que quedó muerto y olvidado durante los días de infinita hermosura que pasé junto a la piscina. Nadé por el contrario sin parar, sudando sangre por las glándulas de la lujuria, aunque confuso ante el espíritu sublime e insondable de aquella joven incomprensible con la que —de un modo casi conmovedor— había intercambiado algo secreto y algo semejante a una esperanza, tal me parecía, común a ambos. Tras buscar por todas partes una explicación de orden escéptico, me pregunté si nadie le habría regalado nunca un libro y me dije por enésima vez que tenía que marcharme.

Kazan y Marilyn me acompañaron al aeropuerto y esperamos juntos el momento del embarque. La tarde moría. Fui al mostrador de la compañía para confirmar el vuelo, que ya había tenido que anunciarse. Marilyn vino conmigo y mientras esperaba a que apareciese el empleado, se alejó unos metros, miró a su alrededor y volvió junto a mí; habría una docena de personas en el vestíbulo y casi todas la miraban. Llevaba una falda beige, una blusa blanca de raso, el pelo, con raya en el lado derecho, le caía sobre los hombros, y mientras la miraba sentí algo parecido al dolor porque supe que o me iba o me precipitaba en un pozo de fondo desconocido. Pese a toda su luminosidad estaba envuelta en una oscuridad que me aturdía. Yo no podía suponer que en mi misma timidez encontraba ella cierta seguridad, cierta liberación de la vida sin rumbo, objeto ni intimidad que se le había dado; lejos de ello, detestaba yo mi cortedad crónica, aunque ya no podía hacer nada por remediarlo. Cuando nos despedimos la besé en la mejilla y se quedó sin respiración a causa de la sorpresa. Me reí de aquel gesto teatral hasta que la seriedad de sus ojos emocionados me hizo sentir remordimientos y corrí de espaldas hacia el avión. No sólo me reclamaba el deber; tenía que huir de la voracidad infantil de Marilyn, de un sentimiento que se parecía a mi ingobernable necesidad de compensaciones, necesidad que por una parte había creado el arte que me había salido de las manos y por otra me disgustaba por su pátina de irresponsabilidad. Una retirada hacia el baluarte de la moralidad y las buenas costumbres, desde luego, pero no necesariamente hacia la verdad. Volaba hacia casa con el perfume femenino aún en las manos y caí en la cuenta de que mi inocencia era formal exclusivamente, descubrimiento que me entristeció, aunque con él despuntó la certidumbre de que, al fin y al cabo, era capaz de sumergirme en la sensualidad hasta la cabeza. Este novedoso misterio me caló como una fuerza esplendorosa y lo acogí como una suerte de prueba de que seguiría escribiendo, pero no un aburrido guión cinematográfico por encargo, que es una forma de saber y no de ser y sentir; intuía en mi interior otra obra de teatro y una obra de teatro era mi propio yo vivo.

Ya en Brooklyn, unas veces me felicitaba por haber escapado de la destrucción y otras me preguntaba por qué me había marchado. Día tras día sin saber nada de Kazan, y empecé a experimentar cierto alivio. Cohn tenía que haber rechazado el guión al final, lo que significaba que no hacía falta que volviera a Hollywood; es posible que escribir fuera demasiado erótico para hacerse por encargo. Mary, mientras tanto, comprendía sin duda mi desasosiego y yo me sentía tan incapaz como ella de perdonarme. Por fin sonó el teléfono. Era Kazan que, según me pareció, hablaba con su voz más baja, como si no estuviera solo en el despacho, lo que no sería el caso probablemente; es posible que yo le hubiera sorprendido en un momento de temor público.

Cohn quería que se hicieran algunos cambios; si yo aceptaba, la película podía filmarse. El cambio principal era que los malos de la historia, los bandidos sindicalistas y sus protectores gangsteriles, tenían que ser comunistas. Empecé a carcajearme, aunque el corazón se me encogió. Kazan dijo que se limitaba a transmitir lo que le había dicho Cohn, convencido de que sus propios comentarios habrían desvirtuado mi entendimiento del mensaje. Roy Brewer, cabecilla de todos los sindicatos de Hollywood, había sido consultado: por el FBI, sin duda; había leído el guión y dicho lisa y llanamente que todo era mentira, que él era amigo personal de Joe Ryan, dirigente de la Asociación Internacional de Trabajadores Portuarios y que en los muelles no sucedía nada de cuanto yo contaba. Por último, había dicho a Cohn que si se rodaba la película, haría que los operadores de todos los cines del país se declarasen en huelga para que no se proyectase jamás. El FBI, además, consideraba que era un argumento muy peligroso que podía originar graves problemas en los muelles nacionales en un momento en que la guerra de Corea exigía un tráfico ininterrumpido de hombres y material. O sea que a menos que Tony Anastasia se transformara en comunista, la película sería un acto antiamericano, próximo a la traición.

Casi sin habla, repliqué que sabía a ciencia cierta que en los muelles de Brooklyn apenas había comunistas y que describir una revuelta de la base contra los comunistas y no contra los extorsionadores era una imbecilidad, y que se me caería la cara de vergüenza si volvía por los muelles. Con voz uniforme y desesperanzada, Kazan repitió que, imbecilidad o no, era lo que querían Cohn, Brewer y el FBI. Al cabo de un par de horas telegrafiaba a Cohn para decirle que retiraba el guión y que no podía aceptar sus exigencias. A la mañana siguiente un empleado me entregaba un telegrama en la casa de Brooklyn Heights: «MUY CURIOSO QUE USTED SE RETIRE CUANDO QUEREMOS QUE EL GUION SEA PROAMERICANO. HARRY COHN».

Una vez más recorría Brooklyn Heights, cruzaba el puente liberador a pie o en bicicleta, bajaba hasta Battery Park para contemplar a la gente que subía al transbordador de la Estatua de la Libertad. Años de lluvia mugrienta habían borrado ya la pintada «*Dove Pete Panto*» y sabía que a este hombre que no había visto en mi vida no lo rescataría jamás de su destino de comida anónima para los peces del fondo de la bahía. Que el sindicalismo, en el que mi generación había puesto muchas esperanzas idealistas, fuera en el presente caso una engañifa más, era de Perogrullo, pero que se protegiera de un modo tan sistemático de una costa a otra, y con el nombre de patriotismo además, era para echarse a reír. Ni siquiera se trataba de que estuviera en juego mi credibilidad personal; la corrupción de los muelles había saltado ya a las páginas de un periódico republicano, el *New York Sun*, gracias a un cronista llamado Malcolm Johnson, que había desenredado la madeja de las extorsiones y sus responsables para que todo el mundo lo supiera, y había recibido el Premio Pulitzer el mismo día en que lo había recibido yo por el *Viajante*. En realidad, Joe Ryan no tardaría en cruzar la puerta de Sing Sing por sus delitos como jefe de la Asociación Internacional de Trabajadores Portuarios. Ya no era un deber denunciar aquel estado de cosas. Ya se había hecho. Pero las olas ciegas del tráfico seguían recorriendo el puente con inconsciencia, por encima de las escenas que mi guión había retratado y de la situación que Johnson había denunciado punto por punto. El país hedía a corrupción mientras enviaba a sus hijos a barrer la tierra a trece mil kilómetros de distancia, a Corea.

Pensé que caía una noche perpetua de confusión. Comprendería que se trataba de un enfoque obtuso cuando años después supiese por algunos amigos nuevos y más jóvenes —en particular William Styron y James Jones— que el comienzo de los cincuenta había sido su época de gestación y que Norteamérica se les antojaba destinada a ser guía del mundo, si no su caudillo. Para ellos, escritores que vivían en Roma, Londres o París, herederos de una guerra victoriosa, era una Norteamérica que en tiempos de vacas flacas podía ganar la medalla del mérito incivil, pero a pesar de los pesares seguía siendo la patria de la libertad.

No era éste el panorama que veía yo desde el puente por el que paseaba. Pensé escribir un artículo sobre mi tropiezo hollywoodense para revelar en qué situación se encontraba la libertad en Norteamérica, pero me pareció un absurdo ejercicio de autocompasión cuando ante las mismas denuncias de Johnson un Brewer se atrevía a calificar de embustero mi guión y conseguía poner de su parte al duro Harry Cohn, que arropaba su cobardía con la bandera estadounidense. Si abría la boca, me dije, que fuese donde se me oyera y no donde se me echase a escobazos como a un periódico viejo. No esperaba que nadie se rasgara las vestiduras porque un dramaturgo había escrito un guión y se lo habían censurado; antes bien, cabía la posibilidad de que tuviese que sufrir nuevos ataques incluso por haber ideado una historia que podía estorbar el tranquilo transporte de armas a Corea. Así era la época. Estaba totalmente solo, como muchos otros que sabían que era inútil subirse al Siglo Americano, ese tren que se intuía no iba a ninguna parte y cuya vía terminaba en el desierto en que vivía la gran mayoría empobrecida de la humanidad.

La desesperante sensación de que se me quería crucificar se basaba en algo más que impresiones generales. Hacía un año más o menos, Jack Goodman, antiguo director literario de Simon and Schuster, me había invitado a asistir a una tertulia semanal en que algunos autores analizaban qué podía hacerse para combatir la creciente histeria de la nación, el miedo progresivo a manifestar cualquier opinión que pudiera considerarse izquierdista o liberal, por no decir prosoviética. Íbamos derechos a una época en que un senador norteamericano podría calificar de comunista en alianza con Stalin al ministro de Defensa George C. Marshall, antiguo general del ejército y ex ministro de Asuntos Exteriores, sin que nadie se indignara.

Todos los martes por la noche reunía Jack a dos docenas de figuras del periodismo y la literatura en el cómodo salón de su planta baja de Greenwich Village. Edgar Snow, uno de los jefes de redacción del *Saturday Evening Post,* Jack Bleden, novelista y periodista especializado en asuntos chinos, John Hersey, novelista y colaborador de *New Yorker,* Richard Lauterbach, de *Life,* Ira Wolfert, novelista y colaborador del *Reader's Digest,* y Joe Barnes, redactor jefe de la sección internacional del *Herald Tribune,* eran algunos de los habituales, y el fotógrafo Robert Capa estuvo entre las caras que acudían una semana y desaparecían. No tardaron en sumarse abogados y comerciantes, personas afectadas por la patanería ultramontana del momento, veinte o treinta en total, sentados en círculo, bebiendo, fumando y tratando de idear una contraofensiva que desde los medios de información contrarrestara la incontenible propaganda de la derecha. Se sugirió escribir ensayos, se propusieron temas y algunos contactamos con autores de fuera de Nueva York para pedir su opinión. El novelista Louis Bromfield, que por entonces estaba en Ohio, dedicado a la agricultura científica, nos contestó con una carta rabiosa en que nos maldecía a todos por conspiradores comunistas. Así era la época.

Después de muchos meses, muchas propuestas y muchas intentonas de publicar tal o cual réplica a la paranoia dominante, no se nos permitió publicar ni una sola línea en ninguna parte. La conmoción, si no trágica, era notable: al margen del prestigio que tuviéramos, éramos poco más que jornaleros de sustitución fácil. Por todas partes se despedía a profesores porque se reunían o a causa de sus ideas, reales o inventadas, al igual que se despedía a científicos, diplomáticos, carteros, actores, directores, autores: como si la Norteamérica «auténtica» se sublevase contra todo lo que no fuese de comprensión fácil, contra todo lo que fuera o pareciese extranjero, contra todo lo que pareciese algo menos tranquilizador que aquella Norteamérica que se erguía inocente y pura en un mundo vil y siniestro allende las fronteras. Y sin apelación posible. Vivíamos en un país ocupado en que cualquiera podía ser espía del enemigo. Un año más tarde, sin ir más lejos, Goodman sería emplazado ante el Comité de Actividades Antiamericanas, no porque se le acusara de comunista, sino para que explicase el porqué de aquellas reuniones y cómo era posible que, no siendo rojo, hubiese patrocinado una campaña antiamericana en la que estaban complicados tantos autores y periodistas de primera categoría. En otras palabras, en nuestro grupúsculo de bebedores había habido un chivato, ya que el Comité conocía el nombre de todos los participantes.

Diez, veinte, treinta años después se aclaró que lo que había desencadenado aquella campaña doméstica fue, en gran medida, una decisión consciente, primero de un sector del Partido Republicano, al margen del poder durante casi dos décadas, de reducir a traición los conceptos básicos del New Deal, y luego de los demócratas conscientes, que quisieron hacerla pública. Pero en la época, para la mayoría, todo tenía el aspecto de un fenómeno natural, de terremoto incontenible que recorriese la escena política. Con la única y pusilánime oposición de los demócratas, McCarthy no tardaría en calificar de «veinte años de traición» a todo el período Roosevelt-Truman. Y no es mentira que en los ochenta casi toda la infraestructura del New Deal se ha ido eliminando bajo la batuta de Reagan, aunque no se podía desmantelar del todo sin hundir el país.

Inge, mi mujer, a la que aún no conocía, llegó a los Estados Unidos en 1951 para realizar un breve trabajo fotográfico-periodístico en Hollywood y sufrió un desagradable interrogatorio a manos de un inspector de inmigración, acusada de sospechosa de tener contactos comunistas porque en el equipaje llevaba una novela publicada por el Club del Libro Izquierdista de Londres. Tras pasar la guerra en la Alemania nazi, haciendo trabajos forzosos durante un tiempo bajo las bombas que caían en el aeropuerto Tempelhof de Berlín, al final se había hartado y, aunque era persona educada, había preguntado al inspector cómo se le ocurría pensar que una comunista había sobrevivido a la guerra en la Alemania nazi y que por qué no se le preguntaba en ningún momento si había simpatizado con el nazismo. Pero evidentemente estábamos demasiado ocupados admitiendo criminales de guerra nazis con documentación falsa, hombres y mujeres que en décadas posteriores serían por fin extraditados y procesados en Europa por crímenes de guerra. Así era la época.

Me había acostumbrado a coexistir con una ira sin forma. Al margen de I.F. Stone, cuyos informes semanales de cuatro páginas que publicaba él mismo analizaban sin descanso los problemas desobedeciendo la norma de que todo tenía que expresarse en términos anticomunistas, no recuerdo a ningún otro periodista que se enfrentara al huracán sin temblar como una hoja. Norteamérica tenía el Partido Comunista más pequeño del mundo, pero se comportaba como si estuviera en vísperas de una revolución sangrienta. Encontrándome en el despacho de mis abogados por asuntos laborales totalmente desligados de la política, se me ocurrió decir que el teatro broadwayano se estaba «corrompiendo» por culpa de su comercialidad creciente y uno de los picapleitos alzó los ojos de un papel y me recriminó terminantemente: «Esa es una postura comunista». Durante unos instantes me quedé sin aliento, no a causa del temor, sino por la estupefacción que me producía el ver que la sábana de la sospecha estaba amordazando toda opinión. ¿Me iba a guardar ahora de emplear aquel verbo en relación con la comercialización de Broadway, que sabía iba a desembocar donde está ahora, en la esterilidad del presente?

Pero del brazo de la ira caminaba la culpa, la culpa del negador cuyo solo escepticismo presupone ya una traición contra la masa crédula. El temor del descrédito público me inducía a una autovigilancia que acabé por detestar. Por si toda esta irrealidad no bastara, yo aún gozaba de otro nivel existencial, el de dramaturgo famoso al que se invitaba a toda suerte de celebraciones, entre ellas la del Padre del Año, honor demasiado irónico en un momento en que estaba en guerra conmigo mismo, con Mary y con la innegable urgencia interna por salir de lo que había acabado por antojárseme caparazón autonegador y vacuo. Quería dejar de volver la espalda al poder que mi trabajo me había reportado y saturarme de experiencias prohibidas por una vida de ambición disciplinada, temiendo a la vez las consecuencias: menos por mí, supongo, que por aquellos a quienes amaba. Sin darme cuenta, invitaba a salir de las profundidades a lo que Freud llamó lo reprimido. Con prudencia al principio, tal creía yo por lo menos con fatuidad, dejé que el misterio y bendición de lo femenino se abatiese como un oleaje sobre mi cabeza un par de veces, las suficientes para reducir a escombros el último rastro de fe en que los contratos sociales, entre ellos el matrimonio, tuviesen algo que ver con lo inevitable. La versatilidad y el azar no tardaron en arrasar todas las leyes, tanto las de la psique como las de los tribunales. Por lo visto éramos criaturas mitopéyicas que no sólo creábamos arte, sino también vidas no menos ficticias, y, a poco que nos percatemos, con no menos deseos de vivir.

Vi extirpar minuciosamente del cuerpo social el respeto público como las alas de los insectos y pájaros que arrancan los niños crueles, y a ciudadanos grandes y nobles acusados de traidores sin que en ninguna parte hubiese la menor muestra de indignación. El tácito código de la tolerancia, al parecer, ya no había que observarlo. Podía inclinarme por no renunciar a mi yo público, el único fragmento de Norteamérica que tenía la esperanza de gobernar, pero el caos continuaba por dentro; un joven salía de un largo sueño para reclamar la consagración femenina que era la primavera de su capacidad creadora, la bendición infinita de la mujer, felicidad en lo más profundo del hombre, tan inmaterial, irrestituible y necesaria como la bóveda celeste. Era como si el éxito, semejante a un gigantesco incendio que consumiera todo el oxígeno del aire, hubiera agotado todo el amor de que la vida me había guarnecido, y si me acusaba a mí mismo, o a mi mujer, o a las ambigüedades de una madre seductora en el curso de un arrebato, después, mucho después, todo, desde el pasado, revertiría sobre mí, porque sería el precio que se me haría pagar por lo recibido.

Si ante los apremios derechizantes me desplacé aún más hacia la izquierda durante un tiempo, puede explicarse, en el caso de que sea explicable, como un autoabandono y desafío deliberados de mi recién conquistada posición en el mundo. El conformismo respetable era el matarife de los sueños; estaba harto de tener miedo, de la vida, de mí mismo y de lo que durante muchos días se me figuró avance inexorable de los vitoreados patriotas totalitarios.

Asistí a unas cuantas reuniones de escritores comunistas en casas particulares, pero me sentía allí tan irreal como en mis andanzas de lobo estepario. Honrados miembros de la clase media buscaban sin duda la misma clase de autorrealización que tiempo después se buscaría en esta o aquella secta o terapia autosuperadora. Pero en aquella época la pureza se obtenía sacrificando el presente al futuro perfecto del socialismo, con objeto de eliminar la vaciedad, las contradicciones, las ambigüedades, y de llegar a una posición moral sólida y sin tacha. La presunción y autobombo de la izquierda se avenían mal con las dudas que me atribulaban, ya que por entonces estaba alejado del conocimiento de mí mismo. En cualquier caso, una de mis contradicciones consistía en apelar por un lado a la solidaridad humana y por el otro el serme casi imposible asistir a la reunión que fuera o aceptar con sinceridad el igualitarismo inherente. Y cuando al final ya no pude retroceder, tuve que preguntarme qué había sido de la posibilidad de aquel ideal filosófico, transpolítico, hermano del atribuido a un Ibsen o a un Chéjov. Lo que al parecer había desplazado a la nobleza del ideal era una maniobra táctica o estratégica frente a mí mismo, no menos que frente a la nación y frente al mundo. Más tarde di en pensar en este problema en términos de falta de trascendencia, pero no me encontraba aún en un punto en que la política fuera una evasión en sentido concreto; aún se me antojaba la realidad última a la que había que aferrarse. Si le di la espalda en aquel brete, fue tanto por un sentimiento de perplejidad e insatisfacción conmigo mismo cuanto por haberme desilusionado los demás.

En aquel entonces, comienzos de los cincuenta, los bosques estaban llenos de ex radicales desengañados del sovietismo, del liberalismo y hasta del futuro de la ciencia en tanto que dilatación del espíritu. Los judíos abrazaban el catolicismo, los socialistas se unían a la caza de las brujas comunistas sin importarles las libertades civiles en juego, y los pacifistas de toda la vida hacían redoblar los tambores de la Guerra Fría. Parecía otra huida de la encerrona moral en que todos sabíamos se había convertido la vida. No dejaba de repugnar el espectáculo de los radicales conversos, ahora antisoviéticos furibundos, en parte porque era un momento muy oportuno para las apostasías. Además, me mofaba de mí mismo por la lasitud con que en general defendía la fe constante y el miedo resucitaba el egoísmo que me venía reprochando desde muy pequeño. En cualquier caso, se me figuraba que lo importante no era vituperar a los soviéticos, por muy de moda que estuviera; lo decisivo era preguntar para qué servíamos, cuál era nuestro papel. ¿Cómo habían transformado tales conversiones a aquellas personas, cómo las habían levantado de las tumbas en que casi todas vivían? Si la izquierda rezaba su rosario, repitiendo sus rituales oraciones por el futuro cada vez más lejano de una sociedad justa y sin clases, la nueva ortodoxia de la derecha exigía un refrendo de la sociedad norteamericana que yo a duras penas podía satisfacer, habida cuenta de los ejemplos que se me daban, como el guión censurado que tenía en el cajón, testimonio no sólo de la opresión que sufrían miles de personas al pie del puente sino también del poder represivo de un sindicato derechista cuyos tentáculos podían recorrer el país y llegar a los estudios de la Columbia Pictures.

Habría tenido que alegrarme de mi soledad y animarme con la frase lapidaria que estampó Ibsen en *Un enemigo del pueblo:* «El más fuerte es el que está más solo». Pero el judío que había en mí me hacía huir de la salvación personal como si fuera algo pecaminoso. Era la propia verdad lo que había de contribuir a la evolución de la justicia y la fraternidad públicas, lo que debía transformar el espíritu de la ciudad cuyo rugido insensato seguía oyéndose sin cesar a ambos extremos del puente.

A comienzos de los cincuenta, el llamado teatro del absurdo estaba aún cerca, y me opondría a casi todos sus productos por considerarlos falsos, pero los frutos de cada generación han necesitado unas inversiones que ésta está obligada a defender. Si hubiera obedecido al pie de la letra mis observaciones diarias, habría acabado por ser un absurdista cabal, porque casi siempre cabeceaba ante lo que ocurría y me reía con la carcajada seca del que no sale de su asombro.

Había cedido los derechos del *Viajante* a Stanley Kramer, que hizo la película para la Columbia. Mi única intervención consistió en quejarme porque el guión había eliminado casi todos los puntos dramáticos de la obra teatral como si le hubiera pasado por encima una cortadora de césped y, habida cuenta de su probada capacidad de emocionar al público en el teatro, el aburrimiento resultante era de reparación difícil. Stanley Roberts, autor del guión, cogió el avión para darme explicaciones y recuerdo un comentario suyo que tal vez arroje luz sobre el problema.

En el acto primero, cuando Linda ruega a sus hijos que se compadezcan del padre, Biff se ablanda y accede a quedarse en Nueva York y buscar trabajo, diciendo que se mantendrá apartado de Willy. Pero Linda no acepta esta solución por impropia; el hijo debe dar apoyo psicológico al padre. Ello equivale a que Biff deje de oponerse al concepto que tiene Willy de cómo ha de vivir su propia vida y estalla diciendo: «Detesto esta ciudad y voy a quedarme en ella. ¿Qué más quieres?». A lo que Linda replica: «Se está muriendo, Biff», y habla sobre las intenciones suicidas de Willy.

Este pequeño pero importante paso hacia el dramático enfrentamiento que se avecina se pasó por alto sin más ni más y yo manifesté mi perplejidad. «Pero», me explicó Roberts, «¿cómo va a gritar a su madre de ese modo?»

No fue éste más que uno de los problemas que planteó la película y que en términos generales planteaban todas la películas de Hollywood, aunque tal vez estaba relacionado con el principal y más peliagudo: Fredric March tenía que interpretar el papel de Willy como si éste fuera un psicópata, casi sin control alguno y sin contacto apenas con la realidad. March había sido el primero en quien habíamos pensado para que interpretara el papel sobre las tablas, pero lo había rechazado: en años posteriores, no obstante, acabó convenciéndose de que no se le había hecho la oferta de un modo formal. La verdad es que su interpretación cinematográfica habría podido ser fabulosa, pero como psicópata se le veía venir por todas partes; es más, lo equivocado del enfoque diluía las tensiones entre el hombre y su sociedad, ya que eliminaba el fondo social contemporáneo y pasaba por alto el contexto. Si Willy estaba como un cencerro, difícilmente podía ser un punto de referencia crítica. Era como si Lear, lejos de haber tenido poder político auténtico, hubiera imaginado que era rey.

Pero la época era de tal modo que incluso esta versión desbravada se tenía por demasiado radical. El departamento de publicidad de la Columbia me pidió primero que hiciera una declaración anticomunista para apaciguar a la Legión Americana, que había avisado que si no ponía un anuncio contra los rojos en *Variety*, un ritual de la época, habría movilización de piquetes contra la película en todo el país. Decliné la oferta. Lo primero que supe a continuación fue que la Columbia me invitaba a presenciar la proyección de un corto de veinticinco minutos que acababa de montarse y que se me propuso que figurara como prefacio de la película dondequiera que ésta se proyectase.

Aquella breve obra maestra se había filmado en el campus de la Facultad de Ciencias Empresariales del City College de Nueva York y consistía sobre todo en entrevistas con profesores que explicaban con la mayor desenvoltura que Willy Loman era totalmente atípico, un fenómeno de retroceso al pasado, cuando los viajantes de comercio sí tenían problemas serios. Pero en la actualidad, ser vendedor era una profesión magnífica, con ilimitadas compensaciones espirituales y financieras. A decir verdad, hablaban igual que un Willy Loman con título, satisfechos de sus triunfos, a los que por supuesto la Columbia Pictures había añadido una propina generosa por colaborar en aquel admirable ensayo aclaratorio. Cuando se encendieron las luces en la sala de proyección de la Séptima Avenida, los dos o tres ejecutivos que habían visto el corto conmigo esperaron mi reacción con un silencio algo defensivo, si no humillante.

En medio de aquellos hombres bien pagados me sentí presa de sensaciones contradictorias, aunque lo que lo dominaba todo era un horror inefable a aquella charada. No podía verse en la sala, pero era innegable la presencia de la amenaza patriótica de acabar comercialmente con el film

Nivel cero: Isidore y Augusta Miller antes de la I Guerra Mundial.

Nuestra bella madre, Kermit el guapo y yo (a la izquierda).

Kermit, la alegría de la casa, y yo.

Los días de azul marino.

En Harlem, antes de la Crisis Económica.

Versión rusa de los años que pasé en el almacén de accesorios automovilísticos; el personaje basado en mí es el segundo empezando por la izquierda. Representación de *Recuerdo de dos lunes*, Moscú, 1960.

Casa de los Doll, North State 411, Ann Arbor, cuarenta años después.

Grabación de la forma de hablar de las esposas de los mineros mientras esperan a que los maridos salgan a la superficie. Carolina del Norte, 1940.

En Brooklyn Heights.

1947: los primeros intérpretes de *Todos eran mis hijos*: Arthur Kennedy, Karl Malden, Beth Merrill, Ed Begley y Lois Wheeler.

La subyugante versión israelí (1976) de *Todos eran mis hijos*, con Yossi Yadin, Lea Schwartz y Hanna Marron, que perdió una pierna en un atentado.

El estudio donde se gestó el *Viajante*.

Con Jane, Bob y otro Ford.

La familia Miller en Willow
Street, 1953.

Kay Brown, mi agente y a
cargo de todo durante casi
cuarenta años, desde *Todos eran
mis hijos*.

Mildred Dunnock, Lee J. Cobb, Arthur Kennedy y Cameron Mitchell. El escenario de Mielziner captaba la realidad sintética del *Viajante* con su dormitorio de dos metros, la diminuta mesa de cocina y el único electrodoméstico, la odiosa nevera.

Con Elia Kazan durante los ensayos del *Viajante*.

Parece mentira, pero Lee sólo tenía treinta y tantos años...

1965, dieciséis años más tarde: Cobb graba la versión discográfica del *Viajante* con Dustin Hoffman, que estudia atentamente al personaje de Bernard.

1984, ha llegado el futuro: Hoffman en el papel de Willy, con John Malkovich, Kate Reid y Stephen Lang.

Ying Ruocheng, traductor del *Viajante* e intérprete de Willy, con Tío Ben (Zhong Jiyao, con sombrero tejano), los hijos (Mi Tiezeng y Li Shilong) y Linda (Zhu Lin, a la izquierda), en el montaje que hice en 1983 para el Teatro de Arte Popular de Pekín, el primero dirigido por un extranjero en la China posmaoísta.

Con W. Hampden, J. Harris y K. Bloomgarden. Una pausa en la primera representación de *Las brujas de Salem*; Harris con un típico gesto conciliador.

Con el decorador B. Aronson, disgustado porque Harris le ha rechazado un escenario moderno en beneficio de otro convencional, y Bloomgarden, que sin duda planea en vano desquitarse del director.

Las brujas de Salem en Shangai, bajo la dirección de Huang Zoulin.

Mary Warren arremete contra Proctor, primera representación, 1953: (desde la izquierda, en sentido contrario a las agujas del reloj) Donald Marye, Madeleine Sherwood, Dorothy Jolliffe, Barbara Stanton, Jenny Egan en el papel de Mary, Joseph Sweeney (de espaldas al fotógrafo), E.G. Marshall, Philip Coolidge (detrás de Marshall), Arthur Kennedy, Walter Hampden, Fred Stewart y Don McHenry.

Los primeros intérpretes de *Panorama desde el puente*, 1955: Van Heflin, Gloria Marlowe, Richard Davalos, Jack Warden y Eileen Heckart.

Raf Vallone en *Panorama desde el puente*, de Sidney Lumet, una violenta película rodada en Brooklyn y París, 1961.

Mi padre de visita en los exteriores de *Panorama*, acordándose al parecer de algo lejano e importante.

La mejor época.

John Huston observa la galería de *Vidas rebeldes*.

Montgomery Clift se mentaliza para montar un caballo con muy malas pulgas.

Tres «rebeldes» aprovechan una tarde en Nevada: Marilyn, Eli Wallach y Gable. Simbólicamente o no, la pared podía desacoplarse y la casa desmontarse en cuestión de minutos.

Kevin McCarthy y Paula Strasberg durante uno de los primeros descansos.

Inge Morath fotografiada por Henri Cartier-Bresson en la época en que nos conocimos.

Preparativos para plantar seis mil pinos y abetos en un ladera despoblada de Connecticut.

La cocina de los Calder en invierno: Louisa, el escultor Bill Talbot y Sandy.

Mi taller: en construcción, una mesa de madera de cerezo.

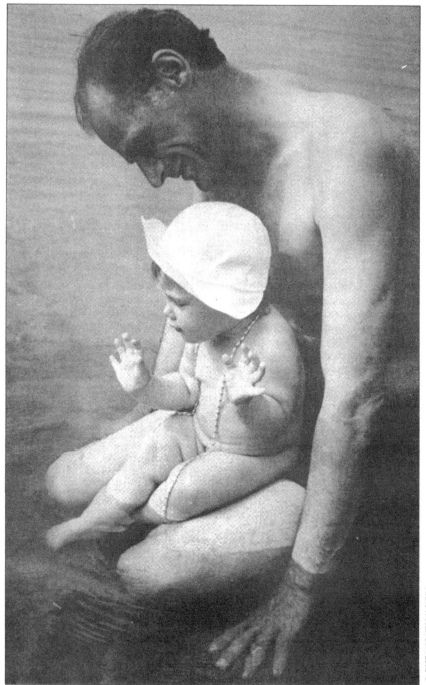

© INGE MORATH/MAGNUM

Rebecca en traje de baño: cadena dorada y pamela.

Después de la caída, primer ensayo: Kazan con Jason Robards; al fondo, Faye Dunaway, Jon Voight, Michael Strong, Barbara Loden y otros miembros de la reciente Lincoln Center Repertory Company, que no tardaría en hacerse añicos gracias a la soberbia de banqueros ávidos de un éxito clamoroso, de una vanguardia resentida y con recuperada influencia, y de una prensa que hacía caso omiso de las necesidades teatrales del público.

Charla teatral a medianoche con Robert Whitehead y Kazan, Hotel Chelsea, 1963.

Jason Robards como Quentin y
Barbara Loden como Maggie: algunas
noches ponían al descubierto una
realidad íntima que rompía el corazón.

La versión de Franco Zeffirelli, con
Monica Vitti y Giorgio Albertazzi,
Nápoles, Roma y Génova, 1964.

Luchino Visconti durante su montaje parisino
de *Después de la caída*, 1965.

Bibi Andersson y Max von
Sydow, Estocolmo, 1964.

Representación de *Incidente en Vichy* en el Lincoln Center, a cargo de Harold Clurman, 1964: Ira Lewis, Joseph Wiseman, Will Lee, David Stewart, David Wayne, Michael Strong y Stanley Beck. Hal Holvbrook, que hacía de oficial alemán, ha quedado fuera de la foto. Creo que la tormenta desatada contra la *Caída* impidió que se apreciase esta notable interpretación de conjunto, que se dio muy poco después.

Según Clurman, nada duraba si no se ponía amor en su concepción. En el cielo, se pasaría toda la eternidad explicándole a Dios —con gran entusiamo— por qué su obra es perfecta.

Anthony Quayle como el psiquiatra y Alec Guinnes como el príncipe von Berg, con el pintor Lebeau (Dudley Sutton) y el Muchacho (Derek Carpenter): montaje londinense de Peter Wood, 1966.

Vichy en el Teatro Sobremenik de Moscú, 1987, tras veinte años de prohibición; en 1968, se clausuró la noche del estreno. Foto de los ensayos: G. Ostrin en el Judío Viejo, V. Nikuli en el Príncipe, I. Kvasha en el doctor Leduc; dirigía M. Jutsiev.

El mejor paseo en trineo de todos los tiempos, Rusia, 1965. Inge riéndose, pero porque aún no se ha dado cuenta de que el obturador se le ha congelado.

© SERGEI MIKOYAN

© INGE MORATH/MAGNUM

Con Ilyá y Lyuba Ehrenburg en su casa moscovita, 1965. Superviviente de la «lotería» existencial del estalinismo, al volver de la guerra civil española se enteró de que casi todos sus colegas periodísticos habían desaparecido al volver a la URSS por haber «alternado con extranjeros».

© INGE MORATH/MAGNUM

Autógrafo en la pared del Teatro Taganka de Y. Lyubimov, antes de expatriarse.

© INGE MORATH/MAGNUM

En Colonia, patria chica de Heinrich Böll, 1972, antes de ser elegido éste presidente del PEN Internacional.

Rebecca Miller en su estudio de Brooklyn, 1987.

© ARTHUR MILLER

Inge y Henri Cartier-Bresson discutiendo en la casa parisina de este último por un quítame allá esa fotocomposición.

Hablando ante el Congreso del PEN neoyorquino (1966), en mi condición de presidente.

Con Pablo Neruda en la hoy desaparecida librería Dauber and Pine, en busca de ediciones de Whitman y de los sonetos de Shakespeare.

Un respiro durante el Congreso de PEN del 1966: con Saul Bellow y John Steinbeck tras la ponencia de aquél.

Convención del Partido Demócrata, 1968: con Paul Newman, también delegado por Connecticut, mientras se venían abajo nuestras esperanzas de introducir en el programa del partido una moción por la paz de Vietnam.

El padre William Sloane Coffin hijo, Steve Minot y yo preparándonos para encabezar una manifestación en New Haven contra la matanza de Vietnam.

El mayor comerciante de muebles usados de la historia humana, David Burns, mientras deja pasmados a Kate Reid, Arthur Kennedy y Pat Hingle en *El precio*, 1967, bajo la dirección de Ulu Grosbard.

Dirigiendo *Up from Paradise*, versión musical mía de *The Creation of the World and other Business*, con Seth Allen y Kimberly Farr.

Mi hermana Joan interpretando a su «madre» en el estreno (1980) de *The American Clock*, con John Randolph.

La versión de Wood de *The American Clock* para la compañía del Teatro Nacional de Gran Bretaña (1986): Judith Coke, Barry James y Adam Norton.

Vanessa Redgrave y Melaine Mayron en *Playing for Time,* guión televisivo que escribí en 1980 según las memorias de Fania Fenelon sobre la orquesta femenina de Auschwitz. A continuación hubo una versión teatral.

Clara, Lincoln Center, 1987: Kenneth McMillan y James Tolkan; dirigió Gregory Mosher.

Con Alan Ayckbourn, que dirigió *Panorama desde el puente* en el National en 1987, y Michael Gambon, que interpretó el papel de Eddie Carbone.

Roger Allam, Jane Lapotaire y John Shrapnel en la versión del *Archbishop's Ceiling* de la Royal Shakespeare, 1986; dirigía Nick Hamm.

mediante una campaña irracional en mi contra. El miedo era la única emoción sincera, pero como es natural, no podía admitirse. Por el contrario, se me obligaba a admitir que el corto «no estaba mal» y que «contribuiría a promover la película». Pero nadie, desde el último empleado hasta Harry Cohn probablemente, patrón supremo de todos, creía en serio que yo fuese un peligro para el país, y estaba claro que la película no lo era.

—¿Por qué coño hicisteis la película si ahora os avergonzáis de ella? —les pregunté—. ¿Por qué no se va nadie del teatro si *La muerte de un viajante* es tan absurda y está tan pasada de moda?

No estaba muy seguro, pero me pareció que aquel estallido les tranquilizaba y murmuré algo acerca de procesar a la compañía por atentar contra el prestigio de una propiedad como la mía con aquel corto difamatorio. A medida que me percataba de que un derrotado cansancio minaba sus argumentos, me puse a considerar que, a lo mejor, en privado, incluso admiraban mi postura. Pero ello no haría sino empeorar las cosas, y no sólo para ellos y para mí, sino también, en cierto modo, para el país en que llevábamos a cabo aquella farsa descomunal. Si bien compartía algunos de sus temores, la verdad es que yo poseía algo que ellos no tenían, un orgullo respecto de mi obra que no me era posible traicionar y que a la postre era mi áncora, pues en el fondo se me pedía que admitiese que *La muerte de un viajante* era moralmente intrascendente, una historia contada por un idiota y que no significaba nada. Y a esto era fácil negarse. Nos despedimos con cordialidad y si el corto se proyectó alguna vez, no tuve noticia de ello. Habían cumplido con su obligación y ahora podían informar que yo les amenazaba con los tribunales, cosa que sin duda bastaba para que la Columbia arreglase su contencioso con la Legión, innegable epicentro de toda aquella historia, que debió de costar a la productora una par de cientos de miles de dólares.

Así, mientras que aún guardaba algunas cartas en aquel juego de «acabemos con Miller», no me hacía ilusiones sobre el hecho de que los poderosos me tuvieran entre ceja y ceja y sólo esperasen a tener un blanco seguro. Pero mi capacidad para olvidarme de las cosas es grande y me concentré en el trabajo a pesar de las fuertes presiones que recibía para someterme. Había veces incluso en que toda la atmósfera se volvía cómica. Un hombre cuyo nombre recordaba vagamente me llamó una mañana para decirme que había sido oficial de la Brigada Lincoln, que había conocido a Ralph Neaphus en España y que tenía algo importante que contarme. Supuse que estaría en algún lío político y que había tenido la desdichada ocurrencia de pensar que yo era lo bastante respetable para sacarle del brete, error garrafal que seguía cometiéndose en aquellos días. Pero cuando tomó asiento en el sofá de mi sala con el maletín negro en las rodillas y con afabilidad y simpatía ambiguas me dijo que quería venderme acciones de ciertos pozos de petróleo de Texas, me di cuenta de que los tiempos estaban cambiando. Me explicó que había aceptado aquel empleo porque se le había puesto en la lista negra por figurar en las nóminas de un sindicato, pero que poco a poco le había cogido el gusto y ya comenzaba a ganar algún dinero tangible. Luego me salió con aquello de que a veces es la historia misma la que determina el tema de una época. «Quiero decir», me explicó, ya con seriedad sincera, «que cuando los trabajadores tomen el poder del país necesitarán petróleo. Más que ahora si cabe, porque el socialismo aumentará la producción». El calvinismo es inmortal y renace en los lugares más insospechados; lo importante es saber siempre que se hace algo útil por los demás.

Fue aquél el período en que un Louis Untermeyer asustado y desesperado cerraba la puerta de su casa de Remsen Street y permanecía un año sin salir. Y no sabría hasta treinta años después, cuando me enteré por Harrison Salisbury, del *New York Times,* que una paranoia idéntica a la nuestra hacía estragos en la otra parte del mundo. La censura estaliniana de aquel mismísimo período apretaba tanto las clavijas que era imposible decir más de lo que decían los comunicados oficiales y los periodistas occidentales se marchaban totalmente frustrados de Moscú, dejando la ciudad en manos de un puñado de corresponsales de agencia. Salisbury, a la sazón corresponsal del *Times* en Moscú, estaba resuelto a quedarse y a romper el helado terror soviético. Para informar de algo que valiese la pena tenía que cifrar los despachos con un código improvisado. Las consecuencias se atemperaban en los Estados Unidos gracias a las garantías constitucionales, pero en los análisis políticos el punto principal se reducía en ambos países a la cuestión de la lealtad; en los años ochenta, Salisbury —gracias a la Ley de Libertad de Información— sabría que el FBI había tenido serias sospechas de que era espía rojo, en parte porque había querido quedarse en Moscú cuando muchos periodistas optaban por marcharse. Así era la época.

Pero ¿cómo decir todo esto, cómo dar con la forma de denunciarlo? Poco era en las novelas corrientes y nada en el teatro lo que se insinuaba sobre la calamidad en ciernes y el cine encandilaba al país con sus felices ocurrencias. Por debajo del puente no se ocultaba que se aproximaba una época distinta o por lo menos que se estaba desarticulando y destruyendo cierto sentido de continuidad con el pasado.

De acuerdo con las nuevas normas determinadas por la Guerra de Corea, hacía falta un pase de la Guardia Costera para acceder a los muelles y como Mitch Berenson no lo tenía, tuvo que buscar trabajo en una empresa familiar. Por vez primera en su vida adulta, que había pasado totalmente dedicado a la acción sindical, tenía que enfrentarse a una sociedad extraña, hostil y competitiva, para la que estaba tan mal pertrechado como un seminarista que hubiese renunciado al sacerdocio. No tenía literalmente ninguna historia social convencional, ningún antecedente laboral normal, ninguna cartilla de la seguridad social y ningún aprendizaje. Había emergido a un furioso río competitivo en que o aprendía a nadar en seguida o se iba al fondo.

Es verdad que había desperdiciado su vida (no podía saber que al cabo de unos años, Tony Anastasia, gracias a su influencia y a la de Longhi, qué duda cabe, fundaría el primer servicio médico del puerto para los estibadores, la Clínica Anastasia), pero aún tenía el espíritu en una extraña ebullición. Porque si bien carecía de toda experiencia en una sociedad competitiva, estaba descubriendo con creciente sorpresa que su vida de sindicalista tenía puntos en común con la de los empresarios. Ambos tenían que decidir adónde ir por la mañana, a quién llamar o ver, y en términos generales qué hacer con el tiempo. La rutina le era tan extraña como a cualquier capitalista, todo era un arriesgarse espontáneo; despuntaba la amarga verdad de que hacer aceptable una revolución no se diferenciaba mucho de hacer aceptable cualquier otra cosa.

Como activista liberado ganaba veinte dólares a la semana, cuando conseguía cobrarlos, y con esta minucia en los bolsillos había desarrollado una aristocrática actitud de superioridad hacia el dinero, que nunca había pensado acumular y que por tanto carecía de valor sentimental para él; si estaba muy apurado, siempre podía recurrir a cualquiera de los amigos que tenía por toda la ciudad, hombres junto a los que había luchado en batallas sindicalistas durante años.

Pero necesitaba un empleo y pensó que el único patrón al que de verdad había conocido era Krauss, un fabricante de jerséis del Lower East Side que, lo que son las cosas, le detestaba por haber dirigido una larga huelga en su fábrica hacía nueve años. Durante más de catorce meses había encabezado todas las mañanas el piquete de trabajadores que desfilaba canturreando consignas ante la fachada de la triste fábrica, obligando a Bernie Krauss a abrirse paso a empujones hasta el despacho. Y todas las mañanas Krauss se detenía lo necesario para amenazarle con el puño y gritarle: «¡Bolchevique de mierda, ojalá te pudras en el infierno con mil gatos colgándote del culo!». Y Berenson abría los brazos y le replicaba entre risas: «¡Bernie! ¡Negocia!».

Estaba pues nervioso mientras se dirigía al taller, pero al abrir la puerta de la calle le distrajeron el olor de lana chamuscada y madera quemada. En medio de los charcos sucios y la fetidez se encontraba Bernie Krauss, hombre ya cincuentón y que envejecía a ojos vistas, gordo en exceso, calvo y pálido como la muerte. Pero cuando vio a Mitch Berenson a su lado, el antiguo resentimiento le hizo vomitar fuego por los ojos.

—Tranquilo, Krauss, tómeselo con calma. Sólo he venido a pedirle trabajo.

—¡Trabajo! ¿A mí me pides trabajo? —Krauss habría montado en cólera, pero acababa de sufrir un incendio y la compañía de seguros sólo aceptaba cubrir una parte de las pérdidas, afirmando que el resto había quedado más o menos intacto, así que tenía el ánimo por los suelos.

Al finalizar la tarde, Krauss había contratado a Berenson en calidad de viajante de comercio y en menos que canta un gallo le ofrecía participar en el negocio. Lo primero que hizo Berenson fue apuntar con el extintor de incendios hacia los jerséis intactos, luego informó a un agradecido cuerpo de bomberos que había sofocado un nuevo brote y así consiguió que la compañía de seguros lo cubriese todo. Después vendió una partida de jerséis a Gimbels, de Filadelfia, venta que se canceló, según solía hacerse, lo que motivó que Berenson, sinceramente ofendido, volviese a Filadelfia y largase un discurso tan persuasivo e indignado que los estupefactos directivos anularon la cancelación —hazaña sin precedentes en el comercio de los jerséis— y le ofrecieran un empleo en Gimbels. Al cabo de un lustro era multimillonario y había financiado asilos para la tercera edad que se habían hecho muy populares. Mordisqueaba aún los puros más baratos que encontraba y más que coche conducía una cafetera, y gobernaba o poco menos la pequeña barriada periférica a la que se había mudado. «Lo que he descubierto», me dijo en cierta ocasión, «es que en el fondo todo es democracia. Al final, quien toma las decisiones importantes es el pueblo. Cuesta mucho y a menudo no se sabe qué hacer, pero a la postre resulta y es maravilloso.»

De un modo casi inevitable, volvió al misticismo una vez que hubo demostrado su eficacia, pero había perdido el profetismo arrebatador del marxismo apocalíptico y la esperanza redentora que lo acompañaba; había conquistado el mundo y perdido una religión, se había convertido en un hombre normalmente feliz e inquieto.

Al terminar la última clase ante los alumnos de segundo año de psicología, el venerable profesor Walter Bowers Pillsbury paseó la mirada por la cara de los estudiantes e hizo una pausa desacostumbrada. Eminente autor del libro de texto que utilizábamos, gozaba de gran prestigio en la materia, pero lo que más me fascinaba era que durante unos años hubiese sido toda una institución. Figura trágicamente digna de la Norteamérica de antaño, era hombre alto, de pelo blanco y mirada penetrante que llevaba cuello duro y corbatas oscuras. En medio del silencio nos dábamos cuenta de que se despedía no sólo de nosotros, sino asimismo de la profesión, pues frisaba ya la edad de la jubilación. Dijo: «No me arrogo el derecho de aconsejarles sobre su propia salud mental, pero hay una verdad que espero tengan siempre presente: no piensen durante demasiado tiempo en una sola cosa».

En 1935, mientras me esforzaba por concentrarme en mi arte y el país andaba como loco con sus espantosos problemas, parecía un consejo un tanto estúpido. Pero a comienzos de los cincuenta, unos quince años después, la voz del anciano volvió a sonar en mis oídos cuando advertí que había algo obsesivo en mi forma de enfocar el matrimonio y el trabajo; a los grandes arrebatos de amor y esperanza respecto de mi futuro con Mary les seguía un ciclo de desesperante resentimiento porque se me juzgara sin parar y se me condenara sin apelación posible. En un intento por romperlo había empezado a analizarme con Rudolph Loewenstein, un freudiano muy hábil, aunque al final me fue imposible poner en juego mi creatividad, que fue lo bastante prudente para no querer comprender, vaciando mi autonomía por destructiva que siguiera siendo. Nunca he fingido pues que poseía un criterio válido para juzgar el psicoanálisis, aunque ante todo me valió la amistad de un buen hombre y me procuró una forma de calibrar la conducta humana tal vez más desapasionada que antes. Pero no podía eludir el miedo de desangrarme a causa de una gratificante aunque estéril objetividad que podía ser útil a los críticos pero no tanto a los escritores, cuyo combustible es el caos de su vida instintiva.

Me he resistido siempre a emitir un veredicto final sobre los postulados psicoanalíticos por dos razones concretas. Yo había accedido al análisis para salvar un matrimonio, premisa distorsionadora que suscitaba la sospecha de que el autoanálisis estaba al servicio de la armonía marital. Pero también me acuciaba una sospecha surgida de aquella coyuntura histórica particular. Mientras que el país parecía saltar de contento a causa de la doméstica paranoia de Joe McCarthy ante todo lo no convencional, incluida la inteligencia, yo me entretenía olisqueando mis propias telarañas, un despropósito a todas luces, aunque sólo fuese, según esperaba, de orden temporal. Y no podía disipar mi convencionalidad con las huestes de liberales e izquierdistas que descubrían emocionados el psicoanálisis mientras nos arrojaba al negro espacio de un bandazo histórico tan brusco y amenazador. Mis problemas eran de índole personal, sin duda, pero no podía por menos de recelar que el psicoanálisis era una forma de automarginación que se empleaba como sustituto no sólo del marxismo sino también de toda suerte de activismo social. Dicho en pocas palabras, mi conciencia no veía la curación con buenos ojos.

Nueva York, ese cauce por el que siempre fluyen incontables culturas subterráneas, andaba crecido a causa de los afluentes liberales e izquierdistas despojados y en caótica fuga de la bombardeada fortaleza de la autonegación, con su inagotable confianza en el progreso social y su autentificación por-la-corrección-política de su posición al pie del cañón de la historia. Como siempre, el yo norteamericano, entidad puritana, necesitaba poner en práctica un cuadro de principios éticos, y una vez que se dio de baja el de Marx, el de Freud ofreció una autosuficiencia semejante a la de los redimidos y salvados. Sólo que, esta vez, la ordalía por la que tenían que pasar los perdidos como yo no consistía en formar parte de un piquete o de una brigada internacional, sino en confesar que uno había sido un cabrón egoísta que nunca había sabido amar. Si el psicoanálisis pudo ser una gloriosa hermandad liberadora de sexualidad y responsabilidad, nunca lo supe, aunque sólo fuese porque se me forzaba a defender el menguante espacio donde existir sencillamente como escritor; antes de reorganizar mi cabeza tenía que salvarme en el seno de la sociedad, ya que la sociedad no se conducía pasivamente conmigo.

Tampoco era esta vez lo que leía en los periódicos lo único que daba forma a mi ansiedad y sensación de peligro. *Cock-a-doodle Dandy*, la nueva obra de Sean O'Casey, iba a estrenarse en Nueva York y la Legión Americana no tardó en amenazar con acordonar el teatro. Sólo esto habría bastado para que cualquier empresario teatral se pensase dos veces las posibilidades comerciales de la obra, pero es que encima, la principal promotora, la señora Peggy Cullman, que se había convertido al catolicismo no hacía mucho, había leído la obra y dictaminado que era anticatólica, retirando por consiguiente su dinero. La obra era anticlerical, indudablemente, pero no anticatólica, y la Legión Americana estaba más interesada por la costumbre que tenía O'Casey de llevar en la solapa de su arrugada chaqueta una chapa con la hoz y el martillo que proclamaba que el comunismo se había apoderado de su corazón irlandés. No se parecía a ninguno de los comunistas que yo conocía directa o indirectamente y me inclinaba a sospechar que estaba del lado de los conservadores, en particular de los británicos, que por supuesto eran irritantemente amnésicos, mientras que los irlandeses de Irlanda, de donde el dramaturgo se había autodesterrado, fingían haberle olvidado, como a Joyce antes que a él, ya que estaban más preocupados por emigrar del país. En cualquier caso, habida cuenta de la jovialidad de algunas obras suyas y de su fabulosa biografía, me sublevaba que la gentuza de la Legión hostigara a aquel genio. Cuando el empresario pidió ayuda al Dramatists Guild [Asociación Colegial de Autores Teatrales] —las intimidaciones de la Legión le habían agotado los recursos económicos, poniendo en peligro toda la representación—, pergeñé una moción y la presenté una tarde a mis colegas del Guild. Se encontraban reunidos Moss Hart, nuestro elegante presidente, al que envidiaba sus hermosas pipas, aunque eran demasiado delicadas y pequeñas para mi gusto; Oscar Hammerstein II, cuyo aspecto avuncular hinchaba sus tajantes opiniones libertarias; y Robert Sherwood, dramaturgo, redactor de los discursos de Roosevelt, partidario activo de las libertades públicas y algunas de cuyas obras tempranas planteaban abiertamente el problema del individuo aplastado por la apisonadora de la civilización moderna. Entre otros que se me escapan por entre los dedos de la memoria, también estaba allí Arthur Schwartz, financiador y compositor de muchos musicales de éxito, como *The Little Show*, *The Band Wagon*, *Flying Colors* y *A Tree Grows in Brooklyn*, y hombre encantador y de humor rápido.

Propuse que se hiciera público en el acto que si la Legión boicoteaba la obra de O'Casey formaríamos un contrapiquete de dramaturgos en apoyo de la libertad de expresión teatral. Un estremecimiento de confusión recorrió la mesa, si bien Hammerstein pareció interesarse en serio, y a mí me pareció que aunque ninguno estaba preparado aún para lanzarse a la calle y pasear una pancarta por Shubert Alley, el diálogo se orientaba hacia una posición que defendía a O'Casey. En aquel instante, Arthur Schwartz, alterado hasta el extremo de manifestar una vehemencia innecesaria, nos advirtió que si se gastaba un solo penique del Guild en defender a un comunista, se llevaría del Guild a todos los miembros que quisieran seguirle y fundaría otra asociación. La brusca perspectiva de una escisión convirtió en humo la polémica y la propuesta que se debatía falleció en aquel instante y lugar. Ya no tenía ningún motivo para dudar de que la Legión boicotearía hasta el fin mi próxima obra, de que en vano buscaría apoyo entre mis colegas, porque eran los hombres más solventes del gremio y estaban o asustados o sin saber qué hacer. Así era la época. Y a decir verdad no era difícil imaginarse a un comité ideológico de legionarios, especialmente autorizado a parlotear durante la representación de cada nueva obra y a decidir cuál había que permitir y cuál no en las tablas neoyorquinas. Ya había experimentado en propia carne el poder de la Legión, que no sólo había proferido amenazas contra la versión fílmica del *Viajante* sino que, además, en un par de pueblos había conseguido clausurar una representación con Thomas Mitchell en el papel de Willy, Darren McGavin en el papel de Happy, Kevin McCarthy en Biff y June Walker en Linda: la mejor compañía ambulante irlandesa, al decir de los críticos de Boston. En un pueblo de Illinois, el boicot fue tan eficaz que no quedó en el teatro más que un aficionado. Mitchell insistió en continuar la representación para aquel espectador único, pero nunca supe lo que pensó al respecto.

Tal vez estuviese yo más amedrentado que los demás porque a mí lo que me daba miedo era tener miedo. Pero se trataba asimismo de que, dadas la época y mi naturaleza, tenía yo una imagen exaltada del dramaturgo, que para mí era una especie de caudillo revelador de la verdad, cuya espada de luz cegaría al dragón Caos cuando se acercase. La dramaturgia era la física de las artes, se venía abajo si mentía y conquistaba la gloria cuando profundizaba en los primeros principios de la vida humana. Con una carga tan gozosamente pesada, no era fácil pensar en escabullirse y echarse al monte.

Cuando Bobby Lewis me consultó la idea de hacer una adaptación de *Un enemigo del pueblo* de Ibsen, con Fredric March y su mujer, Florence Eldridge, en el papel del matrimonio Stockmann, me estimuló el que estos actores veteranos, a los que jamás habría vinculado con la política radical, se hubieran dado cuenta del peligro. Pronto supe que los March se habían querellado contra un difamador que les había llamado comunistas; la acusación les había costado ya algunos contratos cinematográficos y se veían retratados en el papel de los Stockmann, asimismo hostigados por la multitud histérica. Bobby Lewis, veterano del Group Theatre y cuya agradable e imaginativa puesta en escena de *My Heart's in the Highlands* de Saroyan me había suscitado mucha admiración años atrás, poseía una ingeniosa indiferencia que le mantenía al margen de la política activa y, como hombre de teatro, me merecía confianza, a pesar de intuir que el proyecto no haría otra cosa que acercarnos un poco más al centro de la diana de los cazadores de rojos.

La obra, cuando volví a leerla, me supo a rancia, pese a la importancia temática que tenía en relación con la situación contemporánea. Pero el empresario, un comerciante joven y rico llamado Lars Nordenson, hijo de un senador sueco, veía en los Estados Unidos las primeras olas de una pleamar protofascista y me instó a trabajar el texto. El me traducía palabra por palabra el original noruego de Ibsen, que según él no tenía nada de engolado, como en las traducciones, sino que abundaba en términos violentos y de jerga, con estallidos escatológicos. A fin de cuentas se había escrito en pleno arrebato y, para Ibsen, en un tiempo insólitamente breve. Con las primeras páginas de la traducción provisional de Nordensen, en un inglés macarrónico que ni siquiera osaba construir frases, puse manos a la obra y pronto me persuadí de que podía captar el espíritu de Ibsen en una lucha que estaba seguro le habría encantado.

Como siempre, gracias a mis intentos de dar forma dramática a mi sentido de la vida, averiguaría en qué creía realmente. Cuanto más me familiarizaba con la obra, menos cómodo me sentía con algunos de sus presupuestos. El doctor Stockmann, aunque lucha de un modo admirable por el derecho de decir a la sociedad la verdad desnuda, da a entender que existe una especie de élite con licencia para decir a los demás qué tienen que creer. Era una gruesa rueda de molino para que un demócrata comulgase con ella, pero entonces recordé aquella reunión de marxistas de hacía años en que yo había sostenido que el artista tenía el deber de reclamar para sí territorios nuevos y que si durante la guerra hubiera seguido la línea del Partido o las consignas de la prensa nacional, yo no habría podido escribir *Todos eran mis hijos,* obra que, ahora que había acabado la guerra, se elogiaba por su valentía, su perspicacia y su veracidad. Ibsen-Stockmann se limitaba a defender el derecho inmemorial del artista a ser un pionero de lo desconocido.

Con todo, y a pesar de la experiencia cotidiana, atribuir a un grupo autoseleccionado un conocimiento superior es insostenible en una sociedad democrática, y la cosa no hace sino empeorar cuando Ibsen traza un paralelismo con la selección biológica, llegando incluso a introducir un elemento casticista en la cuestión. A decir verdad, el gran hombre no había tenido más remedio que matizar el darwinismo social implícito en la obra presentándose en un mitin sindical y afirmando ante sus indignados miembros que lo único que pedía era que se reconociese a una vanguardia espiritual sin poder sobre los demás, pero con el derecho de concebir ideas nuevas y hacer descubrimientos sin necesitar el voto de la mayoría. En la obra, sin embargo, no me pareció que estos distingos estuvieran tan claros.

Así pues, sorteé el problema para adaptarla a nuestro momento norteamericano: la necesidad, si no el derecho sagrado, de resistirse a los apremios del conformismo. Fue una puesta en escena a carta cabal, con decorados sólidos y un Freddie March en lo mejor de su óptimo arte, que echaba espumarajos además gracias a su particular mala uva. Eldridge hizo lo que pudo por dar algún brillo al papel más bien gris de la preocupada y leal esposa de Stockmann. Si Lewis se equivocó fue por alentar cierto pintoresquismo caprichoso y alguna nota coreográfica, en particular en las turbulentas escenas de masas en que March se ponía ante los lugareños con los brazos abiertos igual que Cristo en la cruz, lo que implicaba regar fuera de tiesto peligrosamente, dado que en principio se trataba de una obra de tesis. Pero aludo a pamplinas de mi propia cosecha. La representación fue enérgica y directa y en las docenas de montajes que se hicieron en años sucesivos aquel mismo texto no dejó de electrizar al público, si bien nunca tuvo suerte en Broadway.

La obra contenía mensaje y había sido la furiosa réplica de Ibsen a los ataques del público y la prensa contra *Espectros,* que había sido un escándalo en la época. George S. Kaufman había dicho hacía tiempo que el dramaturgo que tuviese un mensaje que comunicar haría mejor en remitirlo por telégrafo, habida cuenta de la alergia broadwayana a las obras edificantes disfrazadas de pasatiempos, pero, en mi opinión, la obra habría podido sostenerse con su público natural, es decir, con la nada despreciable cantidad de personas que se oponían al peligroso clima del momento. Lejos de ello, la prensa se puso a la defensiva como si se hubiese desvirtuado su pureza. Algunos críticos, a fuer de astutos, dijeron que habían detectado mi pincelada antinorteamericana en las palabras que pronuncia el único partidario solvente de los Stockmann, el capitán, individuo avezado que al final de la obra se compadece de la familia en el salón acosado por el gentío donde los protagonistas, abatidos, se plantean qué hacer a continuación: «Deberían marcharse a América», ya que hay más libertad al otro lado del océano. Según los críticos de marras, esta ironía *made in Miller* era una tergiversación grosera de la canonizada pieza ibseniana para burlarme de las ínfulas liberales norteamericanas. Estuve en un tris de replicar que había tomado la frase del original noruego, pero me contuve, descorazonadamente consciente de que nada disiparía la niebla de la sospecha de que me había servido de Ibsen a modo de égida prorroja. Que los críticos saltaran en defensa de la integridad de Ibsen sin molestarse en leerle fue otra prueba del poder del miedo obsesivo que habíamos esperado superar con nuestra versión.

El fracaso de *Un enemigo del pueblo* en 1950 me abrió de par en par las puertas del tiempo de confusión y, como siempre, busqué la claridad en el trabajo. Me puse a bosquejar una obra que titulé *Una tragedia italiana*, pero la deseché al cabo de unos meses. Al principio había tomado de Vinny Longhi el esqueleto argumental, aunque el turbio borrador inicial de 1950 era más bien una sonda en el oscuro mundo de las inclinaciones incestuosas y su autorrepresión, que desembocaba en asesinato-suicidio. En realidad no acababa de entender por qué la escribí, pero, cada vez más deseoso de luz, fui abriendo una tras otra todas las ventanas; fue un renacer doloroso, quizás incluso una segunda adolescencia en que me convertí en un extraño para mí mismo y para todos los demás en un mundo forjado inescrutablemente por mí. Sin embargo, perdí el hilo antes de acabar la obra y volví a sentirme derrotado. Fue unos cinco años antes de que resurgiera como *Panorama desde el puente* en su forma original en un acto. Y fue más de diez años antes de que pudiera por fin intuir algo de mí mismo en esta obra, cuando vi a Robert Duvall, joven actor del que no había oído hablar hasta entonces, en la convincente reposición off—Broadway de Ulu Grosbard. Mientras observaba a Duvall en el papel de Eddie Carbone, se abrió paso hasta mí la más inimaginable de las encarnaciones: vi de pronto la adoración de mi hermana por nuestro padre y por entre sus sentimientos vislumbré los míos propios. Cuando escribí la obra me movía en un país psicológico que me resultaba extraño, desagradable y prohibido. Había algo en mí, no obstante, que me desafiaba a continuar hasta que una porción de la verdad de mi naturaleza quedaba al desnudo en una escena, una palabra, una idea destiladas sobre el papel.

Otro de los experimentos inacabados de 1950 fue la historia de un grupo de científicos contratados por un acaudalado fabricante de productos farmacéuticos que les permite hacer descubrimientos importantes a cambio de someterles a sus intereses financieros y que, al tiempo que les acicatea la ambición personal, se apodera sutilmente de la voluntad de todos. Unas veces burlándose del comercialismo desnudo del industrial, otras dándole coba, tipificaban la imagen cautiva que yo tenía entonces del artista creador.

En el centro del grupo se encuentra la amante del doctor Tibbets, Lorraine, un personaje basado de lejos en Marilyn, a la que apenas conocía aún. Con su sexualidad abierta, sublime e infantilmente libre de ataduras y expectativas en una vida que intuye condenada, tiende por instinto a destruir la honorabilidad de los hombres hasta que éstos, cada cual de diferente modo, afrontan la tragedia en que ella les ha enredado sin darse cuenta: uno se refugia en un matrimonio destructivo y sin amor por miedo de perder su categoría social, otro abandona por ella a su familia y es a su vez abandonado cuando cambian los intereses femeninos. Igual que una furia ciega y divina, con toda su crueldad creadora, su sexualidad acaba por parecer el único vínculo verdadero con una naturaleza final, con todo lo que es auténtico y vivificador. Y es ella quien permite ver bajo una luz fantasmal la funcionalidad social a la que todos están sujetos y que les destruye el espíritu, aunque ella carece de seguridad y fe propias y sus esperanzas de liberación son a la postre ilusorias.

Por debajo del anecdotario argumental se perfila la imagen idealista del papel humanitario que al principio creían que tenía que jugar la ciencia, un poder redentor que ya no tienen ni fe ni fuerza para poseer. Han evolucionado en un tiempo del yo en que no hay ideal que no esconda su trampa, ninguna creencia capaz de dar a sus adeptos una esperanza creadora en una cultura que ha segregado la sexualidad de los ideales sociales del hombre y ha convertido éstos y aquéllos en elementos antagónicos.

La obra quedó inconclusa porque yo no podía aceptar la catástrofe espiritual nihilista que no cesaba de predecir. Esto es, creía en ella como escritor pero no podía admitirla como hombre. Era imposible que supiera, como es lógico, que en los años venideros viviría buena parte de lo que profetizaba. La di de lado y adapté la obra de Ibsen, que ni que decir tiene es un claro manifiesto de resistencia al conformismo, aunque también una afirmación de esperanza y de la integridad humana, y una obra, por cierto, sin ningún rasgo relativo a la sensualidad. En cierto modo fue una reflexión sobre la escisión que sufría, y que no podía hacer nada por impedir que se dilatase, entre la firme decisión de mantener unida a la familia y llevar a efecto mi papel de padre, y la corrosiva sospecha de que la familia, la sociedad, todos los «papeles», no eran más que eso, convenciones que me emparedarían en un bloque de cemento armado e impedirían cambiar evolutivamente mi naturaleza y mis proyectos. Porque lo que yo me había reprimido era dar marcha atrás y las autoacusaciones de insinceridad que me perseguían eran merecidas. Porque yo sabía para mi fuero interno que quería desnudarme ante las fuentes de mi arte, que no se encontraban ni sólo en la esposa ni sólo en la familia, sino, una vez más, en lo sensual de una bendición femenina, algo, tal se me antojaba, no del todo de este mundo. En cierto sentido —menguado— era apetito sexual, pero un apetito que tenía mucho que ver con la veracidad conmigo mismo y mi naturaleza, e incluso, por extensión, con las personas que acudían a ver mis obras. Quería con todo el alma ser uno, sin divisiones, para hablar con la misma voz en privado y en público. No comprendía por qué el matrimonio y la familia obligaban por necesidad a adoptar estrategias: autocensuras sutiles, subterfugios no tan sutiles y traiciones implícitas. Pero me faltaba valor para decir con tantas palabras que ya no era un ser especiosamente total, como lo había sido, y que ya no me era conocido el futuro. Me refugié en el silencio, inseguro de qué podía decir y qué estaba vedado, pues ya había rebasado las convenciones, rebasado una conciencia de sentido común respecto de lo que se podía o debía exigir que soportara la otra parte. Mi vida estaba hecha pedazos, rachas de amor expansivo y odio desesperante, de esperanzas repentinas y bruscos reveses frustrantes.

Aunque hasta entonces sólo había pasado unas horas con Marilyn, en mi imaginación había adquirido cierta cualidad inmanente, la vitalidad de una fuerza que no se comprende pero que parece estar a punto de inundar de luz una amplia esfera de tinieblas en derredor. Me esforzaba por mantener en pie mi matrimonio y mi familia y al mismo tiempo por entender por qué me sentía como si hubiera perdido una especie de autorización que me había parecido poseer desde la más tierna infancia. ¿Para quién escribiría yo? ¿Para qué? Necesitaba la bendición de algo o alguien, pero todo cuanto me rodeaba era simple mortalidad. Acabé por comprender que desde siempre había creído que escribía por alguna causa válida en la que ya no creía. Había aprendido a estar solo durante períodos largos, pero alguien, tal me había parecido siempre, me observaba en secreto sin que yo lo viera. Desde luego era la madre, el primer público: la idea de ella, en realidad, en el primordialísimo sentido de que quizás sólo el niño, mitad amante y mitad amotinado contra su dominio, lo sabe de verdad en su sangre mitificadora. Mi madre de carne y hueso estaba muy afectada a causa de las normalísimas esperanzas de tener un hijo afortunado, demasiado abiertamente materiales para dejar intacta la trama sutil de su autoridad antigua; su amor era demasiado real, estaba demasiado mezclado con las necesidades de su yo impuro y administrador. Yo no podía vivir feliz sin los mitos de la infancia, que en el fondo alimentan nuestra evolución incesante y nuestra fe en el yo y el mundo. La musa ha sido siempre una mujer purificadora, bien lo sabe Dios. Y había muerto.

Harto ya de fingirme casero, sobre todo el casero de Henry Davenport, vendí la casa de Grace Court y compré otra en la cercana calle Willow a una manzana del río, de mediados del XIX y con capacidad para una sola familia. (Luego supe que el anónimo comprador de la anterior, que recurrió a una agencia por miedo de que nadie le vendiera ninguna personalmente, era W.E.B. Du Bois, el gran historiador negro.) Deseoso de satisfacer todos los detalles de un matrimonio bien avenido, pasé una semana arreglando el subsuelo del vestíbulo de entrada, puse un suelo de corcho encima, instalé accesorios de todas clases en la cocina e hice las mil cosas que hace el hombre que cree en un futuro familiar, aunque la naturalidad de la confianza mutua había huido de nosotros como un pájaro y la nueva jaula estuvo tan vacía como la antigua, donde ningún pájaro cantaba.

De vez en cuando recibía una esquela de Marilyn que me llenaba de alegría. Con un caligrafía sesgada y extrañamente serpeante que a menudo se torcía hacia abajo al llegar al margen y volvía a ascender en el otro extremo de la página, y sirviéndose de dos o tres plumas distintas y de algún que otro lápiz infiltrado, me hablaba de su deseo de volver a verme cuando viniera a la Costa Este por asuntos de trabajo, y se ofreció a acudir sin otro pretexto que el que yo la animase. Le respondí con una nota formal y confusa en que le decía que yo no era el hombre indicado para transformar su vida como ella quería que fuese, y le mandaba mis mejores deseos. Hubo atardeceres resecos sin embargo en que estuve a punto de girar el volante, poner rumbo a la Costa Oeste y pisar a fondo el acelerador. Pero tampoco era yo hombre capaz de hacer una cosa así.

Mientras contendía con este caos interno, la comunidad teatral se vio sacudida por el rumor de que a causa de las presiones que ejercía el Comité de Actividades Antiamericanas comenzaban a suceder cosas extrañas. En el teatro no se había elaborado aún ninguna lista negra, sin duda porque no existía ninguna asociación importante de empresarios susceptible de sufrir intimidaciones, como las habían sufrido las hegemónicas compañías de Hollywood, para que controlasen a sus artistas con métodos policíacos. El teatro se financiaba merced a las aportaciones de docenas de inversores modestos y casi todos los empresarios eran peregrinos temporales que desmontaban la tienda de campaña y desaparecían al finalizar la última representación. Además, eran pocos los actores teatrales conocidos en todos los puntos de la geografía norteamericana donde se cocían los votos y el Comité no tenía manifiestamente la menor intención de «investigar» si los resultados iban a figurar en la última página, al lado del crucigrama. Con todo, el Comité hacía algunas incursiones en Nueva York y ya se oía hablar de presuntos testigos que negociaban denuncias para tranquilizar su conciencia. Como era de esperar, algunos se negaron a colaborar, se les citó sin contar con su consentimiento y su resistencia no hizo sino corroborar la declaración de los antiguos camaradas que acababan de reaparecer cuando les acusaban de comunistas impenitentes.

El espectáculo me resultaba descorazonador y no sólo por los motivos que saltaban a la vista. Me repugnaban los que se arrastraban ante aquel vergonzoso tribunal de moralistas ordeñadores de votos, pero me inspiraban tanta compasión como cólera. Me molestaba mucho más que cada semana fuera más difícil explicar con claridad y sencillez por qué era una vileza todo aquel montaje. Casi ninguno de los acusados de 1950 y 1951, por ejemplo, había tenido actividad política desde fines de los años treinta o comienzos de los cuarenta, cuando, llevado de un idealismo totalmente legítimo, había saludado a la Revolución rusa como un progreso para la humanidad. Pero el Comité había sabido dar la impresión de que estaban complicados en una conspiración en marcha. Por otra parte, no se les acusaba de haber violado ninguna ley concreta, ya que el Partido Comunista estaba legalmente autorizado, como lo estaban sus coaliciones, que las más de las veces hermanaban posiciones liberales que en modo alguno apuntaban a objetivos socialistas.

Las vistas provocaban una confusión moral que nadie parecía capaz de penetrar y aclarar, ni siquiera, de tarde en tarde, repitiendo la historia; por ejemplo, hubo actores combativos que desafiaron al Comité amparándose en la Quinta Enmienda,* creyéndose herederos de Georgi Dimitrov, el héroe que, ante un tribunal nazi y a pesar de las torturas y de la amenaza de una ejecución inmediata, rechazó la acusación de haber prendido fuego al Reichstag y acusó a los nazis de haberlo incendiado ellos, como habían hecho sin duda. (Es sorprendente, pero sobrevivió y después de la guerra fue primer ministro de la comunista Bulgaria.) Esta actitud desafiante era una leyenda conmovedora en los años treinta y en el movimiento radical se había estatuido como la forma idónea de enfrentarse a los fascistas. Lo malo era que, en Nueva York, los miembros del Comité se habían elegido de manera democrática y no planeaban apoderarse de la república mediante el terror. Es más, algunos cuando menos estaban sinceramente alarmados por la reciente victoria roja en China, por las exhibiciones rusas con la bomba atómica y por la expansión del territorio soviético en la Europa del Este. En otras palabras, era imposible desenredar aquella mezcolanza de ingenuidad supina, peligros prudentemente calibrados y demagogia sin escrúpulos, en particular porque la denuncia pública de unos cuantos actores políticamente inactivos desde hacía años no iba a expulsar a ningún chino rojo de la Ciudad Prohibida ni a un solo ruso de Varsovia o Budapest.

Es posible que lo más inquietante fuese para mí la atmósfera que se estaba creando, una tupida malla de sospechas que llegaba no sólo a la radio, la televisión y los estudios cinematográficos sino hasta la Iglesia de la Santísima Trinidad de Brooklyn Heights, cuyo párroco, el reverendo William Howard Melish, sufrió el azote de la campaña anticomunista desatada en un cabildo dividido y tuvo que abandonar el púlpito y también su casa con toda la familia. Mientras el anciano padre, John Howard

---

* La Quinta Enmienda de la Constitución de los Estados Unidos concede al ciudadano el derecho de no declarar contra sí mismo en las causas criminales. (N. del T.)

Melish —antaño elegante y celebrado ministro de aquella enorme y hermosa iglesia episcopaliana—, se encontraba en el ático, postrado en cama, se echaba a la calle al hijo y a su familia. Antiguo encargado de unas oficinas del Servicio de Ayuda a la URSS durante la guerra, había acabado por creer sinceramente en la bondad de los fines soviéticos, si no del sistema mismo. Que jamás había dejado de ser un cristiano devoto no parecía dudarlo nadie, y después de los muchos y largos meses de autodefensa que terminaron en una causa civil ordinaria que ratificó el derecho de su obispo a expulsarle, no pude por menos de llegar a la conclusión de que el país se estaba mutando por voluntad propia en un búnker filosófico donde no se toleraría ninguna discrepancia seria sobre nada importante. Por lo que afectaba a mi trabajo, sin embargo, ya había terminado la adaptación de *Un enemigo del pueblo* —cuyo argumento reprodujo el caso Melish de un modo asombroso, incluso en la terquedad obtusa de los personajes principales— y la obra no había dado resultado.

No lo habría dicho así entonces, pero lo que yo buscaba era una metáfora, una imagen que brotara del corazón, omnímoda, pletórica de luz, un instrumento sonoro cuyos ecos llegasen al núcleo de aquellos miasmas. Porque si continuaba aquella degeneración del discurso, como no podía por menos de temer con todos los argumentos en la mano, dejaríamos de ser una democracia, sistema que para existir necesita en la base cierta dosis de confianza.

Había tenido noticia del fenómeno de las brujas de Salem desde que estudiara historia de los Estados Unidos en Michigan, aunque lo había almacenado en la memoria como un misterio más del pasado remoto, cuando la gente daba en creer que el espíritu podía abandonar el cuerpo de modo palpable y visible. Es posible que mi madre creyese en ello todavía, aunque sólo fuera en el desván de su cerebro, y sospechaba que había muchas personas que, al igual que yo, eran sensibles a sus sugestiones. Como enviado por el destino, llegó a mis manos un ejemplar del libro de Marion Starkey, *The Devil in Massachusetts*, y reviví aquella historia estrambótica tal como la recordaba, aunque esta vez con minuciosidad escrupulosamente sistematizada.

Al principio rechazaba la idea de escribir una obra sobre este tema. Mi racionalidad era demasiado fuerte, pensaba yo, para dejarme atrapar por aquel estallido de irracionalismo salvaje. Una obra teatral no puede describir sin más una emoción, tiene que convertirse en dicha emoción. Pero poco a poco, al cabo de varias semanas, en la imaginación fui estableciendo un vínculo entre yo y Salem y entre Salem y Washington, pues, al margen de su restante significado, me parecía que las vistas que se celebraban en Washington eran intensas y hasta abiertamente rituales. A fin de cuentas, el Comité sabía de antemano en casi todos los casos qué querían declarar los testigos: el nombre de sus camaradas del Partido. Hacía mucho que el FBI se había infiltrado en éste y los confidentes habían identificado a los participantes de diversos mítines. El principal objetivo de las vistas, ni más ni menos que como en el Salem del siglo XVII, era que los acusados hicieran confesión pública, que abjuraran de sus cofrades al igual que de su amo el Demonio y que garantizasen la nueva y sublime lealtad rompiendo los detestables votos antiguos: tras lo que se les dejaba libres para reintegrarse en la sociedad de los hombres de bien. En otras palabras, ambos mecanismos encerraban la misma perla espiritual entre sus engranajes: un acto de contricción practicado, no en la intimidad recoleta, sino al aire libre. Las acusaciones de Salem se hicieron en realidad sobre una base legal más o menos sólida, ya que los acusados, además de culpables de tener trato con el Maligno, habían transgredido la ley que prohibía la práctica de la brujería, delito civil a la vez que religioso; mientras que al que había delinquido contra el Comité de Actividades Antiamericanas no se le podía acusar de una transgresión así, sino tan sólo de un delito espiritual, el de haberse sometido a los deseos y la ideología de un enemigo político. Se le emplazaba ante el Comité para que respondiese por una mala reputación, pero una de las que pueden destruir la vida profesional.

En efecto, parecía que la culpabilidad *moral* decretada por la administración podía borrarse fácilmente recurriendo a fórmulas rituales: se recitaba la lista de los compañeros de pecado y se abjuraba de la última religión. Sin duda era ésta la parte más triste y verdadera de la charada, porque a comienzos de los cincuenta eran pocos, y en el campo de las artes menos aún, los que no se habían desilusionado de los soviéticos.

Era este elemento inmaterial, la transacción espiritual suprarreal, lo que me fascinaba entonces, pues los ritos de la culpa y la confesión seguían todos los formulismos de un proceso de la Inquisición, con la excepción, claro está, de que las partes ofendidas no eran Dios y sus ministros, sino un comité parlamentario. (Algunos de sus componentes eran de un antiespiritualismo particularmente grosero, como J. Parnell Thomas, cuya fiebre anticomunista sólo se veía igualada por tal avaricia ladronesca que no tardaría en dar con sus huesos en una prisión del estado, no muy lejos de la celda de Ring Lardner Jr., encarcelado por desacato al Parlamento: en lenguaje llano, por negarse a contestar a las preguntas de Thomas.) Nos adentrábamos en el reino de la antropología y los sueños, donde los términos políticos no tenían cabida. La política es un oficio demasiado consciente para iluminar el tenebroso sótano de la mentalidad pública, cuyos desordenados territorios de traición e ira violenta están gobernados por temores secretos, inconfesables y vergonzosos. La era McCarthy no hacía sino comenzar y nadie sospechaba que el poder del senador escaparía incluso a las manos del presidente, hasta que el ejército, a cuyos venerados mandos trató de aniquilar, acabó con él.

Mi decisión de escribir una obra sobre los procesos de Salem fue de tanteo y primero se vio frenada por problemas técnicos y después por la sospecha de que no sólo me iba a introducir en el desierto políticamente, sino personalmente también. Porque ya en las primeras semanas de meditación a propósito de los acontecimientos de Salem, la imagen central, la que se repetía de manera invariable como fresca fuente de energía, era la de un hombre perseguido por la culpa, John Proctor, que, tras acostarse con su criada adolescente, contempla con horror que la muchacha se convierte en cabecilla de la banda cazadora de brujas y señala con dedo acusador a la esposa que él ha traicionado. Las líneas maestras del argumento eran aún confusas, pero el instinto me decía que, como siempre, no me dejarían indiferente una vez que se manifestasen con plenitud. Así que cuando decidí hacer un viaje de investigación a Salem, Massachusetts, donde aún podían consultarse las actas originales de los procesos por brujería, me dirigía hacia mi interioridad al mismo tiempo que hacia el norte, y en ambas direcciones no sin alguna inquietud. El día anterior al previsto para partir me llamó Kazan para pedirme que nos viéramos.

Puesto que no era hombre que malgastase su tiempo, al menos conmigo, y puesto que aquélla era la segunda o tercera llamada que me hacía en el curso de las últimas semanas, sospeché que tenía que sucederle algo grave y que sólo podía ser en relación con el Comité. Fui en coche a Connecticut una lluviosa y pardusca mañana de principios de abril de 1952, maldiciendo la época. Porque estaba casi seguro de que mi amigo iba a decirme que había decidido cooperar con el Comité. Según me había contado en cierta ocasión, hacía quince años había militado en el Partido durante un período muy breve, pero ya no desempeñaba ninguna actividad política, por lo menos en los cinco años que nos conocíamos. La cólera me iba en aumento, no contra él, a quien quería como a un hermano, sino contra el Comité, al que tenía ya por una banda de especuladores políticos con los mismos principios morales que Tony Anastasia o, para el caso, probablemente con menos.

El sol brilló un rato y salimos de su casa para dar un paseo bajo las ramas goteantes de los árboles, envueltos por el aroma de degeneración y regeneración que la lluvia prolongada hace brotar de la tierra en un frío bosque rural. Se me antojó que se esforzaba por aparentar tranquilidad, por presentar el problema como si ya estuviera resuelto, incluso felizmente. No tardó más que unos momentos en contarme el caso, sencillo y del todo normal por entonces. Había recibido una citación y se había negado a colaborar, pero había cambiado de idea y había vuelto a presentarse para hacer una declaración completa en sesión parlamentaria a puerta cerrada y en la que había confirmado el nombre de las docenas de individuos que había conocido en sus meses de militancia en el Partido. Ahora se sentía mejor, más seguro de todo. En realidad buscaba mi consejo, casi como si aún no hubiera hecho lo que había hecho ya. Necesitaba mi aprobación; al fin y al cabo no simpatizaba con los comunistas, ¿por qué negarse a declarar entonces?

Pero si algo me inquietaba tanto como aquella historia era la irrealidad en que nos movíamos y que no podía captar. Nunca estaba seguro de lo que significaba yo para él, pero él había entrado en mis sueños como un hermano y a veces habíamos cambiado una sonrisa de comprensión que escapaba a los demás. Al oírle en aquel brete, comencé a asustarme. Había una lógica siniestra en lo que me decía: a menos que se le declarase totalmente inocente ya podía ir abandonando la idea, en el pináculo de su energía creadora, de hacer otra película en los Estados Unidos y era probable que no se le concediera el pasaporte para irse a trabajar al extranjero. Aunque seguía teniendo la posibilidad de trabajar en el teatro, éste no monopolizaba ya sus intereses en primer término; quería dilatar el horizonte de su vida cinematográfica; era lo que más deseaba en el mundo, y su antiguo jefe y amigo Spyros Skouras, presidente de la Twentieth Century-Fox, le había dicho literalmente que la empresa no le contrataría a menos que satisfaciese las exigencias del Comité. Mientras me lo contaba pensé que a personas con menos inteligencia les sería fácil tomarse a broma la situación, pero en mi opinión Kazan era un genio del teatro, en lo que afectaba a actores y textos era un profeta que trabajaba en un sentido totalmente diferente del de otros directores. Que se le impidiese trabajar y se le echase a la calle sería para él como una pesadilla en la que el mundo se hubiera puesto cabeza abajo. Siempre había dicho que descendía de supervivientes y que trabajar era sobrevivir. Hablaba con toda la tranquilidad que podía y a mí me dio la sensación de que allí en el bosque, ante mí, se perfilaba el contorno de una catástrofe muda, porque simpatizaba con él y al mismo tiempo temía por su suerte. Si yo hubiera sido de su generación, también a mí habría tenido que sacrificarme. Y ya no pude pensar más en ello. No podía franquear aquel muro.

Que todas las relaciones se habían vuelto relaciones interesadas. Que todo acababa en esto y que no había nada nuevo en ello. Que se permanecía mientras era útil la permanencia, que se creía mientras creer no resultase demasiado inconveniente y que éramos peces en una pecera y nadábamos con el ojo atento a las migajas en descenso que nos mantenían con vida. Lo único que alcancé a decir fue que, en mi opinión, aquello pasaría y que tenía que pasar porque destruiría la cola que mantenía unido al país si no se impedía su avance. Le dije que no eran los rojos los causantes del miedo que nos embargaba a la sazón, sino el otro bando, y que no proseguiría de manera indefinida, que algún día se agotaría el nervio nacional. Y que entonces habría lamentaciones por lo sucedido. No obstante, las simpatías se me enfriaban ante la idea de que, por increíble que pareciera, Kazan me entregaría atado de pies y manos de saber que yo había asistido años atrás a distintas reuniones de literatos del Partido y que en una había pronunciado un discurso. Intuí un creciente silencio a mi alrededor, una estela invisible y obstaculizadora de vibraciones sordas entre nosotros, como una lastimera nota musical interminable por encima de la cual ya no podíamos hablar ni oír nada. Era tristeza, pura y quejumbrosa, en sordina. Y nos había ocurrido a nosotros. No estaba obligado a ser más fuerte de lo que era, el Estado no tenía derecho a exigir que nadie fuese más fuerte de lo que la vida le había permitido, el Estado no se comportaba así en los Estados Unidos. Sentía un rencor hacia el país como nunca había imaginado que sentiría, y era odio hacia su imbecilidad y su manera de tirar la libertad a la basura. ¿Quién o qué estaba ya seguro sólo porque aquel hombre, llevado de su humana debilidad, no había tenido más remedio que humillarse? ¿Qué verdad se había confirmado a cambio de toda aquella angustia?

Al subir al coche para irme, Molly Kazan salió de la casa bajo la llovizna que volvía a reanudarse; supongo que tenía todo el derecho de decir que las cosas no habían salido bien. Me fue imposible mirar sus ojos inquietos sin apartar la vista. La historia deja en el espíritu ciertas huellas que perduran hasta la sepultura. Era una mujer bastante moralista y, como ya dije, con capacidad analítica para saber dónde se perdía el hilo temático de una obra o cuándo la exuberancia de un autor le hacía salirse del conflicto central. Mucho antes de que comenzaran los ensayos del *Viajante* había hecho repetido hincapié en que suprimiese a Tío Ben y todas las escenas del pasado por ser innecesarias en sentido estricto. Era como quien dice un llamativo ejemplo del método reduccionista psicoanalítico del «nada más que», consistente en depurar la experiencia hasta reducirla a las contradicciones convencionales de fácil identificación, basándose en la equivocada creencia de que el color, el tono, incluso el deseo vehemente no cambian por sí solos el destino.

Estaba ya medio dentro del coche cuando se acercó Molly y me preguntó, detalle inolvidable, si sabía que el sindicato United Electrical Workers estaba totalmente en manos de los comunistas. En pie bajo la llovizna, mujer que luchaba por la vida profesional del marido, daba la sensación de haberse lanzado de cabeza sobre aquella pregunta histérica que en época más tranquila le habría hecho reír a causa del absurdo abismo que había entre la misma y los problemas que nos afectaban de modo inmediato. Le murmuré que había oído hablar de aquel sindicato hacía muchos años. Señaló ella entonces la calle y me dijo que yo había dejado de comprender al país, que todos los que vivían en aquella calle aplaudían al Comité y cuanto había hecho. Ya no supe qué decir desde la otra orilla de la falla que se ensanchaba entre nosotros. En el torpe prólogo de la despedida, tras decir que no podía estar de acuerdo con la decisión que habían tomado, ella me preguntó si iba a mi casa, a media hora de camino, y respondí que me dirigía a Salem. Molly comprendió en el acto qué sentido tenía aquel destino y los ojos se le dilataron con aprensión repentina y quizá también con rabia. «¡No irás a comparar lo de las brujas con esto!» Le dije que no estaba del todo convencido de escribir la obra pero que quería echar un vistazo al material que había allí. Nos despedimos muy serios y me alejé.

Una vez en camino y con el coche rumbo al norte, me dije que probablemente Molly tenía razón en lo relativo a las personas que vivían en las cómodas casas que iba dejando atrás y me sentí un marginado. La extrañeza era más acusada porque, como de costumbre, arrastraba yo varias contradicciones a la vez, el amor de hermano tan fuerte y vivo como siempre junto al hecho incontestable de que Kazan me habría sacrificado de haber hecho falta. Con la sensación de dirigirme desnudo a

Salem, aún incapaz de aceptar la experiencia más normal de la humanidad, la mudanza de los intereses que transformaba a los amantes esposos en enemigos irreconciliables, a los padres amantes en guardianes indiferentes, incluso en explotadores de los hijos, y así sucesivamente. Como ya sabía por lo que había leído, tal era la auténtica historia de la antigua villa de Salem, lo que entonces se llamaba pérdida del amor al prójimo. La lluvia gris que caía sobre el parabrisas me repiqueteaba en el alma.

Salem era por entonces una ciudad medio abandonada y en proceso de reducción. Fue al principio la piedra de sal de la colonia madre de Plymouth, situada al sur, y la modernización de la industria de una generación anterior le había sobrepasado sin afectarla. Arrebujada por la bahía de color acero, chorreaba aquella tarde bajo la llovizna fría y negra igual que un perro sin amo. Me gustó, me gustó su aire taciturno y secreto. Fui al palacio de justicia, pregunté al funcionario por los anales de la ciudad de 1692 y aguardé unos minutos mientras éste cogía varios volúmenes de idéntico tamaño, del año anterior y de los tres o cuatro precedentes y los entregaba a dos agentes de la propiedad que andaban en busca de las escrituras de transacción de un inmueble. La sala estaba en silencio y busqué la luz grisácea que entraba por un ventanal alto que daba a las aguas, así lo recuerdo ahora por lo menos, las mismas aguas enconadas y argentinas que tenían que haber contemplado los condenados desde la horca de Witch Hill [Cerro de la Bruja], cuyo enclave ya no sabía nadie con seguridad.

En realidad no había mucho en los archivos judiciales que no supiera ya, pero quería analizar las palabras exactas que se habían cruzado en los interrogatorios, una forma de hablar que me sonaba muy retorcida y que diez años más tarde sería el tema de las cartas que intercambiaría con Laurence Olivier, que buscaba inflexiones y acentos para los actores que aparecerían en su estupendo montaje londinense de *Las brujas de Salem*. Tras mucho buscar optó por un dialecto de Northumberland, que a decir verdad se habla con las mandíbulas apretadas. Así lo oí yo en el palacio de justicia, pues a juzgar por la ortografía parecía exigir una pronunciación gutural y muy parecida al habla escocesa. Tras unas horas de silabear los vocablos —transcritos a menudo fonéticamente con la improvisada taquigrafía de los funcionarios o los ministros que llevasen las actas de los procesos—, me estimuló la desenvoltura obtenida y al cabo de otro rato acabé por amar la sensación que me producía, igual que si tocara madera dura y pulimentada. Sin seguir ningún método tomé nota de algunas formas sintácticas, de las negaciones dobles sobre todo, que en las actas procesales aparecían con mucha menor frecuencia de lo que aparecerían en la obra.

«Cuando pasé ante la casa el carro se me quedó (varado) en el camino», declaró un litigante, «y lo vi en la ventana mirándome con fijeza, y cuando se apartó, la rueda quedó libre.» Un carro embrujado con la mirada. Había muchas otras descripciones pintorescas, la acción se detenía como a merced de un proyector de cine: un hombre incapaz de levantarse de la cama, sorprendido con la cabeza en alto por una mujer que entraba flotando por la ventana para extender su anatomía sobre la suya, ni más ni menos. Leer las declaraciones allí, junto a la bahía, era una experiencia distinta que leer sobre los procesos en Nueva York. En Salem daba la impresión de que todo había podido suceder. Los juzgados cerraban a las cinco y no tenía nada que hacer en la ciudad salvo pasear por las calles. A la luz del primer ocaso llegué a una tienda de dulces en cuya puerta se apelotonaba un montón de adolescentes y el aire se pobló de risas nerviosas cuando por la esquina aparecieron dos muchachas muy juntas que daban saltos a la vez con un palo de escoba entre las piernas. ¿Cómo, me pregunté, habían sabido que yo estaba allí? En aquellos días, Salem no tenía demasiadas ganas de hablar de las brujas, nadie se sentía demasiado orgulloso de ellas y sólo tras *Las brujas de Salem* comenzó a explotarse el tema como un truco turístico, la «Ruta de las Brujas», una serie de calles con rótulos que indicaban dónde se había detenido o interrogado o condenado a la horca a fulana y mengana. Hasta el momento de aquel paseo vespertino ningún tribunal de Massachusetts había hecho público ningún documento que lamentase ni de lejos la ejecución de personas inocentes, ya que la menor insinuación se rechazaba como si fuese una nota infamante susceptible de manchar el honor de aquel estado incluso dos siglos y medio después. Aún seguía vivo el orgullo equivocado que durante tanto tiempo había impedido que el antiguo tribunal de Salem admitiese la verdad que tenía ante los ojos. También esto me era útil para la obra, le daba atmósfera.

Al igual que todas las actas criminales, las que me interesaban estaban llenas de tentadoras pero incompletas alusiones a relaciones, por así decirlo, entre bastidores. Al día siguiente, en el silencio sepulcral del pequeño edificio de la Sociedad Histórica, dos ancianas empleadas me contemplaron con la mirada fija de la sorpresa oculta; eran escasos los visitantes por lo general. Allí di con *Salem Witchcraft*, de Charles W. Upham, sólida obra maestra del siglo XIX, y en ella, la segunda tarde, la prueba incontestable de lo que se había convertido en eje de mi obra: la ruptura del matrimonio Proctor y el empeño de Abigail Williams en que Elizabeth muriera para tener a su merced a John, con el que según mis deducciones se había acostado mientras trabajaba de criada en la casa, antes de que Elizabeth la despidiese.

«...Durante el interrogatorio de Elizabeth Procter, Abigail Williams y Ann Putnam quisieron golpear a la mentada Procter; pero al acercar Abigail la mano, ésta se abrió —puesto que antes había cerrado el puño— y siguió aproximándose a la susodicha Procter a velocidad menguante, hasta que, al final, con los dedos abiertos y extendidos, rozó con suavidad extrema la capucha de la Procter. En aquel mismo instante, Abigail gritó que los dedos, los dedos, los dedos le ardían...»

Lo irónico de esta descripción tan bella como exacta es que la hizo el reverendo Parris, que trataba de demostrar lo auténtica que era la aflicción de las muchachas y por tanto lo peligrosas que podían ser las personas como Elizabeth Proctor. Ironía, desde luego, es lo que suele perderse, lo que suele anquilosarse cuando el miedo se apodera del espíritu. La ironía, la verdad sea dicha, es el don supremo de la paz. Porque se me antojaba evidente que Parris describía a una joven que había mirado a la cara de su antigua señora y experimentado el terror gozoso del asesino a punto de golpear, y no sólo a la víctima en cuanto tal, esposa de un amante que a la sazón quería repudiarla, sino a toda la sociedad que observaba y aplaudía su valor al liberarla de sus pecados nauseabundos. Era este rebote carambolístico de la idea de «limpiar» lo que me atraía jornada tras jornada, esta proyección de la propia ignominia sobre los demás para borrarla con la sangre de éstos. Como dijo en la época más de una carta privada: «Ahora nadie está seguro».

Confeccionar, no un relato, sino una obra teatral con aquel desfile de tragedias particulares: he aquí la labor intimidatoria que tenía delante y me pregunté si sería posible sin desvirtuar lo que había acabado por considerar auténtica Biblia de los hechos. Los matices de mi determinación cambiaban con la hora, pues el tema de la obra, la clave de la comprensión de los acontecimientos se mantenía a distancia mientras yo avanzaba a tientas hacia una conexión visceral con todo ello, dado que sabía que pergeñar una obra con la sola fuerza de voluntad equivalía a un fracaso pedagógico. Por entonces estaba muy alejado de los impulsos didácticos; no se me escapaba que lo que hablaba allí bajo múltiples ropajes era mi propia vida y no sólo mi época.

Cierto día, después de varias horas de lectura en la Sociedad Histórica, donde al parecer era yo el único que turbaba la inexpresiva tranquilidad de las dos funcionarias de gris, me levanté dispuesto a marcharme y advertí que de las paredes colgaban diversos grabados enmarcados sobre los procesos de brujería, al parecer realizados en la época por un artista que tuvo que haberlos presenciado. En uno, un haz de luz sepulcral que entra por la elevada ventana de una sala abovedada cae sobre la cabeza de un juez de faz blanca como la cera, la luenga barba cana hasta la cintura, los brazos levantados con horror preventivo mientras a sus pies el grupo de muchachas torturadas grita y araña a los verdugos invisibles. Figuras sombrías y apenas perceptibles se apelotonan en la periferia del grabado, aunque se puede identificar a unos cuantos hombres, barbados como el juez, alharaquientos y escandalizados. De pronto me vinieron a la memoria los hombres que bailaban en la sinagoga de la Calle 114 y que había entrevisto por entre la custodia de los dedos, la misma gesticulación caóticamente exasperada —en el grabado, los adultos huían a la vista de un acontecimiento sobrenatural; en el recuerdo, una coyuntura más alegre pero no menos mágica—, escenas ambas espantosamente gobernadas por las largas riendas de Dios. En aquel preciso instante me di cuenta de cuál era el punto de contacto: el rigor moral de los judíos y la actitud defensiva del clan frente al contagio de lo externo. Sí, comprendí a Salem en aquel instante y lugar, y de golpe se convirtió en mi pasado. Aún no podía dar forma a una obra teatral con aquel material heterogéneo y desordenado, pero ya era mío y me dije que podía comenzar a dar vueltas en derredor del espacio donde alzaría un edificio plausible.

Me fui de Salem al morir la tarde y la radio emitió el diario hablado de las seis mientras la negra capa de la noche se cernía sobre el parabrisas. La lluvia no había amainado. El locutor leyó un resumen sobre lo que Elia Kazan había declarado ante el Comité de Actividades Antiamericanas y dio el nombre de los individuos citados por él, a ninguno de los cuales conocía yo. Casi me había olvidado de Kazan, hasta tal punto me había sumergido en el pasado. La voz del locutor semejaba una intromisión grosera y violenta en el recinto de un sufrimiento privado; recuerdo que pensé que el asunto se estaba forzando para que pareciese totalmente político cuando en realidad se estaba convirtiendo en otra cosa, en algo que yo era incapaz de adivinar.

Iba rumbo a Nueva York, de regreso al mundo. Me sentía aturdido. La noticia se repitió media hora después. Deseé que se detuvieran. Experimentaba algo comparable a la turbación, no sólo por él, sino en cierto modo también por todos los que habíamos compartido aquella... camaradería, creo que es éste el término adecuado, nacida de nuestra particular marginación. El elemento político no era más que una parte, quizás una parte pequeña. Todos habíamos vitoreado a los mismos héroes, a los mismos resistentes míticos, pues tal vez lo fuesen, allá en la guerra española, que los antifascistas alemanes y los italianos, hombres y mujeres valientes que fueron lo mejor de nuestra identidad y que habían sido las víctimas propiciatorias de nuestro tiempo.

Lo que ahora teníamos ante nosotros parecía una caricatura feroz de lo que se anunciaba como drama sublime. Cuando el Comité conocía todos los nombres de antemano no se podía hablar de conspiración puesta al descubierto, sino más bien de una denuncia simbólica que por otro lado tampoco conducía a nadie ni a la horca ni a los cepos. Nada material se había movido ni un centímetro en ningún sentido, sólo el aire que respirábamos todos se había enrarecido y parecía absoluta la destrucción de todo significado cuando tantas personas rompían su relación amistosa con otras personas a las que el testigo no había dejado de querer.

A medida que acortaba distancias sentía como siempre la proximidad de lo concreto, de lo fundamental tangible. Mientras me dirigía al puente de Brooklyn y al centro por las calles húmedas y brillantes, me di cuenta de que mantenía baja la aguja del velocímetro como para evitar que la verdad que en mí hubiera cayera en el olvido de un patinazo. Ni dudaba ya que estuviese totalmente entregado a la obra de teatro; en algún punto entre Salem y Nueva York había tomado la decisión sin pensarlo.

La reacción inmediata de Molly contra el símil de Salem sería, como ya intuía yo, la objeción más férrea a una obra de estas características. «Haber comunistas, los hay», se diría una y otra vez, «pero nunca ha habido brujas.» Yo no quería dar la espalda a este problema, no me hacía ninguna falta; mis únicas obligaciones eran conmigo mismo y con el material de que disponía. Pero tampoco quería que me distrajera de lo principal antes de que tuviera muy claro cuál iba a ser el tema. Lo único de que disponía hasta el momento era un amasijo de anécdotas, indicio de una comunidad cerrada que había sucumbido ante la desconfianza y la manía persecutoria: y literalmente, porque tuvieron que pasar cien años para que se vendieran los terrenos que habían pertenecido a los ahorcados, tal era la realidad de la maldición que había caído sobre ellos.

No era verdad pues que «nunca ha habido brujas». No me cabía la menor duda de que Tituba, la esclava negra de Barbados del reverendo Parris, había practicado la brujería con las muchachas, aunque se me antojaba más interesante el hecho de que los mejores espíritus de la época, nacionales y europeos, dentro y fuera de la Iglesia, habrían puesto el grito en el cielo si se les hubiera dicho que las brujas no existían cuando la Biblia prohíbe tratar con ellas en tres lugares distintos. Addison, el doctor Johnson, el rey James y toda la jerarquía eclesiástica británica compartían la opinión de Blackstone, la voz de la jurisprudencia inglesa personificada, que decía: «Negar la posibilidad, más aún, la existencia real de la hechicería y la brujería contradice lisa y llanamente la Palabra revelada de Dios, según consta en diversos pasajes tanto del Antiguo como del Nuevo Testamento; y el fenómeno en cuanto tal es una verdad de la que todas las naciones del mundo han prestado testimonio, o con ejemplos al parecer bien documentados o con leyes prohibitorias, que cuando menos admiten la posibilidad de comerciar con los espíritus malignos». John Wesley lo resumía así: «Negar la brujería es negar la Biblia». Como siempre, estas afirmaciones tenían su causa: el creciente auge de lo que se llamaba «infidelidad», esto es, del escepticismo, el deísmo, incluso el ateísmo; y la brujería era la peor burla que podía hacerse a Dios. La caza de brujas fue una forma de decir: «Debes unirte a la Iglesia porque somos lo único que hay entre tú y el señorío terrenal del Demonio». Por debajo de la santa indignación moral, entonces lo mismo que ahora, estaba el poder de nuestro muy querido amigo y el deseo de apropiárselo. Cuando en Europa se había ejecutado a cientos de miles de personas acusadas de practicar la brujería, no era muy sensato decir que la causa era puramente imaginaria.

Pero un tema no es una idea; es una acción, un proceso incontenible, como un feto en desarrollo o, sí, como un cáncer; destruye mientras cambia y crea o mata, paradoja que nada puede impedir se desarrolle con todas sus contradicciones hasta llegar a la resolución, que en este instante preciso ilumine el conjunto desde el comienzo. Después de acometer el trabajo por todos los flancos, de escribir una escena experimental tras otra a lo largo de varias semanas, llegué al substrato de los paralelismos internos que sugerían una forma de alcanzar el nudo del argumento y acabé por preguntarme qué factor habría podido impedir, de haber existido en Salem, el que los ciudadanos se enfrentaran entre sí de aquel modo.

Casi todas las declaraciones que había leído contenían una vena sexual, o manifiesta o apenas oculta; el Demonio, por ejemplo, era casi siempre un negro en medio de una comunidad blanca y, como es lógico, la chispa inflamadora inicial que convenció a los más de que la ciudad estaba bajo las pezuñas luciferinas fue la confesión forzada de la esclava negra Tituba. Pero sin quitar lo anterior, los hombres pocas veces acusaban a otros hombres de haberlos embrujado y casi todas las mujeres hechizadas habían recibido la visita de un brujo de sexo masculino. La noche era el momento normal para subvertir la debida conducta cristiana y muchos estaban en el lecho cuando por la ventana o por la puerta, real como la vida misma, entraba flotando un visitante fantasmal que se les echaba encima o les incitaba a practicar alguna impureza, verbigracia besarse, o les mandaba firmar en «el libro del Demonio», especie de nómina del subterráneo grupo de los condenados. El desahogo que sentían los que declaraban era semejante a un orgasmo; a decir verdad se les alentaba a contar en público que habían compartido la cama con alguien con quien no estaban casados, un ser humano vivo esposado ahora ante ellos por gentileza de los lugartenientes de Dios.

Allí había culpa, la culpa de la sexualidad ilícita. (Y, mira por dónde, benditos a causa de aquella cruzada divina, los augustos jueces de Nueva Inglaterra no tardaban en jugar al tejo con sus sacrosantos testigos adolescentes ni en tomar una cerveza con ellos y ellas en la taberna local: procedimiento demoníaco, ciertamente, pero permisible ahora que en nombre de Dios libraban aquella guerra sin cuartel contra el Infierno.) Si no hubiera habido ninguna mecha culpable que prender, si la religión y la cultura represiva no hubieran gobernado con mano tan dura, no se habría dado la posibilidad de una psicosis colectiva. Así pues, John Proctor, al verse forzado a confesar, no una culpabilidad figurada, sino el comercio carnal de verdad que practicó con una adolescente con nombre y apellidos, habría podido salvar a la comunidad del único modo posible: abriendo a la conciencia lo que se había reprimido y que con disfraz santo estaba dispuesto a acabar con todos.

El interrogante político, por tanto, de si las brujas y los comunistas podían compararse no tenía ya importancia. Lo que en ambos casos se daba de manera manifiesta era el sentimiento de culpa, la culpa, separada por dos siglos, de abrigar sentimientos ilícitos y reprimidos de rebeldía y hostilidad hacia la sociedad normal y diurna, tal y como la definían sus columnas más ortodoxas.

Sin sentimiento de culpa, la caza de rojos de los años cincuenta jamás habría tenido el ímpetu que tuvo. Una vez que se admitió que cualquier idea que recordase, aun de lejos, a las posiciones marxistas era ilícita política y moralmente, el liberal, con sus sólitas adaptaciones de la teoría y las actitudes marxistas, quedó del todo inmovilizado. Los antiguos comunistas eran culpables porque habían creído que los soviéticos fomentaban el sistema del futuro, sin explotación humana ni derroches irracionales. Incluso la ingenuidad de considerar a Rusia, no un imperio terrenal, sino una especie de condición espiritual, era ahora motivo de culpabilidad y descrédito.

El Comité Parlamentario de Actividades Antiamericanas existía desde 1938, aunque la mecha de la culpabilidad no estaba tan a la vista cuando el New Deal de Roosevelt abrazó abiertamente una política de ingeniería social a gran escala que a menudo recordaba los métodos socialistas. Pero, al igual que en Salem, llegó un momento, a fines de los cuarenta, en que las normas de la dinámica social cambiaron o se cambiaron de repente y las actitudes que se habían contentado con ser anticapitalistas y antisistema pasaron a considerarse impías, moralmente reprobables, y si no alevosas en acto, sí en potencia. Norteamérica había sido siempre un país religioso.

Creo que desde hacía mucho andaba en pos de un héroe trágico y ya lo tenía; no iba a abandonar la historia de Salem. Cuanto más trabajaba más seguro estaba de que, por improbable que pareciera, había momentos en que lo único que podía impedir la decadencia de un mundo era una conciencia individual.

A mediados de verano daba con el momento en que Proctor, capaz por fin de superar sus culpables sentimientos de indignidad y de «subir al cadalso como un santo», como yo le hacía decir, se enfrenta al tribunal confesando y acelerando su propia ejecución. El detalle afianzaba la obra. Uno de los resultados secundarios que me reportó fue que cambió mi punto de vista respecto de las tragedias griegas; su efecto terapéutico tuvo que consistir sin duda en hacer que el clan tomase conciencia de su capacidad para cometer violencia impunemente, con objeto de sublimarla y reprimirla mediante instituciones nuevas, como la ley que dicta Palas Atenea para reprimir la venganza primordial en cadena.

«Todo dramaturgo tiene que tener a Jed Harris una vez por lo menos», me había dicho George Kaufman, «igual que el sarampión.» Tras dos montajes teatrales con Kazan y compartir ideas con él acerca de la vida y el teatro, buscar otro director era difícil de encarar. Jim Proctor, que se había encargado de la publicidad de *Todos eran mis hijos* y el *Viajante*, era lo bastante mayor para recordar, a diferencia de mí, la serie de éxitos que Harris había dirigido a fines de los veinte y principios de los treinta, época en que, tal como a veces sucedía en un Broadway donde aún se representaban docenas de obras serias a la vez, un director estrella podía montar espectáculo tras espectáculo durante años, durante décadas incluso, y dominar una época con su personalidad. Harris había hecho representar *Coquette*, con Helen Hayes, especializada en papeles ingenuos, *Broadway*, *The Royal Family* y *The Front Page*, y dirigido *Tío Vania*, *El inspector*, *Casa de muñecas*, *Our Town* y *Las manos sucias* de Sartre, entre otras, aunque en los cincuenta se extinguió su leyenda casi del todo. Un par de años antes, sin embargo, se había encargado de un fallido montaje de *Washington Square*, lo había revisado y retitulado *La heredera* y lo había convertido en un éxito. Había tenido un hijo con Ruth Gordon y se había peleado prácticamente con todo el que era alguien en el mundo teatral de Broadway, cosa que yo ignoraba cuando Jimmy nos reunió por vez primera a bordo de un suntuoso yate a motor de veinte metros de eslora en el puerto de Westport, Connecticut.

Jimmy Proctor era calvo, de nariz aplastada, cuello grueso y el andar patituerto de un luchador de lucha libre miope, deporte que había practicado en Cornell a mediados de los años veinte. Además ceceaba y, al igual que muchos periodistas de su época, era un sentimental sin remedio, en particular respecto de las personas dotadas, bien para el funambulismo, bien para escribir obras de teatro. Durante su infancia, el padre aparecía por casa de tarde en tarde, cuando volvía de tal o cual revolución sudamericana, o, en ocasiones, de una expedición a alguna selva donde se decía que había oro. Jimmy había desarrollado muy pronto, pues, la inclinación a idealizar a los individuos de personalidad inusual o exótica, y Jed Harris, por lo visto, era uno de los ejemplos más descollantes del siglo XX. «Mucha gente censurará a Jed», advirtió Jimmy en una de sus escasas y atenuadas manifestaciones, «pero es un genio a su manera y eso es algo que no se pierde nunca.»

Según supe después, el yate, bajel venerable e impecablemente conservado, lo tenía Harris de manera provisional, ya que aún no se había decidido a comprarlo (aunque seguramente no lo haría con dinero, porque no lo tenía). A bordo había además una joven encantadora que no despegaba los labios para nada y que sin duda estaba también a prueba. Adiviné en seguida que lo bueno de Jed era lo malo, una energía física, visceral, y un desenfreno que no admitía las negativas. Si era domingo y él decía que era martes y se le corregía, sonreía con malicia adelantando la maciza quijada y decía: «Nunca discuto con personas inteligentes». Desde el principio había sospechado que era demasiado señorito para mí y que habría problemas, pero poseía saludables conocimientos sobre teatro y sobre actores y era además un degustador convicto y confeso de poesía y de literatura en general. Era uno de esos hombres que, en pocas palabras, se levantaba de la mesa y le dejaba a uno con la impresión de que había conocido bastante íntimamente a Winston Churchill, a Mahatma Gandhi y quizás a Gertrude Stein. Jed tenía estilo, lo que siempre es sospechoso, en particular cuando no sólo es una forma de entretenimiento sino también un arma.

Pero al igual que todos los elegantes tenía su lado torpe e ingenuo, como cuando lo llevé a Boston en el Ford y en el momento de dejar atrás un puesto de peaje, tras abonar el importe, me gritó que me detuviera. Frené e inquirí qué le ocurría. Señaló hacia atrás, hacia el cobrador del peaje, y dijo: «No le has dado propina». Como presentación de un director nuevo era mal augurio para un común sentido de la realidad, aunque el futuro deparaba señales más prometedoras. Lo llevaba a Boston para que viera a Arthur Kennedy, que actuaba en esta ciudad. Kennedy había intervenido en dos obras mías y pensaba que no estaría mal en el papel de John Proctor. Pero Jed había rechazado la idea desde el instante mismo en que se la había formulado.

—¿De dónde es? —me preguntó.

—De Worcester, Massachussetts.

—Me lo figuraba. Con los pies que tiene...

—¿Qué pies?

—¡Pues los suyos! Pero, hombre, ha intervenido en dos obras tuyas ¿y no le has visto los pies?

—No sé a qué te refieres.

Al ver a Kennedy aquella tarde en el escenario, Jed me dio un codazo y me señaló:

—¿Lo ves, lo ves ahora? Es un patatero de mierda, ¡mira cómo anda! Ni que estuviese de barro hasta la rodilla, plif, plaf, plof.

Mientras volvíamos a Nueva York subrayó que Kennedy estaba muy dotado para las escenas vehementes y terminamos por contratarle, aunque su absurda objeción a los pies del actor era una señal de que enfocaba mal la obra, cosa que preferí pasar por alto con mi habitual optimismo. Kennedy, según él, era demasiado vulgar, haciendo caso omiso del hecho de que John Proctor no es un actor, sino un campesino de Salem. En realidad, Harris veía la puesta en escena como un «lienzo holandés», una obra clásica que tenía que interpretarse con nobleza: una invitación al aburrimiento, vamos. Pero acertó en lo relativo al resto del reparto, decididamente decantado hacia lo majestuoso, con el imponente octogenario Walter Hampden en el papel de Danforth, el boquiacuchillado Philip Collidge en el papel de Hathorne, E.G. Marshall en el reverendo Hale, Beatrice Straight en Elizabeth y un cómico de revista, anciano ya, dotado de un ingenio cruel y astuto y llamado Joseph Sweeney, en el papel del granjero octogenario Giles Corey, que muere lapidado por negarse a prestar declaración.

Después de ensayar diez días con esta capacitada compañía se hizo sentir sobre el escenario un no sé qué de plomizo y muerto y me acordé del antiguo refrán que decía que no había éxitos con veste puritana (y que a lo mejor se basó en lo que dijo Max Gordon tras el fracaso de una obra sobre Napoleón que había financiado: «Nunca más haré una obra donde la gente escriba con pluma de ave»). Había poca espontaneidad en las interpretaciones y yo sabía que la causa era, sencillamente, que los actores tenían miedo de Harris, que a veces interrumpía una escena para burlarse de alguno con grosería por no haberse puesto exactamente en el punto prefijado del escenario. Incluso recitaba con exageración sus parrafadas para hacer hincapié en una vocal o les daba la vuelta materialmente para que ejecutaran pasajes enteros sin mirarse, y ello para subrayar alguna clásica contención impersonal que deseaba imponer. El conjunto se estaba volviendo un ejercicio absurdo, no de pasiones, sino de disciplina. No funcionaría y una mañana Jed ni siquiera se presentó para el ensayo.

Lo localicé por teléfono en el piso que le habían prestado en Central Park South y me pareció que no exageraba cuando, tras un largo silencio de medio minuto, me murmuró: «Arthur, me muero».

—¿Qué ha dicho el médico? —le pregunté minutos más tarde, después de correr a la cabecera de su cama.

Jed cabeceó desesperanzado.

—No lo sabe —me respondió. Tenía que habérseme ocurrido que cualquier enfermedad que Jed sufriera tenía que estar fuera del normal alcance de la ciencia médica—. Quiero que te encargues tú de los ensayos —murmuró, castañeteándole los dientes en el momento de sacar un brazo peludo de debajo de la frazada para cogerme la mano—. Eres un buen chico —añadió con solemnidad, como si aquel fuera el último instante que íbamos a compartir en la tierra.

Tras asegurarle que todos estábamos ansiosos por volver a verle cuando se hubiese recuperado —mentira que me perdoné sin ningún remordimiento—, volví al teatro, ensayamos durante media hora, me di la vuelta y vi a Jed sentado, con el abrigo puesto, el cuello subido y los dientes castañeteándole aún, rehén de su arte. Una hora más tarde yo estaba de vuelta en el escenario para decirle a Kennedy dónde colocar con exactitud las patosas extremidades y cuántos grados tenía que girarse mientras recitaba una parrafada.

De toda la compañía, E.G. Marshall era el único que no temía a Jed y era capaz de intimidarle con la mirada. Al acudir a los ensayos cierta tarde, se presentó con una botella de whisky de un litro e insistió en tenerla en la mano mientras interpretaba el papel del reverendo Hale en la escena en que obliga a Proctor a recitar los Diez Mandamientos para probar su fe. Se quedó inmóvil mientras Kennedy recitaba a toda prisa lo solicitado y cuando Jed subió a las tablas y le pidió que se adelantase unos centímetros, primero empinó el codo hasta donde pudo, vació la botella, se giró con despreocupación y la lanzó alegremente a la oscuridad de la galería, donde se hizo añicos después de salvar toda la platea. Entonces, volviéndose a Jed y relamiéndose los labios, le dijo: «Bueno, ¿qué es lo que quieres que haga?». Jed, por lo que sé, no volvió a darle ninguna instrucción.

Jed era un hombre encantador que vivía en el confuso umbráculo del autodominio y supongo que tal era el origen de la autoridad que inspiraba. A los locos solíamos seguirles la corriente. Sin embargo podía ser muy gracioso. Cierto día me presenté en su casa y me lo encontré en el sofá, leyendo un libro muy grueso. Le dije que ya no se publicaban libros de aquel tamaño. «Es natural», respondió Jed; «éste, aunque es gordo, no es nada interesante.» Pero había que tener cuidado con sus cambios de humor. Minutos más tarde estábamos ante la puerta del ascensor, charlando, relajados, en espera de que se abriese. Sin previo aviso, se puso a dar patadas y puñetazos a la puerta metálica con todas sus fuerzas, mientras repetía a voz en cuello: «¡Pero sube de una vez! ¡Sube de una vez!». Un minuto después aparecía el ascensorista, un setentón frágil, para explicar el motivo de la tardanza, pero Jed no pudo contenerse, aferró al viejo por las solapas y le rugió: «¡Estoy harto de apretar el botón!», mientras lo empujaba con violencia contra la pared del ascensor sin que yo pudiera impedirlo. Cuando llegamos a la calle se había recuperado y me contó que pensaba comprarse un Chrysler de segunda mano, pero que tuviera panel de separación entre el chófer y los pasajeros. Estaba ya claro como el agua que no tenía dinero para mantener un coche con chófer, pero como nos quedaba camino del teatro, insistió en enseñármelo y fuimos al establecimiento, que estaba en el mismo Broadway, entró y salió del vehículo un par de veces, abrió y cerró las portezuelas y en términos generales dio al vendedor la impresión de que iba a comprarlo en aquel mismo instante.

Estábamos ya listos para partir hacia Wilmington, Delaware, para la primera representación en público, y recelaba yo que Jed no había captado la clave de la obra; durante varios días adoptó las medidas más increíbles —por ejemplo, despedir a algunos actores—, hasta que el empresario, Kermit Bloomgarden, consideró que había llegado el momento de separarse. La oferta complació manifiestamente a Jed, que, sin embargo, insistió en percibir un elevado porcentaje de la recaudación a cambio de desaparecer; no tenía remedio.

Se acogió con grandes muestras de entusiasmo la primera representación que dimos en Wilmington, sede del imperio Du Pont, que me había parecido un complejo provinciano la última vez que había estado allí, nueve años atrás, con motivo de la representación de *Un hombre de suerte*. El público de entonces se había parecido a la muchedumbre de los teatros estivales, distante y desinteresado, pero en esta segunda visita todos se pusieron en pie al final para llamar al autor. Yo me encontraba al fondo del local, junto a Lillian Hellman y Bloomgarden, todavía descontento a causa del amordazado espíritu de la puesta en escena, sin ninguna confianza tangible en su futuro neoyorquino, cuando Jed apareció en escena, flanqueado por un asombrado Arthur Kennedy y un boquiabierto E.G. Marshall e hizo una reverencia como si fuera el autor. La caída del telón puso punto final a una auténtica muestra de afecto hacia mí, aunque aparentaba veinte años más que en la foto que se había publicado aquella misma mañana en el periódico local. Lillian, que le había cogido cariño a Jed, se partía de risa, y Bloomgarden, que había aprendido de ella la expresión, no paraba de repetir: «Es vergonzoso. ¡Vergonzoso!». Jed se reunió con nosotros en el acto, con una mano extendida y señalándose con la otra unos hilos rotos de la chaqueta. «Los actores me han obligado a salir a saludar. Mira, incluso me han arrancado un botón.» Al parecer se le había encendido una bombillita y había comprendido por fin que su aparición no había sido demasiado elegante. Le sonreí y le palmeé el hombro, con lo que se volvió a Lillian y a Kermit para repetir el número de la chaqueta y el botón como prueba de que la suya era todavía una naturaleza noble. Ni que decir tiene que Kennedy y Marshall no le habían obligado a salir a escena.

La acogida neoyorquina de una obra no me ha sorprendido nunca y la noche inaugural en el Martin Beck, unos cuatro años después del *Viajante,* no fue ninguna excepción. No se me escapaba que habíamos aguado una obra muy fuerte, que, en consecuencia, no iba a impresionar mucho a nadie. No fue una interpretación desde dentro, sino una especie de lectura consciente. Jed, la verdad sea dicha, había confesado más de una vez que no aguantaba el sentimentalismo de los montajes de Kazan y que iba a montar *Las brujas de Salem* según su estilo de siempre. Con lo que yo no había contado, sin embargo, era con la hostilidad del público neoyorquino, que se puso de manifiesto cuando quedó claro el tema de la obra; encima de sus cabezas se formó una capa de hielo, lo bastante gruesa para patinar en ella. En el vestíbulo, al final, algunas personas con las que tenía un trato profesional bastante estrecho pasaron por mi lado como si me hubiera vuelto transparente.

Las reseñas no fueron tan negativas como había esperado, aunque el que el *Times* calificara la obra de fría me recordó que Jed me había contado que había ido a comer con Brooks Atkinson durante los ensayos de *Our Town* de Thornton Wilder con objeto de prepararle para la idea entonces revolucionaria de montar una obra sin decorados. «Le invité a los ensayos para que aprendiese cosas sobre el teatro, y le dije, digo: "Brooks, tú no sabes ni palote de teatro, ¿quieres que empiece a darte lecciones con esta obra?". Se rió por debajo de la nariz y me contestó que le encantaría, pero que el crítico del *Times* no podía llegar a tales extremos.» Y efectivamente, en el comentario que escribió sobre *Las brujas de Salem*, Atkinson fue incapaz de distinguir el texto de la fría puesta en escena.

La obra comenzó a decaer, de manera inevitable, al cabo de un mes aproximadamente, y Kennedy y Beatrice Straight no tardarían en marcharse para trabajar en el cine. El resto de los actores quiso seguir con la representación aun con menos o ningún salario, sobre todo después de una función en que el público, al llegar a la ejecución de John Proctor, se puso en pie y guardó silencio durante un par de minutos con la cabeza gacha. En aquellos momentos se electrocutaba a los Rosenberg en Sing Sing. Algunos actores, ante aquellas filas de personas silenciosas y con la cabeza inclinada, no supieron qué sucedía y los compañeros tuvieron que decírselo entre murmullos. La obra fue para ellos un acto de resistencia a partir de entonces y acometí un nuevo montaje con Maureen Stapleton en el papel de Elizabeth Proctor y E.G. Marshall en el que Kennedy dejó vacante. Había hecho quitar los decorados para ahorrarnos el jornal de los tramoyistas e hice que la obra se representase al desnudo, con luces blancas que no se movían de sitio en ningún momento. Me pareció que ganaba en fuerza gracias a aquel expediente de la sencillez. Nos las arreglamos para que permaneciera en cartel unas semanas más, hasta que dejó de acudir el mínimo de público que necesitábamos. Cuando cayó el último telón, bajé al escenario, me encaré con los actores, les di las gracias, ellos me las dieron a mí y todos nos quedamos mirándonos. Alguien sollozó, luego otro, y de repente, la enclaustrada frustración de los actores, unida al trabajo de más de un año para escribir la obra y corregirla, me estalló como una bomba en la cabeza y tuve que refugiarme en la oscuridad de los bastidores para llorar durante un par de minutos, tras lo que volví para despedirme.

Iban a cambiar muchas cosas en menos de dos años, como sucede siempre en Norteamérica. El mcCarthysmo estaba en declive, aunque aún seguía habiendo víctimas, y un nuevo *Salem*, patrocinado por Paul Libin, se estrenaba en un local del Martinique Hotel en la que fue una de las primeras representaciones off-Broadway de la historia de Nueva York. Se trataba de una compañía joven, muchos de los actores eran novatos que carecían de la perfección del reparto original, pero la obra se interpretó tal como estaba escrita, con pasión y furia, y estuvo en cartel durante casi dos años. Algunos críticos llegaron a la inevitable conclusión de que yo había corregido el texto, cuando la verdad es que ni una sola palabra se había cambiado, aunque sí los tiempos, y ya podíamos experimentar algún pesar por lo que nos habíamos hecho a nosotros mismos en los primeros años de caza de rojos. La prensa admitía que valía la pena meditar a propósito de la metáfora de las furias inmortales y ocultas que pueden resurgir en cualquier momento.

Las brujas de Salem, con el paso del tiempo, sería con mucho mi obra más representada, tanto aquí como en el extranjero. Su sentido variaba según el momento y el lugar. Casi puedo adivinar la situación política de un país si obtiene un éxito repentino en él, ya que se trata de una advertencia contra la tiranía o bien de una rememoración de la tiranía que acaba de padecerse. Todavía en el invierno de 1986, la Royal Shakespeare Company, tras representar *Las brujas de Salem* en catedrales y plazas públicas de Inglaterra, la representó en inglés en dos ciudades polacas durante una semana. Entre el público había destacadas personalidades gubernamentales que, con su presencia, subrayaban el mensaje de resistir a la tiranía a la que servían por la fuerza. En Shangai, en 1980, fue metáfora de la vida durante la época de Mao y la Revolución Cultural, décadas en que las acusaciones y las culpabilidades a martillazos gobernaron China y a punto estuvieron de acabar hasta con el último rastro de vida inteligente. La escritora Nien Cheng, que sufrió seis años y medio de reclusión solitaria y cuya hija murió a manos de los Guardias Rojos, me contó que al salir de la cárcel vio la representación de Shangai y que no podía creer que la obra la hubiese escrito un extranjero. «Algunos de los interrogatorios», me dijo, «eran idénticos a los que sufríamos durante la Revolución Cultural.» Me puso los pelos de punta el advertir lo que no me había pasado por la cabeza hasta que la autora china me lo dijo: que en ambos casos, la tiranía de los adolescentes era prácticamente igual.

A fines de los cincuenta el director francés Raymond Rouleau hizo una conmovedora versión cinematográfica, con Simone Signoret e Ives Montand, que al parecer había causado gran sensación en la versión teatral (no la pude ver porque el Ministerio de Asuntos Exteriores me había prohibido salir del país). El guión de Jean-Paul Sartre, sin embargo, me pareció que había vertido sobre el argumento original un caprichoso condimento marxista que conducía a un puñado de insensateces. Sartre reducía la expresión brujeril a un enfrentamiento entre agricultores ricos y campesinos pobres, cuando la verdad es que las víctimas como Rebecca Nurse pertenecían a la clase de los terratenientes relativamente grandes, y los

Proctor y sus semejantes no eran pobres bajo ningún concepto. Me divirtió ver crucifijos en las paredes campesinas, como habrían tenido que estar en las casas católicas francesas, pero jamás, como es lógico, en una casa puritana. Pese a todo, Simone Signoret estaba realmente conmovedora, la película tenía cierta noble grandeza y Salem y los Proctor compartieron una maravillosa sensibilidad francesa cuya inminente y catastrófica represión se intuía.

En 1965, sentado tras una pareja de jóvenes ingleses mientras presenciaba la versión dirigida por Olivier, tuve la insólita satisfacción de oír lo que la chica le decía a su amigo en el segundo entreacto: «Creo que tiene que ver con aquel senador norteamericano... ¿cómo se llamaba?». La obra de teatro era ya arte, libre de sus orígenes, nada más que espectáculo sobre las pasiones humanas. Mientras escuchaba me sentí como si hubiera regresado de entre los muertos; y no estaba nada mal.

Pero en la época, *Las brujas de Salem* constituyó otra derrota más, una derrota que sin embargo estuve lejos de lamentar. La obra había salido a la luz en circunstancias muy desfavorables. Se suponía que ahora tenía cierto derecho al poder, y aunque nada más lejos de mis intenciones, era difícil evitar las manifestaciones ocasionales, como cuando la Asociación de la Prensa me pidió que pronunciase una conferencia en sus locales a propósito de las recientes declaraciones del ministro de Asuntos Exteriores, John Foster Dulles, tocantes a que el ministro tenía perfecto derecho a negar a los periodistas el visado para entrar en China: «Si el gobierno está capacitado para prohibir a los empresarios que ayuden al comunismo chino negociando con sus dirigentes, la obligación de los periodistas no es diferente». Al parecer imaginaba que su prohibición de informar sobre China iba a erradicar de la historia a la nación más poblada del mundo. Parafraseando a Hitler al hablar de la guerra, califiqué la actitud de «diplomacia total» y el *Times* publicó un largo informe sobre mis manifestaciones. Pero habría tenido que estar loco para creer que el pueblo norteamericano no iba a estar de acuerdo con Dulles. «El fascismo que llega como antifascismo», que dijo Huey Long, me rondaba la cabeza mientras seguíamos perdiendo el hilo de los principios fundamentales; porque el derecho del pueblo a saber no era de ninguna de las maneras lo mismo que su derecho a comprar y vender. No me cabía la menor duda de que aquellas manifestaciones mías irían a parar directamente al expediente que me habría abierto J. Edgar Hoover. Hablé ante un grupo cuasirradical, el National Counsil of Arts, Sciences and Professions [Consejo Nacional para las Artes, Ciencias y Profesiones Liberales], alegando que en vista de la ausencia casi total de películas, obras de teatro y libros sobre las listas negras y la cruzada norteamericana contra las libertades civiles, había que preguntarse si el verdadero problema era la autocensura. Pero las conferencias, entonces lo mismo que ahora, me dejaban siempre vacío, sin otra cosa que una sensación de inutilidad. Lo único que importaba en definitiva era el trabajo, y el buen trabajo perduraría mucho después de que los discursos se hubieran olvidado.

Pese a todo no me resultaba fácil volver a sentarme al escritorio, sobre todo porque *Las brujas de Salem*, aunque había fracasado como espectáculo comercial, como obra de teatro había sido un acierto. En 1953-54 no podía por menos de pensar que el tiempo se estaba acabando, no sólo para mí, sino también para la cultura norteamericana tradicional. Tanto en la vida como en el teatro estaba cayendo en un aislamiento tan creciente como espantoso.

Fue por entonces cuando me llamó Montgomery Clift para preguntarme si quería acudir al Phoenix Theatre para presenciar los ensayos de la versión de *La gaviota* de la que él y Kevin McCarthy eran responsables. Falto de dirección, me dije que aquel trabajo bienintencionado carecía de centro específico de gravedad y tampoco sirvió de nada el que Sam Jaffe interpretara el papel del doctor Dorn. Hablé con los actores durante dos tardes para dar con alguna línea metafórica coherente que pudieran seguir, pero lo único que salió de allí fue una observación que repetiría Monty en los años siguientes, incluso durante el rodaje de *Vidas rebeldes,* para el que aún faltaban unos siete años. Interpretaba el papel de Treplev, pero no sabía muy bien por qué se suicidaba el personaje y le sugerí que cuando Treplev se llevara el revólver a la cabeza pensara que, a través de su propio cráneo, apuntaba realmente a Arkadina, la madre. La idea le gustó lo indecible y fue la causa de que el suicidio se representase en escena y no fuera de ella.

Pero todo aquello era secundario; yo no tenía empuje para ser director aunque sólo fuese porque me era difícil estar en compañía ajena durante períodos largos teniendo mi narcisismo que ceder espacio al narcisismo de los demás. Por otra parte, la palabra escrita llega satisfactoriamente más lejos que ninguna otra cosa y puede revestirse de significados nuevos y sorprendentes, de los que aclaran las ideas al mismo autor. Una noche, a punto de abandonar el vestíbulo del teatro tras ensayar con Monty y Kevin, viví un ejemplo inesperado.

Un chaparrón incesante inundaba la Segunda Avenida. En el interior del vestíbulo, por lo demás vacío, con un paraguas húmedo junto a sí, había un joven muy singular con botas de goma, camisa blanca, corbata negra, abrigo negro y traje negro, ojos negros y un yelmo rizado de pelo negro. Expresión alucinada y fanática en los ojos al acercarse, perlas de saliva en las comisuras de la boca.

Me recordó que me había telefoneado semanas atrás para solicitarme unos minutos de tiempo, con objeto de explicarme cierto problema, y entonces me acordé de él: un argentino que estaba en segundo año en la Universidad de Columbia y que quería hablarme sobre *Las brujas de Salem.* Le dejé subir al coche, pensando que allí me sería más fácil deshacerme de él que en una sala de estar, ya que tenía un aspecto francamente raro y me ponía nervioso.

El chaparrón, oleadas de agua que recorrían la vacía arteria a instancias del viento, continuaba implacable. Se sentó con corrección, con el paraguas entre las rodillas, y advertí que llevaba una sortija con un diamante de buen tamaño. Tras cambiar algunas naderías sobre arte —era pintor, según dijo—, le forcé a que me expusiese el problema y me preguntó si yo creía que una persona podía «influir» en lo que hacía otra. Pensando que hablaba de literatura o de pintura, le dije que a mí me habían influido varios autores, pero se refería a otra cosa.

—Me refiero —dijo entre titubeos— a si una persona puede...

—¿Controlar?

—Sí, eso es, controlar.

—¿Le controla alguien a usted?

—Sí, en todo momento.

—¿Sabe de quién se trata?

—De mi tía.

Esta señora, según me contó el estudiante, prácticamente le había criado en la gran mansión de la familia, le bañaba, le daba clases, le vestía y desnudaba, hasta que en la aurora de la adolescencia el joven había sufrido una perversa mutación de perspectiva y se había dado cuenta de que el secreto designio de la mujer era matarle.

—Yo sabía cuándo se acercaba a la casa, incluso a cinco manzanas de distancia; así de fuerte era el influjo que ejercía sobre mí.

Pero en Nueva York no tendría nada que temer. ¿Que no? En una fiesta celebrada la semana anterior había cruzado la sala para saludar a una estudiante que le gustaba cuando de pronto se había sentido empujado contra el piano, se había roto dos dientes y el labio superior le había quedado desfigurado. Me enseñó los dientes envueltos en un pañuelo manchado de sangre.

—Pero ¿quién le empujó?

—Mi tía. No quiere que trate con chicas.

—¿Desde Argentina?

—La distancia carece de importancia, puede estar en cualquier parte.

—Supongo que habrá consultado con algún médico.

—Sí, pero ninguno dice saber nada.

—¿Y por qué acude usted a mí para contármelo?

—Por *Las brujas de Salem*.

Me quedé estupefacto.

—¿Y qué hay en *Las brujas de Salem* que le haya hecho a usted pensar que...?

—Las muchachas. Las brujas las atormentan.

—Sí, desde luego. Pero sepa usted que, en mi opinión, no decían la verdad.

—Pues claro que decían la verdad.

Un escalofrío me recorrió la espalda. Me lo reprimí e hice cuanto estuvo de mi mano por animar al pobre joven.

—Vi la obra en Buenos Aires y supe que usted me entendería porque está al tanto de que estas cosas suceden.

Tuve que aguardar al final del verano siguiente para que saliese de mi vida y entrara en el hospital, sin que la psiquiatría hubiese podido hacer nada por liberarle de aquellos fantasmas. No obstante, había captado en la obra un plano de realidad que yo no había invocado al escribirla, pero que el joven me hizo comprender que estaba presente.

Aún sin nada que hacer, acepté, a pesar de mis presentimientos, una invitación del teatro estival de Arden, Delaware, para dirigir un montaje de *Todos eran mis hijos* con Kevin McCarthy y Larry Gates en el papel de Chris y Joe Keller, respectivamente, y mi hermana, Joan Copeland, en el papel de Ann. (Joan era ya una actriz con talento; había aparecido en muchas obras de Broadway, entre ellas *Detective Story* y *The Diary of Anne Frank.*) Por entonces me sentía desorientado y débil, ya que el óbito de *Las brujas de Salem* me había afectado más de lo que me había permitido creer y me resultaba inquietante en consecuencia que hubiese actores que me revistiesen de autoridad. Nunca se me había ocurrido pensar en lo desnudo y desamparado que se siente el actor en escena y en lo fácil que es convertirle a él en subordinado y a uno mismo en figura relevante.

Pero el proceso entero era nauseabundo y menos que nunca quise ser director, proveedor de una seguridad que las más de las veces me faltaba. La misma idea de autoridad era engañosa. Y se me antojaba que había rebasado ya aquel margen en que podía confiarme a otra persona. No era ya cuestión de enfadarse con la vida, sino de aceptar sus condiciones más sencillas. La frase de Ibsen: «El más fuerte es el que está más solo» no dejaba de rondarme la cabeza.

Un telefonazo de Martin Ritt, actor que sabía se contaba entre el personal del último Group Theatre pero al que no conocía personalmente, constituyó una interesante invitación a salir del aislamiento. Actuaba en *The Flowering Peach,* la obra más reciente de Odets y que fue también la última; dejaría de estar en cartel al cabo de un par de meses y Robert Whitehead, el empresario, había accedido a que los domingos por la tarde los actores interpretasen la obra que quisieran. ¿No tendría yo alguna obra en un acto para ellos?

Con la ilusión de escribir para un grupo aficionado y no para un estreno en Broadway, me esforcé durante dos semanas para terminar *A Memory of Two Mondays* [Recuerdo de dos lunes], especie de elegía por los años que había pasado en el almacén de accesorios automovilísticos. Creo que escogí este argumento impulsado por la necesidad de estar otra vez en contacto con una realidad comprensible para mí y que no fuese la floreciente y fatua Norteamérica del momento. En una época trivial que se complacía en el escapismo provechoso, había puesto las manos en un tema que nadie querría afrontar, la Depresión y la lucha por la supervivencia.

Corpulento y simpático, hábil jugador de póker y experto en las apuestas hípicas, Ritt se puso contentísimo con la obra en un acto, aunque pensaba que necesitaba un prólogo, algo susceptible de completar una función de tarde. Me gustó aquella prometedora atmósfera de teatro puro y disfruté del poder de asignar papeles a los actores sin preocupaciones comerciales que empañasen la felicidad del trabajo. Además, no se representaban nunca obras en un acto en el circuito de Broadway y de uvas a peras en el resto del país, lo que aumentaba el atractivo del proyecto. Para acabar de redondear las cosas, era probable que los que acudiesen los domingos por la noche no fueran los tenderos tradicionales, sino los auténticos amantes del teatro. Si alguna contradicción advertí entre los ideales democráticos y esta cómoda exclusión de todos salvo los aficionados, se perdió en medio de los placeres de crear.

Le estuve dando vueltas al asunto durante varios días, tratando de idear algo breve y maravilloso, y de súbito, la vieja *tragedia italiana* pareció lloverme del cielo con su acción en un solo acto y una única y creciente línea dramática que desembocaba, de manera fatídica, en un desenlace explosivo. Destinada a aquella representación informal, *Panorama desde el puente,* que me había ocupado durante años como proyecto de obra de duración normal destinada a los teatros de Broadway, quedó terminada en el plazo de diez días. Marty la leyó y se rió con ganas cuando supo que la había comenzado pensando que sería una especie de introducción, ya que saltaba a la vista que era la pieza principal.

Pero la marea de la realidad, veloz y destructiva, no tardó en presentarse de nuevo. *The Flowering Peach* se tuvo que retirar antes de lo previsto y el teatro dejó de estar a nuestra disposición. Por otra parte, las dos obras en un acto, representadas por un único grupo de actores que interpretaban papeles en ambas, despertaron un interés repentino en Broadway. Como es lógico, me sentía entre la espada de la idea inicial y la pared del entusiasmo de Kermit Bloomgarden por una obra nueva y de relieve. El instinto me alertaba en contra de Broadway, que consideraba totalmente ajeno a aquellas obras, pero al final venció la vanidad. Había además excelentes motivos para una intentona broadwayana como Dios manda, en particular la posibilidad de contar con buenos actores, mucho menos accesibles en el caso de una representación modesta que se celebrase en cualquier teatro de barrio. En 1955, el teatro off-Broadway estaba aún en pañales.

Pese a todo, la selección de los actores fue, como siempre, el factor decisivo. *Panorama desde el puente* había surgido de los muelles y de mi estancia en Calabria y Sicilia, y sin embargo terminamos con una mayoría de actores *wasp,** de los que sólo Jack Warden tenía acento extranjero y la sensibilidad necesaria. Fue culpa mía, porque Marilyn Monroe había acabado por introducirse en mi vida y entre la fascinación que esta mujer ejercía sobre mí y los quebraderos de cabeza que me deparaba mi situación matrimonial apenas tuve tiempo para concentrarme en los actores. Había confiado en el viejo proverbio que decía que los buenos actores, a

---

* Acróstico de *White Anglo-Saxon Protestant,* «anglosajón protestante de raza blanca», metáfora a su vez del grupo social dominante en los Estados Unidos. (N. del T.)

despecho de su especialidad, superaban todos los conflictos. Pero no era cierto. Van Heflin, hijo de un dentista de Oklahoma, estaba lleno de dudas sobre su capacidad para encarnar a un estibador italiano y me pedía que le pasease por Red Hook y le presentase gente. Estudió el habla portuaria como si fuese un idioma extranjero, que así fue como por desgracia sonó en su boca, y fue su preocupación por los giros e inflexiones lo que a la postre le impidió identificarse con el papel.

J. Carrol Naish, actor que durante décadas había utilizado la guardarropía de Hollywood para desempeñar su repertorio de caracterizaciones étnicas, volvió a reincidir a pesar de los esfuerzos de Ritt por transformarlo en un personaje que se pareciese a los de la vida real. Para interpretar el papel de Gus, el capataz gordo como un tonel que estaba a cargo del almacén de *Recuerdo de dos lunes,* Naish tenía que llevar en los zapatos unas pesas de cuatro kilos con objeto de que al andar tuviese un aire grotesco de antropoide, pero para interpretar el papel del abogado-narrador del *Panorama* le faltó artificio físico al que acogerse y la noche del estreno barbotó sus intervenciones como un malabarista a quien se le cayesen los platos: al aludir en cierta escena a Frankie Yale, célebre gangster que antaño había recorrido las calles sangrientas de Red Hook, lo llamó «Frankie Line», igual que al popular canzonetista, mientras daba la sensación de estar satisfecho por no haber olvidado nada de una parrafada larga.

Si *Panorama desde el puente* goza de buena salud en los teatros de todo el mundo después de más de treinta años, no es gracias a su primera representación, que en su mejor momento consiguió que pareciera una historia de venganza tan formal como irrelevante. Lo peor de todo era que no podía culpar a nadie más que a mí. Se había intensificado mucho la relación con Marilyn, lamentaba y deseaba alternativamente la posibilidad de acabar viviendo una vida que no era la mía. La voluntad parecía habérseme esfumado y no podía por menos de aceptar los planes de Bloomgarden, que suspiraba por un éxito broadwayano, cuando lo que yo había escrito era muy diferente, algo sencillo y elemental, espantoso por inexorable. Marty Ritt, que sería el celebrado director de películas como *Donde la ciudad termina, El largo y cálido verano* y *Hud,* disfrutaba de sus primeras vacaciones y siguió adelante, como pensaba que era su obligación, imponiendo de un modo más que vehemente su propio concepto de la representación. En resumen, la obra que se representó no tenía gancho; le faltaba la malla indefinible del empeño humano que de modo mágico sabe unir muchas piezas separadas, por lo demás muy corrientes.

Al ver la representación me sentí muy alejado de ella, como si hubiera entrado en el teatro a echar un vistazo nada más. Incluso el *Recuerdo de dos lunes,* una rememoración en teoría, parecía buscar efectos a toda costa en vez de recorrer el panorama del tiempo recordado. Menos de dos años después, Peter Brook hizo en Londres una adaptación del *Panorama* con una duración normal y recuerdo muy bien algo que me dijo antes de que se estrenara en el Comedy Theatre, cuando le pregunté qué pensarían los ingleses de la obra: «Pues no estoy seguro de que su aire trágico no acabe por espantarles; a los ingleses, por lo general, no les gusta Ibsen, ni los griegos, ni nada que les revele que en la vida hay una lógica subterránea que hace que casi todo se convierta en causa de otras causas. Imagino que si se lo tomaran en serio, huirían del país, que como todo el mundo sabe no tiene futuro. Siempre confiamos en que se produzca un milagro y en *Panorama* las cosas no suceden así».

Lo fundamental de la obra estaba para mí en el no desnudamiento del proceso en cuanto tal, en lo implacable de una estructura viva. Porque me sentía rodeado de un inútil vagabundeo anímico y espiritual y me daba la sensación de que el árbol de la vida se transformaba en errante planta trepadora. El celebradísimo «ocaso de las ideologías», que algunos influyentes ex marxistas estaban elaborando, eliminaba en mi opinión la idea misma de futuro humano. En el fondo los individuos estaban a merced de su propia soledad, consigo y para sí mismos, y en esto radicaba la tristeza de la vida, aunque algunos podían liberarse para hacerse independientes y ganar más dinero. En Norteamérica estábamos entonces en los albores del movimiento *beat*, que dio nombre a lo anónimo y forma a lo informe de nuestra existencia, y por el que no sentí la menor simpatía en la época. Cómo vivir y cómo tranquilizarse no era el mismo problema, en particular para quien tenía hijos y una desasosegante preocupación, que a mí no me abandonaba ni un instante, porque algo mezquino y que se mofaba de la vida se estuviese agitando en el espíritu norteamericano: algo que tendría que vencerse y superarse mediante las estrategias del arte. Tardé un tiempo en comprender que los *beats* tenían un ojo puesto en el mismo monstruo y que malograban su triunfo con un repertorio de triquiñuelas del todo diferente.

La acogida del *Panorama* fue en realidad mucho mejor de lo que juzgué en la época y se me había grabado en la memoria. Pero aún no he conocido al artista que no haya creído alguna vez que los críticos se han confabulado contra él. Es posible que fuese además un recuerdo negativo porque en mi interior había algo que rechazaba la obra incluso a las puertas de su estreno. Me volvía contra mí mismo, luchaba por alejarme de mi propia vida, orden y desorden en guerra en mi interior en una especie de reflejo de la tensión entre el frío clasicismo formal del texto y el volcán incestuoso y traidor que palpitaba en su seno.

No sabía ya lo que quería: desde luego no el final de mi matrimonio, aunque la idea de expulsar de mi vida a Marilyn me resultaba insoportable. Mi mundo parecía en colisión consigo mismo, el pasado me estallaba bajo los pies. Y para colmo era blanco de nuevos ataques.

Recibí el primer aviso en 1953. Una entidad financiera, la Belgo-American Association, me había enviado un telegrama invitándome a asistir al estreno de *Las brujas de Salem* en Bruselas, con todos los gastos pagados. Era la primera representación de la obra en la Europa continental y esperaba que cuando menos expusiera la vitalidad de la misma. Contesté aceptando, aunque me di cuenta de que me había caducado el pasaporte. Fui con Monty Clift al centro, al despacho de visados de Wall Street, y a continuación nos dirigimos a la Segunda Avenida, a presenciar un ensayo de *La gaviota*. Había pedido que acelerasen los trámites porque tenía que partir para Bruselas el viernes si quería estar presente en el estreno, que se celebraría el sábado por la noche; y era ya lunes.

Como no se me notificó nada en el curso de dos días, John Warton, mi abogado, se puso en contacto con un colega de Washington, Joseph L. Rauh Jr., que el jueves pudo saber por la señora Ruth B. Shipley, encargada de la sección de visados y pasaportes del Ministerio de Asuntos Exteriores [State Departament], que, en su opinión, mi viaje al extranjero «no era de interés nacional» y que por tanto no tenía intención de renovarme el pasaporte. Me recordó a la Duquesa de *Alicia en el país de las maravillas* y sus edictos inapelables: en cualquier caso, cuestión de semanas, de meses, incluso de años. Tuve que telegrafiar al Teatro Nacional Belga diciendo que no había podido conseguir a tiempo el pasaporte y que por tanto no estaría presente. No hay duda de que la señora Shipley tenía mi expediente —que sin duda condenaba sin rodeos—, con su alud de notas izquierdistas, peticiones que yo había firmado y reuniones a las que había asistido y, como es lógico, mi muy aireada ruptura con Kazan, a la que la prensa había dedicado mucha atención.

Los periódicos de Bruselas habían dicho que yo estaría presente en el estreno y cuando cayó el telón final el público pidió que saliera el autor. Como prosiguiera el llamamiento, un hombre que estaba en una de las primeras filas de platea se puso en pie para agradecer la acogida. El público, que lo tomó por el autor, le vitoreaba efusivamente. Era el embajador norteamericano, presente sin duda por deferencia hacia la entidad pronorteamericana que había patrocinado el acontecimiento. Una vez que se descubrió la anómala sustitución, sin embargo, los periódicos arremetieron contra la política norteamericana, utilizando mi forzada ausencia para esgrimir mi obra en señal de protesta contra el mcCarthysmo. El puerto belga volvería a abrirme sus caladeros a fines de los setenta, veinticinco años después, cuando acudiese a nuestra embajada en Bélgica con motivo de una recepción en mi honor. En 1953, el que se me recibiese con aplausos al entrar en una embajada norteamericana se habría considerado una locura.

El segundo ataque me llegó cuando el *Panorama* comenzaba a ensayarse. Los fuertes bandazos que daba mi vida unas veces me alarmaban y otras me divertían, incluso en aquella época. Por ejemplo, me encontraba con Marilyn en el piso realquilado que tenía en lo alto de Waldorf Tower y abajo en las calles el *Daily News,* el *World-Telegram* y el *Journal-American,* que publicaban todas las fotos que tenían de la actriz tantas veces a la semana como les era posible, invitaban al alcalde Wagner y a la junta municipal a que se manifestasen en contra de mi subversiva y antiamericana presencia.

El problema era esta vez aquella película sobre la delincuencia juvenil para la que me había pasado dos meses documentándome en las calles de Brooklyn y cuyo guión estaba a punto de comenzar. Aunque Bloomgarden, Ritt y yo habíamos completado lo fundamental del reparto del *Panorama* y de *Recuerdo de dos lunes* en primavera, no acometeríamos la representación hasta el otoño, por lo que se me abría un largo paréntesis. Un joven productor al que no conocía me había sugerido que escribiese un guión de cine sobre la reciente epidemia de guerras entre bandas, cuya dinámica no parecía entender nadie. Había firmado un acuerdo con el ayuntamiento, que, a cambio de la colaboración policial con el guionista y los equipos de filmación —acceso a las comisarías, sobre todo—, percibiría el cinco por ciento de los beneficios de la película, tajada ciertamente muy liberal. Particularmente importante era la cooperación de Mobilization of Youth [Frente de la Juventud], reciente organismo municipal que infiltraba en las pandillas a jóvenes funcionarios del barrio, en un intento de devolverles a la civilización. En tiempos pretéritos había rechazado ofertas cinematográficas mucho más lucrativas, pero aquella propuesta me entusiasmó y acepté unos miles de dólares en concepto de honorarios, más un porcentaje sobre los beneficios, en caso de que los hubiera.

Al cabo de unos meses en las calles elaboré un esquema provisional que recibió el caluroso apoyo, entre otros organismos, de la Catholic Welfare Agency [Sociedad Católica de Beneficencia], cuya larga experiencia entre los jóvenes necesitados de la ciudad había proporcionado a su dirección una base tangible para comprender la confusa situación del fenómeno de las bandas. Pero no pudo ser; la señora Scotti, la investigadora del Comité de Actividades Antiamericanas, se había personado sin más ni más en Nueva York para advertir a la administración municipal de que cualquier trato conmigo resultaría bochornoso porque acabarían eliminándome antes o después. No obstante, cometió el error casi fatal de ponerse en contacto con el presidente del Frente de la Juventud, cuyo nombre y pasado bastaron a la funcionaria para garantizarle cuáles serían sus simpatías políticas. Pero James McCarthy, aunque irlandés y licenciado por Notre Dame, detestaba las manifestaciones antidemocráticas que se hacían en su nombre y era un testigo de primera mano de mis conclusiones sobre la delincuencia, que yo había obtenido con grandes penalidades y que él compartía con fervor.

Tuve que someterme a un interrogatorio político ante la junta directiva nominal del Frente de la Juventud, que jamás se había reunido anteriormente. Estaba compuesta por los distintos responsables de los servicios municipales, entre ellos el de Sanidad, aunque ninguno de ellos tenía la menor idea de lo que era la asistencia social. Se les convocó pues para interrogarme y para decidir si podía autorizárseme a escribir el guión en cuestión. Optimista siempre, cuando no iluso, tuve la sensación, en el momento de reunirnos en una sala enorme del ayuntamiento, de que casi todos se sentían turbados por verse obligados a juzgar un caso en el que no tenían la menor competencia. Con todo, una señora que parecía distraída, mal alimentada y que —de verdad lo digo— calzaba zapatillas de deporte, vociferó que Arthur Miller había matado a nuestros soldados destacados en Corea y no paró de señalar una carpeta de diez centímetros de grosor, llena, según la mujer, de informes gubernamentales sobre mi traición: sin duda la contribución de la señora Scotti al conocimiento del mundo. Cuando me tocó hablar, alegué que, en mi sentir, mi trabajo demostraba por sí solo que estaba calificado para escribir aquel guión y que no estaba dispuesto a discutir mis opiniones políticas para conquistar un derecho con el que había nacido. La junta deliberó a puerta cerrada y perdí por un solo voto, feliz sorpresa, estimulante incluso, en aquel momento de la historia. Así era la época.

Así pues, había un clima de catástrofe inminente, una atmósfera sobrecargada de peligro en derredor del tiempo que pasábamos en el edificio Waldorf, aunque no sólo a causa de mi situación. Marilyn se había ausentado de Hollywood en una especie de huelga informal mientras su socio, el fotógrafo Milton Greene, renegociaba el contrato de la actriz con la Twentieth Century-Fox para que de tanto en tanto pudiera hacer películas independientes con la compañía que acababa de fundar, la Marilyn Monroe Productions. Estaba muy ilusionada con aquel acuerdo, del que esperaba tanto papeles importantes como dignidad personal. Como era de esperar, los poderosos columnistas cinematográficos de entonces no dejaban de lanzar pullas contra Marilyn, la puta que no sabía actuar, por tener la jactanciosa desvergüenza de poner condiciones artísticas a una empresa tan grandiosa y noble como la Twentieth Century-Fox.

Había comenzado además a asistir a las clases de Lee Strasberg en el Actors Studio, aunque aún no se atrevía ni siquiera a abrir la boca, impresionada por la imponente autoridad de Strasberg y por todo el clima de la educación interpretativa neoyorquina, que, a diferencia de los intereses de Hollywood, investigaba las versátiles responsabilidades del oficio de actor y no la forma de una nariz o unos pechos. Al margen de algún saludo y algún apretón de manos, y de las inagotables anécdotas que corrían en el Group Theatre sobre su mal genio —se decía que cierta vez había tirado del escenario a un actor—, yo apenas conocía a Strasberg. Actores que yo respetaba, entre ellos mi hermana Joan, lo admiraban sobremanera, aunque Monty Clift, agudísimo investigador del arte dramático y sus problemas, le tenía por un charlatán. Las relaciones de Marilyn con Strasberg eran, en mi opinión, cosa suya, en particular en aquella primera etapa de nuestro vínculo, y si bien caía en respetuoso trance cada vez que se pronunciaba el nombre del maestro, pensaba yo que era porque necesitaba aquella clase de fe después de los años que había pasado en la cínica selva hollywoodense. La idealización podía desembocar en desilusión, pero sin ideales no hay vida. Aún no me había dado cuenta de que también a mí se me estaba idealizando y situando por encima de todas las debilidades humanas.

Marilyn era para mí por entonces un torbellino de luz, toda ella paradoja y misterio tentador, vulgarota unas veces y otras elevada por una sensibilidad lírica y poética que pocos conservan después de la adolescencia. Había veces en que todos los hombres le parecían niños, criaturas con necesidades primarias que a ella por naturaleza le correspondía satisfacer; mientras tanto, su yo adulto se mantenía al margen y observaba el juego. Los hombres tenían sus necesidades imperiosas y en cierto modo sagradas. Era capaz de contar que en una fiesta dos invitados se le habían echado encima con ánimo de violarla y que había tenido que salir corriendo, pero la verdad de la anécdota era menos importante que la extraña distancia que había entre el suceso y ella. Al final brotaría de esta despersonalización algo próximo a lo divino. Por entonces era incapaz de condenar, ni siquiera de juzgar, a cuantos la habían ofendido, y estar con ella era ser admitido, como salir de un mundo donde la sospecha era de sentido común y adentrarse en un reino de luz purificadora. Carecía de sentido común, pero poseía algo más sagrado, una penetrante clarividencia de la que sólo era consciente a ráfagas: para ella, los seres humanos eran necesidad pura, herida abierta. Lo que más deseaba no era emitir juicios, sino que se la reconociera en una profesión enemiga de los sentimientos y que la aceptaran los hombres que, ciegos ante su humanidad, sólo veían la perfección de su belleza. Era un poco reina y un poco niña abandonada, ya se postraba de hinojos ante su propio cuerpo, ya renegaba del mismo: «Chicas guapas las hay a montones», decía con extrañado asombro, como si su belleza representase un estorbo en la búsqueda de una acogida más duradera. En lo que a mí respectaba era absurdo buscarle la lógica; yo estaba lanzado al galope, no había paradas ni puntos de apoyo, ella era en última instancia lo único cierto. Lo que ignoraba de su vida era de fácil conjetura y creo que sentía más que ella si cabe lo doloroso de sus recuerdos porque me faltaba el pequeño orgullo compensador de haber sobrevivido a una vida como la suya.

Fue un verano irónico y lleno de intensas imágenes que no olvidaré nunca. Pasaba muchas mañanas con Marty y Bloomgarden planeando la nueva representación y entrevistándome con actores para completar los papeles que faltaban, o bien en el piso que tenían Boris y Lisa Aronson en Central Park West repasando los concienzudos dibujos del primero para los decorados de las dos obras, con el alma sólo a medias allí, pero aún entusiasmado con la vida y al mismo tiempo atribulado por la culpa, con una rueca en el interior del cráneo, embriagado por la furiosa e infinita hermosura de la existencia. Por las tardes, a última hora, me iba a Brooklyn, a la sentina de Bay Ridge, donde había trabado amistad con Vincent Riccio, que me enseñaba a enfrentarme en una zona al rojo vivo a los peores brotes de violencia de la ciudad. Las noches de estío eran las mejores para la guerra y la imprudencia de todo aquello reflejaba en cierto modo mi humilde aspiración a una vida sosegada.

La parte de Bay Ridge donde se había afincado Riccio era un suburbio blanco habitado por irlandeses, italianos y algunas familias de procedencia alemana y noruega, y desde la calle no tenían mal aspecto las casas. El enorme barrio negro de Bedford-Stuyvesant no estaba muy lejos, aunque el problema no eran los conflictos raciales. Es verdad que de vez en cuando había grupos de jóvenes de color que se daban un buen tute en el metro para intervenir en una bronca de blancos, pero sólo para ver un poco de acción cuando las cosas estaban demasiado tranquilas en su barrio. Como es lógico, las bandas de negros se peleaban entre sí lo mismo que las bandas de blancos y por motivos igual de edificantes. Las contiendas eran tan desconcertantes porque, entre otras cosas, parecían totalmente absurdas; un negro de dieciocho años, alto, bien parecido, hijo de un médico del Bronx, que se había desplazado hasta Bay Ridge para intervenir en una trifulca, se limitó a encogerse de hombros cuando le pregunté por qué y me dirigió una mirada opaca y rayana en el desprecio por mi incapacidad de comprenderle. Obtenían una especie de dignidad perversa de la incongruencia misma de aquellas batallas, un gallardo puntapié a la balanza de pagos de la sociedad. La lógica del espíritu era la irracionalidad del intelecto.

Con Riccio por guía no me fue difícil cartografiar lo que desde fuera parecía una jungla impenetrable. Me di cuenta muy pronto de que, a falta de padres o con padres achacosos, las organizaciones tribales estaban encabezadas por jóvenes que sustituían a los adultos. Se trataba de jóvenes que habían vuelto a la época de los caballeros andantes, cuyas flámulas malinterpretadas ondeaban en su cabeza confundida. Pero no estaban exentos de pahtos. Una banda tenía su presidente, su tesorero, su ministro de la guerra, todo un gobierno en miniatura, aunque basado en el respeto, sobre todo a los jefes, y no en causas materiales. En el seno de Norteamérica no creían en nada, en el seno de la banda no dudaban de nada. Los muchachos podían optar de súbito por dejarse caer por la calle Fulton para atracar a cualquiera que pase, pero lo hacían como individuos, no como miembros de la banda y no buscaban el apoyo de la banda en estas incursiones. Como miembros de la banda eran fuerzas armadas paralelas que combatían en su sentir por algo parecido al honor y por los sublimes despojos de la victoria. El problema, que no tardé en intuir, consistía en que, al querer acabar con las bandas, la sociedad había partido del supuesto de que el único móvil auténtico de las acciones humanas era el beneficio, mientras que la banda, aunque de un modo histérico y distorsionado, se consideraba útil a la comunidad. Los miembros de la banda defendían su dignidad; el dinero era algo que cualquiera podía ganar por su cuenta en sus momentos libres. Al igual que todos los idealismos, el suyo impedía saber qué querían en realidad y qué satisfacía este deseo.

Educado en los barrios bajos y hermano pequeño de una familia pobre de veintiún hijos, Riccio comprendía la situación. Con sus veintitantos años había estudiado en Saint John's, una universidad del subsuelo, no había terminado ninguna especialidad ni pensaba hacerlo, y en su imaginación por lo menos se encontraba en degradante conflicto con la mucho más digna presidencia del Frente de la Juventud, que organizaba el plan de infiltración. Había boxeado como peso ligero en la marina —«donde me premiaron con una dentadura postiza», según contaba— y su destreza para asestar golpes rápidos, más que otra cosa, le había hecho acreedor al respeto de los compañeros. Su enfoque era teóricamente sencillo: «No tienen padre y yo les sirvo de ejemplo, así que no paran de buscarme las cosquillas con amenazas para que me raje o intervenga en alguna bronca de cojones. Les gustaría que les saliera rana, pero al mismo tiempo desean en privado que no; es como querer ser bueno sin tener que dejar de ser malo». Había pues una viva tensión entre el impaciente cinismo con que le habían tratado y la esperanza conmovedora de salvarse gracias a su ejemplo y ayuda.

Riccio tenía que andarse con pies de plomo para mantener el equilibrio entre el papel de representante de la sociedad y el de aliado de los muchachos. La policía se había desentendido siempre de la exigencia del Frente en el sentido de que no se obligase a los colaboradores callejeros a informar de lo que supieran sobre tal o cual delito, aunque sobre este delicado punto se había llegado a un acuerdo. Efectivamente, la policía quería que los colaboradores callejeros hiciesen de chivatos, lo que, como es lógico, daría al traste con la confianza que los chicos hubieran puesto en ellos. Algunos agentes comprendían y respetaban esta reserva profesional, pero la mayoría se resentía de ella; la reserva se fue minando poco a poco y por este y otros motivos el plan entero se vino abajo al final.

En 1955 comenzaron a cambiar radicalmente algunas cosas, incluso entonces podía intuirse: por ejemplo, fue la primera vez que se detectó la presencia de drogas en los barrios, aunque yo creí que era síntoma de una desorientación mucho más amplia y de definición imposible, y que trascendía con mucho el problema de las bandas. Una noche, mientras cenaba con Jim McCarthy y el principal teórico del Frente, Richard Cloward, de la Facultad de Sociología Práctica de la Universidad de Columbia, surgió la pregunta de en qué se diferenciaba la última generación de la nuestra de los años treinta. Nos encontrábamos en un antro italiano del Lower East Side, cerca de una urbanización donde se había declarado una epidemia de actos vandálicos. Había incendios en los pasillos, se saboteaban los ascensores, se rompían ventanas y las escaleras se alfombraban con excrementos. Pero las agresiones contra las personas eran relativamente escasas. La policía no sabía qué hacer y había pedido consejo a McCarthy, ya que por entonces gozaba de cierta celebridad como árbitro del alcalde Wagner en problemática juvenil.

Alto, gordísimo, simpaticote, pertrechado con una gorra de béisbol cuando entraba en contacto con las bandas, McCarthy tenía la risa fácil, aunque sus inocentes ojos irlandeses no perdían nunca la seriedad; cuando hablaba con otros, asentía continuamente sin dejar de decir: «Muy bien, muy bien». Pensaba que había alguna relación entre el vandalismo callejero y los sucesos de los últimos meses en la urbanización. Se había fundado una asociación de vecinos que contaba con comités encargados de mantener el orden en cada planta, que visitaban a las familias con hijos problemáticos y que en términos generales hacían de jueces cuando había conflictos entre un piso y otro. Había funcionado muy bien hasta que un miembro del gobierno regional ordenó que se investigase a la asociación, sospechosa de actividades comunistas, y en poco tiempo, asustados sus componentes, acabó desmantelándose. La organización política de las fincas, teorizó Jim, había levantado el ánimo y el sentido de la responsabilidad de los inquilinos, muchos de ellos trabajadores mal retribuidos y algunos con frecuencia en el paro. Por supuesto que los que estábamos en la mesa sobreentendimos que el Frente, organismo municipal, no podía salir en defensa de la asociación de vecinos, que a lo mejor era una organización izquierdosa, pero que en aquel caso había hecho un trabajo socialmente útil. ¿Con qué se iba a sustituir?, nos preguntábamos. Los partidos Demócrata y Republicano no iban a organizar comités de vecinos en las urbanizaciones; no era su estilo. En resumen, la causa de aquel brote concreto, y quizás de algunos otros, podía buscarse en la falta de autonomía expresiva.

La despolitización de la urbanización condujo al problema, mucho más amplio, de saber qué ideales sociales movilizarían a la ciudadanía en el futuro inmediato, pues los años cincuenta eran desconcertantes, una época, hasta el momento por lo menos, sin forma o acento dominante. Los tres habíamos crecido durante la Depresión, cuando apenas si podía concebirse que el destino de un individuo estuviera al margen del de la sociedad. La aparición de aquella oscura asociación de vecinos fue como retroceder a las reacciones totalmente normales y corrientes, al estilo de los años treinta, de las comunidades afectadas por un problema general, y consistentes en movilizarse de manera colectiva y responsable. Cabía la posibilidad de que detrás de aquella asociación estuviesen los comunistas, pero si se prohibían los actos colectivos no habría apoyo comunitario a la responsabilidad colectiva y cada individuo por separado se vería obligado a defenderse al final efectuando llamadas de urgencia a una policía sobrecargada de trabajo o indiferente.

Teníamos la sensación de estar al borde de un abismo que había que salvar.

—Si desaparecen estos actos colectivos, ¿cómo van a ver los ciudadanos su propia evolución? —pregunté a Cloward en concreto, que sabía de teorías más que McCarthy o yo.

—El problema será el estilo de vida —contestó.

Nunca había oído aquella expresión.

—¿Qué significa eso?

—Habrá estilos de vida competitivos, diferencias simbólicas y en el fondo insignificantes en el modo de vestir, formas de hablar, gustos gastronómicos, automovilísticos, etc., etc. La lucha de clases se ha acabado y quizás incluso el concepto de organización de masas. Los individuos se interesan cada vez menos por los actos colectivos, que comienzan ya a parecer extraños y un tanto absurdos incluso en nuestros días. La identificación se dará de manera creciente en el terreno del estilo: el concepto de uno mismo quedará políticamente neutralizado de este modo. Lo que habrá será conciencia de estilo, no conciencia de clase.

A mí se me antojó una idea vacua, pero me vino a las mientes cierta tarde de junio en que había visto a Billy, un chico al que conocía, tirado inconsciente en un zaguán de Bay Ridge. Era uno de los seis hijos de un estibador, Tommy Flaherty, un hombrecillo que vivía con su familia encima de un bar y a quien le encantaba salir a la acera para desafiar a cualquiera que pasase a una carrera alrededor de la manzana. Se enorgullecía de sus pies ligeros. No perdía nunca, ni siquiera cuando competía con jóvenes. Vi a Billy y sus hermanos mayores obligar al padre a subir porque se avergonzaban de su infantilismo, y también por la madre, una mujer sorprendentemente encantadora y digna que a la sazón daba el pecho a su sexto retoño. Era una bella familia de ojos azules y cabello muy rubio, los chicos altos y apuestos, y Margaret, la madre, mujer orgullosa que aún tenía cuarenta y tantos años. Billy era la niña de sus ojos, el único que no había robado ni había sido detenido y cuyo futuro parecía prometer, con sus manos hermosas y sus rasgos delicados, un destino semejante al de su tío Raymond, próspero corredor de bolsa en Wall Street, cuyos límpidos rascacielos podían verse al otro lado de la bahía, más allá del extremo de la calle.

La conducta de Billy en las últimas semanas había comenzado a parecernos extraña tanto a mí como a sus amigos; se había vuelto furtivo, de expresión ausente y nadie comprendía aquella transformación súbita. Empezó a desaparecer cuando la pandilla entró en la guerra y al final se supo que las drogas —cuando se enteraron todos de que consumía— lo habían echado a perder como pandillero. La cerveza era otra cosa, en ocasiones liberaba de toda suerte de cadenas, pero la heroína encerraba al consumidor en sí mismo. Por supuesto, no se trataba de rechazar los estupefacientes, sino de lamentar con sentido práctico la pérdida de un buen luchador. Las drogas, a causa de su efecto introversor, representaban un peligro incluso para la subcultura de las pandillas, que se dieron cuenta muy pronto. En los años sesenta, cuando los nuevos revolucionarios comenzaron a experimentar con las drogas como una forma de enfrentarse a la sociedad y de encontrar un camino hacia la liberación, el recuerdo de aquel episodio adquirió un tinte irreal y falto de lógica.

Billy murió a consecuencia de una sobredosis, o por mala información o porque estaba desesperado, aunque ya no pudo hacerse nada por remediarlo; fue un fin tan novedoso que en realidad parecía absurdo. La carencia básica de objeto, lo irrecuperable de aquella pérdida inútil, relacionada con las especulaciones de Cloward acerca del «estilo de vida», eran cosas que yo no alcanzaba aún a comprender plenamente. En el velatorio de Billy, celebrado en la pequeña casa que tenía la familia encima del bar, la hermosa madre, con el hijo menor en el regazo, miraba al vacío con sonrisa inmóvil sin resentimiento ni cólera en los ojos, porque estaba por encima de estas emociones. Los hijos, acicalados con las mejores ropas, suspiraban aburridos aunque sin dejar de atender a la madre, mientras que el padre, inflamado el instinto artístico mientras recibía a la docena aproximada de personas que había acudido a dar el pésame, exhibía la corbata nueva que había adquirido para la ocasión. Se me acercó acariciándosela y me preguntó: «¿Te gusta la corbata, Artie?». Su torpeza ponía una pátina de dolor irremediable en la faz de los hijos. En el ataúd abierto, Billy se asemejaba a su yo antiguo y asombrado, una piel demasiado clara para yacer bajo tierra y un rostro apenas señalado por los dieciocho años. Me habría resultado imposible creer entonces que no era más que la primera víctima de un azote destructor.

Después de tres o cuatro semanas en las calles con las pandillas, pensé con optimismo moderado que ya podía elaborar un guión de cine. Me gustaba, por ejemplo, su inglés sintético. Un chico italiano y corpulento, apodado Mungy, tenía una naturaleza muy dulce y se masturbaba sin cesar. Le encantaba enseñar el miembro, que lo tenía de buen tamaño, a todo el que se lo pidiera, como si fuese un valioso regalo que un desconocido le hubiera entregado en el metro sin saber por qué. Aquella primavera había ido en compañía de una treintena de chicos a un campamento de la YMCA [Asociación de Jóvenes Cristianos] próximo a Peeskill: la primera vez que todos ellos iban al campo. Tenían que sentirse allí infinitamente más seguros que en el barrio, pero tuvieron miedo de estar solos y algunos quisieron dormir en una cabaña. Sólo Mungy parecía contento, como si tuviese bastante con la compañía de su pene, y se iba a contemplar algún pájaro que cantaba en un árbol o se quedaba abstraído mirando el arroyo. Capturó una tortuga grande y le ató una cuerda al cuello, esperando con paciencia a que se moviese, emprendiendo incluso algún remedo de carrera como si se tratase de un perro sujeto con una correa. Se volvió a mí y me dijo: «*I'm commutin' with nature*» [Trapicheo con la naturaleza].

El campamento solía estar cerrado al principio de la primavera, pero se había abierto expresamente para que la pandilla pasara allí aquel fin de semana en que no estaría presente ningún otro chico, ya que se había advertido a la administración cercana de la reputación de los muchachos. Los pandilleros de Harlem de los años veinte habían sido por lo general muy buenos deportistas y esperaba que los de entonces no les anduvieran a la zaga, pero cuando conseguían colar una pelota se quedaban sin aliento al llegar a la primera base y tenían que echarse a descansar. En el lago se limitaron a chapotear un poco sin que ninguno se atreviera a meterse donde cubría y en el béisbol se negaron a ocupar los puestos periféricos salvo en grupos de media docena, por miedo de hacer el ridículo si se les escapaba una pelota alta. Ocultaban con espíritu protector al que hubiese fallado la recepción de la pelota, pues aun para jugar de *catcher* lo hacían en pelotón, igual que una manada de gansos.

De pronto apareció un autobús lleno de alumnas de un colegio de clase media de Manhattan y el monitor del campamento llamó en el acto a Riccio para decirle que metiera a la pandilla en el autobús respectivo y se fuera lo antes posible. Pero Riccio le prometió paz y tranquilidad, que consideré irremediablemente en peligro cuando las chicas se presentaron en la piscina con generosos y ceñidos trajes de baño. La violación era uno de los deportes ocasionales que la panda se permitía y miré en derredor por si había síntomas de anormalidad. La banda había desaparecido como por arte de magia y la piscina había quedado en manos de la feminidad. Imaginé que se estaría celebrando un consejo de guerra y fui en busca de los chicos. Los encontré a escasos metros de distancia, en la maleza circundante, agazapados como indígenas asustados en una isla sin explorar que espiasen por entre el follaje a las inverosímiles criaturas que les invadían. Nunca les vi tan serios, tan impresionados como cuando una chica saltaba desde el trampolín, trazaba una curva cerrada y se zambullía, seguida de un pelotón lanzado a la carrera que hacía una piscina tras otra a toda velocidad. Había allí dos civilizaciones, la de quienes podían respirar y la de quienes no, la de quienes estaban bien alimentados y preparados y la de los indigentes y avergonzados.

Entre la vida de las calles y la Marilyn situada en lo alto de Waldorf Tower había una distancia cósmica, pero no la discontinuidad que parecía a primera vista. Desde luego, me resultaba extraño ver a grupos de chicos en la tienda de dulces de Bay Ridge, comiéndose con los ojos alguna foto suya que hubiese aparecido en el *News*, cuando iba a encontrarme con ella horas más tarde, y le haría algún comentario al respecto, pero no era ajena en espíritu a lo que ocurría allí abajo. Los estipendios de las estrellas cinematográficas comenzaban a dispararse, pero el suyo estaba establecido por un contrato antiguo y experimentaba el resentimiento de los revolucionarios. En el curso de un largo forcejeo con la Fox por obtener la libertad de hacer películas propias, se había opuesto a que la productora explotase su popularidad, que había subido como la espuma en los dos últimos años. Lo que ansiaba no era muy distinto de lo que los pandilleros planeaban y luchaban por conquistar con tanta ineficacia: cierta dosis de autorrespeto en un mundo para el que eran un cero a la izquierda. En los artículos que hablaban de ella, incluso en los elogiosos, apenas se encontraba una frase que en el mejor de los casos no fuera de condescendencia, y casi todos parecían haber sido escritos por cretinos babosos que solían hacer como si su estimulante erotismo la convirtiera en poco menos que una ramera, y subnormal por añadidura.

Ahora que la conocía un poco mejor comencé a ver el mundo igual que ella y el panorama era tan desacostumbrado como peligroso. Estábamos aún a década y media del fin de los sesenta y Norteamérica era todavía una virgen que seguía reprimiendo sus sueños ilícitos y viviendo de una imagen estereotipada de lo puro y lo real. Cuando se descubrió un calendario con fotos en color de Marilyn desnuda, la productora perdió los estribos y elaboró incontables planes para ocultarlo, incluso la presionó hasta la histeria para que negase que era ella quien había posado para aquellas fotos. Lejos de ello, Marilyn confirmó con toda tranquilidad que había tenido necesidad de aquel dinero y que aquel cuerpo asombroso era suyo y de hecho su propiedad más valiosa. Aunque la tormenta pasó enseguida y Marilyn incluso despertó la admiración por no hacer nada por guardar las apariencias, ella sabía muy bien que la hipocresía estaba a la orden del día y que no había dejado de ser blanco de sus flechas.

Estaba convencida de que ella era justamente lo que el mundo convencional tenía que reprimir y disimular. No esperaba que esto cambiase. Pero cuando empecé a conocerla comenzaba a despertar la curiosidad del público, su afecto en ocasiones, y esta circunstancia le hizo pensar en la posibilidad de crearse una vida estable y respetable. Confiaba en el estrato más vulgar del público, el de los trabajadores, los usuarios de los bares, las amas de casa que vivían pendientes de las facturas sin pagar, los estudiantes de segunda enseñanza confundidos por explicaciones que no comprendían, la masa ignorante —y según la veía ella—, engañada y manipulada. Quería que todos ellos pensaran que habían invertido bien su dinero cuando iban al cine para ver una película suya.

En un cuaderno de notas escribí cierta vez: «El carácter de una persona lo determinan los problemas que no puede eludir. Y el remordimiento que le provocan los que ha eludido».

Lo que se me había escapado a causa de la inexperiencia era el poder incontenible del pasado para remontar el dique de las trabas de toda una vida, para que la facultad de elegir quede a flote en medio de los escombros. En las calles de Bay Ridge la vida había pulverizado el último rastro de respeto por las costumbres con la súbita revuelta del pandillero contra los especiosos argumentos morales que la escuela y los padres se habían molestado en darle. Mientras tanto yo avanzaba a tientas día tras día, en pos de un sueño romántico parecido, el sueño de una vida más auténtica, de una vida que aceptase su propia evolución en vez de reprimirla. Me había distanciado de mi propio pasado, que a la sazón se me figuraba un desfile de personificaciones. Y era irremediablemente consciente de avanzar en sentido paralelo al derrumbe, que a mi alrededor se producía, de antiguas doctrinas y restricciones, todas ellas vinculadas en cierto modo con los violentos destrozos que los indomeñables ejércitos de bandidos paranoicos hacían en la vida política del país. El reglamento se había revocado, las cuerdas del ring se habían cortado y la pelea se había extendido a la muchedumbre de espectadores. Tal era entonces mi sentido de la vida.

Cierta noche, en un muelle abandonado desde el que se veían los perfiles de Wall Street, se reunieron dos bandas para entablar una pelea de nuevo cuño que Riccio había ideado. Se había venido gestando una guerra entre las dos, había habido cruce de ofensas, se había rechazado la reparación de las mismas y Riccio había convencido a los jefes de que cada bando eligiese un campeón que le representase y (a imitación de las justas caballerescas, tradición de la que Riccio nada sabía) se enfrentasen en un «duelo limpio». Había habido semanas de negociaciones que habían culminado en aquella noche en que unos cincuenta pandilleros que oscilaban entre los doce y los dieciocho años se habían congregado en aquel muelle en ruinas. No habría armas, sólo puños y pies. Pocos sabían boxear; eran combatientes callejeros que siempre llevaban armas, cadenas o navajas y a veces alguna bolsa con tuercas y tornillos.

No había luna y hacía calor incluso a orillas del río. Había unos cuantos cargueros en las dársenas y en uno de ellos una radio sintonizada con una emisora portorriqueña enviaba por sobre la superficie del agua la melodía de un anuncio comercial. «Esta música que el agua me trae», pensé, recordando incorrectamente un hermoso verso en las antípodas de aquel momento desdichado. Kenny Costello —un chico delgado de dieciséis años, de genio vivo, expresidiario ya y buen guitarrista tras haber robado el instrumento en una tienda de empeños de la calle Fulton y haber profundizado en el mismo— salió bailoteando de entre sus colegas a la luz de una lancha patrullera de la policía que se presentó amablemente en el momento en que aquél y su contrincante, un italiano torpe, mucho más recio y cuyo nombre no supe nunca, se ponían frente a frente, separados por un Riccio que hacía de árbitro. Costello arremetió con una andanada de golpes rápidos y cortos que hicieron recular al más corpulento y la pelea terminó al cabo de un minuto, ni un segundo más. Ambos bandos experimentaron el alivio casi tangible de que se hubiese saldado algo, aunque nadie sabía muy bien qué. Riccio pronunció un bonito discurso que comenzó «Tengo que deciros, colegas, que me siento orgulloso de vosotros» y en el que elogió a todos por haber ideado una nueva forma de solucionar las disputas que iba a asombrar al mundo. Tras pedir a los jefes que se dieran la mano y felicitarles por la prudencia manifestada a la hora de salvaguardar el honor del ejército respectivo, atajó cualquier objeción latente en los pendencieros frustrados prometiendo a las dos bandas para la tarde siguiente nada menos que una excursión a Coney Island financiada-por-el-ayuntamiento, con un frankfurt y una gaseosa para cada uno, y más cosas tal vez si sobraba dinero.

Entreví a los dos policías de la lancha patrullera en el momento de dar la vuelta y perderse majestuosamente en la oscuridad. No les gustaba la autoridad que ostentaba Riccio y que desde siempre había sido exclusivamente suya. Se habían acostumbrado a patrullar por el barrio, a poner pie en tierra cuando veían un grupo de chicos en una esquina y a sacudirles durante unos entretenidos minutos «para evitar jaleos».

Por entonces comenzaron a aparecer extraños en aquellas mismas esquinas, individuos a los que la policía no molestaba, individuos que se llevaban a un callejón a cualquier muchacho curioso y le enseñaban cierto polvillo que a lo mejor le interesaba. Lo que había en aquellas bolsitas de plástico haría que, en comparación, la época de los pandilleros pareciese la más saludable de la historia, el último período de dignidad que muchos barrios conocerían.

Eran jóvenes a los que no quería nadie, esto lo sabían ellos tan bien como cualquier observador. Eran las sobras, y en los bares en que se reunían al salir de la cárcel o el reformatorio desplegaban con orgullo los recortes de prensa que hablaban de su detención y juicio y que llevaban consigo cuidadosamente doblados en un sobre, igual que los actores con las notas de prensa que se referían a ellos. Todo era publicidad; se existía si se reproducía el nombre en los periódicos, y si además se publicaba la foto, aquello representaba la inmortalidad; había que salir de aquel anonimato asfixiante, de aquella nada.

Puesto que yo estaba casado y Marilyn apenas podía salir del hotel sin que la asaltaran los fotógrafos, pasábamos mucho tiempo solos, sumidos en conversaciones mucho más largas de las que habríamos tenido de poder movernos libremente, en medio de las distracciones habituales. El vínculo de los silencios compartidos, tan misterioso como la sexualidad y tan difícil de romper, comenzaba asimismo a formarse. Mientras contemplábamos por la noche la ciudad centelleante, arrebatar al ensueño la presencia del otro nos resultaba, creo, una operación trabajosa. Nuestro enlace parecía a punto de disolverse, era a todas luces un emparejamiento equivocado, como si procediéramos de sendos ambientes de correspondencia imposible. Pero por debajo del choque de las diferencias parecía haber una oscura alfombra de mutismo por la que podíamos pasear juntos a nuestro antojo. Había en ambos una imagen que no se podía girar aún para observarla de frente, sino nada más que de soslayo, desde una perspectiva que nos atraía, al principio con curiosidad y poco a poco con la esperanza de que la otra parte nos la transformara, pues la luz desea la oscuridad y la oscuridad la luz. Muchos años después, en los templos camboyanos de Angkor Vat, los relieves de las rotundas diosas coronadas, con su mirada pétrea y su débil pero confiada sonrisa portadora de mundos, me recordaría el silencioso tumulto de aquellos atardeceres, cuando el presente de la existencia estaba vivo a nuestro alrededor y no había futuro ni pasado.

Tras uno de aquellos silencios, le dije:

—Eres la mujer más triste que he conocido.

Al principio lo tomó como si fuese un defecto; en una ocasión me había dicho que los hombres sólo querían a las chicas alegres. Pero le bailoteó una sonrisa en los labios al darse cuenta de mi intención halagadora.

—Nadie me lo ha dicho nunca.

Nos afianzábamos en el nuevo papel recíproco que jugábamos, como hacen los enamorados, y remozábamos el mundo cada vez que veíamos algo juntos por vez primera, tal y como suelen hacer las personas que nacen de nuevo. Desde aquellas ventanas, la ciudad que discurría a nuestros pies parecía haberse construido hacía muy poco a tenor de un sueño personal. Había acabado por experimentar en las calles una ternura extraña y desconocida por el prójimo y que me recordaba el nacimiento de mis hijos, el momento en que les había llevado en coche del hospital a casa, con una intranquila atención por un tráfico que de súbito se me había antojado absurdo y peligroso.

La rechazaba con el pensamiento y al instante corría tras ella: huía de la mujer embrutecida que yo sabía albergaba en su interior y volvía junto a la niña.

A menudo estaban mezcladas de una manera inextricable.

—Jamás he querido hinchar lo de ser huérfana, ni mucho menos. Lo que pasa es que contrataron a Ben Hecht para que escribiera un guión sobre mí y me dijo: «Mira, tú siéntate e invéntate algo sobre ti que te resulte interesante». Bueno, estaba aburrida, me pasó por la cabeza decirle que me habían abandonado en un orfelinato, a él le pareció estupendo, lo escribió y pronto se convirtió en lo principal.

Por supuesto que no había sido huérfana, no en sentido literal, ya que tuvo madre y es posible que, en algún lugar, incluso un padre, como tantos y tantos niños a los que nunca se califica de huérfanos. Pero la llevaron a un orfelinato cuando ingresaron a la madre en la clínica y no tuvo otro sitio donde estar. La orfandad había ido adquiriendo poco a poco la realidad que Hecht afirmó en el guión. A decir verdad, el mal trago lo tuvo cuando, al acercarse al orfelinato, Marilyn se había dado cuenta de qué se trataba, se había quedado petrificada y había exclamado: «¡Pero yo no soy huérfana! ¡No soy huérfana!», el pánico de ser rechazada por la propia madre y entregada a extraños. Pasarían los años y su búsqueda continua de mujeres mayores de carácter inestable, en cuyo sentido egoísta de la utilización encontraba un placer tan perverso como recóndito, sería otra piedra inevitable en el muro de su monumento. Pero aún faltaba tiempo para que sucediera.

Por entonces me evocaba el inframundo infame y bizantino de la California meridional, de cuyo tórrido y putrefacto paisaje lunar había huido. Durante los ensayos de *Panorama desde el puente* —que, al igual que los del *Viajante*, los celebrábamos en el ático polvoriento y cochambroso del teatro New Amsterdam de la Calle 42—, pasaba todos los días ante una efigie suya, bidimensional y de tamaño natural, que había en el vestíbulo, el célebre y gracioso fotograma de *La tentación vive arriba* en que se la ve con vestido blanco y con la falda levantada encima de un respiradero del metro, tras lo que me estaba seis horas contemplando a un Van Heflin-Eddie Carbone enfrentado a una furia instintiva que no podía ni domeñar ni destruir. ¿Cómo subir al escenario y describir a Van la sensación de ser arrebatado, de desear y temer al mismo tiempo el abandono de toda resistencia? Porque esto era lo que faltaba en el montaje y es posible que también en la obra en el momento de su redacción. ¿Cómo se podía avanzar hacia aquello de lo que precisamente se huía?

No alcanzaba a comprender cómo había acabado Marilyn por simbolizar una especie de autenticidad; quizá fuese, sencillamente, que mientras que su presencia volvía infieles a los hombres y envidiosas a las mujeres, las concesiones corrientes de la existencia parecían pregonar la falsedad de todos y su solo cuerpo era un haz puro de veracidad. Sabía que podía caer en una fiesta como una bomba y romper las parejas satisfechas con una sonrisa, y disfrutaba de este poder, aunque no sin reconocer la verdad amarga de que no hay nada eterno. Y se trataba del mismo poder que un día acabaría con ella, pero no todavía, por el momento no.

Era imposible adivinar qué necesitaba cuando ni siquiera ella lo sabía al margen de la feliz conclusión de cada jornada. Cuando hacía acto de presencia, el futuro se desvanecía; daba la sensación de no tener expectativas y se trataba de un estado parejo a la libertad. Al mismo tiempo, el misterio depositaba su carga sobre nosotros, la carga de lo desconocido.

Un atardecer en que contemplábamos la ciudad, me dijo, a propósito de nada concreto, que cuando tenía catorce o quince años, su anciana «tía» Ana, devota de la Ciencia Cristiana y la única mujer inteligente y amable que había conocido, había caído enferma y fallecido; como la quería, Ana había sido durante un tiempo una tutora improvisada y Marilyn había acabado por confiar en ella. Hacía ya tiempo que no vivía con Ana, pero la muerte de ésta la impresionó muchísimo. «Fui a echarme en su cama el día siguiente de su muerte... no hice más que estarme abrazada a su almohada durante un par de horas. Luego fui al cementerio, cavaban una tumba, habían introducido en ella una escalera de mano, yo les pregunté si podía bajar y me dijeron claro que sí, bajé, me tendí en tierra y desde allí contemplé el cielo. Es una vista maravillosa y el suelo está frío bajo la espalda. Los empleados se pusieron a tontear, pero subí antes de que pudieran hacerme nada. En realidad fueron muy simpáticos y se limitaron a gastar bromas. Después me fui.»

Por extraño que parezca, no supo lo que era el miedo mientras reorganizaba su vida; fue entonces cuando quiso afirmarse y se esforzó por combatir los miedos que había venido alimentando. Strasberg le había dicho que repasase el papel de Anna de la *Anna Christie* de O'Neill y un anochecer ensayó conmigo unas cuantas páginas. Allí estaba el primer atisbo de su vida interior; apenas si podía leer de forma audible al comienzo, más que actuar era como si rezase. «No me lo puedo creer», dijo de súbito, echándose a reír. El pasado no la abandonaba ni siquiera en aquella afirmación privada de sus valores, y dicho pasado era criminal. Algo semejante a la culpa parecía apagarle la voz.

No se trataba simplemente del nocivo influjo de la madre: esta mujer había sido desde siempre una paranoica, una esquizofrénica declarada que había tratado de asfixiarla de pequeña en la cuna; se trataba también de la condena religiosa de la que había tenido que protegerse. Y la lacra no había hecho más que reaparecer como una maldición.

Tenía sólo cinco o seis años cuando la parroquia fundamentalista a la que pertenecía su familia adoptiva celebró un multitudinario oficio al aire libre en que cientos de niños, todos vestidos igual, las chicas de blanco y los chicos con pantalón azul y camisa blanca, se alinearon junto a las paredes de un enorme anfiteatro natural de algún punto montañoso de la zona de Los Angeles. Las niñas llevaban capa, roja por un lado y blanca por el otro, y al principio llevaban el lado rojo por fuera. Al interpretarse cierto himno resurreccionista, y obedeciendo a una señal, todas volvieron la capa del revés y pasaron del rojo pecaminoso al blanco puro de la salvación. Como por arte de magia, la falda de la montaña se volvió blanca al recitar el pasaje concertado del himno, excepción hecha de un punto central que quedó de color rojo. Se echaría a reír con cariño al recordar a la pobre niña, que no era otra sino ella, sorprendida en flagrante descuido. «Me olvidé. Sin más ni más. Era todo tan bonito, todas dándole la vuelta a la capa, y me alegró tanto que todas hubieran sabido hacerlo al oír la señal que me olvidé de hacerlo yo.» Y se partía de risa, como si hubieran discurrido veinticuatro horas desde entonces y no veinticuatro años. Pero se la castigó por aquel fallo, el mismísimo Jesús la condenó, según se le dijo, y aquél no fue más que un ejemplo del inevitable descontento de Dios. «Yo creía que Jesús lo perdonaba todo, pero nunca nos hablaban de ello; para lo único que estaba era para propinar coscorrones cuando se hacía algo malo.» Como es lógico se reía ya de aquello, pero en el fondo de su mirada había algo de lo que ni siquiera ahora se atrevía a reírse.

Todo marchaba muy aprisa. Al ver la representación bostoniana, se me antojó más conmovedora de lo esperado, pero aún no estaba seguro de que le hubiéramos encontrado el punto. Repasé el primer acto del *Hamlet* en el hotel y, de pronto, en el desarrollo de su aparente extravagancia no vi locura, sino estupidez, el modo en que uno se conduce cuando un problema es a la vez transparente y del todo insoluble; tiene que vengar a su padre, pero al mismo tiempo se alegra ante la idea de ocupar su puesto. ¿Qué hacer sino echarse a reír? Está convencido de que todos cuantos le rodean mienten incluso cuando a su vez se considera un embustero. No sabe expresar afecto abiertamente por miedo de que le traicionen, —por supuesto, como que ni siquiera se acuerda ya. Lo único que sabe es que él es más digno de confianza que nadie, pero una vez que está solo no se le escapa su propia doblez. Cada vez más alejado de mi familia, asentía yo ante aquel rencor y autocondena de Hamlet, ante el feroz aborrecimiento que sentía hacia su propia culpa, su impotencia reiterada para escapar de ella.

Marty Ritt me llevó varias tardes al hipódromo, me explicó el contenido de los boletines informativos sobre los caballos, que yo no entendía ni por asomo, y ganamos unos dólares. Su madre había sido jugadora profesional. Siempre podría contar el hijo con un poco de ventaja. Hasta entonces no me había dado cuenta de lo alegres, lúdicas casi, que son las carreras de caballos.

Era hombre humilde en cuanto a la dirección, no diferente de Kazan en este aspecto, y en las antípodas de Jed y su jactancia. Para Marty, pensaba yo, el director era un puntal básico, pero más bien un ayudante de Dios que el Jefe absoluto. Lo primero, decía, era averiguar el sentido del texto, no lo que le recordaba a uno. Tenía pocas ínfulas culturales —demasiado pocas, a decir verdad, porque leía mucho— y hacía el trabajo con los hombros tanto como con la cabeza; temía forzar a los actores de suerte que pensaran demasiado en detrimento del olfateo instintivo del papel y la situación. Una vez más, había mucha coincidencia con el enfoque kazaniano. Yo pensaba que su carácter terrenal se debía tal vez a su pasado interpretativo.

Treinta años después, Dustin Hoffman lo explicaría cabalmente —«Siempre se gana por un pelo»—, pero en aquella primera representación del *Panorama* fuimos incapaces de esforzarnos al máximo y optamos por «quedar bien». En 1965, sin embargo, el montaje off-Broadway de Ulu Grosbard captaría como por arte de magia el espíritu de la obra, gracias a la combinación de un juicio certero en el reparto y muchísima buena suerte. Dos actores jóvenes y desconocidos, Robert Duvall y John Voight, encarnaron a Eddie y Rodolpho. No podía figurarme que un elemento surgido directamente de los muelles de Brooklyn, como era el caso de Duvall, pudiera llevar a cabo una interpretación tan profunda. Ya entre bastidores al terminar, me presentó a sus padres, él un almirante que había acudido con el blanco uniforme almidonado, y el mismo Duvall que hablaba un inglés de lo más culto. Había por allí además un joven gangoso, ayudante del director de escena, del que Grosbard —lo que hay que oír— me dijo que tuviera en cuenta para interpretar el papel de Willy Loman al cabo de unos años. El aprecio que sentía hacia Grosbard estuvo a punto de venirse abajo cuando, al observar la torpeza de Dustin Hoffman y aquella enorme nariz suya que nunca parecía desobstruirse, me pregunté qué habría en la cabeza de aquel pobre diablo para considerarse candidato a ningún trabajo interpretativo. Grosbard, pese a ello, miraba, no a Hoffman, sino a un actor, a un espíritu, y esta suerte de desnudo contacto epidérmico con lo esencial era el que su puesta en escena tenía con cada papel.

La obra llevaba ya representándose un tiempo cuando los actores se percataron de la presencia de un hombre que todas las noches se sentaba en una de las filas delanteras, a escasos metros del escenario. Siempre daba profundas muestras de conmoción y era de los últimos en irse. Una noche se le acercó un actor y habló con él.

—Conocí a la familia —dijo, enjugándose los ojos—. Vivían en el Bronx. Toda la historia es auténtica, salvo el final, que se ha cambiado.

¿Cómo terminó en realidad?

—La chica entró cuando Eddie dormía la siesta y le dio una cuchillada en el corazón.

Como es lógico, yo no sabía nada de aquella familia del Bronx, ¡pero vaya final!

Marilyn se presentó en Boston y se quedó el resto del día. Nadie la reconoció vestida con un grueso jersey de punto de cruz, un gorro blanco de punto que le tapaba toda la frente, una falda escaqueada de lana y calzada con mocasines. Con sus veintinueve años habría podido pasar por una estudiante. Sus gafas de sol atrajeron algunas miradas por la calle, ya que el día estaba oscuro y el cielo cubierto. Dimos un paseo largo, vimos una película, *Marty*, en un cine de barrio, y comimos en una fonda cuya camarera, misteriosamente atraída por Marilyn, no dejó de dirigirle la palabra, intuyendo de manera instintiva que había algo único en ella, aun con aquellas ropas nada excepcionales.

Una asociación de callistas, me contó, quería obtener un molde de

sus pies porque estaban hechos a la perfección, y una facultad de odonto-
logía quería otro de su boca y sus dientes, asimismo impecables. No sin
temor nos quedamos mirando con el deseo de que el futuro nos permitiera estar más juntos.

—Me esfuerzo por acostumbrarme a estar sin ti —le dije—, pero es
inútil.

Un nerviosismo sin palabras se le dibujó en el rostro.

—¿Por qué tendrías que estar sin mí? —Y se quitó las gafas con una
sonrisa de simpatía.

La camarera, una cuarentona de pelo oxigenado, pasó junto a la mesa
en aquel preciso momento y oyó por encima lo que decía Marilyn. Se
quedó con la boca abierta al darse cuenta de quién se trataba y se encaró
conmigo con una mezcla de asombro y de resentimiento, tal vez incluso
de indignación, por ser yo tan necio o cruel como para hacer desdichado
a su ídolo, por poco que fuera. En aquel preciso segundo se le disparó el
sentido exclusivista de estar protegiendo a Marilyn, a la que conocía sólo
como imagen, y un instante después estaba de vuelta con un papel y la
solicitud de un autógrafo.

Mientras volvíamos andando al hotel, intuyó que algo amorfo pesaba
sobre mí.

—¿De qué se trata?

—Es como si tú pertenecieras a esa mujer —dije, omitiendo lo demás.

—No tiene ninguna importancia.

Pero en aquella acera vacía ya no estábamos solos.

Seis

Pyramid Lake, Nevada, era un fragmento de luna en 1956, mucho antes de que el club náutico, los puestos de frankfurt y el ruido de los fueraborda pulverizasen su encanto solitario y enigmático. Era un lago salado y grisáceo de kilómetros de longitud, rodeado por una reserva de indios paiutes, un lugar lúgubre aunque hermoso que las compañías cinematográficas elegían de vez en cuando para filmar escenas de monstruos desconocidos del espacio exterior. Me había trasladado allí para satisfacer el requisito de las seis semanas de residencia que exigía la por lo demás sencilla legislación de Nevada sobre el divorcio, ya que la neoyorquina exigía que hubiese un adulterio de por medio. Saul Bellow, con quien compartía editor, Pascal Covici, de la Viking Press, estaba en Nevada por el mismo motivo y Covici le había pedido que me ayudase a encontrar un sitio donde hospedarme. Bellow había ocupado una de las dos cabañas que daban al lago. Yo ocupé la otra. Trabajaba entonces en su novela *Henderson el rey de la lluvia.* Yo trataba de establecer un contacto personal con el suelo en que había aterrizado tras haber hecho saltar mi vida por los aires.

Como era de esperar, ya que estábamos en Nevada, patria de los desarraigados, los vagabundos y los inadaptados, el único teléfono que había entre nuestras cabañas y Reno, ciudad sita a unos sesenta kilómetros de distancia, se encontraba en una cabina solitaria que se alzaba junto a la autopista, ruta utilizada de día por tres vehículos, más o menos, y por ninguno de noche. No muy lejos se encontraban los bungalows vacíos de un motel para divorciados en ciernes, a la sazón abandonado. Sólo los propietarios vivían ya en él, una pareja atormentada, el marido un criador de caballos puntillosísimo cuya media docena de purasangres pastaba a la buena de Dios a lo largo de la orilla lacustre. El, su mujer o el mozo que tenían solían llevarnos en coche a cualquiera de los dos hasta la cabina telefónica para efectuar nuestras escasas llamadas desde lo que había acabado por parecerme una Norteamérica cada vez más remota. A nuestro alrededor discurría una cadena de montañas bajas y de reflejos metálicos y cuyos matices purpúreos no dejaban de cambiar con la silenciosa procesión de los días. Saul se quedaba a veces media hora tras la cima de un monte situado a un kilómetro de las cabañas, gritándole a pleno pulmón al silencio, un experimento de autocomunicación, me imaginaba, y el acontecimiento más relevante del día. Saul ya había acumulado allí una biblioteca lo bastante grande para un instituto de provincias.

A casi dos kilómetros de la orilla podía verse una isla —llena de serpientes de cascabel, según se nos dijo— como si estuviese a cien metros, tan transparente era el aire. Los indios no paraban de quitar los avisos gubernamentales de una zona de arenas movedizas próxima a la orilla, con la esperanza de engañar a los pescadores de Reno que se aventurasen con la respectiva canoa, aunque eran escasos los visitantes y sólo de muy pocos se decía que se hubiesen ahogado, hundiéndose a varios kilómetros de profundidad en el pozo que había cubierto el lago, para emerger periódicamente al cabo de los meses o los años, arrastrados por una corriente que discurría como las agujas del reloj. En el lago había peces extraños de boca muy grande, bigotudos y siniestros, de una especie estancada que sólo vivía allí, según se decía, y en un lago de la India. Me asaltó la imagen de un águila hindú que sobrevolaba el océano y dejaba caer allí uno de sus huevos únicos. Una vez a la semana íbamos a Reno en el Chevrolet de Saul para comprar comida y lavar la ropa. Nunca nos cruzábamos con ningún coche en aquel trayecto de sesenta y cinco kilómetros ni adelantábamos tampoco a ninguno. Era un lugar fantástico para meditar, si uno se atrevía, con mucho espacio para esperar e intimidad para desesperar. Me había mudado a lo desconocido, física y espiritualmente, y el color de lo desconocido es la oscuridad hasta que se hace la luz.

Pero hasta el momento no había más que un débil resplandor. El divorcio, pienso yo, es en cierta medida una búsqueda optimista de autenticidad, una rebelión contra el desierto. Pero somos generalmente lo que somos y la tortuga que alarga el cuello hacia las sabrosas yemas de las alturas no por ello se libera del caparazón. En ocasiones tenía que preguntarme qué había hecho, si afirmar mi realidad o por el contrario evadirme de ella. Marilyn estaba rodando *Bus Stop*, dirigida por Joshua Logan, y por las notas que me garabateaba también ella parecía víctima de apremiantes tormentos. La versión teatral había sido un éxito clamoroso y el papel parecía hecho a su medida. A pesar de sus agitados temores, había deseado trabajar con Logan, reputado director de muchos grandes éxitos de Broadway, entre ellos *South Pacific* y *Mister Roberts*. Era desconcertante que no le levantase el ánimo nada de cuanto le decía, aunque, según ella, la promesa de nuestra futura vida en común la hacía mirar al frente con unas esperanzas personales que nunca había tenido.

El dueño del motel me despertó una noche para decirme que me llamaban por teléfono. Eran las once pasadas, hora que rebasaba con creces el momento en que Marilyn solía acostarse cuando filmaba una película. El camión recorrió bamboleándose el camino arenoso que llevaba a la cabina, sólo iluminada por dentro por el resplandor verdoso de la luna. Todas las estrellas parecían apelotonarse en la inmensa bóveda occidental del cielo. El aire que se colaba por debajo de la puerta de la cabina me helaba los tobillos desnudos.

La voz femenina, quebradiza y explosiva siempre, apenas se oía.

—No puedo, me es imposible trabajar así. Oh, papá, no puedo hacerlo...

En broma al principio, luego por costumbre, había acabado por llamarme de aquel modo, aunque en aquellos instantes no bromeaba; estaba desesperada y a punto de echarse a llorar. Hablaba de un modo extrañamente intimista, casi como si hablase para sí, sin preocuparse siquiera por los pronombres.

—Dice que la escena me salió vulgar. ¿Qué se cree que es, A.T.S.? No soporta a las mujeres, ninguno las soporta, les tienen miedo, todos las temen. ¡Vulgar! Tenía que arrancarme la cola, lo que me sobresale del vestido, por detrás pero con rabia, para burlarse de mí y hacerme reaccionar, no desprendérmela para que no me dé ni cuenta. Por eso le dije arráncamela, cabréate conmigo para que parezca de verdad cuando reaccione, pero tienen miedo de ser groseros porque a lo mejor no le gusta al público, ¿entiendes lo que te digo? No soy actriz con experiencia, no puedo fingir que hago una cosa si no la hago. Sólo conozco lo auténtico y no puedo hacerlo si no es auténtico. Y me llama vulgar porque se lo he dicho. ¡Me odia! ¡Me odia!

»Tenía que entrar corriendo en el rodeo, se me salió el zapato y vi que iba a decir corten, pero se dio cuenta de que todos se reían y con tantas ganas que me hizo volver corriendo para recoger el zapato y seguir con la escena, aunque habría cortado si yo no hubiera querido continuar. Porque supe desde el primer instante que iba a quedar bien, y quedó bien, ¡pero él no se entera!

Todo aquello era superficie, sin embargo, por debajo pujaba un mar encrespado de dolor y no tardó en hablar con lucidez.

—No me gusta esto, quiero vivir tranquila, me revienta, ya no lo quiero, quiero vivir tranquila en el campo y estar contigo cuando te haga falta. Ya no puedo luchar sola...

Le pregunté si no podía ayudarla su socio, Milton Greene, y su voz se hizo más confidencial; estaba en la habitación con más gente. Pero Greene tenía miedo de enfrentarse a Logan por ella.

Estrictamente hablando, sus quejas sobre Logan —que sonaban un poco a las típicas pataletas de los actores— me importaban menos que el terror nuevo que me transmitía aquella voz perdida que clamaba a un cielo sordo, y los kilómetros inútiles que nos separaban me llenaron de frustración; fuera cual fuese la verdad a propósito de Logan, la sinceridad de Marilyn estaba fuera de duda, ya que estaba bailando en la cuerda floja y una caída sería irreparable. Fue la primera vez que me pareció aterrada e indefensa y sentí la fuerza de su confianza en mí. Había mantenido oculto hasta entonces su carácter dependiente y comprendí de súbito que yo era la única persona con quien podía contar. Recordé que meses atrás me había dicho que iba a posponer la firma de un contrato al que Greene y el abogado de éste la obligaban para fundar la nueva compañía; el contrato daba a Greene un control del cincuenta y uno por cien, frente al cuarenta y nueve de Marilyn. A cambio, Greene explotaría los proyectos discográficos y cinematográficos que no necesitasen la colaboración femenina, aunque hasta el momento los haberes de la nueva compañía se reducían en exclusiva a

Marilyn y al salario de Marilyn. Esta no había querido insistir al respecto, había procurado eludir la palpable traición, y aun en aquellos momentos, mientras se quejaba de que Greene no había sabido protegerla de Logan, parecía tener miedo de enfadarse abiertamente con él. Por lo que a mí respectaba, me habría gustado que hubiera podido confiar en él; en mis asuntos laborales invertía el interés mínimamente necesario y para disponer de tiempo y libertad para trabajar dejaba casi todas las decisiones en manos de abogados y contables. Apenas conocía a Greene; era la fe lo que, de manera instintiva, no quería que Marilyn perdiera.

Procuré tranquilizarla, pero parecía haberse hundido en un abismo al que yo no podía llegar y su voz se hacía cada vez más débil. La estaba perdiendo, se deslizaba por el precipicio, y con un socio y amigos a su alrededor. «¡Oh, papá, no puedo, me es imposible!» Me pasó ante los ojos la imagen del suicidio, acto que hasta entonces no había relacionado con ella para nada. Me esforcé por recordar a algún conocido de Hollywood que pudiese ir a verla, pero no había ninguno y de pronto me di cuenta de que me faltaba el aliento, una sensación de vértigo me perforaba la cabeza, las rodillas se me doblaron, resbalé hasta tocar el suelo de la cabina y el auricular se me escapó de las manos. Volví en mí al cabo de unos segundos, sin duda, pues la voz femenina seguía murmurando en el auricular que me colgaba sobre la cabeza. Me incorporé inmediatamente, la tranquilicé como pude y se le pasó; procuraría no dejarse vencer al día siguiente, se limitaría a hacer el trabajo y a seguir con él. Ante mis ojos se agitaba un enjambre de puntos incandescentes. Una vez terminada la película nos casaríamos y emprenderíamos una vida nueva y de verdad. «Ya no me gusta esto, papá, no puedo enfrentarme sola a todos, quiero vivir contigo en el campo y ser una buena esposa, y si alguien me busca para hacer una película extraordinaria...» Sí, sí, sí, ya había pasado, el silencio cauterizador del desierto volvió con fuerza y lo envolvió todo.

Abandoné la autopista y anduve hacia las dos cabañas y la luna baja. Nunca había sufrido desmayos. Algo pesado me había caído encima y notaba los pulmones acribillados, como si hubiera llorado durante un buen rato. Me sentía curado, como si hubiera salvado una grieta interior y accedido a un plano de paz en el que mis fragmentos se hubieran unido. La amaba como si la hubiera amado toda mi vida; su dolor era mi dolor. Mi sangre parecía querer hablar. Las bajas montañas sidéreas que veía desde la ventana, el circundante silencio de aquella tierra de inmanencia y desolación, el lago tenebroso y los inmutables peces prehistóricos que nadaban hacia la India con sempiterna nostalgia... mi felicidad era un resplandor vivo en medio de aquel espacio muerto e inmóvil. Me esforcé por recordar una obra de teatro cuyos personajes sufrieran sin sucumbir y comprendí de pronto la felicidad inefable que la tragedia pone al descubierto. De manera inesperada, el orden oculto, la sonrisa de la continuidad de la existencia; tal y como lo experimenté aquella noche, como si el ser de Marilyn hubiera madurado en mi interior desde mi nacimiento. Las angustias del año transcurrido, la separación culpable de los hijos y la extirpación de las raíces se me antojaba ahora el precio inevitable de lo que pudiera depararnos el futuro de manera tangible, una vida de creación y un alma indivisa. Por vez primera a lo largo de los meses, de años quizás, se agitaba en mí una tremenda energía condensadora, la señal de ponerse a escribir, pero sólo algo tan sencillo y tan verdadero como aquella noche. Para ser una unidad, sexualidad y espíritu, deseo y justicia, una sola cosa. Todo nuestro teatro —el mío incluido, desde luego, pero también el de los maestros— me parecía baladí al lado de la inmensidad de las posibilidades humanas. Todo lo habían escrito hombres desdichados: Ibsen, un paranoico que iba tras las jovencitas sin atreverse a reconocerlo; Chéjov, mortalmente enfermo y casi abandonado por una esposa infiel; Strindberg, aterrado por la idea de la castración. ¿Dónde estaba la despejada frente marmórea de la imaginería griega, la totalidad luminosa de una confrontación sana y desinteresada con la catástrofe? Ella, con su búsqueda confusa y a ciegas, era un ejemplo ignaro de sí. Hacía años que había aceptado el papel de marginada, incluso se había jactado de él, primero como víctima del desdén puritano pero a continuación con desorden victorioso; desde su negativa a llevar sostén hasta su lúdica aceptación de las fotos del calendario, su estimulante inocencia —tan antiamericana, en particular ahora que el nuevo imperio se disponía a situarse en cabeza de un Occidente devastado por la guerra— era salud, la fuerza de quien ha renunciado a los espejismos de una vida ordenada y cómoda. Pese a todo su dolor oculto, se volvía envidiable, el sorprendente síntoma de la liberación y sus alegrías. Entre el estiércol, la flor. Y pronto, una vida llena de pasmo...

Nevada era fácil de definir, difícil de captar. A la izquierda de la autopista de Reno y sustentado por pilotes se alzaba un chozo de cartón piedra negro, de unos dos metros cuadrados, con una rudimentaria escalera de mano que descendía del centro del suelo y se perdía en un agujero practicado en la tierra. En las proximidades solía haber estacionado un Cadillac, polvoriento pero nuevo. El propietario era un hombrecillo indumentado con tejanos, botas y sombrero sudado de ala ancha, simpático y cordial. Cuando necesitaba dinero, bajaba por la escalera desde la sala de estar y se introducía en una mina de plata. Era así de sencillo, aunque difícil de asimilar en cualquier caso. Sobre todo cuando supe que tenía un piano de cola en aquella especie de hórreo y que era incapaz de armonizar dos notas seguidas. Ninguno de estos detalles era particularmente llamativo entre los habitantes de Nevada.

Tras pasar aproximadamente una semana en el desierto con dos caballistas de rodeo que había conocido en Reno, cazadores de caballos salvajes en sus ratos libres, llegamos a una cabaña abandonada en el centro de ninguna parte, un refugio construido por algún granjero desaparecido tiempo atrás y a la sazón utilizado por quienquiera que pasase para echarse y descansar. La única ventana carecía de vidrios, la puerta se sostenía sólo con una bisagra y estaba siempre abierta. Había cientos de revistas amontonadas por todas partes. Eran de dos clases, *Playboy* y sus clónicos, y aventuras del Oeste. Los montones de los rincones eran de varios centímetros, lo que indicaba que con el paso de los años se habían dejado caer por allí cientos de vaqueros con sus propias revistas, con objeto de descansar, leer y soñar. Mis dos amigos no entendían que me pareciese raro que hombres que habían vivido durante años a caballo buscasen sus modelos en el cine y no imaginaran un futuro mejor que obtener un papel en una película. El vaquero de la película era el auténtico, ellos las imitaciones. El triunfo definitivo del arte, de aquella clase de arte por lo menos, consistía en que el hombre se sintiese menos real en sí mismo que en imagen.

Cuatro años después, uno de aquellos hombres se presentó en los exteriores en que rodábamos *Vidas rebeldes* y tras una buena charla rememorativa, se quedó junto a la cámara, observando a Clark Gable, que, en aquellos momentos, explicaba a Marilyn algunos detalles del pasado de su personaje, que yo había extraído de la vida de aquel vaquero concreto. Cuando terminó la escena, se volvió a mí cabeceando, emocionado y complacido: «Joder, si parece la vida misma». Pero no dio ninguna muestra de haberse percatado de que la fuente era su propia biografía, ni siquiera de la posibilidad de tal metamorfosis. Nevada se me convirtió pues en un espejo, pero en el que nada se reflejaba salvo un cielo anchuroso.

En el desierto, lejos de todo camino, había a veces señales de vida subterránea: en medio de la salvia y la arena se secaban al sol, colgados de una rama, unos pantalones cortos o una camiseta estampada. Mis amigos no se atrevían a acercarse, aunque decían conocer a algunos de los habitantes de los agujeros del suelo. Eran hombres reclamados por las autoridades, por asesinato las más de las veces. La policía local sabía que estaban allí y aunque nadie preguntaba por qué no se les cogía, se sospechaba que mediaba algún estipendio.

En el curso de nuestras expediciones semanales a Reno para comprar comida y lavar la ropa, veíamos la ciudad de un modo distinto que los turistas que buscaban diversión; al cabo de unas semanas, el oropel del juego se volvió deprimente. En el supermercado, junto a la caja, señoras con niños al brazo metían el cambio en pacientes máquinas tragaperras, aunque a juzgar por la inmutable indiferencia de sus facciones no parecían esperar ninguna ganancia. Era un ademán rutinario y tan carente de placer como tirar un pañuelo de papel por la ventana, cansado, maquinal e irreflexivo. Sólo un montón de mujeres con tejanos y zapatillas de deporte raídas que tiraba el dinero.

Cierto atardecer, encontrándonos en un poblacho de ocho o diez casas que componían la única y torcida calle, los dos vaqueros y yo compramos unos filetes correosos en un pequeño colmado que se alzaba en la linde del desierto. El tendero se limitó a coger la ijada de vaca que colgaba sobre la máquina registradora y se puso a cortar los filetes. Compramos también un pan blanco, largo y esponjoso, y un paquete de sal, salimos al exterior, hicimos una hoguera con salvia seca, pinchamos los filetes en sendos palos y los asamos. El jugo de la carne, sazonado con la salvia, empapó el pan. Debimos de comer más de un kilo de carne por barba y fue uno de los mejores banquetes a los que he asistido en mi vida. Salió la luna mientras hacíamos la digestión junto a la hoguera y mis dos compañeros admiraron su aspecto como si de una mujer se tratase, con esa suave sonrisa que indica que la cabeza de un hombre está sumida en fantasías.

Cada tanto dedicaban una semana a hacer la ronda, en el curso de la cual se apareaban con dos o tres mujeres que les esperaban en camas distintas de la zona, aunque casi siempre aludían a ellas con respeto. Había siempre un exquisito surtido de presuntas divorciadas procedentes de todos los estados y la variedad de su personalidad respectiva les fascinaba. Como también estaban divorciados, se compadecían de los engorros matrimoniales. Debajo de aquel vasto cielo y en medio de aquellas montañas inmortales, comprendían a los animales, comprendían el clima y se comprendían entre sí, pero las mujeres eran el eterno misterio. El mayor de los dos, Will Bingham, lacero de rodeo a sus cuarenta y pico, había dejado esposa y una hija de seis años a las que visitaba de tarde en tarde en el pueblo de la parte septentrional del estado en que vivían. Llevaba una vida solitaria y autosuficiente que al parecer consideraba ineluctable, si no ideal, aunque arrastraba de continuo la culpa de haber abandonado a la pequeña. La sensibilidad de algunos de aquellos hombretones del Oeste era en cierto modo tranquilizadora, un tema del que no recuerdo haber leído nada, salvo las alusiones que pueden encontrarse en la olvidada obra maestra de Frank Norris, *McTeague.*

Cierto día se me agotaron determinados productos de primera necesidad y en vez de embarcarme en el largo trayecto a Reno preferí dirigirme a la tienda india de la reserva, situada a unos kilómetros de los límites de ésta. La encontré oculta en un valle sito a varios kilómetros del lago y comprobé que se trataba de unos almacenes en que vendían de todo y que se alzaban delante de un puñado de oscilantes cabañas rodeadas de un basurero de óxido, las motos y lavadoras estropeadas y los desechos automovilísticos de la otra civilización. Junto a la carretera polvorienta se erguía un solitario surtidor de gasolina. En el interior del anodino almacén una india cuarentona ordenaba una serie de mocasines hechos a mano en el estante de los comestibles, al lado del queso, la mantequilla y la leche. Le pregunté si podía venderme leche, pan y mantequilla, y preparaba ya el pedido con sus negruzcas manos de campesina cuando salió de la trastienda un indio cuarentón, barrigudo y con un Stetson raído echado sobre la nuca, que me preguntó si me atendían. Nada más responderle, enarcó las cejas.

—¿De qué parte de Brooklyn es usted? —me preguntó con sonrisa de alegría.

Había vivido veinte años en Atlantic Avenue, trabajando en el George Washington y otros puentes neoyorquinos como pintor de altura, ahorrado dinero y vuelto al campo para comprar aquel almacén. Pero se sentía extrañamente desplazado e inquieto.

—Esta gente está muy desanimada. Ha renunciado al progreso —me confió desilusionado una vez que salimos y cuando ya estaba yo otra vez en el coche.

Al despedirnos le pregunté cómo se llamaba.

—Moe.

—No es un nombre indio, ¿verdad?

—No, pero nadie sabe pronunciar mi nombre indio, en Brooklyn todos me llamaban Moe, así que éste es el Almacén de Moe. Quiero poner un cartel.

Mientras me alejaba despacio vi por el espejo retrovisor que la mujer había salido de la tienda y que Moe extendía el dedo para señalarme a mí, otro hombre de Brooklyn. Parecía animado, pero sin duda volvió al interior lamentando haber abandonado las emociones de Atlantic Avenue. Dominaba en Nevada una especie de condición apátrida que no carecía de encanto, quizá porque tendía a imprimir en las personas un aire de premura inquisitiva en vez de la ufanía que acostumbra encontrarse en los lugares tranquilos. Me entraron deseos de escribir al respecto.

Volaba a Los Angeles una vez por semana, infracción técnica puesto que mi estancia en Nevada tenía que tener un carácter ininterrumpido, pero el riesgo me parecía insignificante porque todo ello no era más que un fantaseo formulista, ideado a las claras para que el estado se llenara de visitantes deseosos de divorciarse y los bolsillos de los abogados de dinero.

Las tensiones de Marilyn en relación con *Bus Stop* no habían menguado, pero, un poco más inclinada a considerar la posibilidad de quedar bien en la película, había reducido la hostilidad que sentía hacia Logan. Pensando en mí, no me cabía en la cabeza que su actuación no resultara fabulosa y tenía por exageradas sus preocupaciones. Su preparadora, la mujer de Lee Strasberg, Paula, ocupaba la habitación contigua del Chateau Marmont y hacía las veces de apoderada de Lee, al que telefoneaba todos los días a Nueva York para contarle los problemas de Marilyn.

Paula me parecía un tanto cómica, si bien de contornos vagamente amenazadores, un personaje molieresco que al parecer creía que si un actor había estado en un par de clases de Lee por curiosidad o había dedicado unos años al aprendizaje, de alguna manera pertenecía a la escuela de los Strasberg del mismo modo que el estudiante de Cambridge pertenece de por vida a su universidad. «Los nuestros están ya por todo el mundo», me dijo un día, mencionando a continuación una serie de actores que hacían películas en distintos países, de algunos de los cuales sabía yo casualmente que habían pasado un tiempo mínimo en el Studio. En cierta ocasión incluso aludió al célebre figurinista cinematográfico Jean Louis, llamándole «uno de nuestros mejores diseñadores», dando a entender que había aprendido de Lee el arte de la aguja y el dedal.

En el curso de una visita mía me cogió del brazo y me dijo que me sentara inmediatamente porque me iba a poner una grabación de la conferencia de Lee sobre Eleonora Duse que aquél había pronunciado hacía poco, con motivo del aniversario del nacimiento o defunción de la legendaria actriz italiana. Se puso a mi lado con las manos unidas en convencional actitud de diva, la barbilla alta y expresión de lejanía en la mirada mientras la voz de Lee surgía del magnetofón.

«Casi todos piensan en la actualidad que admiramos a la Duse porque era una gran actriz», comenzó en son intrigante. «Pero no es éste el motivo de nuestra admiración.» Pausa prolongada. ¿Por qué, comencé a preguntarme yo, admiramos a la Duse? «No es por este motivo, en absoluto», prosiguió. «Hay muchas grandes actrices, vivas y muertas, norteamericanas y extranjeras. Muchas que forjaron imágenes teatrales grandiosas y una vida escénica que ha sobrevivido a las generaciones. Las hay inglesas, suecas, alemanas, italianas, holandesas, españolas, francesas, hombres y mujeres de todos los países y de todas las generaciones.» Me puse a pensar en otra cosa mientras aguardaba a que dijera por qué admirábamos a la Duse. Pero el rodeo continuaba, se prolongaba, se ramificó en mil direcciones y la pregunta inicial se perdió en el fondo hasta que gracias a un gran esfuerzo muscular recordé que la Duse era el tema principal de aquella conferencia que continuó durante veinte minutos por lo menos.

Marilyn escuchaba con atención conmovedora, con una expresión reverente mezclada con cierta dosis de desconcierto. ¿Cómo decirle que sospechaba con gran recelo que su inspirado mentor había contraído algún desconcertante willylomanismo, una tendencia a la verborrea y la improvisación? Dependía demasiado de él, sin embargo, para minar su autoridad de un modo tan directo; se desplomaría si le quitaban aquella muleta de un puntapié. ¿Y quién era yo para emitir veredicto semejante cuando actores realmente buenos y de gran inteligencia habían confiado sobremanera en él? Lo único que podía hacer era seguir escuchando la pompa de jabón que se hinchaba en la cinta magnetofónica y contenerme para no burlarme de Paula, que seguiría firme y casi presentando armas mientras no supiéramos por qué admirábamos a la Duse. Y puesto que también a mí me estaba mitificando por entonces, por incómoda que fuera de vez en cuando la irrealidad del fenómeno, nada dije, al menos por el momento. En cualquier caso, imaginaba aún, al igual que Marilyn, que no interferiría en su trabajo, ya que no lo considerábamos necesario, porque Greene se encargaba de los asuntos laborales mientras Lee la ayudaba a intensificar su confianza interpretativa. La relación con Greene se había normalizado por entonces, la participación en Marilyn Monroe Productions se había invertido, con el cincuenta y uno por cien para ella y el cuarenta y nueve para él, y la actriz había recuperado las riendas. Mientras, Greene elaboraría nuevos planes para la compañía con objeto de probar la independencia de ésta respecto del trabajo de la actriz, requisito necesario de cara a Hacienda si quería ahorrar parte de sus ingresos, como era su deseo, haciendo una declaración colectiva en vez de individual. Pues tenía más dudas que fe en que la popularidad le durase hasta un futuro remoto.

Laurence Olivier tenía que dirigirla y aparecer con ella en *El príncipe y la corista*, primera producción de la reciente compañía y ligerísima comedia basada en la obra teatral de Terence Rattigan, *The Sleeping Prince*. El rodaje comenzaría en Inglaterra en junio, poco después de que nos casáramos. Por suerte, Binkie Beaumont, el afortunadísimo empresario del floreciente aunque a la sazón muy trivializado teatro inglés, había resuelto financiar una nueva puesta en escena de *Panorama desde el puente*, bajo la batuta de Peter Brook, que se ensayaría al mismo tiempo. Yo planeaba alargar esta obra en un acto para que tuviese una duración normal. Había imaginado que haríamos cada cual nuestro trabajo, sin separarnos, apoyándonos el uno en el otro, y parecía que la fantasía iba a materializarse.

Una concurrida conferencia de prensa hizo pública en Nueva York la colaboración de un Olivier que apareció en compañía de Marilyn, la pareja más inverosímil de la historia del cine, según la mayoría de los comentaristas, ya que él representaba el arte elevado y ella poco más que una fotogenia cuasipornográfica de octava fila. En cierto momento se le rompió un tirante del vestido, provocando jadeos de excitación ante la perspectiva de mayores revelaciones. Pero lejos de sonrojarse con recato y huir de la tribuna, preguntó con desenvoltura si alguno de los presentes tenía un imperdible. La revista *Time*, como era de esperar, no tuvo la menor duda de que el episodio se había preparado de antemano. Entonces le preguntaron si era verdad que quería hacer *Los hermanos Karamazov*, y de ser así, qué papel, brillante provocación que organizó la de Dios es Cristo, como si planease llevar barba postiza para interpretar a uno de los hermanos. Contestó que quería interpretar el papel de Grushenka, tras lo que añadió: «Es una chica», deteniéndose aquí en vez de insinuar abiertamente que muchos de los periodistas que reían con más fuerza habían estado sin duda demasiado ocupados yendo a la escuela de periodismo para leer la novela. Uno de los genios de la sala le preguntó si sabía deletrear «Grushenka» y Marilyn, como es natural, captó el mensaje; ni siquiera con un Sir Laurence que había cruzado el Atlántico para estar con ella en una conferencia de prensa se le podía conceder la sencilla dignidad de la actriz que hace públicos sus planes inmediatos. La sexualidad y la seriedad, como es lógico, no podían coexistir en una misma mujer, morbosidad norteamericana que no tenía trazas de solucionarse, tal parecía por lo menos. Y la cuestión era que había sido suya la idea inicial de trabajar con Olivier, aunque en modo alguno porque fuera a proporcionarle una nueva imagen pública; la que tenía a la sazón bastaba y sobraba. Era lo disparatado del emparejamiento lo que se le antojaba divertido y a la vez incluso enriquecedor, si contaba con el guión idóneo. Y si ante la prensa la rodeaba de alguna dignidad extra, tanto mejor.

A medida que se aproximaba el final de mi obligada residencia en Nevada me ponía cada vez más nervioso la publicidad que pudiera darse a nuestro enlace matrimonial y me percaté de que la había subestimado en exceso cuando cierta mañana apareció por la carretera del lago la furgoneta de una unidad móvil que se detuvo ante mi cabaña y vomitó un equipo con un entrevistador preparado para formular una docena de preguntas sobre nuestros planes. Aún no me había hecho a la idea de que, en aquellas circunstancias, se podía convertir uno en patrimonio público en el sentido más literal de la expresión. Mi única excusa, al mirar atrás, es que a lo sumo habría visto media docena de programas de televisión en toda mi vida: ni siquiera tenía aparato y en 1956 había aún mucha gente que podía decir lo mismo. Era un fastidio y no sólo por el evidente atropello; advertí en seguida que algo en mi interior se sentía orgulloso de identificarse con Marilyn: y también que la disparidad de nuestro aspecto formaba parte de lo que nos había convertido en noticia.

Pero estaba convencido de que los medios de información se cansarían de nosotros y se lanzarían en pos de otras novedades al cabo de unas semanas. A primera hora de mi cuadragésimo segundo día de estancia metí en una maleta lo poco que había llevado, guardé la máquina de escribir en el estuche, me despedí de Saul y a las diez en punto entré en el bufete de un abogado de Reno, Edwin Hills, al que John Wharton había elegido desde la lejana Nueva York para conducir mi divorcio por entre los trámites jurídicos. Camino de Reno en la camioneta del propietario del motel, contemplé las montañas óseas que estaba seguro de no volver a ver nunca y sentí un ligero remordimiento por la perdida quietud a que había acabado por acostumbrarme al despertar por las mañanas, y sus cambiantes colores del ocaso y la aurora. El ruido me aguardaba: ¿no sería todo ello una equivocación? Deseché la idea, maldiciendo la mala costumbre de creerme autosuficiente.

La gran sala de espera del bufete era tranquilizadoramente sencilla, sin las pretensiones habituales. Las ventanas daban al Mapes Hotel, sito al otro lado de la calle, las paredes, de un contrachapado que no podía imitar peor a la caoba, vibraban en zumbante complicidad con el acondicionador de aire de la ventana. El recipiente invertido del agua fresca aún estaba lleno a hora tan temprana. Un hombre, un cliente, supuse, sentado en un sofá tapizado de reluciente skai negro, fumaba con la mirada perdida en el vacío. Apenas había dejado en el suelo la maleta y la máquina de escribir cuando Hills salió corriendo del despacho, me rogó que esperarse unos minutos y antes de que pudiera verle bien la cara volvió a entrar y cerró la puerta.

Encima de dicha puerta colgaba una cabeza de buey de cuernos gruesos como tuberías, con una cuna de por lo menos tres metros y con los pitones hacia abajo, hacia mi cara. Dos docenas de placas, diplomas y menciones cubrían una parte de la pared. El señor Hills no sólo había recibido honores de la Legión Americana, los Veteranos de Guerras en el Extranjero y los Veteranos de Guerra Católicos, sino también del Club Nacional de la Escopeta y una organización de amigos de las pistolas, la Grange,* los Rotarios, los Caballeros de Colón, la Orden de los Bomberos y los Hijos de la Rosa Blanca; poseía una mención honorífica de la Sociedad de Mejora de la Cría Caballar, así como cartas personales de gratitud por los servicios patrióticos prestados de Pat McCarran, senador por Nevada (y promotor, con el entonces presidente del Comité de Actividades Antiamericanas, de la ley McCarran-Walter para impedir la entrada de elementos «subversivos» en el país), del senador Joseph McCarthy y del diputado Richard M. Nixon, que habían quedado impresionados por la celosa defensa de los valores norteamericanos que había hecho Hills en momentos y lugares distintos. Había ido a parar pues al lugar indicado para una tranquila mañana de divorcio. Me producía cierto placer perverso el que dos de las organizaciones que habían honrado a mi picapleitos hubieran boicoteado mis obras en alguna ocasión. Pero a las ironías socorridas se las llamaba entonces pan y vino, dieta cotidiana del momento norteamericano.

Sentado en una silla a cuatro metros del otro cliente, me pregunté si el aire preocupado de Hills no sería una forma de manifestar su malestar patriótico por tener que representarme. Por otro lado, no me cabía duda de que John Wharton lo había elegido por ser un experto en aquellos trámites, digno de confianza, y lo más seguro es que estuviera saturado de trabajo. A fin de cuentas, también hacía esperar al otro cliente, un sujeto que no parecía pertenecer a mi espectro político, ya que tenía pinta de ganadero rico.

Ahora que lo observaba, tenía un parecido muy notable con John Wayne, el mismo ceño agresivo. Con un traje de vaquero de color pardo tirando a gris, parecía medir por lo menos dos metros y tenía los músculos gruesos como cobras bajo la tela elegante y ceñida de la camisa y el pantalón. Calculé que sus botas valdrían por lo menos quinientos dólares y el Stetson gris que yacía junto a él en el sofá parecía mirarme de mala manera. Pese a todo, cuando nuestras miradas se cruzaban por casualidad, me daba la sensación de que veía en la suya un agradable apaciguamiento, aunque no podía bajar la guardia, por lo menos en aquel búnker de nacionalismo fanático.

---

* Filial de una sociedad privada norteamericana, dedicada al fomento agropecuario. (N. del T.)

374

Hills volvió a salir a toda prisa y me hizo una señal con el dedo. Nos reunimos junto a una ventana que daba a una calle de Reno tan vacía como las calles de un sueño y que se asaba con aquel calor de treinta y dos grados. Ya frente a frente, advertí con claridad que estaba muy nervioso, sesentón ya con escasos mechones de pelo que le cruzaban el rosado cuero cabelludo desde la izquierda, con gafas sin montura de cristales gruesos, con un traje azul a rayas y una corbata fina y brillante de algún material plateado que habría estrenado a lomos de alguna cabalgadura en algún desfile patriótico. Sus ojos me observaban con la inocencia aburrida de un holocentro que pasase ante la escafandra de un buzo. Tras cogerme el codo con firmeza entre el pulgar y el índice, me preguntó con aire conspirador y apenas audible:

—¿Lo ha localizado?

—¿Quién?

—¿No lo ha localizado? —preguntó con un brote de esperanza.

—¿Pero de qué habla usted?

La luz se reflejó en sus gruesas gafas cuando estrechó la tenaza de los dedos en mi codo.

—Un investigador del Comité de Actividades Antiamericanas ha estado buscándole con una citación. —Aguardó impasible, contemplándome con la boca ligeramente abierta y deslizándose junto a mí por el mar del silencio.

El anticlímax me relajó, finalmente la llegada del destino, el hacha levantada que por fin caía.

—¿Hay algún motivo? —me preguntó con inocencia encantadora.

El vaquero pardo-grisáceo había vuelto la cabeza para mirarnos. El problema no era ya divorciarme, sino que me lincharan.

—No tengo ni idea de por qué me buscan ahora —dije, aunque me interrumpí ante la posibilidad de adentrarme en un farragoso fragmento de historia que no habría comprendido jamás; el Comité había estado de capa caída durante un tiempo y si no me había molestado en los últimos años, cuando había tenido yo un mayor protagonismo político, me parecía absurdo que lo hiciese en un momento en que ni siquiera podía interesarme por la política. Imagino que históricamente nos encontrábamos en la angosta cárcava que se abría entre la sublime cruzada contra el comunismo doméstico y la siguiente causa ennoblecedora, la guerra de Vietnam que nos esperaba a unos siete años de distancia.

—Dijo que volvería esta misma mañana; sabía que usted tenía que venir hoy.

—Bien, no creo que pueda hacer nada al respecto.

—¿Aceptará usted la citación?

—No comprendo. —Caí en la cuenta, con un leve sobresalto, de que Hills consideraba tan suyo su país que no tenía necesidad de aceptar todas sus instrucciones.

—Bueno, hay una puerta trasera en la casa. Puede usted quedarse en el despacho y en vez de presentarse en el juzgado haré que sea el juez quien venga. Porque me da la sensación de que ese tipo está esperando a que salga.

Aquella conjura inesperada me despertó un impulso de gratitud y de súbito comprendí que los homenajes enmarcados de las paredes eran en realidad testimonios de un anarquismo muy norteamericano y, por el que en los últimos años había desarrollado yo un enorme respeto por ser nuestro último bastión frente a la seriedad fascista.

Ignoraba qué hacer en aquel momento, sin embargo, y al verme titubear dijo que tenía que hacer una llamada desde el despacho y que volvería en seguida. Me quedé mirando por la ventana la calle vacía. Tenía el cerebro seco. El agotamiento me paralizó las piernas de forma inesperada y tomé asiento, aunque me di cuenta demasiado tarde de que había elegido una silla situada enfrente del vaquero pardo-grisáceo. Tenía las quijadas abiertas como unas cizallas. Me miró a los ojos.

—Me llamo Carl Royce. Y sé quién es usted.

Sorprendido, le dije que era un placer conocerle, salvó con majestad el espacio que mediaba entre ambos y me estrechó la mano. Tenía la extremidad tan callosa y dura que habría podido hundir un clavo en una plancha de madera de un solo golpe. Advertí entonces que en un rincón de la sala había una enorme bandera norteamericana en un asta coronada con el águila, sus colores un peligro. Aguardé en medio del silencio a que se me llenase el vacío de la cabeza.

—¿Qué piensa hacer? —Su tono era del todo neutral. Tenía que andarme con cautela.

—No he tenido tiempo para pensarlo —repuse, saliéndome por la tangente. ¿Qué quería? ¿Quién era?

—Espero que no cuente nada a esos cabrones. —Habíamos superado ya la etapa de las observaciones graciosas; había cólera en sus ojos azul celeste.

Creo que se daba cuenta de mi sorpresa. Aún intranquilo, puesto que una indiscreción podía tener consecuencias, seguí dándole evasivas.

—Siempre he estado en contra del Comité.

—¿Conoce a Dashiell Hammett?

—Desde luego. Claro. —Por Dios, ¿qué tendría que ver con John Wayne un radical como Hammett?

—Lo tuve de sargento en las Aleutianas; ocupamos la misma tienda un par de años. Me enseñó todo lo que sé. —Yo no salía de mi asombro. Hammett había estado en prisión hacía unos años por negarse a dar el nombre de los contribuyentes a la caja de resistencia que para pagar fianzas había organizado el Congreso para la Defensa de los Derechos Civiles.

Nunca había sido íntimo de Hammett, quizá solamente porque hablaba muy poco: parquedad que a veces consideraba yo una táctica para poner al otro a la defensiva ante su silencio de cejas enarcadas. Pero era una persona extraña, con un código que uno se veía obligado a respetar, y había escrito cosas extraordinarias por añadidura. Pese a toda su reputación de activista, a menudo me preguntaba si no sería en realidad un hombre de impulsos reprimidos. Todo lo novedoso que había surgido en el clima de la posguerra parecía acogerlo con sonrisa desdeñosa, como si el pasado estuviese al volver la esquina y el presente careciera de importancia. Al igual que Lillian Hellman, su compañera de muchos años, era un aristócrata putativo a despecho de sus convicciones igualitarias y aunque hacía como que denostaba la política de inmadurez y el absentismo de Hemingway y Fitzgerald, estaba claro que se sentía más próximo a ellos que a los autores izquierdistas. Su punto de referencia seguía siendo los años veinte, con su feliz agasajo de la inteligencia y de los ricos interesantes, y lo que más le sublevaba era la indiferencia contemporánea a la calidad de las relaciones humanas.

Al ver que también Royce se unía a la conjura, comencé a sentirme eufórico.

—Estoy de paso nada más, para comprar ganado. Vivo en Texas. Podría venirse en mi avión dentro de hora y media; el aparato y el piloto me esperan en el aeropuerto. Tengo una propiedad de unas ochocientas hectáreas y una de las casas está vacía, en el centro mismo. Nunca le encontrarían allí. Podría esperar hasta que se cansaran. Dash estuvo en esa misma casa cuando andaban tras él, pero le entró la tontería, se marchó y le cogieron. No habría ido a la cárcel si se hubiera quedado allí. Puede usted quedarse el tiempo que quiera, incluso utilizar la casa un par de meses para escribir alguna cosa. Se olvidarán de que existe.

—No sé si dará la sensación de que eludo sólo una citación judicial. Pueden aprovecharlo para hinchar la cosa.

Royce descartó la posibilidad como si no fuera más que un simple detalle secundario: con sus cientos de hectáreas parecía ridículo preocuparse por lo que los demás pensaran de él.

—Yo no haría mucho caso; lo principal es que no le cojan; para ellos en última instancia no es más que un truco publicitario.

Hills salió del despacho y dijo a Royce que ya podía dirigirse al otro bufete que estaba en aquella misma calle para finiquitar la compra del ganado. Fuimos todos juntos hasta la puerta.

—Es un Cessna Barron, rojo y con las alas blancas, usted pregunte sólo por el Cessna de Royce. El piloto se llama Bill Sisley. Le avisaré de su llegada. Piénseselo; confío en que acabe aceptando. Estaré allí aproximadamente dentro de una hora, de hora y media. Espere en el avión si lo desea, allí no le harán nada.

—Puede salir por la puerta trasera —añadió Hills—. Tengo un coche con chófer en la parte posterior del edificio. Le diré ahora mismo que a lo mejor se presenta usted, le llevará al aeropuerto. Haré que el juez esté aquí en unos veinte minutos, así no habrá necesidad de ir al juzgado.

—No sé —balbucí. Royce me dio un fuerte apretón de manos, me dirigió una estupenda mirada de ánimo, se dio la vuelta y salió.

—Usted mismo —me dijo Hills, que regresó al despacho.

Me instalé otra vez junto a la ventana, esforzándome por pensar con

claridad. Mi desaparición provocaría un revuelo tremendo ahora que se sabía que Marilyn y yo íbamos a casarnos dentro de poco, y lo peor del aguacero caería sobre ella. Otro capítulo escandaloso en su vida, sólo que esta vez con los matices de la traición. Y no habría ocasión de dar explicaciones a mis hijos. Pero la imagen de aquella casa solitaria en un terreno de ochocientas hectáreas me hacía desear vivamente su tranquilidad. Es posible que allí comenzase a escribir otra vez...
Tenía que mover las piernas, estaba totalmente entumecido. Salí a la escalera y llamé al ascensor. Vi subir la cabina metálica abierta hasta la puerta que tenía delante. Había un hombre dentro. Se abrió la puerta, me miró y avanzó hacia la puerta de Hills. Las palabras me salieron de la boca sin pensar.

—¿Me busca usted a mí?

Se dio la vuelta y volvió donde yo estaba: un plácido habitante de los barrios periféricos, rayano en la cincuentena, casi de mi estatura, un ignorante del sufrimiento con su corte de pelo respetable, su chaqueta deportiva de lino ajedrezado y tono rosáceo, y sus pantalones informales. Me pareció percibir en sus ojos una expresión de violencia sorprendida por haberle cogido de improviso. Quizá fuera porque había tomado yo la iniciativa cuando podía haber bajado en el ascensor y marchado a Texas. Supongo que no quería huir, ni de mí mismo ni de nadie, y que no soportaba sentir miedo.

Sacó del bolsillo interior la rosada citación de papel cebolla y, al tiempo que me preguntaba si yo era Miller, me rozó las solapas con ella, entregándomela oficialmente. Miré el papel sin ver nada. Se tranquilizó entonces y me preguntó si quería tomar con él una taza de café, nuevamente dos ciudadanos normales. Acepté, movido por la curiosidad, y fuimos a la cafetería de la planta baja del Mapes, al otro lado de la calzada.

Al oír su nombre, William Wheeler, me sonó una campanilla de alarma; había leído cosas sobre aquel investigador astuto como el demonio que había sabido abrir los ojos a los hollywoodenses. Me entraron ganas de saber qué se sentía cuando se estaba a merced de una inteligencia como la suya. Es posible que también hubiera un anhelo de realidad que en medio de aquella pesadilla me hiciese desear un verdugo más humano que una simple hoja de papel.

Tras unos comentarios preliminares de falsa relajación acerca del tiempo y lo mucho que el juego determinaba la vida en Nevada, circunstancia que reprobaba graciosamente, dijo:

—Me gustaría hablar del asunto. En realidad no hay por qué hacerlo público.

Asentí, no dije nada.

—Por cierto —añadió con torpeza, como si acabara de ocurrírsele en aquel mismo momento, actuación nada convincente—, Lee Cobb y yo somos muy amigos. ¿Lo ha visto últimamente?

—No, pero vive en California, ¿verdad?

—Exacto, me lo preguntaba nada más. Tiene un gran concepto de usted.

Aquélla, por lo que parecía, era una de sus hábiles estratagemas para sonsacarme acerca de mi actitud hacia Lee, que tres años antes había declarado ante el Comité, gesto por el que podía censurarle ahora o bien negarme a hablar de su traición con ceño enfurruñado. Pero Lee, naturalmente, era secundario; lo que de verdad importaba era cómo me conduciría ante el Comité, si como un cordero o como una serpiente de cascabel, y la verdad es que no tenía ganas de hacerlo saber todavía. En realidad no podía dejar de pensar en Lee, mi primer Willy Loman, aunque más como víctima patética que como malvado, un actorazo torpe que sólo quería actuar, que nunca había querido ser un héroe y que había materializado una de las pruebas más contundentes de la violencia absurda del Comité contra los artistas. Lee Cobb, tan politizado como mis calcetines, no era más que otra mota de polvo arrastrada por la mitificación sovietista de los años treinta que el desencanto de la Depresión había hecho germinar por todo Occidente.

—¿Qué le parece como actor?

—Bueno, en realidad ha sido mi Willy preferido.

El elogio pareció sorprenderle; al parecer había esperado que la indignación moral cayera sobre el delator. Resolví conjugar bondades y le revelé:

—De hecho le ofrecí el papel de Eddie Carbone en *Panorama desde el puente*. Fue el primer actor que seleccioné.

La cara de Wheeler manifestaba una confusión mayúscula y su transparencia rebajó la opinión que me merecía su frialdad profesional. ¿De veras era aquél el genio sutil, el Svengali que había convertido a la religión de sus dioses a tantos actores y directores?

—Pues no lo sabía —dijo más bien con escepticismo.

—¿Por qué no le pregunta a su agente?

—¿Una oferta en firme?

—Oh, desde luego.

—¿Le habló usted personalmente?

—No, Bloomgarden habló con su agente. Mire —añadí—, a mí no me cabía la menor duda de que Lee sería el mejor Eddie Carbone que pudiera imaginar, y como no va conmigo lo de confeccionar listas negras de artistas a causa de sus ideas políticas, aunque esté en total desacuerdo con ellas, dije a Bloomgarden que le hiciese la oferta. Tampoco Martin Ritt puso ninguna objeción —añadí—, puesto que tenía que conocer la pobre opinión que tenía Ritt del derrumbe de su viejo amigo ante el Comité.

Guardaba silencio, no parecía seguro del paso que daría a continuación.

—Es usted distinto de lo que esperaba —dijo al fin.

—Debería usted cotejar lo que le digo con el agente de Lee.

—Habría estado muy bien en ese papel.

—Y tanto. Además, quería interpretarlo. Pero el agente dijo a Bloomgarden que Lee tenía miedo de actuar en una obra mía porque la Legión le amargaría la vida otra vez. —Como no tenía necesidad de recordar a Wheeler, *Panorama* versaba, entre otras cosas, sobre un hombre que delataba a sus propios parientes a las autoridades de inmigración. Con o sin cinismo, había calculado que, dadas las circunstancias, Lee expresaría en escena las angustias del estibador acosado sin necesidad de recurrir a estudiados fingimientos.

—A lo mejor le interesa volver a hablar conmigo —dijo Wheeler—. Podríamos vernos en Nueva York o en Los Angeles, donde usted quiera.

—Lo que tenga que decir lo consultaré con mis abogados.

—Entiendo. —Pareció querer presionarme un poco, pero renunció en seguida—. Bueno, de acuerdo. —Es decir, que el Comité iba a someterme a un tratamiento intensivo.

Nos levantamos y me despedí de él sin cordialidad. Se alejó hacia el vestíbulo, donde las máquinas tragaperras vibraban con estrépito incluso a una hora tan temprana. Cuando desapareció en el vestíbulo, no pude por menos de preguntarme, de manera un tanto ridícula, si el asunto había tenido alguna importancia para él o si no habría sido más que un viaje oficial de Los Angeles a Reno, pagado por la administración, para sostener una breve charla que se traduciría en un bonito informe antes de volver a su partida de golf. A decir verdad, en el curso de nuestro breve cambio de impresiones no se había dicho para nada que yo hubiese infrigido alguna ley. Todo se reducía a mi conformidad con un acto de contrición ritual y público, con una obligatoria postración de hinojos ante el Estado, único dios del siglo realmente plausible, por haber tenido en el pretérito unas ideas que ciertamente había tenido y por haberme reunido, como era verdad, con otros escritores de opiniones parecidas, con objeto de promover el socialismo o, más concretamente, la fraternidad humana, al margen de la absoluta inoperancia y confusión de los medios en juego. Que todo ello hacía mucho que se lo había llevado el viento estaba fuera de toda duda, pues ya no quedaba ni rastro de izquierda norteamericana ni nada en realidad a lo que ser leal o desleal. Es decir, nada salvo los más generosos pensamientos de la propia juventud, que en la práctica se habían interpretado de la peor manera, pero cuyo ímpetu había tenido algún rasgo de nobleza; era el generoso corazón de la juventud lo que ahora iba a juzgarse por traición, ignorancia o irrisión. El marxismo con el que había estado vinculado antaño no había ambicionado nada para mí, ello era innegable; había sido mucho menos una solidarización política que moral con todos los que habían fracasado en la vida, una negación del poder camuflada de batalla materialista por el mismo, una liberación del yo. Así como una semana después del triunfo de *Todos eran mis hijos* había ido a la oficina de empleo y buscado un trabajo manual que pude soportar durante una semana nada más, del mismo modo me había decantado periódicamente por esta o aquella vanguardia política y había militado el tiempo suficiente para sentirme aburrido y frustrado una y otra vez a causa de su vacuidad maquinal. Ahora, sin embargo, en 1956, había aprendido a remitir el ímpetu igualitario a palestras menos exaltadas que la moralidad y las reformas públicas, a remontarlo a la antigua competencia con el hermano y el padre analfabeto, cuyo simbólico desquite por mis triunfos había eludido yo afirmando mi paridad con lo más bajo de la ciudadanía, aunque en el mundo real trabajaba día y noche por obtener la gloria y superioridad que mi arte pudiera depararme. Al cabo de veintidós años oiría mi propia historia de labios de escritores chinos que volvían del destierro tras la Revolución Cultural. Su castigo había sido muchísimo peor, desde luego, pero la experiencia hizo que comprendiese sus sentimientos de un modo inquietantemente fácil.

El avión de Nueva York estaba medio vacío y aproveché un par de asientos desocupados para estirarme. Era ya el momento de tener miedo, no tanto por lo que me ocurriría cuanto por mi incapacidad para cumplimentar el requerimiento explicando mi vida y demostrando que era auténticamente norteamericana, cuando la verdad era que de mi vida no sabía nada. Se trataba de uno de esos momentos en que los recuerdos imperfectos vuelven con sus turbadoras preguntas sin respuesta. A lo mejor había sido yo un conformista y no un radical que había temido el rencor de la izquierda hacia los que no fracasaban y que en consecuencia demostraban que al organismo norteamericano aún le latía el pulso con fuerza. Hacía mucho, por ejemplo, que me había dado cuenta de lo que había tras el menosprecio de los comunistas hacia el *Viajante* y *Todos eran mis hijos:* la buena acogida del público y los elogios de la crítica habían hecho tambalear el dogma de que el teatro norteamericano ni podía ni teóricamente era capaz de apoyar las obras socialmente veraces. La obra que dijera cómo son realmente las cosas no podía ser bien acogida. La izquierda había estado viviendo en el Fin de la Historia que precede al Día del Juicio, un clima intelectual muy cómodo para los moralistas pasivos que sólo necesitan conocer la Verdad para acceder a la Salvación y una encrucijada tan antigua como la teología paulina y tan seductora como la justificación por la fe. Pero como artista yo sabía que para que hubiera creación había que moverse hacia delante, había que sacudir el sueño perezoso en que se había sumido la sensibilidad del mundo. Toda mi vida había sido un forcejeo entre la actividad y la pasividad, entre la creación y la observación distante. Mientras volaba hacia Nueva York recordé un sueño que había tenido hacía años y tomé notas al respecto; me encontraba en un teatro viendo una de mis obras entre un público tan inanimado como la muerte y, al mirar alrededor, veía caras de mi familia, de amigos, de todas las personas que había conocido en la vida, y exclamaba: «¡Dios mío, los he matado a todos!», como si crear a semejanza equivaliese a extirpar el espíritu del cuerpo de los retratos; pero experimentaba también un júbilo ilícito por haber desobedecido el Mandamiento, ya que al igual que Dios había creado vida.

Me acordé entonces de los seis meses que había estado en el WPA Theatre Project al acabar los estudios en Michigan; había allí unos cuarenta o cincuenta dramaturgos que, en 1939, ganaban a la semana veintidós dólares con setenta y siete centavos por fabricar obras dramáticas, la mayoría de las cuales leí y encontré detestables, del todo incompetentes: y, a decir verdad, no volvió a saberse más de ninguno al clausurarse el plan a causa de la inminencia de la guerra. Al minimizar mi privada desvinculación de aquellos patanes había caído en la pose del que se hace la víctima del desprecio que el comercialismo de Broadway sentía por el arte auténtico, pensando en todo momento que los dotados de inteligencia discreta eran demasiado vagos para explotarla al máximo y preferían seguir culpando al sistema del impresentable desaliño de sus productos. La verdad era que yo siempre había creído que el hombre que valía podía aún salir adelante, con o sin capitalismo.

Pero la citación que llevaba en el bolsillo era un objeto demasiado contundente para permitir las matizaciones: para defender mi honor tenía que enfrentarme al Comité, postura que de manera inevitable me obligaría no sólo a pasar por prosoviético cuando hacía mucho que había perdido la última esquirla de fe en el sistema soviético, sino también —más íntima y dolorosamente— a adoptar la pose del que se dice satisfecho de pertenecer a la grey de los inútiles y artísticamente fracasados, al zumbido lastimero de la izquierda literaria, de cuyas filas me había alejado siempre. Estaba totalmente seguro, sin embargo, de que jamás diría al Comité el nombre de las personas, todas ellas dedicadas a la literatura, que yo sabía habían sido comunistas, cosa que sólo tenía que ver conmigo mismo; podía esgrimir todas las razones de este mundo para someterme a la moda de la época, excepción hecha de un distingo decisivo: que no me cabía en la cabeza que nada ni nadie que conociese yo representara ni por asomo un peligro para la democracia norteamericana. Lo que de verdad pensaba de los comunistas norteamericanos era que se trataba de unos fanáticos que, en vista de la incidencia que podían tener en el funcionamiento del mundo norteamericano, lo mismo podían estar rezando en cualquier punto perdido del Himalaya. No tenía por qué pensar, empero, que personalmente me hubieran perjudicado, así que tampoco tenía necesidad de vengarme, ni siquiera de atacarles con vehemencia, ya que en el fondo eran unos inconsecuentes que mataban el tiempo en el andén, en espera de que pasase el tren de la Redención.

Pero no sabía qué hacer para que estas cosas resultaran comprensibles, en particular para un país en alza y cada vez más ufano. Estaba convencido de que el fracaso de *Recuerdo de dos lunes* y de *Panorama desde el puente* se debía en parte a las imágenes de indigencia y desesperación que presentaban; como siempre, Norteamérica negaba su propio sufrimiento, y recordar no estaba de moda. Esta impotencia mía se reproduciría tiempo después, cuando la generación de los años sesenta y de la guerra de Vietnam fuese incapaz de transmitir sus perspectivas apocalípticas a la indiferente generación posterior. MacLeish tenía razón: Norteamérica era una serie de promesas —y no estaba interesada en recordar las que no se habían cumplido.

Para colmo, se había difundido la noticia del próximo enlace matrimonial; estaba claro que Wheeler no habría hecho todo el viaje hasta

Nevada sólo para asegurarse de que el Comité iba a disfrutar de la publicidad inminente, aunque lo cierto es que la necesitaba mucho en aquel momento de peligrosa decadencia.

En determinadas ocasiones, el terror puede generar tranquilidad. Y como yo ya estaba condenado, lo sentía más por Marilyn que por mí. Además, todo era ficticio, una broma por la que no valía la pena tener a raya el pánico; me acompañaba Carl Royce con su hermoso traje pardogrisáceo de vaquero. Debía de estar ya en sus tierras tejanas, pero su sencillo escepticismo viril, su bienaventurada y sincera anarquía norteamericana viajaban conmigo en el avión. De alguna parte había tenido que heredar yo la fiable tendencia a moderarme ante el peligro, tal vez de nuestros dos mil años de acampar al borde del abismo, porque me echo atrás y dejo que la inercia de la tierra se apodere de mí. Yo era estadounidense a fin de cuentas, ciudadano de la isla inesperada, de la sociedad de la montaña rusa. ¿Quién lo sabía? A lo mejor se avecinaba algo provechoso. ¿O es que habría afrontado la realidad huyendo a Texas?

Parafraseando lo que dijo Winston Churchill para caracterizar a los alemanes, la prensa, en relación con Marilyn, se echaba o a sus pies o a su cuello. Periódicos como el neoyorquino *Daily News*, a la sazón en su fase ultraderechista, estaban obligados a encabritarse por mi entrada en escena, pero al margen de este error desdichado, lo que nunca le habían perdonado a Marilyn era que hubiese cortado por lo sano su vínculo con Joe DiMaggio, que según ellos representaba el perfecto matrimonio americano. Así pues, cuando volvió del rodaje de *Bus Stop*, consideraron de capital importancia no sólo aniquilar su imagen, sino también desfigurar su belleza, tanto más ahora, cuando su sueño de actuar con Olivier estaba a punto de hacerse realidad. Lejos de caer en el limbo de las incontables y atrevidas starlets con pretensiones artísticas, partiría hacia Inglaterra para rodar *El príncipe y la corista* a poco de celebrarse la boda. De modo que había que hacer algo al respecto.

Vivíamos provisionalmente en una casa de Sutton Place en cuya entrada había comenzado a aparecer una nube de fotógrafos todas las mañanas a las ocho. Un homenaje a su tremenda celebridad, pensé al principio. Pero la cosa era que incluso después de celebrar los dos una improvisada conferencia de prensa en la acera con la esperanza de que nos dejasen marchar, los reporteros del *News* y el *Post* (entonces en su fase liberal) volvían a la mañana siguiente al despuntar el alba. ¿Por qué?, nos preguntábamos. La respuesta llegó una mañana en que Marilyn, que se los había encontrado en el interior del zaguán, retrocedió y se dirigió al sótano con ánimo de escapar por la entrada de servicio. Iba sin maquillar, con un jersey muy ancho y un pañuelo del pelo anudado bajo la barbilla, como si tuviese dolor de muelas, truco que utilizaba para dirigirse al consultorio de su psicoanalista sin llamar la atención.

Los abnegados periodistas se precipitaron por el callejón, la arrinconaron entre los cubos de basura y le sacaron la foto que buscaban desde hacía días y a la que el *News* dedicó toda una primera plana. Allí estaba la hembra que pasaba por guapa, la novia de América, refunfuñando, con los ojos hinchados, alargando la mano hacia el lector como una maturranga histérica que increpara a un transeúnte inocente, y rodeada de basura. Los mismos periódicos, como es natural y comprensible, dedicaron números prácticamente enteros a publicar insufribles manifestaciones de pesar y condolencia por su muerte, apenas seis años más tarde.

Una vez más, la Twentieth Century-Fox se introdujo en mi vida de manera misteriosa; Spyros Skouras nos hizo una visita sorpresa la noche antes de mi partida hacia Washington, con objeto de que colaborase con el Comité. Había llamado desde Hollywood y preguntado a Marilyn si nos podía visitar en cuanto llegase a Nueva York. Yo sabía ya lo que aquello significaba, porque el presidente de la productora no tenía por costumbre efectuar visitas relámpago de aquel jaez, no para ver a Marilyn en cualquier caso, habida cuenta de que la Twentieth Century-Fox aún estaba enemistada con ella. Según él, de lo que se trataba era de ahorrarse una temporada en prisión por desacato al parlamento. No es que yo le quitase el sueño, pero si eran ciertos los rumores de que íbamos a casarnos, las organizaciones patrióticas a lo mejor decidían boicotear las películas de Marilyn. Así era la época. Si su llamada de teléfono tuvo algo de sorprendente, fue que no la hubiera hecho antes. Pasaba por haber influido en muchos actores y directores gracias a una convincente combinación de sinceridad auténtica, paternalismo y un terror a la mala publicidad frecuente en el mundo del espectáculo.

Al colgar el teléfono y volver junto a mí, tuve que poner cara de desconcierto cuando me comunicó que se trataba de Skouras, porque me pidió en el acto que no me negara a verle. Circunstancia curiosa.

Unas veces estaba dolida con él, otras le detestaba y otras afirmaba con calor que era el mejor amigo que tenía en la productora. Aunque estaba furiosa porque Skouras le había negado los privilegios habituales de las grandes estrellas, tras los que andaba esta vez de modo incuestionable —el mejor camerino, cámara y director elegidos por ella y el debido respeto como actriz favorita del público—, aún se conmovía ante las reiteradas promesas de aquél, a menudo acompañadas de lágrimas auténticas, relativas a que Marilyn estaba más cerca de su corazón incluso que su hija del alma. Al mismo tiempo, la actriz estaba convencida de que era la terquedad de Skouras lo que impedía que se la considerase la atracción número uno de la Fox.

La productora quería que se ajustara al antiguo contrato, que le adjudicaba ciento cincuenta mil dólares por película, una pequeñez en comparación con las cantidades en las que ya por entonces se cotizaba Marilyn en el mercado. Era una cantidad concertada antes de que se originase su asombrosa mitificación y los beneficios que sacaba la productora por sus películas habían comenzado a dispararse. Con todo y con eso, el resentimiento femenino perdía pujanza cuando Skouras la cogía del brazo y le decía: «Eres una hija para mí». Me gustaba que estuviera a buenas con él; íbamos a casarnos pronto y saludaba de buena gana cuanto sintiera ella de positivo y despreocupante. En cualquier caso me tocaba a mí responder a Skouras y en este sentido no albergaba la menor duda, aunque su aparición me incrementaba la inquietud de que mi condena pública pudiera perjudicarle a ella profesionalmente.

Spyros Skouras, pensaba yo entonces, podía ser un vivo, pero no era mal sujeto en realidad, porque su picardía era lo bastante transparente para resultar casi tranquilizadora. Nunca había la menor duda respecto de qué lado estaba: lo más cerca posible del Poder. Si se permitía pronunciar vehementes discursos autopropagandísticos acerca del honor, la caridad y la verdad, lo hacía en buena medida dentro de la tradición mediterránea, aquilea, para ser más exactos, del exceso retórico que envuelve todos los grandes acontecimientos de la vida, las bodas, los nacimientos —en particular de los varones—, o las muy fabulosas traiciones que el Poder necesita con periodicidad. Había visto a Skouras en alguna ocasión, pero sólo una vez le había contemplado en pleno vuelo retórico y jamás lo había olvidado.

Cierta tarde, unos cinco años antes, había coincidido casualmente con Kazan a pocos metros del edificio de la Fox de la Calle 46, donde estaba citado con Skouras. Me invitó a subir con él y, como no tenía nada mejor que hacer, acepté. Kazan se encontraba aún en la primavera temprana de su carrera de director cinematográfico y el trabajo le emocionaba; su paisano Skouras era su amigo, su jefe y su padrino.

El despacho de Skouras tendría el tamaño de una cancha de squash y toda la pared del fondo estaba cubierta por un mapa del mundo que hacía de telón de fondo del escritorio de ejecutivo, largo como un ataúd, que se alzaba delante. La América Latina del mapa tenía unos tres metros de longitud y los restantes continentes un tamaño enorme en comparación, pero todos estaban señalizados con muchas y grandes estrellas rojas, que señalaban el enclave de las sucursales de la Fox. En el tablero de mármol beige del escritorio se erguía solitaria una estatuilla barroca con un juego de bolígrafo y lápiz de oro.

Sentado en un escabel a los pies del escritorio se encontraba George Jessel, cincuentón por entonces, que nos saludó por turno a Kazan y a mí estrechándonos la mano efusivamente con las dos suyas. A una señal de Skouras, tomamos asiento en sendos sofás de color beige, de cuyos hondos y mullidos cojines era casi imposible volver a levantarse.

Por algún motivo que no alcancé a desentrañar, Skouras, desde la privilegiada tribuna del escritorio, se embarcó —con una ronca voz en cuello que al parecer dirigía en la imaginación a varios miles de oyentes— en un discurso contra Franklin Roosevelt, que por entonces llevaba ya casi seis años muerto. Golpeando el pétreo tablero del escritorio con la palma de la mano para subrayar lo que decía, echando atrás la cabeza de vez en cuando en actitud desafiante o sacudiendo el índice hacia Kazan al parecer en señal de amonestación, caracterizó al finado presidente como un hombre sin honor ni honradez ni valentía.

—¡Era terrible! —barbotó Jessel de pronto desde el escabel que estaba ante el escritorio.

—De terrrible nada: ¡un cabrrrón hijoputa!

—Un bastardo —aceptó Jessel, cabeceando irritado mientras nos dirigía una mirada a Kazan y a mí, como si hubiera que hacer algo y en seguida por culpa de un sujeto tan vil—. Spyros, sé muchas cosas que tú...

—¡Tú no sabes nada! ¡Yo sí sé!

—Sé que sabes, Spyros, pero estaba yo en Des Moines cuando él...

—¡No me hables de Des Moines! —le ordenó Skouras lleno de indignación—. ¡El tío sacrrrificó un millón de perrsonas a Stalin! ¡Era agente de Stalin! ¡Un agente incuestionable! —Y dio un manotazo en la mesa.

—¡Peor que un agente! —chilló Jessel, emocionándose de manera visible.

En aquel punto, sin que mediara ningún aviso, cambio de tono o modulación acentual, echó atrás la cabeza con orgullo y exclamó:

—Sin Frrranklin Roosevelt, los Estados Unidos habrrrían tenido una rrevolución en la primavera de 1935. ¡El salvó a Norteamérrrica!

—¡Totalmente cierto! —voceó Jessel, por lo demás sin parpadear siquiera ante aquella brusca inversión de los términos—. Por el amor del cielo —añadió, exasperando el resgistro lastimero—, la gente pasaba hambre, se moría en las calles...

Skouras acometió un encendido elogio de Roosevelt con alabanzas dignas de un discurso fúnebre mientras las pestañas del párpado inferior de Jessel se perlaban de lágrimas quejumbrosas y, sacudiendo la cabeza, enristró sus cariñosos recuerdos sobre el buen carácter del fallecido presidente, sobre su sentido del humor y su generosidad. Tardé semanas en darme cuenta de que Skouras había organizado aquel espectáculo para dar a entender a Kazan, y quizás a mí también, que su poder era tan grande que se podía contradecir de manera radical delante de nosotros sin perder ni un solo gramo de poderío. Era una morsa tendida en la playa que chillaba al sol su alegría de vivir.

Cuando abrí la puerta de casa para que entrase Skouras, lo vi cansado, un viejo abatido con smoking. Es posible que hubiese tomado una copa de más. Me estrechó la mano con languidez y dejó resbalar la mirada por mis rasgos sin el habitual entusiasmo eléctrico, como si no esperarse mucho de la velada. Calvo, ancho de pecho y con cuello de toro, se desviaba ligeramente de su centro de gravedad enderezando la espalda y encogiendo la barbilla como un boxeador. Era capaz de sonreír con cordialidad mientras sus ojos buscaban aprisa el menor rastro del enemigo. Marilyn apareció en el acto en el vestíbulo y se abrazaron, él casi con lágrimas en los ojos, quizás a causa de todos los favores que le había negado. «Fabulosa, fabulosa», repetía con los ojos cerrados, con la nariz hundida en el pelo femenino.

Por sorprendente que pareciera, Marilyn estaba conmovida. Ignoraba entonces que los hombres mayores despertaban en ella una conciencia tan clara de su poder sobre ellos que éste se transformaba en compasión y a veces incluso en amor. Su proximidad podía hacer que estos hombres se echasen a temblar y encontraba ella más seguridad aquí que en una cámara acorazada llena de dinero o que en un cine lleno de espectadores aplaudiendo. Tras llevarse la mano femenina a los labios, Skouras la condujo hasta el sofá y se sentó a su lado, aunque Marilyn se puso en pie inmediatamente e insistió en que tomase un brandy, que aquél aceptó y bebió a sorbos a pesar de sus quejas asmáticas. Otra vez a su lado en el sofá y con las piernas encogidas, Marilyn se encaró con él frunciendo ligeramente, como siempre, el labio superior, igual que el belfo de una yegua embridada, orgulloso tic de autodominio. No había podido por menos de quedar impresionado por su belleza, adornada con una blusa de raso beige y alto cuello byroniano, una falda blanca ceñida y relucientes zapatos blancos de piel y tacón alto. Hacía meses que no la veía, tiempo de sobra para haber olvidado la vehemencia de las ondas energéticas que su belleza parecía irradiar.

Apoyado en un glúteo como un oso circense torpe, no hacía más que desalojar el cojín del sofá mientras con su encantadora ronquera de adolescente repasaba las enfermedades y defunciones de los amigos hollywoodenses comunes, los problemas de su propiedad de Rye y los progresos existenciales de su hija. Marilyn estaba encantada y contenta, como sólo la podían poner los sentimientos, a despecho casi de su significado hostil o amistoso, pues sólo en los sentimientos había verdad. Por increíble que pareciese, Skouras se puso entonces a rogarle que abandonase la compañía que ella había fundado y que volviera a la productora, cosa que se había fijado por contrato casi un año antes, aunque Marilyn entendió el circunloquio: estaba allí por algo que le resultaba difícil de decir y aquella forma indirecta de entrar en materia, aunque absurda, revelaba una deferencia respetuosa que la movía a prestar atención y a reaccionar como si el hombre estuviera hablando de algo verdadero.

—Sinceramente, chica, lo siento por ti. No puedo rremediar lo que te han hecho durante estos años, yo no soy la Twentieth, soy sólo el prrresidente. Te hablo con el corazón en la mano, te prrometo que volverás a ser feliz en la Twentieth. Te lo digo en serio, querridísima Marilyn, cometiste un errror, vuelve con nosotros, con tu familia, con tu padre y tu madrre. —Y continuó de esta guisa, al igual que ciertos peces que expulsan una sustancia alcalina antes de depositar los huevos en aguas ácidas. Habló luego de su catedral, que había construido en Los Angeles para la Iglesia ortodoxa griega, el orgullo de su vida. Se podía detestar a Spyros, pero había que simpatizar con él aunque sólo fuera por la ingenuidad de su indiferencia hacia la verdad, que al menos no brotaba desnuda y dolorosa, sino envuelta en cierto calor; mientras tenía la boca abierta, quería decir siempre lo que decía.

Cogió la mano de Marilyn sin previo aviso y le preguntó con talante íntimo:

—¿Estás enamorrada, cielo mío?

Marilyn pareció dilatarse, tragó aire y asintió.

—¿Estás segura? No sin culpabilidad miró a los ojos de aquel hombre que conocía su historia y volvió a asentir.

—Dios te bendiga, prreciosa —dijo, palmeándole la mano con bendición paternal; si se trataba realmente de amor y matrimonio, sobre todo de lo segundo, es que Dios había intervenido y por tanto se había acabado el mariposeo. Skouras se quedó asintiendo con activo sentido del cálculo mientras se observaba el zapato negro que descansaba en la alfombra. Añadió, volviéndose a mí—: Art, muchacho, Dios te bendiga. Sé que erres un buen hombre y que cuidarás bien de esta niña, que es como mi prropia hija, pongo a Dios por testigo.

Convencido ya de que no vivíamos en simple concubinato, salió a relucir la Compañía de manera tan inevitable como amenazadora. Aunque Marilyn tenía que hacer dos películas para la casa para quedar en libertad total, el que fuera a casarse representaba un peligro serio para su imagen de erotismo libre, pero que fuese a casarse conmigo, en mi situación, era toda una catástrofe.

—Art —dijo suspirando—, deseo muchísimo que no metas la pata con el Comité.

Tenía yo todos los motivos de este mundo para pensar que comunicaría al Comité cuanto yo dijera, de modo que me limité a encogerme de hombros y a murmurar que haría lo que creyese justo.

Estaba ya más despierto que un reloj y atento a mis reacciones.

—Conozco bien a esos diputados, Art, somos buenos amigos. No son malas perrsonas, se puede rrazonar con ellos. Estoy convencido de que por ti celebrrarían una sesión privada, ¿entiendes? No hay ninguna necesidad de hacerla pública. Lo puedo arrreglar si tú quieres.

De acuerdo con la jerga del momento, aquello significaba que a cambio de «limpiarme» dando nombres y aceptando las fórmulas de acatamiento al Comité, por ejemplo agradeciendo públicamente a los diputados el que me hubiesen ayudado a volver al seno de la patria, se me ahorraría un juicio público y se me interrogaría a puerta cerrada.

—Estoy en contra del Comité, Spyros. ¿Cómo quieres que les dé las gracias?

Oí que mencionaba a Sócrates mientras yo seguía hablando, y cuando hube terminado dijo:

—Deberías leer sus librros.

—¿Sócrates dices? A Sócrates lo condenó un comité igual que éste...

—Sí, pero tenía el valor de decir lo que pensaba.

Me desconcertó aquello durante un segundo, hasta que caí en la cuenta de que me sugería que utilizase la vista para exponer mis diferencias con la izquierda y los liberales, «ofensiva» que compensaría mi sometimiento al Comité. Era más o menos lo que Odets había convenido en hacer y lo que no dejó de lamentar hasta el último día de su vida.

—No necesito que un comité parlamentario me suba a una tribuna para arremeter contra la izquierda, lo puedo hacer por mí mismo, Spyros. —Di las gracias a mi estrella por trabajar en el teatro, donde no había listas negras; de haber sido guionista de cine, ya habría tenido que despedirme de la profesión.

Tras ponerse en pie con el dedo señalando al techo, quiso aparentar que le impulsaba una fuerte convicción, pero sus discursos habían perdido toda emotividad, me dije, a fuerza de repeticiones.

—Stalin —dijo— crrucificó al pueblo griego. ¡Sé de lo que hablo! El Parrtido Comunista grriego organizó una guerrra civil y torturaba y fusilaba a la gente... —con lo que hizo un resumen tan esquemático como archisabido de la historia de las catastróficas luchas políticas entre la derecha y la izquierda en la Grecia de posguerra, en que, como era de esperar, toda la culpa la tenía la izquierda y toda la razón la derecha. Pese a ello, aunque hubiera sabido o hubiese estado en situación de saber la verdad sobre las barbaridades de la izquierda en la época, no habría modificado la opinión que me merecían los problemas tal como los veía en 1956 y que se resumían en el desprecio abiertamente antidemocrático que manifestaba el Comité hacia los derechos fundamentales de los ciudadanos norteamericanos, actitud imposible de secundar.

—No tiene vuelta de hoja, Spyros, no voy a hacerlo. No me gusta esa gente.

No recuerdo cómo ni a santo de qué se me encendió la sangre, pero me sentí acorralado por sus insistencias; era como si quisiese controlar lo que yo hacía y ello me resultaba intolerable. No barboté más que un par de frases, pero advirtió en el acto por dónde iban los tiros, alzó las dos manos y se dirigió a su abrigo, que estaba colgado en el respaldo de un sillón y, por increíble que pareciera, estoy convencido de que le oí murmurar: «Eres un Sócrates». Abrazó a Marilyn otra vez, ahora con tristeza auténtica, y lo acompañé hasta el ascensor. Cuando llegó éste, Spyros había recuperado su prístino yo soñoliento y la última mirada que me dirigió mientras se cerraba la puerta fue de indiferencia absoluta, como si yo fuese un desconocido con quien se hubiese encontrado en el pasillo, ya que no era hombre que derrochara sentimientos.

Marilyn tomaba un whisky cuando volví, con talante de incertidumbre; intuí que nuestro visitante la había emocionado, aunque no con sus razones sino a causa de sus sentimientos, ya que, aunque a su manera estrafalaria, se preocupaba por ella. Años más tarde Skouras la invitaría a ocupar un sitio en la mesa de honor cuando Nikita Jrushev visitase la productora, y se la presentaría como a una gran estrella. El mandatario soviético se pirró por ella de un modo clarísimo y ella simpatizó con él a causa de su franqueza. Spyros recitó por milésima vez la epopeya de él y sus hermanos, que habían llegado a los Estados Unidos con unas cuantas alfombras al hombro como único capital, y de cómo él era ahora presidente de la Twentieth Century-Fox: tal era la igualdad de oportunidades de Norteamérica. Jrushev se levantó y contestó que era hijo de un minero pobre y que ahora era el primer ministro de toda la Unión Soviética. A Marilyn le pareció una réplica fantástica; al igual que ella, Jrushev era diferente.

Mi madre, Marilyn y yo estábamos sentados en un banco de la Penn Station, en espera de que se anunciase la formación del tren de Washington. En lo único que podía pensar era en la pérdida de tiempo que suponía aquel viaje. No iba a servir absolutamente para nada, salvo para malgastar miles de dólares en honorarios jurídicos, aunque mis abogados y amigos de la casa Paul, Weiss, Wharton and Garrison me perdonarían un buen pellizco después. Marilyn se esforzaba por no estar triste, pero como también yo me esforzaba por su bien en mantener una actitud serena, ninguno de los dos expresaba realmente lo que sentía, en particular acerca de nuestra impotencia por tener una hora de paz desde que habíamos resuelto unirnos. Detestaba haberla involucrado en aquel problema. Mi madre fingía que no pasaba nada y hablaba de los vestidos de Marilyn, lo que hacía que ésta la creyese insensible. Marilyn tenía una relación compleja y fluctuante con las mujeres mayores y de la idealización sentimental pasaba a la más negra sospecha de que la criticaban. Con mi madre había hecho buenas migas, pero en sus sentimientos hacia ella había ahora un indicio de retroceso, una oscura tracción negativa. Sin embargo, cuando en la escalera de los andenes me volví para dirigirles un último adiós, estaban cogidas del brazo y daban la impresión de ser una pareja bien avenida. Al devolverme el saludo, Marilyn tuvo que mantener el cuello del abrigo de visón pegado a la mejilla para evitar que la reconociesen y se formase a su alrededor el gentío que su presencia solía originar. El ademán tuvo algo de la irrealidad de los dos mundos inconexos en que tratábamos de vivir: en aquel punto se conducía con seriedad por tratarse de un asunto serio, pero si la hubieran reconocido, si hubieran reconocido a la rubia feliz y despreocupada, habría tenido que echarse a reír.

Tomábamos un trago antes de la cena en casa de Joe Rauh, en Washington, cuando su mujer, Olie, le dijo que le llamaban por el teléfono del vestíbulo. Al volver se echó a reír de un modo más juvenil que de costumbre.

Individuo gigantesco que de algún modo parece más ancho y alto a causa de las corbatas de lazo que lleva, Joe Rauh es un abogado combativo que antaño presidió Norteamericanos por la Democracia, un grupo liberal de presión entre cuyos adeptos se encontraban hombres como Hubert Humphrey y Adlai Stevenson. Joe, por la sola razón de que es anticomunista, ama la democracia con pasión; no le interesan las ideologías ni las filosofías, salvo cuando hacen que la gente respete o menosprecie los derechos humanos individuales. Se preocupa por el poder estadounidense en el extranjero, aunque sin la normal doblez de los que cierran los ojos ante los delitos de "nuestros" dictadores mientras sueltan sapos y culebras contra los que se dejan guiar por el pendón soviético. Tiene una fe ciega en el Bill of Rights [Declaración de los Derechos y Deberes del Ciudadano] como garantía de la vida democrática de Norteamérica. Con su bufete social ha ganado sólo una parte de lo que se habría embolsado de haberse dedicado al derecho comercial.

Se encontraba sentado en uno de los sillones tapizados de cretona y, tras serenar la expresión, me preguntó: «¿Te gustaría no tener que ir mañana a la audiencia?». Y pasó a informarme que acababa de hablar con una persona que representaba a Francis E. Walter, diputado por Pennsylvania y presidente del Comité, que se había ofrecido a suspender la vista con la condición de que Marilyn se dejara fotografiar estrechándole la mano.

Estallé en carcajadas. Ignoro por qué ni siquiera me tentó la idea. A decir verdad, me habría ahorrado muchas penalidades. No pudimos por menos de quedarnos un rato cabeceando a causa de lo elemental y sencilla que era la política: al igual que en el mundo del espectáculo, lo importante era que el nombre de uno apareciese en la prensa, fuera cual fuese el motivo.

Mis recuerdos sobre la vista son siempre dispersos, como los que se suceden después de la violencia.

Recuerdo la bandera plegada detrás del tribunal desde donde los miembros del Comité nos miraban a mí, a Joe y al coasesor Lloyd Garrison, sentado tras de nosotros y cuya fija mirada de aristócrata no pasaba desapercibida al presidente Walter. La bandera se me antojaba ahora más tranquilizadora que amenazadora, como me ocurriese en Nevada. En otros lugares, ante otras banderas, habría afrontado una sentencia de muerte exactamente por la misma transgresión que se me iba a imputar aquel día.

Recuerdo el montón de papeles que había en una mesa y del que Richard Arens, el interrogador, cogía una hoja, y luego otra, y otra más, para leer las peticiones que yo había firmado hacía muchísimos años, como si dijéramos en un país distinto —protestas, súplicas para liberar a algún detenido, apelaciones a las relaciones amistosas con Rusia (que Joe había querido presentar para que se leyese el nombre de los demás firmantes, entre ellos la señora Roosevelt)— y recuerdo haberme preguntado si el individuo tenía intención de agotar el rimero y de interpelarme cada vez: «¿Firmó usted esto?». Sí, naturalmente, lo había firmado todo, y al cabo de una docena de afirmaciones me puse a responder que sí antes incluso de que el interrogador identificara el documento.

Años después leí en la prensa que Arens había sido expulsado de aquel cargo cuando se informó que seguía trabajando para una «fundación» racista como consejero, redactor de manifiestos y experto en la inferioridad genética de los negros. No me sorprendió mucho; era un sujeto bajito, de cabeza monda y cara cuadrada de bulldog que daba la sensación de que la vida le había desilusionado de la manera más horrenda y por todos los puntos posibles. Era soltero y se decía que en el patio trasero de su casa de Washington tenía un hermoso jardín de flores. Recuerdo que, mientras miraba una tras otra las protestas que me tendía para que las identificase, todo aquello me había parecido irreal. Recuerdo haber pensado en la nulidad de mi poder sobre mi propia historia. La verdad desnuda era que muchas de las organizaciones o causas a las que había prestado apoyo no las recordaba apenas. Y lo peor de todo era tal vez que, mientras Arens presentaba «pruebas» de mi vida de compañero de viaje, habida cuenta de las circunstancias, me habría sido imposible decir toda la verdad aunque se me hubiese concedido la libertad de decirla. Era cierto que, en ocasiones, había creído con apasionada convicción moral que el marxismo era la esperanza de la humanidad y que en él radicaba la supervivencia de la razón; pero había acabado por darme de narices con pruebas aplastantes de crueldad, en mí mismo incluso. ¿Cómo explicar que, aunque se hubiese presentado un carnet del Partido con mi firma al pie, no habría tenido más remedio que contestar afirmativamente, que sin duda había pensado entonces de aquel modo, que aquel día o aquella semana había llegado al convencimiento de que la única manera de luchar contra el fascismo nacional y extranjero era hacer lo que muchos miembros de mi generación habían considerado necesario? En las obras de teatro y en las novelas sobre el heroísmo de la guerra civil española y de la ya olvidada oposición alemana al hitlerismo —en el seno de la retórica izquierdista—, ser rojo significaba arrojarse en brazos de la esperanza, de la esperanza que se basaba en la acción. Tal se nos había antojado durante un tiempo. Pero había acabado por ver una realidad totalmente distinta después de viajar a la Unión Soviética y también a la Europa del Este y a China. Resulta irónico, pero en lo más profundo del marxismo hay una desesperada pasividad ante la Historia, y desde luego se prohíbe al individuo ostentar un poder que pertenece por derecho propio a la colectividad. Así pues, el individuo no necesita ningún derecho, esto es, ninguna protección frente al Estado, del mismo modo que el ciudadano con inclinaciones religiosas tampoco la necesita frente al poder de su dios. Antes de una revolución, la pasividad surge de la fe en un Día del Juicio cuya inminencia no puede posponer ni impedir nadie en absoluto; y después de la revolución, surge de la Ley Nueva en cuanto tal, que básicamente somete lo individual a lo colectivo.

La historia sabe de meandros; la facilidad con que en los años sesenta comprendí el miedo y frustración del disidente del mundo soviético fue consecuencia, en buena medida, de mis experiencias ante el Comité de Actividades Antiamericanas en los años cincuenta.

Recuerdo los zapatos del presidente Walter, de color marrón y blanco y puntera calada, su americana universitaria azul, prenda nupcial en Scranton, Pennsylvania, y el grato saludo que me dirigió al entrar rodeado de las caras adustas del comité que presidía. No se molestó en ocultar su sorpresa e interés por la gran cantidad de periodistas presentes (entre ellos, como es lógico, I. F. Stone, tal vez el periodista mejor y más trabajador de Washington) y en particular por la aparición sin precedentes de más de veinte corresponsales extranjeros, todos sentados a una larga mesa no muy distante de mí. Era la primera vez que sucedía. Aún no era habitual que el teatro norteamericano se publicara y representara ampliamente en Europa, como había sido mi caso, y di las gracias a mi mano derecha por el trabajo que había sabido desempeñar a lo largo de los años. Sabía como es lógico que pensaban que lo que casi había acabado con la cultura europea se encontraba en aquella misma sala, bajo la protección casi palpable de la bandera estadounidense, y me entraron ganas de tranquilizarles diciéndoles que aquello no se iba a reproducir allí, aquel día por lo menos.

Recuerdo sólo un par de diálogos descorazonadores con los miembros del Comité. Arens presentó un comentario que había hecho yo a poco de terminar la guerra, en contestación a un cuestionario distribuido por la revista *New Masses* en que, a propósito de la detención de Ezra Pound, se preguntaba a diversos escritores qué había que hacer al respecto. Yo respondí que había cometido un acto palmario de traición por dar charlas radiofónicas y escribir en favor de Mussolini, con la intención de desmoralizar a las tropas norteamericanas que combatían en Alemania e Italia, y que había que tratarle como a cualquier otro que hubiese cometido el mismo delito.

Arens lo sacó a relucir como prueba que contradecía mi presunta creencia en la libertad de expresión, tema que también surgió en un diálogo con un diputado por Cincinnati llamado Gordon Scherer. En cierto momento, en relación con Pound, Scherer me preguntó ceñudo si «un comunista que se dedica a la poesía debe tener derecho a pedir la caída de un gobierno mediante la fuerza y la violencia con su literatura, con la poesía».

Contesté que «un hombre debería tener derecho a escribir un poema sobre cualquier cosa», maravillado ante su estupidez provinciana por considerar la poesía un género propicio para la agitación; ignoraba sin duda que en los Estados Unidos nadie lee a los poetas, salvo otros poetas o los estudiantes que no tienen más remedio, y que su argumentación habría sido más eficaz si hubiera recurrido al cine o la novela.

Cuando le confirmé que creía que un poeta podía escribir un poema subversivo con todo el derecho del mundo, el señor Scherer levantó las manos y se volvió a los demás miembros, como diciéndoles: «¿Hace falta preguntar más?».

Me sentí aturdido cuando Arens, sujeto más sutil, me obligó a que expusiese por qué negaba a Pound su derecho a manifestarse. Me resultaba muy chocante comparar a un poeta que escribía un poema subversivo en una Norteamérica en paz con un hombre que todos los meses se dirigía por radio a las tropas norteamericanas para minarles el ánimo en tiempo de guerra. Al margen empero de las consideraciones teóricas, las mías fueron mucho más allá.

Sin duda había sido yo de los pocos norteamericanos que habían oído una charla radiofónica de Ezra Pound desde la Italia fascista y aún recordaba el escalofrío que me había sacudido el alma al escucharle. Durante la guerra, me había comprado otra radio, una bonita Scott que me había vendido a precio de coste —una cantidad elevada, pese a ello— mi amigo Irving Aranoff, que a la sazón adquiría electrodomésticos para A&S, los grandes almacenes de Brooklyn. Tenía una onda corta de gran alcance y una noche, en nuestra casa de Willow Street, la conecté y oí una inequívoca voz del Medio Oeste. Supuse que había sintonizado con una emisora norteamericana, pero la voz se puso a hablar de la necesidad de acabar con los judíos. Era algo tan canallesco y al mismo tiempo se decía con una voz tan calma que al principio pensé que se trataba de una mala parodia de pésimo gusto que perpetraba algún cómico con el agua al cuello. Pero poco a poco, el júbilo espiritual y la exultación de aquel individuo acabaron por convencerme y aterrarme. Abandonada a sí misma, decía alborozado, Europa, compuesta por pueblos prietamente vinculados entre sí, solucionaría con facilidad todos sus problemas; la culpa de aquella guerra la tenían exclusivamente los judíos, que habían jurado vengarse de los gentiles mientras ponían en práctica su plan de apoderarse de todo el mundo. La única solución, que Hitler, gracias a Dios, había tenido la perspicacia de encontrar, era aniquilar por completo a este pueblo subterráneo de una vez para siempre.

Cuando Arens me miró con su tensa cara de bulldog y me preguntó si no me chocaba que en el caso Pound estuviese más que dispuesto a retractarme de mis manifestaciones en favor de la libertad de expresión, vi el rostro contra el que había combatido toda mi vida y se me subió la sangre a la cabeza. Lo lamenté y me esforcé por dominar la cólera, pero él advirtió lo que sucedía y se dio cuenta de que se había excedido, puesto que estaba claro que yo era uno de esos judíos que no entrarían en las cámaras de gas sin rebelarse. Pound había exigido el exterminio de la raza y, a juzgar por la alocución radiofónica que había escuchado, el poeta, de haber podido, me habría matado alegremente por ser judío. El interrogatorio se disolvió antes de que la pregunta hipócrita de Arens pusiese al descubierto sus auténticas intenciones, aunque en cierto modo me alegró que se hubiera dado el pequeño episodio; había despejado el aire. Había estado en contra de hombres que, como Pound, defendían la injusticia, y me sentía orgulloso por ello.

No obstante, al abandonar la sala con Joe, experimenté la depresión del anticlímax. Aunque el Comité se había interesado por mí a causa de la publicidad y no para emprender una defensa seria de la república, me pareció que yo había manifestado mucha más certidumbre de la que en realidad tenía, al tiempo que cierta distancia de los lejanos años treinta y cuarenta, en que aún relacionaba a los soviéticos con el socialismo y al socialismo con la liberación de la humanidad. Pero no había sitio para tales pasiones en audiencias conducidas como un partido de tenis político cuyas estrictas normas exigían que la pelota rebotase en el interior de determinadas zonas; para ganar, el Comité tenía que demostrar que el Partido me dominaba, y yo tenía que probar lo contrario para demostrar que jamás me había acercado a lo que ahora se denominaba traición. ¿Bastaba con presentarse como un egoísta redomado, prueba de americanismo para ellos definitiva? Tolstoi, desde una posición cristiana, había dicho en cierta ocasión que preferiría creer en el comunismo a no tener creencia alguna. Mientras Arens presentaba una tras otra las protestas, las peticiones, los manifiestos —que al parecer había firmado yo en algún momento— pensé en la tremenda esperanza que había tenido que poseer yo en aquellos tiempos remotos. Si no hubiera firmado nada y me hubiera interesado menos, no habría tenido que comparecer allí. Pero tampoco era ésta la cuestión. Aquel montón de quejas, de quince centímetros de grosor, según advertí, era tanto una negación de la realidad cuanto un compromiso con el futuro. A decir verdad, había apoyado aquellas causas para manifestar mi temor a una intuida victoria del fascismo y mi oposición al desperdicio de las posibilidades que se daba en Norteamérica, mientras que nada sabía de la vida en un régimen socialista. De lo único que estaba seguro en 1956 era de mi deseo de aceptarme a mí mismo en el presente, y quizás dejando de reprimir las ambiciones, la voluptuosidad, y el egoísmo, claro, de ser responsable de mi momento y lugar en el mundo.

En los años venideros separaría los temas de aquella sinfonía y me quedaría con uno o dos susceptibles de silbarse, pero a la postre resultaron variaciones forjadas por el recuerdo atribulado. «¿Por qué escribe usted sobre los Estados Unidos de una manera tan pesimista?» sería durante años la observación final que, de acuerdo con mi memoria, me había dirigido el presidente; pero al consultar las actas descubrí que se había tratado del diputado Doyle, que me había preguntado: «¿Por qué no emplea usted parte de su extraordinaria habilidad en luchar contra... las conspiraciones comunistas? ¿Por qué no invierte en ello sus magníficas dotes?».

No había confusión, sin embargo, en relación con lo que querían de mí; querían calma y buenas maneras, no las inyecciones de pesimismo que había venido elaborando. A ninguno de los presentes se le ocurrió que un diputado podía no estar autorizado a plantear una cuestión así a un escritor en Norteamérica, pero cuando la planteó, todas las caras irradiaban satisfacción. En los años que siguieron, pues, su voz resonaría mucho más allá de sí mismo, más allá incluso de sus homólogos soviéticos; era la voz del omnipresente poder del Estado, la voz de la camarilla, de la tribu, el espíritu liberticida que bulle dondequiera que exista una sociedad organizada. Walter y el Comité eran sencillamente un poco menos sutiles, acaso un poco menos inteligentes que otros teólogos de la idolatría del Estado, y enseñaban su juego cuando no hacía falta. Walter sería incapaz de resistirse a la tentación de votar por el optimismo y al final de la vista aprovechó un instante para darme las gracias y desearme que en el futuro escribiese cosas más halagüeñas sobre Norteamérica.

Lo que me vino a las mientes como respuesta fue mi suerte: había nacido en un país cuyos fundadores habían previsto que el Poder era básicamente un cretino al que por todos los medios había que contener mediante una red de normas tan elementales y claras que hasta él pudiera entenderlas antes de que, en uno de sus arrebatos, echara abajo el edificio entero.

Pero antes de terminar hubo de preguntárseme si cierto escritor había estado presente cuando asistí a determinada reunión de escritores comunistas celebrada hacía diez años, y, como Arens preveía ya sin duda, tuve que pedir que no se me hiciera aquella pregunta porque no tenía intención de transgredir lo que de modo impulsivo califiqué de sentido del yo. Me faltó ingenio para inquirir con qué objeto investigador se me formulaba la pregunta, puesto que el nombre del escritor en cuestión se había mencionado al hacerla y puesto que, además, se había tratado de una reunión del todo legal de un grupo legalizado. Pero todo era, por supuesto, un juego de poder de principio a fin; ellos tenían el poder y no podían por menos de obligarme a admitir que yo no lo tenía, instándome a romper un acuerdo tácito entre seres humanos, a saber, que no deben mencionarse nombres para acarrearles conflictos ni se debe colaborar en la tergiversación del postulado democrático que defiende la inviolabilidad del derecho de reunión y asociación pacífica. Se me advirtió que entonces incurría en desacato a una comisión parlamentaria, toda vez que había preferido no ampararme en la Quinta Enmienda, creyendo que no había hecho nada para necesitarla. Tras repetir que por favor no se me formulase aquella pregunta, se me volvió a advertir del riesgo que implicaba negarse a responderla y allí acabó todo: como no había apelado a mis derechos constitucionales se me podía enviar a prisión.

Marilyn había acudido para darme apoyo moral durante los últimos días de la vista y consumía el tiempo en compañía de Olie Rauh, ocultándose de los periodistas en casa de ésta. Nunca me había resultado fácil compartir los problemas —la debilidad— con una mujer, siguiendo el ejemplo de mi padre, que siempre guardaba para sí las malas noticias, e incluso cuando mis ojos se encontraban a la altura del pañuelo que le colgaba del bolsillo trasero, este estoicismo se me había figurado semejante a la fortaleza. Ante mi hermetismo la embargaba algo parecido al miedo. Yo ocultaba una herida, introvirtiéndola de manera protectora, pero ella recelaba ser una esposa indeseada, enclaustrada durante días en casa extraña. Procuraba ver en sus necesidades un buen aliciente, aunque fuera tímido. Era la primera vez que tenía que excusarme. Al igual que un niño, al igual que yo, necesitaba disolver los límites de su espíritu y su cuerpo en otra persona, en el mundo, y por lo que parece yo la había hecho retroceder hasta sí misma.

Pero pronto partiríamos para Inglaterra, hacia un nuevo estilo de cine en que aparecería con tal vez el actor más respetado del mundo y en pos de otra oportunidad para el *Panorama* con un director joven y estupendo. Tenía que ponerme a trabajar en la versión de duración normal, fascinante prueba de fuerza de la estructura de la obra. Al principio la había concebido tan escueta como un telegrama, la historia en primer plano, su atractivo básico el impacto de sus asombrosas ilaciones. Pero ahora pensaba de otro modo, que podía suscitar demasiada compasión por el protagonista, incluso mover a identificarse con él, con un hombre que comete muchas indignidades. Es posible que en los dos años cortos que habían transcurrido desde que la escribiera hubiese aprendido un poco a suspender el juicio y a no mantenerme al margen de las personas arrastradas por las necesidades: y no por cuestión de principios, sino por mor de realidad.

Sueño agotador en cama extraña después de doce horas sobre el Atlántico en un avión de pedales y un enfrentamiento en el aeropuerto con lo que según Laurence Olivier, nervioso hasta bordear la risa floja, era la mayor conferencia de prensa de la historia británica. Tenía que haber por lo menos cuatrocientos periodistas de todos los puntos de las Islas Británicas, incluso de las más lejanas nieblas escocesas, más un contingente de la Europa continental que contaba hasta con un par de ceñudos vascos con boina, la muchedumbre entera rodeada por un cordón de policías. En cierto momento, los disparos de las cámaras fotográficas formaron una pared sólida de luz blanca que duró casi medio minuto, toda una aureola, y con tal confusión y locura que hasta los fotógrafos se echaron a reír. Como es lógico, ni una sola palabra de lo que se preguntó o contestó se me ha quedado en la memoria, aunque ni entonces ni después tuvo auténtica importancia, ya que todos estaban fascinados por la presencia de Marilyn, la diosa surgida de sus fríos mares nórdicos. Cuando ella sonreía, ellos también, y fruncían el ceño cuando lo fruncía ella, y si ella se limitaba a emitir una risita tonta, ellos estallaban en carcajadas satisfechas, y escucharon con silencio eclesiástico cuando Marilyn, tras unos segundos de vacilación, *habló*, nada menos; y habló con una voz tan dulce y suave que, sólo de escucharla al natural, más de un hombre hecho y derecho se puso a temblar como un flan.

Para ella era una experiencia nueva y estimulante, de adoración respetuosa y no minada por las insinuantes muecas del puritanismo; fueran cuales fuesen los problemas sexuales de aquellos periodistas, no fingían que a cambio de sus favores habrían aceptado con gusto la cadena perpetua o cogido una rosa en mitad de un precipicio que cayese en vertical sobre las llamas del infierno. Poco más hubo en los periódicos del día siguiente, como tampoco lo habría en determinadas fechas durante los meses que pasó en Inglaterra; se habría podido trasladar el país al océano Indico sin que nadie se diera cuenta: bastaba con que fuera de compras o hiciese una observación para que de alguna manera justificase otra foto suya en primera página. La reina y el Parlamento gobernaban el país, pero ella mandaba en su corazón. Cuando visitó Marks and Spencer, a las pocas semanas de llegar, los almacenes estaban vacíos de clientes y cerrados por miedo a una incontrolable inundación de gente deseosa de verla. Marilyn redujo a pedazos un milenio de flema británica.

En el verde y ondulado Surrey se alquiló una casa rural laberíntica y tolerablemente húmeda al propietario del *Financial Times*, el vizconde Moore, cuarentón muy alto, muy delgado, intolerante y más bien incapaz de apartar los ojos de Marilyn. Cuando tomó asiento en el salón de música —se había tomado libre la mañana para enseñarnos la casa—, señaló con el dedo y dijo: «Por ahí se va al comedor de las narices. Hay que recorrer aquel pasillo aburrido y cruzar el salón insoportable», para prolongar el encuentro hasta donde éste diera de sí. La servidumbre consistía en un matrimonio, dos refugiados húngaros que habían escapado de Budapest no hacía mucho y que esperaban en un rincón con el aliento contenido cuando se les llamaba, igual que un par de palomas aturdidas. En la sala de música encontré una mesa ideal para trabajar, inmediatamente detrás de las puertas vidrieras que daban a los treinta metros de alfombra que recibían el nombre de césped y que acababan en un muro de ladrillo indicador de los límites de Windsor Great Park, la enorme propiedad que rodeaba el castillo real en que la reina se hospedaba de vez en cuando.

Muertos de cansancio, dormimos como troncos nuestra primera noche inglesa y yo soñé que oía un coro angélico, voces masculinas que recorrían todas las octavas y adornos y se fundían en un expresivo murmullo de sonoridad pura y ultraterrenal. Me parecía flotar en él, emocionado a más no poder, como suele ocurrir cuando se es consciente de que se está en un sueño fabuloso. Su vistosa continuidad comenzó a preocuparme, sin embargo, y como me iba despejando poco a poco y el sonido no dejaba de agitar el aire tranquilo, abrí los ojos pensando que me había vuelto loco, pues seguía fluyendo por la habitación aun cuando estaba ya del todo despierto. Me incorporé en medio de la oscuridad, temeroso de haber perdido el juicio, localicé el origen de la multitudinaria melodía en las proximidades de la hiperencortinada ventana, salí del lecho, abrí las cortinas con cuidado y por sobre el barandal de un pequeño balcón, a la luz brillante de la luna, vi a unos cien jóvenes muy serios, muy atentos, dispuestos en filas, con chaqueta escolar y cantando respetuosamente hacia nuestra ventana. Desperté a Marilyn en seguida y ésta, aún medio dormida, se acercó a echar un vistazo conmigo.

Como no teníamos ninguna luz encendida, no podían vernos desde fuera y nos quedamos a escuchar con el frío aire de la noche penetrándonos en la carne. La letra trovadoresca y la música parecían empapadas de inocencia colegial.

—¿Qué hacemos? —preguntó Marilyn.

Prisionera aún de un estado semirreal y semionírico, la cabeza se me negaba a funcionar; podíamos salir al balcón a saludar, pero desnudos podía quedar poco elegante. ¿Debíamos vestirnos? Era pedir demasiado. Por otra parte, ¿no había algo absurdo en saludar desde el balcón, como si fuéramos una pareja real? ¿O era descortés no hacerlo?

—Bueno, ponte una bata y sal a saludarles.

—¿Yo?

—No creo que la serenata sea por mí, cariño.

Marilyn suspiró con cansancio y comencé a sentirme indefenso ahora que la realidad nos tendía los brazos; un policía de paisano de Scotland Yard que nos había acompañado desde el aeropuerto nos había advertido que en Inglaterra había chiflados de todas clases y que bajo ningún concepto debía enfrentarse Marilyn a una multitud sin la debida protección. Un centenar de niños cantores enloquecidos podía causar más de un disgusto.

—Nada, mujer, a aguantar el tipo —le dije, advirtiendo al instante que nunca había empleado esta expresión y acordándome de manera inevitable de la réplica de Groucho Marx: «Yo no tengo por qué aguantar a ningún tipo». De manera que allí nos quedamos, sin saber qué hacer, Marilyn cayéndose de sueño, mientras cien voces abnegadas que parecían una bendición del cielo siguieron envolviéndonos en la humedad fría de la noche inglesa.

No nos habíamos puesto aún de acuerdo cuando la serenata tocó a su fin con un prolongado acorde final, miré por entre las cortinas y vi que el coro, en medio de un silencio respetuoso, saltaba el seto y la valla y desaparecía en la noche, igual que los enanitos del bosque cuando volvían al calor de sus hongos y setas, y al parecer satisfechos de haberse adentrado en los sueños de Marilyn Monroe. Pero había otra cosa en ellos que me inspiraba cierto temor: eran adorables, eran sanos, eran dulces, pero también eran una multitud.

Cierta vez soñé con una feria en que había una gigantesca máquina cromada rodeada de una multitud que esperaba a recoger las hamburguesas que el aparato expulsaba por un extremo; de pronto Marilyn quedó atrapada y fue engullida por el mecanismo de la máquina, eché a correr hacia la abertura del extremo para rescatarla, vi que aparecía una hamburguesa, que el gentío se peleaba por apoderarse de ella y que un hombre la cogía y se la llevaba a la boca, que se ponía a chorrear sangre. Siempre la salvaba yo de las multitudes, multitudes que ella sabía manejar con tanta desenvoltura y alborozo como el cura a sus fieles. En ocasiones daba la sensación de que las multitudes la habían dado a luz; jamás la vi triste en medio de una multitud, ni siquiera cuando le arrancaban trozos del vestido como recuerdo.

Olivier vino a vernos en el curso de aquella primera mañana, una visita de cortesía en un magnífico día inglés que parecía pletórico de esperanza, con el sol entrando a raudales por las ventanas y un aire bonancible. Saltaba a la vista que estaba entusiasmado con Marilyn y deseoso de enseñarle los trajes eduardianos que había diseñado para ella Edith Head, la mejor del oficio a la sazón, y las fotos de los decorados. Marilyn, sin embargo, prefería dejarlo todo en sus manos y lo que más deseaba era descansar cuanto pudiera durante la semana que faltaba para el comienzo del rodaje. Parecía preocupada y mucho más cansada de lo que me había figurado.

Olivier me preguntó qué obras teatrales me interesaba ver, se ofreció a conseguirnos entradas y me entregó el periódico que llevaba doblado en el bolsillo de la chaqueta. Había por lo menos sesenta o setenta obras en cartel, cantidad abrumadora en comparación con las veinte que se representaban normalmente en Nueva York, aunque al repasar la cartelera vi que no conocía ni los títulos ni a los autores. Muchos de los primeros se me antojaron bastante idiotas.

—¿Cuál vale la pena? —le pregunté.

—No, por favor, elija usted, no quiero influirle.

—Es que no conozco ninguna —me quejé. Siguió negándose a darme consejo. Uno de los títulos, en cuanto tal, me pareció chocante—. ¿Qué tal ésta? *Mirando hacia atrás con ira.*

Reaccionó con rapidez y de un modo sorprendentemente negativo, airado incluso.

—No pierda el tiempo con esas cosas, elija otra.

—¿Por qué? ¿Es mala?

—Bueno, no es más que una parodia con mucha verborrea y mala uva de la vida inglesa, aunque algunos creen que es una sátira excelente. —Parecía ofendido con la obra, herido su sentimiento patriótico.

—Parece interesante. Con franqueza, no sé nada del teatro inglés después de Shaw y Wilde, y los dos eran irlandeses.

Dio su brazo a torcer.

—Como quiera, le conseguiré una entrada para mañana por la noche. —Marilyn había decidido quedarse en casa para descansar.

La noche siguiente, tras una hora de viaje con el chófer que nos había asignado la productora, bajé del Jaguar alquilado y, ante mi sorpresa, vi a Larry Olivier. «¡He decidido volver a verla!», exclamó riéndose. Al entrar en el vestíbulo tuve ocasión de comprobar el admirable tacto de los británicos a la hora de acusar la presencia de un astro como Olivier sin necesidad de avasallarle ni siquiera con miradas insistentes. Los que acudían a los lugares públicos, me refiero a los norteamericanos, se me habían convertido en una mezcla muy ambigua de estímulo y amenaza que me dejaba perplejo en cuanto a cómo comportarme ante ellos. Algo se me resentía por dentro ante su proximidad, aun cuando, a pesar mío, no pudiera reprimir el placer animal de que se advirtiera mi presencia. Los ingleses parecían acoger a Olivier con cierto orgullo, con una calidez distante que no presuponía su posesión. Era una experiencia agradable y civilizada que vivía por vez primera y diametralmente opuesta a la agresividad de las multitudes de mi propia tierra y sus humillantes pretensiones.

Me encantó la brusquedad y desmesura de la obra, su abierta irritación con la vida, su fuerza verbal y que pusiera de vuelta y media muchas pompas y vanidades del estilo británico. Kenneth Haigh, Mary Ure, Alan Bates, Helena Hughes y John Welsh se movían en el escenario con una libertad y despreocupación que sugerían un tipo de realismo muy norteamericano y me ponían al descubierto las entrañas de un Londres que se me hacía cómodo y familiar. Y el texto me recordaba a Cliford Odets en su juventud, cuando se manifestaba con lirismo y amargura ante la Nueva York de la Depresión y la vida de fracasos a la que al parecer se le había condenado. *Mirando hacia atrás con ira* me permitió ver por vez primera una Inglaterra de inadaptados como yo que se planchaban sus propias camisas* y que sólo conocían lo importante por los periódicos. En el entreacto, Olivier me preguntó qué me parecía y le dije que era estupenda. Al final volvió a preguntármelo y le dije que quedaban muchos cabos sueltos, pero que no importaba. Tenía auténtica vida, hazaña infrecuente.

George Devine, el humilde, simpático y pequeño entusiasta que dirigía el Royal Court Theatre, llegó corriendo para preguntarnos si teníamos inconveniente en subir para conocer al autor, que nos esperaba con ansiedad. Al cabo de unos minutos todos estábamos sentados a un par de mesas diminutas y pegadas a la barra, yo de cara a Devine, y Olivier, la institución, de cara al rebelde Osborne, que supuse sería adversario suyo en el plano artístico e ideológico. Devine era muy querido por el entonces desorganizado y vacilante movimiento modernizador del teatro británico, cuyo centro quería crear en el Royal Court. Acababa de representar *Las brujas de Salem* y escuchaba yo con placer lo que me contaba de su acogida por el ávido público joven cuando a unos centímetros a mi derecha oí por encima, con no poca incredulidad, que Olivier preguntaba al pálido Osborne —joven a la sazón, con melena alborotada y expresión de haberse levantado veinte minutos antes—: «¿Crees que podrías escribir algo para mí?», con la más dulce de las entonaciones, capaz de endosar a cualquiera un coche sin ruedas por veinte mil dólares.

Yo estaba convencido de que, para Osborne, Olivier representaba la decadencia burguesa del teatro británico, pero sus ojos chispeaban en aquel momento y, a decir verdad, no tardaría en escribir algo para Olivier, *El animador*. Como dijo Olivier tiempo después, aquella noche señaló el fin de un capítulo largo y dolorosamente infructuoso de su vida profesional. Fue entonces cuando comenzó a abandonar un teatro insignificante, de moda, tendente a complacer a la clase media alta, y a entrar en la corriente principal de la evolución escénica de su país. Tiempo después, cuando dirigía ya el nuevo National Theatre, se esforzó para convertir esta compañía en un reflejo, no de una sociedad cómoda, sino de la insatisfacción y búsqueda tanteadora de un futuro que empezaba a tener voz en el Reino Unido. Olivier adoptaba muchos papeles y éste fue tal vez el más significativo; a punto de desaparecer como artista, salió a flote y luchó como un jabato por alcanzar la madurez.

El príncipe y la corista, sin embargo, aún formaba parte de su pretérito y no tardó Marilyn en pensar que Olivier la había incluido en el reparto sólo porque necesitaba el dinero que su presencia reportaría. Yo quería

---

* Es decir, que iban a la suya. *(N. del T.)*

creer que aquello sólo era verdad a medias; estaba convencido de que el actor comprendía la licitud de la discrepancia dramática entre la modalidad cultural y social de los dos y si sus motivos tenían en realidad un aspecto cínico, ello no invalidaba el criterio artístico que había aplicado al elegirla. El teatro tiene algo de inhumano. Pero, como le había ocurrido con muchas otras personas, Marilyn había idealizado a Olivier, que, como artista serio y grandioso, debía estar por encima de las flaquezas humanas que tanto abundaban entre los traficantes de carne hollywoodenses y de los que creía haber escapado gracias a la fundación de una empresa cinematográfica propia. El Hollywood que ella conocía era tan infame que el teatro de verdad tenía que ser inmaculadamente puro. Llegaría el momento inevitable en que, para impedir que se nos escapase el sentido de la realidad, yo tendría que defender a Olivier so pena de hostigar la ingenuidad de sus fantasías; con el resultado de que se puso a dudar de que yo estuviera incondicionalmente de su parte en aquella lucha que se intensificaba.

Paula Strasberg estaba con ella en el plató todos los días y durante las primeras semanas de rodaje se esforzó, creo, por tranquilizar a una Marilyn que percibía en Olivier una actitud cada vez más amenazadora. Dio en creer por último que el actor quería competir con ella como si de una mujer se tratase, de una coqueta que quisiera arrebatarle el interés sexual del público. Nada le podía quitar de la cabeza la resbaladiza idea que tenía de su director y coprotagonista. Ignoraba yo cuánta verdad había en aquello, puesto que todo el mundo se comportaba del mejor modo posible cuando me dejaba caer por los estudios de Shepperton. Y tenía que admitir que me era imposible olvidar la grandeza de Olivier; en Nueva York había visto su *Edipo rey*, que había interpretado con *The Critic* de Sheridan en el mismo programa, experiencia teatral de lo más sugerente. Era imposible aceptar que fuera el vulgar robaimagen a que ella se refería.

Tuve que afrontar el hecho de que en cierto sentido tenía razón —a decir verdad, me sentía culturalmente vinculado con él—, pero se equivocaba al pensar que se la obligaba a descender de una gloriosa cima estética. Lo que poco a poco comencé a entrever con todas aquellas fricciones fue la posibilidad de que Marilyn renunciase otra vez a todo; el terror que aquello le producía exasperaba lo que habría podido ser un simple contraste de pareceres. Nos esforzábamos por oírnos entre el alboroto de dos disputas: la una a causa de Olivier, la otra a causa de la lucha subterránea que sostenía contra lo que consideraba su propio destino. Yo no la comprendía al principio. No soportaba que se le llevase la contraria en ningún detalle relativo a su certeza de que Olivier estaba frustrando sus expectativas, pero lo peor de todo era que se afanaba por complicarme en aquella red de engaños y decepciones. De nada servían mis protestas en nombre propio y en el de la verdad tal como la veía. Se sentía abatida ante mi terquedad, todo se venía abajo; era imposible que la quisieran si la impugnaban tanto. Demasiado tarde alcancé a comprender la cuasihumillación del actor enfrentado al director, al autor, al cámara. A diferencia de éstos, no poseía oficio tras el que escudarse; estaba desnudo y era fácil blanco de las mofas, en su propia imaginación cuando no en la realidad, y Marilyn, cuando se enfocaba desde este punto de vista, estaba totalmente sola.

No obstante, las tardes en que me presentaba en los estudios, su rostro estaba tan radiante como siempre; así que todo era una prueba, pensaba yo, que ambos teníamos que superar. Teníamos que aprender a vivir muy cerca de nuestros sentimientos auténticos sin consumirnos. Demasiada verdad mata. Aunque ¿hay forma más estimulante de arriesgar la propia vida cuando triunfar significaba, desde mi punto de vista, una conjunción casi milagrosa de cuerpo, intelecto y emociones? En cuestión de días estábamos más unidos que nunca y también éramos más prudentes. Y veces había en que, de la manera más inesperada, parecía haberse reconciliado con Olivier y abandonado toda sospecha. Es posible que mi insistencia le hubiese abierto los ojos. Tenía temporadas en que trabajaba con mayor holgura y hasta encontraba satisfacción en tal o cual momento en que no podía negar que había hecho las cosas con brillantez. Avido de aferrarme a algo positivo, sin duda exageraba los elogios y hacía que por su mirada, semejante a un ladrón, se deslizase una inseguridad de otro tipo. Veracidad absoluta, pura como la luz: tal era el objetivo. Pero bajo la superficie alentaban los viejos temores de la renuncia, la insensibilidad de la mirada ajena...

Yo tenía que seguir con lo mío, mientras tanto, y además estaba convencido de que las cosas se arreglarían gracias a un director de la experiencia de Olivier. Como había prometido a Peter Brook, revisaba *Panorama desde el puente* y le daba una extensión normal, dilatando sobre todo el punto de vista de Beatrice, esposa de Eddie Carbone, en relación con el progresivo desmoronamiento de este último. Había que pasarse algunos días en Londres, además, en busca de actores para los papeles secundarios, y yo hacía todo lo que podía.

Pero la situación empeoraba. Paula, no me cabe duda de que sin mala intención, estaba obligada a llevar un doble juego, ya que tenía que conservar la autoridad ante Marilyn no corrigiéndola demasiado abiertamente ni a menudo, al tiempo que controlaba su relación con Olivier. Se convirtió pues en intermediaria, en intérprete de las intenciones artísticas de Marilyn ante Olivier y de las directrices de Olivier ante Marilyn. En el mejor de los casos habría sido un papel casi intolerable para una persona desinteresada, pero con una mujer tan ambiciosa y superflua como Paula no tardó en adquirir visos de pesadilla, igual que un matrimonio de tres personas; ¿en qué momento había que dejar solas a dos de ellas?, ¿y no se resentiría la que se quedaba sola? Fue inevitable que surgiese la mala fe, y ésta comenzó a extender sus raíces por doquier.

Al saber que sólo se le permitiría dirigir a Marilyn a través de la humillante intercesión de una preparadora, Olivier no tardó en estar más que dispuesto a matar a Paula sin pestañear y yo no tendría inconveniente en ponerme de su parte de vez en cuando, porque Marilyn, actriz por naturaleza, parecía distraerse por culpa de una indigesta retórica en píldoras y unas conexiones pseudostanislavskianas que le impedían dejar en libertad su alegría natural. La deslucía aquel intelectualismo espúreo que como instrumento interpretativo le era totalmente inútil, igual que a un intérprete de jazz nato a quien enseñasen a racionalizar lo que ya sabe de manera instintiva. Según la exégesis de Paula, lo que necesitaba Marilyn para interpretar el papel de aquella corista era lo que ya poseía al llegar al aeropuerto de Croydon; pero entre la confianza de Marilyn en una clave mágica, en un chispazo inspirador que despejase todas las vacilaciones, y la incapacidad de Paula para suscitárselo, ésta tenía que seguir dándole a la lengua, y cuanto más hablaba más impenetrable se volvía aquel papel. Al mismo tiempo, a semejanza de casi todos los actores ingleses, Olivier tenía poca paciencia con los métodos interpretativos, aunque por su lado preparase sus papeles de un modo que no difería sustancialmente del de los actores de la escuela de Stanislavsky. Dicha preparación, sin embargo, era de sencillo sentido común para él, la imitación de la vida, un sistema que se avenía mal con toda aquella pomposa verborrea sobre la introspección.

Aplicado a Marilyn, el «método» de Paula —y de Lee— empezaba a parecer siniestro, un círculo racionalizador peligrosamente cerrado; si no se había estudiado con Strasberg y no se era alumno suyo, no se estaba en situación de emitir juicios; en consecuencia, ni Olivier ni yo entrábamos en la mentada categoría, no estábamos autorizados a aplicar experiencia y sentido común a una situación que no dejaba de enrarecerse y cuyas secretísimas entretelas no éramos capaces de dilucidar por definición. Si Paula no la podía ayudar, tampoco se permitía que ninguna otra persona lo intentara. Para enredar aún más las cosas, la confianza de Marilyn en Paula no era en modo alguno absoluta: la consideraba nada más que una sustituta de Lee, susceptible empero, aunque de manera inintencionada, de confundirla. Pese a ello, Paula al menos conocía el Método y sabía cuándo asentir con perspicacia como si estuviese en el secreto de las cosas. Con la eterna muletilla de Paula —«sólo represento a Lee»— oía yo además la cifrada advertencia de que no había que hacerla responsable directa de los errores de Marilyn. Y tampoco a Lee, que al fin y al cabo ni siquiera estaba presente. ¿Quién era responsable entonces? Comencé a introducirme poco a poco en aquella preterición: error garrafal, pues carecía de poder para cambiar nada.

Sólo Lee podía dar confianza a Marilyn; sin él no estaba segura de nada de cuanto hacía. Pero sus largas y diarias conversaciones transatlánticas con él parecían servir de poco. Sin poder evitarlo, comencé a sentirme desplazado, como un observador impotente. La inocencia se hacía cada vez más difícil por tanto. Marilyn necesitaba un seguridad mágica que no era de este mundo.

¿Dónde estaba la verdad? Yo estaba dispuesto a creer que, de manera consciente o inconsciente, Olivier podía estar castigándola, aunque Marilyn había tenido ya crisis parecidas con Josh Logan, otro director capacitado. Todo se habría podido pasar por alto si hubiera sido su manera de estimularse, pero la angustia que sentía Marilyn era auténtica y extenuante. Lo peor de todo era que cualquier intento de atajar el problema con la lógica en la mano presuponía que era víctima de una fantasía. Y así, la rueda enorme y bamboleante de los sentimientos se iba ajustando sin dejar de girar alrededor del problema axial de la buena fe. Decir la verdad, todo lo que podía salvarnos a los dos, podía resultar asimismo peligroso porque ella necesitaba hasta la última esquirla de seguridad para acabar cada jornada.

¿Dónde encontrar apoyo cuando apenas podía ocultar mi irritación ante el hecho de que se aferrase a las estériles instrucciones de Paula y se revolviera contra Olivier como si fuera un competidor o un enemigo? También Olivier parecía cada vez más resentido. La única que no se resentía era Paula, ¿y de qué iba a resentirse? Se había convertido en la autoridad suprema quejándose de la perfidia de Olivier de un modo crecientemente indiscreto, mientras en privado reiteraba ante todos, salvo ante Marilyn, que no pensaba así, pero que se veía obligada a fingirlo para no perder la confianza de la pobre muchacha y dejarla sin aliados, circunstancia que ninguno de nosotros habría soportado.

En cuanto a Olivier, pese a todas sus limitaciones para dirigir a Marilyn —una lengua afilada demasiado predispuesta a los sarcasmos, una irritante exactitud mecánica a la hora de situarla y de imponerle sus ideas preconcebidas—, habría podido ayudarla mucho más que Paula con su guirigay sobre filosofía interpretativa y su repertorio de chismes teatrales, siempre sobre los nombres más grandes de la profesión que acudían desesperados a Lee o a ella misma para que les ayudasen en tal o cual papel mientras trabajaban a las órdenes de tal o cual director del todo incompetente. Sin embargo, el futuro de Marilyn y de la película estaría a la postre en manos de Paula y este poder no reconocido la dotaba de una fuerza siniestra con la que Olivier tenía que contender.

Me parecía que había un conflicto real entre dos estilos diferentes, no simplemente interpretativos, sino vitales. El carácter comediográfico del guión procedía del anticuado problema del poderoso representante de la sociedad, el príncipe, que se ve reducido a la impotencia en manos de la proletaria inocente, ignorante en todo menos en sexualidad y que acaba quedándose con todo el poder. Marilyn sabía de estas vicisitudes más que la mayoría. Pero su necesidad de formarse, de acuerdo con su particular enfoque, en la alta comedia, por no hablar de su inseguridad galopante, la instaban a profundizar en exceso en un personaje que en el fondo se reducía a una serie de párrafos apañados para resolver una situación, una exterioridad sin interioridad. Olivier, que había hecho suyos casi todos los papeles importantes, sabía lo poco que había en aquél, aunque decir sin rodeos que lo único que necesitaba Marilyn para interpretarlo era ella misma habría sido degradante. En cuanto a Paula, admitirlo habría significado que el Método no servía allí. El centro del problema, pues, era que nadie podía decir la verdad y Marilyn no quedó al final en situación de oírla, de haberse dicho.

Yo no sabía qué hacer para ayudarla, y eso que en el copión quedó realmente deliciosa, a pesar de todo su nerviosismo, y aportó a la película una emoción profunda que en el fondo no tenía. Me equivocaba al pensar que a la postre redundaría todo en un gran éxito para ella, por más que el film no fuera más que un entretenimiento sin importancia.

Por si todo esto no bastara, Marilyn creía que Milton Greene estaba comprando antigüedades inglesas que enviaba a los Estados Unidos y facturaba a nombre de Marilyn Monroe Productions, en un período en que los únicos ingresos de la compañía se reducían al jornal de la actriz. Fue otra traición, tanto más indignante porque Greene no cantaba a Olivier las cuarenta, como pensaba ella que era su deber.

En algún lugar de la cabeza femenina, pensaba yo, tenía que palpitar la convicción de que todo aquello tenía que pasar, pero, lejos de ello, la situación daba pábulo a algún elemento inseparable de su naturaleza, histérico y aterrador, que cada vez controlaba menos; había mitificado la habilidad de Greene para arreglar su vida económica y ahora se sentía engañada; había mitificado a Olivier elevándolo a la categoría de artista grandioso y exento de envidias egoístas respecto de ella, a la categoría de actor-mentor o padre que sólo pensaba en protegerla; y me ponía a mí por los suelos porque no podía aplastar a sus enemigos de un golpe mágico. Y sus contrariedades se transformaban en angustia: con Greene no se podía encarar mientras no estuvieran de vuelta en Norteamérica porque Marilyn necesitaba su apoyo ejecutivo mientras durase la filmación de la película, y tampoco podía enfadarse del todo con Olivier porque aún era su director. Ante mí podía dar rienda suelta a su desengaño, porque sabía sin duda que aguantaría el chaparrón y volvería, pero estaba probando mi lealtad a pesar de todo.

En relación con Paula, toleraba su vacuidad y confusa asesoría sobre todo porque era la mediadora entre ella y Lee, con quien Marilyn estaba vinculada en virtud de una dependencia casi religiosa, tanto más, acaso, cuanto que no estaba allí y sus soluciones —inaccesibles y por tanto exentas de probarse en la realidad— podían manifestarse en el plano de lo ideal. Pero había algo más. «Paula no significa nada para mí», diría Marilyn cuando le insinué que sus indicaciones eran contradictorias y confusas, pero que sin Paula estaría perdida. Esta mujer, que sobrellevaba su inestabilidad de manera imperceptible, era la última de toda una serie de consejeras matronales que habían pasado por su vida; según Marilyn, su antecesora, Natasha Lytess, preparadora a la que yo no conocí, había tenido que salir disparada a causa de sus quimeras estrafalarias y peligrosas. Fantaseadora redomada que podía urdir bonitas aunque inverosímiles anécdotas triunfales sobre ella y su legendario marido, Paula era en efecto la enésima versión de la madre loca, e irresistible incluso en los momentos en que Marilyn columbraba su ambición presuntuosa. Era una madre ilusoria que confirmaría cuanto la actriz quisiese oír, incluso lo que estaba dispuesta a creer a causa de su susceptibilidad y falta de especialización interpretativa: en el presente caso, que Olivier quería competir con ella hasta el extremo de no dudar en ridiculizarla en la película, manera óptima de resaltar su propia actuación. Nadie me explicaba por qué iba a arriesgarse Olivier a que fuese un desastre una película en que había puesto sus esperanzas de recuperación económica, pero sacar a relucir esta contradicción equivalía a pasarse al bando enemigo. El círculo, como suele suceder en estas situaciones mal ventiladas, estaba a punto de cerrarse, mientras la madre auténtica, transtornada sin remedio, seguía haciendo de las suyas a dieciocho mil kilómetros de distancia.

No tardó en enturbiarse su situación; una mañana Paula anunció que tenía que volver a Norteamérica en el plazo de una semana más o menos. A costa de la compañía, como es lógico, con gran disgusto de Greene y ante mi propia incredulidad, puesto que sus honorarios eran ya escandalosos. (Con *El multimillonario*, película que se haría después, ganaría más dinero incluso que Marilyn.) Pero por lo visto estaba lo bastante segura de su poder sobre Marilyn para exponerse a dejarla a merced de Olivier, detalle que distaba de afligirlo.

Jamás averigüé la verdad de los hechos, pero cuando Paula quiso regresar un par de semanas después, las autoridades británicas se negaron a renovarle el permiso de trabajo por no sé qué motivo, impidiéndole así la entrada en el país. Marilyn llegó a la inmediata conclusión de que Milton y Olivier se habían confabulado para mantenerla al margen de lo que restaba de película: perspectiva no del todo ilógica, puesto que ambos, por diferentes motivos, la detestaban. Ofendida, Marilyn amenazó entonces con retirarse si a Paula no se le concedía el permiso de trabajo, cuestión de autorrespeto personal, y se negó a escuchar las protestas de inocencia tanto de Greene como de Olivier. Estaba ya lista para tomar un avión rumbo a Norteamérica cuando se concedió el permiso, que Olivier afirmó haber conseguido tras recurrir a las altas esferas administrativas. Pero la actriz era incapaz de apagar las sospechas que sentía hacia ambos hombres y el episodio vino a corroborar que estaba entre enemigos. Nuestra misma relación resultó aún más dañada, porque lo cierto era que Marilyn estaba ya fuera del alcance de mi consuelo o del de cualquiera. Una vez resabiada a causa de algún detalle, no sabía impedir que su confianza en una persona se viniese abajo por completo, y aunque su infancia hacía comprensible esta faceta suya, no la volvía más tolerable ni para ella ni para cuantos la rodeaban.

Días hubo, con todo, de esos que los británicos llaman «buenos» porque apenas cae una ligera llovizna, en que paseamos en bicicleta por el brumoso silencio de Windsor Great Park y sus árboles gigantescos, o fuimos a Brighton para caminar por las vacías calles costeras de lo que para nosotros era una atracción turística, anticuada y pintoresca. Marilyn se esforzaba por no parecer una enferma a la que hubiese que tratar con tacto y charlábamos de cosas prácticas y factibles, como comprar una casa de campo que sustituyera a la que yo había vendido. Ella quería vivir en paz como un ama de casa una vez que terminase de trabajar en la película. Filmar era una especie de asedio en que necesitaba tener ojos en la nuca. Tampoco era la primera actriz que creía estar rodeada de traiciones. Pero esta suspicacia era agotadora e inútil en mi opinión, en particular porque yo era dado a trabajar como quien arroja una hogaza de pan a las aguas, y si se hundía, pues qué remedio, yo había hecho lo que había podido. Para ella era inconcebible esta complacencia con el destino, le parecía semejante a la inercia, y luchaba contra ella incluso a la hora de conciliar el sueño, que pese a todo no conciliaría sin abusar de las pastillas, de los barbitúricos, más mortíferos de lo que pensaba yo entonces. En el pasado había tomado yo algunos, pero me sentía atontado la mitad del día siguiente. No se me escapaba que ella tenía que esforzarse por mantenerse despierta todo el día del mismo modo. No tardaría sin embargo en terminarse todo aquello; estaríamos en acción de manera ininterrumpida hasta que la película acabara de rodarse y pudiese dar comienzo la verdadera vida.

En las escasas horas de tranquilidad en que Marilyn podía pensar en otras cosas, en la sociedad, en la política, en alguna novela que hubiese estado hojeando, en que momentáneamente dejaba de ser una competidora, actriz incluso, el precio del estrellato parecía insoportable. Casi todos los días llovía un poco, pero algunos domingos nos podíamos instalar en el césped espeso y en estos infrecuentes momentos de ocio daba la sensación de ser una criatura acosada, herida y dolida por dentro. Hablaba de matricularse en alguna academia neoyorquina para estudiar historia y literatura. «Me gustaría saber cómo han llegado a ser las cosas lo que son ahora.» En tales ocasiones había atisbos de otra mujer oculta en su interior, una mujer cultivada, con recursos, en el sentido habitual de la palabra, preparada para resolver los más mínimos conflictos de la existencia. Parecía poseer una gran inteligencia mutilada por la vida, sometida por una cultura que sólo le pedía atractivos y seducciones. Ya había interpretado este papel y ahora solicitaba permiso para manifestarse en una dimensión distinta, pero por culpa de ese no-sé-qué de entendimiento difícil no se le concedía audiencia, circunstancia que resultaba dolorosa cuando, al igual que todos los actores y actrices, estaba casi totalmente determinada por lo que se decía y escribía sobre ella. Si en la pantalla y para casi todos los observadores era, al margen de su ingenio, excitación pura, para sí era esto pero también alguna otra esperanza más profunda. Y el secreto de su ingenio estribaba en que sabía ver a su alrededor, alrededor de aquellos que se reían con ella o de ella. Al igual que casi todos los cómicos de valía, se mostraba pesarosa al hablar de sí misma y de sus aspiraciones a ser algo más que una muñeca hinchable y corta de entendederas; al igual que la mayoría de los cómicos, luchaba por mantener a flote su dignidad, y sus observaciones y su malignidad eran el oxígeno autogenerado que la mantenía con vida. Los actores de comedia generalmente son más profundos, están en cierto modo más cerca del basurero de la vida y sufren más que los trágicos, que por lo menos, como personas, han obtenido un estatuto profesional de seriedad.

A punto de terminarse la película, sin embargo, había que preocuparse de muchas más cosas que de su profesión. Era evidente que se sentía culpable por no haber sabido serme útil y yo me sentía más o menos igual respecto a ella por el mismo motivo, por no haber representado un gran cambio para ella, aunque a veces decía que lo había modificado todo.

Nuestro báculo era una antigua compañera de facultad, Hedda Rosten, esposa de Norman, poeta y dramaturgo que también había estudiado en Michigan. Trabajaba como secretaria de Marilyn y aunque dada en ocasiones a ciertas vaguedades poéticas, se adaptaba a todo gracias a su amor incondicional. Según Hedda —mucho antes de la aparición del feminismo— Marilyn era la víctima por excelencia del macho y también de su propia obstinación autodestructiva. Hedda había sido una esposa entregada a medias que amaba a su marido, aunque en realidad prefería un vida solitaria de cigarrillos y café, mientras la seda del tiempo se le deslizaba por la palma de la mano con la misma serenidad que el alba y el ocaso. «¡Querida! ¿De verdad crees que vale la pena?» Y Marilyn se reía con tristeza, confusa, y compartían con alegría su común impotencia femenina. A solas conmigo, Hedda, que había trabajado de asistenta social psiquiátrica en la Clínica Hartford, no creía que Marilyn fuera capaz de cauterizar sus heridas vitalicias haciendo cine. «Continuamente se ve obligada a probar la resistencia de lo que no ha sabido recomponer aún.» Siempre nos habíamos comprendido sobre esa base que suelen compartir las personas de características parecidas; una vena de soledad traspasaba nuestra común naturaleza, el silencio era espacio y podíamos hacernos compañía y comunicarnos sin apenas abrir la boca.

—Los dos os sentís muy culpables —me dijo cierta tarde en que tomábamos el té en la sala de música.

—Y soy incapaz de entender el motivo.

—Los dos tenéis la misma conciencia.

—¿A qué te refieres?

—Sois incapaces de aceptar lo que no creéis merecer; vuestra unión es perfecta en teoría y sin embargo no paráis de haceros reproches. Os castigáis a vosotros mismos. —Lanzó un suspiro como si fuese una de las mayores autotorturadoras del mundo, sacudió la rubia cabeza y se echó a reír. Era una mujer hermosa y afortunada que había conservado la inocencia hasta pasados los veinticinco; yo había censurado su ingenuidad general, que parecía rechazar mis intenciones de convencerla de que se sobrepusiese al fracaso—. Señor, Señor, ¿por qué encajaremos tan mal la vida? —Hedda, Hedwiga Rowinski de soltera, parecía a menudo un personaje de Chéjov. Era buena compañera, aunque sabía soportar sola muchas penalidades. No mucho después moriría a causa del humo que inhalaba con tanta fruición y que sabía, aunque se negaba a creer, que acabaría por matarla.

Había momentos confusos en que era imposible dictaminar hasta qué punto eran verdaderas o falsas las intuiciones de Marilyn. Cierto día, en el plató, en medio de una pausa momentánea en que el ruido y las conversaciones dieron paso a los preparativos de una nueva sesión de rodaje, se oyó decir a la venerable Dame* Sybil Thorndike, actriz genial durante varias décadas: «Esta jovencita es la única de aquí que sabe cómo actuar ante una cámara». De repente, todas las sospechas de Marilyn parecían volverse ciertas, sus esfuerzos por hacer complejo un personaje superficial se volvían elogiables y coherentes, y el problema se reducía sencillamente a que estaba rodeada de mediocridad, celos mezquinos y la exasperante comodidad de los «No está mal, no está mal». En tales ocasiones me imaginaba ante un actor que se pusiese a parafrasear una tirada mía en vez de declamarla al pie de la letra y recordaba mis ataques de ira ante tamaña nimiedad, la impresión de que se me desdeñaba, de que un puñado de imbéciles pisoteaba mis creaciones. Identificado con ella hasta este punto, podía reanudar un diálogo lleno de remordimientos, convencido un vez más de que la conquista de un remanso de paz no era una tarea imposible. Cuando se andaba tropezando en medio de aquella oscuridad, en busca de algo auténtico, no era difícil perder la cabeza. Pero lo auténtico se nos aparece como al pájaro que por casualidad encuentra una rama después de un vuelo muy largo y de dirección aleatoria, en modo alguno calculada.

A todo esto, y para acabar de animarnos, ante la entrada de la mansión había siempre de guardia un destacamento de periodistas, unido por un reguero móvil de colegas al delicioso *pub* que se alzaba en un cruce de caminos a dos o trescientos metros de distancia. Mientras que la imaginación tecnológica británica ha retrocedido ante la originalidad de los norteamericanos primero y luego de los alemanes y japoneses, la creatividad de los periodistas ingleses ha aumentado en razón proporcional; en sus máquinas de escribir éramos dos personajes de una novela de costumbres sazonada con breves diálogos caseros que saltaban a las páginas de un par de periódicos por lo menos dos veces por semana, bagatelas inofensivas, cretinas a más no poder, como es lógico, pero nunca con mala intención y todo inventado de arriba abajo. Por lo visto yo había evitado que Marilyn sufriese un accidente muy peligroso con la bicicleta; o a la doncella húngara se le habían quemado las tostadas y Marilyn le había enseñado cómo se hacían, con gran derroche de paciencia, la suficiente para llenar media página de periódico, tras lo que además le había dado consejos para cambiar de peinado.

Una mañana, sin embargo, un periódico reproducía una charla que en efecto habíamos sostenido días antes, y casi al pie de la letra. Leerla fue una experiencia siniestra, y aunque en realidad no había sido nada más que un cruce de palabras sin consecuencias ni importancia, lo habíamos sostenido en el interior de la casa. ¿Había micrófonos ocultos? ¿Había al-

---

* Tratamiento británico, equivalente más o menos al *Sir* masculino. (N. del T.)

guien fuera, en el *pub* tal vez, captando por radio nuestras conversaciones? Un detective de los estudios, alto, con impermeable, bigote, botas de caña corta y pronunciación gutural del norte se presentó a poco de contar yo a Larry lo sucedido y no tardó en convocar al matrimonio húngaro, que compareció ante él en el salón. Sin quitarse siquiera el impermeable ni presentarse, los fulminó con una mirada gélida. Se me encogió el corazón ante los primeros sonidos roncos que surgieron por entre sus dientes apretados mientras ensayaba una mueca imperturbable que realzaba la complacida expresión amenazadora de sus ojos.

Sin el menor preámbulo:

—El jueves sale un avión para Budapest. Lo único que os ata a este país es un permiso temporal de residencia, de manera que os vamos a meter en él y no os vamos a conceder otro permiso en lo que os queda de vida. —Sus dos interlocutores estaban ya con los ojos dilatados como platos, aterrados, pálidos de miedo. Dirigiéndose al hombre, que siempre se había comportado con nosotros de un modo tímido, por no decir asustadizo, le preguntó—: ¿Cuánto os han pagado por traicionar al señor y a la señora Miller? —Con tal ferocidad que fue como una ráfaga de viento tórrido que azotase la cara del húngaro.

—Nosotros no sabíamos...

—¡A mí no me mientas, enano cabrón!

Quise intervenir, puesto que no había ninguna prueba, ningún derecho de réplica, nada salvo aquella táctica del terror, pero el detective recuperó en el acto la compostura, me dirigió una sonrisa cordial y civilizada y dijo:

—Creo que no volverá a haber problemas con estos dos. —Y volviéndose a la pareja—: ¿Lo habrá?

—No señor —contestaron marido y mujer al unísono, con asombrada cara de alivio por haber hecho aquella confesión inesperada, aunque indirecta.

—¿Por cuánto fue?

—Por cinco libras, señor —dijo el hombre de manera terminante, temblándole la tela de los pantalones.

—¿Y qué otras cosas contasteis?

La mujer quiso minimizarlo.

—Fue sólo...

—¡No empleéis esa palabra ante mí! ¡No tenéis ningún derecho a decir *sólo*! —La mujer se quedó mirando la alfombra con los ojos hinchados—. ¿Qué más habrá entonces?

—Nada más —dijo el hombre, ya desesperado.

—Muy bien. Iréis hasta la entrada y les contaréis que si se publica una sola palabra más de cuanto habéis contado, cogeréis el avión de Budapest. ¿Entendido?

—Sí, señor. Voy ahora mismo.

No volvió a haber indiscreciones. Me dejó estupefacto que la violencia del detective se transformase con tal rapidez en la más exquisita cortesía británica. Hacía falta un imperio secular para producir hombres que, como aquél, lo mantuvieran en orden.

Todos los días llegaban las sacas de correo, que nos daban una imagen de la sociedad inglesa posiblemente única. Una estrella de cine de la magnitud de Marilyn ya no es un ser humano, evidentemente, pero lo que es en su lugar no puede definirse sin apelar a lo sobrenatural; en la imaginación del público es una forma del deseo y en este sentido es semejante a una diosa. El público la eleva hasta el sol para concentrar sus rayos hasta un punto de incandescencia que en cierto modo ha de detener el tiempo y hacer que se experimente en propia carne la vida que se ha mitificado. Algunas cartas se dirigían a ella como si de una institución se tratase, pidiéndole dinero para una operación, redimir una hipoteca o costear determinados estudios. Aunque de tarde en tarde recibía también una caja de excrementos, o un sombrero de jardinero roto que se le enviaba como recuerdo porque el anciano amante de las rosas estaba a punto de morir. Y las eternas y desconcertantes preguntas por la sexualidad y el matrimonio. El quince por cien de la correspondencia solía ser de una majadería supina; algunos interesados se ofrecían a hacerle un favor, gratis en unos casos, en otros a cambio de un módico precio. Un caballero la invitaba a que le visitase a él «y a los muchachos» en una mina de carbón, otro a ir de pesca a un lago de Escocia. Las más patéticas eran tal vez las de las desorientadas que querían averiguar la forma de volverse tan maravillosas «como usted», como si Marilyn fuese un hada que las podía tocar con la punta de la varita mágica, aureola de chispas y simpatía, igual que Billie Burke en *El mago de Oz*. Aunque eran contadas las ocasiones en que Marilyn estaba de ánimo para leer las cartas que recibía, Hedda le pasaba las que sabía que iban a conmoverla y estimularla, e ingeniaba respuestas que la actriz quería firmar personalmente.

Hedda, sin embargo, acabó por cansarse, tanto porque le resultaba demasiado doloroso contemplar las angustias al parecer inacabables de su amiga como porque Marilyn se iba volviendo cada vez más intransigente con ella; Hedda parecía retirarle el apoyo incondicional que al principio le había dado y, aludiendo por ejemplo a algún desaire por el que Marilyn estuviese enfadada, iba y le decía: «Pero ¿estás segura de que entendistes bien a Larry?». Intuía que se cerraba una trampa; al negarse a apoyar a Marilyn en todo cuanto ésta creía, se arriesgaba a que se le acusase de deslealtad, y sin embargo era incapaz, en teoría, de acicatear las enfermizas quimeras de su amiga. Se marchó antes de que se terminase la película, pero Marilyn seguiría siendo su niña poética, lo áureo femenino cuyo poder sobre la imaginación masculina celebraba con júbilo a modo de venganza por las injusticias que cometía la vida con todas las mujeres. «Ay, amiga mía», exclamaba melancólica cuando la veía con un vestido nuevo o la sorprendía en una postura de belleza total y subyugante, «¡es que lo tienes todo!», dejando en el aire la pregunta de por qué, pese a

412

ello, no era feliz. Pero Marilyn se daba cuenta y las dos se echaban a reír, sacudían con impotencia la rubia cabeza y acababan la una en brazos de la otra.

No podía yo dar un paso, a lo que parece, sin tropezar con el aparato administrativo; el jefe de la Casa Real decretaba ahora que *Panorama desde el puente* no se podía representar en los teatros británicos porque Eddie Carbone acusa al primo de su mujer, Rodolpho, de homosexual, y para demostrarlo lo coge y le besa en la boca. Sin duda por estar tan difundida, aunque no aceptada todavía como cosa corriente, en las tablas no se podía hablar claramente de homosexualidad en 1956.

Binkie Beaumont, director de H.M. Tennent, la venerable empresa promotora y todavía la más activa del mundo teatral londinense, dio casi en el acto con una solución que no sólo era de buen gusto sino además rentable, para él por lo menos. Según la ley, los teatros privados gozaban de una libertad casi absoluta. El Comedy Theatre, empresa comercial normal en todos los sentidos, quedó transformado en el acto en el Comedy Theatre Club y al precio de la entrada se añadió el equivalente aproximado de cuarenta centavos de dólar para adquirir junto con aquélla el carnet de socio que era imprescindible para entrar. A Bob Whitehead, uno de los promotores norteamericanos de la obra, no se le ocurrió pedir un porcentaje de este sobreprecio hasta que fue demasiado tarde. Y cuando lo pidió, Binkie esbozó una de sus sonrisas —propias de lo que yo llamaba «zorrería inglesa»—, derrotando con ella no sólo a Bob, sino a mi agente por añadidura, que también exigía un porcentaje para mí. Beaumont me caía bien porque buscaba el éxito sin andarse por las ramas, por mucha carga literaria o artística que tuviese la obra. Para él no había más que un público, no grupos distintos de sensibilidad parcelada, y como en la época de Isabel I, lo fundamental era ganárselo. Negociante duro de pelar, por lo que parecía amaba el teatro y las obras buenas, y sabía lo que era actuar bien, y también buscaba esto. Cada vez que financiaba una obra, los ensayos, que se efectuaban todos los lunes por la mañana, duraban meses y meses, y había pruebas de actores por toda la ciudad. Cuando me deshíce en elogios ante su precioso Rolls, en el que fuimos todos al estreno, me replicó con el mayor laconismo: «Es alquilado» (sin duda para soslayar nuevas discusiones sobre porcentajes). Era un empresario que en cuanto decía que sí se ponía a preparar la obra sin consultar con nadie más; era uno de los últimos especímenes de una casta que no sólo tenía dinero sino fe asimismo en su propio criterio. Claro que el público inglés era sin duda el mejor del mundo y ello ayudaba no poco.

Las pruebas de interpretación para *Panorama* se celebraban en un teatro cuya fachada trasera daba a los puestos de verduras de Covent Garden. Yo tomaba asiento al lado de Peter Brook y con el corazón en un puño escuchaba las parrafadas de los italoamericanos de los muelles de Brooklyn en boca de una sucesión de actores que parecían recién salidos de Oxford. Cierto día, desesperado ya, pregunté a Peter que por qué no probábamos a algunos de los regatones *cockneys* de la tipología trabajadora que bullía al lado mismo del teatro, justamente la clase de individuos que exigía la obra.

—¿Es que a ningún hijo de tendero se le ha ocurrido ser actor? —añadí.

—Todos son hijos de tenderos —repuso Peter, señalándome al grupo de caballeretes que esperaba a un lado del foso de la orquesta—, pero han aprendido a declamar en un lenguaje elevado. Casi todas las obras se han escrito en este lenguaje y versan sobre las personas que lo utilizan. —Me acordaría de aquel momento casi treinta años después, en China, cuando tuve que insistir en que los actores que iban a representar mi *Viajante* no se esforzaran por ocultar su identidad oriental con pelucas y maquillaje occidentales. Se extrañaron al principio a causa de este alejamiento de las convenciones tradicionales de un teatro que tenía poco que ver con la vida real; en China se iba al teatro por deseo de huir a un mundo de poesía, música y versiones escénicas, no para ver reproducciones de la realidad.

Como no había forma de que aprendieran el cerrado acento yanquisiciliano, Anthony Quayle, Mari Ure y los demás elaboraron por su cuenta una forma de pronunciación que no se había oído jamás bajo el sol, pero que a la postre convenció al público británico de que se trataba de la jerga brooklynesa. Los actores creyeron también que la hablaban a la perfección y no hice nada por sacarles del engaño, ya que con aquel cinismo de nuevo cuño, más su modalidad interpretativa, crearon todo un mundo ficticio, si bien coherente y convincente, aunque su parentesco con el habla de los muelles de Brooklyn fuera lejano o nulo. Bajo la batuta de Brook, *Panorama* se convirtió en una obra épica de gran fuerza pasional, con unos personajes de la clase obrera superiores a la vida, grandiosos y no poco singulares. La obra comenzaba en una calle de Red Hook limitada por la fachada de ladrillo de una casa de vecindad, que no tardaba en abrirse para dejar a la vista una vivienda de la planta baja y, por encima, un laberinto de escaleras de incendio que se entrecruzaban en la fachada de los edificios del fondo. Los vecinos aparecían al final de aquellas escaleras, igual que un coro, y Eddie apelaba a ellos, a su sociedad y su conciencia, para que le apoyaran en su causa. En cierto modo resultaba impresionante que se partiese en dos la casa de vecindad de tres pisos, porque predisponía al espíritu a contemplar una historia de envergadura mítica.

Hubo otra novedad en aquella versión. El día en que se montó el escenario, se presentó una docena de personas invitadas por Peter, las esposas e hijos de los tramoyistas, que, con orgullo, explicaron a su prole con ejemplos prácticos el funcionamiento de los cambios de escena; la apertura bipartita de la casa de vecindad fue particularmente impresionante. Los familiares se deshicieron en exclamaciones. En Nueva York no había visto jamás ningún interés de este tipo entre los que trabajaban entre bastidores y advertirlo me llenó de tristeza. Lo único que importaba entre nosotros era el dinero, el dinero y pare usted de contar.

Tuvo que ser una obra exótica para los ingleses del momento, en particular porque su teatro era muy de clase media y de un comedimiento que enervaba. La prensa la acogió de manera muy favorable y el mundillo de los actores en concreto la encontró tan estimulante que al cabo de unas semanas se celebró una concurrida reunión en el Royal Court Theatre para analizar la situación del teatro británico y ver qué podía hacerse.

No esperaba ser el destinatario principal de las preguntas del público, ya que entre los presentes había muchos actores y directores de primera magnitud, amén de celebridades locales como Colin Wilson, un rebelde interesante, con mochila y todo, y Kenneth Tynan, el mejor crítico del momento, si no de todo el período de posguerra. En los cincuenta y parte de los sesenta, sin embargo, era en los Estados Unidos donde Inglaterra buscaba reavivar su teatro, pequeño hecho histórico que los críticos norteamericanos, en particular los de la erudita vertiente académica, han sabido descuidar muy bien.

El público no hacía más que formular la misma pregunta básica: ¿por qué el teatro inglés es tan poco interesante? Contrariado hasta las orejas, como estaba yo entonces, a causa de las sesiones seleccionadoras, tenía la impresión de que la respuesta radicaba no sólo en que el teatro inglés sacaba prácticamente todos sus temas y elementos de un estrecho sector de la clase media, sino también en que estos mismo temas y elementos, al menos desde mi perspectiva extranjera, parecían haberse filtrado por el cedazo de las buenas costumbres; era un buen gusto que miraba a su alrededor para comprobar la reacción que provocaba. La acogida de *Mirando hacia atrás con ira* demostraba que algo no funcionaba, aunque, siendo como era una obra original, había aparecido en Inglaterra veinte años después de que posturas igual de rebeldes hubieran irrumpido en las tablas norteamericanas tras romper un cerco no desemejante de buenas maneras mesócratas. A decir verdad, el cuestionamiento de los valores y de la sociedad norteamericanos había sido el marchamo de nuestro teatro serio desde mucho antes, desde el O'Neill de los años veinte, por más que a este dramaturgo no se le tuviese en términos generales por un crítico de la sociedad. En resumen, me preguntaba si el teatro británico seguía haciendo cómodo caso omiso de su propia mitología social.

No obstante, cuando tiempo después volví a plantearme el problema, se me antojó más complejo; había que tener en cuenta el sistema de clases o de castas. Recordaba haber visitado la Cámara de los Comunes cierto día de 1950, durante la representación del *Viajante*, con Paul Muni, y haber observado desde la vacía galería de los visitantes a Winston Churchill y Anthony Eden, entonces en la oposición mayoritaria al gobierno laborista, sentados en los escaños situados junto a la tribuna, y con los ojos levantados con condescendencia más bien señorial para mirar al único comunista del hemiciclo, Willie Gallacher, diputado por Clyde, que se dirigía a los presentes con los pulgares colgados de los bolsillos de los pantalones sin planchar. En el momento en que Gallacher llegaba a lo mejor de su discurso, oí que Churchill, sin mover su boca deformada por el puro, rezongaba por lo bajo, aunque de manera audible: «¡Pero saca las manos de los bolsillos, hombre!». Gallacher sacó los pulgares en el acto: y estoy seguro de que se odió a sí mismo durante semanas. Fue la clase social la que habló y fue obedecida, cosa que jamás había visto en Norteamérica ni creído posible, ni la orden impensable ni la reacción ante la misma. Recuerdo que el mitin teatral se celebró un domingo al atardecer y que Marilyn estaba sentada en primera fila. Fue la primera vez que vi que se la trataba como a un ser humano, como a una actriz más o menos igual a las restantes de la profesión, en medio de personas reunidas para abordar un problema serio, sin miradas impertinentes ni sonrisitas veladas. No sabía con seguridad qué pensaba ella a propósito de aquella acogida indiferenciada, pero me dijo camino de casa que si por lo menos podíamos sobrevivir en un clima tan normal como aquél, no nos sería difícil llevar una vida en común agradable. Parecía tranquila, sumida en delicado silencio. La soledad de una gran estrella ante la apaciguadora desatención de la gente normal abre una especie de herida incurable. Aunque en casa, en Roxbury, pasado un tiempo, probablemente no se la trataría de muy distinto modo que a los demás.

Invitados —o emplazados— a una proyección cinematográfica benéfica en que estaría presente la reina y su cohorte, fuimos al cine con un agente de paisano de Scotland Yard sentado junto al chófer y escoltados a proa y popa por sendos coches de la policía londinense exentos de distintivos. A Marilyn la habían encorsetado en un vestido espectacular de terciopelo rojo, estilo *belle époque,* que apenas le permitía estar sentada. Antes, en casa de Olivier, se había mostrado cordial y alegre con él y él se había sentido muy contento de verla, a pesar de los meses conflictivos pasados. En la repisa de la chimenea había una bandeja con unas cincuenta ostras abiertas y me entretuve picando con la esperanza de no tener que partir para el cine demasiado pronto.

En el vestíbulo unas veinte personalidades, aproximadamente, fueron presentadas a la reina, al príncipe Felipe y a la princesa Margarita. Entre las personalidades en cuestión había una joven tímida y bajita con un moño nutrido y muy alto; se encontraba exactamente detrás de mí y alcancé a oír su nombre, Brigitte Bardot. La reina había llegado aureolada por el resplandor de los diamantes de la diadema, teatro político en el teatro.*
Aunque todos representábamos un papel, ella con la mano extendida y nosotros con las sonrisas de gratitud, las reverencias y las genuflexiones. Que el mundo es un teatro no es una metáfora, sino una descripción naturalista, y en el presente caso de una formalidad ritual, reglamentada punto por punto por la tradición y los ensayos.

Cuando casi treinta años después esperase el momento de salir para

---

* La palabra teatro *(theatre* o *theater)* se utiliza indistintamente en inglés para designar a los teatros y a los cines. (N. del T.)

la ceremonia de la entrega de premios del Kennedy Center, sería harina de otro costal. Deshecho en sonrisas se nos acercó el presidente, en compañía de la señora Reagan, para estrecharnos la mano a todos los premiados —Isaac Stern, Danny Kaye, Lena Horne, Gian Carlo Menotti y yo— y a nuestros cónyuges respectivos. Reagan se puso inmediatamente a darnos consejos para sobrevivir a cientos de apretones de manos en poco tiempo, cosa que había tenido que hacer un momento antes. Llegaba de una reunión celebrada no sé dónde y se limitaba a continuarla con nosotros, e hizo que le tendiera la mano para enseñarme a clavar el índice en la muñeca ajena, lo que aflojaba el apretón y permitía liberar la mano cuando se quisiese. «Es muy molesto cuando la otra persona te retiene, sobre todo si es una señora mayor», dijo riendo. «Esas señoras son capaces de hacerte caer de rodillas.» Un teatro, aquél, del todo distinto, aunque también con representación de papeles, un espectáculo a la norteamericana, desenvuelto y relajado, y que contrastaba con el de la soberana inglesa. Esta inspiraba mucho más temor reverencial, aunque inspirarlo es su función y todo un triunfo, si tenemos en cuenta los pocos acorazados útiles que le quedan.

El trabajo en la película tuvo sus semanas agradables. A veces recorría en bicicleta los quince kilómetros que había hasta los estudios de Shepperton para echar un vistazo al caer la tarde y encontraba a Marilyn riendo y bromeando con los demás actores. Ahora era Larry quien parecía preocupado y no demasiado contento. Yo había renunciado ya a llevar las cuentas, convencido todavía de que cuando la película estuviera lista para distribuirse empezaríamos a vivir. Incluso efectué un viaje a Norteamérica para estar con mis hijos, aprovechando sus vacaciones escolares, y volví convencido de que lo peor había pasado. Pero las cosas habían empezado a deteriorarse otra vez y Larry quiso invitarnos al teatro, sin duda para aligerar la tensión rediviva.

Salir con Marilyn en Londres era sin embargo una operación logística de cuidado. Para la presente aventura nos llevaron en coche hasta la salida de artistas y tuvimos que deslizarnos hasta los asientos en la oscuridad, en el momento en que se levantaba el telón, para no alterar la representación. O yo no había prestado atención o, cosa más probable, Larry no se había tomado la molestia de decirnos el título de la obra ni el nombre del director y los actores, y sin programa en la mano ni posibilidad de echar un vistazo a la marquesina de la entrada, no tenía ni la menor idea de qué ni a quién iba a ver cuando se alzara el telón. El escenario figuraba el mirador de una casa elegante en lo que parecía un lugar antillano. Me esforcé por descifrar lo que decían los actores, pero entre la pronunciación hiperbritánica y una trama en que había mucho diálogo y poca acción, los sesos acabaron por derretírseme. ¿Por qué nos había invitado Larry a ver aquello?

De tarde en tarde estallaba un párrafo de brillantez soberbia y de repente advertí que la actriz principal era Vivien Leigh, la mujer de Olivier.

¡Acabáramos! Presté más atención a partir de entonces, pero con resultados apenas mejores que al principio. Todo parecía muerto y artificial, como una flor de plástico. En el entreacto me incliné por encima de Marilyn y pregunté a Larry: «¿De quién es la obra?». Esbozó una ligerísima sonrisa y no contestó. «De vez en cuando me parece escuchar algo típico de Noel Coward, aunque tampoco demasiado. ¿De quién es?»

—Es de Noel Coward y se titula *South Sea Bubble*.

—¡No!

—Y tanto. —Y se echó a reír.

—Dios mío, ¿qué puedo decir?

—Ya lo has dicho.

Nos deshicimos en carcajadas. Le pregunté acto seguido quién era el director. No pude evitar un dejo de disgusto en mi tono de voz, ya que la dirección de actores me parecía muy falta de imaginación, con una Vivien que no paraba de correr hacia la derecha, luego hacia la izquierda, y vuelta a empezar.

Larry tardó en responder otra vez, otra vez conteniendo una sonrisa irónica.

—Vamos, dime, ¿quién es el director?

—Yo.

Me llevé las manos a mi estúpida cabeza y quise estrellármela contra el respaldo del asiento de delante. Pero nuestra amistad sobrevivió. También aquello formaba parte de su pasado fenecido, una obra sin interés, salvo porque evocaba una época desaparecida ya.

Fue terrible verla otra vez encolerizada, no sólo contra Olivier, ya que estaba totalmente convencida de que la trataba con aires de superioridad, sino también contra Milton Greene, con quien apenas hablaba ya, y por último contra sí misma. Me vi metido de pronto en la marejada de su desengaño, aunque sólo fuese por mi impotencia para solucionarle nada, y la cuestión era que no podía abandonar sin más ni más la película. La ira, implacable e incesante, obstaculizaba ya todo consuelo. Ante mis esfuerzos por aliviar su tortura pensaba ella que se trivializaban sus razones. La verdad es que ninguna película valía para mí el precio de aquella autodestrucción, mientras que para ella cualquier papel valía, casi literalmente, el sacrificio de una vida. En cierto modo, me dije más tarde, radicaba aquí la diferencia entre el arte del intérprete y el del autor; el intérprete es su propio arte, mientras que el autor puede dar media vuelta y abandonar dicho arte para que el mundo haga con él lo que se le antoje. Yo estaba convencido, sin embargo, de que su actuación en aquella película tenía gracia e ingenio por arrobas y que ella se olvidaba de esto por culpa de los nervios, porque ni podía descansar ni dormir apenas y los barbitúricos comenzaban a teñirlo todo con su matiz desvirtuante.

En medio de aquel inextinguible hervidero de desengaños brotó la culpa como el principio vital del que ninguno de nosotros iba a poder huir. No habíamos sabido emplear nuestra magia para transformar la vida del otro y estábamos igual que al comienzo, sólo que peor; era como si nos hubiésemos engañado el uno al otro. Carecía ya de recursos para soportar la verdad de nuestro fracaso, vivía como siempre, sin contención ni miramientos, sin ocultar ni salvaguardar nada, ni esperanzas ni desesperanzas, y al final tampoco los recelos que sentía hacia todos cuantos la rodeaban, excepción hecha de Paula y Hedda, que no le llevaban la contraria, ésta por amor, aquélla por ambición manipuladora.

Por entonces hacía más de un año que se psicoanalizaba con una analista de Nueva York, y aún habría dos más, Marianne Kris primero y Ralph Greenson a continuación, profesionales íntegros ambos e incuestionablemente entregados a ella. Al margen de los detalles y matices, el creciente árbol de su catástrofe tenía hundidas las raíces en el hecho de estar condenada desde la cuna —mejor dicho: *maldita*—, a despecho de todo cuanto sabía y cuanto deseaba. La experiencia le salía al paso bajo dos apariencias: la inocua y la siniestra; amaba a los niños y a los ancianos, que, al igual que ella, estaban indefensos y no podían causar daño alguno. Pero el resto de la humanidad era básicamente peligroso y había que confundirlo y desarmarlo mediante una sexualidad abierta que se transfiguraba en un estado al margen de toda emoción y sentimiento, en una feminidad que sólo sabía ser oferente. Pero tampoco podía durar esta actitud, ya que siempre quería vivir al máximo; sólo en el vértigo continuo de la demasía había seguridad, o por lo menos desmemoria, y en cuanto remitía el exceso se revolvía con crueldad contra sí misma, la inútil e insignificante, la hez de la tierra, sin poder dormir a causa de la propia infamia, dando comienzo así, noche tras noche, a la dosificación de pastillas y de pequeños suicidios. Gracias a ello, sin embargo, recuperaba alguna esperanza, semejante al pez que asciende desde los negros abismos y al llegar a la superficie quiere volar hacia el sol y se desploma otra vez en el agua. Es posible que en estas recuperaciones —si se conocía su tristeza— radicara su gloria.

Pero Inglaterra, tal me temía, nos había humillado a los dos.

Otro tropiezo con la administración. Me encontraba cierta mañana en la sala de música trabajando en la primera versión de *Vidas rebeldes*, que al principio fue un relato, cuando, al igual que en un sueño, vi a un policía con casco que se acercaba a la casa empujando la bicicleta negra por el sendero que bordeaba el césped. Se detuvo ante la puerta vidriera, que estaba abierta, y oteó el interior, cegado por su inesperada tiniebla. Me levanté y fui a saludarle.

—¿Es usted el señor Arthur Miller?

—Sí. —El corazón me dio un vuelco: ¡algo malo había sucedido a mis hijos o a Marilyn!

—Tengo que conducirle al Ministerio de Asuntos Exteriores.

—Tiene que conducirme al Ministerio de Asuntos Exteriores.

—Exactamente, señor.

—¿Dónde está el Ministerio de Asuntos Exteriores?

—En Londres, señor.

—¿Y por qué quiere llevarme allí?

—Porque tengo orden de hacerlo, señor.

—¿Por qué? ¿Por qué motivo?

—Lo ignoro, señor.

Lo absurdo de la circunstancia hizo que me preguntase si iba a llevarme en el manillar de la bicicleta, que aún sujetaba el agente.

—Pues no se me ha notificado nada —le dije.

—Parece que es necesario que se presente usted hoy mismo. Disponemos de un coche. ¿Tiene inconveniente en partir en seguida? Estará de vuelta en cuestión de minutos.

Me quedé mirando a aquel policía provinciano, salido de cualquier novela de Agatha Christie, con su casco elevado y negro, los ojos azules e inocentes, la mano en el manillar de la bicicleta y que cumplía las órdenes recibidas como un autómata. Le dije que disponía de coche y chófer propios y convine en partir en breve.

Me esperaba un hombre en la acera cuando llegamos una hora más tarde ante el Ministerio de Asuntos Exteriores, aunque su misión consistía sólo en guiarme por un laberinto de pasillos y por entre docenas de solicitantes de razas e indumentarias diversas, y por fin hasta un despacho con una ventana a la altura de la cabeza que daba a la luz grisácea de un patio interior. Era el país de Dickens. El funcionario que me recibió tenía bigotes de húsar, parche en un ojo, un brazo inútil y se mantenía erguido gracias a una faja ortopédica cuyo perfil adiviné bajo su cara camisa de popelín. Un piloto de Spitfire abatido, sin duda, y ahora un sujeto simpático; en principio.

—¿Qué tal va la película? ¿Lo pasan bien en Surrey? Vi una foto de los dos, paseando en bicicleta, buen sitio para pasear en bicicleta, ¿no cree? Creo recordar que hay un pub estupendo en aquella carretera. ¿Está escribiendo algo? ¡Magnífico! Espero que podamos verlo aquí. Me gustó mucho *La muerte de un viajante* cuando la vi en el Phoenix, con... ¿no fue con Paul Muni? Algo insuperable, sí señor. —Acabados los preliminares, una sonrisa leve, una pausa más bien animada, como si aguardáramos el momento de lanzarnos sobre un faisán asado, y de pronto una mirada que me traspasó de parte a parte. Era pelirrojo—. Señor Miller, su pasaporte caduca el mes que viene.

—Bueno, es posible, hace tiempo que no lo miro. —Se trataba pues de aquello: me habían concedido un pasaporte válido sólo para seis meses porque me iban a juzgar por desacato al Parlamento ante un tribunal nacional al cabo de unos meses. Los largos dedos del Ministerio norteamericano de Asuntos Exteriores, del Comité y de todos los funcionarios que me amaban se cerraban alrededor de mi cuello—. ¿Y cuál es el problema?

—Pues mire, nos preguntábamos por los planes que tendrá usted para cuando se termine la película.

—¿Mis planes? Volver a casa.

—Claro. No era más que eso.

—Ahora caigo. No podía imaginar por qué era tan urgente que viniera.

Prefirió pasar por alto el reproche.

—Tengo entendido que sus hijos están en Norteamérica.

—En efecto.

—¿Tiene usted propiedades en este país?

—No.

—Por supuesto, ningún pariente tampoco.

—Ardo en deseos de volver.

—Lo suponía. Bueno, muchas gracias por haber venido. —Se puso en pie. Nos dimos la mano.

—Bueno, la verdad es que no parece que me quede otra alternativa.

—Nos echamos a reír. Accedió a darme explicaciones, unas cuantas.

—Es que hay personas que, en la situación de usted, prefieren no volver, y hemos optado por evitar que, en su caso, se repita la historia.

En otras palabras, la humillante presunción norteamericana de que pudiese poner fin a los hostigamientos y prefiriese quedarme a vivir en Inglaterra, como había sido el caso de Chaplin, de Joseph Losey, de Larry Adler, de toda una larga serie de artistas en el curso de los últimos cinco o seis años de Guerra Fría. Y el alboroto internacional que se habría organizado, por cierto, si a Marilyn le hubiera dado por instalarse también en Inglaterra. Las nostálgicas hormiguitas de Washington habían tenido que pasar muchas noches en vela hasta llegar a la conclusión de que querían estrecharme otra vez entre sus brazos.

Camino de Surrey repudié con desilusión a una Inglaterra cuyas libertades había llegado a admirar mucho. Pero como su independencia económica había terminado, carecía de fuerza política. Una lástima. Otro estímulo que perdía el mundo. Como es lógico, en ningún momento olvidaba que, con todo y con eso, un chófer uniformado me conducía a una encantadora mansión rural inglesa. En otras circunstancias, en una época más racional, me habría desplazado por el campo a hurtadillas, para pasar desapercibido, igual que un paria político. No me sorprende que fuese tan difícil apelar a lo real, tocarlo, palpar y sentir la autenticidad del propio subsuelo. John Proctor, Eddie Carbone incluso, habían tenido enfrente por lo menos a un dios y una sociedad a la hora de escuchar una vociferante condena como es debido. Pero ¿en la actualidad? Conmigo en el vehículo iba mi hermano gemelo, un doble cuya cara afeitaba yo todos los días, al que enviaba a hablar con los periodistas cuando hacía falta, o al Ministerio de Asuntos Exteriores si era necesario, pero que por lo visto se parecía muy poco a mí, porque, ¿cómo, si no, había podido pensarse que iba a huir de los Estados Unidos, un país por el que sentía tanto amor como odio se achacaba a mi doble?

Aquella tarde volví a mi mesa y a *Vidas rebeldes,* historia de tres hombres incapaces de arraigar en ningún sitio y que, por hacer algo, cazan caballos salvajes cuyo destino es convertirse en carne enlatada para perros; y de una mujer tan apátrida como ellos, pero cuyo intacto concepto de la santidad de la vida trasluce un objetivo. Era un relato sobre la indiferencia que había experimentado no sólo en Nevada, sino ya en todo el mundo. Nuestra impotencia para regir nuestra propia vida nos estaba embruteciendo y Nevada no era más que la culminación de nuestra derrota general. Fuera Marilyn lo que fuese, no comulgaba con la indiferencia; su mismo dolor respiraba vida y lucha con el ángel de la muerte. Era un reproche vivo contra los despreocupados.

Todo ello tenía sus causas políticas; hacía sólo una década que había terminado la peor guerra de la historia humana y los dos principales aliados contra el hitlerismo se daban ya de garrotazos o poco menos. La insensatez era el principio organizador de la vida y su tristeza no hacía sino propagarse.

La amabilidad inglesa habría dejado de estar a mi disposición si se me hubiera ocurrido pedir asilo allí. Pensé en el detective y en su brutalidad a la hora de interrogar al matrimonio húngaro.

Surrey se parece a algunas zonas residenciales de Westchester, al norte de la ciudad de Nueva York: su riqueza tranquila, los setos bien cuidados, la comodidad. Yo era en realidad un fugitivo, o lo sería al cabo de unas semanas, cuando me caducase el pasaporte. En cuanto llegara a mi país me procesarían ante un tribunal nacional y sin duda me encontrarían culpable —al igual que a todos los juzgados por desacato— y hasta podía ir a prisión. Me preguntaba cómo podía mantenerme tan impasible. Lo repasaba como si se tratase de un simple informe.

Una noche, en Pyramide Lake, incapaz de conciliar el sueño, había ido a tumbarme un rato a la orilla del lago. Fue como estar echado en un cuadro de Rousseau el Aduanero, con una luna inmóvil y suspendida sobre un anchuroso mar cercado por la tierra y en cuyos lindes ascendían las montañas espectrales. En el fondo de las aguas nadaba el inmutable pez prehistórico. El islote dominado por clanes de serpientes de cascabel se perfilaba en la oscuridad. Nada se movía. Yo podía ser parte de un sueño ajeno y al salir de él despeñarme en el vacío. Sin duda se preguntaban ya mis hijos qué había sido de mí. ¿Quién sabría explicar lo que es este mundo? ¿Cuál era el problema fundamental? La luna, ese ojo fijo, lo sabía. Inglaterra tenía ya algo nevadiforme. ¿No había columbrado yo un atisbo de pesar en el mutilado piloto de Spitfire mientras se preparaba para interrogarme? Sería muy hermoso creerlo...

Una de las pequeñas satisfacciones de haber sobrevivido tanto tiempo es que, con la excepción de los supervivientes del mundo del espectáculo del pretérito, prácticamente nadie sabe hoy quiénes fueron Hedda Hopper y Louella Parsons. Si antes de desmembrarse en pequeñas provincias Hollywood era una confederación imperial de media docena de productoras poderosas cuyos tentáculos abarcaban el globo, estas dos adalides del chismorreo periodístico eran sus Furias custodias, las sargentas de las buenas costumbres que, de guardia ante la entrada, mantenían alejado lo pecaminoso, lo no patriótico y al enemigo de la compostura, indigno de respirar el mismo aire puro que especímenes apostólicos como Louis B. Mayer, Harry Cohn, Jack Warner, Darryl Zanuck, Sam Goldwin y unos cuantos más. Millones de personas leían diariamente sus gacetillas, aprendían de ellas sus opiniones, sabían a quién odiar y a quién aplaudir. Todo se habría reducido a la trascendencia de un chiste si no hubieran emprendido auténticas campañas contra individuos concretos, como la que emprendieron contra Chaplin a causa de sus vinculaciones con liberales e izquierdistas, y que acabó por hundirle una película como *Monsieur Verdoux* y por obligarle a abandonar el país.

El tesoro que custodiaban estas dos matronas era polifacético, aunque resumible en una sola palabra: *pasatiempo*. Sin teorizar al respecto sabían como nadie que en el curso de las décadas por venir el nuestro sería un país cuya ocupación principal sería entretenerse. Con escasísimas y honrosas excepciones, el cine norteamericano se encogió de hombros ante el ascenso del fascismo, la profundidad y alcance de las angustias de la Depresión, la guerra civil española y la magnitud de nuestras corruptelas ciudadanas, y cuando estos temas se sacaban a relucir, era bajo una gruesa y dulzarrona capa de merengue sentimental que nivelaba baches y ocultaba supuraciones.

La violencia que aquellas dos señoras desplegaban contra el comunismo sólo se podía parangonar a su coincidencia con algunas de las prácticas de éste, como no pude por menos de recordar en la Unión Soviética una década más tarde, al leer las instrucciones del Partido a los escritores soviéticos, en el sentido de que dejasen de asociar sabiduría con crítica nacional y que se dedicaran o a cantar elogios o a tener el pico cerrado. El cine norteamericano no tenía otro objeto que ensalzar los valores norteamericanos, que cristalizaban en la idea de pasatiempo; a decir verdad, con el paso de los años me he preguntado si el motivo verdadero, aunque semiconsciente, de la obsesión del Comité por los izquierdistas de Hollywood no sería que sus ideas políticas representaban un peligro, ciertamente, pero no para la nación, sino para la industria del ocio. Porque si a ello vamos, hubo guionistas que presentaron fragmentos de sus guiones por voluntad propia para demostrar que no había en ellos ningún elemento político, esto es, ajeno al pasatiempo. Al parecer daban por sentado que cuanto más vacuo y cretino era el guión, más norteamericano era.

Terence Rattigan, brillante y hábil autor de alta comedia durante muchos años, organizó en su casa londinense una fiesta en honor de Marilyn. En el extremo de una amplia sala bastante convencional, donde una orquestina interpretaba con aire lánguido algunas melodías norteamericanas conocidas mientras la flor y nata de la sociedad teatral inglesa bailaba o charlaba, Louella Parsons, una mujerzota tocada con mantilla negra de encaje, observaba a la concurrencia desde un elevado sillón labrado que le daba aspecto de una papisa bajo palio. Esperaba a que se le acercaran, no se ponía en pie por nada ni por nadie. Cuando supe quién era, no podía creer que su influencia se hubiera extendido hasta la isla, pero, uno tras otro, actores, directores y acompañantes se acercaban a rendirle homenaje. Y estaba claro que a ella le encantaba; aquello era auténtica clase británica, no aguachirle hollywoodense.

Ante mi sorpresa, una expresión de placer se le dibujó en la gruesa faz cuando nos presentaron. Era una faz ajada y cansada de escrutar las ajenas en busca de negligencias ocultas cuyo aireamiento había sido su ocupación diaria durante décadas. Hizo amago de inclinarse hacia mí con la mano extendida y con gañido mesoamericano me invitó a sentarme junto a ella. «Es un placer extraordinario conocerte. ¡Por favor, siéntate!» Ocupé la silla, mucho más baja, que tenía al lado y la miré con ojos alzados como si ante una sacerdotisa me encontrase. «Es maravilloso que hayáis venido los dos juntos. Todos queremos a Marilyn, y es fabuloso saber que por fin es feliz. Y de verdad parece realmente feliz.» Sólo pude asentir con la cabeza, pues recordaba que en sus gacetillas no había faltado nunca un irónico desprecio por el deseo de Marilyn de eludir el destino de la starlet: por consiguiente, de poner en peligro la industria del ocio.

Me quedé contemplando a la deslumbrante concurrencia. Era como soñar con quedarse encerrado en un teatro lleno de actores que representasen escenas, bailaran y hablasen entre sí de manera reiterada y continua. Y sin embargo había allí personas de valía que sin duda apreciaban a Marilyn de verdad. De pronto me sentí cansado de jugar a adivinar la sinceridad ajena; lo único que quería era irme de aquel teatro y marcharme a casa.

Siete

Un título teatral que se me ocurrió por entonces, *Música para sordos*, podría simbolizar lo que sentía acerca de nuestro regreso a Norteamérica y sus consecuencias. Beethoven dirigió el estreno de la Novena Sinfonía cuando estaba ya totalmente sordo y durante la ejecución perdió el tiempo, de suerte que siguió sacudiendo los brazos y oyendo lo que sólo él oía, mientras el público escuchaba algo del todo diferente.

Yo ya no podía oír el tiempo del tiempo; el mundo teatral y el país entero parecían confundir el arte con el capricho y la autosatisfacción, como si sólo lo ingenuo fuera verdadero en él. Algunos días se apreciaba en el aire el florido aroma del nihilismo, pero ¿quién era yo para equiparar criterios? Emitir opiniones se hacía más difícil incluso que antes. Aunque había días en que esta situación se me figuraba óptima, porque yo ya no era capaz de idealizar el romanticismo de los años treinta y cuarenta.

Encontramos un piso grande y muy barato junto al río East. No tardó en crearse una rutina: Marilyn pasaba las mañanas con el analista y las tardes en el piso de los Strasberg, donde Lee le daba clases privadas que duraban horas. De vez en cuando íbamos a Brooklyn a ver a mis padres, que corrían a avisar a los vecinos para que, vencidos por la vergüenza, admirasen a Marilyn. La calle se llenaba de chicos que la vitoreaban al salir de la casa. Se sentía muy a gusto con aquella gente normal y quería mucho a mi anciano padre, que se animaba nada más verla. Siempre le habían entusiasmado las personas de piel clara y sabía apreciar a las mujeres hermosas, pero era su indiscutible tolerancia paternal lo que le daba cierta seguridad a ella. Iba siempre con una manoseada foto de periódico en que aparecía con Marilyn y se la enseñaba a todo el que se encontraba por la calle. Era víctima de la susceptibilidad de los años, lo que suscitaba una gran ternura en ella, que se olvidaba de todas las tensiones cuando se acomodaba en el sofá junto a él. Cuando estaba con ella, las agostadas emociones del anciano se despojaban de su languidez. Ella me abría los ojos a la sensibilidad campechana y buen gusto de mi padre en lo que afectaba al teatro, y también a sus sensatas opiniones sobre actores. Una vez más observaba lo estimulante y poco sensiblero que era en comparación con mi madre y lo poco que se dejaba engañar por las actuaciones tramposas y los guiones de cine sin inteligencia. La verdad es que, por su forma de reaccionar ante los argumentos que le contaba, siempre había sabido yo si tenían posibilidades de adquirir una forma teatral acabada. Puesto que apenas sabía leer y escribir, se le había desarrollado una inteligencia intuitiva y escuchaba con avidez, como un campesino; carente de pretensiones relativas al gusto y al conocimiento, sabía reaccionar con una naturalidad humana de gran pureza ante lo que oía. Me daba cuenta de que si yo no le podía explicar bien una cosa, era porque tampoco estaba muy claro para mí, o que se había vuelto demasiado intelectual y perdido fuerza, y cuando me percataba de que *veía* lo que le estaba contando, comprendía yo que tenía entre manos algo auténtico y vivo que comunicar.

Me resultaba extraño pensar que pronto estaría en Washington ante un fiscal y un juez nacionales y que era probable que fuese a prisión. Me esforzaba en el ínterin por aclarar los confusos perfiles de una nueva obra de teatro. En la ciudad no había escrito más que *Panorama desde el puente*, el resto en distintos puntos rurales, y, acompañado a veces por mi hijo menor, Bob, me paseaba con el coche en busca de una casa que comprar.

Escribí una escena experimental acerca de un genio de la física, Carlo, hijo de un gran físico, y que respeta a su padre pero le reprocha que colabore con los militares en la fabricación de armas nuevas. Ha desarrollado una fórmula a propósito de un rayo que se podría lanzar desde la atmósfera para detener toda la actividad eléctrica que encuentre a su paso, lo que implica que es capaz de interrumpir los latidos del corazón humano. Tiene miedo de su descubrimiento y pide consejo al padre. Pero cuando se pone a describir el rayo, se da cuenta de que no está seguro de que su padre no vaya a transmitir la información a los militares.

La escena era una encerrona, unas tablas con el rey ahogado. Obligado al silencio, Carlo se convierte en rehén de sí mismo, privado incluso de las satisfacciones que sabe que merece por su gran conquista científica. El secreto, de manera inevitable, empieza a quemarle por dentro y está tentado de revelárselo a un colega del que sospecha está en contacto con los rusos; quiere que le roben la fórmula, quiere que se aplique, a despecho de los resultados. Pero al igual que ante su padre, se echa atrás sin desahogarse con el colega.

Este autoextrañamiento le introduce en un mundo manchado de luces y sombras; unas veces se siente omnipotente y otras indefenso, y en ocasiones se pregunta si no habrá en su interior una furia oculta e inconsciente que le ha hecho concebir un arma capaz de destruirlo todo y que en realidad no existe más que como proyección de sus deseos de aniquilación. No puede saber por tanto cuál es la verdad objetiva sin revelar el descubrimiento y dejarlo en manos de un mundo en el que no confía. El secreto le consume a medida que éste se apodera de él y domina sus sueños y todos sus momentos de vigilia. Y se transforma literalmente en su propio secreto, hasta que no queda del físico más que una historia que no se puede contar.

Una tarde tormentosa fui a casa de los Strasberg para recoger a Marilyn al término de la clase, porque con la lluvia que caía no había casi ningún taxi libre. Cuando entré en el vestíbulo del enorme piso de Central Park West oí con alguna sorpresa una melodía que me recordó a Stravinsky, interpretada con trompetas de jazz y saxofón. Apareció Lee para recibirme y le pregunté en el acto de quién era aquel disco tan fabuloso que escuchaba. Su respuesta consistió en una sonrisa incomprensiblemente enigmática y la insinuación de que se trataba de una grabación muy especial. «Pero ¿qué es? ¿Quién toca?», inquirí. De nuevo me quedé sin otra contestación que aquella sonrisa algo misteriosa y de superioridad y la reiteración de que se trataba de algo único.

En la sala contigua, Marilyn se ponía el abrigo, el beige de pelo de camello, que me encantaba, y el disco llegaba a su final en el equipo que había junto a ella. Fui a cogerlo, pero Lee me indicó por señas que no lo tocara y lo alzó con cuidado infinito. Lo mantuvo en posición vertical ante sí, para que yo no pudiese leer la etiqueta, aunque advertí que ostentaba el color grisáceo de la casa Columbia.

—Es Woody Herman —dijo entonces.

—¡Caramba! No sabía que tocase música clásica.

Marilyn le contemplaba con veneración.

—Claro que sí. El disco me lo regaló él.

—¿Y qué título tiene? Me gustaría comprarlo.

—No, no, ¿ves este número? —Lo puso horizontal y me señaló un largo número de serie de los que suele haber impresos en todos los discos de música clásica—. Es un número especial. Significa que no puede comprarse así como así, tal y como se compran los discos.

—Pero la etiqueta es como todas. Y, ahora que lo pienso, creo que en todos mis discos hay números también.

—No, no es cierto —insistió, aunque esta vez con un tinte de confusión, según me pareció advertir.

—Entonces, ¿cómo lo has adquirido?

—Ya te lo he dicho. Me lo regaló Woody.

Le miré a los ojos. Marilyn parecía orgullosa de que Lee tuviese aquella amistad con el célebre músico. Comencé a impacientarme ante aquella charada tonta. Lee, tal vez preocupado por haber llevado las cosas tan lejos, rompió el silencio.

—Claro que si de verdad quieres uno, pues nada, apunta el número y pídelo. —De modo que el disco ostentaba un código privado y había ejemplares accesibles al público, las dos cosas a la vez. Willy Loman cabalga de nuevo, me dije.

Era todo muy raro. Marilyn me parecía cada vez más rodeada de falsedades y ni yo ni nadie se las podíamos descubrir. Tejía una telaraña entre vigas provisionales y temía que ésta se tuviera que romper un día. Sólo deseaba que se recuperase cuanto antes. Lee era tan importante para ella, y en consecuencia para mí, que rogaba por estar equivocado, porque no fuese el charlatán por el que le tomaba entonces. Yo no comprendía a los actores y me daba cuenta. Si él era capaz de inyectar fe en ellos, magnífico, y no dejaba de recordarme a mí mismo que conocía a muchos actores brillantes y dotados que habrían puesto la mano en el fuego por él. Aunque, por otra parte, había actores de idéntico calibre que lo consideraban un estafador. Kazan me había dicho en cierta ocasión que el gran defecto de Strasberg consistía en estimular, no la independencia, sino la dependencia de los actores respecto a él. Pero el capital del actor es su fe en sí mismo y si Lee era capaz de incrementar la de Marilyn, sería una bendición, al margen de los medios empleados.

Además, resultaba extraño que con el paso de las semanas pareciese aumentar su señorío sobre el mundo entero mientras que el pantano de vacilaciones y dudas que había en su interior no diese muestra alguna de secarse. Marilyn me recordaba a veces a los caudillos que describe Tolstoi en *Guerra y paz*: individuos que, en virtud de un misterioso acuerdo general, y sin que nadie sepa exactamente por qué, adquieren poder sobre los demás y acaban medio creyendo y medio desconfiando de que ello sea expresión de su auténtica naturaleza. En su interior, sin embargo, palpita el ser humano de siempre, confuso e indefenso, en el caso de Marilyn una simple criatura, una niña pequeña maltratada. Siempre estaba auscultando el mundo y a cuantos la rodeaban en busca de la menor señal de hostilidad, y todos advertían que, pese a su ingenio, su jovialidad y su atractivo, necesitaba seguridad, por lo que se la daban y la verdad seguía alejándose. Pero un día sería lo bastante fuerte para afrontarla, el día que fuese capaz de admitir lo mucho que se la amaba...

Un día sería semejante a la perturbada infeliz del poema de Rilke que se acerca a la ventana de su aposento, observa el patio y ve un árbol inmenso que ha visto ya cien veces: «*Und plötzlich ist alles gut*». Llegaría el equilibrio, el silencio fluente y reparador, acaso gracias a mí, acaso no, pero de modo inesperado sabría que todo era bueno.

Había habido muchos procesos en el último lustro de la gran cacería norteamericana de rojos y ninguno había durado más de un par de horas. El método era sencillo: se exponían las preguntas que el acusado no había querido responder ante el Comité Parlamentario; un «experto en comunismo» declaraba que, en su opinión, el acusado estaba bajo «disciplina comunista», y el juez fallaba la culpabilidad y dictaba la sentencia por desacato. Algunos, por ejemplo los Diez de Hollywood —guionistas y directores atrapados diez años antes en el torbellino de las vistas contra la industria cinematográfica—, habían pasado un año en la cárcel, pero en los últimos tiempos, merced al aburrimiento terapéutico del público, las formalidades se habían civilizado y la pena más corriente consistía en multa y suspensión de sentencia, aunque no siempre era así. Dada la publicidad que había despertado mi caso, tenía motivos para temer un trato, no más leve, sino más severo, ya que el Comité buscaría su coartada castigándome.

El juez Charles McLaughlin, de la Audiencia Territorial Federal, se encontraba sentado en el tribunal con un aspecto semejante al del presidente Warren Gamaliel Harding, cuyo agradable rostro llevaba yo grabado en la memoria desde que lo viera hacía muchos años, en Far Rockaway, cuando, con motivo de su muerte, expusieron su foto con crespón negro en todos los escaparates. McLaughlin, con su pelo plateado y peinado con pulcritud, miró a su colega demócrata, mi abogado Joe Rauh, y al fiscal Hitz, y manifestó en voz alta y cordial que, minuto más, minuto menos, el proceso tendría que estar resuelto al mediodía, es decir, al cabo de hora y media. Con idéntica cordialidad le aseguró Hitz que la acusación no iba a necesitar mucho tiempo, y con igual simpatía, Joe Rauh, tras emitir una risita barítona y llevarse el índice a la pajarita de topos, manifestó que su defensa exigiría un mínimo de cuatro *días,* tal vez cinco.

El estupor facial de Hitz lo recuerdo más en términos vibratorios que visuales, como el ruido rechinante que producen ciertos juguetes mecánicos cuando se levantan de la alfombra y se deja que se les acabe la cuerda en el aire. El juez se quedó no menos estupefacto, es decir, totalmente estupefacto, porque, al igual que Hitz, había advertido las intenciones de Rauh: por vez primera, un abogado quería ganar un caso por desacato en vez de aceptar con resignación la culpabilidad del defendido. Yo estaba tan aturdido que no entendí nada hasta que Joe me lo explicó más tarde; lo único que sabía era que, a partir de aquel instante, irradiaría hacia mí un caudal de electricidad negativa desde el tribunal y la mesa del representante de la administración pública, que antes de aquella inaudita declaración de intenciones apenas si se habían fijado en mi presencia. Que un acusado planease ganar deliberadamente una causa como aquélla era, de todas todas, una ofensa inconcebible que se cometía contra todo lo respetable y contra la venerable tradición.

Rauh se basaba en el caso Watkins para creer que podía, si no ganar, sí al menos sentar un precedente que invirtiese el veredicto cuando se apelase. En el caso Watkins había conseguido que al Comité se le vetasen aquellas preguntas cuya respuesta no tuviese un fin legislativo. En otras palabras, que una comisión parlamentaria ya no podía detener a la gente por la calle sin más ni más, como el Comité Parlamentario de Actividades Antiamericanas había hecho alegremente durante años, sino que tenía que demostrar que las declaraciones interesaban a las leyes que esgrimía activamente la comisión por encargo de la Cámara de los Congresistas. Al interrogarme, el Comité había amagado un par de preguntas sobre mi pasaporte, con objeto, según exponía ahora con detalles la acusación, de ceñirse a los límites impuestos por el caso Watkins. De hecho, el proceso se había calificado ya de investigación sobre los «usos y abusos del pasaporte norteamericano».

Como es lógico, no había la menor relación entre mi negativa a decir el nombre de cierto escritor presente en cierta reunión a la que había asistido años antes y mi pasaporte, bien o mal empleado. Pero, ante mi creciente asombro —y, a medida que pasaban los días, ante mi desespero creciente—, el señor Hitz daba comienzo a cada uno de sus períodos oratorios con una u otra variante sobre un mismo tema: «Ahora bien, cuando el señor Miller fue a Checoslovaquia, sabía, por el sello que consta en su pasaporte, que tenía prohibido entrar en dicho país...». Lo que habría sido, ciertamente, un uso abusivo del pasaporte, pero como yo no había estado ni dentro ni en los alrededores de Checoslovaquia en toda mi vida, era difícil comprender que se quisiera demostrar nada con aquellas afirmaciones falsas. Y sin embargo las repetía cada vez que se ponía en pie. Y cada vez que Rauh le replicaba llamándole la atención sobre el procedimiento, el juez se limitaba a volver los ojos a Hitz y a pedirle que continuase.

Al término de cada sesión diaria —durante la que me entretenía haciendo bonitos dibujos de todos los presentes para mantenerme despierto, y mientras sufría lo indecible, como todos los novatos, por el paso de tortuga de las formalidades—, solíamos volver a casa de Joe, donde corríamos al mueble bar y nos poníamos a beber, porque, lo que es yo, jamás había estado borracho hasta entonces. A eso de la tercera noche, ya con las primeras copas en el estómago, Rauh, de súbito, arrugó la ancha cara, me señaló con el dedo y dijo:

—¡Eh!

—Sí señor. Dime

—Hitz sostiene que estuviste en Checoslovaquia en mil novecientos cuarenta y siete; es en mil novecientos cuarenta y siete, ¿no?

—Sí, en el cuarenta y siete.

—Pero en mil novecientos cuarenta y siete, Checoslovaquia era aún un país democrático. El presidente entonces era Edvard Benesh, ¿no? ¡Los checos no eran aún comunistas!

—¡Dios mío! ¡Casi visité un país libre y no cometí ningún delito! Pero, diantre, si nunca he estado allí.

A la mañana siguiente, Rauh aguardó a que Hitz comenzase su diaria exhortación a la revancha por haberme adentrado en la tierra prohibida. No se hizo esperar. «Cuando el señor Miller fue a Checoslovaquia, sabiendo que se lo prohibía lo indicado en el pasaporte...» Rauh se puso en pie con el brazo levantado hacia los cielos como un pívot de baloncesto.

—Señoría...

Una vez advertido por el hastiado Warren Gamaliel Harding de las alturas, Joe hizo una pausa como si se encontrase ante una chuleta doble de cordero en el centro del plato, aureolada de perejil y guarnecida con una patata cocida con salsa tártara, y repitió que el señor Miller no había estado jamás en Checoslovaquia, pero que, aun en el caso de que hubiera estado, Checoslovaquia era por entonces un país democrático y su presidente Benesh contaba con nuestras simpatías. Este, añadió, era un dato histórico.

En fin. Pausa, Warren Harding que miraba a Hitz, Hitz que miraba a Warren Harding, y Rauh sentado, estirándose la pajarita con ambas manos y dándole un pellizquito final.

El juez tomó entonces la palabra. «Creo que queda dentro de los cuatro márgenes de la acusación criminal. Prosiga, señor Hitz.»

Me incliné en seguida sobre Rauh y le pregunté qué significaba aquello de «los cuatro márgenes de la acusación criminal», porque me asaltó la imagen de un recinto cuadrado donde me encerraban hasta matarme de asfixia. Rauh acercó la boca a mi oído, respondió: «No significa nada», y se echó a reír. Fue una alegría tan contagiosa que también yo me puse a reír, aunque de qué, sólo Dios lo sabía.

El tiempo es una sucesión de fundidos en negro, fundidos en imagen y fundidos encadenados. Más de un cuarto de siglo después de que me juzgara el Comité de Actividades Antiamericanas me sentaba con mi mujer, Inge Morath, y mis invitados, Joe Rauh y su esposa Olie, para celebrar el banquete inaugural de la entrega de los Premios Kennedy, banquete que tuvo que improvisarse en un comedor del edificio Cannon porque el del Ministerio de Asuntos Exteriores estaba en obras por entonces. Estaban presentes unas cien personas o más, muchas de gran renombre, entre ellas el ministro de Asuntos Exteriores George Shultz, el anfitrión oficial. Como habíamos entrado rodeados de comensales no había tenido oportunidad de mirar a nuestro alrededor, pero después advertí que las paredes y el techo se habían repintado con colores decorativos y no con el gris marronáceo de la administración. Joe Rauh se giró en redondo de súbito, sin abandonar la silla, para observar la sala, e inclinándose por encima de Olie me dijo que se me estaba homenajeando en la mismísima sala en que cinco lustros antes me había juzgado el Comité Parlamentario de Actividades Antiamericanas.

El paisaje, como es lógico, había cambiado por completo gracias a la veintena de mesas de banquete que llenaba el salón, pero ni siquiera tras reconstruir mentalmente el enclave antiguo pude relacionar uno con otro. Sólo me embargaba cierto sentido de la ironía, que adquirió un frío sabor metálico cuando recordé la lluvia tórrida con que se me había rociado en aquella misma sala. Observé la alegría de los invitados, la sonrisa sana del ministro de Asuntos Exteriores, la cara célebre de los premiados conmigo, y volvió a darme la sensación de que observaba desde fuera, más aún, de que todo aquello carecía de realidad. Había pensado que después del despiadado desprecio de que había sido víctima no me iba a ser fácil regalarme con los amables parabienes de ceremonias como aquélla. Sin embargo, era capaz de disfrutar de ocasión tan festiva; hasta cierto punto. Quizá creyera que había perdido el miedo al poder, que había estado tan cerca del mismo que había llegado a la conclusión de que el poder no tenía nada que pudiera interesarme. Pero también es verdad que buena parte de mi antigua fe en la perdurable bondad del sistema se había evaporado. Lo único que ambas ocasiones tenían en común era la bandera, que ahora como entonces pendía del asta junto a la pared. Cabía la posibilidad incluso de que fuese la misma que hacía mucho tiempo había estado tras la cabeza del diputado Walter, y me acordé de la confianza con que la había contemplado entonces, aunque sabía que para muchos de este mundo significaba prosperidad inhumana e incomprensión altanera. Pero ¿cómo reunirlo todo para dar a mi vida un sentido coherente? Aunque tal vez debiera aceptar que todo ha sido un sueño, un sueño de continuos destierros y repatriaciones continuas.

El interrogatorio más interesante que recuerdo de aquella inútil semana de proceso fue el del antiguo senador Harry P. Cain, a quien Rauh había sacado de su semirretiro de Florida para que declarara como testigo de la defensa, en calidad de «experto en comunismo». Había leído mis obras y no creía que yo hubiese estado sometido a la «disciplina del Partido Comunista». Lo normal en aquellos procesos era que fuese la administración en exclusiva la que presentara «declaraciones de expertos», por lo general antiguos cuadros comunistas, para demostrar que el acusado ostentaba todas las señales machocabrunas del Satanás rojo. El procedimiento, por cierto, era una reproducción casi exacta de la utilización de los curas en calidad de expertos en los procesos por brujería que se celebraron en Salem en 1692; uno de estos curas, el reverendo Hale de Baverly, aparece en *Las brujas de Salem.* Hale, en la obra, lo mismo que en la historia, abandona el bando de la acusación al darse cuenta de que «las pobres niñas» le han engañado y, lleno de remordimiento, se esfuerza inútilmente por salvar a las personas que su anterior «experiencia» ha contribuido a condenar a la horca. La historia de Harry Cain, por lo que supe entonces, era muy parecida.

Marino condecorado que había combatido en la guerra de Corea, Cain era uno de los poquísimos cazarrojos que había dado a su postura un giro radical, en su caso sinceramente. Había participado en las batidas anticomunistas de su estado natal de Washington cuando, sin que le avalase el menor antecedente político, lo eligieron los republicanos y lo presentaron para las elecciones senatoriales. El tema monográfico de su campaña fue el peligro comunista, a propósito del cual le embargaban sentimientos tan intensos que exigió el destierro de Chaplin por haber pedido al «comunista confeso Picasso» que participara en las protestas francesas contra la represión norteamericana.

Joe MacCarthy salió en su apoyo, aunque ya entonces, en la pleamar de su entusiasmo, Cain advirtió algo desconcertante en la paranoica sed de venganza de Joe. Se encontraban los dos cierta noche en la tribuna de un local de la Legión Americana cuando «un sujeto del fondo se puso en pie y comenzó a importunar a McCarthy. Los muchachos lo echaron a la calle, pero era imposible dejar de advertir lo furioso que estaba McCarthy con aquel individuo; quiero decir furioso *personalmente,* a un dedo de sufrir un ataque. Fue muy extraño.

»Bueno, pasaron los años y estábamos una noche jugando al póker con las mujeres y Joe se me queda mirando de repente y me dice: "¿Qué hiciste con aquel tipo?".

»Yo no sabía de qué hablaba. "Sí, hombre, el tío que se puso a jorobarme aquella noche en el local de la Legión."

»Tardé un minuto en acordarme porque había pasado mucho tiempo. No me cabía en la cabeza que siguiera recordándolo, pero la verdad es que aún le molestaba que aquel individuo, quien fuera, no hubiese estado de acuerdo con él allá en Tacoma. Le respondí más o menos: "No sé, creo que lo echaron del local. ¿Por qué lo preguntas?".

»"¡Que *por qué!* ¡Por Cristo resucitado, aquel hijo de puta se estaba metiendo conmigo!", y volvió a ponerse tan furioso que me dio miedo. Yo no acababa de creérmelo, porque sepan ustedes que Joe no era mala persona. Cuando quería, sabía ser bueno y amable. Pero se le metió entre ceja y ceja lo del comunismo y no dejaba títere con cabeza; yo creo que siempre temió que todo el montaje se le viniera abajo y por ello se dedicó a buscar enemigos sin cesar... Pero si he de ser sincero con usted, Arthur, quienes de verdad metían cizaña eran las mujeres. Estábamos jugando a las cartas con algunos senadores y sus respectivas consortes y por lo general eran ellas las que decían: "¿Cuándo vais a empapelar a éste y aquél? ¿Por qué le dejáis que vaya por ahí diciendo esto y aquello? ¡Metedle un buen paquete al hijo de puta!". Eran ellas las que pedían cabezas».

Cain declaró en la vista que había leído mis obras y que le parecían políticamente tan antagónicas que no se habrían podido escribir bajo control del Partido. Fue una deposición satisfactoria, aunque, como es lógico, se habían puesto las vías y el tren tenía que llegar a la estación de destino, fuera cual fuese.

La metamorfosis de Cain se había dado a raíz de su trabajo como director de la Comisaría de Vigilancia de Actividades Subversivas, cargo para el que le designó el presidente Eisenhower cuando no volvieron a elegirle para el Senado. El cometido de la Comisaría era cuidar de que la administración no contratase a ningún rojo y de que no obtuviesen éstos ningún empleo administrativo. En el curso de una jornada normal recibía una tonelada de cartas en que unos ciudadanos denunciaban a otros a causa de sus opiniones subversivas reales o imaginarias, más una pequeña pero uniforme cantidad de quejas de personas acusadas que afirmaban ser inocentes de contactos o simpatías comunistas, y que casi siempre iban a parar sin más a los archivos.

Un pertinaz de Baltimore, sin embargo, llamó la aburrida atención de Cain con unas cartas semianalfabetas que cada tres días se quejaban de que le habían despedido injustamente de correos por subversivo. Un rojo de verdad, supuso Cain, tenía que saber más ortografía que aquel hombre, y le contestó citándole para discutir el asunto, pensando que no se atrevería a presentarse para afrontar el interrogatorio.

Pero el individuo se presentó una mañana y convenció a Cain de su inocencia. Se llamaba igual que cierta persona de la que se sabía había colaborado con una célula del Partido. Cain consiguió que se le devolviese el empleo, pero de pronto se quedó mirando los enormes ficheros que contenían cientos de recusaciones, recusaciones parciales, confesiones arrepentidas, denuncias, toda la basura plural de miles de norteamericanos que habían vivido los años del New Deal y se habían contagiado de lo que de manera simplista se etiquetaba de subversión. Comenzando por separar a los rojos palpables de los menos evidentes, a los ultraizquierdistas de los izquierdistas conservadores y de los simples liberales de izquierda, llegó a un punto, después de varias semanas de faena, en que no creía ya que la administración tuviera que intervenir en aquella cruzada de limpieza ideológica. Obtuvo una entrevista con Eisenhower, al que confió sus profundas sospechas de que se estaba organizando una estructura administrativa de tendencia totalitaria y censora del pensamiento. Eisenhower le escuchó y Cain fue expulsado inmediatamente.

En la época de mi proceso tenía una sección fija de tema político en unos estudios de televisión de Florida. Sentado y charlando con él en la salita de Rauh, veía yo a un hombre que poseía la risa cansada y floja de los expulsados por el poder y que saben que nunca recuperarán lo que tuvieron.

Cuando el juez McLaughlin me miró para preguntarme si tenía algo que declarar antes de dictar sentencia, me pareció ver un asomo de turbación en aquella cara amable de ciudad provinciana mesooccidental. No se me ocurrió nada y me condenó a una multa de quinientos dólares y a un mes de cárcel, aunque suspendió la pena carcelaria. El caso fue anulado por un tribunal de casación meses más tarde con una brevísima amonestación formal. A Spyros Skouras le faltó tiempo para remitirme un supertelegrama de superfelicitación.

Dictada la sentencia, McLaughlin desapareció rápidamente, tras explicar a Rauh que tenía que asistir a un funeral. Joe y yo recogimos mis garabatos y sus papeles, salimos a la amplia escalinata de la audiencia, bañada por el sol cegador de Washington, y de súbito me cogió del brazo.

—¡Un momento! No puedes abandonar el edificio, eres un delincuente convicto. Hay que pagar fianza.

Con lo que nos lanzamos a la carrera por un pasillo vacío y marmóreo tras otro, en busca de un fiador y un funcionario que me pusiese en libertad. Estábamos ahora en el país de Kafka, ya que pasaban de las cinco y a esta hora, y en una audiencia federal, no se encontraba a un funcionario ni por asomo. ¿Qué hacer? Marcharse equivalía a dar pie a una nueva acusación por huir de la justicia. Dio la afortunada casualidad de que encontramos a un funcionario que ya se iba a casa, que accedió a volver a abrir su despacho y que me proveyó de los papeles y timbres que necesitaba.

A comienzos de los años ochenta, es decir, unos veinticinco años más tarde, recibí una carta de un profesor de literatura que enseñaba en una universidad del Medio Oeste y que decía ser sobrino del juez McLaughlin, fallecido ya, al que afectuosamente atribuía un influjo importante y provechoso en su formación y al que describía como hombre de grandes cualidades humanas y notable inteligencia. ¿Tenía yo inconveniente en decirle qué opinión me merecía su tío, quien le confió que mi proceso le había preocupado mucho y le dejó con algún mal sabor de boca por el papel que había desempeñado en el mismo? En concreto, ¿qué impresión me había merecido en el curso del proceso?

Escribí al profesor diciéndole que, con franqueza, no le guardaba ningún rencor, ya que en la actualidad le consideraba una pieza anónima más del mecanismo. Si a ello vamos, ninguna organización en favor de los derechos civiles me había apoyado entonces, como tampoco dos años antes, cuando se me había prohibido escribir el guión sobre la delincuencia juvenil a pesar de la recomendación del *World-Telegram* de que se me «permitiera» terminarlo a condición de que mi nombre no figurase en pantalla. Ante esta humillación bienintencionada no hubo tampoco ninguna reacción pública, ni de los círculos literarios, ni de los comprometidos con la lucha por los derechos civiles, ni de los trotskistas redivivos, izquierdistas y libertarios, que a la sazón luchaban con todas sus fuerzas contra el totalitarismo soviético y el trato despectivo que recibían los escritores bajo su férula. Se trataba, sencillamente, de que, por haber sido prosoviético en una ocasión, no había sabido hacer después las oportunas alharacas exculpatorias, las vehementes manifestaciones antisoviéticas, temiendo, como aún temía, un anticomunismo irracional susceptible de transformarse en un espíritu fascista primitivo que nos instase a entrar en guerra con otro país; no había sabido, en suma, cerrar los ojos a lo que ocurría en mi país, actitud por la que con el paso de los años pagaría un precio en ciertos círculos literarios influyentes donde estas cosas importaban bastante más que la literatura: a decir verdad, mucho más.

La vista y el proceso me resultaron experiencias artísticamente inútiles: había escrito *Las brujas de Salem* hacía cinco años y la dinámica del fenómeno era demasiado reiterativa para enseñarme mucho más. A la larga, sin embargo, contribuyó también a mi educación; una década después, mucho antes de que estas preocupaciones fueran propiedad general de los intelectuales de Occidente —aunque sólo fuese por estar al día—, aceptaría la presidencia internacional del PEN, organización de poetas, ensayistas y novelistas, y por entonces una institución prácticamente en las últimas. Su dirección londinense, a cargo de David Carver, recurrió a mí cuando me encontraba en la capital francesa para una estancia larga, con la postrera y vacilante esperanza de que el PEN sobreviviese si tenía por presidente a un conocido escritor en activo. Ningún escritor con la máquina de escribir aún caliente querría un empleo así, me dije, pero después de unas semanas de prueba me fue imposible echarme atrás; mi experiencia norteamericana me había proporcionado una idea demasiado clara de a qué escritores se reprimía en la Europa del Este y en zonas ignorantes, maltratadas y atrasadas del planeta donde eran pocos los que podían hablar y menos aún los que podían recibir ayuda cuando el gobierno respectivo decretaba que había que enmudecerles. A mediados de los años sesenta pensaba que podía contribuir a ganar tiempo cuando un principio humano, eclipsado por la Guerra Fría, a la sazón en suspenso, se podía defender con eficacia. El Comité de Actividades Antiamericanas me había insuflado el deseo vehemente de impedir para siempre en mi país cualquier cosa que se le pareciera y, algún día, quizá, también en el resto del mundo.

La casa que habíamos alquilado en la parte oriental de Long Island estaba limitada por dilatados campos verdes que hacían difícil creer que el océano estuviese tan cerca. Al lado vivían una pintora y su marido, tan celosos de su intimidad que protegían la nuestra. Ahora podíamos respirar con holgura en un ritmo de vida más normal. Marilyn quiso aprender a cocinar y comenzó con tallarines caseros, que colgaba del respaldo de una silla y secaba con el secador; me cortaba el pelo al sol y paseábamos llenos de paz por la vacía playa de Amagansett, donde charlábamos con los ocasionales pescadores que tendían las redes desde los cabrestantes de sus camionetas destartaladas. Estos lugareños, que recibían el nombre de *bonackers*, la saludaban con cordialidad y respeto, aunque los dejaba boquiabiertos cuando echaba a correr por la playa para devolver al mar las jadeantes «sobras» piscícolas que ellos no querían y que habían echado de las redes. Había en su interior por entonces una intensidad conmovedora, aunque algo enervante, un sentido de la identificación insalubremente próximo a su miedo a la muerte. Cierto día, tras devolver al mar una docena de peces, uno por uno, estuvo a punto de quedarse sin aliento y no tuve más remedio que intervenir y alejarla para evitar que siguiese correteando por la orilla hasta caer desmayada.

El médico, que le había prescrito un tratamiento para varias semanas, había confirmado que estaba embarazada, aunque aún no podía excluir la posibilidad de que el feto estuviese en mala posición. Hablando con él, pensé que en realidad temía este imprevisto por lo menos tanto como deseaba un parto normal. Pero Marilyn no escuchaba su tono amonestador. Para ella, un hijo propio era una corona de un millar de diamantes. Por mi lado, hice lo que pude por acomodarme a su humor esperanzado, aunque sin perder de vista la posibilidad de una desgracia. Pero la idea misma de que fuese a ser madre acabó por arrastrarme, pues por fin gozábamos de momentos en que triunfaba una confianza nueva, una quietud espiritual como jamás había visto. Por primera vez era la anfitriona de su casa y no la mujer tímida que rehuía las visitas intrascendentes de personas en cuyas buenas intenciones no solía confiar. Comenzaba a sentir la existencia de un espacio seguro a su alrededor, o esa impresión me daba por lo menos. Me costaría hacerme a la idea de que iba a ser padre otra vez a los cuarenta y tantos, pero el proceso de aprendizaje, casi invisible, que respecto de sí misma había desencadenado la preñez bastó para convencerme de que si bien un hijo le podía aumentar la ansiedad, también le daría a ella, y a mí por tanto, nuevas esperanzas para afrontar el futuro.

Pero la dicha fue breve; no tardó en diagnosticarse que el embarazo era tubárico; hizo falta una intervención quirúrgica para interrumpirlo y mientras yacía en la cama del hospital su desamparo llegó a extremos casi insufribles: la iba a abandonar, traumatizada y todo; un temor que a mí se me antojaba inconcebible. Al volver a casa una noche tras hacerle una visita, me di cuenta de que aquélla podía ser una buena oportunidad para demostrarle lo que significaba para mí, porque su indefensión me conmo-

438

vía profundamente. Pero no se me ocurrió nada y saltaba a la vista que no eran suficientes las palabras tranquilizadoras.

El director de fotografía Sam Shaw fue a visitarla al hospital una tarde y después dimos un paseo por la orilla del río East y nos sentamos en un banco para hablar de ella. A Sam lo conocía sólo por encima; era un hombre imperturbable que nunca se había aprovechado de la amistad que tenía con Marilyn y que la admiraba por su valentía para enfrentarse a la vida inerme, sin aliados y sin reservas. Le dije que, en mi opinión, poseía cierta grandeza de espíritu, incluso una especie de nobleza que saldría a relucir si contase con el papel idóneo, y que si tal sucedía, se vería con objetividad y comprendería su propio valor. El psicoanálisis era como hablar mucho sobre las cosas pero sin hacerlas, y esto último era lo único en que había creído Marilyn: su vida entera no se cifraba en otra cosa, o hacer o callar.

Sam me hizo algunos comentarios sobre el relato *Vidas rebeldes*, que había leído en la revista *Esquire*: «Se podría sacar de ahí una buena película», dijo, «y ella podría interpretar con los ojos cerrados el papel de la mujer».

El traslado a Amagansett en ambulancia duró una eternidad de tres horas y apenas pudimos despegar los labios. No había ninguna garantía de que pudiera quedarse otra vez embarazada. En cierto modo era como si el pasado, una vez más, alargara su mano muerta para arrastrarla. Las palabras eran ya inútiles. Contemplaba el tráfico con que se cruzaba la prudente ambulancia con una tristeza que superaba toda tristeza. Yo ardía en deseos de hacer algo por ella.

Al cabo de unos días me puse a bosquejar un guión de cine y trabajé de sol a sol por primera vez desde nuestra boda. Había un estudio, independiente de la casa, en que podía estar solo. Mi madre vino a visitarnos, pero no tardó en surgir entre ellas una extraña desconfianza que obligó a aquélla a abreviar la visita y a volver en tren a la ciudad, preocupada y, según me pareció, asustada. Marilyn, por lo visto, había intuido en ella algo parecido a la descalificación —quizá fuese desilusión solamente, lo que venía a ser lo mismo— y estaba tan ofendida con ella como si la hubieran amenazado. Aunque me esforcé por persuadirla de lo contrario, comprendí que no se había equivocado del todo. No era anormal que los enfermos sintieran un rechazo supersticioso hacia mi madre; ella quería a una Marilyn sana y hermosa. A mí me pasó desapercibido, pero Marilyn no había hecho más que darle vueltas y el tema acabó por dominar las horas que habían pasado juntas. Poseía un endiablado instinto para las hostilidades y quería que saliesen a la luz, sin ningún tipo de reservas. Y, como es lógico, ante una mujer mayor carecía de exorcismos sexuales para neutralizarlas.

No obstante, días después se reía de ello. No tardamos en ir a playas solitarias para bañarnos juntos. Por extraño que parezca, no sabía nadar bien; era lo único en que resultaba una patosa y sus torpes intentos terminaban en carcajadas. Al salir del agua, su cuerpo poderoso hacía retroceder al sol, como la Venus de Botticelli, y en ocasiones con la misma mirada fija, adarceada y océanica. *Life* envió un helicóptero para llevarla a la central neoyorquina de la revista, donde se celebraba una fiesta de propaganda y donde le querían hacer unas fotos; al cabo de unas horas la vi descender de los cielos por la ventana del estudio y poner el pie en el césped. Salí y juntos, mientras se elevaban, despedimos al piloto y al ejecutivo que la había acompañado. Vestía un traje sastre amarillo de algodón y falda larga, calzaba zapatos de tacón alto y aún llevaba un par de rosas que alguien le había puesto en la mano. El maquillaje parecía artificialmente blanco a la luz del día y cuando el helicóptero se hubo ido nos quedamos mirándonos con turbación; ¡cuántos sentimientos encontrados! Era imposible que hubiese en el país otra mujer por la que se hubiera organizado un viaje de ida y vuelta para hacerle un par de fotos en Nueva York; la necesitaban con un apremio rayano en la demencia. ¡Qué terrorífico poder el suyo! El acontecimiento era como la intrusión de una grosera mano de hierro en la carne vulnerable de nuestra vida y, sin embargo, al mismo tiempo simbolizaba su victoria, una prueba de la gran importancia pública que había sabido conquistar. Callaba cuando volvimos por el césped hacia la casa muda, como si necesitara tiempo para serenarse y estar sola, para expulsar de los huesos las vibraciones del helicóptero. Opté por considerar la cuestión publicitaria nada más que como una condición laboral, pues no era otra cosa, aunque había que enfocar la coyuntura intrínsecamente paranoide a la luz de los altibajos de su reputación ante el público; la mujer no se podía quedar en casa para llevar una vida hogareña mientras la actriz interpretaba papeles y hacía apariciones públicas. Tener que contemplarse a sí misma con cuatro ojos, los suyos y los de un público hipotético, era tan necesario como descorazonador a la postre.

Leyó algunos fragmentos del guión y se rió con ganas de las cosas que decían los caballistas, aunque no parecía convencida del todo de poder interpretar el papel de Roslyn. Mi interés por el proyecto era ya tan técnico como emotivo: era un regalo que le preparaba. Al final, sin embargo, sería ella quien interpretara el papel y la circunstancia, de manera inevitable, comenzó a encajonar el proyecto en una esfera distinta, fríamente profesional. Aunque mis intenciones eran sinceras, ella era muy libre de no interpretar el papel: al fin y al cabo, no escribía yo para aherrojarla a lo que no disfrutaba haciendo. Pese a todo, su cautela acabaría perjudicándola.

Cuando finalizaba ya el primer borrador pensé que John Huston podía ser el director de la película. Él había sido el primero en advertir el potencial de Marilyn al seleccionarla para figurar en *La jungla de asfalto* y ella no había olvidado nunca las torpes amabilidades del director. Este era uno de los escasos recuerdos buenos que tenía de Hollywood y ello me estimuló hasta el punto de creer que la producción de una película podía tener tan buenos resultados como cualquiera de mis representaciones teatrales, sin necesidad de que se presentaran los negros nubarrones paranoicos que parecían presidir la factura de todas las películas de Marilyn de que yo tenía noticia. Mandé a Huston una copia, a su domicilio irlandés, en cuanto mecanografié el guión y mientras esperábamos la respuesta comenzó a forjarse la condición especulativa de que si Huston no aceptaba ella tal vez no interpretase el papel, y cuando se manifestaba en estos términos me preguntaba yo si se daba cuenta de lo que decía...

Pero había unido mi vida a la suya y aún esperaba que ella acabara por creérselo algún día; era inevitable. El problema radicaba en que la convivencia con otra persona era uno de sus papeles frustrados, aunque se le podía inculcar y dejar que madurase hasta ser compañeros con una vida en común. Al mismo tiempo era difícil ocultar lo que sus nervios le hacían intuir: que aunque con *Vidas rebeldes* iba a dedicar yo un año de mi vida como mínimo a su perfeccionamiento como actriz —jamás se me habría ocurrido escribir un guión de cine de no ser así—, en ocasiones me comportaba con ella de un modo aprensivo y poco espontáneo. Tal vez lo interpretase ella como descalificación, pero se trataba sencillamente de que estaba muy desorientado y ya no sabía predecir con seguridad sus cambios de humor. En cierto modo era como si el quebrantamiento de su primera idealización de mi persona, cuando estábamos en Inglaterra, no le hubiera dejado ninguna imagen reconocible, y si lo que restaba era aceptar la realidad humildemente, ello significaba vulgarizar el ideal, situación difícil de admitir porque, de manera paradójica, su energía se basaba en la idealización de personas y planes. La esperanza, sin embargo, no desaparecía en modo alguno; casi todos los matrimonios, a fin de cuentas, no son sino conspiraciones para contener las tinieblas y confirmar la luz.

El origen de todo se encuentra en la historia: raíces antiguas habían dado origen a aquellos brotes extraños. Yo había aceptado con alegría el papel que desde hacía mucho tiempo había elaborado para quienquiera que la salvase y hasta el momento no había sabido producir este resultado; no de otro modo me había parecido ella la amada sensual y omniabsolvente que una vida autorrepresiva me había estado preparando desde mucho antes de que apareciera. En el abismo abierto entre estos sueños y la realidad actuaban los gusanos inmemoriales de la culpa, la culpa que cada cual sentía por haber sido ingenuo e imprudente, peor aun, por haber descarriado al otro. Pero la solución podía consistir aún en la entrega absoluta, tal me figuraba, y estaba dispuesto. Que siempre hubiera mirado por encima del hombro el arte de los guiones cinematográficos y hubiera rechazado una oferta tras otra en este sentido me convencía de que algo importante se sacrificaba en la empresa, y el sacrificio es la esencia de la entrega. *Vidas rebeldes* no estaba exento pues de un lastre que exigía una nave muy grande y resistente; no había otra salida, porque la necesitaba tanto como a la misma paz. Pero ella ocultaba el sol.

Huston, desde Irlanda, convino inmediatamente en dirigir la película. Habría que ponerse a seleccionar a los actores en seguida, aunque yo necesitaba tiempo para revisar el guión con minuciosidad. Nos encontraríamos al cabo de unos meses para concertar el guión de rodaje.

Marilyn debía en el ínterin dos películas a la Twentieth Century-Fox, una de las cuales por lo menos quería la productora que terminase antes de trabajar por cuenta propia, que es lo que ocurriría con *Vidas rebeldes*. Me vino bien el aplazamiento. No mucho después habría otra película ajena a la Fox cuando Billy Wilder la contratase para *Con faldas y a lo loco*. Pero tampoco entonces tendría yo prisa, ya que deseaba que estuviese rodeada de los mejores actores, cosa que siempre ocupaba más tiempo del que nadie podía prever. Es posible que durante la espera comenzase otra obra de teatro.

Supuse que Huston impondría casi todos los elementos técnicos de la película y que el productor por tanto sería una persona que, ante todo, quisiera y supiese ganarse la confianza absoluta de Marilyn. Había conocido a Frank Taylor mucho antes de la guerra, cuando trabajaba en la misma editorial que Mary. Más tarde, cuando trabajaba en Reynal and Hitchcock —editorial reciente a la que había aportado con rapidez una serie de autores prestigiosos—, había sido mi primer editor al publicarme *Situation normal*, el libro sobre los campamentos de instrucción del ejército que surgiera de mis investigaciones para la película basada en Ernie Pyle, y la novela *Foco*. Yo sabía que no hacía mucho había trabajado durante dos años para la Fox, aunque con unas ideas demasiado sublimes para cuajar en la pantalla: entre ellas, un guión sobre Gauguin escrito por James Agee y *Suave es la noche* de Fitzgerald. Hombre demacrado, refinado, de gran estatura, era una mezcla imaginativa de empresario atrevido y amante de la literatura. Como es lógico le complació mi oferta, y cuando acudió a casa para conocer a Marilyn, pareció derrotar la inseguridad crónica que ésta experimentaba ante cada nueva persona que entraba en su vida. Yo estaba convencido de que podía confiar en él y ella no tardó en pensar lo mismo.

Un águila astuta llamada Lew Wasserman, director de la MCA, secundó mis deseos de un reparto ideal y llamó a Clark Gable, a Montgomery Clift, a Eli Wallach y a Thelma Ritter. Que yo supiera, Wasserman era el único hombre bajo el sol que, a la hora de dar la mano, la presentaba con la palma hacia arriba y el canto pegado al plano estómago, pero sabía cuál era la misión de un agente y, a decir verdad, con sus denodados esfuerzos, supo estar a la altura de las circunstancias.

El primer problema consistió en que Gable, a pesar de que estaba muy interesado, no comprendía el guión. Cuando lo vi personalmente en Hollywood meses más tarde, me dije que era el único actor capaz de interpretar el papel de Gay Langland; se había hecho para él. Pero al cabo de varias lecturas, el guión seguía sonándole a chino.

—Parece una película de vaqueros, pero ¿lo es o no lo es? —me preguntaba con su voz aguda y nasal. Poseía la seriedad de un artesano. La perplejidad ponía una mano de atractiva indefensión a su rostro de duro mítico.

Nunca me había gustado dar explicaciones sobre mi trabajo, en particular a los actores que buscaban respuestas simplistas cuando yo me debatía entre malabarismos extrapoladores. No se me ocurría ninguna respuesta que no sonase a filosófica y por tanto a fracaso comercial. «Es como una película del Oeste, pero del Este», le dije entre titubeos. Aquello le hizo reír y por lo menos le despertó una curiosidad creciente. «Versa sobre la insignificancia de nuestra vida y quizá sobre por qué estamos donde estamos.» En realidad no había enfocado nunca el argumento desde una perspectiva racional, pero me estimulaba el interés de su mirada. «Las películas del Oeste y el Oeste mismo se han basado desde siempre en un mundo moralmente equilibrado donde el mal se presenta con una etiqueta identificable, el sombrero negro, y donde el malo siempre pierde al final. Se trata del mismo mundo, sólo que se ha sacado del siglo XIX y se ha traído al de nuestros días, donde los buenos también forman parte del problema. Pero si me obligas a seguir hablando, me armaré tal lío que al final ya no sabré lo que he escrito.»

Volvió a leer el guión y al día siguiente aceptó intervenir en la película. Es posible que, sin darme cuenta, hubiese pulsado una tecla que, por su parte, sólo en los últimos tiempos había empezado a sonar. Veterano de incontables matrimonios y donjuán durante casi toda su vida, Gable, ya casi sesentón, estaba a punto de ser padre por vez primera, y padre fanático por añadidura. Según los que le conocían, se había vuelto también más introvertido.

Monty Clift constituía un problema distinto. Sus brotes autodestructivos le habían llevado cierta noche a estrellarse con el coche contra un poste, accidente que le había desfigurado la cara. (Como era de esperar, un miembro del séquito espontáneo de Monty me acusó de haber explotado sus cicatrices eligiéndole para el papel de Perce, que ha resultado herido en la cara en un accidente de rodeo, aunque el relato y el guión eran muy anteriores al percance de Clift.) Las compañías de seguros ya no aceptaban al actor como cliente cuando iba a hacer una película. Pero entre mis garantías y la insistencia de Huston y Wasserman para que interpretase el papel de Perce, se consiguió el seguro. A decir verdad ni siquiera discutí con él la cuestión de su responsabilidad, sino que me limité a ofrecerle el papel, que aceptó con entusiasmo. Le complacía tanto la idea de trabajar conmigo, con Huston y con Marilyn en aquella película que yo estaba totalmente convencido de que no se iba a conducir de manera irresponsable. Y no perdió nunca una hora de trabajo: había memorizado el papel entero antes de comenzar el rodaje y estuvo siempre a punto a pesar de los prolongados retrasos que hubo para terminar la película.

Un hombre toma asiento ante una máquina de escribir con una hoja en blanco en el carro en la que imprime palabras que remiten a imágenes, y en cierto momento vuelve en sí y se ve rodeado de cuatrocientas o quinientas personas, y de camiones y carros de comida, aviones, caballos, hoteles, carreteras, coches, luces, todo lo cual, del modo que fuere, ini-

443

dentificable ya de tan complejo, ha sacado de la nada. Por extraño que parezca, acaba teniendo muy poco poder sobre estos frutos de su imaginación; siguen su propio curso sin la menor conciencia de que la forma material que tienen se la deben a él.

Había días en que, en plena fiebre productiva, no podía por menos de sonreír al recordar que me había propuesto crear unos personajes que se sentían aislados, solos y perdidos en el plano lato y mítico de la existencia. Dondequiera que mirase ahora siempre veía a alguien comiéndose un bocadillo.

El primer día de rodaje, en una calle de Reno, tuve ya problemas con la literalidad de la cámara, que se apellida «simple» y no lo sabe. Las calles de Reno podían ser para mí una impresión, pero la cámara las convertía en objetos; incluso las escenas tópicas que yo conocía por mi estancia en Nevada de hacía casi cuatro años adquirían un egocentrismo teatral en cuanto la cámara las filmaba. Huston, en parte para evitarlo, se decantó por el blanco y negro y no por el color, aunque, desde mi punto de vista, el problema seguía sin resolverse. La cámara poseía una forma particular de conciencia; a través del objetivo, hasta el Paraíso Terrenal habría quedado demasiado perfecto.

Todavía un ingenuo en lo que al cine respectaba, no hacía más que cotejar lo que rodábamos con las imágenes originales que yo tenía en la cabeza. Para la mirada, el contexto de fondo, aunque no se advierta de manera consciente, está siempre en tensión con el centro focal de lo que se ve. Pero la cámara subraya por todo lo alto el primer término y con los primeros planos anula el fondo por completo; se realza así la «cosidad»; de una persona u objeto y su hiperdetallismo la separa de la vida contextual que ve el ojo. La ilusión del contexto que no está realmente presente debe crearse mediante la selección y efectos de montaje.

En su primera intervención, Marilyn se encontraba en un puente de Reno que cruza el Truckee, torrente en que las mujeres recién divorciadas acostumbraban arrojar el anillo de boda para celebrar la libertad. Thelma Ritter, su dura e inepta casera, trata de animarla. Mientras la contemplaba, yo no podía por menos de palpar su decepción, no sólo respecto del matrimonio de su personaje cinematográfico, sino también respecto del suyo propio y probablemente respecto de sí misma. Al terminar la segunda toma me acerqué a ella y le dije que había estado muy bien; me contempló con ironía, como si le mintiera. Cuando se comportaba de aquel modo, acababa por convencer al interlocutor de que, en efecto, mentía. Y hasta cierto punto era verdad: no sólo en el personaje que interpretaba, sino también en ella había intuido yo alguna reserva. Pero yo seguía pensando que se trataba sólo de una exteriorización de su inseguridad; que aún teníamos un futuro por delante y que trabajar en aquella película coadyuvaría de algún modo a ello. No es en absoluto casual que Roslyn, al final de la película, vea la posibilidad de creer en un hombre y en su propia supervivencia.

Huston, sinceramente satisfecho y pletórico de felicitaciones, pasó por alto el deseo de Marilyn de rodar la escena por tercera vez, dándole a entender por tanto, sin advertirlo, que se contentaba con el «está bien, está bien» y pulsando un timbre de alarma en la cabeza femenina. El torbellino miasmático amenazaba otra vez con entrar en acción, aunque en esta ocasión yo opinaba, igual que ella, que la escena carecía de vitalidad. Aunque era sencilla y directa, me pregunté si no trataría Marilyn de embutirle un significado excesivo; ya rayaba en lo forzado. Huston pensaba sin duda que cuanto más la rodase más recargada quedaría y en vez de dar el primer día un paso atrás, prefirió seguir adelante. Desde el punto de vista de Marilyn, sin embargo, no se la había empleado a fondo.

Daba la sensación de que Huston se saltaba a la torera sus propias normas: que el actor actuase mientras el director supervisaba y comentaba los resultados; lo que no iba a hacer con Marilyn era partirla por la mitad, reconstruirla y sacarla de su propia piel; no iba a ser ningún Lee, no iba a ser otro profesor. Iba a ser Huston y ella iba a ser Marilyn, y al margen de esto no había ninguna realidad en que le interesara adentrarse. En la segunda toma de la jornada, cuando Marilyn conoce a Gable y a Wallach en un bar, el enfoque hustoniano estuvo en su punto; Marilyn quedó divertida, coquetona, mientras la procesión le corría por dentro. Estuvo profesional, segura, contenta; yo ya estaba listo para celebrar el que me hubiese aceptado el regalo verbal al que ella daba vida.

Paula estaba siempre presente, ataviada, para soportar el calor de Reno, con un vestido negro y holgado; el negro, insistía, era más fresco que el blanco que las leyes físicas parecían indicar. El equipo de rodaje no tardó en apodarla la Viuda Negra, o la Viuda sin más. Entre toma y toma se retiraba con Marilyn a su rulot, donde solían quedarse calladas cuando entraba yo, lo mismo que ante Huston. Yo comprendía, sin embargo, que un actor, al crear un papel, resume de un modo propio lo que ha pasado el autor para concebirlo, aventurándose en múltiples direcciones para dar con sus límites y forma; no era pues ilógico que, absorta como estaba, fuera incapaz de verme, a mí o a cualquiera. Lo único que yo sabía de cierto era que se estaba metamorfoseando en una persona distinta de la que conocía; en la pantalla parecía viva y alegre por momentos, pero en la vida parecía impenetrable para todo el mundo, como si hubiera desaparecido casi totalmente en su propio interior. Pero yo ya conocía este proceso por experiencia propia cuando había que trabajar.

Conocía los rumores que afirmaban que Huston era un sádico con los actores y con los guionistas, pero por esta vez no hice caso de algo que sabía de segunda o tercera mano. Al igual que muchísimos personajes de quienes se escribe y a quienes se fotografía, había conocido yo a demasiadas personas sinceramente convencidas de que estaban emparentadas conmigo, de que habíamos ido a la misma escuela, de que me habían ayudado a escribir mis obras, de que me las había llevado a la cama, de que las había tratado muy bien, tratado muy mal, ignorado, acosado, etc., etc. Un elevadísimo porcentaje de la humanidad parece vivir en contacto imaginario con personas célebres con las que entablan relaciones complejas, charlas imaginarias, conflictos e historias amorosas que a veces incluyen separaciones desgarradoras y reconciliaciones alborozadas. Los famosos son globos que flotan en el aire a los que se envidia su serena libertad o se abate a balazos como a enemigos. A los de la profesión había aprendido a aceptarlos según se presentaban y lo único que les pedía era que hiciesen bien el trabajo. A mi modo de ver las cosas, Huston estaba muy cerca de ser el hombre perfecto para aquella película y aquellos actores. Aprendió en seguida a hacer caso omiso de la presencia de Paula felicitándola de la manera más absurda y complicada —por ejemplo, por llevar un vestido negro con el calor de muerte que hacía— y escuchando todo lo que ella tenía que decirle con una seriedad tan profunda que podía ser cómica. Tardó ella en advertir por dónde iban los tiros, pero cuando lo advirtió estalló la primera de las muchas crisis que el futuro nos tenía preparadas. Desde el principio insistió el director en tratar a Marilyn, no como a una paciente, sino como a una actriz profesional que no necesitaba ningún exorable estímulo suyo. Esta actitud tuvo trazas de fortalecerla y reavivó la ilusión con que yo había empezado a escribir el guión y que nos daría la oportunidad de vivir y trabajar juntos. Pese a los defectos que se le imputaban, el Huston que yo conocí confiaba en una especie de versatilidad extrema, de valentía incluso, de las personas, sin duda porque se tenía a sí mismo por un impenitente luchador contra lo imposible. A Marilyn le ofrecería la estimulante oportunidad de enfrentarse a sus problemas mediante una buena actuación en un papel para el que tenía todos los triunfos en la mano.

Huston tenía que saber que en la película que Marilyn había protagonizado anteriormente, *Con faldas y a lo loco,* a las órdenes de Billy Wilder, había hecho una extraordinaria interpretación cómica que desmentía las angustias que había pasado durante el rodaje. El partía de la base de que la actriz había optado por voluntad propia por llevar una vida atormentada. Jamás discutía con nadie a causa de su carácter: el inconsciente no era asunto suyo y no se podía permitir el lujo de incluirlo en sus considerandos de director de cine. El trabajo del actor consistía en actuar, y cómo actuaba era cosa exclusivamente suya y de ningún otro, del director menos que de nadie. Se me antojaba que era una ráfaga de aire fresco calculada para picar a Marilyn en su amor propio, y la actriz no le defraudó, al menos durante los primeros días. Porque no tardaron en reaparecer los rasgos de la inquietud interior, sólo que ni Huston ni los demás actores tuvieron la menor culpa.

No se me ocultaba ya por entonces que al principio yo había esperado que ella fuese «la chica feliz deseada por todos los hombres», como ella misma decía en son de burla, y había acabado por descubrir a una persona diametralmente opuesta, una mujer atribulada cuya desesperación iba en aumento por más soluciones que buscase. Al comienzo de *Vidas rebeldes* no podía yo por menos de reconocer que si alguna salida había para Marilyn, no era yo quien la tenía.

Durante los rodajes de *El multimillonario* y *Con faldas y a lo loco* yo había renunciado a escribir casi totalmente; había decidido dedicarme a darle el apoyo sentimental necesario para convencerla de que ya no estaba sola en el mundo: núcleo del problema, suponía yo. Llegué al extremo de reescribir *El multimillonario* con la esperanza de salvarla del hundimiento total, ya que el guión de esta película me parecía despreciable y no valía ni el papel en que se había escrito. Fue un error de previsión por mi parte que no estrechó más nuestras relaciones. Ella parecía dar por sentado lo que para mí había supuesto el sacrificio de un tiempo precioso, y si bien estaba claro que su desesperación interna no iba a solucionarse, no menos lo estaba que prácticamente nada de cuanto yo hiciera iba a contener el destructivo avance de dicha desesperación.

Cuando comenzaron los preparativos de *Vidas rebeldes*, me aferré a la esperanza de que se produjera algún cambio, aunque sin saber del todo por qué. Es posible que se debiera a que Roslyn, el primer papel serio que interpretaba Marilyn, poseía la dignidad femenina que una parte de ella anhelaba. El problema de Roslyn era el suyo, aunque aquél se solucionaba en la película. Yo esperaba que, al vivir el papel, también ella accediera a un umbral de fe y confianza, aunque no sin preguntarme si yo sabría aguantar en él tras haber renunciado ambos a unas expectativas que pocas personas tienen cuando están casadas.

A pesar de lo dicho, me parecía que aún representábamos un acicate y un desafío el uno para el otro, una prueba que a mi juicio podíamos afrontar. Tal vez hiciera falta un milagro, pero yo no había renunciado a una relación absoluta por lo menos con una parte de su ser, ni ella tampoco a tenerla con algo mío. En este sentido parcial no había para ninguno de los dos ningún sucedáneo del otro, como suele haberlos en relación con las personas o causas mitificadas, aun deslustradas por el tiempo. Marilyn poseía un idealismo revolucionario, a pesar —o probablemente a causa— de sus dificultades. Nos habíamos unido en una época en que Norteamérica atravesaba otra de sus fases reaccionarias y en que la conciencia social era un recuerdo remoto, y fue un factor importante en su desengaño respecto de un país, de ella misma y de todo cuanto le salía al paso. Los ciudadanos sabían poco o nada a propósito de las fuerzas que manipulaban su vida y las películas, las obras teatrales y los libros no hacían nada por educarles. Por momentos, al hablar de esta indiferencia, Marilyn parecía tener dentro de sí a un Robespierre que aguardase a salir a la luz con una antorcha de ira y probidad. Dondequiera que mirase veía lo que ella llamaba «pachorra», contemporización, falta de empuje liberador decisivo, sobrenatural incluso. Necesitaba un héroe y en una época así nada material le importaba, ni siquiera ella misma.

En 1960 adecentamos una casa vieja que habíamos comprado a un kilómetro de mi anterior domicilio de Roxbury, Connectitut, y se dedicó a reformarla con toda la fuerza de su tremenda imaginación. Yo procuraba no dramatizar el que no nos pudiéramos permitir la aplicación de todas sus ocurrencias, aunque era inevitable que parte de mi preocupación saliera a relucir, así como que su propia autoestima chocara con cualquier consideración objetiva sobre nuestros límites. El dinero no era para ella —como sucede entre los muy ricos y los muy pobres— un combustible que hubiese que economizar con vistas a un futuro problemático, sino algo que había que gastar a medida que entraba, y más bien a lo grande; para mí significaba libertad, autonomía para escribir sin necesidad de contratos con productoras o productores.

Hacía un año que nos habíamos limitado a reparar los desperfectos más graves de la casa vieja, pensando construir otra nueva en un cerro con árboles que se veía desde aquélla. Marilyn había contratado a Frank Lloyd Wright para que presentara un proyecto. Fue un impulso principesco, una casa exclusiva que en cierto modo me regalaba. Tenía que parecer pues una especie de ingratitud el poner en duda que, alguna vez, pudiéramos empezar a costear un proyecto de Wright, puesto que, al igual que ella, el arquitecto se preocupaba poco por los precios. Yo sólo podía pagarle a jornal y dejar que ella juzgase si superaba nuestros recursos o no.

Wright, a punto de cumplir los noventa, se acurrucó inmediatamente en el asiento trasero del coche cuando lo recogimos en Manhattan una mañana gris de otoño y durmió como un lirón durante las dos horas que tardamos en llegar a Roxbury. Era alto, elegante con teatralidad, se tocaba con un sombrero tejano de ala ancha, llevaba un abrigo enorme de cuadros grandes y más que limitarse a hablar tendía a manifestar altisonantes afirmaciones en un tono que recordaba el estilo arrastrado y nasal de W.C. Fields. Al entrar en la sala miró a su alrededor y dijo con divertido desprecio: «Ah, sí, la casa vieja. No invierta en ella ni un céntimo». Comimos pan y salmón ahumado, aunque no aceptó la pimienta. «Nunca tomo pimienta, se le lleva a uno antes de tiempo. Evítela.»

Marilyn se quedó y yo le conduje por el largo y empinado sendero que llevaba a la cima del cerro en que tendría que levantarse la casa, un trecho de un kilómetro aproximadamente. En ningún momento me dijo que nos detuviéramos a descansar. Ya en la cima, de cara a la panorámica imponente y con el viento de espaldas, orinó y dijo: «Sí. De veras que sí». Acto seguido, tras echar un rápido vistazo alrededor, se lanzó a toda velocidad cerro abajo, por sobre las rocas, las peñas y las anfractuosidades. Cuando alcanzamos por fin el terreno llano y nos adentramos por un rastrojo a paso normal, pensé que había llegado el momento de decirle lo que él ni siquiera se había molestado en preguntar, a saber, que queríamos vivir con mucha sencillez y que no buscábamos una casa complicada para impresionar al mundo. Advertí que el mensaje no le despertaba el menor interés.

Su proyecto, toda una acuarela impresionante en realidad, no me cogió del todo por sorpresa: una sala de estar redonda con un centro en desnivel rodeado de columnas ovales de piedra caliza de metro y medio de grosor, y un techo en forma de cúpula, de un diámetro no inferior a los dieciocho metros, que daría a un paisaje adornado con una piscina de veinte metros de longitud, con paredes de piedra caliza que sobresaldrían de la falda del cerro. Los muros de sostén de la piscina en el extremo más lejano tendrían que tener unos seis metros de altura, y para soportar el peso del agua que hubiese normalmente en la piscina harían falta unas obras, calculé, del orden de la Línea Maginot. Cuando le pregunté cuánto costaría la casa, dijo que más o menos doscientos cincuenta mil dólares, cantidad que, tras organizar una pequeña infraestructura, supuse que daría para financiar la piscina, en el mejor de los casos. En su acuarela imaginaria había dos detalles encantadores, una limusina larga, estilo 1920, en el curvo sendero, con un chófer de uniforme en la cabina abierta del conductor, y un gallardete que ondeaba de continuo en lo alto de la casa, para indicar sin duda que estaban los propietarios. Sus fantasías marilynescas le autorizaron a poner en aquel monstruo de estructura simple un solo dormitorio y un pequeño cuarto de huéspedes, aunque diseñó una enorme «sala de prensa» provista de una mesa muy larga, estilo sala de juntas, flanqueada por una docena de sillas de respaldo alto, la más alta en el lugar de honor, donde imaginaba él que se instalaría Marilyn a semejanza de la reina soberana de un país pequeño, digamos Dinamarca. En conjunto habría tenido su utilidad como refugio de ejecutivos que tramasen operaciones financieras ilegales y fusiones comerciales delictivas.

Cuando fui al estudio que tenía en el Hotel Plaza y vi los planos, le dije que era demasiado complejo para lo que habíamos pensado, otro mensaje que tampoco produjo en él ningún efecto perceptible. Por el contrario, pasó a enseñarme unos enormes bocetos acuarelísticos sobre una ciudad totalmente nueva que si mal no recuerdo había diseñado o para el Sha de Persia o para el amo y señor de algún emirato petrolífero, con docenas de fantasiosas torres rosadas, minaretes y puentes aéreos que reticulaban el cielo y comunicaban un edificio con otro. Como es lógico, busqué lo que sostendría aquella cintería de cemento, pero no vi nada.

Mientras se sucedían las escenas durante el rodaje de *Vidas rebeldes,* mi preocupación principal seguía siendo que el contexto —los inmensos espacios vacíos de Nevada en que el hombre parece perderse— quedaba eliminado con demasiada frecuencia por culpa de los primeros planos. Pese a todo, la insistencia del director de fotografía Russell Metty en el sentido de que «nadie va al cine para ver paisaje»; me pareció lógica. Trabajador viejo y corrido, raras veces empleaba más de tres focos para rodar las tomas y los instalaba en cuestión de minutos. Enemigo de la iluminación «artística» que derrochaba un tiempo precioso, confiaba en su pericia para dar a la película un aire documental y no de ficción, toda una hazaña. No tardé en renunciar a pasarle información sobre la temática de la obra; entre toma y toma solía apostarse junto a un teléfono, en espera de noticias relativas a un pozo de petróleo en que había invertido algún dinero. Una película era una película, pero un buen pozo era ya miel sobre hojuelas. El personal técnico parecía aislado, cada uno en el estrecho círculo de su especialidad y no contento con nada inferior a lo perfecto. Enemigos de todo el teoricismo europeo, tan soberbiamente pragmáticos como un Ford o un Edison e igual de antiespeculativos, eran hombres que sin embargo habían creado algunas de las películas más originales de la historia. Me recordaban a cierto tramoyista que trabajaba en el teatro en que se representó la primera versión escénica del *Viajante*, hacía más de diez años, un empedernido fumador de puros que se llamaba Hymie. Uno de sus cometidos consistía en comprobar, antes de cada función, que en el cenicero que había sobre la nevera hubiese colillas de Chéster: Arthur Kennedy, que interpretaba a Biff, el hijo de Willy, tenía que encender un cigarrillo al final del Acto I y apagarlo en aquel cenicero, que Hymie había resuelto dejar que se llenase para aumentar la sensación de que Biff fumaba mucho a causa de la preocupación que sentía por su padre. Hymie presenciaba todas las representaciones y sabía decir si una interpretación era mejor o peor. Todas las noches ponía colillas *recientes* en el cenicero para aumentar el realismo. Era su contribución a la tragedia. Los actores se burlarían de la puntillosidad formicular de Hymie, pero cuando perdían el hilo en una parrafada o se comían una frase, evitaban sus ojos al abandonar el escenario.

En cierto momento, el ritmo de trabajo comenzó a alterarse porque Marilyn se presentaba cada vez más tarde por las mañanas. Yo no tenía ni idea de qué hacer o decir ya y creía que estaba furiosa conmigo, consigo o con el trabajo que hacía. Parecía estar llena de recelos, no sólo por lo que opinaba yo acerca de su forma de actuar, sino también por lo que opinaba Huston. Todo iba rebasando poco a poco los límites de la cólera o el resentimiento, del mismo modo que las calamidades naturales nos suelen conceder un respiro de confusión impotente. Pese a ello, de vez en cuando se iba sola con Paula a recorrer las tiendas de antigüedades de la región y compraba un par de chucherías para la casa, gestos sorprendentes porque apenas parecía capaz de dirigirme la palabra. Eramos como dos personas que quieren ocupar un mismo espacio, el del proveedor que por múltiples razones no puede aceptar lo que el otro le ofrece; la frustración era pues común y abría una brecha de suyo.

Todos los días había sucesos extraños, pero algunas sorpresas eran esperanzadoras, como el que Clift resultara ser totalmente digno de confianza. Huston y yo habíamos temido que volviese a la bebida y tuviera necesidad de ayuda, pero lejos de ello, fue, con Wallach, una de las columnas de la producción. En su primer día de trabajo, una semana después de comenzar el rodaje, interpretó la escena de la cabina telefónica que hay junto a la autopista, episodio en que se habla de lo lindo, sin un solo error ni vacilación, y a la primera toma. Huston y yo nos felicitamos por haber confiado en él sin reservas, a pesar de las dudas de la compañía de seguros. Opté por considerarlo una prueba de que cuando tenía que hacer algo que respetaba y sabía que no se le estaba explotando sin más,

Monty sabía responder. Era igualmente la irrelevancia y estupidez absoluta de buena parte del trabajo que tenían que hacer lo que debilitaba la salud de incontables actores cuya seguridad era en principio muy titubeante. El calor que hacía junto al lago salado superaba en ocasiones la inclimente temperatura de cuarenta y dos grados centígrados. Nos daba la sensación de estar en un planeta de fuego. Para entretenernos, algunos miembros del equipo y yo jugábamos al rugby. Paula escribía cartas en el interior de su Cadillac tipo limusina, que contaba con aire acondicionado. Todas las mañanas, en el trayecto de Reno al lago salado, ensayaba con Marilyn algunos pasajes en la limusina de esta última, aunque Paula, por motivos de prestigio, insistía en que les siguiera una limusina particular con chófer. Al verla por la ventanilla del vehículo me acordaba de *El príncipe y la corista;* su obsesión decadente por la calidad y sus modales absurdamente reservados se me antojaban ahora menos cómicos. Apenas sabía decir la hora sin dar a entender que se trataba de una información secreta y para impresionar al curioso desprevenido llevaba varios relojes: uno colgado de una cadenita del cuello, otro de pulsera y otro en el bolso, para saber qué hora era en Londres, Tokio, Méjico capital y Sidney, y para hacer creer que ella y Lee tenían asuntos de interés por todo el mundo.

Durante aquellas largas esperas hablaba con Clark Gable, a quien le gustaba sentarse al sol junto a su rulot, a la vera del lago. Se comportaba como si Marilyn sufriese alguna dolencia física y a pesar de que todos los días, para empezar a trabajar, la esperaba durante horas que tenían que ser humillantes, en su faz no se traslucía la menor sombra de ofensa. Los que le conocían estaban sorprendidos por aquella paciencia insólita. En un par de ocasiones, sin embargo, su agente nos recordó que, según el contrato del actor, éste percibiría 25.000 dólares por cada día que excediese del plazo estipulado, es decir, que se había curado en salud desde el principio. Yo no podía por menos de sentirme responsable en cierto modo de su ociosidad forzosa, en particular porque había sido yo quien le había convencido de que aceptase el papel, aunque él sabía que nadie podía hacer nada, ni siquiera la propia Marilyn, y que no se trataba en modo alguno del típico caso de la estrella que quiere demostrar que es ella quien tiene la sartén por el mango. Es posible, por lo demás, que se le hubiera ablandado el corazón cuando Marilyn le dijo que había sido el ídolo de su infancia; a decir verdad, su foto enmarcada adornaba la cómoda de su no menos devota madre y de muy pequeña Marilyn pensaba que el actor era su padre. A veces nos quedábamos los dos junto a la rulot, sin decirnos nada durante media hora seguida en medio del silencio de Nevada, un poco a modo de lamentación inconsciente. Yo intuía su compasión al igual que él, no me cabía duda, intuía mis remordimientos.

Le preguntaba sobre el cine de antaño, de cuando él trabajaba para la MGM. «Solíamos terminar las películas los viernes, organizábamos luego una fiesta que duraba todo el fin de semana y el lunes volvíamos a los estudios para comenzar otra película; en realidad funcionábamos igual que una compañía de repertorio. Aquí mi preparador», y señalaba a su criado, un sesentón de cara hosca que solía instalarse en la puerta de la rulot para escucharle y satisfacer sus necesidades de tabaco, un nuevo filtro para la boquilla, o una bebida fresca, según venía haciendo desde hacía décadas, «aquí mi preparador me quitaba el smoking, me metía en la ducha y mientras yo me secaba él me leía las primeras frases del guión; ya camino de los estudios, me esforzaba por despertar del todo y prestaba atención a lo que decía. Solían tenerme la ropa preparada, me la ponía, me dirigía al plató, saludaba al director, conocía a la que iba a ser la chica de la película y me ponía a adivinar el lugar que representaban los decorados, Hawai, Nome, San Luis, lo de siempre. Luego, veinte minutos de preparativos y de rodaje, y se acabó lo que se daba. Hacia el término de la semana laboral ya conocía un poco al personaje que representaba, quedaban aún otras dos semanas para el fin de la película, pero cuando de verdad comprendía de qué iba la cosa, se acababa todo. Claro que en casi ninguna película había personajes dignos de interés, así que se improvisaba sobre la marcha, o bien no se improvisaba nada porque no había nada sobre lo que improvisar. Esta película nuestra, sin embargo, es del todo distinta.»

Se había traído de California el Mercedes deportivo de aletas aerodinámicas y color plateado, y todas las mañanas trataba de superarse corriendo por la carretera montañosa de Reno. No cabía duda de que su rostro era archiconocido, valía más millones que kilos pesaba y podía tener lo que quisiera, pero no estaba cansado del mundo, no le faltaba curiosidad por las cosas, me preguntaba por mi vida y por mi forma de trabajar, y en este interés me parecía ver algo parecido a la simplicidad animal de mi padre. Es posible que *existiera* en la pantalla por ser así de elemental. He acabado por creer que las grandes personalidades del mundo interpretativo son semejantes a osos amaestrados porque nos seducen con su aprendizaje y disciplina, aunque nos amenacen con sus garras poderosas; el astro de primera magnitud sobreentiende que es lo que representa y, a semejanza de los grandes caudillos, puede ser mezquino y hasta peligroso.

La escena del rodeo la había situado yo en un pueblo, de cuyo nombre no me puedo acordar ahora, perdido en el desierto. Se me había ocurrido cierto día en que estaba con los dos vaqueros que cazaban caballos: una fila de casas sucias y construidas con tablones de pino sin pintar, y otra fila de chiringuitos, ocho o diez en total, de cara a un ruedo improvisado ante una tosca gradería. Más allá del ruedo se alzaba una iglesia en lo alto de cuyo campanario oscilaba una cruz de madera, pronta a caer a la calle, símbolo idóneo de lo que yo buscaba en la película. La fila de los chiringuitos ostentaba una amplia concavidad en la parte delantera y señalaba el lugar por donde arremetían con coches y camiones los conductores borrachos, obreros de la cercana fábrica de cartón piedra que trabajaban todo el día envueltos en blancas nubes de yeso. Dentro se podían ver impactos de bala en el techo y las paredes, y auténticos boquetes abiertos por incendios inesperados en los tablones de madera. Era el único lugar de Nevada donde se podía llevar legalmente un arma en el cinturón y eran muchos los que lucían un enorme revólver del cuarenta y cinco sujeto al muslo. Durante mi estancia en Nevada me había dejado caer por allí cierto sábado por la noche en que la violencia pura de los parroquianos inflamaba el aire como si fuese de pólvora y en que no pude por menos de preguntarme si era la insoportable vaciedad de la vida que llevaban lo que les obligaba a querer matar o a amenazar con la muerte o a resultar muertos. No tenía nada que ver con los robos, simplemente dos hombres empezaban a discutir por una tontería que terminaba en tiroteo, en una especie de fornicación colectiva, en mi sentir, donde el derramamiento de sangre era la culminación del rodeo en cuanto tal.

Al final no pudimos trabajar en ese pueblo porque no había agua suficiente para los actores y el equipo y por la distancia que lo separaba de Reno y nuestros hoteles. Encontramos otro pueblo con mayores facilidades y espacio de sobra; décadas antes lo había abandonado la población entera al agotarse una mina cercana. Adosados a las ventanas del almacén o colgando en oblicuo sobre la calle había rótulos carcomidos. Era muy extraño pensar que estábamos de rodaje en un lugar donde antaño había vivido una población de verdad, personas con grandes esperanzas de mejorar sus condiciones de vida y que a la sazón habían desaparecido.

Otro sitio donde había estado algunas veces con mis amigos los caballistas —una casa propiedad de una señora apellidada Styx— sirvió de residencia provisional de Roslyn en Nevada. Daba a una de las escasas vaguadas verdes que había en aquella zona árida, había árboles y hierba suficiente para ganado no excesivo. Previendo la necesidad de más espacio para mover la cámara, los de producción habían serrado las esquinas de la casa para desplazarlas mediante bisagras cuando les conviniera. Una mañana se instaló delante un huerto, según exigía el guión, y se plantaron matorrales. Era fácil olvidar que todo era de colocación reciente. La extrañeza que nos producía nos asemejaba a dioses vesánicos: habíamos suprimido una realidad y creado un simulacro.

Y me resultaba difícil recordar que Clark Gable no era en realidad el vaquero que me había inspirado el personaje de Gay Langland. Fue durante este punto del rodaje cuando el vaquero de verdad se presentó para curiosear unas horas y no pude por menos de sentirme desilusionado por la dosis de inconsistencia que había en él cuando se comparaba con la rotundidad y densidad más satisfactorias de Gable. Como es lógico, yo formaba parte del personaje de Gable mientras que del vaquero no.

Había algo turbador además en el hecho de que las paredes de la misma casa en que había estado yo años antes con el vaquero de verdad y una amiga que había llevado consigo pudieran desatrancarse y cambiar de posición para dejar el cielo al descubierto. Es posible que su alarma secreta fuera el eco de la premeditación con que organizábamos nuestra vida, y con que la desorganizábamos también.

Yo no dejaba de corregir los últimos minutos de la película, que en ningún momento me habían satisfecho. Consciente del optimismo con que había concebido el argumento y de la incertidumbre que sentía ahora en relación con mi propio futuro, seguía resistiéndome a que la historia tuviese un final que yo consideraba nihilista, esto es, que los personajes se limitaran a separarse. Al mismo tiempo, en contra del argumento original, no podía negar que lo único en que podían confiar los personajes era en cierto indeterminismo vital. Lo que de hecho les hacía sentirse libres era la asunción de la incertidumbre con todas sus consecuencias. La vida defraudaba, no había más que decir, pero yo quería que en la película fuese de otro modo. Además, estaba dentro de lo verosímil que se hubiesen encontrado y aferrado el uno al otro.

Cierta tarde, sin ninguna emoción visible, casi como si se tratase de otro guión, me dijo Marilyn: «Lo que tendrían que hacer es separarse al final». Disentí en el acto, tan aprisa en realidad que advertí mi temor de que estuviese en lo cierto. Pero la ironía era demasiado aplastante: la obra que había creado yo para asegurarle que una mujer como ella podía encontrar un sitio en el mundo había producido al parecer el efecto contrario.

Durante unos momentos me pregunté si no habría en aquello una petición de ayuda, aunque al margen de una expresión profesional e indiferente no detecté nada en sus ojos. Ya no podía ofrecerle lo que en mi sentir no podía aceptar ella. Lo terrible era que durante el rodaje y sus preparativos unas veces parecía totalmente sumida en sí misma, sin percatarse de cuantos la rodeaban, y otras asombrosamente cordial y extrovertida con todo aquel en quien posaba los ojos: como si el flujo de sus sentimientos se hubiese atomizado y convertido en un rocío de ira que manase sin cesar de su corazón; era imposible intuir siquiera lo que sentía ni de qué humor estaba hasta que abría la boca.

Sus retrasos a la hora de ponerse a trabajar fueron haciéndose cada vez más prolongados y llegó un momento en que Huston se sintió intranquilo. La lucha vitalicia de Marilyn con el factor tiempo había acabado en derrota, la tenía casi inmovilizada ya; siempre había sido de esas personas para quienes el tiempo es un problema fastidioso que prefieren no afrontar, quizás para negar que existe un pasado.

Huston pareció resignarse después del primer mes de rodaje, pero con todo y con eso se llevó a Paula aparte y le preguntó si tenía alguna sugerencia que hacer respecto de su alumna. El director había empezado a pasar las noches jugando a los dados, perdía enormes cantidades de dinero, las recuperaba y en suma demostraba de aquel modo su resistencia, aunque de vez en cuando se quedaba dormido tras la cámara y se olvidaba de qué escena se estaba rodando. Todos naufragábamos en el caos. Trabajaba ya a base de puro músculo con un dominio de sí asombroso.

Creo que durante unas semanas se había limitado a hacer caso omiso de la existencia de Paula, rechazando la intercesión femenina por degradante y antiprofesional. El control de Paula sobre Marilyn era ya tan absoluto que la actriz había abandonado las habitaciones que compartíamos en el hotel y se había mudado a las de aquélla; Paula había ganado al final nuestra larga guerra no declarada. Pensé no obstante que aquello despejaría el aire, que Marilyn podría así concentrarse exclusivamente en el trabajo, tal y como afirmaba que eran sus intenciones. Pero yo no me hacía ilusiones respecto de que alguno de nosotros pudiera hacer realmente lo que quisiera; una fuerza de destrucción absoluta se iba aposentando entre nosotros sin que nadie pudiera dominarla. Por mi parte, la preocupación por el resto de la película la sentía de un modo mecánico. Me resultaba ya insufrible el que me hubiese costado tanto y esperaba por lo menos que el resultado no fuera demasiado catastrófico. Lo único que de verdad me atemorizaba era que Paula transigiese con la creciente cantidad de somníferos que pedía Marilyn, pero me prometió que no iba a consentirlo y yo la creí porque saltaba a la vista que también ella temía una desgracia.

Una noche, después de cenar, me fui a pasear por un pequeño parque que había junto al hotel y me senté en un banco para contemplar a ocho jovencitas que jugaban al tenis en canchas contiguas. Se me antojaba milagroso que la gente pudiese hacer aún cosas tan sencillas como recibir y devolver una pelota con una red de por medio. La salud pura de aquellas jovencitas, al verlas tragar profundas y despreocupadas bocanadas de aire, secarse el húmedo y rosado labio superior y gritar de vez en cuando, me liberaba de la tensión. Deseoso de estirarme, me recosté en la hierba apoyado en un brazo y no tardé en dormirme como un tronco. Desperté en una ciudad silenciosa y sin tráfico; las chicas habían desaparecido y eran unas apacibles tres en punto de la madrugada.

En el casino del hotel, Huston jugaba a los dados en una mesa con un vaso de whisky en la mano y con la guerrera de camuflaje tan crujiente y planchada como si se la acabara de poner hacía diez minutos. Perdía veinticinco mil dólares. Me sonrió y le devolví la sonrisa. No parecía importarle, pero yo sabía que no le resultaría fácil pagar aquella cantidad. Me fui a dormir. Por la mañana, a eso de las siete, bajé a desayunar y seguía jugando a los dados con un vaso de whisky en la mano todavía. Había recuperado los veinticinco billetes y quería ganar un poco más. Su guerrera estaba tan impecable como al principio. Sólo de pensar en pasar toda la noche despierto hizo que volviera a sentirme agotado.

La preocupación de Metty acerca de que los primeros planos revelaban el agotamiento de Marilyn hizo que al final estallase la crisis. Paula, al mando ya y por tanto ineludiblemente predispuesta a las acusaciones, se apresuró a comunicar que por fin iba a regresar Lee de Nueva York. La desesperación de Huston había llegado a tal extremo que casi acogió la noticia con alegría. Yo sí la acogí con alegría, aunque sólo fuese porque Lee tendría que asumir ahora un poco de responsabilidad directa por lo menos ante la creciente inseguridad de Marilyn por aquel papel cinematográfico. A pesar de que ésta tenía una confianza absoluta en todo cuanto aquél decía, Lee se había mantenido a una prudente distancia de todos los problemas de Marilyn.

Había sin embargo otro motivo para desear su llegada: a Marilyn le había dado por modificar sus intervenciones dialogísticas y por omitir palabras y frases. Huston, que también escribía, se negó a aceptar las correcciones femeninas y para poner en orden los diálogos tuvo que filmar algunos fragmentos hasta diez veces. Yo había pensado, mientras hacía de espectador, que le fallaba la memoria, pero en cierto momento me explicó que el diálogo en cuanto tal carecía de importancia, que lo único importante era el sentimiento que expresaba. En resumen, reciclaba las enseñanzas de Strasberg tal y como ella las entendía, actitud castradora que ya había visto en otros actores y que en mi opinión fomentaba su inextinta tensión al actuar. Al considerar los diálogos un estorbo, buscaba, en lugar y a pesar de los mismos, la espontaneidad y naturalidad de los sentimientos. Si bien este enfoque la dejaba en libertad de vez en cuando, las más de las veces aumentaba su confusión porque el actor que tenía enfrente podía trabajar de acuerdo con un principio distinto, de fidelidad al texto, al igual, como es lógico, que el director. Para Huston todo aquello era capricho puro. Yo había preguntado a Marilyn y a Paula cómo se las arreglarían para abordar los papeles clásicos que según Strasberg interpretaría algún día la actriz, ya que todo el mundo conocía los textos y las modificaciones no se iban a tolerar así por las buenas. Saltaba a la vista, sin embargo, que ella se limitaba a repetir lo que le había dicho la autoridad suprema, y aunque la situación era de un patetismo que rompía el alma, ni yo ni nadie podíamos hacer nada ya. La cosa era que había sabido sacar un gran partido a determinados guiones, por ejemplo al que Billy Wilder y I.A.L. Diamond habían escrito para *Con faldas y a lo loco*, del que no se le había permitido ni la menor desviación porque los diálogos cómicos se han de calcular al milímetro o lo echan todo a rodar. Que se necesitaba la misma puntillosidad en un papel dramático, el primero de su vida, parecía incontestable, pero por culpa de sus mentores se perdía en planteamientos improvisadores que a lo mejor estaban bien en un cursillo de arte dramático, pero no en una interpretación de verdad.

Como fuese, la inminente llegada de Lee significaba por lo menos que algo distinto iba a suceder y, como director que había sido en otro tiempo, sin duda comprendería que sus enseñanzas, si se habían entendido bien, estorbaban, y si se habían entendido mal, tenían que rectificarse.

Como los plazos previstos se retrasaban y yo no podía hacer nada por remediar las cosas, mi función en la película se reducía y formalizaba de manera creciente y casi todo el tiempo estaba solo. Pensé en marcharme, pero Huston siempre tenía que hacer algún que otro cambio o alguna observación relativa al guión. Un día rodamos dos escenas sin diálogo en Pyramide Lake, la de Gable-Langland enseñando a montar a caballo a Marilyn-Roslyn y la de los dos nadando. Las dos cabañas en que habíamos vivido Bellow y yo —¿de verdad habían transcurrido casi cuatro años?— habían dado antaño, desde el otro lado de la solitaria autopista, a la playa rocosa y el lago primigenio, pero ya no; se había instalado un pequeño embarcadero y un puesto de comida para llevar y las lanchas motoras se paseaban rompiendo entre rugidos el silencio sobrenatural que, de acuerdo con el guión, tenía que contribuir a que Roslyn recuperase la esperanza en relación consigo misma y con su vida. Todo parecía simbólico; a los conductores de las lanchas había que pedirles que parasen los motores mientras se filmaba en aquel lugar antaño encantado y mientras curioseaban los comiscantes clientes del puesto de hot dogs que ahora se alzaba a unos cien metros. Miré hacia la autopista, en busca de la cabina telefónica en que una vez había perdido el conocimiento durante unos segundos, pero había desaparecido; probablemente habría un teléfono en el embarcadero. La ausencia de la cabina me retuvo con la mirada fija en la lejanía en un intento de revivir la autopista vacía y la idealización mutua que había experimentado en aquel sitio.

No me resultaba fácil verla salir del agua para que Gable la abrazase cuando no advertía ninguna alegría en ella. Aunque se esforzaba por dar lo mejor de sí en las escenas amorosas, la conocía demasiado bien para no percatarme de su abstracción. Pero al acercarme a ella se ponía en tensión de un modo inconcebible. Tenía que limitarme a mirar, deseando estar equivocado; pero los distintivos de una actuación natural son momentos de sorpresa y en mi sentir la suya era una actuación angustiosamente premeditada, con los efectos discordantes demasiado elaborados y preparados. Yo estaba ya casi totalmente fuera de su vida, pero desde mi alejado puesto de observación la película se me figuraba una auténtica tortura para ella. Como lo era para mí al recordar el paseo con Sam Shaw a lo largo del río East, momento en que la había concebido como un regalo.

Toda la dinámica de la verosimilitud me parecía detestable en aquellos momentos, una máquina de destruir a las personas, en particular a esos actores incapaces de aceptar una rebaja en la cantidad justa de veracidad. Fuera lo que fuese aquello que Paula y también Lee al parecer le habían enseñado, Marilyn parecía menos capaz que nunca de sentir, aunque no para pensar lo que sentía, y los pensamientos son dificilísimos de representar. Hablando con franqueza, su forma de actuar ante las cámaras me pareció más auténtica años después que en aquella mala época. Y me maravilla en la actualidad que, dadas las circunstancias, se las arreglase para hacerlo tan bien.

Pero por entonces me preguntaba si la interpretación no habría acabado por ser un pretexto socialmente aceptado para cultivar el narcisismo, una profana absorción en el yo en vez de una jubilosa observación afirmadora de la humanidad, que es lo único que siempre puede ennoblecerla. En las horas incontables que pasé solo, el país entero pareció contraer una obsesión por la distracción llamada pasatiempo, un remedo incesante del arte que no hacía peligrar nada, que de nada liberaba y que no pretendía nada salvo el olvido.

Una noche puse la televisión de la habitación del hotel y vi que Nixon y Kennedy estaban a punto de comenzar uno de sus debates electorales para la presidencia. Por el motivo que fuese, el país parecía proseguir a pesar de *Vidas rebeldes*. Pedí la cena y una botella de whisky y me dispuse a verlo. Y allí estaban, actores ellos también, aunque tan nerviosos como dos polemistas escolares, Nixon al parecer con un traje de su hermano, porque el cuello se le subía hasta la nuca. Cómo se les notaba la ambición a aquellos intérpretes que se esforzaban por aparentar una seguridad y una autoridad que sin duda no tenían. Al lado del aparato, la ventana me permitía ver la noche azul que caía sobre las eternas montañas en dirección a California, mucho más gratas de contemplar que las dos figuras de la pantalla. Hacía unas semanas, un incendio forestal provocado había ennegrecido el cielo de dos estados y causado un corte de energía en Reno, y nuestros electricistas habían tendido un cable desde el generador de un camión estacionado en la calle hasta nuestra habitación del sexto piso: la única bombilla de la ciudad que funcionó para comodidad de Marilyn. Había sido un detalle magnífico. Los equipos cinematográficos aman lo imposible, les hace sentirse auténticos.

Solo ante el televisor, no podía por menos de advertir algo trillado y preestablecido en aquel debate. No me podía quitar de la cabeza el cine, el teatro, la frase de aquel importantísimo programa televisivo en que los ciudadanos norteamericanos tenían que elegir al protagonista de su largometraje sin fin, atentos a las escenas que interpretaban bien y no tan bien, puesto que no había una diferencia sustancial entre los dos candidatos, al margen de las claves sectarias que cada cual dirigía a sus seguidores. Nixon parecía el zorro autocompasivo que también sabía ser duro, aunque era innegable que Kennedy no resultaba tan peligroso para el país con su cuadrada mandíbula irlandesa y su traje elegante. Pero buena parte de la actuación dependía del guión, que no hacía más que corregirse. Yo apostaba por Kennedy, por supuesto, aunque sobre todo, creo, porque habíamos leído los mismos libros.

El teléfono por la mañana.

—Ha llegado Lee. Quiere verte en seguida.

Por fin. Se nos iban a despejar las dudas sobre el camino que debía seguir Marilyn para acabar la película.

—¿Ha hablado ya con John?

—Oh, no.

Fue el «oh» lo que me preocupó. ¿Por qué «oh, no»? ¿La estaba ya enemistando Lee con Huston, cuando lo que tenían que hacer era cooperar si querían que las cosas cambiaran?

En el ascensor, camino de las habitaciones de los Strasberg, repetí las quejas que tenía preparadas. Fue Lee quien abrió la puerta. Lo absurdo de su vestimenta me echó por tierra todos los planes; estábamos con una temperatura de treinta y siete grados y se había puesto un conjunto vaquero que acababa de comprar —botas relucientes, pantalones con raya, camisa planchada con bordados en bolsillos y puños—, aunque no le habían cambiado ni la pálida cara de intelectual ni aquel cuerpo enemigo de la gimnasia.

—Un señor traje —le dije.

Sonrió sin tenerlas todas consigo.

—Sí, es muy cómodo.

—¿Las botas también? —Dudaba que unas puntiagudas botas vaqueras sin estrenar pudieran ser cómodas.

—Sí, son estupendas —dijo, doblando las rodillas.

Paula seguía en el sofá, donde estaba tendida de costado, con un quimono con dragones estampados, la cabeza apoyada en la mano, una sonrisa de orgullo aureolándole el rostro porque ya estaba allí su campeón para hacerse cargo de sus responsabilidades, el pelo caído en desorden por la espalda, una odalisca en escena.

La expresión de Lee se trocó en fruncе.

—Arthur, tú y yo tenemos que hablar en serio.

—Hace tiempo que lo deseo.

—Sí, la situación se ha vuelto insostenible.

—Ya lo sé. —Tenía que haber elaborado ya un plan que salvase el momento, tal era la energía enjaulada que intuía en su interior. Durante un segundo pensé con alegría que me había equivocado respecto de él y que de verdad poseía el secreto que podía curar a Marilyn, cuya alma se precipitaba en el vacío mientras charlábamos.

—Sí. Si no se hace algo en seguida, me veré obligado a apartar a Paula de esta película. —Me miraba a mí, como si me pidiera un informe.

¿Paula? ¿Qué tenía que ver Paula con aquello? La miré por encima y vi que sonreía en el sofá con regocijo, como si por fin hubiera dejado de ser una presencia insignificante.

—No te entiendo, Lee.

—Huston no ha querido hablar con ella. ¡Es indignante! No permitiré que siga en esto mientras no se la respete. No voy a tolerar que se la trate de este modo. ¡Es una artista! ¡Ha trabajado con los actores y actrices más grandes! ¡Y no voy a permitir que se la trate de este modo, así de sencillo!

Confuso, me esforcé por comprender lo que quería decir. ¿Acaso no le había contado Paula que Marilyn estaba en las últimas, que su propia vida podía estar en peligro y que incuestionablemente lo estaba su capacidad para terminar la dichosa película? ¿Por qué otra cosa, si no, estaba él allí, quejándose a propósito de que un director no respetaba a su mujer? ¿O es que Paula era tan morbosamente egocéntrica que ni siquiera le había mencionado que Marilyn sufría una crisis muy grave? ¿Y había accedido a viajar sólo para imponer su autoridad en el ridículo conflicto de su esposa, sin sospechar siquiera que estaba completamente en pañales en lo que a ayudar a Marilyn se refería?

Era demasiado horrible para pensarlo. Viéndole allí con aquella ropa estrafalaria, como un despreocupado turista de vacaciones, me pregunté de súbito si no me estaría tomando las cosas demasiado en serio, si no habría reaccionado de un modo demasiado personal ante la cólera de Marilyn, que al fin y al cabo podía ser una manifestación normal de la frustración que sentía como actriz en trance de crear un papel. Desconcierto absoluto.

Pero él seguía... que Paula se había sentido despreciada y agredida, que había entregado su vida a la preparación de actores de calidad, que él no había querido intervenir pero que había tenido que hacerlo «asimismo por el bien de Marilyn». Era imposible decirle nada y, endiosado como estaba a causa de la importancia que se atribuía a sí mismo y a su mujer, hablarle en serio resultaba degradante. El sufrimiento de Marilyn no era más que un cometa remoto que de tarde en tarde se columbraba mientras se perdía en la distancia y se apagaba.

—Es de vital importancia que este asunto se solucione cuanto antes, Arthur.

—No esperarás que lo arregle yo. La cosa es entre John y ella.

—La película es tuya, a ti te toca intervenir.

—El guión es mío, no la película. Yo no puedo hacer nada, Lee. John no está acostumbrado a tratar con los actores a través de terceros y no creo que cambie. ¿Hablarás con Marilyn?

—En ese caso tendré que llevarme a Paula cuando me marche.

—Significará sin duda el fin de la película —y el de Marilyn si no podía terminarla, huelga decirlo—, aunque supongo que harás lo que creas conveniente. Deseo que hables con Marilyn, necesita ayuda en este momento. ¿Lo harás?

—Sí, hablaré con ella —transigió. Entendí cuáles eran las reglas de su juego: haría cuanto estuviese en su mano pero no se responsabilizaría de ella bajo ningún concepto, y menos aún cuando estaba con el agua al cuello. Y Lee era la única persona en quien ella confiaba. Así se cumplía su destino.

El rodaje había acabado por interrumpirse totalmente. No tenía sentido trasladar al lago salado a los miembros del equipo a través de caminos montañosos cuando no se tenía demasiada seguridad de que se pudiera trabajar. La crisis pesaba sobre todos nosotros. Lee había hablado con ella, pero al parecer no había modificado la impotencia femenina para volver al trabajo y había vuelto a Nueva York. Subí a las habitaciones de Paula, temeroso de que descuidara la vigilancia por culpa de su estupidez y despiste. Aún no estaba claro que Paula hubiese entendido lo mal que Marilyn se encontraba. Yo nunca estaba seguro de que prestase verdadera atención a cuanto se le decía.

Me hizo pasar a la salita con un dedo en los labios y a continuación entramos en el dormitorio. Marilyn estaba sentada en el lecho. Un médico le palpaba el dorso de la mano, en busca de una vena en que inyectarle Amytal. El estómago se me encogió. Me vio y comenzó a gritarme que me fuera. Pregunté al médico si sabía cuántos barbitúricos u otros medicamentos había ingerido ya y el individuo, un joven asustado que sólo quería poner la inyección e irse para no volver más, me miró con desesperanza. Paula estaba en pie junto a la cama, enfundada en la túnica negra, con el pelo recién cepillado y recogido, saludable, maquillada, maternal y con algún resabio culpable, pensé; en efecto, debía de saber ya que había hecho un mal negocio, que ya no estaba al mando de nada, y quería que la ayudasen, y quería que creyesen en sus desvelos maternales, aunque en el fondo no hubiera nada que le importase menos, porque todo estaba ya irremediablemente desquiciado. Me entraron ganas de apartar al médico de la cama para evitar aquella inyección, pero los gritos eran demasiado horribles y la inquietud que manifestaba Marilyn por mi presencia diluía cualquier ayuda que pudiera prestarle; me fui pues, y me quedé en la salita en espera de que saliese el médico. Le asombraba que Marilyn pudiese mantenerse despierta, porque le había administrado una dosis suficiente para una operación de importancia y seguía incorporada y hablando. Se consideraba el médico menos indicado de la zona para intervenir, aunque, temiendo por la vida de Marilyn después de ver lo que había visto, era contrario a que se le volviese a inyectar nada. Volví al dormitorio, me miró irritada pero sosegada por fin, y sin dejar de murmurar «Vete, vete», como en un sueño.

Paula se dirigió a mí con cordialidad. «Quisiera cenar algo...» También yo experimenté una gran simpatía por ella, creo que porque yo necesitaba ayuda con urgencia y porque leí el temor en el rabillo de sus ojos, pues si estaba asustada tenía que estar cuerda, y si estaba cuerda y aún se encontraba allí, tenía que ser porque aún sentía algo por los demás. Le di las gracias, aunque por nada concreto, me rozó con la mano y se fue a cenar con uno de los actores secundarios.

Marilyn descansaba con los ojos cerrados. La observé por si respiraba con dificultad, pero parecía tranquila. Para resistir aquella tempestad furiosa tenía que ser una flor de hierro. Desesperado ante mi presunción, ante la estupidez de creer que sólo yo podía librarla del peligro, me puse a pensar en cualquier otra persona susceptible de ganarse su confianza. Me sentía agotado y sin esperanza ya de recuperarla; estaba claro que había insistido durante demasiado tiempo, que ya no quedaba sino mi obstinado deseo de responsabilizarme cuando ella sólo quería salvar la ola que se precipitaba rugiendo hacia la playa, diosa mística de los mares. Se burlaba de la magia y sin embargo quería que sus adeptos irradiasen felicidad a su tacto, sacra especie de arte y poderío tan consustancial con ella como sus mismos ojos. Pensé en su médico de Los Angeles, aunque a duras penas podría abandonar éste la consulta para acudir a su lado; y me detuve en seco otra vez: ¿por qué no podía responsabilizarse de sí misma? Podía, naturalmente, y de hecho era su única esperanza... aunque no podía, no podía cuando aún dependía tanto de los somníferos, fármacos que lentamente había acabado por comprender me la habían arrebatado para siempre... con lo que el círculo se cerraba porque terminaba convencido de que nadie más cargaría en serio con ella. En aquellos instantes, sin embargo, le era yo más que inútil, un saco de clavos que le arrojasen al rostro, un recordatorio de su incapacidad para salir de su antigua vida, por más que finalmente hubiese amado a alguien de verdad.

Era el primer momento de paz que teníamos desde hacía mucho y, en medio del silencio, la idea de que volviese a trabajar en aquel estado se me antojaba del todo monstruosa: todos nos habíamos vuelto locos, no había nada que lo justificase. Tenía que encontrar la manera de parar la producción de la película. Pero imaginaba su indignación y su cólera ante lo que interpretaría como una acusación de que ella había causado el abandono del filme, cosa que por otro lado podía acabar con su profesión.

Me puse a fantasear con milagros. ¿Y si despertaba y yo encontraba fuerzas para decirle: «Amor mío, Dios te quiere», y ella me creía? ¡Cuánto deseaba que siguiéramos creyendo yo en mi religión y ella en la suya! Todo era muy sencillo de repente: habíamos inventado a Dios para que la realidad no nos matara y sin embargo el amor era la más real de todas las realidades. Imaginé que sus ojos hostiles y angustiados recuperaban la conmovedora dulzura de otros tiempos, ya que era ésta la expresión que para mí sería siempre la suya, el solo indicativo de su identidad; la otra cara del amor, todo lo restante a propósito de ella, a propósito de la gente, en realidad era avidez y miedo.

¿Y si no podía ser ya una gran actriz?, me pregunté. ¿Podríamos llevar una vida normal y sin tensiones, con los pies en el suelo, muy lejos de las cimas rarefactas donde no había aire? Pensarlo fue, durante un segundo, como si me quitaran una muleta en que me apoyase; ella parecía perder toda su identidad. Como persona normal y corriente, que apenas si sabía leer y escribir bien, ¿qué sería de ella? Al forzar la imagen, sin embargo, me puse a fantasear con una Marilyn totalmente serena, que ya no tenía que esconderse aterrada en los rincones, una joven dotada de una inteligencia natural que sabía desenvolverse a lo largo de la jornada y que a continuación se iba a dormir discretamente. ¿Era posible? Era incuestionable que cuando más la había querido había sido cuando apenas se la conocía.

Me di de bruces de súbito con el aplastante egoísmo de esta ocurrencia: porque su estrellato era su victoria, ni más ni menos; era el objetivo, la culminación de su existencia. ¿Cómo me sentiría yo si mi matrimonio estuviese condicionado a la domesticación y desembravecimiento de mi arte? La verdad desnuda, sencilla y mortal, era que no había ninguna diferencia entre ella y la actriz. *Ella era «Marilyn Monroe» y era esto lo que la destruía.* Y para ella no podía ser de otro modo; se nutría del cine y si renunciaba a esta compensación desaparecería en un sentido muy real. Si le gustaba entretenerse en un jardín de flores, cambiar continuamente los muebles de sitio y comprar una lámpara o una cafetera, se trataba de preparativos agradables para una vida que no podía llevar mucho tiempo sin volar otra vez a la luna en un lugar distinto y una película diferente. Desde la adolescencia se había dedicado a crear un vínculo con el público, imaginario primero y después real y no podía romperse sin desgarrarla a ella. Mientras suspiraba por un milagro caí en la cuenta de que había acabado por creer que ningún análisis podría penetrar en su interior. Es posible que sólo una autoidentificación brusca, una visión rápida pero persuasiva de su propia muerte pudiera despertarle de nuevo y con urgencia la confianza. En algún recoveco suyo daba la sensación de que lo sabía, de que imploraba aquellos toxicómanos fallecimientos temporales de cuyo peligro no se salvaría al final.

Yo no poseía ningún secreto salvador que ofrecerle; ni se le podía coger la mano si ella no la tendía. Había perdido la fe en una solución duradera que de mí procediese y dudaba que hubiera agente humano capaz de procurársela.

De una sola cosa estaba seguro; tenía que terminar la película. No hacerlo corroboraría el miedo atroz que sentía a perder el dominio de su propia vida, a caer bajo el peso aniquilador del horrible pasado. Seguía durmiendo. De nuevo quise saber la manera de rogar porque recuperase el aspecto de lo que sólo el amor sabe. Pero también era demasiado tarde para esto.

Un año antes, aproximadamente, encontrándonos en Hollywood durante el rodaje de *El multimillonario,* comedieta soporífera que la Fox le había obligado a hacer, Walter Wanger se había presentado en nuestro domicilio para sugerirme que le escribiese un guión de cine basado en *La caída,* la novela corta de Albert Camus. La había vuelto a leer por indicación suya, pero no tenía ganas de escribir guiones y en consecuencia nos limitamos a charlar un rato acerca del libro. Me habían contado que Wanger había producido *Blockade,* con Henry Fonda y Madeleine Carroll, durante la guerra civil española; había sido uno de los escasos ejemplos de interés hollywoodense por aquella catástrofe para la democracia y los patriotas lo habían boicoteado a pesar de que su apoyo al bando republicano era equívoco. Parecía hombre serio y culto. Pero por encima de todo era productor cinematográfico, un hombre de la vieja escena hollywoodense que años antes había matado de un tiro al amante de su mujer, según recordaba haber leído en la prensa.

Al margen de su acertijo filosófico, *La caída* versa sobre conflictos con mujeres, aunque se trata de un tema eclipsado por el interés que despliega el narrador masculino por la ética, en particular por el problema de cómo juzgar a nadie cuando canallescamente se ha hecho caso omiso de la petición de ayuda de un extraño. El antihéroe, que se autocalifica de «juezpenitente», tiene sobre su conciencia su desinterés por una muchacha a la que ha visto arrojarse al agua desde un puente.

Era una historia hermosa y bien medida cuya conclusión, empero, me había hecho dudar de su deseo de afrontar algo peor acaso que la simple indiferencia ante una petición de auxilio. ¿Y si el hombre, arriesgando la vida, hubiera hecho lo posible por salvarla y hubiese descubierto que la clave de la salvación femenina no estaba en él, a pesar de todo su celo, sino en ella? Peor aún, ¿y si en el amago de salvarle se mezclaban y confundían los hilos de la vanidad con los del amor? ¿Anulaba la orgullosa autoestima disfrazada el acto ético? En última instancia, ¿podía nadie salvar realmente a nadie si el otro no deseaba la salvación? ¿No era despertar este deseo el auténtico problema? Y si no se despertaba, ¿en qué momento admitir la impotencia? ¿Y cómo justificarla, de poder justificarse? *La caída,* en mi opinión, terminaba demasiado pronto, antes de que comenzara la verdadera angustia.

El suicidio, por último, podía no limitarse a expresar desengaño, sino aborrecimiento por otra persona. La costumbre china quiere que el suicida se ahorque en el umbral de la casa de la persona que le ha ofendido, manera diáfana de desquitarse de otros y al mismo tiempo de autodestruirse. Según la costumbre cristiana, está prohibido enterrar al suicida en terreno bendecido: ¿porque ha muerto inmerso en el odio, no sólo contra sí, sino también hacia Dios y el don divino de la vida?

El sueño de Marilyn no era sueño, sino la palpitación de una criatura agotada que lucha con algún demonio. ¿Cómo se llamaba? Sólo parecía ver que los demás la habían castigado y traicionado, como si se limitase a ser una simple espectadora de su propia vida. Pero al igual que las demás personas, era también la protagonista, ¿y cómo, si no? Yo sospechaba que lo sabía, pero que no se atrevía a admitirlo ante mí. De aquí que le resultase tan inútil en aquellos instantes, un estorbo en el mejor de los casos. Lo irónico era que me había aferrado a la idea de que se trataba de una inocente perseguida porque no podía admitir su anterior situación existencial, porque deseaba salvarla de ella en vez de aceptarla como suya propia. Había rechazado los horrores que había padecido, negado el influjo de éstos, pero era ella misma la que se consideraba rechazada. Sólo un sublime acto de gracia podía superar la situación. Y no lo había. Lo único que le restaba era seguir proclamando su inocencia, una inocencia en la que, en el fondo de su corazón, ella no creía. La inocencia mata.

Huston cogió el toro por los cuernos porque la película estaba a punto de abandonarse sin terminar y hubo que arreglar las cosas para trasladar a Marilyn a una clínica de Los Angeles donde pudiera dejar los barbitúricos bajo la supervisión del psicoanalista. Estuvo de vuelta al cabo de unos diez días —su capacidad de recuperación me pareció casi heroica—, estupendamente dueña de sí misma otra vez, aunque aún sin brillo en la mirada. Pero lo recuperaría sin duda si no volvía a tomar fármacos para dormir. Se sucedieron jornadas de mucho trabajo y otra vez pudimos hablar. Si bien me miraba con distancia, no lo hacía ya por lo menos con hostilidad manifiesta. Sin hablar al respecto para nada, ambos sabíamos que habíamos roto de manera definitiva; en mi sentir, se había librado de una carga opresiva y, en este particular, estaba contento.

Lo último que se rodó fue asimismo la escena final de la película. Langland detiene el camión para que Roslyn desate al perro de aquél, que se había quedado atrás mientras se acorralaba a los caballos. Fue una transparencia que se hizo en los estudios de Los Angeles; una banda de la cinta, filmada en el desierto, se pasaba por la ventanilla trasera del camión y se detenía cuando Marilyn bajaba para acercarse al perro. Gable la tenía que contemplar con amor creciente en la mirada, aunque yo sólo advertí un ligerísimo cambio en su expresión desde el lugar en que me encontraba, al lado mismo de la cámara, a menos de diez metros de distancia.

—¡Corten! Muy bien. Gracias, Clark; gracias, Marilyn. —Huston se comportaba ahora de un modo práctico y funcional, negándose a mirar atrás con sentimentalismo; sin detenerse apenas, dijo que tenía que marcharse a trabajar con el montador. Pregunté a Gable si, en su opinión, su expresividad había estado a la altura de lo requerido en la última toma. Se quedó boquiabierto.

—Hay que fijarse en los ojos. La actuación cinematográfica se limita a esto —trazó con el dedo un rectángulo alrededor de sus ojos—. Uno no puede extralimitarse porque en la pantalla del cine se aumenta cientos de veces. —Resultó que estaba en lo cierto, según comprobé con alivio en el copión de la escena; se había limitado a intensificar una expresión afectuosa que en los estudios, a unos metros de distancia, ni se apreciaba siquiera.

A punto de despedirnos, me dijo que la noche anterior había visto un montaje provisional y que *Vidas rebeldes* le parecía la mejor película que había hecho en la vida. Sonreía como un chicuelo y me estrechó la mano y me palmeó cordialmente el hombro con un entusiasmo en la mirada que no había visto jamás en nadie. Le aguardaba un amigo para llevarle al norte, donde se dedicaría a pescar y cazar durante una semana. Nos miramos durante otro instante con sensación de alivio y de haber llevado algo a cabo, se dio la vuelta, subió a un enorme Chrysler cinco-puertas y se alejó. Murió cuatro días después a consecuencia de un repentino ataque al corazón.

Mientras se alejaba el vehículo, busqué a Marilyn con los ojos y vi una limusina marrón y a Paula sentada dentro con la mirada al frente y, según me pareció, deseosa de evitarme. Una saludable indiferencia se desarrollaba en mi interior a toda prisa, una estupefacta acumulación de pérdidas. Por lo que sabía, es posible que Paula se estuviera espabilando para evitar que las cosas se pusieran peor de lo que ya estaban.

Marilyn salió del edificio mientras yo abría la portezuela del coche, moviéndose tan bien y con tal viveza en cara y ademanes que me volví a preguntar si no habría hecho yo un mundo de sus problemas. Al fin y al cabo, habría sufrido más o menos igual con cada una de las tres o cuatro películas que había hecho últimamente. Es posible que me hubiera sentido culpable por unos enfados y penalidades de orden necesario y que la hubiera decepcionado por ello. «A los hombres les gustan las chicas alegres.» Como fuera, partimos en coches diferentes, lo que por un pelo estuvo a punto de antojárseme gracioso.

Sólo que no creía yo que pudiera sobrellevar la maldición materna. Porque se trataba de algo prohibido, pecaminoso, ahora que interpretaba ya papeles serios y afirmaba su valía con su arte. Es posible que un conflicto así hubiera sido la causa de los sufrimientos padecidos con aquel papel con el que, en pocas palabras, afirmaba su condición de mujer digna.

Bajé por Sunset Boulevard con mi alquilada y traqueteante cafetera verde *made in* American Motors, y que me gustaba porque nadie se giraba nunca para ver quién iba dentro. Pasé ante un restaurante y recordé que, en la época de *El multimillonario* más o menos, habíamos decidido cenar allí sin pensárnoslo mucho para evitar la sosa comida del hotel. Fuimos de incógnito, ella con gafas oscuras y un pañuelo en la cabeza, y yo sin gafas, aunque no nos dieron mesa por no haber hecho la reserva oportuna. En un momento de indignación me pasó por la cabeza ponerme las gafas y que ella se quitara las suyas. Nos reímos de ello más tarde, aunque hubo algo en el episodio que a ella no le hizo gracia. Al pasar ahora ante el local me acordé de la humillación que me embargó al volver a la calle y de la torturante percepción de que, de un modo sutil, había acabado por depender del poder de ahorrarse las colas que la publicidad confiere. Era un alivio conducir en aquellos instantes aquel pequeño automóvil, anónimo y escacharrado.

Manzanas más abajo me detuve ante un cruce y la limusina marrón se puso a mi altura. Las dos mujeres miraban al frente, Paula hablando con animación, como siempre, y se me ocurrió que mi vieja costumbre de organizar lealtades en equipo había vuelto a desfigurar mi enfoque de las cosas. Siempre experimentaba una punzada de amargura cuando la representación de mis obras tocaba a su fin y los actores se iban cada cual por su lado.

Un rodaje prolongado como el de *Vidas rebeldes* equivale a desfilar continuamente todos los días por un patio limitado por vallas muy altas. A veces me resultaba difícil recordar si desde la redacción del guión eran dos o tres los años que habían transcurrido. Pero de súbito se abre el portalón y fuera se aprecia un mundo delicioso y lleno de luz. Me dirigí a San Francisco, donde no conocía a nadie: un buen presentimiento, un comienzo nuevo. Pero desorientador. Alboreaban los años sesenta. En el «hungry i», el primer cabaret político que había visto desde el Café Society de fines de los años treinta, la indiferencia mordaz de Mort Sahl pertenecía a un mundo que yo no había conocido jamás, y su público joven era una pulquérrima coincidencia de individuos independientes; me parecía recordar que se trataba de una especie de comunidad de desconocidos, sin duda porque nosotros estábamos unidos frente a la amenaza hitleriana mientras que ellos sólo esperaban a Godot. Pero recelaba ahora que todas aquellas posturas generacionales no eran más que mitos inventados para tranquilizarnos en la época, al igual que el pulpo ennegrece con la tinta el agua que le rodea.

Eisenhower hoy, Kennedy en el horizonte. Muy extraño. Vagabundeé confuso y sin interesarme por nada, y por primera vez a lo largo de las décadas sin tener ni una casa siquiera. Era una ciudad estupenda para pasear, más segura que Nueva York, aunque, en Norteamérica, los sitios extraños nos parecen siempre más seguros que los que ya conocemos.

Intuía que no iba a ocurrir nada desagradable, pero cada equis horas me preguntaba por lo que sería de Marilyn en manos de desconocidos. Comencé a caer en la cuenta de que no había hecho más que pensar que todos salvo yo eran extraños para ella —conmigo había estado más que con nadie en toda su vida— y volvió a turbarme la presunción egoísta. Se había esforzado por dar, pero, al igual que yo, le resultaba irreal recibir. Tras admitir poco a poco, al cabo de los días, que ella había sabido desde siempre la manera de sobrevivir, me permití el lujo de soltar amarras. Pensé en marcharme a la casa de Connecticut para vivir en ella y dedicarme tal vez a la agricultura, si me atrevía.

Había momentos oscuros en que de pronto me convencía de que Marilyn no sabía sobrevivir en realidad. Pero mi ineptitud ante ella se superponía a este temor y lo eliminaba veinte veces al día. Era esto lo que tenía que aprender yo, a convencerme de que saldría adelante y se mantendría a flote. Por sensiblero que ello pareciese, es posible que de verdad Marilyn perteneciera al mundo. Y yo me esforzaba por olvidarme: ya no era asunto mío, que cada cual se preocupe por su propia salvación porque ningún otro lo hará ni podrá hacerlo. Pero me era imposible. Volvía a preguntarme si el psicoanálisis no sería superficial. ¿Sabía su médico que estaba en peligro de muerte por culpa de los somníferos? Es posible que se mitigase la alarma cada vez que la veía en el consultorio igual que una colegiala pletórica de proteínas horas después de haberse asomado a las fauces de la muerte. ¿Estaba él al tanto de su increíble resistencia física? Hasta su fortaleza conspiraba contra ella.

Volví a Los Angeles, no sin admirarme del instinto que había llevado a los pioneros del cine a edificar su industria en aquella zona de lozanía artificial, un desierto que se tuvo que regar para que verdeciera, una impostura desde el comienzo mismo, y recordé que Fox había pedido dinero a mi padre para invertir allí. El lugar no había sido nunca más que una máquina de hacer dinero. ¿Qué hacía que la gente, de un modo incesante, esperara algo más grandioso?

Llamaron a la puerta de la habitación del hotel hollywoodense. Vi en el pasillo a una joven de veinticuatro años, formalmente vestida con blusa y falda plisada, una fantástica imitación de colegiala con una boca displicente y utilizada en exceso.

—¿Tendría usted tinta? —La animada expresión de los ojos; qué forma tan ingeniosa y encantadora de decirme que me había reconocido y que sabía que estaba solo.

—¿Tinta?

—Es que quiero escribir.

—Pues no, no tengo tinta, pero le puedo dejar un bolígrafo.

—Yo sólo escribo con plumas de verdad.

—Caramba, ¿es usted escritora?

Hielo fino. Las mejillas se le colorearon.

—Bueno, estoy empezando. Quiero aprender. —Esbozó una ligera sonrisa.

—Magnífico. Tendré mucho gusto en dejarle un bolígrafo.

—Gracias, pero lo que quiero es tinta.

—Lo siento.

—Está bien. —Se alejó, voz debilitada por el rechazo.

Fui a la ventana y miré la piscina que había ocho plantas más abajo. Una joven nadaba al estilo crol. Salió del agua y se secó en una franja de sol, frotándose el pelo. Tenía muslos gruesos y trasero grande. Mujer, especie adorada y torturada. De joven creía que se les mentía siempre, ¿por qué no se daban cuenta?

Me dirigí a la playa, pero había poca gente y una brisa fría. Siempre había un no sé qué de apático y triste en el perezoso Pacífico que lo diferenciaba de un Atlántico brusco, frío y más salobre, lleno de furia e ideas.

Una niña salió del mar tirando de un terranova con una cuerda. «Hay un millón de chicas hermosas», me había dicho al estrenar cierta falda azul marino que había despertado mi admiración. Marilyn lo quería todo, pero una cosa contradecía a la otra; si se apreciaba su físico se corría peligro de devaluarla como persona, y sin embargo se ponía muy nerviosa si su aspecto pasaba desapercibido.

Me quité los zapatos y paseé por entre las lenguas de agua tibia que ascendían con suavidad la playa en pendiente. Al día siguiente no tenía que estar en ningún sitio, pero algo me obligaba a correr para recuperar el tiempo perdido. Aunque perdido ¿para qué? ¿Quién encuentra el tiempo que se pierde? El tiempo no se pierde nunca, se desperdicia, se tira, el carácter lo es todo y yo no había querido contenerme más. Y fases no las tenía. Desde aquel instante tenía que aprender a dominar la inmovilidad interior, a recuperarme desplegando energía, abriéndome a todas las cosas, en vez de quedarme con el ojo fijo en una diana que había desaparecido.

En realidad era imposible comprenderse a uno mismo, no digamos ya a otro ser humano. Sólo la ironía era verdad. El sol poniente y refrescante que yo contemplaba ascendía en el horizonte de algún otro sitio, joven y cálido.

¿Se ha sentido alguien alguna vez en su propia tierra? Resultaba chocante recordar que ella había nacido allí. Pero ni siquiera por eso la había podido comprender nunca: ella creía que aquella ciudad era auténtica y no una aparición surgida hacía poco de no se sabía dónde.

Bajo el sol poniente de un atardecer como aquél «dijeron que íbamos a dar un paseo con el coche, pero cuando bajamos y vi que se trataba del orfelinato, me sujeté a la puerta y me puse a gritar "¡Yo no soy huérfana, no soy una huérfana!". Tuvieron que desasirme con violencia para meterme. Y allí me dejaron». Marilyn había aprendido a reírse de los pobres ineptos que la habían abandonado.

Volví al coche y me quité la arena de los pies. La noche californiana de rápido enfriamiento, como la puerta de un frigorífico que se abriese en una habitación calurosa. La primera noche que pasó en el orfelinato le tuvo que marchitar las flores de la vida y sus tallos murieron allí en su interior. Porque tenía madre, y padre también, aunque ninguno de los dos en casa; tenía raíces y un ser identificable. Lo que era de verdad carecería pues de importancia en lo sucesivo, lo que cualquier extraño dijese podía arrojarla al arroyo y su mirada fija la desmoronaría. En consecuencia, convenía ser amable con el extraño, o parecer amable, y cantar el himno de los huérfanos que dice que la vida se reduce al atractivo.

¿Significaba sin embargo su grito de dolor que había sabido que tenía un padre de verdad, que incluso se había casado con su madre, aunque se habían separado? ¿Había sido la madre quien, en una de sus incontenibles salidas del hospital, había engendrado la idea del padre desconocido, rico y distinguido, que se había negado a reconocerla? Poseída por el pecado, arrojada al suelo por la violencia religiosa, ¿había inventado la pobre mujer la historia de la ilegitimidad y de su maldición, su inclinación al crimen, arrancándose la marca del corazón para esconderla en los sueños de la hija? Donde seguiría existiendo, claro.

El primero en intuir y creer en su orfandad había sido Ben Hecht, aunque Marilyn nunca había dicho con claridad si se consideraba huérfana auténtica o sólo una inclusera abandonada temporalmente en el orfelinato. Es posible que madre e hija compartieran idéntica confusión respecto de quién había sido o dejado de ser el padre, no teniendo más que una cosa clara: que la ilegitimidad era pecado y que el pecado despojaba a la persona de todas sus virtudes y valores. Hecht debió de advertir el encanto implícito, porque cuando una persona carece de importancia y al mismo tiempo es infantil e inocente, es un objeto sexual desprotegido o, si se quiere, un espíritu libre que no tiene a nadie en el mundo a quien rendir cuentas de lo que hace.

Una duda quedaba: Marilyn proclamaría contradictoriamente hasta el fin que tenía un domicilio, unas raíces y un ser, que en modo alguno era una huérfana indefensa, que no merecía el solapado desprecio que los rechazados como ella creen haber heredado; pero que también era tal y como se la deseaba, una hembra desinhibida, encantadora, sexualmente atractiva, sin domicilio fijo. ¿Ser quién entonces? Si una parte de ella no hubiera sido tan exigente hasta el punto de llevar una vida provechosa, la elección no habría sido tan difícil.

Ya en el avión de Nueva York, *Vidas rebeldes* fuera de mi vida, tuve que encogerme cuando un sesentón gordo que avanzaba por el pasillo en dirección a los lavabos se detuvo al verme y me señaló con el dedo.

—¡Hombre...!

—Sí, ya lo sé, pero no soy yo. Me parezco a él, pero no soy yo.

—¿Morris Green?

—Que no. —Pero no pude contenerme—. ¿Quién es Morris Green?

—¡Que quién es Morris Green! —exclamó como si hablásemos de Bob Hope—. Pues *Morris Green,* de Poughkeepsie. Almacenes Morris.

—Ah, ya. Pues no, no soy yo.

—Habría jurado que sí. Discúlpeme —dijo, continuando la expedición y apartándome de un golpe la mano del brazo del asiento. Me había convertido en parte del pasado, por suerte, y me diluía aprisa en el río nacional de rostros que se precipita en el barranco de Norteamérica.

Ocho

Nos conocimos en Reno, adonde había acudido con Henri Cartier-Bresson para tomar fotos de lo que sucediera. No creo que haya habido muchas películas mejor cubiertas periodísticamente que *Vidas rebeldes* y eran los últimos de la veintena de fotógrafos Magnum que se habían ido turnando a lo largo de los meses de rodaje. Marilyn había simpatizado con ella en seguida y sabido apreciar su amabilidad considerada y su carencia absoluta —notable en una persona dedicada a la fotografía— de inoportunidad. Le gustaron las fotos que le sacó Inge Morath, advirtiendo en ellas cariño auténtico.

Entré en el bar del Mapes y vi a Huston sentado a una mesa, bromeando a costa de sí mismo con una fotógrafa, una joven delgada, de aire noble, cabello cortado al estilo paje y acento europeo, que parecía tímida y enérgica a la vez. Me fijé en su corte de pelo, en sus ojos transparentes de tan azules, en la sensibilidad conflictiva que irradiaba; pero por entonces me preocupaba cómo terminaría lo que estaba pendiente de conclusión, todo se había desmandado y nunca he podido recordar bien lo que se dijo en aquella mesa. Que Inge y yo llevemos veinticinco años casados cuando escribo esto es algo que jamás habría imaginado entonces. ¡Cómo conciliar el cuarto de siglo que llevamos juntos, la mejor época de mi vida, con mi meditada resolución de no volver a casarme, definitivamente no por tercera vez! Las promesas del pasado pueden recordarse con frecuencia, pero son tan difíciles de reactivar como incierto es el futuro. Yo estaba convencido de que jamás volvería a sentir la necesidad de buscar y encontrar a la misma persona, la necesidad de confiar y de que confiaran en mí, pero se presentó y pasaron los días, luego las semanas, y los meses. Hace casi cincuenta años, en la católica Austria, sus padres se convirtieron al protestantismo antes de casarse para poder divorciarse legalmente si se daba el caso. En su opinión, un matrimonio debía durar lo que diera de sí. Nos casamos por tanto en un estado de humildad espiritual, con mínimas pero firmes esperanzas de futuro. Todo fue siempre provisional y así se mantendría, ante nuestra sorpresa, como un junco al que hay que admirar y no arrollar por descuido; el matrimonio, a fin de cuentas, se basa en el perdón mutuo, y ella sabía que tendría que prodigarlo a manos llenas.

Pero en aquel entonces no le dediqué más que una mirada rápida; no cambiamos más que unas frases hasta que meses después, ya en Nueva York, nos hicimos amigos. Aunque mucho más joven que Cartier-Bresson, durante los años que habían trabajado en París había sido para él una especie de conciencia profesional y se había lanzado con él a recorrer el país en un coche alquilado con la esperanza de ver la auténtica Norteamérica. Entre Nueva York y Reno habían buscado en vano un sitio donde comer. Siendo él francés y ella una austríaca que había vivido mucho tiempo en Francia, habían partido del fatal presupuesto de que en el camino conocerían la maravillosa cocina típica del lugar y por todas partes habían descubierto el mismo vía crucis de hamburgueserías. El, por suerte, había llevado consigo una pequeña resistencia, útil para calentar agua en un recipiente, y se alimentaron prácticamente a base de té y lechuga. Huston me contaría después por qué se reían tanto aquel día en el bar. Inge había sacado fotos durante el rodaje de *Los que no perdonan*, película que el mismo director había filmado cerca de la frontera mejicana poco antes de *Vidas rebeldes*. Trabajaba entonces para *Life* y *Paris-Match*. En la película figuraba Audie Murphy, el veterano de la Segunda Guerra Mundial convertido en actor de cine, el soldado más condecorado de Norteamérica que había acabado con legiones de alemanes sin ninguna ayuda. Una mañana, mientras John y unos amigos cazaban patos en la orilla del gran lago de la elevada región, Inge, que Huston insistió se apostase a sus espaldas para fotografiar sus piezas cayendo en el aire, acabó aburriéndose del ruido, de los perdigones que le caían encima, de su nuevo objetivo telefotográfico y se fue sola por ahí. Un par de manchas aguas adentro y lo que tomó por pelea irregular hicieron que se llevase el telémetro al ojo, con lo que descubrió que se trataba de una persona que por lo visto forcejeaba con un bote que se hundía. Llamó a los cazadores, que se encogieron de hombros, ya que sabían que se trataba de Audie que estaría por allí con el piloto del avión de la compañía, dos tíos de pelo en pecho, capaces de superar cualquier dificultad. Pero ella veía a dos hombres desesperados. Minutos más tarde se quitaba la ropa y, en bragas y sostén, se introdujo en las frías aguas del lago y tras nadar algo más de medio kilómetro encontró a Murphy que braceaba al borde ya del desmayo, demasiado débil para subir al bote del que se había caído; el piloto, incapaz de nadar asimismo, se había vuelto histérico y, aunque estaba dentro del bote, ya no le podía ni sujetar siquiera. Inge hizo que Murphy se sujetase al tirante del sostén y lo remolcó hasta la orilla. Tardó un buen rato y en el intervalo no se interrumpió en ningún momento la cacería de la orilla. Sin aliento apenas, se dirigió a aquellos individuos llamándoles hijos de puta a todos. En Reno otra vez, después de aquellos meses, Huston exultaba de alegría por volver a verla, manifestando por la hermosa joven el respeto especial que reservaba para las personas que habían mirado cara a cara a la muerte. En señal de gratitud, Murphy le había regalado su pertenencia más querida, un reloj que le había hablado del tiempo a lo largo de toda la guerra, un cronómetro maravilloso que Inge conserva aún. El otro objeto que Murphy guardaba con amor era un revólver que escondía siempre bajo la almohada y con el que disparaba hacia la entrada de la tienda de campaña cada vez que se despertaba en medio de una pesadilla. En Nueva York, donde solía hospedarse ella entre un trabajo y otro,

Cartier-Bresson y Gjon Mili, también un estupendo fotógrafo aunque de un estilo muy diferente, proseguían una batalla tan sorprendente como duradera por ver cuál de los dos se constituía en padrino fotográfico exclusivo de Inge. La polémica principal del momento era si ésta debía emplear trípode o no. Mili decía que rotundamente sí, Cartier-Bresson que bajo ningún concepto, y todo ello en francés, a lo largo de la Sexta Avenida, con la nieve cayéndonos encima, y en el amplio estudio que Mili tenía en la Calle 23; y con situaciones en que parecía que se peleaban en serio. Ella, en el ínterin, cogida entre dos fuegos, ensayaba variaciones sobre «Dios mío, basta ya, basta ya, ¡basta ya!», aunque, como es lógico, cuanto tuviese que decir carecía de importancia al lado de la autoritaria tutela por la que los otros dos disputaban. Eran profesionales, pero de ningún modo desapasionados. Su fanatismo común originaba a su alrededor una sensación de pureza; pese a su egocentrismo, eran inocentes a causa de su celo y preocupación. Yo quería ser así otra vez. *«Moi, je déteste... moi, j'adore... moi, je...»:* no hacían más que revolver las cosas del mundo para encajar en el orden de éste, dando por sentado que lo que pensaban era de capital importancia para la condición humana. Recién llegado de Hollywood, era para mí un estímulo, ya que nada de aquello tenía que ver con la oferta y la demanda; se trataba simplemente de un celoso fanatismo. Cierta vez, Cartier se puso tan furioso que echó mano de la navaja. Se querían e Inge se alegraba de representar el sentido común de ambos, aunque eran inaguantables. Cada vez que ella sacaba una foto de primera, los dos la ponían como ejemplo de lo que le habían estado aconsejando a pesar del otro.

Gjon Mili era alto, con un bigote colgante bajo una nariz mesooriental, larga y aberenjenada, y un pelo que le cortaba Samy, otro albanés incansable que hacía de recadero de Mili y que perdía fácilmente la cabeza por culpa de los estilos peluqueros. Gjon no compraba nunca nada aparte de accesorios fotográficos y podía alimentarse toda la semana con un trozo de queso o un pan rancio. Una cabra montés. *Life* le cedió un despacho de una sola pieza en el propio edificio de la revista cuando se le incendió el estudio, catástrofe histórica puesto que tenía allí miles de fotos, regalos, sombreros antiguos y cartas de Picasso y de todos los importantes de los últimos cincuenta años. Le gustaban los bailes populares y todas las semanas se iba a Broadway sur para saltar con un montón de albaneses, la mayoría de los cuales le llegaba al ombligo. Todo era maravilloso para él. Era un poco como Saroyan, un hombre fundamentalmente incazable, ávido de amistad y de soledad y que ignoraba lo que valía un dólar; aunque se las daba de negociante astuto, en realidad le traía sin cuidado. Dos décadas más tarde, en el curso de sus últimos años, hablaba mucho de su madre, cuyo beneplácito necesitaba aún: octogenario casi, Norteamérica le abriría las puertas del éxito y ella, mujer nonagenaria, se jactaría de ello en las perdidas montañas de Albania.

Cartier-Bresson orbitaba sin embargo en otro universo: normando de familia distinguida, había leído mucho, siempre iba afeitado y un poco a cuenta de su parte inglesa solía llevar chaquetas de mezclilla de tonos apagados. Durante la guerra lo habían hecho prisionero los alemanes, se había escapado a la tercera intentona y apenas había dejado de viajar desde entonces. China, la Unión Soviética, Africa, la India, con su Laica había registrado el digno silencio del mundo. Al igual que Inge y Gjon, vivía pintando, pero a diferencia de ella, de la política también.

Ninguno de los tres se relacionaba ni podía relacionarse con la incomprensión de la generación siguiente respecto de que la fotografía era en cierto modo, de misteriosa manera, una profecía dilatada. No sabían cómo explicar que una fotografía tenía que inclinar el corazón hacia el mar del espíritu y, aunque fuese de lejos, suscitar en los perversos, los egoístas, los intransigentes y los obtusos el deseo de destruirla. El enemigo era siempre la indiferencia, y los enmascaramientos de la vulgaridad, una de las artes más vulgares. Me sentía muy cerca de la distancia con que Inge lo enfocaba todo, una distancia que sin embargo le permitía abordar cualquier cosa con un desinterés interesado.

Lo que de continuo me sorprendía era la austeridad de su orgullo. «Soy una esnob», me dijo una vez, refiriéndose a que nunca estaría en medio de una multitud, antes bien en la periferia, para poder contemplar el conjunto. Balenciaga, a cambio de sus fotos, le había regalado una pamela gris y un abrigo holgado de igual color, junto con una serie de prendas; por cierto, hablaba el castellano como un español y, cuando lo creía oportuno, discutía con él. Educada en la Alemania nazi y su falso populismo, tendía a desconfiar de la bondad y generosidad humanas. Por no querer integrarse en las organizaciones estudiantiles nazis la habían condenado a trabajar en el aeropuerto berlinés de Tempelhof, en un período en que había bombardeos diarios, montando aviones con prisioneras ucranianas a las que sin duda nadie echaba de menos.

Cruzábamos el Rin en un pequeño transbordador, un año después de conocernos, cuando de manera inesperada la abordó un caballero elegantemente ataviado con chaqueta de mezclilla y sombrero de fieltro. Yo estaba en la borda, contemplando la orilla y, al volverme, vi que se inclinaba con sonrisa inmóvil y halagadora. Al abandonar el transbordador con el coche, Inge me contó que el individuo le había pedido que le ayudara a encontrar editor para un libro que estaba escribiendo.

—Fue el que me envió a Tempelhof.

—Quiso que te mataran.

—Sí, puede decirse de ese modo. —Se puso pálida.

Subimos una montaña y nos detuvimos ante un castillo que daba al Rhin. Majestuoso. Todo lo había organizado el Ku Klux Klan, y con idénticos presupuestos ideológicos. Pero también Heine había estado allí una vez. Es posible que el pasado hubiera fenecido de verdad y que la vanguardia estuviese en lo cierto. Pese a ello, yo tenía que rastrear los elementos de continuidad. Había que explicarlo todo para que se comprendiera y no volviese a suceder, pero la vanguardia se dirigía sobre todo a sus neófitos y no me parecía que bastase con ello. Por otra parte, ningún realismo convencional podía dar cuenta de aquella civilización de asesinos. Vaya con aquel sujeto de aspecto corriente, preguntarle con toda educación si podía ayudarle a encontrar editor, los dos a merced del viento en la cubierta del pequeño Jerry: no tenía éste capacidad más que para cuatro coches y unos cuantos pasajeros, pequeño e idílico transbordador al pie del amplio castillo desde cuyo torreón almenado un barrigudo señor de la guerra y la cerveza había cañoneado hacía mucho tiempo a los barcos que no se detenían para pagarle el correspondiente derecho de paso. Era una forma corriente de ganarse la vida en aquella época, según se dice. Si se poseía un castillo, no se hacía otra cosa, y además se pertenecía a la nobleza y se tenía blasón y soberbia.

Yo habría sido de los cañoneados, no de los cañoneadores. La concepción judaica de las cosas es a veces muy molesta.

Descendimos la montaña. El Rhin daba miedo cuando se entregaba uno a meditar en este sentido. Pero lo mismo sucede con todo. «Nunca piensen durante demasiado tiempo en una sola cosa», dijo en 1935 el anciano profesor Pillsbury, que no mucho antes había sorprendido en el interior de su propio cerebro el deseo de fugarse al mundo. Descendimos pues la montaña y seguimos charlando, aunque ya no del hombre del transbordador. Poco a poco me iba dando cuenta de por qué se calificaba Inge de esnob.

Johnny Langenegger, mi chófer e ingeniero de sonido, conducía con cuidado la furgoneta Chevy 1940, nueva y de color verde, por la carretera que apenas se veía entre los pinos, cuyas ramas arañaban el techo del vehículo oficial. En cierto punto nos encontramos de pronto al borde de un precipicio de granito que diez pisos más abajo desembocaba en un terreno de dos kilómetros de anchura. Podíamos ver los puntitos móviles de los hombres que trabajaban en la cantera. El aire olía a resina, a naranjas podridas.

La cabeza de Johnny estaba casi pelada al cero. Quería enrolarse en los marines para combatir en la guerra descomunal que según él estallaría pronto, en 1941 lo más tarde, y no quería estar en el ejército de tierra. Nos quedamos en la furgoneta ideando la manera de bajar hasta los canteros, a los que quería pedir que hablasen por el micrófono conectado con el gran aparato fonográfico de la parte trasera del vehículo. Recogía pronunciaciones dialectales para B.A. Botkin, del departamento antropológico de la Biblioteca del Congreso, y en el curso de los diez últimos días habíamos recorrido Carolina del Norte hablando con personas de todas clases. Era extraordinario que en aquellas regiones apartadas y recónditas la pronunciación pudiese cambiar de un kilómetro a otro de una manera tan radical y se decía que los canteros hablaban de una forma particular propia. No había tenido más remedio que aceptar el empleo, que me había ofrecido mi amigo Joe Lisa, que trabajaba en la sección radiofónica de la biblioteca. Hacía apenas dos años que había salido de la universidad y, disuelto por el Parlamento el WPA Theatre Project, no había podido encontrar nada estable en la radio comercial y de mis dos Premios Hopwood ya no me acordaba ni yo.

«¿Por qué no volvemos a la carretera asfaltada y vemos si conduce a alguna oficina? Tiene que haber un camino para bajar», dije a Johnny. Cuando se volvió hacia mí, advertí que los ojos se le dilataban y se le entreabría la boca. Me giré hacia mi ventanilla y me vi ante el cañón octogonal de una escopeta. El arma nos hacía señas. Al otro extremo de la misma había un viejo de cara colorada con mono y camisa de dril apoltronado en una camioneta —era asombroso, mágico casi, que se hubiera acercado sin que la oyéramos— y junto a él una mujer fuerte y delgada que le tiraba del brazo derecho al tiempo que le decía no sé qué con aspecto a la vez irritado y asustado. El viejo carirrojo hablaba enseñando hasta las raíces la enorme dentadura postiza de cuadrúpedo. La mujer no dejaba de tirar de él, mientras lo llamaba por su nombre, Martin o Carter, quizá.

—¡Salid de ahí, judíos cabrones, u os hago picadillo! —Quitó el seguro y la cabeza se me fue contra el parabrisas cuando Johnny metió la marcha atrás como un rayo y reculamos por el camino polvoriento al menos a treinta y cinco por hora.

El tío había visto en la portezuela de la furgoneta el sello federal dorado que decía «Gobierno de los Estados Unidos» y esto significaba Roosevelt, a quien en algunos puntos de la zona llamaban Rosenfeld, y por tanto todos éramos judíos dispuestos a mezclar las razas, a que los negros se acostasen con las blancas y demás, porque esto era lo que buscaban los judeznos, aniquilar a los cristianos, etc., etc. Es posible además que se hubiera enterado de que yo había estado en la plaza del pueblo hablando con los negros que no tenían ningún sitio donde ir después de que les hubieran despedido del varadero que habían terminado de construir hacía muy poco en el fango de la marisma.

La imagen de aquella escopeta haciéndome señas se me quedó grabada en el cerebro como si hubiera estado contemplando el sol directamente durante un rato. Volví a ver el agujero negro y acerado del cañón mientras bajábamos la montaña en dirección al Rin. No bastaba con decir sencillamente que el pasado se había liquidado. Pues ¿por qué no parecía haber ninguna relación concreta entre el presente y quien yo era entonces? La liquidación se dio para mí a comienzos de los sesenta, la desconcertante supresión total de todo cuanto había existido.

Inge y yo nos dirigíamos a pie por Madison hacia el Waldorf-Astoria. No tardaría en marcharse a no sé qué montañas argentinas para sacar fotos del rodaje de una película con Yul Brynner. Un par de años antes, para las Naciones Unidas, había fotografiado con el mismo actor a algunos refugiados en el norte de Africa.

Íbamos aprisa. El invierno se había abatido sobre Nueva York y hacía que tras los escaparates los establecimientos pareciesen acogedores. Llega un momento en que un hombre y una mujer se dan cuenta de que son amigos y pueden desvincularse o vivir juntos y separarse la mar de contentos, sin que el uno dependa del otro. Un momento extraordinario.

Habían transcurrido unos seis años desde que me introdujera en el Waldorf después de pasar unos días en las calles de Bay Ridge con los pandilleros y doce más o menos desde la Convención Waldorf. Ahora me dirigía allí para responder preguntas, en compañía del novelista James T. Farrell, ante una representación de la Asociación de Psicólogos Norteamericanos. En opinión de Inge, podía ser interesante; su padre había sido profesor y científico y la actividad académica era asunto serio. Pero para mí no era más que otro amago de mirar por la ventana del tiempo, un tiempo que ya no podía decir que fuera mío. Una época es de una persona cuando dicha persona y sus amigos dan por sentadas las mismas cosas sin pensar demasiado en ellas. A mí me daba la sensación de que yo ya no podía dar nada por sentado y me esforzaba por adivinar qué presupuestos habían sustituido a los míos. El país se me había vuelto extraño y no comprendía ni cómo ni por qué me había convertido en un sujeto culturalmente duro de oído.

Un público de cientos de personas, mujeres la mayoría, curiosamente. Aún no estábamos en Vietnam y la II Guerra Mundial había terminado hacía mucho. La Depresión no se había saldado. Los coches tenían aún aletas impresionantes. Era antes de que Kennedy fuera asesinado, pero Castro nos había derrotado en la Bahía de Cochinos y los hombres llevaban aún el pelo corto. Milton Berle y Sid Caesar aparecían en televisión. Sinatra era demócrata todavía, como casi todos los del mundo del espectáculo. Pese a ello, comenzaba a haber tintas colorantes y matizadoras en el tebeo nacional; el abrazo liberal se aflojaba, pero el proceso carecía aún de nombre.

Farrell y yo hombro con hombro. Aunque procuraba concentrarme en las ponencias, ya no sabía por qué estaba allí, pero como Farrell, hombre vehemente y sincero donde los hubiera, parecía absorto en lo que sucedía, creí que también yo tenía que parecerlo. Puede que esperase a que alguien dijese algo que por una de aquéllas me sirviese para marcar el compás de la época.

Acabados los dos discursos de rigor, alguien me preguntó sobre el lugar de la moral en la ciencia. Todo el mundo estaba catalogado por una etiqueta y yo era aún el moralista, y eso que con un divorcio en el bolsillo y otro por venir, no era yo lo que se dice un ejemplo.

Sólo se me ocurrió decir que no se podía separar la moral de la ciencia, respuesta que chirriaba a la luz de las evidencias a poco que recordáramos el ejemplo de los médicos nazis, que, so pretexto de estudiar la fisiología de los ahogados, arrojaban a las albercas a personas atadas de pies y manos, y luego las sacaban para hacerles la autopsia. Haber construido una catedral o una sinagoga no significaba que se tuviera religión, y abrir en canal a las personas no equivalía a trabajar científicamente. Respondí con la mayor brevedad que pude, esperando pasar a cosas más interesantes a continuación.

Pero la respuesta pareció despertar inquietud en el público. El hecho me desconcertó. Y cuando todos se pusieron en pie para irse, un grupo de personas, mujeres en su mayor parte, me rodeó y me preguntó por qué no era científico arrojar al agua a aquellos individuos atados. ¿Hablaban en serio? Por lo visto, sí. Sólo pude contestar que si aquello era científico, yo prefería la Edad Media. Pero en términos generales me quedé sin habla. Era la primera vez que me encaraba con la moda *cool*, con la veracidad sin verdad, con las caras posthumanistas inexpresivamente interesadas. Estaba rodeado por veinte o treinta mujeres de ningún modo convencidas de que ahogar al prójimo no era científico y querían más explicaciones. Es posible que me equivocara, pero me pasó por la cabeza la idea de que aquello no habría podido ocurrir antes de la guerra, antes de que se hubiera practicado sistemáticamente en los campos de concentración. Otra vez estaba confuso.

—¿Y si unos cuantos médicos dijeran que tienen que carbonizar a cinco o seis millones de personas para saber si el humo humano tiene algún efecto especial en la atmósfera, dado que nunca se ha probado, al menos a tan gran escala? ¿Sería esto científico? —Pero mis palabras se perdieron en medio del parloteo y al salir no estaba ya muy seguro de que hubiera una forma de concretar qué era la ciencia. Me pareció que las mejillas de Inge habían palidecido, igual que a orillas del Rin.

Se nos había enseñado con orgullo que la ciencia era el triunfo de la razón, la derrota de la Bestia Irracional. Pero ¿qué pasaba cuando la Bestia Irracional estudiaba las disciplinas científicas? Para mí había dejado de ser un problema intelectual y me había traspasado el corazón de parte a parte. Vivía en un hotel, sin distracciones —inhabitual en mí—, y demasiado tiempo solo tal vez, había acabado por temer algo que no sabía definir ni nombrar.

Brooks Atkinson me visitó una tarde sin ningún motivo especial o entrevista en la cabeza y charlamos durante una hora aproximadamente. Me dio la sensación de que le había decepcionado; puede que, mientras le adivinaba el pensamiento, esperase que después de mis casi cinco años de notoriedad hollywoodense estuviese más que decidido a volver al teatro. Un rasgo generoso de su parte pensar que el teatro me necesitaba —Atkinson también era de los que se preocupaban un montón—, pero el sentimiento que me dominaba aquellos días se parecía mucho a la confusión. Bueno, la verdad es que no estaba seguro, pero de todas todas no era un talante con el que comenzar una obra.

Donde quiera que mirase advertía el fin del pasado. Apenas veía ya a nadie de mi generación. A mis cuarenta y tantos años me figuraba el más viejo del lugar. Era muy extraño que pocos recordasen lo que recordaba yo.

Proyecté en la ciudad este mismo desquiciamiento: nadie habitaba el cuerpo que le correspondía, nadie estaba emparejado con la persona idónea y todos decían cosas que en el fondo ni creían ni comprendían. Corrían en lanchas motoras arrojando por la borda objetos que oscilaban en la estela: niños, macetas, sartenes, perros y gatos, casas, maridos y esposas, todo ello arremolinándose en el agua espumosa para perderse después de vista y en el pensamiento.

El teatro serio conjugaba por entonces la idea de la destrucción, que no hay que confundir con la tragedia. Yo no la aceptaba, aunque apenas tenía argumentos para rebatirla, dado que había acabado por formar parte de mi vida.

Fue algo muy singular, pero los años sesenta se anunciaron como la época de la aceptación de la naturaleza humana, del hombre sin autoengaños, aunque a mí se me antojaba una época de autonegación. Pero ¿de qué? ¿Qué habíamos hecho que no pudiésemos afrontar?

Acabé pensando otra vez en *La caída* de Camus, en el moralista incapaz de olvidar que no ha impedido que la joven se mate arrojándose al río. Yo lo habría planteado de otro modo. La cuestión no era si no se había sabido ser valiente. Era otra cosa. No se puede obligar a nadie a ser valiente, o se es o no se es. ¿Qué más podía decirse al respecto?

En Roxbury, donde cada vez pasaba más tiempo solo, temía haberme enamorado demasiado de la soledad y el silencio. El granero en ruinas, vacío desde la partida del anterior propietario, y los campos en barbecho, que durante dos siglos habían mantenido a varias familias, pedían a gritos que se los volviese a utilizar, del mismo modo que mi espíritu parecía haber estado a merced de la casualidad durante demasiado tiempo. A semejanza de mi parcela interior, la tierra anhelaba un objetivo y las formas que sólo el trabajo entrañable puede dar.

Inge, llena de planes, tenía trabajo en Francia. Echaba de menos la importancia que daba a los momentos, a las posibilidades que contiene el día que comienza. Si iba a trabajar de nuevo necesitaba un espacio ordenado a mi alrededor, y cuando Inge estaba fuera trabajando, se me desarrollaba la propensión a tropezar con las puertas. Pero en ningún momento debí proponerme la redacción de otra obra, porque éramos semejantes a la música, que despierta ilusiones esperanzadas con simples vibraciones aéreas que acarician el oído y que no duran más que unos segundos. Sentía una desesperación imposible de afrontar y de rehuir y lo único que sabía de cierto era que necesitaba largos períodos de tiempo sin interrupciones para reencontrar el pulso de la literatura. Nunca hay que pedir a la pareja que coopere con silencio. En aquel año de conocimiento mutuo, las ideas más sencillas —que yo necesitaba para ayudarme a seguir tirando— se habían convertido no sólo en evidentes sino también en honrosas, e incluso en una especie de fortaleza. Es posible que Ibsen se equivocara: el más solo no es el más fuerte, es sencillamente el más solitario.

En la misma calle vivían los Calder, Sandy y Louisa, a quienes había conocido al trasladarme a la zona a fines de los años cuarenta. Su presencia siempre había sido tranquilizadora para mí, aunque habían empezado a pasar largas temporadas en Francia. Me había acostumbrado a visitarles por la tarde y a tomar vino con Louisa o bien a estar de charla con

Sandy en su estudio, mientras él retorcía y cortaba alambres y trozos de hojalata, destinados a sus esculturas móviles. Cierto día hacía bocetos de los paneles acústicos que habían de colgar del techo del gran odeón de Caracas —Inge y yo los contemplaríamos allí veinte años más tarde—, pues se había licenciado en ingeniería por el Instituto Politécnico Stevens con los máximos honores de que se tenía noticia. Al igual que el pintor Peter Blume y su mujer, Eby, que vivían en Sherman, junto a Malcolm Cowley, los Calder se habían trasladado allí durante la Depresión, cuando el paisaje consistía aún en minifundios anémicos. Los lugareños sabían vivir felices con poco dinero: la casa de los Calder había costado tres mil quinientos dólares y los cien que habían abonado de entrada se los habían pedido prestados a Bob Josephy, uno de los más distinguidos ilustradores de libros de la época. Las granjas agonizaban ya por entonces, pero la zona ostentaba aún su aire de relajada decadencia rural. Yo todavía conservaba en el granero el calesín con que el agricultor que me había vendido la propiedad solía ir a la iglesia.

Sandy quintaesenciaba cuanto hacía porque su espíritu era el de un niño, lo mismo que su seriedad; jamás teorizaba, ni sobre arte ni sobre política, y cuando veía un lienzo que no le gustaba, se limitaba a decir «*Poopy-doopy*», sin demorarse mucho ante él. Pero no era ignorante en relación con lo que estaba sucediendo y dejó a un lado sus costumbres para echarme una mano en la mala época en que me quedé sin pasaporte y se me acosaba. Sandy y Louise eran más de diez años mayores que yo y yo encontraba cierto placer histórico en su conocimiento de los años veinte y treinta, épocas en que ella, sobrina nieta de Henry James, y él, hijo del escultor responsable del gran arco de Washington Square, habían visto una Nueva York muy diferente de la que yo conocía, no una urbe de inmigrantes afanosos, sino de familias antiguas y hombres poderosos y discretos. Seguían viviendo con el estilo relajado del conformismo bohemio, sin juzgar a nadie, con curiosidad por todo, aunque no muy debajo de la superficie había un sentido noble y porfiado de la responsabilidad ante el país, un instinto seguro para la honradez que en los años sesenta, con su experimentalismo disparado y su caprichosidad superlativa, parecía, por su nada pretenciosa sencillez, casi perdido para la historia. Un cuarto de siglo más tarde trataría de dar cuenta del amor que sentía por ellos en *I Can't Remember Anything*, pieza en un acto.

Su pronunciación sincopada era tan difícil de entender como inconfundible y un domingo de los años cincuenta, por la mañana temprano, penetró su voz por la ventana de mi dormitorio y me despertó de golpe: ¿de verdad estaba en la calle hablando en *francés*? Salí y me lo encontré paseando con sus zapatillas agujereadas y rotas en compañía de Oskar Nitschke, un arquitecto francés que se había quedado sordo no hacía mucho; Sandy había cogido un trozo de manguera de jardín, lo había empotrado en un embudo de aluminio y hablaba por el artilugio mientras Nitschke mantenía el extremo de la manguera pegado al oído y se quejaba de que Sandy le iba a romper los tímpanos de tanto gritar. Del cuello de Nitschke colgaba un pedazo de cartón con una frase escrita con la inimitable caligrafía de Calder, que decía: ESTOY SORDO. Iban con sendas botellas de vino tinto. Estaban enfrascados en una conversación muy seria sobre un tema que he olvidado, aunque recuerdo haberme unido al paseo hasta que dieron la vuelta y desandaron el kilómetro y medio que había hasta la casa de Calder. Fue al final de una de las fiestas que daban y que solían durar toda la noche. Los dos avanzaban con pie titubeante por la calzada, por la que en aquella época no pasaban más que dos o tres coches al día.

Los Calder ya no estaban allí casi nunca y los hombres y mujeres que yo había conocido y que se dedicaban a la agricultura habían desaparecido casi en su totalidad. No obstante, en las mañanas que hacía fresco se apreciaba en el aire el antiguo y apacible perfume de una primavera campestre, tiempo que siempre me había incitado a la gestación de nuevas obras. Pero no estaba yo preparado para una empresa así y con tal estado de ánimo es fácil barajar nuevas fugas: a París, por ejemplo, donde Sidney Lumet estaba a punto de comenzar el rodaje de una película basada en *Panorama desde el puente*, con Raf Vallone y Maureen Stapleton. Vallone había cosechado grandes aplausos durante las dos temporadas en que se había representado allí la obra. Más aún, en Londres había recaudado derechos de autor suficientes para comprarme un Land Rover e irme con él a París. No se me escapaba que era un pretexto para reunirme con Inge, aunque, en ocasiones, incluso un pequeño autoengaño es mejor que ninguno. La verdad pura y simple era que deseaba disfrutar del momento y de la esperanza de que habría otro después, e Inge era una compañera estupenda para eso. Feliz el hombre que no necesita decir más de lo que sabe ni menos de lo que cree. Sentía en mí un respeto desconocido por los hechos puros, quería dejarme llevar por las experiencias y nada más. Es posible que también quisiera ver a Inge otra vez porque respetaba mucho la confusión ajena y, artista ella asimismo, no le resultaría difícil conjugar las perplejidades con las resoluciones. Además, se me antojaba cada vez más hermosa, vale decir indefinible. Yo sabía, en pocas palabras, que me encontraba en apuros.

El Pont-Royal, donde había estado al acabar la guerra, se estaba restaurando por entonces y su antigua y dorada pátina de gracia burguesa resplandecía otra vez entre la suciedad de los años bélicos. Había desaparecido el conserje de puños raídos que recorría París una vez al día para dar de comer a sus conejos. También había desaparecido, a comienzos de los sesenta, el paisaje de avenidas y calles: los coches estacionados ocultaban la vista de las plantas bajas y los fabulosos zaguanes. El tráfico era el telón de boca de París, la arquitectura el telón de foro, y los ciudadanos eran esquirlas que se abrían paso preocupados por el laberinto de parachoques, guardabarros y tubos de escape. Pero las ostras y el color del cielo parisino eran todavía sublimes.

Inge disfrutaba de la vida como sólo lo hace quien ha estado a punto de morir. Los supervivientes se comprenden entre sí en esta época. Todo se le antojaba sencillo: de la gente había que esperar poco, pero se tenía el derecho de exigir este poco y la gente la obligación de darlo.

En Tempelhof, un bombazo había abierto una puerta, Inge se limitó a salir y puso rumbo al sur, hacia Austria, más por tener un destino que por creer que su familia viviera y residiese todavía en Salzburgo. Era la historia que por entonces se escuchaba cientos de veces: la catástrofe final del Reich, los viajes en camión, los ríos de gente empujándose en ambas direcciones, los inesperados rasgos de honradez y las mezquindades habituales. Hasta que por fin fue a un pequeño puente y cuando saltaba ya el pretil para buscar la muerte en las aguas, la detuvo un hombre mayor, un soldado con muletas que la sermoneó en el sentido de que no renunciase jamás e hizo que le siguiera; al final, al cabo de varios días de camino, llegaron a Salzburgo.

Pero la memoria le fallaba, no recordaba ya la casa en que había vivido y no creía probable que sus padres siguieran viviendo allí. El soldado mutilado la conducía de una manzana a otra, pero ella siguió sin recordar nada hasta que, en la periferia de un barrio opulento, experimentó una cálida sensación de familiaridad. Pero el hombre se burló de aquello —allí sólo había ricos y no era muy probable que una joven mugrienta y vestida con harapos perteneciera a esta clase—, e iban a marcharse ya cuando Inge reconoció de pronto una aldaba de bronce, se dio cuenta de que era su casa, se precipitó sobre la puerta, llamó y apareció su madre, que la miró con perplejidad. Un milagro. Se abrazaron, se volvieron para dar las gracias al soldado e invitarle a entrar, pero había desaparecido. Echó a correr, miró a un lado y otro de la calle, pero no lo vio. Como si un ángel la hubiera visitado en un sueño. Estaba segura de no haber soñado. ¿Por qué se había ido? ¿Había comprendido que su lugar no estaba entre aquella gente distinguida? Es posible que detestara a los ricos o que los temiese.

No es que estuviese totalmente exenta de autocompasión al contarlo, sino que parecía dar por sentado en términos absolutos que había que encontrar la fuerza necesaria para salvarse; estimulante seguridad implícita, más propia de la tragedia que del simple sentimentalismo. No era ni optimista ni pesimista; ya tenía bastante con las penalidades sufridas hasta entonces, ¿para qué buscar más? Pese a que esperaba lo peor, aceptaba lo bueno de las personas; a decir verdad, una filosofía realista o tenía en cuenta al soldado o no era veraz con la vida, y quejarse del mundo en su totalidad era negar que la aterradora bondad existía. Una guerra de aquel jaez no habría tenido que templar a una mujer como ella, pero lo había hecho. Y me resultaba difícil creer que un norteamericano pudiera suscitarme tanta simpatía como ella.

Así pues, unos cuatro años más tarde de que Walter Wanger me pidiera que escribiese un guión sobre *La caída* —la historia de un hombre que no había impedido que una mujer se arrojase desde un puente—, una mujer me contaba que un hombre le había impedido arrojarse del mismo modo.

¡Qué extraño, sin embargo, que dicho hombre se hubiera evaporado!

Cierto mediodía, Marilyn se presentó en la casa de campo con su hermanastra, Berneice Miracle, y con Ralph Roberts, actor y amigo intensamente dedicado a ella, durante la guerra oficial en los Carlson's Rangers, masajista ahora, un gigante amable y robusto, medio indio, de pómulos prominentes. Las había traído en un cinco-puertas prestado para llevarse el enorme televisor del segundo piso, regalo que la RCA había hecho a Marilyn un par de años antes, así como otras pertenencias.

Marilyn quiso enseñar a Berneice la casa y los cambios que había hecho en ella. La condujo por todos los rincones y luego salieron al césped para contemplar el paisaje inagotable. Le contó que había hecho construir mansardas y levantar el techo de un ala para poner una habitación encima de la cocina, etc., etc. Roberts, entretanto, transportaba bultos al vehículo. Las invité a tomar el té y me fui a continuación, pensando que Marilyn querría estar a solas con Berneice, una recatada joven de Florida. Deduje que se habían conocido hacía muy poco y Marilyn me la presentó no sin orgullo por el parentesco que las unía. Que yo recordase, Marilyn no me había hablado nunca de ella, y si alguna vez hubiera sabido yo que era hija del primer matrimonio de la madre de Marilyn, lo hubiese olvidado en seguida.

Media hora después oía el ruido de la portezuela trasera al cerrarse y salí del estudio para despedirme de Roberts y Berneice, que ya subían al vehículo. Me encaré con Marilyn, sola ante el garaje, y nos sonreímos, por nosotros y por lo absurdo de todo. Me pregunté qué recordaría y qué no de los años que habíamos pasado juntos. Y después cuánto conservaría yo una vez que la autonegación hubiese llevado a cabo su labor depuradora. Vio el nuevo Land Rover crema que me había traído de Europa un mes antes y supuso, basándose en su existencia, que tenía intención de quedarme a vivir allí, cosa que la intrigó. Quiso saber qué era *aquello* que sobresalía de la parte trasera del chasis y le dije que era un enganche con toma de fuerza para arrastrar el aparato de riego destinado a los árboles frutales que tenía intención de plantar. Me dirigió una mirada de sorpresa en la que me pareció ver cierto pesar, si tenemos en cuenta todas las esperanzas que habíamos puesto en aquella casa; ella me había obligado a comprar más y más tierra y al principio yo me había opuesto alegando que no nos hacía falta y que contraeríamos deudas, pero al final había resultado una inversión inteligente y también hermosa. Sin embargo, había tenido que vender algunos manuscritos para pagar los impuestos. Pero allí estaba, aparentemente instalado, mientras que ella volvía a estar en el aire, como había estado siempre y como yo no podía estar si de veras quería reanudar una vida dedicada al trabajo. Habíamos descubierto, sencillamente, la implacable continuidad del pasado y yo sabía ya que nadie estaba nunca libre de él sin correr el peligro de matar o suicidarse en el intento de rehuirlo. Somos lo que éramos, con algunas pequeñas mejoras elementales si tenemos suerte, y Marilyn y yo habíamos forzado la situación hasta un punto límite.

Parecía retrasar la partida. A sus espaldas, el vistoso cornejo perdía la última de sus hojuelas secas y la luz que rodeaba a Marilyn era del color gris del arbusto y del otoño. Llevaba mocasines, que siempre le habían dado aspecto quinceañero, y un suéter color crema, que se levantó de súbito para enseñarme una venda en derredor del tórax.

—¿Ves la venda? —Sonrió con malicia, como si el adminículo demostrase un argumento que estuviera deseosa de exponer.

—¿Qué te ha pasado?

—Me operaron del páncreas. Por eso me quejaba siempre.

Yo sabía que no había querido decirme aquello como si fuese un reproche: como si yo, y Huston también sin duda, no nos hubiéramos tomado lo bastante en serio su mal estado de salud, por culpa de nuestra intransigencia ante los infinitos retrasos que había ocasionado a la película; lo único que trataba de decirme era que su comportamiento no se había debido a la mezquindad ni al mal carácter ni a la drogadicción. Pero hizo que me preguntase si incluso en aquellos instantes no se daba cuenta de lo cerca que estuvo del final que había estado buscando. Porque por su voz y por la forma ilustrativa con que mantenía levantado el suéter daba la sensación de que consideraba la enfermedad una visita pasajera y no una consecuencia del abuso de los barbitúricos; ignoraba que aún estaba en peligro por culpa de su propio ser y de su resentimiento, por muy justificado que estuviera éste; seguía siendo en dosis abrumadoras una niña y una víctima. Sentí por dentro que se me rebullían las advertencias de antaño, pero me contuve y dejé que remitieran. Y a pesar de estas antiguas y carcomidas banderas de señales con que nos enviábamos mensajes, creo que los dos nos sentimos un poco idiotas al despedirnos cuando el coche abandonó el camino, cuya curva particular habíamos trazado con el arquitecto hacía casi cinco años. Me quedé solo, contemplando las piedrecillas negras empotradas en el asfalto y recordé lo mal que le había sentado el que no fuéramos a disfrutar del elegante crujido de los guijarros bajo las ruedas de los coches, como solía ocurrir en California; en Roxbury nevaba y los artilugios quitanieves los habrían desplazado hasta la carretera todos los inviernos. Desde luego, siempre se habría podido conseguir más. Y ella tenía razón también: se podía conseguir más si el gasto no importaba. Volví a la casa discutiendo todavía conmigo mismo al respecto. Nada termina en realidad.

Se han inventado demasiados honores para honra del donante para que se acepten sin cierta dosis de escepticismo, aunque aquella vez fue grato asistir. Entre los muchos que esperaban en el Salón Azul el momento de la cena estaban algunos de los mejores pintores y escritores del país, así como científicos, músicos y compositores. La cena que iba a celebrarse en la Casa Blanca era en honor de André Malraux —entonces ministro de cultura de De Gaulle, y cuya obra admiraba yo desde los años treinta— aunque también era, de modo manifiesto, una exhibición de la dignidad intelectual norteamericana. Ante mi sorpresa y deleite, me enteré de que iba a sentarme junto a Jacqueline Kennedy y Malraux. Ujieres de la marina con uniforme de gala azul formaron con la alegre concurrencia una cola larga, como si de colegiales se tratase, y la condujeron hasta el comedor, donde cada cual fue a la mesa asignada. A mí me pusieron al final mismo de la cola, tal y como había decretado mi sino desde la primera enseñanza, por culpa de mi estatura, y mientras avanzaba despacio vi a un hombre solo que se había quedado al margen. De estatura impresionante, con una camisa de frunces y color azul claro, manifestaba casi una actitud de abierto desprecio por la ocasión con la rodilla en alto y el pie apoyado en el pulcro entrepaño, mientras se limpiaba meticulosamente las uñas con una lima, igual que un vago delante de una tienda de pueblo. Parecía respirar hostilidad, si no cólera furiosa. Le reconocí la cara poco a poco. Era Lyndon B. Johnson, vicepresidente de los Estados Unidos, y saltaba a la vista que no estaba en su elemento aquella noche. Fue la única vez que me compadecí de un vicepresidente.

Pese a que los tentáculos de la administración habían estado a punto de estrangularme en el pasado, simpatizaba con Kennedy: por fin un presidente que comprendía que un país no sólo necesitaba a sus estrellas del espectáculo, sino también a sus ciudadanos de cerebro e imaginación. Aunque es posible que mi reciente inmersión en Hollywood me hubiera prevenido contra su espíritu medrador y supersónico; sus duros ojos de hielo se me antojaban mecanizados y un poco temerosos. Puede que tuviese una inteligencia rápida, pero me preocupaba su humanidad. No obstante, todo lo compensaba la emoción y alegría que le proporcionaba la compañía que había congregado.

Malraux hablaba con vehementes estallidos en un francés que desafió la comprensión de la esposa del presidente casi todo el tiempo y la mía de principio a fin. Era un espadachín de primera que lanzaba una estocada antes de que el otro estuviese preparado. Fumaba casi con furia y tenía un tic llamativo e intrigante que hacía dudar de que pudiera serenarse lo suficiente para dormir. El embajador francés, Hervé Alphand, me traducía de vez en cuando alguna cosa. Unos dos años más tarde, otro francés, Cartier-Bresson, me hizo recordar tanto la discreción de su conducta como la actividad incesante de Malraux. Sentado en el embarcadero de mi laguna de Connecticut con Rebecca, hija de Inge y mía, le leyó durante media hora algunas páginas de su edición de bolsillo de las memorias de Saint-Simon, el genial cronista de las intrigas de la corte de Luis XIV. Era su forma de entretenerse él y de entretener al mismo tiempo a su admirada hija de Inge, aunque la pequeña no podía entender nada de lo que decía, y menos aún en francés, ya que tenía poco más de un año. Y mientras le veía junto a las aguas tranquilas pasando con paciencia las pequeñas páginas, mientras Rebecca gorjeaba y pataleaba en el aire, se me ocurrió pensar en una versión norteamericana de las cortes reales, y también en Kennedy, a quien habían asesinado por entonces. Cuando sucedió nos encontrábamos en unos grandes almacenes de Connecticut. Había una radio conectada. «Han disparado contra el presidente», dijo una voz por entre los brillos y destellos de los electrodomésticos. Al principio no pareció que lo hubieran oído los dos o tres clientes que había además de nosotros. A mí me entraron ganas de oír, tal vez por lo absurdo de la idea. Los dos empleados siguieron despachando. Nadie había prestado atención. Durante un minuto fui incapaz de localizar la radio en aquel barullo de batidoras, planchas y transformadores. Yo no dejaba de repetirme: es un error, van a rectificar. Entonces descubrí el aparato. Los demás se volvían poco a poco hacia él. Sabía lo que Inge pensaba: que la historia iba a repetirse.

Como los titulares que anunciaban el bombardeo de Hiroshima, ya no tenía remedio. Un árbol alcanzado por un rayo, miembros segados, vivos aún, que se agitaban inútilmente en el aire, y la pregunta: «¿Por qué?» curvándose sobre la hierba negra, y después el silencio.

Mientras volvía a casa con Inge, me acordé de Roosevelt, que también había fallecido de manera súbita, aunque la conmoción había sido de orden diferente. Roosevelt había dominado mi generación hasta tal punto que nos preguntábamos quién ocuparía su puesto en la política bélica. Los comentaristas radiofónicos que informaban sobre el entierro, cuando éste pasó por Pennsylvania Avenue, se deshicieron en sollozos acongojados como si el muerto fuera su propio padre. La pérdida parecía mucho más íntima. ¿O se trataba sencillamente de que entonces era yo más joven? Kennedy, por otro lado, era contemporáneo mío y su muerte ponía el dedo en la compleja llaga del futuro. Incluso en los años treinta, por mal que fuesen las cosas, se pensaba siempre en el futuro; a decir verdad, en toda mi obra había una confianza tácita en una época redentora por venir, una especie de sensación de que el cosmos se preocupaba por el hombre, aunque sólo fuese para mofarse de él. Con el asesinato de Kennedy, el cosmos había colgado e interrumpido la comunicación.

Una imagen que recordaba del baile con que se celebró su primer día de mandato, al que asistí con Joe y Olie Rauh, era la de Sinatra y su grupo, en una vitrina especial que dominaba la fiesta. Más que responder a la confianza presidencial, parecía haber condescendido con aportar su presencia a la ocasión. Cantante para todo, hizo lo mismo por Ronald Reagan, tan por encima de la política como la realeza, mientras los sucesivos presidentes llegaban y se iban. ¿Significaba ello que el interés norteamericano no era el financiero, como había dicho un ingenuo Calvin Coollidge, sino el que devengaba la industria del espectáculo, la exhibición simbólica, el triunfo definitivo de la metáfora sobre la realidad y el apogeo del intérprete con su atractivo insensato y puro?

Es posible que mi falta de respeto se debiera a que recordaba al Sinatra de fines de los años treinta, al joven delgaducho de pescuezo gallinaceo y rodeado de chicas chillonas ante la salida de artistas de la Paramount, tras su primera irrupción clamorosa. También teníamos los dos la misma edad.

Me era difícil comprender el motivo, pero en la idea misma de escribir una obra de teatro se había introducido una extraña sensación de inutilidad. No sé si fue por la época que inaugurábamos o a causa de mi propia evolución, pero dondequiera que mirase, en vez de experiencias auténticas y estimulantes, no parecía haber más que teatro. Prácticamente todo —diversiones, grandes almacenes, restaurantes, tipos de calzado, coches, peluquerías— se revisaba como si se hubiera convertido en una forma de arte con conocimiento de causa; y, al igual que en arte, el estilo era la clave, no el contenido. Al fin y al cabo, nadie elige un restaurante por cuestiones alimenticias, sino por cuestiones de gusto y servicio, ni una marca de zapatos por su resistencia, ni siquiera por su comodidad, sino por moda. La tradición que decía que una obra de importancia tenía que apelar al futuro humano parecía presuntuosa hasta la comicidad, seguía el camino de los mismos valores. Se decía que, en el teatro, estábamos en la época del director, que el dramaturgo era su ayudante, aunque ¿no se derivaba ello de la fascinación, no por lo que se decía, sino por cómo? La existencia misma del autor estaba ya amenazada; como si encarnara la idea de lo previsible con sus diálogos y tramas predeterminadas que acababan en algo muy parecido al orden. Un crítico de vanguardia proclamó, entre calurosos aplausos, que era mucho más difícil escribir una buena reseña que una buena obra de teatro. Sólo en la espontaneidad podía encontrarse la verdad, pues el intelecto era embustero por naturaleza y las palabras nada más que cebos persuasivos. El ademán, de ser posible mudo, era el último refugio de la verdad, y aun así podía tratarse sólo de una sugerencia abierta a múltiples lecturas, cuantas más mejor.

También se daba por sentado entonces que el público se aburría mortalmente, que se distraía, que centraba la atención en cualquier parte menos en el escenario que tenía ante sí. No era un fenómeno exclusivamente norteamericano, como pronto sabría, porque también en los teatros de toda Europa había problemas para retener el interés del público. Por ejemplo, nadie parecía querer ya los argumentos organizados; un argumento organizado, teorizaba yo, implicaba cierta continuidad entre el pasado y el presente, y en nuestro corazón sabíamos que no había continuidades de este pelaje en una vida en que cualquier cosa podía sucederle al personaje que fuera. El único elemento insoslayable y seguro que tenía la existencia era lo perverso, y la única reacción sana ante el mismo era la carcajada amarga, prima del malestar.

Cierta tarde de mediados de los sesenta, en el estudio parisino de Peter Brook vi la representación que las dos docenas de actores que formaban su compañía llevaron a cabo ante un grupo de colegiales sordomudos. El grupo se organizaba con rotundidad en figuras danzarinescas, cada actor con un bastón que creaba estructuras de conexión y desconexión, mientras el orden y el caos conjugaban formas nuevas. Era agradable de contemplar, ya que transmitía ciertas facetas del ansia, aunque no estaba yo muy seguro.

Los colegiales actuaron después para los actores. Incapaces de oír y hablar, estaban condenados a la condición que los actores buscaban, pues no podían comunicarse más que con los ademanes. Representaron una pantomina policíaca sobre un niño raptado de casa de sus padres, representaron la investigación de la policía, la recuperación del chico y el castigo de los culpables. Había suspense, principio y fin y una serie de caracterizaciones individuales: el policía se identificaba saludando continuamente, los padres golpeándose el pecho y haciendo como que rezaban por el feliz retorno del niño, el perro policía lo olisqueaba todo en busca de un rastro de los secuestradores y el chico raptado se frotaba los ojos como si no dejara de llorar. Pero lo impresionante era el angustiado esfuerzo mudo que hacían los niños por comunicarse entre sí, los ademanes exagerados que tenían que hacer por culpa de su mutismo, ademanes que no me parecieron ni más ni menos llenos de sentimientos que las palabras que habrían empleado de haber podido hablar.

Me parecía un error garrafal que los que podían servirse de todos sus sentidos se esforzaran por suprimir uno en nombre de una mayor proximidad a la expresión veraz. La experiencia simbolizaba para mí el agotamiento teórico de nuestras actitudes artísticas; había aquí una especie de asunción de que ya no había nada que valiese la pena decir y por tanto nada que investigar y perfeccionar salvo la forma o el estilo. Los sordomudos se desesperaban por comunicar una experiencia, por contar una historia por tópica que fuese; los que podían oír y hablar se tiraban de los pelos por crear un estado de ánimo, una *sensación* pura y simple.

Creo que el teatro me resultaba antipático porque no parecía más que un sórdido ejercicio egoísta y yo detestaba el egoísmo en aquellos momentos, el mío no menos que el de los demás. El decir la verdad, había pensado yo antaño, era lo único que nos podía salvar, pero ahora sólo parecía otro disfraz de la violencia cotidiana. Sin piedad no había verdad, y sin fe —en los hombres, por no decir en Dios— la piedad no era más que una alternativa entre muchas otras.

Se depositaba la propia obra a los pies de un dios desconocido, sin cuya presencia invisible no tenía objeto esforzarse. «No os preguntéis por lo que el país puede hacer por vosotros; preguntaos por lo que vosotros podéis hacer por vuestro país», había dicho Kennedy aquel tempestuoso primer día de su mandato en que el anciano Robert Frost se afanaba por proteger del viento las páginas de su discurso. El joven presidente sabía lo que hacía falta porque sabía lo que no se tenía. ¿Para qué escribir entonces?

Siempre que pasaba por Nueva York, Inge solía hospedarse en el viejo Chelsea Hotel por recomendación de su amiga Mary McCarthy, a cuya *Venice Observed* había contribuido con algunas fotografías. Para ella era el lugar norteamericano que más se parecía a un hotel europeo. No era aún tan famoso por sus célebres y artísticos huéspedes como lo sería a mediados de los sesenta y alquilé unas habitaciones en parte porque el señor Bard, el propietario, me aseguró que nadie sabría que vivía allí. Con la misma cara seria y complacida se declararía del todo inocente cuando semanas más tarde saltó la noticia a los periódicos nacionales y extranjeros, aunque como apenas si se enteraba de las quejas ajenas era muy difícil enfadarse con él. Húngaro, rubio, refugiado, bajito, dotado de una seguridad impresionante y de intenciones nada recomendables, se iba a pescar durante varios días a Croton Reservoir, donde alternaba este deporte con partidas de cartas que jugaba con compatriotas que habían sobrevivido y en las que a menudo apostaban hoteles de su propiedad, algunos tan grandes como el New Yorker. Pero de todas sus propiedades, el Chelsea era su preferido. «Me gusta estar rodeado de artistas, de creadores», solía decir. No hacía falta creerle para simpatizar con él, aunque sólo fuera porque, al igual que su establecimiento, lo toleraba todo salvo, como es lógico, el déficit.

En él me sentí a gusto casi en el acto y me dejé envolver por su fascinación, por su aire inequívoco de decadencia incontenible. No era parte de Norteamérica, no había aspiradoras, no había normas, no había gustos ni recato. Los dos socios de Bard, Krauss y Gross, hacían también de lampistas, motivo por el que los grifos del agua caliente estaban a la derecha, como en Hungría, y si daba la casualidad de que se hospedaba un incauto burgués norteamericano y se escaldaba con el agua caliente, bien merecido que lo tenía. En la planta novena, en unas habitaciones forradas de roble que sin duda daban a la Quinta Avenida, Virgil Thompson, a la sazón estimulante señal de vida inteligente, servía unos brebajes que a Inge y a mí nos dejaron para el arrastre en el curso de una noche olvidable; en la otra punta del pasillo, otro compositor, George Kleinsinger, excitaba a sus amigas asustándoles con su colección de pitones, lagartos sudamericanos y tortugas que se pasaban el día soñando en sucios recipientes que llegaban hasta el techo; un sacerdote canónicamente degradado que medía más de dos metros esperaba a que las inclemencias del tiempo le proveyesen de clientes a quienes administrar un último sacramento que le ayudara a pagar el alquiler; Charles James, el célebre modisto de antaño, vagaba por los pasillos apesadumbrado porque la antigua decadencia del lugar la estaba suplantando una decadencia de nuevo cuño, de artistas vulgares y drogados que, auténticos o falsos, emponzoñaban el ambiente con sus extravagancias autopublicitarias, y sin que entre ellos hubiese ni una sola dama o caballero; y para mantener el orden en todo aquel circo, el diminuto detective del hotel se encerraba en su habitación con siete llaves y vivía rodeado de los televisores, los equipos de alta fidelidad, las máquinas de escribir y los abrigos de piel que había ido robando a los huéspedes, según vino a saberse el día en que los bomberos tuvieron que echarle la puerta abajo porque en la habitación contigua un borracho se había quedado dormido con el cigarrillo encendido y se había declarado un incendio.

Lo surreal tuvo su sede en el Chelsea mucho antes de que la guerra de Vietnam transformara su espíritu en protestas radicales. Para desayunar en el viejo autoservicio que había junto al cruce de la Calle 23 con la Séptima Avenida, avanzaba con precaución por entre los borrachos ensangrentados que estaban tendidos en la acera y me tomaba una tarta de queso con Arthur Clarke, que vivía medio año en Sri Lanka, que según él era el huerto del mundo, y el otro medio en el Chelsea, cubo de estiércol de aquél y cuyos elementos nutritivos, pese a todo, distaban de haberse agotado en la fructificación de los pintorescos huéspedes del hotel. Clarke, rodeado de auténticas cerdas que depositaban tazas de café bajo narices rotas y ante obreros nocturnos con los ojos pegados a los boletos hípicos, confiaba con el mayor entusiasmo en que, de acuerdo con los últimos datos, la creciente contaminación a base de anhídrido carbónico acabara con la vida en la tierra mucho antes de lo anunciado. En el ambiente del autoservicio, el acontecimiento parecía del todo inevitable.

El Chelsea, pese a todos sus inconvenientes —el polvo secular de cortinas y alfombras, las cañerías oxidadas, el frigorífico que chorreaba, el acondicionador de aire al que había que echar un jarro de agua tras otro—, era un desastre espantoso y saludable que me recordaba una frase de William Saroyan, norteamericana por demás, que suelta un árabe en un bar, una frase totalmente olvidada por los revolucionarios de los años sesenta, ocupados en idear una antisociedad nueva que desterrase de la memoria todo lo que había existido hasta entonces: «Ningún cimiento debajo de nada». En su búsqueda armenia de un caos soportable, Saroyan había olido el futuro ya en los años cuarenta y, fingiéndose comediógrafo menor sin pretensiones culturales, había profetizado el absurdo optimista realmente norteamericano en vez de imitar el morboso sello europeo. Saroyan vinculaba el absurdo con la oscura e inquebrantable esperanza del marginado-inmigrante de encontrar una almohada propia en que descansar entre las peñas del soleado paisaje norteamericano.

Veía yo a la nueva época, los años sesenta, entrar a gatas en el Chelsea con sus jóvenes ojos inyectados en sangre y a veces hacía por unirme a la fiesta en los alrededores del Maypole, pero me resultaba inútil; todo se me antojaba egocéntrico, caprichoso y de ningún modo libre. No se salvaban los *beats,* que a mi juicio reproducían en versión actualizada las lamentaciones de la Generación Perdida, pues hasta que no comenzaron a morirse en Vietnam, a sus quejas pareció faltarles la Necesidad. La droga se me antojaba puro suicidio, no protesta social, un placer lamentable que no iba a poner ni un solo ladrillo de la nueva iglesia cuya inexistencia se lamentaba. Lo que sí obtuvo respeto fueron los ataques a la gazmoñería sexual, aunque por lo demás sus detractores formaban parte de la autodestrucción que veía yo por doquier, y no menos en mí y en mi vida. La religión solapada de los Estados Unidos era la autodestrucción, tanto política como personal, y yo me pasaba los días en el Chelsea buscando a tientas la contradicción escueta que me permitiera escribir una obra sobre dicho tema.

No sólo Marilyn ocupaba mis pensamientos; a principios de los cincuenta, en una de las habitaciones elevadas y grises de aquel mismo hotel, quise profundizar en Dylan Thomas mientras éste, de un modo sistemático, se marchaba de este mundo, joven que con una semana de abstinencia habría estado como un reloj. Mucho después, cuando leí sus confesiones sobre su padre, me pareció que se había ahogado a sí mismo por haber conquistado la fama con su arte, mientras el dulce padre, escritor y maestro, seguía siendo un hombre anónimo y fracasado. Thomas lo pagaba matando el don que había robado a un hombre al que quería. Yo conocía los trámites, los esfuerzos por defenderse de la culpabilidad de la potencia ante un padre desprovisto de ella. La idea de parricidio acudía a las mientes en el acto; el problema era cómo vivir con ella. O cómo no.

Tiempo después se presentó otro en el Chelsea para morir, el hijo de Borstal en persona, Brendan Beham, ya en las últimas, que me pidió subiera a las habitaciones donde Katherine Dunham lo había instalado durante un par de noches para ayudarle a aguantar la semana. Allí estaba él, con el pelo húmedo y peinado de cualquier manera, la cara llena de manchas, balbuciendo por entre los dientes rotos, riéndose y comiendo salchichas con huevos, mientras de la habitación entraban y salían bailarinas negras que no sabían de qué modo ayudarle, ni siquiera si intentarlo con ternura, y él, con su risa inamovible e intranquilizadora, que decía: «En realidad no soy dramaturgo, ¿lo sabes?, pues claro que lo sabes, y también que sólo soy un dictador. Hay arriba una habitación donde dicto un libro a una secretaria con la que el editor me acosa. He terminado varios capítulos con la esperanza de que me den con otro premio en las narices... Pero yo quería saludarte, Art'r...». Saludarme y despedirse, era innegable; estaba con un pie en el estribo.

Avanzaba por la acera dando traspiés, con el vómito chorreándole corbata abajo, mientras contaba chistes y anécdotas y canturreaba cancioncillas, al tiempo que hojeaba un *Post* para ver si aquel día volvía a mencionarlo Leonard Lyons, ya que a los gacetilleros les caía simpático porque no tardaría en proporcionarles material gratis para confeccionar un artículo sobre la conmovedora muerte del poeta. Había múltiples formas de ayudarles a acabar con uno.

Y la más segura era despotricar contra el sistema o contra quien fuese; aunque fuera cierto, o no acababa uno de creer que no tenía parte en ello o al final aceptaba el papel de víctima y se moría demasiado joven. El papel que interpretaba uno en la propia destrucción era un misterio latente bajo la hermosura del cielo norteamericano.

Eran hombres que temían conservar el poder que habían conquistado y sólo buscaban la manera de librarse de él.

Charley Jackson, un solitario calvo, me regalaba con una tierna sonrisa cuando nos cruzábamos en el vestíbulo: hacía ya mucho que la fuerza de *The Lost Weekend** le había permitido contemplar rápidamente el hori-

---

* Esta novela se tradujo en España con el mismo título que la película de Billy Wilder (1945) que se basó en ella: *Días sin huella*. (N. del T.)

493

zonte desde la pasmosa cresta de la ola. Ya no probaba ni gota y saltaba a la vista que se esforzaba por no perder los papeles. Hasta que se le acumulaban tantos que aterrizaba en el Chelsea para sumirse en un ininterrumpido sueño liberador, con el frasco de pastillas junto a la cama. Sólo sabía ser bondadoso, salvo consigo mismo.

Hubo más bajas en la agitada comunidad del Chelsea que seguía celebrando lo que nadie sabía decir. Una vez se presentó en el vestíbulo una joven colérica con un manifiesto mimeografiado en que declaraba su intención de matar a un hombre, no a uno concreto, sino a cualquiera de la especie depredadora que le había destrozado la vida. La gente cogía los folletos y se quedaba charlando tranquilamente con ella. Oí que un hombre discutía con la joven por no sé qué cuestión de sintaxis. Dije en dirección que aquella mujer iba a matar a alguien y que había que hacer algo antes de que estallara, pero parece que era de la comunidad y de nada iba a servir conducirse de un modo demasiado convencional en aquel asunto. Un día vio a Andy Warhol y le pegó un tiro, en la ingle, según se dijo; la comunidad redujo la marcha durante un tiempo, pero no tardó en recuperarla.

Desde Hiroshima había pensado siempre en escribir una obra de teatro que versara sobre la bomba atómica. Ahora, quince años más tarde, lo que me movía a saber directamente cómo se sentían los científicos por lo que habían hecho no era tanto un sentimiento de culpa cuanto de asombro por haber estado yo a favor de la catástrofe. Los informes de sus esfuerzos por convencer a Truman de lanzar primero una bomba de prueba en el mar, frente a las costas japonesas, sugerían que sentían escrúpulos a la hora de responsabilizarse de tanta devastación. Gracias a la amistad de Jim Proctor con un físico de Cornell tuve acceso a Hans Bethe, diseñador de la célula electrosensible sin la que la bomba no habría podido detonarse. Salí de la casa de Roxbury, rumbo a Ithaca, un neblinoso día de otoño, sin la menor sospecha de que en realidad me preparaba para escribir una obra del todo distinta, *Después de la caída,* aunque con una tema afín.

Las criminales ironías de la historia de la bomba atómica eran ya conocidas en aquella época. Los científicos alemanes refugiados que constituían el principal motor del Proyecto Manhattan habían temido que los preparadísimos científicos de Hitler, de quienes habían sido colegas en Alemania, fabricaran un arma atómica capaz de reducir a los Estados Unidos y de cambiar el curso de la historia. Pero cuando estuvo preparada la bomba norteamericana, se derrotó a Alemania y se descubrió que el Tercer Reich no había emprendido ningún proyecto atómico serio. En este sentido, la bomba había sido innecesaria.

Muchos de los científicos en cuestión eran judíos, antifascistas, izquierdistas, y algunos marxistas de verdad, y al final de la guerra vieron que se amenazaba con su arma a la Unión Soviética, su patria espiritual de antaño. La suprema ironía se dio cuando los servicios de seguridad norteamericanos se pusieron a vigilar a J. Robert Oppenheimer, sospechoso de radicalismo, cuando lo cierto es que era el alma misma del nuevo poderío con que se preparaba el predominio norteamericano en el mundo posbélico.

Unos quince años después de la explosión de «Fat Man», Hans Bethe era un hombre de cincuenta y cinco años, de aspecto sano y complexión atlética, el tipo alpino que gustaba de las largas marchas en pantalón corto y con calzado resistente. Su casa parecía propia de un monje, una pequeña alfombra oriental se extendía en el centro de una sala de estar grande y oscura y casi desprovista de muebles, y una galería guarnecida de paños de vidrio con una sola mesa y una silla se alzaba a la luz grisácea de la tarde de Ithaca.

Una vez a la semana, un avión militar seguía conduciéndolo a Washington para las consultas pertinentes. Tenía una curiosidad sombría con algún resabio de tristeza y la idea de hacerle aún más daño con mi principal pregunta me hizo vacilar. Su mundo, suponía yo, se había vuelto cruelmente irónico, en buena parte a causa de los inventos ideados por él en Los Alamos; ¿qué pensaba de ello? Yo sabía que la respuesta a una pregunta así no podía ser breve y tajante, aunque lo que a mí me interesaba era el estado anímico ambiental, pues me formulaba a mí mismo idéntica pregunta. Había creado mi propio dilema existencial, de ello no me cabía la menor duda; ¿cómo continuar sin remordimientos castradores?

Parecía un hombre honrado y sensible y sabía que se había opuesto con firmeza al plan de arrojar la bomba sobre una población viva, aunque no había podido disuadir a Truman. Había trabajado con ahínco en el Proyecto Manhattan para defender la vida de la muerte hitleriana. En algún punto invisible del aire tenía que oírse una carcajada inextinguible. Como físico, había tenido que estar en la encrucijada crítica en que la investigación pura de la verdad se cruzaba con el hierro al rojo del poder político y estatal.

En Europa, me contó, lo mismo que en Norteamérica en tiempos prebélicos, el físico era un hombre solitario. ¿Quién que estuviese en sus cabales abrazaría esta rama científica que apenas contaba con aplicaciones prácticas y que por tanto carecía de futuro económico y demás perspectivas de progreso? El físico era el sacerdote de la ciencia, un investigador puro a quien probablemente reconocerían algunos colegas de su misma calaña, pero nada más. Le pregunté cómo trabajaba.

—Bueno, bajo por la mañana, cojo el lápiz y me esfuerzo por pensar, por ordenar cosas de otro modo. En ocasiones se obtiene algo, pero las más de las veces no. Esta situación se puede prolongar durante meses, durante años incluso. De pronto se tropieza un día con un obstáculo y se establece una conexión en el cerebro. A lo mejor no sucede nada. Es un trabajo muy solitario, siempre al borde de la crisis. O lo era antes de la bomba y de todos los demás avances.

En realidad me estaba describiendo punto por punto el trabajo del escritor... antes del cine y de los espectáculos de masas, antes de que la verdad tuviera que ser «útil». Me di cuenta al cabo de unas horas de que para él todo era igual de misterioso que para mí, de que no íbamos a salir de la cárcel de ironías en cuyas celdas contemporáneas nos habíamos saturado de raciocinio. Se acababa haciendo lo que no se quería. No se tenía intención de hacer lo que se había hecho. Y sin embargo el responsable era uno mismo, aunque sólo fuera porque tuviese que haber un responsable.

¿Por qué se era responsable si no se tenía mala intención?

Y si no se tenía mala intención, ¿de dónde procedía el mal?

¿Había por casualidad, muy bien escondido tras los ideales ascéticos, un nervio que vibraba cuando se acercaba el Poder? ¿Radicaba aquí la carnalidad, la humanidad del científico, su parentesco con los peores de nosotros, los más necios, los más ruines de nosotros?

¿Dónde estaba el corazón de la maldad, sino en nuestro propio interior?

Proseguí hasta Princeton y en Robert Oppenheimer vi a un hombre taciturno, evidentemente deprimido: en realidad no tardaría en morir y es posible que lo supiera ya por entonces. Ello, por supuesto, mucho después de que se le prohibiera trabajar para el Estado como medida de seguridad, a pesar de haber sido el progenitor de la bomba atómica. Hablamos en su sobrio despacho, que me recordó, junto con la pipa y la chaqueta de mezclilla, que era un hombre de universidad, aunque desde siempre lo había relacionado yo con el poder y la guerra. A diferencia de la casa espartana de Bethe, la de Oppenheimer, tal como la evoco ahora, parecía más bien propia de un cantante o pintor afamado que se hubiera rodeado de recuerdos, fotos, estatuillas, alfombras, premios y regalos procedentes de todo el mundo. Había sido antaño una casa cómoda e improvisada que hablaba de los años gloriosos en que todo era esperanza y los genios de todo el mundo acudían a rendirle homenaje. Pero había ahora un aura de destrucción. Su moribunda esposa, Kitty Dallet, mujercilla frágil enfundada en un vestido de mezclilla demasiado holgado para su consumida presencia, era aún llamativamente guapa, su cara no había envejecido en absoluto. Pero su aire de inquietud alarmado hacía recordar los implacables interrogatorios con que la maquinaria del Estado la había machacado a causa de sus pretéritos contactos con los radicales. Aun enferma y destrozada, parecía haber tenido mucha energía en otro tiempo. En el curso de una pequeña reunión de universitarios no hizo más que observarme con temor, según creo, y me senté a su lado para asegurarle que no andaba tras un nuevo enfoque para volver a torturarles en un artículo de revista o un programa de televisión. Había en ella cierto atrevimiento que hacía pensar en la anciana Dorothy Parker y su ingenio desesperado. La sombra de días mejores oscurecía la atmósfera de la casa.

De ningún modo estaba yo interesado por la simple culpa o responsabilidad, sino por las relaciones, o su ausencia, del científico con su propia vida. Al mirar atrás me era imposible identificarme ya con la romántica búsqueda de cuanto se pareciese a la expresión individual absoluta, con la resolución de encontrar una verdad total mientras cerraba los ojos ante los hechos. ¿Habían sufrido aquellos científicos idealistas una escisión parecida? En una escala infinitamente inferior podía apreciarse el mismo dilema humano: yo había cambiado la vida de otras personas, de mis esposas e hijos sin lugar a dudas, y quizás incluso de aficionados al teatro de todo el mundo, pero apenas podía verme retratado en mi trabajo, tal y como los físicos podían estar ocultándose en el suyo. Se me antojaba imposible avanzar ni un metro sin una concepción más completa, más viva, de la responsabilidad de uno mismo, sin un análisis quirúrgico agotador. No me lo planteaba yo como un problema moral, sino casi biológico; empezaba, como siempre, por la conducta, y había algo frustrante y fantasmalmente inmaterial en la forma en que la mayoría se las apañaba para vivir al margen de su propia vida, como si hubiera dos entidades en cada individuo, la que actuaba y la condenada (¿o privilegiada?) a mantenerse aparte y observar, deseosa de intervenir en su propia existencia, aunque también temerosa.

Me pregunté incluso si esta escisión palpitaría bajo nuestra fascinación ante la violencia, bajo la comercialización de una sexualidad desnuda de sentimientos y bajo el deseo inagotable de diversiones: el objeto de la nación entera se me antojaba a veces una arrolladora búsqueda colectiva de diversiones nuevas. El pasado no era ya guía en tales asuntos porque, en nuestros días, el doble de otros seres humanos, el astro o estrella de cine, era la persona más envidiada, más aplaudida y mejor pagada del país, y su triunfo, prefabricada fuga del yo, era al parecer el objetivo de la vida. Era cada vez más indudable que las virtudes generalmente admitidas de las drogas reflejaban un aspecto de la misma necesidad, la necesidad de fundir, aun engañosamente, las dos mitades del hombre en una sola unidad de acción y conciencia, si no en la realidad social, por lo menos en la cabeza, mediante la intervención de un estupor químico que excluyese al mundo y fabricase una trascendencia sin valores.

Esta búsqueda del yo total me parecía ahora que definía la búsqueda que vemos en *Hamlet,* en *Edipo rey,* en *Otelo:* la búsqueda del impulso que hace real la vida venciendo la autonegación,* motor secreto de la tragedia.

Al hablar con aquellos científicos penetré en una tierra sombría e ignota, gobernada por el cruel tirano que se llama Ironía; tras liberar las más espantosas fuerzas de la naturaleza, ahora eran presa de contradicciones elementales, sobre todo porque las decisiones vitales no eran cosa suya,

---

* *Denial,* término que reaparece con frecuencia en las páginas que siguen y que se ha traducido por «negar» y «autonegación», a causa de la inclinación que siente Arthur Miller por los vocablos abstractos, pero que debe verse con los matices de «fingimiento», «ocultación», «censura», «autorrepresión», etc., según el contexto; el uso milleriano es sobre todo moral y tiene aplicación tanto individual como colectiva; se habrá observado que, hasta aquí, el autor lo ha aplicado a los judíos, a sí mismo, y ahora a la ciudadanía norteamericana; su presencia está en relación contextual con la idea de culpa, que se repite con igual insistencia en los planos literario, familiar, personal y social de la autobiografía. (N. del T.)

sino que se dejaban en manos de políticos cuyo espíritu y motivaciones eran casi siempre mezquinos e imprudentes. La gran labor humana que había conseguido la ciencia en el campo de la medicina la había elevado a la categoría de arte salvador de la existencia, aunque podía aniquilar ésta por completo. ¿En qué elemento de la ecuación se situaba el físico inventor?

Al final, la cautela defensiva de Oppenheimer puso trabas a las conversaciones de cariz íntimo; supuse que tenía motivos de sobra para desconfiar de los escritores. Con todo, mis preguntas parecieron interesarle, aunque siempre me respondía de un modo incomprometido, salvo cuando le pregunté lo decisivo: si éramos proclives a insensibilizar nuestra implicación, y por tanto nuestra psique, en los actos difíciles de justificar. Abiertamente conmovido, con las pupilas llenas de lo que tomé por desprotección, me miró con fijeza a los ojos y dijo con sereno hincapié que no siempre era verdad. En otras palabras, que sufría de veras, que no era simplemente un hombre que, tras conocer el poder, pudiera consolarse recordando sus hazañas irrepetibles. Me bastó la respuesta entonces.

Acabé convencido de que hacer la pregunta era responderla. Los hombres tenían que negarse a sí mismos y la melancolía palpable que rodeaba a aquellos buscadores de la verdad se me antojaba ahora la melancolía de la autonegación; habían acabado por creer que la ciclópea guadaña de la historia los había hecho desaparecer sin más ni más, del mismo modo que una tremenda fuerza gravitatoria atrae nuevas estrellas a su fabuloso campo de acción. Quedaba sin embargo sin resolverse el hecho de que toda aquella sabiduría maravillosa hubiera puesto en manos de ignorantes y patanes el poder destructivo de los dioses.

En Roxbury llené incontables páginas destinadas a una obra teatral en verso blanco sobre un personaje parecido a Oppenheimer que se dispone a provocar la fatídica explosión experimental de «Fat Man», la primera bomba de prueba. Las escenas tenían dignidad pero no fuerza: me alejaba demasiado de la vida cotidiana del personaje. Mientras escribía se me ocurrió que una culpabilidad de esta índole tenía que traducirse en una relación falsa, una pseudorrelación con una persona o suceso astutamente maquinada, algo que nosotros mismos elaboramos para ocultar nuestras verdaderas responsabilidades. La culpabilidad proporciona dolor sin necesidad de actuar, y también la humillación del arrepentimiento, en pocas palabras, al sentir culpa menguamos la necesidad de transformar nuestra vida.

Ya estaba claro por qué *La caída* de Camus me había dejado un regusto de insatisfacción; la obra parecía confesarnos que después de entrever la verdad horrible de la culpabilidad propia lo único que podía hacerse era abjurar de todo juicio. Pero ¿bastaba con dejar de juzgar al prójimo? ¿Se podía vivir en el fondo sin distinguir entre lo bueno y lo malo? Por culpa de nuestra avidez por aceptar las fecundas contradicciones de la vida, ¿no íbamos a sentir ya repugnancia moral? Y si dejábamos de emitir juicios, ¿a qué recurriríamos para defendernos de la mano del asesino?

La obra sobre la bomba resultaba interesante cuando lo cierto es que habría tenido que poner los pelos de punta. Ignoraba cuánto iba a vivir y ansiaba dejar tras de mí algo fidedigno e imperecedero; aquella obra podía desentrañar el problema de la ciencia, pero no me estremecía con lo que revelaba; y la verdad es que nunca había escrito nada bueno que no me provocase sonrojo (ni creo que los demás tampoco).

Me puse a buscar una estructura formal que pusiera al descubierto la dinámica de la autonegación, que se me antojaba la colosal mentira de nuestra época, y ello mientras los Estados Unidos, cosa que aún no podía saber yo, se preparaban para combatir en Vietnam, para negar sistemáticamente que se trataba de una guerra y para negar una y otra vez a los combatientes la sencilla dignidad del soldado. La cultura norteamericana, la más libre de la tierra, me parecía la cultura de la autonegación, del mismo modo que las drogas, al dilatar el intelecto, negaban que lo destruían, y al igual que la nueva libertad sexual negaba que disolvía la respectiva contención que posibilitaba la continuidad de cualquier relación humana. La costumbre y la moda facultaban al accionista para negar al usuario de tejanos de faena y ropa de segunda mano, cuya melena al viento negaba que la sensibilidad liberada fuera un disfraz de la indiferencia.

De manera inevitable, la estructura formal de la nueva obra fue la de una confesión, puesto que el meollo era la búsqueda del personaje principal de unos lazos más estrechos con su propia existencia, su triunfo sobre la autonegación del camino hacia sí mismo. No me parecía ni más ni menos autobiográfica que cuanto había escrito anteriormente para la escena. De la obra que había abandonado hacía una década, la que versaba sobre el grupo de investigadores sobornado por un magnate de la industria farmacéutica, surgía la figura de Lorraine, portadora de la verdad de los sentidos, enfrentada al héroe reprimido y maniatado por la razón que espera que ella restaure su vida, mientras la mujer, poco a poco, acaba representando la felina autenticidad de una fuerza de la naturaleza.

Semanas después de terminar *Vidas rebeldes,* Marilyn había vuelto a Nueva York, me había llamado al hotel donde residía yo antes de mudarme al Chelsea y me había preguntado: «¿No piensas venir a casa?».

Transcurrió un momento muy largo sin que pudiese articular palabra. Parecía sinceramente sorprendida de no haberme encontrado en el hogar común, aunque le había dicho que me iba a instalar en otra parte; ¿había olvidado la indignación que sentía hacia mí o es que para ella había significado algo diferente? Su voz había recuperado la sensibilidad y dulzura de antes, como si nada destructor hubiera acaecido en los últimos cuatro años, años que se desdibujaban mientras la escuchaba, igual que la foto en color de una escena de violencia que se hubiera expuesto al sol durante demasiado tiempo. De súbito el pasado auténtico fue para mí tan sagrado como la vida misma; la presente amnesia era como morir hacia atrás. La pregunta tácita que planteaba *La caída* no era ya cómo vivir con mala conciencia —esto no era más que culpabilidad— sino cómo saber por qué una persona acudió en auxilio de otra y no hizo más que contribuir a su fin coadyuvando a ocultar la realidad a sus ojos. *La caída* es el libro de un observador; yo quería escribir sobre los protagonistas de una catástrofe así, sobre los humillados por el peso de la acusación. Como todos nosotros somos.

Acumulaba con rapidez las páginas, demasiadas para una obra normal. Trabajaba en el Chelsea y la mitad del tiempo en Roxbury, en la casa que Marilyn, a su modo, había querido convertir en suya, a pocos pasos de la que yo había tenido en primer lugar y donde había vivido con Mary y los niños durante un lustro; pero el pasado no dejaba de ser misterioso por estar tan cerca. En la curva que formaba la calle al llegar a dicha primera casa había un arce que se moría poco a poco a consecuencia de una incisión por un coche que se había estrellado contra él el día en que Marilyn y yo nos habíamos casado. Deseosos de evitar a la prensa, habíamos celebrado la ceremonia en la casa de Westchester de Kay Brown, mi agente y mi amiga de muchos años. Ni ella ni su marido Jim, ni mis padres ni Joan ni Kermit ni sus respectivos cónyuges, ni los Rosten ni un simpático rabino llamado Robert Goldberg pudieron mitigar la tensión de Marilyn, que por entonces se había contagiado, aunque sólo fuera porque el mundo, casi al pie de la letra, andaba buscándonos. Al volver por la tarde encontramos un Chevrolet cruzado en la carretera, a cuatrocientos metros de la casa, con el morro reventado contra el árbol. Nos detuvimos, bajamos para mirar y vimos a una mujer tendida en el asiento delantero, con el cuello evidentemente roto. Ante la casa, a la que llegamos en un segundo, se detenía ya una ambulancia, mientras una multitud de unos cincuenta periodistas, fotógrafos y mirones dirigía al conductor hacia el lugar del accidente. La desdichada, Mara Scherbatof, una rusa de alta cuna, tenía a su cargo la agencia neoyorquina de *Paris-Match* y había hecho el viaje con un fotógrafo norteamericano. Al preguntar por mi casa a un vecino, el fotógrafo había tomado por el mío el coche que pasaba, había puesto la marcha atrás para seguirlo, había calculado mal las distancias y se había estrellado contra el árbol. Fue una muerte inútil, y sobre todo se trataba de un cometido tan absurdo que los dos nos sentimos envueltos por un manto de destrucción. El árbol herido se pudrió poco a poco y se vino abajo al cabo de seis años, dejando en su lugar un tocón que yo no podía por menos de buscar con la mirada entre las malas hierbas cada vez que pasaba por allí.

Se acaba por aprender a escuchar lo que una obra en gestación trata de decirnos. El tema de la culpa del superviviente iba surgiendo del gigantesco manuscrito. Meses antes, al término de nuestra excursión por la región del Rhin, Inge y yo habíamos desembocado en Linz, la ciudad austríaca donde naciera Hitler y célebre aún por su antisemitismo. En las afueras de la población, en lo alto de un cerro boscoso, se alzaba el campo de concentración de Mauthausen, que Inge pensó que me interesaría ver.

Inge había sufrido persecución bajo los nazis, pero también les había sobrevivido y su espíritu seguía cribándose a través de un pasado con el que deseaba estar en paz.

Al pasar ante las pequeñas casas de labor se me antojó extraño que ningún lugareño alzase siquiera los ojos para ver quién pasaba por aquella carretera de escaso tráfico que conducía a un campo de concentración vacío desde hacía mucho. Supuse, como es lógico, que habían hecho lo mismo cuando los camiones atestados de personas llenaban la carretera en la época en que el campo había estado en funcionamiento. Tampoco les podía acusar y esto era lo preocupante. Me pregunté qué habría hecho yo en su lugar, imposibilitado para hacer nada: en el caso, todo hay que decirlo, de que la idea de hacer algo se les hubiera ocurrido en algún momento.

Construido a semejanza de un fortaleza, el campo estaba rodeado por un muro macizo de piedra de siete metros y medio de altura y no por la usual alambrada sostenida por postes. Era obvio que el lugar iba a ser un matadero permanente del Reich milenario. Junto al elevado portalón, cerrado con llave, había un portillo de madera. Llamamos y esperamos en medio del silencio campestre. La belleza del paisaje que descendía apacible en breves oleadas de bosque denso se mofaba de todo cuanto uno sabía. Donde toda esperanza es grata y sólo el hombre es infame.

De pronto apareció un austríaco inquisitivo y descomunalmente gordo, fumando una pipa larga y curva, como en los chistes, acompañado de su alegre y gordo perro salchicha, excitado y tan lleno de curiosidad como su amo. El individuo, aburrido sin duda de su trabajo de vigilante, acogió con alegría la idea de dejarnos echar un vistazo al interior. Sin ofender la memoria de los miles allí masacrados, se le notaba animado mientras nos enseñaba los patios y barracones, y se detuvo para hablarnos de la losa de piedra, cuya concavidad servía para poner la cabeza y por cuyo canal del extremo desaguaba la sangre, en que a los muertos se les cortaba el pelo y se les arrancaba los dientes de oro a puñetazos. También los vivos habían trabajado allí. Ni lleno de compasión y remordimientos ni enfriado por la indiferencia, su interés por los horrores que describía era comparable al respeto que sentía hacia las víctimas, aunque en su corazón viril no había ni rastro de culpa. (¿Y por qué habría de haberlo? ¿Es que no tenía que vivir?) En un pasaje descubierto entre dos barracones señaló un obelisco piramidal de piedra que rememoraba que en aquel punto se había condenado a un general ruso a permanecer inmóvil, con una temperatura bajo cero, mientras le echaban agua por encima, hasta que murió congelado y convertido en una columna de hielo.

Abajo, en un pequeño bar de carretera donde tomamos un café poco más tarde, un obrero y fornido cuarentón de manos gruesas estaba sentado a una mesa en compañía de una niña de ocho o nueve años y, con seriedad cariñosa, le corregía los problemas de aritmética del cuaderno escolar. Sin duda había vivido allí durante la época de la matanza, apenas veinte años antes, y había estado al tanto de lo que transportaban los camiones que no hacían más que subir el monte todos los días. Mientras tanto, Inge actuaba con decisión y hablaba poco, pero estaba pálida y procuraba ocultar el miedo. Las lágrimas amenazaban de continuo con desbordársele por el rabillo de los ojos. Los constructores de aquel sitio y la indiferencia —por no emplear otro término— que ahora veíamos a nuestro alrededor le habían destruido la juventud y la habían convertido en heredera vitalicia de una deuda que no había contraído, que no satisfaría nunca y que sin embargo, pues era humana, arrastraría siempre. Era un misterio. Aunque comprendía que el mundo más allá de las fronteras alemanas dejaba poco espacio para confiar en el animal humano, parece que fue capaz de vencer el pesimismo. Siempre había personas a quienes recurrir...

¿Habría hecho yo cualquier cosa, según creía, por no ser uno de los ocupantes de aquellos camiones que subían al monte? ¿Estaba aquí el motivo de que mi solidaridad con los muertos no fuera una solidaridad exclusivamente acongojada?

Poco después del viaje a Linz, el *International Herald Tribune* informó en ingeniosa gacetilla de cuatro renglones que se iba a celebrar un proceso contra antiguos guardianes de Aushwitz en un tribunal de Franckfurt especialmente construido para el acontecimiento. Nunca había visto a un nazi en persona y me pareció que valía la pena conducir unas horas para hacerlo.

Nos sentamos entre la dispersa docena de mirones que había en el reciente y tranquilísimo tribunal de mármoles color crema. Minutos más tarde se me acercó un reportero de una agencia de prensa para decirme que esperaba que yo escribiese sobre el proceso, puesto que ni él ni sus colegas habían podido colocar sus noticias en los periódicos europeos, norteamericanos y británicos, dada la clara falta de interés por el fenómeno nazi en nuestros días, a más de quince años del fin de la guerra. No había acudido yo al proceso con ánimo de escribir sobre él, pero a petición del *Tribune* acabé por confeccionar un artículo largo que se publicó asimismo en el *New York Herald Tribune*.

Aún recuerdo fragmentos de la jornada. De cara a la elevada tribuna del juez y al estrado de los testigos, veintitrés acusados, todos ya con más de cincuenta y sesenta años, permanecían sentados en una tarima que se alzaba detrás del abogado común, un hombre alto y corpulento que se llamaba Laternser y que era representante de la General Motors de Alemania: un experto demasiado costoso, en mi opinión, para aquellos antiguos guardianes que saltaba a la vista que no tenían ni estudios ni medios económicos. Fritz Bauer, el principal acusador, despejó la incógnita; se había enterado de que los guardias acusados habían amenazado con denunciar al farmacéutico jefe de Auschwitz, por el papel criminal que había jugado en los llamados experimentos médicos, si aquél, miembro de una rica familia alemana, no les proporcionaba un letrado de primera. La verdad es que el farmacéutico estaba sentado a mi lado mismo, un cincuentón miope con expresión atenta y un magnífico traje verdoso de mezclilla que escuchaba cada palabra del proceso con una concentración comprensiblemente intensa. No se le había acusado aún y saltaba a la vista que no lo esperaba.

Uno de los guardianes, al responder a las preguntas de Laternser, tendentes a retratarle como a un padre de familia totalmente honrado y de costumbres intachables, contó que había educado paternalmente a sus cuatro hijos para que fuesen adultos de provecho. Laternser, satisfecho, iba a pasar a otra cosa cuando el guardián añadió: «Con excepción de mi hija menor. No me hablo con ella». Fue por lo visto una auténtica sorpresa para Laternser, que en el acto trató de hacer callar al defendido. Pero el antiguo guardián de Auschwitz, lleno de sincera indignación, insistió en probar al tribunal que era un alemán muy leal y contó que había roto toda relación con su hija cuando ésta le dijo que iba a casarse con un italiano. Los traidores italianos, por supuesto, se habían replegado ante el avance aliado, abandonando el Reich, y en cualquier caso eran gente de piel oscura e indigna de confianza.

Otro guardián, célebre en Auschwitz por su sadismo, había huido al terminar la guerra y fue de los pocos que se dirigieron al este y no al oeste. Citó testigos de hospitales polacos que declararon que en los últimos años había trabajado de enfermero en Varsovia, donde se le conocía por el mote de «Madre» a causa de la llamativa ternura con que trataba a los pacientes. Su especialidad en Auschwitz consistía en apalear a los presos tras atarlos a un palo en la «postura del loro».

Bauer me contó en privado lo que todo el mundo sabía: mientras Alemania Occidental invertía grandes sumas de dinero en la apertura de aquellos procesos, las autoridades policíacas locales ponían óbices y cortapisas a cualquier trámite tendente a localizar testigos de los crímenes nazis. Bauer había sido el juez más joven del Tribunal Supremo del estado de Hesse hasta que los nazis tomaron el poder. La judicatura nazi no lo había cesado en seguida, pero como en conciencia no podía administrar «leyes» que eran poco más que prejuicios puestos por escrito, huyó a Suecia y pasó la guerra en aquel país. Al volver se juró perseguir a los nazis hasta darles caza, aunque a la sazón era un hombre desilusionado; según él, no se trataba tanto de que se siguiesen profesando las ideas nazis cuanto del deseo de la gente de olvidar de una vez el pasado y silenciar sus horrores. Solía tomársele por enemigo de Alemania, dado que era su conciencia: una situación, por supuesto, no desconocida en otros países.

Inge y yo comimos con Laternser, hombre elegante, refinado y de inteligencia muy rápida, e inflexible en la defensa de los guardianes. «Como señalaron los norteamericanos por vez primera, no puede haber proceso cuando los testigos de la acusación han fallecido o son tan viejos que apenas si pueden acordarse de nada.» Que sus clientes habían contribuido a matar a estos posibles testigos no era asunto suyo, claro, sólo las pruebas lo eran.

Escribí sobre el proceso un artículo largo que ocupó dos páginas en el *International Herald Tribune* y que se redujo sólo un poco en la edición neoyorquina. Durante un tiempo había habido más información acerca de aquellos procesos, pero el fenómeno siguió pesando como una lápida: por importante que fuese recordar el Holocausto para que no dejaran de tenerse presente sus consecuencias, su causa intrínsecamente humana seguía siendo un continente virgen para la mayoría de los ciudadanos, aún convencidos de que su miedo a las demás tribus y a las creencias distintas de las suyas era algo sagrado. De todos modos, al margen de lo que se escribiera o leyese, pensar en el gaseo sistemático de niños pequeños era sentir una mano fría pegada a la boca, y alcanzaba a comprenderse, hasta cierto punto mínimo, el que los alemanes no pudiesen pensar en ello. Pero la imbecilidad supina del guardián que esperaba mejorar su expediente declarando su desprecio por los italianos se me quedó grabada a fuego en la cabeza; aquel individuo había tenido el poder para dar órdenes a miles de personas, para matarlas incluso: personas inteligentes, de genio acaso, médicos, artistas, artesanos, filósofos o simples enamorados nada más.

Por otra parte, es posible que el problema de identificar los elementos universales de la mentalidad nazi radicara justamente en que el poder y la estupidez solían verse unidos con tanta frecuencia en el mundo que había en ello algo insignificante, algo carente de luz reveladora.

Fue al volver de Alemania cuando comencé a sentir la necesidad de dedicarme a la nueva obra teatral, acaso porque su tema —las contradicciones de la autonegación— me parecía el tema alemán por excelencia, y la brutalidad que Alemania negaba ilusoriamente un símbolo del problema humano de nuestro tiempo. La expresión más incisiva de dicho tema se daba en Lorraine, el personaje de la obra inacabada sobre la empresa farmacéutica, que a mi juicio encarnaba una ironía mucho más amplia. Porque parecía muy segura de su imparcialidad, y tan fuerte e inenjuiciable como un animal hermoso, mientras que por dentro sentía una anormalidad profunda, como si fuese una especie de monstruo cuya inocencia no le valiese más que un solapado desprecio en la opinión seria del mundo. Así, confusa y abrumada, acaba enfrentándose inconscientemente a sí misma, poniéndose del lado del mundo, mientras el cinismo de éste hacia ella pulveriza su frágil autoestima, hasta que la autonegación comienza a hacer estragos y la despoja casi de toda capacidad para pensar en su colaboracionismo y en sus iracundos arrebatos revanchistas. Se siente acosada, ya no puede confiar en nadie. El complejo proceso de la autonegación universal reproducido de esta suerte en un individuo me parecía un eje temático muy clasificador y se apoderó de mi imaginación hasta tal punto que, como Robert Whitehead observó más tarde ante mi sorpresa, todos sentirían la tentación de reducir a Lorraine, rebautizada Maggie, a un retrato puro y simple de Marilyn. Yo estaba convencido de que la obra se consideraría un intento de abarcar todo un mundo de disyuntivas ético-políticas, donde la angustia de Maggie no era la *raison d'être* de la obra, aunque sí la más representativa. La obra trataba sobre la manera en que todos nosotros —naciones e individuos— nos destruimos negando justamente lo que hacemos. Si Maggie era en realidad un reflejo de Marilyn, que poseía muchas otras dimensiones, el sufrimiento del personaje era un homenaje a ella, pues en todo lo que afectara a la vida pública de Marilyn tenía prácticamente prohibida cualquier relación imaginable con el sufrimiento; era la «chica de oro», la diosa de la sexualidad eternamente joven, por encima del dolor y de la angustia, una criatura míticamente privada de la normal mortalidad y por tanto del calor humano auténtico. Claro que ella, sin saberlo, había contribuido a forjar este mito, que, una vez que se estableció, pareció su triunfo definitivo.

Advertía al mirar atrás que al desvincular al personaje de ficción de toda persona de carne y hueso me negaba a mí mismo lo evidente, aunque estaba convencido de que la culpa no tenía nada que ver con la obra; el meollo de ésta era que Maggie se salvaría si dejaba de acusarse a sí misma y a los demás, si acababa por comprender que, al igual que todo el mundo, ella era en última instancia la única responsable de su vida, hecho espantoso ante el que había que sentir humildad y sobrecogimiento y no el remordimiento absoluto implícito en su negativa de toda participación en su propia catástrofe. En este sentido, la inocencia mata. Pero como en breve descubriría, también prevalece, como sin duda prevalecerá eternamente.

No había participado de la idea de que Maggie muriese, sino de que ella y Quentin se separasen, final más contundente porque impediría que el público resolviese el problema con una muerte reparadora. Pero a medida que maduraba el personaje, más condenado se me representaba y podía advertir que su estela se curvaba hacia la muerte. También esto la distanciaba en mi imaginación de Marilyn, que, por lo que yo sabía, hacía películas otra vez, se había comprado una casa y sin duda llevaba una vida laboral tan sana como la industria del cine permitía.

Al comprar cierta tarde un periódico o una revista en un kiosco de Nueva York, vi por casualidad una foto suya —tal vez se tratara de *Life*—, donde aparecía en una piscina, desnuda y estirada en el agua, con la cara vuelta hacia la cámara fotográfica. El texto adjunto decía que Marilyn había insistido en que no se trucaran los desnudos en *Something's Got to Give*, una comedia que había comenzado a filmar con Dean Martin. Parecía ostentar una sonrisa de despreocupación forzada que nada tenía que ver con la alegría sincera con que años antes había exhibido su cuerpo esplendoroso. Resultaba difícil aplacar la sensación de que ya no debería hacer aquello nunca más, de que había superado la necesidad de confiar en su anatomía de un modo tan manifiesto; ¿se había estado matando todos aquellos años para darse un chapuzón desnuda en una piscina? La foto, destinada a celebrar el regreso de la despreocupada Marilyn de siempre, estaba traspasada para mí por una especie de escalofrío de condenación, como si hubiera renunciado de manera definitiva a dejar de ser la víctima inmemorial.

Una gacetilla decía que *Something's Got to Give* se había cancelado porque Marilyn siempre llegaba tarde a rodar. Un anuncio publicado en *Variety* y firmado por los atrezistas y otros trabajadores manuales de la pelí-

505

cula le agradecía con sarcasmo que les hubiera dejado caprichosamente sin empleo en una época tan difícil. Nada la habría herido más profundamente.

Yo sabía que su psicoanalista se preocupaba mucho por ella y que prácticamente la había dejado transformarse en miembro de su familia, visitaba a sus parientes y se paseaba por la casa como si fuera hija suya. Pero después de la última alarma esperaba yo que el especialista se anduviera con pies de plomo, porque era el momento ideal para lanzarla en busca del consuelo del inconsciente. En Hollywood, en el curso de otra película, no había tenido más remedio que pedir ayuda al decano de la Facultad de Medicina de la Universidad de California para convencerla de que acabase con su adicción a los barbitúricos; todos los médicos restantes habían transigido con su demanda de más y más potentes somníferos, aun sabiendo muy bien lo peligrosos que eran. Hasta su nombre y poderío se confabulaban para minar su existencia. Había rebasado el índice de toxicidad y el decano se había llevado todos los frascos que decoraban la mesita de noche de Marilyn. La firmeza de aquél la había impresionado lo suficiente para pasar unos días sin píldoras, aunque para proseguir habría tenido que arrostrar una serie mortal de ideas que la ataban al convencimiento de que estaba destinada a ser una víctima sacrificable. En un momento de serenidad pareció que el decano casi la había persuadido de que era ella quien se estaba matando, pero su autoridad no pudo derrocar la imagen que desde siempre había tenido de sí misma. Además, siempre había médicos deseosos de ayudarla a sumirse en el olvido.

Bob Whitehead se presentó un día en el Chelsea con noticias interesantes. Se le había nombrado director de un nuevo teatro de repertorio que se abriría en el complejo de Lincoln Center, todavía en construcción al norte de Columbus Circle, y cuya terminación estaba prevista para dos años después. Bob había financiado *Panorama desde el puente* y *Recuerdo de dos lunes* con Kermit Bloomgarden y era el empresario de Broadway con mayores ambiciones artísticas. Pese a todo su éxito, lo que de verdad quería era un teatro permanente, como el National o el Old Vic de Inglaterra, donde los artistas norteamericanos —autores, actores, decoradores, directores— pudieran trabajar de modo coherente, evitándose la habitual disolución de los montajes comerciales al final de una serie de representaciones. Para desempeñar el trabajo del Lincoln Center tendría que dejar de montar obras en Broadway, sacrificio financiero que decía mucho de su entrega al plan.

¿Escribiría alguna obra para inaugurar el teatro? Lo que él quería saber cuanto antes era si yo tenía algún inconveniente en trabajar con Kazan, que sería el director artístico, con Harold Clurman, dramaturgo y consejero general, y con Bobby Lewis, que dirigía una academia de interpretación y algunas representaciones. Estaba claro que se trataba del viejo Group Theatre que renacía dos décadas después de su fallecimiento, sólo que esta vez con financiación pública y un local permanente. Era un proyecto muy emocionante.

En cuanto a Kazan, tendría que definir mis sentimientos. Ignoraba en realidad si podíamos trabajar juntos; por mi parte, no se había modificado mi parecer de que con su declaración ante el Comité de Actividades Antiamericanas se había perjudicado a sí mismo y a la causa de la libertad, y no me cabía ninguna duda de que aún creía haber obrado bien. En los años transcurridos, como es lógico, el problema comunista había ido perdiendo importancia y la nueva generación apenas comprendía qué había sido todo aquel alboroto. Lo que interesaba saber ahora era si su posición política y, si se quiere, su deserción moral incluso, iban a impedirle siempre trabajar en el teatro, en particular en aquel tipo de teatro, públicamente financiado. En cuanto a la ética, más valía no echar redes demasiado grandes; en primer lugar, ¿cuántos de aquellos que sabían ya que habían apoyado un régimen estalinista paranoide y criminal se habían enfrentado cara a cara con su propia complicidad? Aunque yo sentía aún algún malestar porque Kazan hubiera cedido a las presiones y renunciado a su pasado, no estaba del todo seguro de que hubiera que excluirlo de una posición para la que estaba magníficamente calificado por sus dotes y sus impagables experiencias con el Group. Ni podía estar seguro tampoco de que no me estuviera limitando a racionalizar mi convicción de que era el mejor director para una obra teatral tan compleja; aunque rechazarlo, en mi opinión, era negar la posibilidad de un teatro nacional en la época.

Lo que más me preocupaba entonces era saber si tendría terminada la obra para la inauguración del Lincoln Center. Nadaba en un mar de doscientas páginas de diálogo sin haber columbrado aún la otra orilla. Y, en términos prácticos, no me podía permitir el lujo de ceder una obra a un teatro de repertorio que sólo pondría en escena una cantidad limitada de veces al mes; como parir una obra siempre me costaba años de embarazo y mi situación económica no era muy solvente que digamos, no estaba en situación de ser generoso. Pero al cabo de unas semanas, de mucho hablar con un Clurman y un Whitehead cada vez más entusiasmados y de varios encuentros con Kazan para charlar de su puesta en escena, convine en seguir adelante. En resumen: puesto que todos los factores decisivos me aseguraban un buen resultado, me dejé llevar del entusiasmo y opté por integrarme.

Carecía de papel en el nuevo teatro, excepción hecha del de dramaturgo colaborador, y la política interior de su administración no me interesaba. Me gustaría poder afirmar que ya se ha escrito demasiado sobre su polémica historia para aportar ahora nuevas versiones, pero lo cierto es que pese a las toneladas de artículos que se han escrito en la prensa de Nueva York y de otros puntos, aún está por escribir la historia exacta y verdadera de lo que sucedió en el Lincoln Center Repertory Theatre bajo la dirección de Whitehead y Kazan.

Rebasa la finalidad de este libro contar exhaustivamente dicha historia; sólo puedo comentar lo que supe a la sazón directamente y más tarde por otros, cosa que de ningún modo se ha de confundir con la totalidad de los hechos. La importancia de que la historia se conozca supera la de los personajes afectados, aunque sólo sea porque hubo por medio muchísimo dinero público, amén de las esperanzas de unos artistas y de un público que merecieron más de cuanto obtuvieron. Por último, si este país tiene pensado crear algún día un teatro nacional digno de este nombre, haremos bien en aprender de las enseñanzas ocultas de aquel intento fallido de fundar una institución semejante.

Por decirlo pronto y bien, el consejo de administración del Lincoln Center estaba compuesto en su mayoría por banqueros que habían aportado el dinero para construir los edificios. Aceptaban que la ópera, el ballet y la orquesta sinfónica tuviesen déficit todos los años, pero —por motivos pertinentes a la cultura norteamericana de la que formaban parte— suponían que el teatro obtendría beneficios o que al menos no perdería dinero. Después de meses de análisis y sondeos estadísticos, Whitehead, hombre de gran paciencia y comprensión ante tales elementos, expuso la paradoja de que cuanto mejor fuera el teatro más dinero tendría que perder. La fórmula pareció una insensatez financiera a la directiva; al fin y al cabo, Whitehead había ganado dinero en Broadway financiando la representación de obras de Robinson Jeffers, Carson McCullers, Friedrich Dürrenmatt y Robert Bolt, ¿por qué allí no, entonces? Claro que en Broadway, un empresario no pagaba por almacenar los decorados de dos, tres o más obras en espera de tener un sitio en el programa siempre cambiante de una compañía de repertorio; ni por mantener todo un regimiento de actores, muchos de los cuales permanecerían ociosos durante días, semanas o más incluso; ni por confeccionar y almacenar vestuario para más de una obra, etc., etc. Que el gloriosísimo Old Vic y últimamente el National Theatre of Great Britain tuvieran desde siempre un déficit calamitoso no acababa de arraigar en la cabeza de los banqueros. El presidente del consejo, George Woods, a la sazón presidente del Banco Mundial, era particularmente insensible a una situación al parecer tan diáfana.

Pero de lo dicho yo no sabía nada por entonces. Estaba a punto de terminar *Después de la caída* cuando recibí la horrible noticia de que Marilyn había muerto, al parecer a consecuencia de una sobredosis de barbitúricos.

Hay personas tan vivas que no parecen extinguirse cuando se mueren y durante muchas semanas tuve que hacerme a la idea y esforzarme por afrontar el hecho de que Marilyn había fallecido. Me di cuenta de que incluso entonces esperaba haberla visto una vez más, cuando fuese, en cualquier parte, para hablar con sensatez de todo lo que habíamos pasado, y es probable que en tal caso me hubiese vuelto a enamorar de ella. La lógica implacable de su muerte no servía de mucho: aún podía verla cruzando el jardín, tocando algún objeto, riéndose, al tiempo que me encaraba con su final como quien se queda contemplando el sol poniente. Cuando me llamó un periodista para preguntarme si iba a asistir al entierro, que se celebraría en California, la idea misma del sepelio se me antojó extravagante, y, atónito como estaba, respondí sin pensar: «Ella no estará allí». Alcancé a oír la exclamación de asombro de mi interlocutor, pero me encontraba más allá de las explicaciones y no tuve más remedio que colgar. De todos modos, unirme a lo que sabía sería un circo de cámaras fotográficas, gritos y exotismos, era superior a mis fuerzas. Yo había hecho cuanto había podido y me parecía una estupidez posar para los fotógrafos junto a la lápida. Por el motivo que fuese, no hacía más que recordar lo que le había dicho hacía mucho: «Eres la chica más triste que he conocido». Y ella había replicado: «Nadie me lo había dicho nunca», y se había echado a reír con una sorpresa introspectiva que me había hecho acordarme de mí mismo de pequeño, cuando el viajante de la pierna artificial me comentó de súbito: «Te has puesto serio», e hizo que me viese a mí mismo de un modo diferente. Era muy curioso que en realidad nunca hubiera tenido derecho a su propia tristeza.

Como era de esperar, la prensa se unió para entonar a coro sus lamentaciones, la misma prensa que se había burlado de ella durante tanto tiempo y cuyos elogios y condescendencias para con su faceta de actriz, cuando no su desprecio, se había tomado Marilyn demasiado en serio. Para sobrevivir habría tenido o que ser más cínica o que haber estado más lejos de la realidad. Marilyn, por el contrario, fue una poetisa callejera que había querido recitar sus versos a una multitud ávida de arrancarle la ropa.

Hija de los años cuarenta y cincuenta, fue la prueba de que la sexualidad y la seriedad no podían coexistir en la psique de Norteamérica, de que eran enemigas, contrarios que se rechazaban. Al final había tenido que ceder y volver a bañarse desnuda en una piscina para hacer una película.

Años más tarde investigaría su vida un autor cuya especialidad consistía en fundir la sexualidad con lo serio, pero abiertamente necesitado de dinero para pagar sus varias pensiones conyugales, sólo alcanzó a hablar básicamente de una putilla jovial, sujeta a rachas imprevistas de ingenio superior. Bien mirado, ella era él disfrazado de Marilyn, que representaba sus propias fantasías hollywoodenses sobre la fama, el poder y la sexualidad sin límites. Cualquier modalidad de pesadumbre habría estropeado inútilmente la imagen, aunque se refería a una mujer que durante toda su vida adulta había estado al inestable borde de la autodestrucción.

Me tuve que preguntar si su destino en manos de tan genial autor habría mejorado si ella hubiese aceptado allá en los años cincuenta mi propuesta de invitarle a cenar alguna noche. Supe que Norman Mailer había comprado una casa en Roxbury y, a juzgar por lo que todo el mundo sabía de él, habría estado entusiasmado de conocer a Marilyn. Aunque recordaba nuestra breve conversación de antaño frente a la casa de Brooklyn Heights en que ambos vivíamos —cuando, sin venir a cuento, me había dicho que podía escribir una obra como *Todos eran mis hijos* cuando quisiera, y sin duda lo hizo cuando encontró tiempo para ello—, la tomé por un brote juvenil de envidia, que todo escritor experimenta y olvida con la edad. Diez años más tarde, podía resultar buena compañía para pasar un velada nocturna. Pensaba entonces que estábamos demasiado solos y que las visitas menguarían la desconfianza que sentía Marilyn hacia los extraños. Pero rechazó la idea de invitar a Mailer, alegando que «conozco a esa clase de gente», a la que quería olvidar en la nueva vida que esperaba llevar entre personas que no estuvieran obsesionadas por la imagen, ni por la suya ni por la de otros. Al leer el libro, con su sonriente ambigüedad para con ambos —hábilmente oculta tras una sangre fría sensacional—, me pregunté si se habría escrito si alguna noche hubiéramos dado de comer a su autor y le hubiéramos dejado tiempo para que conociese la humanidad de Marilyn y no sólo su imagen publicitaria.

Así, tema de esta novela-real-como-la-vida-misma y al mismo tiempo reportaje-no-del-todo-fidedigno, Marilyn aparecía justamente como detestaba aparecer, como una broma que se tomaba a sí misma en serio; pero era una imagen que invitaba al lector a dejarse fascinar. Lo fundamental de su actividad cinematográfica se basaba en las declaraciones de un testigo tan imparcial como Milton Greene, que se había aprovechado de la vida financiera de la actriz valiéndose de mangoneos legales, mientras que la conducta de sus incondicionales —su psicoanalista, el doctor Ralph Greenson, que había luchado por salvarle la vida hasta el final, y su enfermera de compañía, una señora mayor— se caricaturizaba hasta parecer casi frívolos a causa de sus desvelos. Preguntado en televisión por Mike Wallace sobre por qué había insinuado la posibilidad de un descuido de la enfermera en el curso de la noche fatal, perjudicando lo indecible la reputación profesional y la dignidad civil de ésta, dado que habría sido más sencillo comprobar sus movimientos durante las últimas horas, el autor manifestó que no había podido ponerse en contacto con la anciana; y cuando el estupefacto Wallace le dijo que no le habría costado mucho localizarla por el listín telefónico de Los Angeles, el autor acometió un excurso literario sobre una antiquísima licencia de los autores de ficción, y encontró oportuno considerar en aquel punto concreto que su «Marilyn» no era del todo una persona de carne y hueso, rodeada de personas de carne y hueso, si bien en otros momentos, como es lógico, deseaba que se la tomase por tal, por ejemplo, cuando un lector en ciernes entrara en una librería y buscase los hechos auténticos recogidos en un libro que tenía que comprar con dinero auténtico.

Marilyn había tenido razón desde el principio y yo había sido demasiado confiado, a menudo de un modo necio e irritante; no estaba acostumbrado al océano de la celebridad, infestado de tiburones; pero sin darme cuenta veía una y otra vez sus acometidas, hasta un punto en que todo el juego de la celebridad se convertía en una paranoia institucionalizada que aturdía el alma y acababa con la propia vida. Pero vivir cotidianamente en medio de una niebla de sospechas nunca despejadas se me antojaba absurdo y, tal como sucedieron las cosas, también a ella le resultó imposible al final.

Nacida muy poco después de la muerte de Marilyn, *Después de la caída* tenía que fracasar. Salvo escasas y resueltas excepciones, las reseñas hablaron de escándalo, no de una obra teatral, y apenas si se dieron cuenta de que había un tema, intenciones dramáticas y estilo, como si no hubiera sido más que un ataque contra una mujer muerta. También se pasó por alto el hecho de que el contraataque que se lanzó contra mí casi parafraseaba la toma de conciencia de Quentin de sus propios defectos, es decir, que se basaba en la obra misma; como si los críticos hubieran presenciado una auténtica pelea doméstica y sentido la necesidad de intervenir para salvar a Maggie.

No pude por menos de pensar que tamaña ceguera, despreocupada y casi absoluta, ante el tema de la obra y sus implicaciones era una prueba más de que no se podían abordar directamente, de que era imposible considerar en serio que la inocencia fuese mortal. Era esta suerte de autonegación lo que había motivado el final trágico de la obra. No tardó en odiárseme por todos lados, pero la obra había expuesto su propia verdad, como era su obligación, a fin de cuentas, y si la verdad se vestía de dolor, tal vez fuese importante para el público afrontarla con incomodidad, incluso con la rabia de la desmentida. Andando el tiempo, y con grandes esfuerzos, comprendí la hostilidad que se había desatado contra mí, ya que ciertamente había comunicado yo muy malas noticias.

Pero la acogida de *Después de la caída* no fue tan unánimemente contraria como había imaginado en el calor del momento. Cuando volví la vista atrás, comprobé que, al margen de *La muerte de un viajante*, todas y cada una de mis obras habían recibido al principio una mayoría de comentarios negativos, indiferentes o despectivos. Excepción hecha de Brooks Atkinson al comienzo, y luego de Harold Clurman, subsisto como dramaturgo sin la tutela de un crítico de relieve. Han sido sobre todo los actores y los directores los que han salvado mi obra ante el público, que ciertamente me han recompensado con su apoyo. Sólo en el extranjero y en algunos lugares de Norteamérica, aunque no en Nueva York, ha aceptado la crítica mis obras. Con frecuencia he recuperado cierto sentido de la realidad acordándome de la observación de Chéjov: «Si hubiera hecho caso de los críticos, habría muerto alcoholizado en el arroyo».

Un viejo amigo se quedó mirando a la pequeña Rebecca, que con sus doce meses descansaba en el cochecito. Eramos de la misma quinta, frisábamos en la cincuentena, nos habíamos casado a los veintitantos, después de licenciarnos, y habíamos tenido descendencia más o menos en el mismo momento. Y allí estaba yo, otra vez con un cochecito infantil. Tras sonreír a la pequeña, se volvió a mí y me dijo: «¿No nos ha ocurrido esto antes?».

Al descubrir la paternidad por segunda vez me daba cuenta de que, al igual que la juventud, el instinto paterno se agota en los años jóvenes. Un hijo en la madurez era una enérgica protesta contra la concepción pesimista de la vida, dominante en los combativos sesenta, pues hay algo absurdo en el hecho de que un hombre mayor sea padre otra vez, una antinaturalidad a través de la cual se advierte la necesidad conmovedoramente imperiosa que tiene un niño pequeño de que la vida vuelva a contemplar la vida con su mirada límpida y primordial. Me sentía un tanto protector de cuanto a mi alrededor entrañase esperanza y receloso de todo negativismo fácil. Ignoraba el origen exacto de estos sentimientos, pero temía que la vida fuese muy fácil de destruir. Es posible que sencillamente procediera de saber que me estaba haciendo viejo.

Pero también supe que los tiempos habían cambiado cuando ni Bob ni Jane manifestaron el menor interés por ir a la universidad, que les parecía irrelevante. Recordé que durante mis dos últimos años de facultad había estado muy impaciente por aventurarme en el mundo, que me parecía mucho más interesante, pero había continuado la carrera porque no había elección, dado que era muy difícil encontrar trabajo. Aunque corrían el peligro de desarraigarse de la cultura del pasado en virtud de este rechazo absoluto de la actividad académica, me faltaba convicción para enfrentarme a ellos, inseguro como estaba de comprender su concepción de lo real. Antes incluso de que la guerra de Vietnam cobrase su tributo a la fe de su generación en Norteamérica, parecían haber perdido algo del fructífero impulso del que más de una vez me había lamentado yo por considerarlo una carga desnaturalizadora sobre mi generación. ¡Y me preocupaba ahora que le hubieran dado la espalda! Aunque estas cosas ya no se podían decir en público. Confiaba en la fe que tenía en ellos. Ocurriría lo que tuviera que ocurrir.

Marcello Mastroianni me visitó en el Chelsea una tarde para hablar de su personificación de Quentin en la puesta en escena de *Después de la caída*, a cargo de Franco Zeffirelli. Jamás he conocido hombre más proclive a despertar la antipatía del prójimo; parecía considerarse a sí mismo con el mismo humor irónico que aplicaba a los demás, como si la vida en general fuese más o menos un malentendido absoluto. El primer papel que había representado había sido el de Biff en *La muerte de un viajante*. Creí que sería un Quentin fabuloso porque parecía intrigado por lo que le sucedía sin dejar por ello de enfocarse a sí mismo desde cierta distancia. Sentía curiosidad por su actitud ante la obra, que intuía le parecería extraña a juzgar por lo que había oído de sus experiencias con las mujeres.

—¿Qué tal te cae Quentin? ¿Te solidarizas con su actuación en la obra?

—Desde luego. Es algo que nos ocurre a todos tarde o temprano.

—¿Entiendes pues al personaje?

—Claro que sí.

Intuí que callaba algo e insistí para que me lo dijera.

—¿No es hinchar mucho las cosas por una mujer?

—¿De veras? ¿Qué harías tú en su lugar?

—Yo —agitó la mano para indicar la lejanía— me daría un garbeo por ahí.

En realidad, la idea norteamericana de intimar a fondo con un papel le era ajena. Volvía a Italia para hablar con Fellini, que lo requería para hacer una película, película que por supuesto iba a aceptar con los ojos cerrados (y que le impediría interpretar a Quentin con Zeffirelli). Resultó que se trataba de *Fellini ocho y medio*. No tenía ni idea del argumento y le satisfacía que fueran a darle el guión el primer día de rodaje. «Un actor es ante todo un animal; si no es un animal, no es nada. Yo estoy contento de serlo.» En cierto modo fue un alivio hablar con él, como si a todo el concepto de la interpretación escénica le hubieran quitado un peso de encima.

No me resultaba fácil encajar los golpes que me propinaban a causa de *Después de la caída*, pero me consolé un poco recordando la hostilidad incomprensible que había despertado el solo anuncio de la formación de una compañía de repertorio en Lincoln Center, incluso antes de que se eligiera programa. Admito que no estoy seguro de comprenderlo todavía. Pensaba que sería emocionante que personas dotadas y célebres como Whitehead, Kazan, Bobby Lewis y Harold Clurman aportaran su prestigio e idealismo a una empresa sin precedentes. A fin de cuentas, casi todos los de su generación habían abandonado el teatro para hacer televisión y cine y eran de los pocos, de los poquísimos que podían legar una tradición teatral norteamericana. Pero cierta prensa, en particular algunos comentaristas académicos que escribían en las publicaciones más cultas, se mostraron asombrosa y resentidamente hostiles, ni más ni menos que como si se estuviese tramando algo turbio, mientras que los comentaristas teatrales profesionales se mantuvieron al margen, neutrales en el mejor de los casos, cuando no con un talante semicínico ante aquel intento de crear un teatro nuevo y anticomercial. Tan perjudicial fue este negativismo aprioríristico que Clurman recibió pocos originales deseosos de representación. Fui a distintas facultades para animar a los escritores en ciernes a que remitiesen originales, pero la propaganda adversa tenía un efecto increíble.

Con Jason Robards en el papel de Quentin y Barbara Loden en el de Maggie, Kazan hizo un montaje de gran fuerza y veracidad, sin duda uno de los mejores de su vida. Yo no le había facilitado las cosas; con sus evocaciones de personajes mediante el flujo de conciencia, sus desapariciones repentinas y modificaciones de tiempo y lugar, la obra rayaba a menudo en el fotomontaje. En ningún momento quiso simplificar su labor eliminando material, antes bien trató de reproducir con fidelidad las intenciones de la obra. El público que llenaba el teatro provisional de la Calle 14 Oeste parecía muy impresionado, a pesar de toda la animosidad ambiental. Lo único que lamenté de veras fue no poder impedir que Loden llevase una peluca rubia, que parecía invitar a identificarla con Marilyn. Me preguntaría tiempo después si esta ceguera mía no fue mi forma particular de autonegación, aunque, como siempre, yo me encontraba oculto en la estructura de la obra porque no me interesaba el parentesco de los personajes con los ciudadanos de carne y hueso.

Al margen de sus defectos, Lincoln Center se concibió como un teatro que tenía que llegar al público en general. Al dirigirse no a una élite cultural afecta, sino a un público no aficionado, los autores y los actores tendrían que hacer más dilatado e intenso su trabajo. Pero los críticos «revolucionarios» y la vanguardia oficial se burlaban de todo el proyecto, calificándolo de invento de banqueros y de viejos profesionales del teatro. En realidad, la auténtica batalla dentro del proyecto teatral se dio entre un banquero, George Woods, y los viejos profesionales Whitehead-Kazan-Clurman, pero no se hizo pública, ya que carecía de interés para los periodistas y miembros del mundo académico porque no contribuía a legalizar sus credenciales *in*; tampoco Whitehead, porque, todo hay que decirlo, rompió filas para ir donde los periodistas con la información en la mano; lejos de ello, como caballero que sabe desenvolverse entre caballeros, esperó a que los resultados del nuevo teatro hablaran por sí solos.

Pero el primer rebufo de la irritada oposición del presidente Woods al mismo teatro que según las apariencias dirigía él alcanzó a Whitehead cuando, en vez de esperar un par de años a que se concluyese el Vivian Beaumont Theatre, pidió al rector de la Universidad de Nueva York que, por un dólar al año, le arrendase un terreno de la Calle 14 Oeste para edificar un teatro provisional. Terminado casi de la noche a la mañana por constructores especializados en estructuras industriales metálicas, el barato edificio resultante poseía una acústica de primera y una presencia a base de hormigón puro que por casualidad expresaba la pobreza real de aquel injuriado y al final condenado intento de crear un teatro público neoyorquino. El techo de metal gotearía la noche de la inauguración, y la tarde misma del estreno de *Después de la caída*, Whitehead y yo tuvimos que ir a la Sexta Avenida a comprar un par de destornilladores para fijar seis filas de asientos a los respectivos soportes.

La hostilidad contra el proyecto lo pulverizó a la postre, en particular porque el consejo de administración del Lincoln Center carecía de principios sólidos para enfrentarse a unas críticas lo bastante insensatas para afirmar que se había elegido pésimamente a los actores de la compañía. Que en la lista figurasen Jason Robards hijo, la aún desconocida Fay Dunaway, David Wayne, Joseph Wiseman, Salome Jens y el joven Hal Holbrook no sirvió para acallar los improperios. Se cometieron errores, hay que reconocerlo, y algunos graves, como seleccionar obras que no casaban con la compañía, pero el peor de todos fue sin duda aparentar que se planeaba algo grandioso cuando en realidad todo era un experimento que habría funcionado del modo más tranquilo y discreto posible hasta que la compañía hubiese encontrado su voz y cierto nivel de seguridad.

A pesar de todo, *Después de la caída* se siguió representando con gran asistencia de púbico. Clurman y un Whitehead acosado no tardaron en recurrir a mí en busca de otra obra, y entre que siento debilidad por la solidaridad humana y lo tentador de tener a mano la que sabía era una compañía de primera magnitud, me puse a escribir *Incidente en Vichy*, que terminé en poco tiempo. El hecho, al igual que el primer motor de *Panorama desde el puente* contenido en la invitación de Marty Ritt, parecía indicar que de haber tenido la suerte de vivir en una época en que existiera un teatro creativo o de repertorio de alto nivel, habría escrito sin duda más obras. La misma perspectiva de enfrentarme a los engorros de la financiación y la selección de actores, propios del teatro comercial, y de tener que desperdiciar a menudo muchos años de trabajo para obtener una mísera reseña, ha rodeado el arte de escribir teatro, para mí por lo menos, de un aura de inutilidad. Y estoy convencido de que no soy el único que lo piensa.

Los orígenes de *Vichy* procedían de mi amigo y antiguo psicoanalista el doctor Rudolph Loewenstein, que había permanecido oculto en la Francia de Vichy durante la guerra, hasta que los nazis ocuparon el país abiertamente. Aunque yo sólo me acordaba de las líneas generales de su odisea: un analista judío a quien cogen con documentación falsa y al que salva un hombre al que no ha visto en su vida. El desconocido, un gentil, ocupó su lugar en una fila de sospechosos cuya documentación y genitales iban a inspeccionar en el curso de una redada de judíos que se hacían pasar por franceses.

Otra fuente de inspiración la constituyó un antiguo amigo de Inge, el príncipe Josef von Schwarzenberg, que había «declinado» la oferta de colaborar con los nazis y lo había pagado durante la guerra. Fue el modelo de von Berg, el príncipe de mi obra que se decide a ocupar el lugar de un psicoanalista condenado. No era en modo alguno una idealización romántica, pues en cierto modo, absurdo y lógico a la vez, Josef von Schwarzenberg simbolizó una resistencia básica al espíritu fascista, que es fundamentalmente el espíritu de todas las modalidades de bajeza aplicada. Elegante, alto, soltero, autorizado por el gobierno austríaco de posguerra a residir en un ala del palacio Schwarzenberg, Josef podía contemplar por la ventana el macizo y marmóreo monumento soviético al soldado ruso, de cinco pisos de alto, y meditar mientras reprendía resignado al último criado que le quedaba, que se deslizaba en silencio por los pasillos y que para servir unos spaghetti incomibles se calzaba guantes blancos. Entre los cuartetos de cuerda que contribuía a financiar y los sablazos que daba para llenar el depósito de su Peugeot, se las arreglaba para crear una imagen de pureza cultural conmovedoramente a prueba de los sobornos del poder que fuese. Su respiración se aceleraba y la mano le temblaba de emoción cuando escuchaba un sonata de Mozart en la antigua gramola o leía los versos de algún poeta reciente. Iba a misa con su condecoración papal, el Toisón de Oro, colgándole del cuello, luego a casa de la madre de Inge, a buscar un cuenco de arroz del que, según él, sólo ella sabía preparar, y después a una velada de contemplación mística con Arnold Keyserling, por cuyas ideas sentía gran curiosidad, aunque, como católico, no creía en ellas. Había negado al movimiento nazi el esplendor de su apellido porque no se le había ocurrido actuar de otro modo; la verdad es que no había tenido otra salida y no podía imaginar que su valiente negativa mereciera ningún elogio. No consideraba un castigo el haber pasado en Francia buena parte de la guerra dedicado a empleos serviles. Lo que me fascinaba de él era su mezcla de buen gusto mundano y un código moral ingenuo, casi inconscientemente puro, que sólo una persona tan protegida en su juventud podía poseer sin duda, y con el que medía la corrupción que el mundo daba por inevitable.

Inge y yo, en el curso de una de nuestras visitas a Austria, para ver a su familia, habíamos decidido ir a Radomizl, el pueblo polaco próximo a Cracovia del que habían emigrado mis abuelos. El padre de Inge sacó en seguida sus mapas militares y con una lupa encontró una población llamada Radomizl en Ucrania. Poco después, el embajador polaco en Austria, un sabelotodo del teatro, nos invitó a comer, se deshizo en elogios por una representación varsoviana de *Después de la caída*, que se le antojó fabulosa, y muy contento nos invitó a visitar una Radomizl sita en la Polonia occidental, bajo ningún concepto cercana a Cracovia. Entonces se presentó Josef para decirnos que en una provincia de Bohemia que antaño había pertenecido a los Schwarzenberg había un lugar llamado Radomizl que recordaba muy bien de cuando era joven, y que insistió era mi población de origen.

—Pero estoy seguro de que no estaba en Bohemia —le dije.

—Es imposible que lo sepa seguro —dijo riéndose—, así que tiene que elegir una Radomizl y quiero que sea la mía. Por lo que ha contado, es posible que usted y yo seamos parientes.

No fuimos a lo que ya se me antojaba una patria chica elegida al azar, un punto en ninguna parte. Además, si por una de aquéllas resultaba que era la verdadera Radomizl, lo más probable es que mis parientes no hubieran sobrevivido a una invasión nazi. Todas las Radomizl y todas las poblaciones parecidas estaban ahora *judenfrei*.*

La versión de Harold Clurman de *Incidente en Vichy* en la casi fantástica comisaría de Boris Aronson** fue de una belleza insuperable, aunque era tal el desprecio continuo que se dejaba sentir por el Repertory Theatre del Lincoln Center for the Performing Arts que la acogida que se dispensó fue respetuosa pero fría. Un año más tarde, la versión de Peter Wood en el West End londinense, con Alec Guinnes en el papel del príncipe, funcionó mucho mejor. Por cierto, me pareció necesario explicar a los actores británicos —apenas veinte años después de una guerra que había estado más a punto de destruir Inglaterra que ninguna otra calamidad en diez siglos— qué habían sido las SS y qué habían hecho. El pasado ha dejado de existir en nuestra época, así de sencillo, y tal vez porque demasiadas cosas cambian demasiado aprisa.

La obra tendría una historia curiosa. Primera obra mía que se prohibió en la Unión Soviética durante una de las convulsiones antisemitas de fines de los sesenta, en Francia me la solicitaron tres empresarios distintos, que al final renunciaron a sus derechos por temor de las represalias que podrían suscitar sus alusiones a la colaboración francesa con el anti-

---

* «Limpias de judíos», en alemán. (N. del T.)
** Boris Aronson fue el decorador; la comisaría es el lugar donde transcurre la acción de la obra. (N. del T.)

semitismo nazi. Finalmente, a comienzos de los ochenta, Pierre Cardin la montó en París, aunque se notó el resentimiento defensivo de los comentarios de prensa. La versión de Norman Lloyd para la televisión pública nacional, dirigida por Stacy Keach, es sin duda la más expresiva que he visto. Hasta 1987 y la liberalización de Gorbachov no se pudo representar *Vichy* en un teatro soviético, de la mano del mismo Galina Volchek cuya versión de 1968 se había prohibido en el Teatro Maly la noche antes del estreno, después de seis representaciones preliminares y muy aplaudidas. En esta ocasión me telefoneó un reportero del *Noticiero de Moscú* y con una voz que no cabía en sí de contento me hizo preguntas como: «¿Qué significa, según usted, que esta obra se represente en Moscú al cabo de veinte años? ¿Cuál es su mensaje?». Y al final: «Nos gustaría garantizarle que sus respuestas se van a publicar íntegras, muchísimas gracias». Y la verdad es que así fue.

Me enteraba con frecuencia del estado de ánimo del mundo por la distinta actitud con que se acogían mis obras y gracias a mis últimos treinta años de viajero he contemplado nuestro teatro desde perspectivas diferentes. En 1965, Laurence Olivier escuchaba sin dar crédito a sus oídos lo que yo le contaba sobre el desastre del teatro de Lincoln Center. «¡Pero si acababais de empezar! Nosotros pasamos siete años en Chichester organizando la compañía antes de representar nada en Londres. Y nos daban unos estacazos de muerte la cuarta parte del tiempo. Y a nadie se le ocurrió que por ello deberíamos liar los bártulos. ¡Es incomprensible!» Pero no tenía presente la cultura norteamericana inmediata.

Olivier estaba enfrascado en la representación londinense de *Las brujas de Salem* y desde hacía dos meses nos habíamos carteado sobre la forma de hablar que convenía poner en boca de los personajes. Su puesta en escena, con Coldin Blakely en el papel de Proctor y Joyce Redman en el de Elizabeth, poseía una nobleza a la vez conmovedora y austera. El actor que interpretaba el papel del octogenario Giles Corey hizo que me asombrase de la energía que aún podía poseer un viejo, pero resultó que tenía veintitantos años. Lo que no olvidaría fue un largo silencio que se cierne al comienzo del segundo acto, cuando Proctor entra en su casa, se lava y se sienta para cenar. Debieron de transcurrir incontables minutos mientras Elizabeth le servía y se ponía a hacer sus cosas, el mutismo prueba palpable de su común orgullo herido, de su mutuo resentimiento y en cierto modo de su respeto mutuo también; y a la vez introducía en la casa el miedo creciente a lo que estaba sucediendo en la Villa de Salem. ¡Con tanta precisión, cuánta intensidad!

Hojeando periódicos en el avión leí en el *Times* que Vincent Riccio, miembro de la cámara legislativa del estado de Nueva York, había sido procesado por tener en nómina a una mujer que nunca había desempeñado ningún trabajo. Se esperaba que fuese a la cárcel.

Hacía entonces más de diez años que Riccio y yo habíamos pasado las noches juntos en las calles de Bay Ridge. Hacía algún tiempo que me había enterado de que lo habían elegido miembro de la cámara legislativa y se me ocurrió que tenía que haber algo anómalo en el hecho de que el único asistente social republicano que había conocido en mi vida se convirtiese en político de profesión. Siempre había censurado con ira las ambiciones personales de las altas esferas de la seguridad social; ¿era porque también él las tenía?

Lo recordaba sentado en el guardabarros de un coche a la luz morada de un atardecer de Bay Ridge, boxeador fogoso en su época de marinero, de pelo negro y lustroso y con una dentadura postiza demasiado grande en sustitución de unos dientes que le habían arrancado a puñetazos; mientras enseñaba a los pandilleros a parar los derechazos, había tratado de sacarlos de la selva, con una sutileza que le envidié en su momento, para que vivieran entre ciudadanos pacíficos. Mientras leía el periódico me vinieron a la cabeza sus análisis precisos sobre la hipocresía de los asistentes sociales. ¡Pobre cerebro humano! Cómo se ablanda sin remedio cuando dos miradas de buena voluntad se encuentran y se alegra la nariz al sentir los antiguos olores de la jungla.

A poco se publicó una gacetilla que informaba de su condena y encierro. Y otra, meses después, de que había muerto, sin que se mencionara la causa. Me pregunté si no sería todo un efecto de la confusión de contar con demasiadas alternativas. ¿Quién habría dicho que allá en los años cincuenta, mientras se rompía el pecho en las calles de Bay Ridge para evitar otra estúpida guerra de pandillas, estaba viviendo en realidad su mejor época?

Se sabe que se ha llegado a cierta edad cuando se contempla todo con cierta ironía. Al hablar y escribir contra la guerra de Vietnam, ésta se me antojaba un *remake* de la guerra civil española con distintos actores, una película bélica con guerra perdida que ya había visto antes. En la militancia de los sesenta, el despertar negro, la emocionante rebeldía contra la época, veía yo la simiente de un futuro de decepciones. Una vez más, para salvarnos a nosotros mismos, buscábamos la solución en el exterior; en la rebelión, totalmente justa y necesaria, no había más que un espacio mínimo para preocuparse por la ética personal y el propio egoísmo. A los cincuenta y pico traté de acallar el eco de las cruzadas pretéritas, pero me fue imposible.

El precio fue en parte un exorcismo contra esta desalentadora obsesión repetitiva. Dos hermanos, el uno policía, el otro cirujano célebre, vuelven a encontrarse después de una violenta disputa acaecida muchos años antes; el tiempo ha acabado por dividir las propiedades de la familia a la muerte del padre. Adultos ahora, creen que han alcanzado la indiferencia a las traiciones pasadas que la madurez confiere. Pero todo se reproduce; los antiguos símbolos de la violencia resucitan antiguos sentimientos de injusticia y se separan sin reconciliarse. Ninguno puede aceptar que el mundo los necesite a los dos, al puntilloso guardián del orden y al creador ambicioso y egoísta que ingenia nuevas soluciones médicas.

Por más que lo deseara, no podía tergiversar yo lo que la obra y la vida parecían decirme: que estábamos condenados a perpetuar nuestros engaños porque la verdad era demasiado costosa de afrontar. Al final de la obra, Gregory Solomon, el comerciante de muebles usados de ochenta y nueve años de edad, se queda con los enseres de la familia, que ha comprado a los dos hermanos; encuentra un antiguo disco de chistes y, al escucharlo, se echa a reír de manera ingobernable, nostálgica, violenta, más próxima a la aceptación que al rechazo de las desfiguradas alevosías del tiempo.

Hay escenas de *El precio* que me son particularmente entrañables porque me recuerdan a David Burns, un lunático genial con un sentido indirecto de la burla que contemplaba la vida entera desde una perspectiva distante. Fue un montaje problemático y los ensayos estuvieron a punto de interrumpirse cuando, una tarde, Arthur Kennedy, Kate Reid y Pat Hinge (los tres-cuartos del reparto) se enzarzaron en violenta discusión con el director, Ulu Grosbard. De repente apareció Davey en el escenario, por encima de los otros, que se encontraban en la platea; llevaba el sombrero, la chaqueta y la corbata, pero se había envuelto los pantalones en un brazo y miraba con alarma el reloj de pulsera. «¡Dios mío, me había olvidado!», exclamó sin dirigirse a nadie en concreto. «En Filadelfia tengo un niño dentro de una incubadora», y salió como una flecha del escenario, igual que el Conejo Blanco [de *Alicia en el país de las maravillas*]. La discusión terminó en aquel punto y hora, segada por aquella burla, genialmente ahormada, de la estupidez de los hombres.

En Filadelfia justamente me tuve que hacer cargo yo de la dirección, dado que las diferencias en liza se habían vuelto inconciliables. En Nueva York, a cuarenta y ocho horas de la noche del estreno, estaba sentado en primera fila dando instrucciones a Pat Hinge y a Kate Reid. Serían las siete y cuarto y se podía oír en el vestíbulo al público del preestreno. En esto se me acerca por detrás Arthur Kennedy y me murmura: «Se han llevado a Davey al hospital con inflamación del colon. Lo van a operar esta misma noche».

Pregunté al director de escena si el suplente se sabía el papel y se me dijo que estaba listo y preparándose ya. Hice una seña a Kennedy, miré a Hingle y a Reid, que seguían en el escenario, y me quedé profunda y satisfechamente dormido. Cuando desperté, totalmente nuevo, el público entraba en fila en el teatro, el telón caía y Hingle y Reid se habían ido al camerino respectivo. El suplente, Harold Gary, estuvo genial; había sido suplente de Davey durante veinte años y era la primera vez que le sustituía.

Ni a las puertas de la muerte podía Davey contener las bromas. Whitehead y yo habíamos corrido al hospital y lo encontramos en una camilla, en espera de que se le practicara una intervención de urgencia, la piel ya con una palidez de muerte. Al vernos, murmuró: «Lo siento, chicos», y le aseguramos que el trabajo seguiría siendo suyo cuando volviese.

Se le acercó un enfermero y le dijo: «Vamos a subirlo ya». Davey frunció el entrecejo, como si tuviese que meditar la propuesta, aguardó unos segundos inconcluyentes y se dirigió al enfermero con un asentimiento de cabeza: «De acuerdo. Andando».

Se recuperó y al poco tiempo protagonizaba *70 girls 70* con Mildred Natwick. Mientras el público se moría de risa a causa de una de sus geniales humoradas, se desplomó y cayó muerto, con los aplausos resonándole en los oídos.

No despertó mucho alboroto el deceso, pero al igual que de algunos otros, he pensado a menudo que en época y lugar diferentes habría recibido la atención de los escritores e intelectuales admiradores de lo sublime.

El precio estuvo en cartel toda la temporada y se ha representado en toda Europa con actores de primera línea, sobre todo en el papel de Solomon. Su reposición más reciente, con Raf Vallone, fue durante una larga gira italiana desde Cerdeña a Milán. Una obra de teatro es pan que se arroja a las aguas, y ésta especialmente; Lev Kopelev, el autor ruso disidente, me contó que durante las representaciones moscovitas, Solzhenitsyn fue a verla varias veces para tomar notas que entregaba a los actores, sin lugar a dudas fascinado por algún elemento de la pieza que curiosamente no he podido averiguar.

Creí que la mujer que estaba al teléfono se burlaba de mí: «Le hemos nombrado delegado de la convención...».

Días más tarde, los demócratas de Roxbury, unas cincuenta personas de las que sólo conocía a unas cuantas, se encontraban en el diminuto ayuntamiento de madera, escuchando con cara inexpresiva mientras les decía que, puesto que yo carecía de experiencia parlamentaria, les traería más a cuenta designar a mi vecino, un productor de artículos lácteos que se llamaba Birchall, un incondicional del partido con el que no me llevaba ni bien ni mal. No creía yo ya que mi participación fuese realmente a moderar la guerra, pero se hizo otra votación y gané por un voto. Me complacía el que la población me tuviese tanta confianza, ya que muy raramente intervenía en sus asuntos.

En Chicago y en 1968 quedaron sepultados el Partido Demócrata y los casi cuarenta años de lo que eufemísticamente se llamó su filosofía. Las imágenes de aquella semana de Chicago durarán eternamente.

A las dos en punto de la madrugada estaba con Douglas Kiker, de la NBC, delante del Hilton. Charlábamos, aunque de nada en concreto, igual que dos norteamericanos en país extranjero. Fuerzas antidisturbios, armadas de fusiles, formaban un largo cordón de cara a Grant Park, del otro lado de Michigan Avenue, en cuya oscuridad podía percibirse una multitud de jóvenes acampados, serenos ya tras los golpes y detenciones de la jornada.

Un jeep avanzaba despacio por la avenida. Sujeto al parachoques delantero había un marco de madera relleno de alambre de espino para arremeter contra las multitudes. Kiker y yo dejamos de hablar al ver el lento avance del jeep, que podía girar en cualquier momento, perseguirnos por la calzada y señalarnos la carne. Kiker comentó: «Estuve en Berlín durante la revuelta de 1953 y en Budapest cuando entraron los rusos, pero la violencia de aquí es la más espantosa que he visto en mi vida». Nunca había visto unas caras más pálidas que las de los polícias de Chicago. Toda la sangre parecía habérseles concentrado en los puños, semejantes a martillos. Antes, unos cien delegados o más habíamos cruzado el cordón de los antidisturbios con una vela encendida y una insignia de la convención, pero las caras adustas e inexpresivas de los policías, que no dejaron de asaetearnos con la mirada, nos advirtieron que no éramos inmunes a su furia.

Los delegados de Connecticut habían tomado asiento junto a los de Illinois en el suelo del lugar de la concentración. Rodeado de un centenar de hombres suyos, exactamente al pie de la tribuna, se encontraba el comandante Richard Daley, de Chicago. Los delegados de Illinois parecían un equipo de rugby, medio descamisados, pálidos igualmente a causa de la ira y con el charol de los puntiagudos zapatos de etiqueta dilatándose alrededor de sus pies firmes.

El senador Abraham Ribicoff, ex gobernador de Connecticut, se acercó a la tribuna y se puso a hablar. Yo tenía en la mano un papel que me había deslizado un portero y en el que se había escrito con precipitación: «Nos matan en las calles, aquí mismo nos matan....». Había ido de representante en representante con el trozo de papel, tratando de obtener permiso para utilizar un micrófono, y Ribicoff, por fin, con todo el peso que tenía en el partido, mientras miraba directamente a Daley por encima del antepecho, calificó de «táctica de la Gestapo» lo que sucedía en las calles que rodeaban el local. Miré a Daley, sentado y con el abrigo puesto a menos de siete metros de mí, rodeado del impresionante equipo que no dejaba de escrutar la periferia de su numerosa delegación con ojos de dóberman, como dispuestos todos a lanzarse sobre quien se acercara. No era fácil sostenerles la mirada enfurecida. Vi entonces que Daley, con los ojos fijos en la tribuna, se cruzaba el cuello de parte a parte con el índice, y oí con claridad que le gritaba: «¡Judío! ¡Judío!». Parecía víctima de un ataque epiléptico, pero Ribicoff siguió hablando. Perdí entonces la capacidad de oír, supongo que porque todo lo que me había dado miedo a lo largo de la vida, me cayó encima de golpe.

A pesar de los rumores de que iba a aterrizar en el tejado con un helicóptero, el presidente del país no se había atrevido a asistir a la convención de su partido.

En el curso de un rápido instante de silencio que se produjo en aquella descomunal concentración de personas, un ruido suave y singular hizo que alzase los ojos hacia la galería de las visitas. Allí estaban Allen Ginsberg, inconfundible por la barba espesa y enmarañada, la cabeza monda y las gafas, con los brazos abiertos en actitud de quien bendice, y con su voz de barítono emitiendo un *oummmm* largo y murmurante para invocar la voz de Dios y pedir paz. Pero no sirvió de mucho entre los ladrillos del edificio que se venían abajo a nuestro alrededor.

En ningún momento había tenido confianza suficiente para esperar que los pacifistas retiraran al partido su apoyo a la guerra de Vietnam, pero cuando quedó claro que el candidato a la presidencia sería Humphrey, aunque no se prometió expresamente poner fin a la guerra, pensé que había llegado el momento de que se unieran las funciones de Robert Kennedy y Eugene McCarthy; la fuerza resultante que Humphrey no podría eludir daría por lo menos algunas ventajas sobre la política futura. Redacté un manifiesto en nombre de muchos delegados comprometidos con Gene McCarthy por el que quedaban libres de votar a quien quisiesen. Tal vez con ello se pasaran algunos al bando del finado Robert Kennedy, que se había unido al movimiento antibelicista y presentado la candidatura sólo después que McCarthy hubo comprobado que tenía posibilidades; se esperaba por todas partes que Teddy ocupase ahora por iniciativa propia el lugar de su hermano. McCarthy dijo algo enfadado que dejaría que los suyos votaran a George McGovern, pero jamás a Ted Kennedy.

Me sentí totalmente abatido porque nadie dijo nada para recordar la larga lucha por el cese de las hostilidades en Vietnam y por la deserción de los que habían encabezado la campaña dentro del Partido Demócrata y que ahora dejaban que se desvaneciera de aquel modo, sin lágrimas ni oraciones. ¡Qué ocasión para que un gran dirigente enarbolara la bandera de la razón y la justicia! Pero ninguno lo hizo y todo quedó en agua de borrajas.

En los sesenta, sin embargo, todo lo que uno creía saber estaba a merced del primero que pasara. Robert Lowell, su mujer Elizabeth Hardwick y su hija de once años, estuvieron de visita unas horas en casa de nuestros vecinos Henry y Olga Carlisle, amigos suyos desde hacía mucho tiempo. Era un día gris de noviembre, las hojas habían desaparecido de los árboles. Aún en el coche, fingió no verme salir de la casa y siguió discutiendo con la hija, que en aquel instante salía del vehículo. Por fin nos dimos la mano. Los cuatro pelos que tenía los llevaba pegados horizontalmente en el cuero cabelludo. Me dijo en el acto que la charla que había dado yo en el Congreso del PEN Internacional celebrado en Bled, Yugoslavia, le había conmovido; yo ya había elogiado su actitud al rechazar, para protestar contra la guerra, la invitación que el presidente Johnson le había enviado para participar en unos actos culturales en la Casa Blanca.

Me preguntó por los árboles que cultivaba y yo me monté en el tractor para enseñarle cómo eliminaba las raíces con un aparato inventado por mí y que sujetaba en el travesaño del escarificador. Se inclinó para ponerse a la altura de su hija y le dijo con dulzura: «No me imaginas podando raíces de árbol, ¿verdad?». La muchacha apenas negó con la cabeza, tenía cara de encontrarse incómoda.

Anduvimos hacia la alberca el uno al lado del otro, girándose él cuando me giraba yo y parándose cuando yo lo hacía. Hablaba sin detenerse apenas para recuperar el aliento.

—Me gusta Kazan, tiene un carisma tremendo, pero no le confiaría mi trilogía griega; *The changeling* es una obra maestra y la destrozó para no sé cuántos años.

—Yo no creo que sea precisamente una obra maestra.

—Pues lo es. Lo dijo Eliot.

Me habría gustado discutir la solvencia teatral de Eliot, pero Lowell se había adelantado ya y no me habría oído. Todo lo chino era asombroso, incluso perfecto. Había pensado asistir a los actos de la Casa Blanca, postrarse de hinojos en el momento oportuno y rogar porque Norteamérica tuviera compasión de Vietnam. Roosevelt fue un canalla y un embustero; Kennedy leía mucho.

—¿Sabías que Roosevelt —le dije— lamentó no haber ayudado a España?

—¿En serio? —Era lo primero que le hacía interrumpirse y pareció ilusionado y contento de oírlo—. ¿Por qué lo dices?

—Se menciona en el diario de Harold Ickes. Roosevelt le contó que uno de los mayores errores de su vida fue no haber apoyado a los republicanos.

Se animó. Le encantaban los chismes, los datos ocultos, y creo que más bien le gustó la idea de que Roosevelt hubiera sentido remordimientos. Pero volvió a apagarse, aludiendo con serenidad absoluta a «mi fase demente de entonces», de cuando lo de la Casa Blanca, sin duda. Me dije que tenía que ser muy fuerte para soportar la dispersión mental que sufría. Era como si hablando sin cesar mantuviera a la realidad a la vez íntegra y a raya.

Resultaba ingrato pensar en lo que habría sucedido de haberse impuesto su valiente postura pacifista y no hubiéramos intervenido en la guerra contra Hitler, durante la que había ido a la cárcel por objetor de conciencia. Sentado con él en la hierba y contemplando la alberca mientras se esforzaba por seguir sus ráfagas de ideas inequívocas y casi inconexas, me dije que aquel hombre simbolizaba nuestra época, su inmensidad, sus anhelos libres y vehementes, su racionalidad inmolada. Se me ocurrió de pronto que nos parecíamos —éramos más o menos de la misma edad y de la misma estatura, llevábamos las mismas gafas de montura de carey y nos estábamos quedando calvos del mismo modo—, aunque en mi interior no había ningún demonio tan despreocupado por la supervivencia. Sus ideas, al margen de que funcionaran en su obra, eran tan terminantes que en la realidad eran totalmente inútiles, mientras que yo no me podía dedicar mucho tiempo a nada que de algún modo no me pareciera útil para vivir la vida. Él salía disparado hacia lo alto, en pos de sus concepciones, yo me sentía obligado a convencer a un público pertrechado, en el mejor de los casos, nada más que con sentido común. A pesar de todo, aún pensaba yo que la literatura tenía que hacer lo posible por salvar a Norteamérica, y ello equivalía a coger al prójimo por la nuca y zarandearlo.

Aquella guerra no declarada comenzaba a parecer, como en *1984* de Orwell, un programa de televisión ininterrumpido, aunque en privado se atragantaba, ahogaba, insensibilizaba. Y alteraba la cuestión teatral de un modo extraño: en otro tiempo había que revelar lo desconocido al final del acto tercero, pero nosotros estábamos ya en el acto tercero. Había empezado a preguntarme muy en serio si se podría volver a escribir alguna vez una obra que revelase poco a poco un elemento temático oculto. Pues de no ser así, nos adentrábamos muy de veras en una época cultural de nuevo cuño. La cuestión era que éramos demasiado conscientes, que sabíamos demasiado bien que nos mentíamos en lo tocante a aquella guerra, que malvendíamos la realidad en vez de arrostrar el autoengaño nacional. ¿Qué quedaba por revelar, excepción hecha de nuestra cobardía para cortar las mentiras por lo sano?

No hacía más que acordarme de mi antiguo amigo Sid Franks, el policía: «No leo novelas porque no dejo de preguntarme cómo sabe el autor lo que van a hacer los personajes. Hacer, se puede hacer todo, y me refiero a cualquier persona y absolutamente a todo. En cuanto al teatro... ¿por qué será que cuando una obra se pone realmente interesante cae el telón?».

Se había adelantado a su época; casi no había ya obras teatrales «serias» y el estilo dominante era de sorpresa irónica: cualquiera podía ciertamente hacerlo todo y la mínima improbabilidad que se sugiriese era por sí sola una invitación a enfocar aquello y nada más. Era la estética despectiva de los policías, frecuente en todas las comisarías del mundo.

Me entretenía pensando en un Edipo cómico: un hombre de nuestra época descubre que se ha casado con su madre, pero en vez de sacarse los ojos, se lamenta: «Vaya situación, tú. Habrá que preguntar al médico si afectará a los niños». Si el orden alterado de las cosas se despoja de lo sublime, sólo puede haber obras teatrales triviales, porque deja de tener vigencia el deseo de elevarse para echar una mirada furtiva a Dios.

Al ver *Hair* me sorprendió profundamente descubrir que era una protesta contra la guerra del Vietnam, ya que las reseñas y la propaganda no habían dicho nada al respecto. Por supuesto, la guerra era lo que cortaba al cero la flotante melena del guru y representaba lo antivital, aunque estaba tan oculta en el caos aparente de la película —la gente se masturbaba, copulaba, cantaba y bailaba con tal espíritu chapucero que no sabía uno dónde meterse— que se volvía ridícula y trivial y perdía su potencia exterminadora. Pero todo estilo de arte paga un precio por ser lo que es; y el público disfrutaba con la desinhibida ridiculización de lo sagrado —la bandera y otros puntales psíquicos de la guerra—, todo ello hecho con humor y no con odio.

Me pregunté si el atractivo de *Hair* no se detendría en el estómago sin llegar al cerebro; por otra parte, ¿cuándo, desde el fracaso de *Lisístrata*, había frenado el teatro una guerra, por no hablar ya de impedirla?

Algunos estudiantes locales me telefonearon una tarde para preguntarme si quería regalarles un árbol para plantarlo en el jardín de su instituto a modo de «árbol de la paz». La voz de quien me habló era apagada, casi un susurro de conspiración. Accedí, a condición de que me ayudaran a arrancarlo de mi huerto, y aunque recelaba que casi todo el mundo simpatizaría con el gesto, si bien en silencio, supe que a partir de entonces podía ser blanco de cualquier ataque. Al día siguiente me volvió a llamar el mismo estudiante para decirme que durante la noche se había cortado el árbol de la paz de otro colegio y los estudiantes temían que plantar el mío enfureciese a los patriotas del lugar, que según la prensa parecían superar en número a la mayoría asustada. Lo lamenté pero al mismo tiempo me quedé más tranquilo.

Era difícil saber dónde estaba realmente la mayoría. Un amigo que vivía en la cercana Torrington y que hacía de enlace sindical en un gran taller metalúrgico se presentó una mañana en el trabajo con un brazalete negro, de solidaridad con la campaña nacional por el cese de los bombardeos en Vietnam, la llamada Moratoria. Los obreros le preguntaron respetuosamente quién había fallecido y él explicó lo que sucedía. Cuando volvió a la mañana siguiente, todas las máquinas del taller se habían cubierto con una bandera norteamericana en actitud de desafío. Aun así, yo seguía creyendo que tenía que haber una forma de que los trabajadores como estos abriesen los ojos, porque eran sus hijos los que caían en combate.

Un joven de mi misma calle que de niño solía acudir a casa para mirar en silencio mientras mi familia y mis invitados charlaban, se bañaban o jugaban al béisbol, y al que tiempo después ayudé a ingresar en la academia de arte dramático de la Asociación de Vecinos, se empapó un día de gasolina en el patio de su casa, se prendió fuego y falleció. Por supuesto, en el gesto hubo algo más que protesta contra la guerra: en cierta ocasión me había confiado que los valores de su padre eran idénticos a los de Willy Loman. Pero Biff ama a su padre lo bastante para enfrentarse con él y con sus fatídicas convicciones. Los profesores de arte dramático del joven me habían dicho que tenía mucho talento.

Otro joven que conocía desde la infancia, de diecinueve años e hijo de un comerciante de la localidad, se presentó en mi casa a las tantas de la noche, totalmente colgado, y se ofreció «a escribir un poema sobre lo que fuese», allí mismo. Estaba en edad de que lo movilizaran, no estudiaba y carecía de alegaciones que lo excluyesen de la guerra que detestaba. Aquel mismo año moría a consecuencia de una sobredosis. Había descubierto una actividad nueva, vender al por menor a los coleccionistas los minerales de la localidad, se había convertido en un negociante de primera, y el portamaletas de su coche estaba siempre lleno de muestras valiosas que encontraba en los bosques de su rosada infancial rural.

Pero todos, a mi juicio, sabían muy bien que estas cosas sucedían. ¿Qué podía añadir una obra de teatro o una novela? La inconsciencia nacional se había superado ya por entonces y su culpabilidad escondido mientras aprendíamos a endurecernos mediante técnicas autocensoras más sutiles. Estaba todo tan a flor de piel que incluso se daba la vuelta a la ceremonia habitual de todas las guerras, el homenaje al veterano, que se esperaba se perdiera en el anonimato del estado civil. Me resultaba extraño y siniestro a la vez, y de manera inevitable me tenía que acordar de los que trabajaban en la falda de la montaña coronada por Mauthausen y que no alzaron los ojos cuando los rebasamos camino del campo de muerte.

Otro joven aún, hijo de un antiguo amigo, volvió de Vietnam, se subió a la moto y se dirigió a una ciudad situada a mil kilómetros de distancia, para localizar y matar a un individuo de su unidad que había lanzado un grito y atraído sobre ellos el fuego del Vietcong. Pero el individuo no estaba en casa y el hijo de mi amigo emprendió el regreso. Invirtió en bolsa y no tardó en ganar un montón de billetes, aunque siguió aludiendo de manera confusa a ciertos veteranos, colegas suyos, que se preparaban para «limpiar» la sociedad.

Lo surreal seguía asomando la nariz por todas partes. Cierto día hablé contra la guerra en el campus de New Haven —donde tuve la suerte de conocer a William Sloan Coffin, el capellán de Yale, con el que trabaría una amistad muy estrecha— y días más tarde ante varios centenares de cadetes de West Point. Me había invitado un coronel del departamento de lengua inglesa y al principio respondí que tenía que tratarse de otro Miller, puesto que yo era contrario a la guerra. «Sabemos quién es usted», me dijo, «y por eso se le ha invitado.» Me fue imposible negarme.

West Point —¡cómo me habría gustado que me admitieran allí de adolescente!— estaba a hora y media en coche de Roxbury. El enorme salón de actos estaba de bote en bote y, en pie a lo largo de la pared del fondo, unos doce profesores, oficiales condecorados, me observaban sin expresión mientras yo hablaba de la guerra de Vietnam y sobre todo de la convicción de que íbamos a perderla. Pensé que lo mismo me habrían engullido entero que en pedazos pequeñitos.

Acabábamos de dar comienzo al bombardeo de Camboya. Inge, Rebecca y yo hacía apenas un par de semanas que habíamos vuelto de un viaje a aquel país; Inge había querido fotografiar Agnkor Vat y sus templos y esculturas fantásticamente esculpidos. Las estatuas divinas poseían un *arraigo* sublime, como si hubieran crecido siglos antes en aquel mismo punto. Y en los pabellones de portalada que había por todas partes se erguían los *lingam*, falos erectos de piedra, lustrosos a causa de las muchas mujeres que se acuclillaban sobre ellos para quedar embarazadas; tal especulé yo por lo menos. Unos doce monjes, jóvenes, feéricos, indumentados con túnica de color azafrán y con la cabeza afeitada, se deslizaban de célula en célula pidiendo limosna, y con un aspecto muy carnal a mis ojos cansados.

Pero lo que conté a los cadetes fue de orden antiestético. Les dije que no creía que en el gobierno hubiese ni siquiera seis personas que leyeran y entendiesen el camboyano; que el bombardeo del país por el señor Nixon a duras penas nos iba a granjear las simpatías de una población agrícola que, según había visto yo con mis propios ojos, solía quedarse a la puerta de sus palafitos, contemplando sus búfalos de agua o bañando y cuidando a los niños, llevando una vida sujeta al ciclo eterno de inundación y avenamiento de los arrozales. Si mi desconocimiento de los camboyanos era profundo, no lo era menos el de nuestras autoridades, que habían ordenado bombardearlos porque habían llegado a un acuerdo con los norvietnamitas por el que éstos podían utilizar una estrecha franja del país para avituallar a los guerrilleros del sur, cosa que de todos modos no habría podido evitar el príncipe Sihanuk de Camboya.

Conté, por mor del detalle pintoresco, que Rebecca, a la sazón con nueve años, nos vino una mañana después del desayuno para decirnos que la piscina estaba medio vacía y con muchas pompas de jabón, y que se estaba evacuando el hotel; y que la administración lo negó, diciendo que no hacían más que limpiar la piscina, por lo que telefoneé a la embajada norteamericana en Phnom Penh, donde me dijeron que no ocurría nada y que podíamos continuar las vacaciones. Ni que decir tiene que en aquellos precisos momentos nos dedicábamos a derrocar al príncipe Sihanuk para poner en su lugar a Lon Nol, que en Camboya se había declarado el estado de guerra y que todos los aeropuertos estaban cerrados. Para salir de Angkor, nosotros y un matrimonio británico, los Foxton, que tenían una hija de la edad de Rebecca, tuvimos prácticamente que comprar un autobús que después de cuatro horas por carreteras llenas de baches nos llevó hasta la frontera tailandesa; por supuesto, Angkor quedó casi destruida poco después, con o sin dioses. El meollo de mis observaciones era sin embargo que a duras penas podíamos esperar la colaboración de los camboyanos cuando no los conocíamos, cuando no teníamos el menor interés por ellos, cuando en realidad nos importaban un rábano, y que un pueblo acababa advirtiéndolo antes o después, tal y como les había sucedido a los vietnamitas hacía tiempo.

Un cadete de unos diecisiete años —supe después que era hijo del mandamás del sindicato de camioneros de Chicago— fue el primero en levantar la mano cuando llegó el turno de las preguntas. Dijo que consideraba humillante que se me permitiera hacer aquella propaganda derrotista en la academia militar. Me preparé para la embestida. Un coronel calvo con vistoso mostacho de guardia rojo y el pecho cubierto de condecoraciones alzó la mano al fondo de la sala. Mientras hablaba ya me había llamado la intranquila atención la palpable agresividad de su rígido porte.

—Yo... —su primera sílaba, pronunciada con una voz conminatoria de bajo, me produjo escalofríos— he sido agregado militar en Phnom Penh durante doce años. —Una pausa para comprobar el efecto. Un actor en cierto modo, un comicastro en realidad, habida cuenta del bigote. Helo aquí, me dije, muerto soy—. Y quiero decirles a todos ustedes que lo que el señor Miller ha dicho es la pura verdad. —Con lo que se dio la vuelta y abandonó la sala.

Entre el anochecer y las dos de la madrugada, en casa del coronel joven que insistió en que cenara con él y su esposa, rodeado de media docena de colegas suyos, conocí la otra cara de la catástrofe, la de aquellos militares jóvenes y torturados. El ejército, vinieron a decir, cada cual a su particular manera, no había tenido nada que ver con el comienzo de aquella guerra. Los militares habían sabido desde el principio que no podía ganarse en el campo de batalla, ·que era un problema político y no militar. Para ir a la ciudad de Nueva York* tenían que vestirse de paisano; la gente les acusaba, les injuriaba y a veces incluso les agredía por la calle. Todos ellos habían combatido en Vietnam, todos habían obtenido múltiples condecoraciones y con intensa desolación en la mirada me pedían que dijese al país lo que ellos no podían: que se acabase la guerra. Poseían un sentido de la austeridad —sí, y también una especie de pureza— que hacía pensar en los sacerdotes jóvenes. Y todos tenían que volver al frente, algunos al cabo de unas semanas, para dirigir a más hombres aún hacia una muerte que sabían era inútil y que jamás podría compensarse.

Pero andando el tiempo, Ronald Reagan idearía una compensación, la elaboraría igual que un nuevo guión de cine con los deseos reprimidos del espectador. Lo que antaño había sido un trágico dominio público en West Point fue cuidadosamente corregido y aumentado por expertos en el arte de la censura que nos dieron en el plano mítico la victoria que se nos había escapado en el plano de la realidad. El sufrimiento era al parecer excesivo si no lo templaba un significado aunque fuese insignificante, por lo que se dio rienda suelta a un huracán histérico de autoelogios emotivos y fuimos «grandes y gloriosos otra vez» en las mismas arenas movedizas de la irrealidad de siempre. Se lloró a los muertos homenajeados, pero el destino de los supervivientes era la evasión. Era como si los ciudadanos hubieran visto en Vietnam algo tan repulsivo, tan inexplicable para haberlo hecho los norteamericanos, que no pudieran admitir el sacrificio de cincuenta y ocho mil paisanos y hubieran acabado por consolarse con un presidente de barraca de feria que les prometía la pirotécnica resurrección de la grandeza nacional.

Los años sesenta fueron para mí un callejón sin salida, tal vez porque se me había apagado el último rescoldo de fe en todo futuro social, ya se tratase de la extendida esperanza de que la juventud y el movimiento negro revolucionasen Norteamérica o de la propaganda ortodoxa de que nuestra intervención en Vietnam era una cruzada democrática. No encontraba ningún flujo histórico remozador como el que me había parecido palpar en los años treinta y cuarenta, sólo un estancamiento moral que se mofaba de todo lo creado. ¿Qué podía yo revelar en una obra de teatro de dos horas que se comparase con el entusiasmado grito de aliento que lanzó

---

* Se hace la distinción porque West Point se encuentra en el estado de Nueva York. (N. del T.)

Lyndon Johnson ante las tropas concentradas en no sé qué isla del Pacífico: «¡Muchachos, clavad en la pared a esas comadrejas!», refiriéndose a los vietnamitas. No habíamos caído tan bajo ni siquiera frente a los nazis, pero parecía completar el cuadro, y no quedaba nada por decir que no hablase por sí solo. Y pese a todo era evasivo contentarse con afirmar la muerte de todos los valores. En las callejuelas de Norteamérica la gente seguía queriendo una vida mejor para sus hijos, deseaba que los matrimonios durasen, se aferraba a cierta dignidad biológica. Yo no podía olvidarlo. Pero estas personas no tenían cabida en el arte, salvo como caricaturas necesitadas, edulcoradas con un sentimentalismo aburrido.

La moda —no me atrevo a llamarlo idea dominante— consistía en vivir cada cual a su aire, sin inhibiciones, en confesarse y aceptarse hasta la última gota. Pero yo no creía ya que la «verdad» fuese sólo cuestión de purificaciones sociales y ruptura de convenciones. También había embusteros puros y sin mezcla.

The Truth Drug, [El suero de la verdad], guión de cine, fue uno de mis muchos intentos frustrados por comprender mis impresiones sobre los años sesenta. Hogy, joven investigador de la Universidad de Columbia que además es flautista de jazz y aficionado a la esgrima, y se enamora de una chica diferente cada tres o cuatro semanas, descubre por casualidad una fórmula que transforma a un glotón, uno de los animales más feroces, en una criatura encantadora que casi llora de ternura. La fórmula, según parece, estimula una zona del cerebro relacionada no tanto con la sexualidad cuanto con la identificación empática con los demás, pues el glotón no quiere copular con todo bicho viviente, sólo dar afecto.

Cierta noche, cuando Hogy va a ver a una de sus novias, un matrimonio drogadicto le saca la navaja; en cuanto los dos atracadores apuran el frasco de la fórmula se derriten en afecto por Hogy, entre sí y por los hijos que tienen abandonados. La fórmula acaba al final en manos de Hock y Stutz, fabricantes de productos farmacéuticos, y se lanza al mercado con el nombre comercial de Amor. Todo el país compra el nuevo producto, porque, de modo inevitable, corre el rumor de que es un afrodisíaco.

Amor transforma a la peor gentuza en personas la mar de simpáticas, pero no tarda en haber complicaciones. El fútbol profesional se viene abajo porque los jugadores, en vez de placar al que lleva la pelota, corren junto a él tratando de convencerle de que se detenga. El metro se paraliza porque los usuarios se niegan amablemente a entrar a empujones en los vagones atestados y los andenes se llenan de miles de personas. Pero lo peor de todo es que las fuerzas armadas se ponen a ingerir Amor a manos llenas y los submarinos salen a la superficie para que la tripulación tome el sol en cubierta, revelando su posición a los rusos, mientras que los pilotos de guerra huyen a la jungla para no tener que bombardear a nadie. El irascible director de la agencia publicitaria de Hock y Stutz se toma un vasito y, en vez de interrumpir violentamente los programas de la TV norteamericana con los anuncios de la casa, se enamora de su Rolls-Royce y se mete en la cama con dos tapacubos. Falta de agresividad, la sociedad se tambalea, y Washington, desesperado, bombardea a los rusos con kilotoneladas de Amor, con la esperanza de que los deje tan inútiles como nos ha dejado a nosotros. Los dos bloques dejan de funcionar socialmente y todo el mundo vive con pasividad, tumbado a la bartola, plantando alguna tomatera de tarde en tarde; es decir, todo el mundo, menos los verdaderos creyentes de todas las religiones, que por supuesto han prohibido a sus discípulos el consumo de lo que están convencidos es una droga para estimular la capacidad sexual. Los judíos ortodoxos se fusionan con los católicos puritanos y con los protestantes y musulmanes de todo el mundo, y entre todos fundan una nueva Internacional dedicada a la erradicación y destrucción de Amor; indiscutible manifestación del Demonio en su secular campaña por hacer que el hombre se ame a sí mismo sin necesidad alguna de Dios.

Pero rompí el manuscrito antes de terminar el guión. Ya no sentía el vehemente deseo de antaño de dirigirme al prójimo, no digamos ya de entretenerle e iluminarle. Creo que la acogida violenta y desfavorable de *Después de la caída* contribuyó asimismo a deshacerme de él.

A fines del otoño de 1973 me llegó por correo la fotocopia de un artículo aparecido en la revista *New Times*; me lo remitía la autora, la periodista Joan Barthel. Contenía fragmentos del interrogatorio al que la policía regional de Connecticut había sometido a Peter Reilly, de dieciocho años, que confesó haber asesinado brutalmente a su madre, Barbara Gibbons. Había sido un diabólico trabajo de carnicero; le había cortado el cuello y le había empotrado una botella en la vagina. El chico había sido procesado y condenado, pero algunos vecinos de la más bien lejana población, situada al norte de Connecticut, se habían dedicado a reunir fondos, abriendo una cuenta corriente entre todos, incluso hipotecando la propia casa, tal era la fe que tenían en su inocencia. Al igual que otros muchos, se me pedía que aportase algún dinero para conseguirle un nuevo juicio.

Peter no era negro, ni hispano, ni judío, ni radical; era una víctima en estado puro. Sin saber absolutamente nada de las circunstancias del crimen, me sentí atraído por el caso al ver la tergiversación cínica, indiferente y horripilante que se había hecho del freudismo en el curso del interrogatorio. Me dije que allí había gato encerrado y que sus maullidos se oían en el Polo Norte. Después de un día entero sin asistencia legal y diez horas de interrogatorio, Peter, que no había conocido a su padre, no tuvo más remedio que preguntar a su paternal y cariñoso interrogador si estaba seguro de que él había matado a su madre, porque no sentía más que una tristeza dulce al pensar en su muerte. Con lo que el polizonte le contó sin más ni más que el complejo de Edipo se daba en todas las personas, y teniendo en cuenta que desde la infancia del muchacho la madre se había dedicado a copular con incontables desconocidos en el catre inferior de la litera en cuya cama superior dormía Peter, las leyes de la psicología exigían prácticamente que el hijo hubiera concebido contra la madre una agresividad monstruosa, que al final había estallado. Desde luego, le aseguró el sargento Kelly, dicha agresividad era del todo inconsciente, aunque un chico tan al día como Peter sin duda debía de saber cosas relativas al inconsciente, así que lo mejor era «desahogarse y cantar de plano». Más muerto que vivo a causa del cansancio, Peter firmó una confesión de la que se retractó después de una noche de sueño. Pero ya era demasiado tarde.

No menos espantoso que el resto de la pesadilla fue que el juez admitiera la «confesión», y que la prensa, tanto local como nacional, tras la emisión del veredicto, no hiciera ninguna crítica de los trámites seguidos, a pesar del brutal lavado de cerebro que transparentaban.

En el curso de los cinco años siguientes pasé días y luego semanas enteras contribuyendo en lo posible a la solución del caso y a la liberación de Peter. Gracias a los denodados esfuerzos de dos hombres —James Conway, investigador privado que apenas recibió un céntimo y poca gratitud, y T.F. Gilroy Daly, abogado que localicé con ayuda del bufete que me venía representando desde fines de los años cuarenta— se pudo demostrar a la postre que Peter había estado a ocho kilómetros de casa en el momento exacto en que la madre era asesinada. Además, los testigos presenciales que le habían visto eran un policía local y su mujer. La declaración jurada de éstos, que la policía regional tenía que conocer, se descubrió en los ficheros del fiscal cuando éste falleció de manera súbita a consecuencia de un ataque al corazón. El nuevo fiscal, tras presentarla al tribunal, dio carpetazo al asunto y Peter fue totalmente exculpado.

En resumen: con pleno conocimiento de la inocencia de Peter, un fiscal había mantenido la acusación y la policía regional le había secundado amañándolo todo. Aunque parezca mentira, aun después de presentar la prueba exculpatoria, la Jefatura Superior de Policía quiso mantener el honor a salvo postulando otra «teoría» sorprendente, tan ridícula que salió volando por la ventana de la audiencia. Al final, el jefe superior Fussenich, jubilado por entonces, fue personalmente a casa de Peter para presentar sus excusas y para admitir que se había cometido un error.

El complejo de Edipo se dará o no en todas las personas, pero el reflejo animal consistente en encerrarse a cal y canto ante las verdades conflictivas sí se da en todas las administraciones, aquí lo mismo que en Rusia, en China y donde sea. La diferencia vital es que nosotros podemos recurrir contra sus decisiones, pero los recursos son caros y dependen demasiado a menudo de la buena suerte. En casi todas mis obras figura un abogado, tal vez porque el hombre es lo que es, una máquina de reprimir la naturaleza. Durante el caso Reilly comencé a considerar que la ley era nuestro recurso definitivo para defendernos de nosotros mismos.

La historia de Peter era conmovedora, pero me fue imposible escribir al respecto a pesar de haber estado más cerca de su intríngulis que nadie, excepción hecha de Conway y Daly. Me inquietaba la idea de utilizar para mi propio gobierno este esfuerzo por rectificar un error, y también sin duda la de aumentar el sufrimiento de Peter. Pero andando el tiempo percibí otro motivo de mi falta de entusiasmo creador. Aún me resulta difícil describirlo, pero creo que me agobiaba la violencia reiterativa que se dio en el espectáculo de la acusación. Era sencillísimo comprender que la policía, una vez que se hubo echado encima de Peter, no podía dar marcha atrás para no poner en peligro su reputación profesional. En un abrir y cerrar de ojos se le dio la vuelta al problema y en vez de la identidad del verdadero asesino de Barbara Gibbons lo importante pasó a ser la identidad del que se atrevía a desmentir a la policía regional. Pero por sencilla que la explicación fuese, el resultado era la imagen de un hombre tan inexculpable que la tinta de la pluma se secaba. De no ser por la intervención de unos cuantos ciudadanos particulares, un joven, físicamente frágil y en muchos aspectos aún psicológicamente niño, habría sido arrojado a los lobos de las cárceles estatales y devorado vivo. La misma ausencia de elementos racistas hacía que se pensase más allá de lo sociológico; en realidad, Peter había mitificado a los policías desde la infancia y en consecuencia estaba predispuesto a creer en la policía regional que le decía que había matado a su madre, aunque no recordase haberlo hecho.

El misterio no radicaba en cómo había sucedido una cosa así, sino en que los motivos de injusticia tan descomunal fueran tan ridículos. ¿Quién habría dicho nada si, después de la detención de Peter, la policía hubiera confesado su error? Todo parecía traslucir una maldad que iba más allá de cualquier motivación o beneficio, tal como solemos entender las motivaciones y los beneficios, y yo no podía evitar la sensación de estar contemplando, no un acontecimiento real y fortuito, sino una pantomima en que unos cretinos querían representar unos papeles de autoridad antiquísima. No se trataba de una equivocación, sino de un falseamiento intencionado y fue un trabajo digno de Hércules romper la cota de malla de una administración que se prolongaba hasta el despacho de la gobernadora liberal Ella Grasso, que durante muchísimo tiempo se venía resistiendo a tratar con mano dura a los funcionarios que de ella dependían. Era el misterio de todos los conflictos insensatos e inútiles de que yo había tenido noticia y escribir otra vez sobre ello era superior a mis fuerzas.

Si los largos meses del caso Reilly arrojaron una sombría imagen del hombre, no menos asombroso fue por haberse dado en él las muestras más insólitas de valor y bondad, en personas que estuvieron a la altura de las circunstancias cuando pocas razones había para esperarlo.

Una vez que me comprometí en la defensa de Peter, no tardé en persuadirme de que necesitaría otro abogado. Hubo un encuentro inolvidable con T.F. Gilroy Daly en el comedor de un elegante club periférico del estado de Connecticut. Nada más verlo, dudé de que fuera el hombre indicado para la misión que nos aguardaba, pero pareció interesarse a pesar de que le advertí que habría poco dinero que ganar. En resumen, me convencí y le convencí de que debía aceptar el caso.

Mis dudas sobre Daly se basaban en la suposición de que el primer letrado de Peter había sido un entusiasta de las libertades civiles con un espíritu demasiado grandilocuente, cuando lo que se necesitaba era un criminalista experto. Daly había adquirido alguna experiencia como miembro del personal de la oficina del fiscal federal de Nueva York, aunque lo primero que yo vi fue un jinete elegante, muy alto, de ojos azules, con chaqueta de mezclilla, un abogado de zonas residenciales que no parecía tranquilo ni contento consigo mismo; incluso me pasó por la cabeza que a lo mejor no estaba abrumado por el trabajo en aquel momento. Procedente de Yale y de la cultura de la tolerancia y la riqueza, me pareció que tenía poco de gladiador del arroyo, y yo sospechaba que era en el arroyo donde el caso se iba a dirimir al final. Totalmente ignorante de que la prueba de inocencia de Peter estaba ya en la caja de caudales del fiscal, sabía que un nuevo letrado tendría que darse de cabezazos con algunos gorilas con y sin uniforme antes de que acabara todo.

Vi crecerse a Daly de un modo singular a lo largo de los meses y los años, sin paga apenas, que duró el caso. Perdió el refinado celofán ecuestre con que lo viera, comenzó a sentir una indignación personal y resuelta ante lo que se había hecho con la justicia de su estado, una astucia invencible le aguzó el ingenio y su espíritu adoptó con entusiasmo un enfoque vivificador, palpable casi, en una misión entrañable. Ganó con brillantez y en el intervalo, creo, cambió su propia vida, pues acabó como juez federal de gran notoriedad.

Daly, Jim Conway y yo pasamos muchas tardes juntos en mi casa o en los alrededores de la de Gibbons, antigua hamburguesería de carretera transformada en vivienda fea y reducida, los tres empeñados en recomponer lo sucedido la noche fatídica. Conseguí que el anciano doctor Milton Helpern, acaso el mayor patólogo criminalista del país, analizara las pruebas circunstanciales y de ellas dedujo que Peter no había podido cometer un asesinato que no le había dejado ni una sola mancha de sangre ni en el cuerpo ni en la ropa, como admitía incluso la policía. Localicé a un médico neoyorquino, el doctor Herbert Spiege, renombrado especialista en hipnosis, que examinó a Peter y que en el segundo proceso prestó una declaración que ayudó muchísimo a conseguir la exculpación. Conseguí asimismo que el *New York Times* se interesara por los procedimientos judiciales anteriormente ignorados, detalle que picó al juez y al fiscal en su amor propio. Pero lo que al final puso en libertad a Peter fue la detallada reconstrucción que hicieron Daly y Conway de la noche del crimen, y también la meditada derrota del fiscal a manos de Daly.

Habría tenido que saltar de alegría por aquella victoria y lo hice, pero mi emoción más profunda quedó reflejada en una obra teatral que terminé durante la batalla por liberar a Peter, *The Creation of the World and Other Business* [La creación del mundo y otros asuntos]. Al igual que *El precio*, escrita en los años sesenta, durante la guerra, *La creación*, nueva meditación sobre el Génesis, se centra sobre todo en el enigma del fratricidio, pero ahora considerado como una condición de la naturaleza humana. En el seno de la familia primitiva, exenta de influencias sociales, el argumento busca en el fratricidio, primer problema y acontecimiento inaugural de la Biblia, una señal de esperanza para el hombre. La competencia elemental entre hermanos por el amor de una madre —y de Dios por consiguiente— se revela por primera vez entre la confusión y el asombro. Adán y Eva, prácticos y adorables, cuando contemplan con escepticismo al asesinado Abel y al impenitente Caín, no pueden por menos de temer por su propia vida ante un Dios que no sólo permite actos tan monstruosos sino que al parecer ha creado a la humanidad para perpetuarlos. La catástrofe es aquí inherente a la naturaleza primaria del hombre; en los mismos lazos fraternos experimenta por vez primera el asesinato de la propia especie. Ante esta bomba de relojería que hace tictac en nuestro interior, la única defensa, si defensa hay, apenas puede ir más allá de la imprecación que Adán dirige a su mujer y al hijo que queda (a una Eva llena de odio por un Caín ensoberbecido): «Pídele perdón, Caín. Vivimos rodeados de animales salvajes y Dios ya no va a volver. Hijo, somos los únicos seres responsables que quedan. Pide perdón a tu madre». Caín, sonriente y perdonado, marcha decidido al destierro mientras que el padre queda atrás, en su desierto de crecientes tinieblas, gritándole: «¡Ten piedad!». Pero la queja de Adán también es inherente al hombre.

No descubrí la Biblia hasta que estuve en la universidad, aunque en tanto que compilación humana de una serie de obras literarias fascinantes y debidas a autores distintos. En los márgenes escribía preguntas de listillo, por ejemplo: ¿De dónde habían salido aquellos entre quienes se exilió Caín? ¿Fue un desliz? ¿Había olvidado el autor del Génesis que no existía nadie más que Adán y Eva en el Paraíso? ¿O «Dios» estaba ya tan viejo cuando «escribió» la Biblia que el cerebro le fallaba?

De manera paulatina, sin embargo, fue perdiendo importancia el que los responsables de la Biblia fueran agentes humanos, porque lo demás era fascinante. Me preguntaba el porqué. Las historias se cuentan con la economía de los diagramas eléctricos, causa tal vez de parte de su magnetismo: el lector ha de introducir elementos, ha de inventar lo que se ha omitido. Con el transcurso de los años, el problema de si Dios *existe* dio paso a otra incógnita: ¿por qué los hombres, generación tras generación, se han visto obligados a reinventarlo? Medio me conformé con la idea de que Dios está *siempre a punto de existir*, lo que hasta cierto punto autoriza a precipitarse y exclamar: Ya ha llegado la hora. Por lo que sabemos, es posible que se presente mañana. En el ínterin, el pueblo ha preparado una nave para verter en ella su anhelo de lo sagrado, de lo trascendente, de la supervisión de un amo bueno, de una voz represora y prudente, y, en circunstancias óptimas, de la obligación de optar contra el mal, que es lo que mantiene vivo el bien. Para el inventor de Dios, éste está tan vivo como para el creyente, más incluso, si cabe, porque jamás podrá arrancarse este invento del corazón para engastarlo en la piedra, de donde se le podría liberar si fuera necesario. Era la interminabilidad de este proceso lo que se analizaba en *The Creation of the World and Other Business,* obra que, entre otras cosas, se pregunta por el estado psicológico que tuvo que propiciar la creación de Dios en primer lugar. Y en segundo lugar, el presente.

Las ironías se fueron sucediendo a lo largo de los setenta, y han proseguido hasta nuestros días. En 1986, y en compañía de otros quince escritores y científicos de América, Europa y Africa, me encontraba en la sede del Comité Central del Partido Comunista de la Unión Soviética, mirando a los ojos inteligentes de Mijail Gorbachov, que me estrechó la mano y me dijo: «Conozco todas sus obras».

Estuve por decir: «Ya será menos», porque hacía entonces dieciocho años que me habían prohibido en los teatros soviéticos, en principio porque se habían formulado durísimas objeciones contra *In Russia,* primero de los tres libros que Inge y yo habíamos compuesto conjuntamente (con fotografías suyas y texto mío). Una foto, de la camarada Ekaterina Furtseva, a la sazón ministra de Cultura, había despertado las iras de la mentada señora, cuyo peinado apenas había podido disimular las profundas arrugas de preocupación y cansancio de la cara. (Había tenido una vida difícil; expulsada años antes por haber sido favorita de Jruchev, se había cortado las venas de la muñeca.) Pero se trataba de algo más que de su vanidad; más o menos por entonces, como presidente del PEN Internacional, la asociación de escritores, me había puesto a incordiar a los soviéticos con protestas por el trato que daban a los literatos, y desde luego también por su antisemitismo. A todo ello habían replicado clausurando la versión de Galina Volchek de *Incidente en Vichy.* Estaba seguro de que algo había tenido que ver el que la obra hablase de las redadas antijudías de los nazis durante la guerra. Y parece que de nada sirvió que uno de los personajes sea un comunista tan embaucado por la racionalidad del marxismo como las víctimas burguesas por su propia ideología.

Había recorrido un camino largo y tortuoso para llegar a la cumbre misma del poder soviético y los cambios de dirección me habían provocado no tanto desilusión cuanto una sonrisa, de amargura en ocasiones. Porque había acabado por creer que el mundo político se mueve básicamente al margen de todo control, pese a lo cual seguíamos comportándonos como si se tratase de una especie de vehículo que sólo necesitaba cambiar de conductor para impedir sus frecuentes y espeluznantes aproximaciones al precipicio. Las circunstancias inmediatas que respaldaban mi encuentro con Gorbachov eran particularmente curiosas y, sin embargo, dentro de la dinámica de la vida, también lógicas hasta cierto punto.

Hacía casi un año había asistido a regañadientes a un encuentro de escritores norteamericanos y soviéticos, celebrado en Vilna, Lituania, ante las apremiantes insistencias de mi buen amigo Harrison Salisbury, correpresentante de nuestra delegación y poseedor de amplios conocimientos sobre la Unión Soviética. El nuestro era un grupo plural que contaba con la presencia de Louis Auchincloss, Allen Ginsberg, William Gaddis, William Gass y Charles Fuller. Estos encuentros periódicos entre intelectuales de ambos bloques eran prácticamente lo único que quedaba de las promesas de llegar a un acuerdo. Si tales mesas redondas habían tenido alguna vez algún sentido político, la verdad es que, no sin pesar, había acabado por considerarlas rutinarias y por estar también hasta la coronilla de ser blanco indefenso de ataques soviéticos sin poder saltarme las convenciones de la buena educación norteamericana. Pero me las salté en Vilna en 1985, cuando, de acuerdo con el plan acordado, los norteamericanos que estábamos en la mesa hablamos de nuestra vida y nuestro trabajo, mientras que los soviéticos, casi todos críticos, periodistas y funcionarios de la Unión de Escritores en vez de autores creativos, nos encañonaron con el Problema Negro Norteamericano, el Problema Indio Norteamericano, la Pornografía en la Literatura Norteamericana, etc., etc. Habíamos recorrido demasiados kilómetros para soportarlo; irritado por la inutilidad de todo ello, esgrimí un informe del PEN sobre la persecución de la poetisa Irina Ratushinskaya, enferma entonces y en la cárcel por haber escrito ciertos poemas, y lo leí. Tal y como había esperado, los soviéticos echaron sapos y culebras por tamaña «injerencia en sus asuntos internos», aunque acabé pidiendo franqueza e imparcialidad por ambas partes, súplica imposible cuando a todas nuestras preguntas sobre la vida soviética se nos respondía con los clichés de siempre y cuando apenas podíamos distinguir a un escritor soviético de otro.

Ofendidos por lo demás, gritaban y saltaban como perdices al oír el primer escopetazo, aunque, de manera sorprendente, uno de ellos, muy serio y muy tranquilo, sugirió que a lo mejor estaba yo en lo cierto. Era Chinguiz Aitmátov, hombre bajo, robusto y casi sesentón ya, sin duda el novelista y dramaturgo más célebre de su país en aquel momento. Además era miembro electo del Soviet Supremo por Kirguizia y tendría el honor de hablar ante este organismo al día siguiente, inmediatamente antes que el mismo Gorbachov, lugar prestigiosísimo en el orden del día. Había escrito obras que exigían no poco valor y que daban cuenta de la violencia ejercida por el estalinismo contra la minoría quirguiz, tema aún delicado, a pesar de las condenas formales del difunto dictador que saltaban a la prensa.

Casi un año después me telefoneó Aitmátov desde su Kirguizia natal para invitarme a lo que me aseguró un encuentro independiente, no patrocinado por la Unión de Escritores ni por ningún otro organismo estatal, sino bajo su responsabilidad exclusiva y por iniciativa propia. El plan era analizar cómo podría el mundo entrar en paz en el tercer milenio, y había pedido a Fellini que acudiera, y a Dürrenmatt, y a los dos les había interesado. «Hablemos del futuro con libertad», dijo, y me dio el nombre de otros que habían aceptado: Peter Ustinov de Inglaterra, el norteamericano Alvin Toffler y su mujer, Heidi, el novelista francés Claude Simon, galardonado con el premio Nobel. James Baldwin también había prometido asistir, cosa que al final hizo, al igual que científicos y artistas de Italia, la India, Etiopía, Cuba, Turquía y España. Que se nos fuese a costear viaje y estancia sólo podía significar que la administración estaba de algún modo tras la empresa, pero habida cuenta de la insólita actitud de Aitmátov en Vilna y de sus garantías de que el encuentro discurriría con entera libertad —más las ganas que tenía Inge de sacar fotos de la remota Kirguizia—, acepté. Si los intelectuales soviéticos querían integrarse en la comunidad internacional —de la que se mantenían al margen como si fuesen de otro planeta, por culpa sobre todo del control paranoico de su propio aparato estatal—, había que ayudarles hasta donde se pudiera.

Fue al final de nuestro tercer y último día de conversaciones en un parador cómodo y saludable junto al lago Issyk-kul de Kirguizia cuando se nos comunicó que estábamos invitados a un encuentro con Gorbachov. Supuse que se trataría de un saludo de diez minutos, pero duró más de dos horas y media.

A diferencia de sus antecesores, Gorbachov no estaba ojeroso y abotargado a causa de la bebida; llevaba traje marrón, camisa beige, corbata a rayas y poseía una sonrisa obsequiosa y un destello de inteligencia moderna en la mirada. Le rodeaba un aire de premura que me recordaba a John Kennedy, que también gustaba de complacer a los escritores (lo mismo que Moshe Dayan, a quién había conocido años antes).

Acabados los apretones de manos preambulares, nos condujo desde el antedespacho hasta una sala de reuniones en que había una mesa alargada con capacidad para treinta personas. Tomó asiento en el lugar de honor, sin consejeros, ni ayudantes ni notas. Varios intérpretes se habían instalado a lo largo de las paredes con sendos auriculares conectados con los micrófonos de la mesa. Según había advertido al entrar en aquel moderno edificio de oficinas, que daba a la empedrada Plaza Roja y al viejo Kremlin, sus detalles, en comparación con la media soviética, eran muy elegantes y su paz acústica subrayaba su solidez. Aquello era el corazón de las tinieblas, o el sol de la esperanza, como se prefiera, y la naturalidad humana de Gorbachov no hacía sino aumentar el misterio del poder, pues le intuía yo cierta necesidad personal de hablar desde dentro, al margen de los apremios de la autoridad.

Tras admitir con sonrisa irónica que jamás había estado en Kirguizia, nos preguntó de qué habíamos hablado a orillas del lago y por turno le fuimos haciendo un balance breve y más bien insuficiente del encuentro. La verdad es que no habíamos profundizado mucho, aunque había habido un detalle potencialmente importante: por vez primera, al menos por lo que yo sabía, los soviéticos no habían manifestado una actitud defensiva ante los occidentales. Antes bien, saltaba a la vista que se rebelaban contra esta vieja y fea costumbre. El cubano Otero era sin lugar a dudas un novelista que creía en el marxismo, y Afework, un etíope orgulloso, pintaba en un país gobernado por una reciente junta militar compuesta por hombres inquietos y suspicaces que profesaban un marxismo primitivo, pero ni ellos ni Aitmátov ni sus dos ayudantes hicieron nada en ningún momento por dejar constancia de su fe marxista. Pudimos hablar de la contaminación del planeta, de la quiebra de los valores y convenciones, del paro tecnológico tanto oriental como occidental, de Chernobyl, de cien cosas más, y el resultado no fue peor que la eliminación de las fricciones en un encuentro ecuménico de católicos, protestantes y judíos. Vale decir que había dejado de existir el problema de convencernos y convertirnos los unos a los otros, que sólo los problemas comunes tenían importancia. Casi podía palparse el deseo de despejar la habitual neblina paranoide. Ignoraba cuánto iba a durar, pero, en mi opinión, que se hubiera intentado ya era un gesto tremendo, cargado de esperanza.

En el curso de sus comentarios, Gorbachov subrayó que en Rusia se estaba difundiendo con rapidez el «nuevo pensamiento», pragmatismo transideológico aunque aún nominalmente marxista, en vez de un dogmatismo pasado de moda. En cuanto a inspiración, insistía en volver a Lenin y no a Stalin. «La política de cada país necesita apoyarse en sus intelectuales porque éstos suelen centrar sus análisis en el ser humano. Cualquier otro foco de atención es inmoral. Leo a Lenin una y otra vez», dijo en cierto momento, «y en 1916 escribió: "El interés general de la humanidad es de prioridad máxima, más incluso que el del proletariado".» Hizo una pausa y sonrió. «También a mí me gustaría que el "otro mundo" se materializase en éste.» Parecía sugerir que el bienestar general estaba por delante incluso de las necesidades del Partido. Aunque lo decía en público, se le tenía que tomar en serio como portavoz de un impulso renovador e importante, porque cuestionar la prioridad absoluta de los intereses del Partido siempre había sido un sacrilegio. Pero cuando volví a Norteamérica y escribí un resumen del encuentro, que contenía información novedosa en la época, no encontré periódico o revista de alcance nacional que lo publicara, tan absoluto era el cinismo periodístico ante cualquier posibilidad de cambio en el mundo soviético. El problema no radicaba en que yo fuese el autor; Alvin Toffler, autor de *El shock del futuro* y otros sondeos en el mundo tecnológico del porvenir, tropezó con el mismo escollo. Al final, *Newsweek* publicó una versión condensada en su sección «My Say», dedicada a las opiniones personales. Los soviéticos no eran los únicos que deberían oír lo que preferían no oír. La autonegación, como siempre, era el árbitro supremo.

Cuando me llegó el turno, repetí a Gorbachov lo que ya había dicho en Issyk-kul, que nuestras sacrosantas ideologías nos alejaban de los hechos irrespetuosos. Marx gobernaba Rusia y Adam Smith el aparato estatal norteamericano, la primera una filosofía de un siglo de antigüedad, de dos la segunda, y ninguna de las dos había sido capaz de imaginar siquiera el mundo de ordenadores, televisión, hambre y derroche en que vivíamos actualmente, un mundo con un proletariado menguante y una clase media que se aburguesaba (a pesar de Marx) y una creciente masa de indigentes o de simples trastornados y muertos de hambre que vagabundeaban por las ciudades del capitalismo (a pesar de Adam Smith). Si dejásemos al menos que los hechos desnudos nos gobernasen en vez de utilizarlos para lo que cada bloque quisiera demostrar ideológicamente...

El equipaje de nuestro cerebro es nuestra historia y era mucha ya la que transportaba en la cabeza mientras observaba al mandatario; me hizo retroceder hasta el juego de pelota de la Calle 4 Este de Brooklyn, cuando aquel compañero de clase me habló por primera vez del marxismo. Pero en aquellos instantes —había cumplido los setenta y un años en Kirguizia y llevaba ya veinticinco casado con Inge—, mientras escuchaba a un Mijail Gorbachov deseoso de impresionar a los occidentales con la liberalidad de su espíritu, llevaba dentro de mí mucho escepticismo de anciano ante los cambios auténticos y sinceros. No obstante, yo creía saber lo que él quería, y era estimulante porque detrás de aquella tolerancia nueva tenía que haber algo más que su persona; la cúpula del poder tenía que haberse dado cuenta de que era imposible progresar en sentido tecnológico con un gobierno lleno de miedo paranoide y de sospechas hacia los ciudadanos propios y extranjeros. Lo que de verdad quería saber yo no era si quería liberalizar el régimen, sino si sería posible sin autorizar una oposición auténtica, dentro o fuera del Partido Comunista. A mi juicio, tenía ante sí el mismo dilema que los chinos —que yo había visto en su propia salsa durante las dos visitas que había hecho al país sudasiático y sobre todo en el curso de los dos meses que había pasado en Pekín hacía tres años para dirigir *La muerte de un viajante*—, a saber, cómo liberar la inteligencia de una nación y mantenerla bajo la férula de un partido único.

Pero ya había tratado personalmente con otros soviéticos que «querían cambios» y había aprendido más de una dura lección en el proceso. Me encontraba en aquella sala con el mandatario soviético, pero mis pensamientos no hacían más que retroceder a 1967 y a la habitación del hotel moscovita adonde había ido para tramitar el ingreso de los escritores soviéticos en el PEN Internacional.

Todo comenzó en 1965 con una llamada que recibí por el ruidoso teléfono de la casa parisina de Inge, donde nos encontrábamos con motivo del montaje de *Después de la caída*, a cargo de Luchino Visconti, con Annie Girardot. Me había parecido desenfocado. No obstante sus meditadísimas películas, a Visconti parecía habérsele escapado el verbo de la obra y la había abordado como una especie de denuncia de las torpezas sexuales norteamericanas. Un montaje mucho más incisivo, dirigido por Franco Zeffirelli, se estrenaría un año después en Roma, con Monica Vitti y Giorgio Albertazzi. Zeffirelli no tuvo miedo de sumir a Quentin en la desbordante angustia del hombre que, lejos de buscar las autointerpretaciones, lo que hace es buscarse a sí mismo, una actitud radicalmente distinta y que me pareció conmovedora y convincente. El decorado consistía en una serie de rectángulos metálicos concéntricos, en progresión decreciente según avanzaban hacia el fondo del escenario —era como mirar desde la parte trasera de una cámara fotográfica de fuelle, hacia el objetivo situado en el otro extremo—, y los paños de terciopelo negro que había entre cada rectángulo permitían que los actores entraran y salieran del profundo escenario, mientras con ayuda de silenciosos montacargas se subían y bajaban muebles que creaban y desvanecían casi al instante los lugares mentales de Quentin, igual que si se tratase de un delirio o un sueño. El montaje recorrió las principales ciudades italianas y la acogida del público fue para mí como una confirmación de la obra.

Pegado al teléfono de Inge, tardé un rato en averiguar que era «Keith, desde Londres» y que quería verme al día siguiente para volar rumbo a París con un individuo llamado Carver, que me lo explicaría todo. Keith Bostford, profesor y novelista, había sido uno de los jefes de redacción —junto con Saul Bellow y Aaron Ascher, que por entonces era editor mío en la casa Viking— de *The Noble Savage*, publicación inquieta pero de corta vida en la que yo había colaborado con dos cuentos hacía unos años. Y quería decirme no sé qué sobre el «PEN», del que yo había oído hablar por encima.

Keith, con el que tenía sólo un trato superficial, se presentó al día siguiente en la casa de Inge de la Rue de la Chaise en compañía de un inglés que abultaba por cuatro: David Carver, un Sidney Greenstreet sin asma. Como no tardé en saber, había sido barítono operístico de cierta reputación hasta la II Guerra Mundial, en que se había empleado como secretario del duque de Windsor y pasado la guerra en las Bahamas con su real patrón.

El piso de Inge se encontraba en un edificio que había sido embajada española en el siglo XVI. Las paredes eran gruesas, los techos altísimos y las ventanas que daban a la antigua callejuela de dos manzanas de longitud estaban siempre impecablemente limpias, gracias al celo de la vasca Florina, criada de Inge desde hacía mucho y que nos sirvió el café con tal etiqueta que se habría dicho que fuésemos tres barones conferenciando sobre el tráfico de las especias. Los ojos negros de Florina relucían de satisfacción por tener algo importante que hacer por fin, tras meses de esperar a que su adorada señora volviese de Norteamérica para quedarse unos días.

Keith cedió pronto la palabra a Carver, hombre de pronunciación perfecta, acepciones exactas e inesperadas incidencias en el callejero sentido común del profesional del teatro que sabe lo que quiere. Había sido secretario general del PEN durante muchos años y, lógicamente, había invertido en la organización mucho tiempo y esperanzas, «pero debo decirle con la mayor franqueza, señor Miller, que nos encontramos en tal situación que si no acepta usted la presidencia, el PEN dejará de existir».

¿La presidencia del PEN? Si yo apenas si sabía a qué se dedicaba, al margen de la confusa impresión de que era una especie de club de debates literarios.

El PEN, me explicó Carver, lo habían fundado al terminar la guerra —la primera— individuos como John Galsworthy, Bernard Shaw, G.K. Chesterton, H.G. Wells, John Mansfield, Arnold Bennet, Henri Barbusse y otros muchos de ideas afines, tanto ingleses como europeos continentales, que pensaban que una organización internacional de escritores podría frenar el estallido de otra guerra, luchando contra la censura y contra las presiones nacionalistas que se hiciesen sobre los escritores. No evitó, desde luego, la II Guerra Mundial, pero en los años treinta hizo que la atención mundial se fijase en la amenaza del nazismo al expulsar a la delegación alemana, que se había negado a condenar la censura a Hitler y la brutalidad con que el régimen trataba a los literatos. La cuestión actual, sin embargo, era que la asociación estaba a punto de dar el último suspiro.

—¿Y por qué yo? —pregunté. No tenía relaciones con el PEN ni deseos de dirigir organización alguna. Francamente, ni siquiera estaba seguro de creer ya en las asociaciones de escritores.

A pesar de lo mucho que había hecho, el PEN no había sabido tender un puente que conectase con la generación que entonces estaba entre los veinte y los treinta y nueve, y había acabado por considerársela no sólo una organización integrada, sino muy irrelevante. Además, había sido víctima de la Guerra Fría, que había mermado cuando no destruido el crédito que tenía en los países pequeños que no estaban totalmente alineados con Occidente. La reciente política de distensión pedía tolerancia para las diferencias Este-Oeste, situación para la que el PEN carecía aún de la suficiente experiencia. Hacía falta pues un nuevo comienzo y todos los ojos se habían posado en mí.

Carver abrió de golpe la pitillera de oro. Aunque yo estaba convencido de que no quería saber nada de aquella nueva forma de interrumpir mi trabajo literario, no había manera de decirle que no a aquel británico descomunal, de pelo rubio, de ojos azules, de piel suave y tan blanca como la parte inferior de la piel del pomelo, con dos lunares alegres y sonrosados en las mejillas y espaldas tan anchas como la caja de un camión de mudanzas.

—Hay vidas en juego. De tarde en tarde salvamos alguna. No todas, pero sí unas cuantas.

—¿Vidas? —Estábamos aún a mediados de los sesenta, mucho antes de que la observancia de los derechos humanos se convirtiese en preocupación occidental gracias a organizaciones políticamente neutrales como Amnistía Internacional, que se había fundado hacía tan sólo unos años. En aquellos días, la politización de los derechos humanos era absoluta, el bloque comunista abría la boca sólo cuando se violentaba a sus partidarios de Occidente, mientras que Occidente sólo ponía el grito en el cielo cuando do los regímenes del Este reprimían a *sus* disidentes. Carver proponía un enfoque totalmente innovador, con una base humana despolitizada, para tolerar y defender a todos al mismo tiempo, y enfrentarse así, tal vez, a la esterilidad de dos décadas de Guerra Fría. Era una posición atractiva, aunque no del todo convincente.

Contó, a modo de ejemplo, que el PEN había sido capaz de persuadir al gobierno húngaro de que dejara partir a algunos escritores presos después de la invasión rusa del 56. En Polonia y Checoslovaquia contaba aún con centros (que más tarde se disolvieron o paralizaron) que recogían información y de tarde en tarde publicaban informes sobre literatos perseguidos.

—Funciona de una manera muy irregular —admitió— y no siempre sirve de mucho, aunque sí lo suficiente para que sea una lástima abandonar ahora.

Pero ¿cuál era la fuerza del PEN? ¿Por qué se le hacía caso, fuera éste cual fuese?

—En el Este no gusta la mala prensa, tanto o menos aún que en Occidente. En el fondo están deseosos de que se les considere una sociedad moderna y actual y no una tiranía —dijo, enarcando las cejas y esforzándose por no sonreír.

—¿Y por qué habría que abandonar ahora?

Por un momento me pareció verle con el negro sombrero de diplomático puesto. En los últimos años, el PEN no había sabido atraer a suficientes escritores de renombre, de talla internacional. Según mi interlocutor, yo podía servirles de aliciente.

—Pero yo no sabría dirigir...

—Yo lo dirijo todo. Usted sólo tendrá que aparecer en los congresos internacionales que se celebran periódicamente, quizás una vez al año. Le garantizo que no le robará mucho tiempo.

—Lo que usted quiere es un presidente honorario.

—De ningún modo. Si el presidente acepta ponerse al mando de la organización, su poder será auténtico.

Pero yo tenía la sospecha de que se me utilizaba y me pregunté de pronto si detrás de aquello no estaría el Ministerio de Asuntos Exteriores, o la CIA, o algún equivalente británico. Quise ponerlos a prueba.

—¿Y si invito a los escritores soviéticos a que se integren en el PEN? Carver se quedó boquiabierto.

—¡Oiga, eso sería estupendo! ¡Sí! ¡Desde luego! Por supuesto que siempre se corre el riesgo de que se produzca una escisión general, los centros que tenemos en el Este siempre están oscilando; y usted sería muy convincente para los del Este.

—... Porque si el objetivo es contribuir a evitar la guerra, la presencia de soviéticos sería...

—Decididamente sí. Sería fabuloso que nosotros y los soviéticos nos integrásemos en una organización única. ¿Asumirá usted la presidencia?

Busqué una evasiva, dije que tenía que pensármelo. Pero Carver tenía que saberlo en el curso de los próximos días, «antes de remitir las invitaciones para el congreso de Bled».

—¿Dónde está Bled?

—En Yugoslavia.

—¿Hay un centro en Yugoslavia?

—Sí, y excelente. Nos necesita mucho. Será el primer congreso que celebremos en Yugoslavia.

Un par de días más tarde, a regañadientes pero llevado de la curiosidad, acepté, aunque nadie me despejó la incógnita de por qué se me había elegido a mí. Recelaba, no obstante, de lo que dos décadas después me enteré que podía ser verdad. Entre los documentos que componían mi expediente, que en 1986 acabé por sonsacar al FBI, había un telegrama que el embajador norteamericano en Moscú había enviado a Washington en 1965, en que se decía que en la capital soviética se me había acogido, apenas dos semanas antes de la visita de Carver, de un modo «semioficial» y cálido; de hecho, Bostford me había telefoneado el día en que habíamos vuelto a París, procedentes del Este. Es posible que la prensa británica hubiera hablado de la numerosa representación de la Unión de Escritores Soviéticos que había acudido a la estación para recibirme, aunque podía suceder que Carver contara con otras fuentes para informarse de mis buenas relaciones con los soviéticos. En cualquier caso, sabía que yo era aceptable tanto por el Este como por Occidente, el perfecto presidente del PEN, ahora que la existencia misma de la asociación estaba en serio peligro. No tardaría en saber que el PEN seguía estancado en las tradicionales posturas antisoviéticas de la Guerra Fría, pero que al igual que los gobiernos occidentales en este aspecto, trataba ahora de flexibilizarse y de aceptar que la Europa del Este era un conjunto estable de sociedades a cuyos escritores no había por qué negarles la oportunidad de entrar en contacto con Occidente, del que hacía tanto tiempo que estaban aislados. Así pues, al cabo de cuarenta años, el prístino impulso pacifista del PEN tendría la oportunidad de aplicarse en el mundo real. Entre dos aguas todavía, me vi lanzado de cabeza a la aún confusa maraña de la política de distensión para comenzar una etapa nueva y del todo imprevista de mi vida de aprendizaje.

Inge veía una maleta y se ponía a hacer el equipaje. Gracias a su facilidad para los idiomas, ya sabía ruso antes de emprender el viaje. Hablaba además con fluidez el inglés, el francés, el castellano y el italiano, y el rumano también, aunque con alguna pequeña dificultad, ya que lo había aprendido durante los primeros años de la guerra y no había hecho uso de él desde entonces. Tras una estancia en Grecia de dos semanas, durante una de las últimas noches que pasamos en el país me di cuenta de pronto de que Inge ya sabía hablar el idioma, aunque no lo había estudiado en absoluto. Poco a poco me acostumbraría a recurrir a ella en los países extranjeros para que tradujese lo que los bárbaros locales querían decirme, y la verdad es que solía dar resultado. Esta capacidad para concentrarse, y al mismo tiempo para recrear románticamente el espíritu, podía desarmar a los poderosos. A fines de los cuarenta, entrevistó y sacó fotos al canciller alemán Konrad Adenauer y éste le propuso que aceptara el empleo de principal secretaria suya. En China, en los ochenta, durante una comida se encontró entre un funcionario chino germanoparlante, un escritor chino rusoparlante y un guía turístico chino anglófono. Ninguno de los tres disponía de muchas ocasiones para practicar su segundo idioma y de buena gana se pusieron a practicarlo con ella, que en cierto momento se vio convertida en nexo traductor entre los tres idiomas europeos y el chino. Echaba humo por las orejas mientras le aumentaba la palidez, pero no quiso desistir hasta que todos se dieron cuenta de lo que sucedía y estallaron en carcajadas.

Habíamos ido de Düsseldorf a Moscú en tren, dos noches y casi dos días a través de un océano de nieve de enero, de una llanura sin límites ni rasgos característicos. Hacía que uno se diese cuenta por enésima vez de que los caudillos que más venera la raza humana son los que más locos están; que Napoleón pudiese avanzar, no digamos ya combatir, con todo un ejército por entre aquellos bancos de nieve que llegaban hasta el pecho, y que Hitler pudiera repetir la intentona, tendría que probar que los dos eran auténticos dementes que arrastraron a crédulos ejércitos de fanáticos hasta su gélida fantasía final. El tren avanza a buen paso, se ingiere el desayuno mirando la nieve por la ventanilla, más tarde la cena mirando por la ventanilla, y a continuación se duerme y se sueña con la ventanilla y la nieve, y cuando despierta uno por la mañana se queda mirando la nieve por la ventanilla, sin que el programa varíe a lo largo de dos días y medio.

Mis obras se venían representando en los teatros soviéticos desde hacía casi veinte años y, según averigüé en seguida, el público estaba muy encariñado con ellas. Como la prensa se vigilaba muy estrechamente y los autores de ficción tenían que pelear por la inocencia y objetividad de cada párrafo, incluso de cada palabra, era en el teatro donde el ciudadano tenía más espacio para entrar en contacto espontáneo y libre con las ideas y los sentimientos. No es que se montaran obras de tema heterodoxo, pero se daba rienda suelta a la ironía mediante una ceja levantada, un gesto, y la pura presencia humana del actor. La viveza tangible de las representaciones en directo, de obras clásicas incluso, estimulaba de alguna manera al público, y los rusos apreciaban muchísimo la relativa libertad sentimental e imaginativa que proporcionaba el teatro.

Dio la casualidad de que en 1965 se representaba *Panorama desde el puente* y por supuesto fuimos a verla. El teatro, que era enorme, estaba atestado y al final me dedicaron una ovación de diez minutos, aunque pronto me enteré de que había unas cuantas irregularidades.

Yo no sabía ruso, pero me pareció que por lo menos en la primera escena se había alterado el texto y mi intérprete confirmó mis sospechas. En la obra, los sentimientos del estibador Eddie Carbone hacia su sobrina Catherine le llevan a delatar ante las autoridades a unos parientes suyos que han entrado ilegalmente en el país, con objeto de deshacerse del joven con quien aquélla quiere casarse; las circunstancias hacen que poco a poco se vaya dando cuenta de este amor inconsciente, ilícito a sus propios ojos, puesto que ha criado a la muchacha como si fuera su propia hija. Pero en la versión soviética, no bien se le aparece la joven por vez primera, dice Eddie a su mujer Beatrice con inequívoca inflexión erótica: «La amo». Casi como si Edipo se dirigiera a Yocasta en los primeros instantes de la obra para decirle: «Madre, estar casado contigo no está bien...».

Acababa la función, me quejé de esta absurda adulteración ante Oleg Efremov, director del teatro Sobremenik y más tarde presidente del Teatro del Arte de Moscú. Lo que me chocó no fue su forma de excusarse por las alteraciones —«Aquí no nos interesa eso de la *psicología*»—, sino la desenvoltura de su desdén encubierto, que evidenciaba desprecio por los derechos de un autor sobre su propia obra. Y no es que en los demás sitios, incluida Nueva York, se me hubieran ahorrado tales humillaciones. Pero, sumadas éstas a la premeditada adulación que se me había tributado, se me antojaba una burla que daba un tinte siniestro a la acogida dispensada, ni más ni menos que como si se destruyese con una mano lo que acababa de dárseme con la otra.

Supe en los años que siguieron que aunque en la Unión Soviética era muy corriente alabar y publicar a escritores como Twain y Hemingway, las traducciones no sólo censuraban pasajes política o «moralmente» objetables sino que además añadían otros más idóneos tendentes sobre todo a criticar a la sociedad norteamericana. Me alegró saber que se había representado *La muerte de un viajante,* pero mi placer se vio disminuido cuando me enteré de que había sido objeto de cambios importantes: Willy había sido caricaturizado y transformado en un bobo, y Charley, que le ofrece ayuda económica, se había reestructurado de pies a cabeza y convertido en un necio y un bufón, puesto que, como empresario que era, no podía tener ni un gramo de altruismo ni de sinceridad.

No podía olvidar al mismo tiempo al público teatral y su atención casi religiosa, su capacidad para concentrarse en lo que acontecía en escena, como tampoco la sincera alegría con que me había aplaudido. Entre la inocente generosidad de este público y una comida que dio el presidente de la Unión de Escritores, Alexei Surkov, comencé a entrever el embrollo de la contradicción rusa.

La reputación de Surkov se basaba en algunos poemas bélicos muy populares, aunque el origen de su celebridad se debía ahora a la crueldad estaliniana con que reprimía a los escritores. Patriarca de pelo cano, fingía esa campechanía pueblerina que suele enfriar el alma y durante la prolongada comida que la Unión de Escritores celebró en mi honor no hizo más que darle a una lengua sutilmente bífida. Para entrar en conversación con una persona que no habla ruso, el tiempo es el tema inicial inevitable, así que dije que, en mi opinión, hacía un frío que pelaba. Un individuo situado al extremo de la larga y concurrida mesa arguyó en tono amable y educado que el año anterior, por las mismas fechas, había hecho mucho más frío, y un tercero disintió, recordándole que había hecho más calor. Hubo variaciones sobre ambas posturas hasta que Surkov se echó hacia atrás y rugió: «¡Ya lo ve, Miller, los escritores nunca estamos de acuerdo en nada!». La concurrencia se deshizo en confirmaciones y asentimientos que llegaban hasta el mantel ante aquella pulverización instantánea de cualquier sujeción obligatoria a la línea del Partido.

El corazón se me partía ante el infantilismo de aquella ingenuidad organizada, pero me llamó la atención el que la libertad siguiera siendo lo normal cuando menos en presencia de un extranjero. ¿Por qué no admitían sin más que estaban convencidos de que un escritor debía obedecer las recetas del Partido? ¿Por qué no deberían estar de acuerdo los escritores con el Partido omnisciente si ello contribuía al progreso de la especie humana? Pero insistían en afirmar la libertad y yo opté por ver en ello un elemento perversamente estimulante.

Pero luego vino el paseo por la calle nevada, que limitaba con el Kremlin, con nuestro guía e intérprete, sujeto joven y serio. Cuando alcé los ojos hacia las ventanas de lo que según me habían dicho fueron los aposentos de Stalin y comenté con sarcasmo: «Tuvo que haber animación ahí arriba la noche en que murió, ¿verdad?», me devolvió una mirada de sorpresa impávida.

—¿Por qué? —preguntó.

—Pues porque los demás estarían dale que te pego para ver quién le sucedería.

—No es asunto nuestro lo que pase ahí.

Fue una réplica tajante; quién les gobernaba y cómo no tenía derecho a trasponer los límites de su curiosidad. Mi entrometimiento pareció en realidad algo blasfemo. ¿Cómo entenderlo?

Sin embargo, horas más tarde contemplaba la puesta en escena de Yuri Lyubimov de una versión teatral de *Diez días que estremecieron al mundo* y recuperaba las esperanzas, ya que era tan inteligente, tan de buen gusto, y estaba concebida e interpretada con tanta pericia que superaba todo el teatro que podía recordar en aquellos momentos. ¡Compartíamos sin lugar a dudas una humanidad común! Un par de décadas después, como era de esperar, Lyubimov se autoexiliaría a Italia, tras renunciar a seguir trabajando entre los zarpazos y las censuras del Partido. Rusia no cejaba en su empeño de desaprovechar al máximo a sus ciudadanos inteligentes.

En las dos semanas que pasamos allí, los artistas rusos nos dieron las más cálidas muestras de simpatía: Maya Plisetskaya, que, en el Bolshoi, interpretando *Don Quijote*, ejecutó unas figuras especialmente dedicadas a mí, con los ojos fijos en nuestro palco; el novelista Konstantin Simonov, que en su casa rural nos honró hablándonos con sinceridad acerca del terrible pasado; Ilyá Ehrenburg, quien nos contó que, al regresar de la guerra civil española, en la que había estado como corresponsal, se había enterado de que, para evitar contagios occidentales, se había fusilado a todos los periodistas soviéticos que habían vuelto de España antes que él, y que él se había salvado no sólo de aquélla, sino también de la purga general de la época, «la lotería», según la llamaba él.

No parecía que pudiera decirse nada sencillo ni único a propósito de Rusia cuando volvimos a París, excepción hecha, tal vez, de lo que le dije a David Carver, que si el PEN podía romper el aislamiento soviético, todo sería para bien. Entrar en el país en tren me había ayudado a comprender parte de la insignificancia que tiene que sentir un escritor soviético cuando do se esfuerza por enunciar su verdad única ante aquellas inmensidades abrumadoras, que al mismo tiempo le envuelven en una calidez dulce y primitiva.

Mientras observaba a Gorbachov en 1986 me acordé también del viaje que habíamos hecho a Checoslovaquia en 1969. Aún no se habían tapado los agujeros producidos por los cañones de los tanques soviéticos en la fachada de los edificios de Praga y hacía muy poco que el adolescente Jan Palach se había quemado vivo para protestar contra la ocupación soviética que había cortado por lo sano la Primavera de Praga, la intentona checa de acometer un «socialismo con rostro humano».

La brutalidad de todo lo acaecido estaba en Praga a flor de piel, y probablemente lo experimentábamos de un modo más inmediato porque recorríamos la capital en compañía de dos dramaturgos inquietos, Václav Havel y Pavel Kohout, aquél no encarcelado todavía, éste no obligado aún a huir a Viena tras la agresión de la policía contra su mujer, que era actriz, y que casi se rompió la pierna cuando un agente cerró el vehículo con portazo intencionado.

Mientras cenábamos en casa de un novelista, su hijo pequeño, que espiaba por entre las cortinas, dijo «Papá» y señaló un coche estacionado al otro lado de la calzada y en que aguardaba la policía, maniobra cuyo objeto era advertirnos que no estábamos solos. Aprendería a aceptar esta vigilancia igual que ellos, paralizando el temor y alertando la inteligencia.

En las destartaladas oficinas de la revista literaria *Listy* y ante una veintena de escritores me presté a una entrevista que resultó ser la última antes de que la revista se clausurase definitivamente. Aún no había comprendido que Praga no era «el Este», sino una ciudad europea situada al oeste de Viena y, de un modo palpable y clarísimo cuando se contemplaba al natural, víctima de una invasión en toda regla, ya que en las afueras de la urbe había cientos de tanques soviéticos militarmente formados. Pero yo agradecía de manera maliciosa la fascinación que había ejercido Moscú antaño sobre mí, porque me permitía comprender en parte a los escritores de Praga que, durante la guerra, también habían esperado del Este la liberación, entusiasmándose con un «socialismo» carente de conflictos y con la redención de la humanidad que en él habían visto. Yo estaba al tanto de todo esto y para mí formaba parte del mismo pastiche surrealista que para ellos, y me alegraba de que así fuese.

Unos ocho años después, basándome en el laberinto situacional que vi en Praga, escribí *The Archbishop's Ceiling,* aunque si he de ser sincero tardó una década en consolidarse, ya que no lo hizo hasta que en 1986 la representó la Royal Shakespeare Company en el Barbican. Es una obra de significados que se difuminan e implicaciones que se ramifican, con resonancias múltiples que no se desconocen por completo en los pasillos políticos de Washington, París y Londres, pero que para los escritores rezuman sangre y barbarie cuanto más hacia el este se viaja. Fueron las inoportunas correcciones a que sometí al texto las que destruyeron prácticamente la primera representación, que se celebró en el Kennedy Center de Washington. Cometí el error de dejarme convencer de que la obra, en su forma original, no sería suficientemente clara para los ingenuos norteamericanos. Pero fue dicha forma la que se aplaudió en Londres y en una representación anterior de la Old Vic en Bristol. El tiempo puso también su grano de arena, ya que en 1986 el público entendía que la obra no trataba sólo sobre «el Este»; todos dialogábamos en privado con el poder, con las paredes del espíritu, tachonadas de micrófonos, estuviera aquél donde estuviese; aun sin darnos cuenta, habíamos renunciado a la idea de la persona totalmente libre de deformantes servidumbres interiores al poder o a las consignas dominantes. La personalidad desnuda de un ser humano libre que no tenga más interés que la propia verdad es cada vez más inconcebible en el último cuarto del siglo.

No estaba seguro de por qué había aceptado la presidencia del PEN ni siquiera cuando me instalé en el avión París-Belgrado, aunque hay un instinto que decide estas cosas, que no siempre da resultado, dicho sea con franqueza. El hombre que ocupó el asiento contiguo al mío aquella tarde de junio de 1965 se me antojaba conocido, aunque sabía que no nos habíamos visto nunca. «Norman Podhoretz», dijo, dándome la mano. Me asombró que el director de la revista *Commentary* honrase con su presencia el enemigo territorio yugoslavo, aunque al cabo de unos minutos ya me parecía hombre cordial y con un notable sentido del humor en relación con los literatos y el teatro neoyorquino. No obstante, si se dirigía a Bled para saber de qué iba aquel asunto del PEN, no podía por menos de suponer que lo hacía con algún escepticismo, si no con abiertos recelos. En cuanto a mí, ignoraba lo que podía esperar de aquel mi primer congreso, cuyo presidente, por increíble que parezca, era yo mismo. Me satisfacía que Podhoretz, ensayista de gran cultura, pensara que la organización merecía algún interés, pero la verdad es que, al mismo tiempo, el que estuviera allí, a mi lado, me aclaraba al menos uno de los motivos por los que había aceptado la presidencia: el PEN parecía prometer la resurrección de la solidaridad humana en un momento en que la antagónica ideología del individualismo desenfrenado y el éxito personal volvía a abatirse sobre la escena política norteamericana.

Tras un vuelo misericordiosamente breve, el avión aterrizó en una pista lindante con un pequeño campo que se araba en aquellos momentos. Podhoretz, cuya cara solía tener la expresión sorprendida de un niño al que despiertan de súbito, tenía ahora los ojos más dilatados si cabe mientras miraba con avidez por la ventanilla de mi costado. He allí lo primero que veía de un estado comunista, un fragmento de lo que años después su presidente norteamericano preferido llamaría Imperio del Mal. Cuando el avión giró para enfilar hacia la pista, aparecieron dos tractores en el campo. «¡Pero si tienen tractores y todo!», exclamó mi compañero de viaje; pensando que estaba de guasa, me volví y observé su expresión nerviosa y confundida. El avión se detuvo y los tractores se acercaron. Se pegó a la ventanilla para mirarlos. ¡Qué hervidero de sentimientos encontrados en su interior! Y vaya con aquella ideología que, pese a todo su saber, podía sorprenderle con tractores en Yugoslavia.

Las máquinas estaban ya a unos metros de distancia y alcancé a ver los caracteres cirílicos impresos en el radiador.

—Creo que los fabrican aquí —dije con la cara muy seria, señalándole los caracteres. Como le viera aterrorizado, procuré tranquilizarle—. Aunque lo más seguro es que sean rusos.

—Basados en modelos norteamericanos, sin duda.

—Bueno, no, tengo entendido que los nuestros son mejores. Estos parecen cafeteras y difíciles de manejar.

Pareció experimentar cierto alivio.

—Pero me han dicho que son duraderos.

Captó la onda y no tuvo más remedio que echarse a reír. Como yo había estado ya en Rusia, estaba totalmente convencido de que encontraría allí incontables motivos para toda suerte de emociones, desde la condescendencia hasta el miedo.

Apenas había deshecho el equipaje en el hotel de Belgrado cuando llamaron a la puerta y helo allí otra vez: el director-comentarista-crítico que estiraba el cuello para ver de qué servicios me habían rodeado. A decir verdad, me habían dado la amplia suite que utilizaba Tito cuando se alojaba en la capital, cinco o seis dormitorios y cuartos de baño que respiraban poder y tristeza, una cocina con todos los accesorios y una sala de estar y de reuniones con tres sofás y una mesa de comedor enorme, con un florero de cristal y tres rosas de bienvenida encima de su resplandeciente superficie.

—¿Qué te parece? ¡La mía es una ratonera!

—Yo soy el presidente, amigo, y además es posible que tenga que pronunciar desde aquí algún discurso a las multitudes. —Lo conduje hasta una puerta vidriera que daba a un balcón desde el que, a un piso por encima de la plaza inmensa, habría pronunciado Tito más de un discurso. Norman se echó a reír, aunque no con sinceridad. No había publicado aún su libro *Making it*, pero tiempo después, al recordar aquel día, me preguntaría si no estaría meditándolo ya en la capital croata. Como competidor que era, reconocí los síntomas, y eran tan graves que estuvo a punto de confesarlo.

Bled se encuentra en una zona de alta montaña y en el restaurante, a eso de medianoche, hacía frío. Al parecer, la mujer que había en el diminuto escenario que teníamos delante iba a quitarse la ropa, a pesar de que, de las treinta mesas y pico, sólo la nuestra y otras cinco o seis estaban ocupadas. Horas antes había contactado con un periodista yugoslavo llamado Bogdan y otros dos reporteros se nos habían unido después de una mesa redonda del PEN en el hotel que daba al lago del otro extremo de la ciudad. En aquellos momentos, nos encontrábamos con los ojos puestos en la *stripper*, que se desabrochaba la falda y se contoneaba al ritmo de una apagada orquestina de jazz. En la mesa contigua, dos robustas lugareñas con jersey grueso tomaban vodka con los maridos, mientras contemplaban impasibles el breve escenario donde Yugoslavia se modernizaba, sin que importase en qué.

El congreso del PEN había durado dos días, lo suficiente para temerme que aquel trabajo me desbordaba, porque desconocía de un modo casi absoluto a los escritores que no fuesen de Nueva York, Londres, París o, últimamente, América Latina. Por lo que sabía, había allí literatos que habrían podido ser figuras de talla universal de haber escrito sus obras en cualquiera de los idiomas principales. Qué provincianos éramos, no sólo los norteamericanos, sino los ingleses y franceses también.

Con todo, la mayoría de los ciento cincuenta delegados estaba compuesta en realidad por académicos y periodistas, como mis compañeros de mesa, que no eran creadores en absoluto. Y hasta el momento, el PEN se me antojaba poco más que un complejo trapicheo diplomático apuntalado por un par de momentos sinceros. No veía ninguna gran victoria en el hecho de que escritores franceses, ingleses y alemanes occidentales se encontrasen en la misma sala que los alemanes orientales, los búlgaros, los húngaros y los polacos, sobre todo porque las profundas diferencias morales y políticas que había entre ellos raras veces se sacaban a relucir. Nadie quería que se alzase en el PEN el mismo dique que había en las Naciones Unidas, pero en su lugar parecíamos disfrutar entreteniéndonos con discusiones tontas. Comenzaba a arrepentirme de haber aceptado la presidencia. Yo no buscaba líos, pero apenas se esforzaba nadie para que las culturas enfrentadas que allí se habían reunido se comunicaran entre sí. Sin embargo, Bogdan no dejaba de decir que el PEN era de importancia capital y que para los yugoslavos era decisivo que yo fuera el presidente, puesto que era norteamericano.

—En primer lugar, yo no soy «norteamericano». No les soy simpático al gobierno y a la administración de mi país, nunca lo he sido. Y tampoco represento al pueblo norteamericano.

—Sí, eso lo sabemos —decía él y la conversación, de modo misterioso, terminaba en este punto. La cosa, sencilla y poco menos que absurda, era que, por tener a un norteamericano de presidente, creían que su independencia cultural respecto de la Unión Soviética se confirmaba de manera más tajante. Estábamos en un mundo de simbolismo puro, hasta el extremo de que me preguntaba si la vida entera no sería un sueño cortado por el mismo patrón.

La *stripper* se desprendió de la blusa y dejó al descubierto un par de sorpresas defraudantes, aunque advertí que no tenía malas piernas y pregunté a mis recientes amigos si sólo con mirarla podían adivinar su origen étnico. Bogdan era croata, los dos reporteros eran el uno esloveno y el otro servio, y los tres se enzarzaron en una discusión por ver quién endosaba la mujer a los otros: era demasiado baja para ser eslovena, o demasiado rubia para ser servia, etc. Cuando acabó el número, la mujer pasó por nuestro lado enfundada en un albornoz azul de lana, con la ropa en el brazo, y la detuve para preguntarle de dónde era.

—De Düsseldorf —dijo, tras lo que siguió su camino sin más.

Los otros reprimieron una ruidosa carcajada, incluso optaron por no sonreír por respeto a las diferencias sacrosantas e inapelables que había en el país, y de las que estaba prohibido reírse: salvo cuando se meditaba al respecto unos minutos. Recordé entonces que allá en el Brooklyn de los años marxi-materialistas de la década de los treinta me había preguntado quién enterraría a los judíos muertos y financiaría las sinagogas una vez que hubiera desaparecido la generación de mis padres, puesto que estaba claro como el agua que la era de la religión y de los fastidiosos mininacionalismos había terminado para siempre. Vivir para ver.

La irrealidad de mi existencia no experimentó ninguna mejoría en Yugoslavia. Mi talante encontró un símbolo idóneo cuando días más tarde salí gateando del Adriático a la altura de Dubrovnik y me senté en una roca junto a mi amigo Bogdan, que sólo en ese instante me contó que aquellas aguas estaban infestadas de tiburones, pero que no había querido estropearme el baño informándome antes. Ya en Bled, seguí esforzándome por identificar a los delegados y escuchando nombres desconocidos de directores de revistas y periódicos ignotos y de profesores de universidades de las que jamás había oído hablar, y la deprimente inutilidad de una concentración de personas tan locuaces y a la vez tan impotentes casi me convenció de que se me había engañado.

Las cosas, sin embargo, mejoraron poco a poco. Descubrí a Stephen Spender, que pronunció un discurso en el que pedía con firmeza que los poetas presentes leyeran poemas suyos a quienes quisieran oírlos, y esta idea tan sencilla como inesperada bastó para despejar durante un tiempo las telarañas omnipresentes. Advertí que Ignazio Silone, el novelista rabiosamente anticomunista,* no tenía inconveniente en charlar con tranquilidad absoluta de Pablo Neruda, el poeta comunista chileno. Y tras una breve pero intensa investigación surgieron otros creadores: Rosamond Lehmann, Richard Hughes, Charles Olson, Robie Macauley, Roger Shattuck y Susan Sontag, entre los que escribían en inglés, amén de Ivo Andric, el premio Nobel yugoslavo. Resultó que todos los que allí estábamos éramos igual de escépticos respecto a cualquier realidad, aunque todos deseábamos en secreto que surgiera alguna cosa de aquel encuentro, en buena parte protocolario. Casi a pesar de mí mismo empecé a entusiasmarme con la idea de que hubiera una solidaridad internacional entre los escritores, por frágil que su manifestación presente pareciera.

Supe que A. den Doolaard, fornido y bigotudo miembro del Centro Holandés, había hecho viajes clandestinos a Polonia durante años para repartir dinero del PEN entre las familias desamparadas de los escritores

---

* Silone fue uno de los fundadores del Partido Comunista Italiano. (N. del T.)

presos. Gracias al congreso de Bled, Mihailo Mihailov, por cuyo *Moscú Verano 1964* le habían caído nueve meses de cárcel, fue puesto en libertad (aunque no totalmente exculpado) y hasta los funcionarios yugoslavos que estaban presentes manifestaron su satisfacción sin ambages. Carver, según descubrí, había negociado su liberación en privado con Matei Bor, director del Centro Esloveno del PEN.

No me pasó desapercibido, puesto que solía estar con los occidentales y compartía sus cautelosas charlas con escritores del bloque oriental, que el PEN estadounidense no había abierto la boca ni para bostezar cuando en los años cincuenta me retiraron el pasaporte. Pero lo pasado pasado estaba, y es posible que ahora hubiese ocasión de elevar parecidas protestas, sin que importase el lugar donde se ejercía la represión. Con ayuda de Carver me convertí en abogado de un renacimiento de la influencia del PEN en América, y también en Asia y en Africa. Me parecía que en Africa íbamos a celebrar un congreso muy pronto (y, en efecto, Costa de Marfil fue la sede del congreso de 1967).

El enemigo común era nuestro provincianismo galopante. Pensé en la cena que habíamos celebrado en casa de Lillian Hellman en 1948 con los dos suplicantes yugoslavos de las Naciones Unidas y me sentí turbado por lo abstracto de la charla que habíamos sostenido en el curso de tan ingeniosa velada, como si no hubiera sido más que una polémica ideológica. Claro que los yugoslavos habían arrebatado el país a los alemanes y Bogdan me enseñó en Belgrado algunas casas de vecindad con mirillas de tiro abiertas discretamente en los pisos superiores para recibir la esperada invasión soviética cuando Tito se enfrentó a Stalin. «Las mirillas están orientadas al este», me había dicho. Los dos jóvenes delegados de las Naciones Unidas pensaban sin duda en aquellas mirillas.

La gran noticia de Bled fue la aparición de siete «observadores» soviéticos, que, lo que son las cosas, no iban juntos, como solían hacer los miembros de las delegaciones rusas, sino que asistían a las mesas redondas por separado y sin supervisión. A excepción del novelista Leonid Leonov, eran piezas inequívocas del engranaje, aunque ello me parecía menos importante que sus unánimes esfuerzos por ser amables conmigo, el nuevo presidente; estaba claro que el PEN no era ya, a los ojos oficiales, el sospechoso instrumento de los servicios secretos occidentales.

En la fiesta de clausura del congreso, que se celebró en el antiguo castillo de Bled, cuyas almenas se iluminaron románticamente con focos para la ocasión, estuve con Alexei Surkov y sus compañeros soviéticos, que cotejaban el vodka con el *slivovic* de ciertos colegas yugoslavos, todos ya con la lengua gorda, sintiéndose profundamente eslavos y cantando antiguas canciones de militancia, lo que, sumado a las troneras de Belgrado orientadas hacia el este, arrojaba un saldo en el que el PEN parecía adquirir pertinencia o cuando menos una posición de prometedora ironía.

Si a ello vamos, yo ya sabía por entonces que el PEN podía ser mucho más que un simple gesto de buena voluntad; al margen de su valía, los escritores allí reunidos respondieron inequívocamente con una instintiva atención autoprotectora cuando en el discurso que dirigí a todos los asistentes dije que debíamos mantenernos dentro de nuestra línea apolítica de expresión libre, pero que ello no significaba que tuviéramos que estar al margen de la política cuando la represión era un hecho político. Si queríamos ser universales, teníamos que enfrentarnos a los obstáculos políticos que impedían nuestra universalidad. «Al igual que en todas las cosas», dije para terminar, «nunca se hace nada bueno sin tener problemas. No estoy seguro de que quienes escriben en Norteamérica no vayan a tener problemas otra vez y cabe la posibilidad de que necesitemos la ayuda de todos. Debemos contemplar todas las culturas con los mismos ojos.» Fue extraordinario ver que la delegación norteamericana aplaudía con el mismo entusiasmo que la rusa, porque no se me escapaba que el futuro del mundo —según se desprendía del congreso celebrado— estaba en manos de nuestros dos gigantescos países.

Pero al PEN, como todos advertíamos, le faltaba mucho aún para estar a la altura de su misión universalizadora. Camareros serios como jueces corrían por antiguas salas de piedra para servir vino blanco fuerte a delegados cada vez más borrachos y la concurrencia parecía una organización de supervivientes de dos guerras civiles europeas. Es posible que la importancia del papel que yo jugaba allí dependiera de mi distancia como norteamericano, pues como oriundo de Radomizl y Brooklyn era ajeno a sus enfrentamientos seculares. Fueron ellos los que primero lo comprendieron, aunque también yo acabé advirtiéndolo al final y en peligrosas coyunturas de insoluble tensión política optaba por anunciar que ya era hora de comer, cosa que a las once y media de la mañana les sorprendía no poco; pero pronto se hicieron a la idea y cada vez que las disputas llegaban a un acaloramiento excesivo brotaba la exclamación «¡A comer!» de entre la muchedumbre, incluso de la garganta de la rolliza señora búlgara que no se había distinguido por su sentido de lo cómico, aunque llegaba a reiterarme dos o tres veces al día, palabra por palabra, que tendría mucho gusto en que fuéramos a Sofía, donde me enseñaría las rosaledas que producían el artículo que más exportaban, la esencia de flores.

Tal era pues mi función: ser justo, mantener la paz y seguir fomentando apolíticamente las ideas políticas de libertad de expresión e independencia del literato. Lo grandioso era que la mayoría de los presentes, al margen de su procedencia, anhelaba lo mismo sin manifestarlo.

Pero veces había en que se cansaba uno de adivinar por qué se decía esto o aquello. Un miembro de la delegación húngara —que durante las jornadas apoyó el trato que su gobierno daba a los escritores, al tiempo que afirmó lo civilizado de su comportamiento en general—, me abordó en privado y me contó que «el nuevo primer ministro mandó llamar al anterior primer ministro, el estalinista que había sido su jefe antes (todo ello a la muerte de Stalin, desde luego); el nuevo primer ministro se subió al escritorio, ordenó al anterior primer ministro que se le pusiera debajo con la boca abierta, y el nuevo primer ministro le meó en la boca». Y sin que ninguno de los dos, me dije, dejara de ser marxista, por supuesto. ¿Se estaba haciendo el moderno o tenía necesidad auténtica de adaptarse al liberalismo anglonorteamericano, que, a pesar de los pesares, todos seguían considerando modelo definitivo de civilización?

Acto seguido, de la manera más inesperada, Surkov, presidente de la Unión de Escritores Soviéticos, tambaleándose un poco a causa del licor ingerido, con un pecho tan hinchado como sus admiradísimos Steinbeck y Hemingway, me comunicó en un tono supersolemne, si no agresivo: «Queremos integrarnos en el PEN, estamos dispuestos a negociar. Habría que hacer algunas modificaciones en las normas y estatutos, pero todo ello es discutible. Cuando vuelva a mi país, preparé las cosas para que pueda usted visitarnos».

Nos dimos la mano; estaba orgulloso de mí mismo; en un rincón del campo de batalla mundial parecía que estaba a punto de firmarse algo parecido a una tregua.

Cuando informé a Carver, que se puso rojo de emoción por aquella prueba de viabilidad de un PEN que muy poco antes parecía con un pie en la tumba, llegamos a la conclusión de que las «modificaciones» de Surkov afectaban sin duda al sistema de votación, ya que el mismo Surkov le había dicho a Carver que era un problema. La literatura de la Unión Soviética se escribía en idiomas incontables y el meollo estaba en cuántos votantes exigirían; en las Naciones Unidas, la URSS tenía su representante, pero también Ucrania y Bielorrusia tenían sus propios delegados. Si salíamos del fuego para caer en el infierno, podríamos atajarles exigiendo votos independientes para los centros de Los Angeles y Chicago, pero de un modo u otro habría que evitar que las legiones de escritores soviéticos superasen al resto en número de votos. Fuera como fuese, aunque habría problemas que solucionar, habíamos conseguido que el PEN estuviese más cerca de su original cometido pacificador. Modestia aparte, estaba convencido de que la construcción de aquel puente me había sido posible gracias a la influencia de mis obras en ambos lados del frente ideológico. Si es que de verdad se había dado comienzo allí a la construcción de un puente.

Tardó más de un año en llegar hasta Moscú; por entonces había aprendido ya a templar y comedir mis emociones porque había estado enviando un torrente sin fin de telegramas y cartas protestando ante Surkov por la detención de escritores no sólo en Rusia, sino también en Lituania y Estonia, consiguiendo a veces que algunos obtuvieran el visado de salida, y presionando asimismo para que cesara la persecución de los judíos. De modo y manera que cuando entró en 1967 en la habitación del hotel moscovita en que me hospedaba, con su dilatada sonrisa por delante, yo estaba decidido a dejar bien claro que cuando se integrasen en el PEN, si lo hacían, todos teníamos que estar al tanto y de acuerdo con sus intenciones.

Por la amistad que me unía con los escritores soviéticos menos satisfechos sabía lo que se proponían: el PEN era una interesante ventana abierta a Occidente que tenía a la vista algunas ventajas prácticas, por ejemplo, mayores probabilidades de traducción a los idiomas europeos, cosa que a la sazón se hacía sólo de manera intermitente, y la garantía de contar con la solidaridad de los escritores de Occidente, lo que ampliaría la libertad de expresión: una vez que la URSS estuviese en el PEN, sería más difícil hacer desaparecer a un escritor soviético. Para Surkov y para el régimen, pertenecer al PEN aseguraba prestigio en Occidente, que acaso era lo que más necesitaban los rusos. Pero al margen de sus motivos, no cabía duda de que Surkov era lo bastante sutil para comprender que el PEN no se iba a desviar de sus objetivos básicos, y si aún quería integrarse en él, nadie se lo impediría. Ahora iba a saber por fin a qué «modificaciones» se había referido misteriosamente en Bled.

Surkov se presentó en compañía de un rubio e inmenso profesor de lingüística, del volumen y porte de un vikingo gigante, un auténtico titán ruso salido de una cueva de osos, y además simpatiquísimo. He olvidado su nombre, pero en mis recuerdos lo he llamado siempre Nat. Nat y Surkov se tomaron unos vodkas, se acomodaron en el asiento respectivo y durante unos minutos volvimos al tema del tiempo, comentando las bajas temperaturas medias que había entre Novosibirsk y Filadelfia. Surkov dijo de pronto de manera terminante: «Los escritores soviéticos quieren integrarse en el PEN». Parecía definitivo.

¿Estaba soñando? ¿Había llegado el momento de que los escritores de más de sesenta países se relacionasen con libertad en Moscú, en Leningrado, en Yalta, con sus colegas soviéticos? La sola imagen estaba pletórica de posibilidades de acabar con el estancamiento moral y político que la época había institucionalizado hasta empobrecernos a todos por doquier. ¿Habría llegado el día en que los horrores de ambos bloques se sacarían a relucir libremente, y en que decidiríamos con humildad volver al principio para comenzar de nuevo, para aprender a vivir entre mutaciones incesantes y progresos mortíferos, para situar otra vez al hombre en cabeza, no en la cola, donde ahora estaba?

—Nada podría satisfacerme más —le dije—. Los recibiremos a todos con los brazos abiertos. —La comunidad literaria sería por fin un faro para las naciones.

—Hay un problema —dijo Surkov—, pero de solución fácil.

—¿Y cuál es?

—Los estatutos del PEN. Habría que hacer algunas modificaciones. Fáciles de llevar a cabo.

Nat traducía muy aprisa y, a pesar de su tamaño, casi olvidé que estaba allí. Antes, durante la charla climatológica, se me había quejado de que ciertos cagatintas jóvenes como Evtushenko y Voznesenski sudaban unos versitos y recibían aplausos en todo el mundo y parte del extranjero, y viajaban gratis a donde querían, mientras que a los esforzados profesores que habían dedicado toda una vida a dominar la respectiva especialidad no les conocía nadie ni se les dejaba viajar a ningún sitio; todo ello porque le pregunté si había estado alguna vez en Norteamérica. En todos los centros académicos del mundo existía la misma rata de biblioteca que roía volumen tras volumen con más paciencia que un santo, otro universal que yo esperaba que el PEN promoviera algún día y que por tanto afianzase nuestra identificación y nuestro sentido del humor también. En aquella época de distensión estaba resuelto a encontrar la bondad donde estuviese. Vietnam saltaba a pedazos, nos estábamos matando allí entre nosotros y yo necesitaba todo el optimismo que pudiese encontrar.

—¿En qué modificaciones han pensado ustedes? —pregunté, suponiendo que se refería al problema de los votos. Pero se trataba de otra cosa, dijo, y se quedó mirando la alfombra. Mis ilusiones comenzaron a retorcerse como papel que arde. Lo que yo recordaba de los estatutos del PEN sumaba un total de cuatro artículos breves, todos ellos variantes del mismo tema: que había que defender el derecho del escritor a decir lo que quisiera, sin censuras gubernamentales ni de ningún otro tipo; además, que por su filiación al PEN estaba obligado a oponerse a dicha censura lo mismo en su país que en el extranjero. ¿Qué querría modificar Surkov en letanía tan diáfana?

—No nos preocupemos por eso ahora —dijo el hombretón, que había servido en un tanque durante la guerra—. Asistiremos al próximo congreso y ya hablaremos allí.

—Un momento —le interrumpí, esforzándome por no perder la sonrisa. Era increíble, pero su comportamiento parecía instarme una colaboración que acabaría convirtiéndome en instrumento suyo. ¿Por qué, si no (desde una perspectiva cínica, según se me ocurrió de pronto), me habría molestado en invitarles? ¿Para debilitar la censura soviética? ¡Qué va, hombre, ni pensarlo! Casi ya sin esperanza, pregunté por pura curiosidad—: ¿En qué modificaciones han pensado?

—Ya lo discutiremos en el próximo congreso.

—Como quiera, pero entienda que antes de modificar los estatutos, tendríamos que...

—Vamos, Miller, vamos, usted puede modificarlos. —Se inclinó hacia mí, apoyándose en el brazo del sillón, con un guiño mundano que le abatió el párpado igual que la cuchilla de la guillotina.

—¿Yo?

—Si usted quiere, los demás también. Está en su mano.

—Bueno, es muy halagador lo que dice, pero usted no parece entenderlo: todas las modificaciones tendrán que someterse a votación.

—Salvo que usted diga lo contrario. Si explica a los demás lo que usted quiere que hagan...

—Tendrá que hablarme con más claridad. ¿En qué modificaciones han pensado ustedes?

—Hay ciertas cosas que los escritores soviéticos no pueden admitir. Sería imposible.

Desde luego que sí. Era todo muy sencillo: en Rusia no se iba a admitir nunca la liberalización de la censura y menos aún quejarse de ella; yo estaba tan incuestionablemente al mando dictatorial del PEN como lo estaría el cabecilla homologable de cualquier organización soviética y me habían abordado a mí, convencidos de que les iba a ayudar a destripar sus estatutos y fines libertarios. Lo que andaban buscando era sólo el prestigio de pertenecer a una organización occidental cuyas normas rectificadas seguirían abrazando sin duda la causa de la libertad al tiempo que se convertían en nueva excusa, internacional esta vez, para disciplinar a sus propios escritores.

Volví a recordar toda la escena cuando, en los años ochenta, la UNESCO propuso un nuevo «reglamento» periodístico por el que no se podría censurar a los gobiernos y los periodistas culpables podrían perder el «permiso» de trabajo. Como es lógico, en los sesenta no podía prever tamaña salvajada, pero un sexto sentido me dijo que Surkov me ofrecía la integración soviética en el PEN a cambio de la castración de éste.

—No quisiera verle metido en un escándalo —le advertí. Me sentía atascado, y furioso, y quería que se fuese. Le desapareció la sonrisa de abuelito—. Si propone usted lo que parece estar pensando, representará un gran paso atrás. —Todo era tan evidente que ni me preguntó por mis suposiciones al respecto—. Más vale que las cosas sigan como están y que no estalle otro conflicto entre nosotros. Es posible que en el futuro nos unamos sobre una base admisible para todos, pero tal como están ahora, los estatutos del PEN me satisfacen y no le tolero ni que piense siquiera que puedo ayudarle a modificarlos.

El flan se espesó entonces y se enfrió rápidamente. Cuando se hubo cerrado la puerta a sus espaldas y volví a quedarme solo, la paranoia me asaltó con la máxima violencia. ¿Se proponían sustituir el reglamento del PEN por algún código de «responsabilidades del escritor» —lo podía ver ante mis ojos— «ante las fuerzas amantes de la paz», por cuyo incumplimiento se pudiera expulsar del PEN a dicho escritor? No pude por menos de ir un poco más allá: ¿tramaba introducir Surkov una cuña de «disciplina» soviética en Occidente para sembrar la cizaña rusa del control estatal sobre los literatos en la tierra del Renacimiento y la Ilustración? En pocas palabras: ¿era su deseo de integrarse en el PEN una simple agresión disfrazada?

Surkov me había enseñado muchísimo en escasos minutos. Lo triste era que conocía a escritores soviéticos que, a pesar de todas mis dudas, me habían instado a continuar aquellas negociaciones en espera de un milagroso cambio de estrategia que según ellos debía fomentar yo, al margen de cuantos obstáculos se presentaran.

Pero me desapareció el nerviosismo cuando recapacité y me dije que el mundo estaba en contra de Surkov. El deseo de libertad era inherente a la naturaleza humana y los de su especie estaban condenados a la derrota.

Y una vez que asimilé estas consideraciones tranquilizadoras comencé a preocuparme otra vez, pero no sólo por los rusos. Me acordé del incisivo interrogatorio del Comité de Actividades Antiamericanas. Por supuesto que no se podía destituir a sus miembros mediante una votación, como tampoco a sus colegas soviéticos, pero ¿cómo podía la democracia norteamericana seguir produciendo individuos que no consideraban ilegítimo utilizar sus tremendos poderes para convertir en parias a los disidentes políticos? ¿No iba a terminar nunca jamás esta batalla?

El racionalismo pasmoso de la Declaración norteamericana de los Derechos y Deberes del Ciudadano me pareció de pronto inverosímil, puesto que procedía de la infame inteligencia del hombre. Volvía a conmoverme Norteamérica: era un lugar sorprendente y pensar en él maravillaba.

Ya he dicho que en casi todas mis obras hay un abogado: hecho del que no fui consciente hasta que un estudioso me escribió para señalármelo. En el curso de los cuatro años que estuve de presidente del PEN Internacional y también a lo largo de los meses que duró el caso Reilly empecé a comprender que la idea del derecho era para mí la realidad social última, en el mismo sentido en que los principios físicos son la base en que el científico se apoya, esto es, el último recurso del orden, la razón y la justicia. En un nivel primario, la Ley es el pensamiento de Dios.

Pero el arraigo que tenía esta idea en lo más profundo de mi conciencia se me representó del modo más diáfano mucho después de que acabara mi presidencia, cuando fui a China con Inge por primera vez en mi vida, en 1978. Una de las primeras personas que conocimos allí fue un izquierdista exiliado, un abogado norteamericano que durante más de veinticinco años había trabajado de traductor en Pekín y que ahora, ante la reciente muerte de Mao y de la Revolución Cultural, trataba de orientarse no sólo en relación con el misterioso presente y el futuro desconocido, sino también, forzosamente, con el pasado y su aniquilación casi absoluta de la idea misma del derecho.

Yo pensaba que estaba medianamente bien informado sobre China, gracias a la prensa norteamericana y a los simpatizantes estadounidenses, hasta que caí en la cuenta de que cada vez que conocía a un escritor y le preguntaba por lo que escribía en aquellos momentos, me respondía exactamente lo mismo: «No estoy dispuesto a empezar otra vez; ha durado demasiado». ¿Por qué había durado demasiado y por qué para todo ellos? Era desconcertante.

Ni que decir tiene que yo contemplaba China desde un punto de vista establecido en los años treinta por las crónicas que escribió Edgar Snow sobre la Larga Marcha y el heroísmo revolucionario, por lo que la vida real de la última época no se había abierto camino en ningún momento hasta mi mundo onírico. Fue un duro trago saber que todos y cada uno de los veinticinco escritores, directores teatrales y cinematográficos, actores y artistas plásticos que conocimos en nuestra primera semana de estancia habían estado o en la cárcel o desterrados en alguna provincia lejana, dando de comer a los cerdos o plantando arroz, durante más de dos lustros en algunos casos. La tortura acabó con el cónyuge de muchos de ellos en aquellos años, y no eran más que un puñado entre miles.

Todo esto me lo explicó muy brevemente un chino angloparlante que coincidió con nosotros en un tren, un hombre a quien el estallido de la revolución de 1949 había cogido en Connecticut y a quien el Ministerio norteamericano de Asuntos Exteriores había prohibido volver hasta entonces, casi treinta años más tarde. Era profesor de física y había vuelto con la intención de reorganizar la Facultad de Ciencias de la Universidad de Pekín.

No podíamos creer que no hubiese una facultad de ciencias en la Universidad de Pekín, pero así era.

—Los Guardias Rojos dispersaron al personal hace diez años —dijo con tristeza—. Yo viajo por todas partes en busca de los veteranos a quienes se rebajó de categoría, para ver si entre todos estructuramos la facultad. —En todo el país, sin embargo, los universitarios que quedaban no llegarían a doscientos cincuenta mil, menos que en la isla de Manhattan probablemente, y se tardaría tiempo en poner las cosas otra vez en funcionamiento—. Por otra parte, la física que aquí se conoce está prácticamente superada. En algunos aspectos, China lleva un retraso de diez, veinte, treinta años...

Para los occidentales aún era de pésimo gusto hablar de la catástrofe maoísta, pero en *Chinese Encounters* reproduje una conversación que sostuve con el abogado norteamericano en su casa de Pekín. Le pregunté si se pensaba tomar alguna medida legal de seguridad que contemplase futuras explosiones de fanatismo intransigente (y ambicioso) disfrazado de revolución armada. No lo creía necesario, aunque parecía inquieto cuando dijo: «El Partido sabe lo que debe hacer y evitará que vuelva a ocurrir».

Pero si hubiera habido un sistema jurídico independiente del Partido, un tribunal supremo apolítico, ¿no se habría ahorrado China todas aquellas décadas de desarrollo perdido?

Dada su situación, sentía por él una mezcla de compasión y malestar. Todos protegemos nuestras inversiones espirituales y él había invertido toda una vida en un país donde en teoría se habían abolido las clases y donde imperaba una igualdad justa, y lo único que alcanzaba a decir, incluso entonces —incluso entonces—, era: «Un poder judicial presuntamente independiente presupone que el Partido puede cometer injusticias; lo que presupone la existencia de una clase dirigente aparte que impone su voluntad al pueblo. Pero el Partido es el pueblo y no puede oprimirse a sí mismo, por tanto no hay necesidad de abogados ni del concepto occidental de un cuerpo independiente de profesionales, dedicado a proteger al inocente».

Racionalista, materialista marxista, lo que hacía era entonar un encendido cántico de autonegación poética casi inconcebible en la actualidad, cuando millones de chinos habían sido desterrados, «reprimidos», asesinados o encarcelados con arbitrariedad casi absoluta por el mismo Partido en que estaba dispuesto a confiar para que aquella locura no se repitiera.

¿Qué ideología, me preguntaba yo, no se basaba en una negación dogmática de los hechos? Otra vez en China en 1983 para dirigir la puesta en escena del *Viajante* en el Teatro del Arte Popular de Pekín, me encontraba en el patio de la casa* con el director y actor Ying Roucheng, que hacía de Willy y que me señaló el sitio en que cierto día, una década antes más o menos, un pelotón de Guardias Rojos había puesto en fila a las docenas de actores de la compañía para que vieran cómo maltrataban al sexagenario Lao She, el afamado dramaturgo y novelista (una de cuyas novelas, *El mozo del carrito*, había sido un éxito en Norteamérica a comienzos de los años cuarenta); tras esposarle y llamarle burgués contrarrevolucionario, parecía que le iban a propinar una buena paliza allí mismo cuando intervino un policía que pasaba, fingió detener al infame literato, dobló la esquina con él y lo dejó libre. A la mañana siguiente se le encontró en la orilla de una charca poco profunda. Según la viuda, le habían sumergido la cabeza, porque tenía los zapatos secos, aunque otros pensaban que, lleno de desesperación, había puesto fin a sus días.

La memoria no hace más que replegarse sobre sí misma como los estratos geológicos y las capas inferiores aparecen a veces encima antes de hundirse otra vez hacia las profundidades.

Inge y yo, tras el encuentro con Gorbachov, nos dirigimos a Londres para ver dos obras mías, la versión de la Royal Shakespeare Company de *The Archbishop's Ceiling* en el Barbican Pit, y la de Peter Wood de *The American Clock* en el Cottesloe del National Theatre.** A pesar de los recortes presupuestarios de Margaret Thatcher, estos teatros subvencionados estaban animados por un espíritu de aventura y dedicación artística, estimulantemente distinto de la cuasihisteria tensa y el pánico taquillero de Nueva York. *The American Clock*, en el National, contó con una orquestina de jazz y una muchedumbre auténtica en el escenario cuando fue menester (esto, en Broadway, hubiera supuesto medio millón de dólares en concepto de gastos), y con representaciones limitadas de antemano, se mitigaba el pánico al fracaso comercial, permitiendo a los artistas espacio mental para imaginar y relajarse ante un numerosísimo público inglés que nada tenía que ver con las reducidas sectas de iniciados. Como suele suceder cuando los actores se conducen con libertad, el público se entusiasmaba y participaba en las fantasías de la obra. Y que los asistentes tuvieran dinero para comprar la entrada no mermaba un disfrute estético.

Hacía ya más de una década que había escrito el *Clock* y al ver la versión de Wood, experimenté la satisfactoria tristeza de saber que mi impulso original no se había equivocado en aquella obra; pero como más

---

* Se sobreentiende que se trata del patio de la casa de Willy Loman. (N. del T.)

** Cottesloe es la menor de las tres salas que componen el conjunto del National Theatre. (N. del T.)

de una vez me había sucedido, en la versión norteamericana no había tenido la suerte de encontrarme con personal con naturalidad suficiente en los temas psicopolíticos para imprimirles un estilo teatral, planteamiento abordado con mayor frecuencia en el teatro británico. Yo había descrito la obra como un «mural» de la sociedad norteamericana durante la crisis de la Depresión, pero en Broadway la sola palabra *sociedad* equivale a la muerte y, al igual que con *The Archbishop's Ceiling*, no había tenido más remedio que ceder y corregir una obra para lo que había acabado por calificar de Teatro Asustado. Al final, como siempre, me eché la culpa a mí mismo, pero me había sentido muy solo entonces y me convencieron de que individualizara lo que su impulso épico original habría permitido: centrarse en el derrumbe de una sociedad.

Las dos obras se representaron en Inglaterra de acuerdo con la respectiva versión original, libre de impurezas, más o menos como me salieron de la máquina de escribir. Las dos se esforzaban por captar lo que en mi opinión había perdido la vida casi por completo en los años setenta: un concepto unificador de los seres humanos, el plano psicológico íntimo en tangente concomitancia con el sociopolítico. En otras palabras, quise situarnos en nuestra propia historia siguiendo un hilo conductor desde el que justipreciarla. En el *Clock*, los hechos objetivos del hundimiento social; en el *Archbishop*, las circunstancias de base de la libertad real. Pues lo que al parecer dominaba entonces en casi todas partes era un surrealismo disperso, gracioso, bufo, provocador, si bien con su prístina rebeldía de la primera posguerra mundial amansada y convertida en moda, una especie de crónica desmadrada y naturalista de las superficies desquiciadas de la existencia, pero sin epicentro moral. En resumen, un estilo escapista que se negaba a enfrentarse con nuestro futuro, siempre trágico pero proclive siempre a caer en melodramatismos a falta de contexto social. Habíamos acabado por valorar y ensalzar la incoherencia por sí misma, pero no era exactamente lo mismo que seleccionar y separar los datos de la experiencia para recogerlos en una unidad nueva que nos hablase de manera distinta de nuestra propia vida. Nuestro surrealismo era naturalismo disfrazado y desde siempre tan incapaz como el propio naturalismo de proponer alternativas a lo que hacíamos y por qué.

Pero la unidad en que yo pensaba es sospechosa en nuestro teatro, donde, cuando se da, las probabilidades de que se considere artística aumentan con el exotismo de su origen. La febril imaginación militante y el compromiso social de Athol Fugard, por ejemplo, no habrían tenido la buena acogida que tuvieron en Broadway si el contexto hubiera sido el barrio negro de Newark, Filadelfia o Harlem; ausente el factor novelesco de la distancia, habría pasado a primer plano la amenaza de su violencia racial, mensaje que los norteamericanos, como casi todos los ciudadanos del mundo, prefieren contemplar cómodamente de lejos y no de cerca.

Peter Wood, que de muy joven, casi veinte años antes, había dirigido en Londres *Incidente en Vichy*, tenía ahora su propio grupo dramático dentro del National, artistas a quienes le unía un estrecho vínculo directorial. Y en vez de sumergirse con los ojos cerrados en *The American Clock*, me pidió antes mi parecer sobre la forma de abordar el texto, que al fin y al cabo había fracasado en Broadway. (Para ser exactos, se había retirado con llenos casi totales a los pocos días de estrenarse, porque al empresario no le quedaba ni un duro para la publicidad, tal era la estupidez aplastante de Broadway.)

La charla con Wood hizo que recuperase la primera imagen que había tenido de la obra. Le dije que lo que había buscado era un estilo épico, como el de un mural. Para mí, un mural pictórico era una porción de figuras individuales interrelacionadas en derredor de un tema social o religioso muy amplio: el *Guernica* de Picasso y la obra de Rivera, o la de Orozco, o, de un modo más subjetivo, la del Bosco, amén de infinitas pinturas religiosas. Estas, a menudo, encierran en una sola escena a la Virgen, a Cristo y a un puñado de santos, que se mezclan con la cara del mecenas del artista, o de sus amigos y enemigos, en ocasiones con la suya propia, todo ello estructurado alrededor de algún tema sublime de resurrección o salvación. De muy cerca pueden reconocerse los retratos individuales, pero están subordinados o sometidos al decisivo argumento doctrinal, que está al descubierto y sin máscaras. En términos interpretativos, la obra debería tener la impronta rápida de la revista musical, un estilo desenfadado y extrovertido, ya una ironía de por sí porque el interrogante temático era si Norteamérica, al igual que todas las civilizaciones, tenía un reloj que la cronometraba, un tiempo no muy lejano de debilitación y muerte. Fue, por supuesto, la cuestión que la Gran Depresión planteó hasta que la II Guerra Mundial solucionó de un plumazo el problema del paro y la carestía.

—Al final de la obra —le dije— deberíamos experimentar, a la par que la textura de una gran tragedia social y humana, una remozada conciencia de la capacidad de improvisación del norteamericano, su fe casi inconsciente en que las cosas pueden y deben hacerse para que funcionen. En resumen, la percepción de la energía de una democracia. Pero el problema de la supervivencia final debe quedar en el aire sin resolverse.

He allí, pues, dos obras mías que en mi propio país se habían calificado de inútiles y sin efecto; pero los teatros londinenses se llenaron hasta las lámparas, *The American Clock* se tuvo que trasladar al Olivier, la mayor de las tres salas del National Theatre, y fue nominada para el Premio Olivier como mejor obra de la temporada. Era significativo que aunque las reseñas no hubieran sido uniformes en absoluto, ningún crítico inglés fuese lo bastante poderoso para bajar un telón y mantenerlo bajado. Meses más tarde, el National Theatre representaría *Panorama desde el puente,* bajo la dirección de Alan Ayckbourn, con Michael Cambon en el papel de Eddie Carbone (la representación se trasladaría después al West End), lo que en total arrojaba un saldo de tres obras mías en la cartelera londinense de la misma temporada, las tres o condenadas o ignoradas inicialmente en Nueva York en el curso de los últimos treinta años.

Ya podían dejar de preguntarme los periodistas por lo que había hecho en los años setenta para empezar a fijarse en las muchas obras norteamericanas de valía que habían sido trituradas y expectoradas por esa mortífera confabulación neoyorquina de un periódico único y todopoderoso y una gestión empresarial sin imaginación cuando no irresponsable, algunos de cuyos sectores, ciertamente, habían hecho su agosto, pero hasta el extremo de que todo el mundo teatral se moría de asfixia mientras una minoría nadaba en la abundancia.

Porque carecemos de una auténtica conciencia de continuidad con el pasado, somos, creo, un país sin cultura teatral. Yo —sólo por poner un ejemplo— he tenido años en que mis obras se representaban en media docena de países, pero no en Nueva York. Así que, cuando George Scott representó el *Viajante* en Nueva York, y Tony LoBianco *Panorama desde el puente* en Broadway, y luego Dustin Hoffman otra vez el *Viajante*, y Richard Kiley *Todos eran mis hijos*, mientras se preparaban muchos y relevantes montajes en otras grandes ciudades o en sus alrededores, me dio la sensación de que se me «rescataba», cuando la verdad es que había sido invisible para mi propia patria.

De vez en cuando hay dolorosos recordatorios de nuestra condición. Para interpretar a Adrian, uno de los cuatro papeles equivalentes en la versión de *The Archbishop's Ceiling* que montó la Royal Shakespeare Company en 1986, Roger Allam renunció al papel protagonista de Javert en el supertriunfal *Les misérables* porque lo había interpretado ya más de sesenta veces y pensaba que mi obra le resultaría más estimulante en aquel momento profesional. Y no consideró la decisión particularmente heroica. Es parte de lo que significa una cultura teatral y muy pocos actores neoyorquinos tendrían la seguridad suficiente para imaginar siquiera que lo harían. Acaso pueda trazarse una analogía con la cultura médica, en que docenas de investigadores y practicantes de la medicina trabajan a la vez en distintos frentes, compitiendo por sobresalir y enriqueciéndose entre sí mediante el intercambio de ideas. Ni que decir tiene que casi ninguno de sus resultados será comercialmente viable, pero no es menos evidente que los escasos hallazgos grandes serán casi imposibles sin un fermento ambiental de indagación y comienzos equivocados. El problema no es que el teatro norteamericano no tenga espacio para las obras grandiosas, sino que no apoya a las buenas, suelo del que surge lo extraordinario.

Se me antoja ahora que siempre he estado entre dos teatros, el que existe y el que no. A principios de los ochenta, mientras trabajaba en una obra de duración normal, surgieron dos piezas en un acto para el otro teatro, el ideal. *Elegy for a Lady* me interesó porque fue un intento de escribir una obra con puntos de vista múltiples —uno por personaje, más el de la obra misma—, en cierto modo una obra sin la óptica de la primera persona, como la neutralidad de la experiencia misma. Un hombre entra en una tienda para comprarle un regalo a su amante que está a punto de morir. A la propietaria del establecimiento le conmueve la incapacidad del cliente para encontrar algo apropiado; el hombre sabe que todo lo que la propietaria le enseñe o le recordará el inminente fallecimiento de su amante o le hará sentirse culpable por no haber aceptado ni a ella ni la relación común. Hay momentos en que la misma propietaria parece ser la amante que agoniza. Teatro de sombras bajo el árbol de la muerte. Me pareció que era como un grabado de Escher, en que el río corre monte arriba, obstaculizando el empeño del ojo en seguir el normal empuje de la gravedad, emblema de que ha sido nuestro propio cerebro el que ha creado la física «objetiva» de nuestra existencia.

Dirigí *Elegy* en un reducido local del Long Wharf Theatre de New Haven para un programa doble que complementaba *Some Kind of Love Story*, que versaba sobre un viejo investigador privado de una ciudad de provincias, enredado en un caso por culpa de una mujer que por un lado parece generosamente entregada a demostrar la inocencia del hombre y por otro complicada en su condena. Por una parte es una ramera, por otra una provocación para el compromiso moral del detective con la justicia, y por supuesto la revitalizadora de su sexualidad moribunda. En ambas obras el mundo objetivo se vuelve confuso y lejano porque la realidad parece ser total o parcialmente lo que las necesidades de los personajes quieren que sea, abandonados a la angustia de tener que tomar decisiones que saben basadas en el autoengaño y en la fuerza del deseo.

Durante los años siguientes me sentí cada vez más absorto por una especie de implosión del tiempo: esos momentos en que un estrato sepulto de la experiencia emerge de manera inesperada para convertirse en superficie de la propia atención y permite vislumbrar las profundidades. Analicé este proceso en *Danger: Memory!* y sobre todo en la titulada *Clara*, dos piezas en un acto de fines de los ochenta. Una impresión violenta —el descubrimiento de su hija asesinada en la vivienda-despacho que ésta tiene en Nueva York— deja inerme a Albert Kroll ante las preguntas del policía que investiga el caso. De forma implacable, mientras se buscan pistas para dar con la identidad del asesino, el carácter de la joven se convierte en problema central. Kroll tiene que tomar en consideración el idealismo femenino, que parece ser ahora la causa de la muerte de la hija, puesto que trabajaba en la rehabilitación de expresidiarios. Es muy probable que el asesino sea uno de éstos, en particular uno del que Kroll sabe que su hija estaba enamorada, relación a la que él no se había opuesto a pesar de que Clara le había contado que el hombre había cumplido condena por matar a su novia anterior.

Kroll, por lo visto, había transmitido a Clara algunos aspectos de su propio idealismo juvenil mientras la joven crecía. Había llevado una vida honrada, valiente incluso, con instinto certero para ser útil al prójimo. Era lo que Whitman tenía sin duda en la cabeza cuando habló de los «hombres democráticos». Pero Kroll ha cambiado en los últimos veinte años, se ha vuelto como los demás, y como directivo secundario de una empresa de la construcción ha tenido que ocultarse a sí mismo lo irregular del proceso. No es que se haya vuelto una mala persona, sino que ha perdido los ideales junto con las esperanzas juveniles y la fe en los demás. No obstante, en la habitación ensangrentada en que ha muerto la hija tiene que enfrentarse otra vez con dichos ideales. ¿Debe renegar de ellos, sentirse culpable y con remordimientos por haber educado mal a su hija? ¿O, a pesar de todo, confirmar la validez de los mismos y de su antigua confianza en la humanidad, cumpliendo efectivamente la palabra empeñada con lo mejor de sí mismo y aceptando el hecho trágico de que la hija se ha sacrificado por lo que vuelve a comprender que era y es merecedor de todos los esfuerzos? Kroll abraza esta última postura al final de la obra; con la muerte de la hija se ha redescubierto a sí mismo y entrevisto el trágico hundimiento de unos valores a los que no puede renunciar por mucho que quiera.

Después de desempeñar el oficio de dramaturgo en Nueva York y sus alrededores durante más de cuatro décadas, no me sorprendió que a Albert Kroll no lo comprendiera nadie salvo algunos de los llamados críticos de segunda fila, unos cuantos de televisión, dos comentaristas británicos que escribían para la prensa londinense y el público que no hizo más que llenar el Mitzi Newhouse Theatre de Lincoln Center, a pesar de que los críticos de renombre ni siquiera alcanzaron a entender los hechos básicos del argumento. Según parece, darse cuenta de que Kroll estaba poniendo ante los espectadores un fragmento de la experiencia histórica que habíamos vivido en las décadas posteriores a la II Guerra Mundial era pedir demasiado. Pese a ello, *Clara* provocó un alud de cartas de dramaturgos más jóvenes; la obra, ciertamente, había tomado tierra, aunque en una pista casi desconocida para la prensa de Nueva York. Nunca se me habían dado tales muestras de interés, un interés que justificaba todo el esfuerzo. Estos autores comprendieron que yo había prescindido prácticamente de todos los medios teatrales, excepción hecha de las dos voces fundamentales de Kroll y el policía que le interroga: la voz del realismo y la carne frente al espíritu inmortal que trasciende las pérdidas y ganancias; la muerte-en-vida y la vida-en-la-muerte.

En lo profundo de Su corazón, Dios es un cómico a quien le encanta hacernos reír.

En 1978, sabiendo que me encontraba en París, Jacques Huismans, director del Teatro Nacional Belga, quiso que acudiera a Bruselas para asistir a la representación que conmemoraba el vigésimo quinto aniversario de *Las brujas de Salem*, puesto que había sido el teatro mencionado el primero en representarla en Europa. Cerca de la frontera francobelga, me di cuenta de que me había dejado el pasaporte en París, pero un funcionario de aduanas aficionado al teatro me dejó pasar. A Inge, como buena europea, no le cabía en la cabeza que pudiera olvidar el pasaporte y a mí no pudo por menos de chocarme el contraste entre mi indiferencia hacia las documentaciones en los últimos tiempos y las emociones radicalmente distintas, que me embargaban veinticinco años antes, cuando el Ministerio norteamericano de Asuntos Exteriores me prohibió abandonar el país. En la recepción que organizó en mi honor el cónsul general de nuestra embajada, éste, como es lógico, se ofreció para cualquier cosa que necesitáramos durante nuestra estancia en Bélgica y yo le pregunté si podía facilitarme otro pasaporte en veinticuatro horas, ya que pensábamos partir para Alemania a la noche siguiente. La posibilidad de hacerme el favor le puso muy contento y me dijo que estaría listo al día siguiente por la mañana, tiempo extraordinariamente breve para el trámite en cuestión.

Cuando al día siguiente crucé la puerta de su negociado, la docena aproximada de hombres y mujeres que estaban trabajando se giró para ovacionarme. Casi me eché a reír, sorprendido, y les di las gracias, aunque lo que me divirtió fue el viraje que había dado el tiempo, pues en aquel preciso segundo me vi con Monty Clift en 1954, cuando me acompañó al centro de la ciudad para que me renovaran el pasaporte y poder estar presente en la mismísima Bruselas con motivo del estreno en Europa de *Las brujas de Salem*. Recordaba que al término de la semana la señora Ruth Shipley, encargada del Negociado de Pasaportes, me había negado el documento. ¿Dónde estaba ahora la señora Shipley? Bueno, el caso es que yo estaba allí, que aquellos norteamericanos de la embajada me aplaudían y que *Las brujas de Salem* seguían vivas y coleando.

Salió el cónsul general y me preguntó si podíamos charlar unos minutos en su despacho; con sonrisa expectante en las facciones, dijo que me quería explicar el motivo de la rapidez con que me había conseguido el pasaporte. Cincuentón de elevada estatura, tomó asiento tras un amplio escritorio, con la bandera a sus espaldas, la luz grisácea de Bélgica entrando por la ancha ventana encortinada, y se sinceró conmigo.

También él había tenido problemas en la época de McCarthy con el Ministerio de Asuntos Exteriores. En realidad se le había dado el finiquito y había tenido que recurrir a los tribunales para recuperar el empleo, costoso trámite legal que le había obligado a hipotecar la casa de la familia y a vivir de lo que había podido durante seis años, ya que cuando la administración le despedía a uno, era muy difícil encontrar un puesto de responsabilidad.

Como no se le diera explicación alguna por aquella expulsión del Servicio Extranjero, había exigido una audiencia ministerial y conocido en ella los motivos. El primer sitio donde había desempeñado sus funciones había sido El Cairo donde, joven y soltero, había compartido un piso con otro joven funcionario del Servicio Extranjero que resultó ser homosexual. Lo cual significaba que también él, el cónsul general, tenía que ser homosexual. El que el mismo ministerio le hubiera proporcionado una lista de pisos compartibles no tenía la menor importancia, al menos mientras Joe McCarthy y Roy Cohn, homosexual no declarado, se desgañitasen contra la «corrupción» en el Ministerio de Asuntos Exteriores.

El funcionario auditor fue Graham Martin, un derechista duro de pelar que después sería nuestro postrer embajador en Vietnam del Sur y supervisor de la precipitada evacuación de la embajada de Saigón. Este hombre se había dirigido a Scott McLeod, encargado de seguridad del Ministerio y principal bestia negra del cónsul general, y al que había preguntado si eran aquéllas todas las pruebas que se tenían para desconfiar de éste. McLeod le había dicho en confianza que en efecto. Martin ordenó en aquel punto y hora que el cónsul general recuperase el empleo y que se le abonasen los honorarios atrasados con los intereses correspondientes. El cónsul general sonrió satisfecho y nos dimos la mano al despedirnos. «Me pareció que le gustaría saber por qué tenía un interés tan especial en tramitarle el pasaporte con tan breve margen de tiempo», me dijo. Me satisfizo haber durado lo suficiente para vivir la experiencia.

El oropel de la fama es una forma juvenil de ceguera que permite ver la luz y los colores borrosos, pero ningún perfil concreto. Al igual que el arco iris, es una visión que entusiasma, pero que se aleja cuando más nos acercamos a ella.

Mi padre, por otro lado, cuanto más viejo era, más impresionado se sentía por estas vistosidades. Le encantaba detenerse ante los teatros donde se representaban obras mías y entrar cada tanto para charlar de asuntos financieros con el encargado de la taquilla. «¿Cómo sabes que no te engañan cuando te presentan las cuentas?», me preguntaba. Y era verdad: ¿cómo podía saberlo yo?

En 1962, después de divorciarnos, Marylin se lo llevó de acompañante a la fiesta de cumpleaños de John Kennedy que se celebraba en Madison Square Garden y lo presentó al presidente. Mi padre guardaría como un tesoro la foto que en aquella ocasión les hizo un fotógrafo de prensa: Marylin riéndose con la cabeza echada hacia atrás mientras Kennedy le estrecha a él la mano con espontánea actitud risueña asimismo, hilaridad inocente ante alguna chocante salida de mi padre, estoy seguro. No sabía entonces que durante el resto de su vida, que se prolongó otros cuatro años, se pasaría las horas buscando su nombre en las gacetillas de chismes sociales y en las noticias relativas al mundillo del espectáculo, hasta que un día —habría cumplido ya los ochenta— me preguntó con gravedad: «¿Eres tú quien se parece a mí o yo quien se parece a ti?».

Era cosa seria. «Creo que yo me parezco a ti», le dije. Sospecho que le gustó la respuesta.

Qué extraño habría sido; no sólo que hubiera competido yo con él, sino también él conmigo. Y el que ello me descorazonara un poco me indicaba que incluso entonces lo veía en cierto modo encerrado en sus propios mitos.

Era ciudadano norteamericano y todo lo enfocaba con talante competitivo. Cierta vez, Hugo, nuestro viejo e inmenso basset cuya incontinencia sólo podía parangonarse con su cachaza, despertó igual que un senador tras una siestecita y, de manera inesperada, se abalanzó sobre una muñeca de trapo, la volteó en el aire, le gruñó amenazadoramente y cargó contra ella una y otra vez hasta que volvió a vencerle la somnolencia habitual y se tumbó tapándose los ojos con una oreja. Mi padre había observado con asombro aquel insólito despliegue de actividad y al final comentó: «Bueno... todo el mundo tiene derecho a creerse superior a los demás».

En sus últimos años se sentaba en el porche del asilo privado de Long Island con una gorra arrugada de lino blanco y se quedaba contemplando el mar; hablaba con pausas prolongadas. «¿Sabes? A veces veo un puntito a lo lejos, luego va creciendo y creciendo y al final se convierte en un barco.» Yo le explicaba que la tierra es una esfera, etc., etc. Hasta los ochenta años no había tenido tiempo para sentarse a contemplar el mar. Había dado trabajo a cientos de personas, confeccionado decenas de miles de chaquetas y expedido a pueblos y ciudades de todos los Estados Unidos, y ahora, al final, se quedaba mirando el mar y exclamaba con asombro satisfecho: «Vaya. De modo que es redonda».

Murió el día en que yo tenía que pronunciar el discurso inaugural del congreso de 1966 del PEN neoyorquino. Mi madre había muerto cinco años antes, aunque había sentido tristeza por la pérdida de un modo súbito, cuando, contemplando el ataúd mientras escuchaba al rabino Miller —sin ningún parentesco con nosotros, hombre anciano y encorvado al que había conocido en mi juventud, aunque no lo había visto desde otro entierro celebrado hacía dos décadas—, me sentí conmovido por la ternura sencilla y clara de su voz, por su serenidad casi alegre, como si de veras creyera que la enviaba a otra parte. Los ojos se me anegaron de lágrimas inesperadas mientras me la imaginaba en el ataúd como una mujer joven: toda una vida de orgullo y esperanzas puestas en sus hijos, aunque no en sí misma. Deseé haber tenido más libertad para admitir el amor que había sentido por ella, pero hasta tal extremo era yo la encarnación de sus ambiciones frustradas que el saberlo me impedía dar rienda suelta a las emociones. Nuestra relación estaba inacabada, su muerte había sido prematura.

No obstante la muerte de mi padre, resolví no suspender el discurso, lo que no dejó de sorprenderme, si bien superficialmente. La verdad es que me animaba la idea de que con aquel congreso se inauguraba una vida nueva, y además era una de las semanas primaverales más hermosas que había visto en Nueva York. No se trataba sólo de que hubieran acudido muchos de los principales escritores del mundo, sino también de que manifestaran un deseo serio de abordar los problemas reales, ante todo la defensa de la cultura. Por primera vez desde que yo tenía narices no se trataba ya de una simple cuestión de derecha e izquierda. La Guerra Fría distaba de haberse acabado, pero, con asombrosa unanimidad, escritores de los más encontrados frentes políticos se negaron a convertir en polémica lo que en el fondo fue un análisis informativo de la situación del escritor y el mundo editorial en todas las sociedades.

El novelista Valeri Tarsis, que hacía poco que había salido de Rusia después de sufrir tortura psicológica en una clínica, subió a la tribuna, dijo que la Guerra Fría era ineficaz y pidió que se lanzase una lluvia de bombas atómicas sobre la Unión Soviética. El público se quedó estupefacto al principio, y cuando en mi condición de presidente reprobé la arenga por ofensiva, tanto en contenido cuanto por ser una tergiversación de los fines del PEN, hubo aplausos sinceros desde todos los sectores y hasta el Centro de Escritores en el Exilio, anticomunista, descalificó el discurso con prontitud y energía. El paso que había acariciado la esperanza de dar, allá en el piso de Inge, en el curso de mi primera charla con Carver, se había dado por fin, y lo que teníamos en el orden del día era la vida real y no inútiles enfrentamientos ideológicos.

Me pareció que la sesión más estimulante y útil fue la de los escritores latinoamericanos, que no estaba prevista. Yo había advertido ya que se reunían en grupos en los pasillos y en el fondo de las salas durante las sesiones formales, para cuchichear en castellano con animación y abrazarse como si acabasen de hacerse amigos. Muchos vivían separados por trescientos o cuatrocientos kilómetros de distancia, pero nunca habían tenido dinero suficiente para viajar y se veían por vez primera allí en Nueva York, gracias a los fondos especialmente reunidos a este fin por el Centro Norteamericano.

Lewis Galantière, traductor, y Jules Isaacs, abogado que invertía en el PEN buena parte de su tiempo porque disfrutaba con las chifladuras de los escritores, habían conseguido que el Ministerio de Asuntos Exteriores mitigara la prohibición (que no contemplaba aún a los ex nazis) que impedía que al país entraran «indeseables políticos», y estaba presente una auténtica delegación representativa de los escritores latinoamericanos (salvo de los cubanos, que dijeron que la invitación les había llegado demasiado tarde para asistir, burda patraña que sin embargo les permitió después calificar a Neruda de vendido al imperialismo: un ataque a la dignidad del poeta que, como atestiguan sus memorias, no perdonó nunca).

Sugerí que inaugurásemos inmediatamente un minicongreso especial de escritores latinoamericanos y éstos no tardaron en concentrarse en uno de los salones del Gramercy Park Hotel. El boom de la novela latinoamericana no había estallado aún en la conciencia norteamericana y europea, pero se advertía un deseo voraz del futuro inminente que todos ellos, aunque procedentes de países de distinta situación social, parecían prever que compartirían. Desde el peruano Mario Vargas Llosa en el centro hasta la argentina Victoria Ocampo a la derecha y el mejicano Carlos Fuentes a la izquierda, el panorama se ampliaba hasta un punto de vista literario que a mí, puesto que había creído en él desde siempre, se me antojaba consistente, vivo y esperanzador. En resumen, la literatura tenía que dialogar con la situación actual de la vida del hombre y que enfrentarse por tanto con la injusticia, por ser aniquiladora de la vida. El tema del congreso, «El escritor como espíritu independiente», planteó, como es lógico, el problema del escritor «puro» frente al «comprometido»: o Mallarmé o Dickens, por decirlo con palabras de Fuentes. Pero en Latinoamérica era una diferenciación sin importancia (tampoco la tenía en los Estados Unidos, me dije), porque un Neruda, un Borges, un Carpentier, un Miguel

Angel Asturias, un Octavio Paz y un Cortázar contribuían, gracias a su compromiso, a la misma defensa de la vida del espíritu y de su evolución libre. Dos días antes, en el discurso inaugural, había dado yo sin darme cuenta una versión distinta de la misma idea: que nuestra tolerancia recíproca se basaba «en el conocimiento de que los ciudadanos de un país viven en condiciones distintas de las de los ciudadanos de otro país» y que, en consecuencia, había que plantearse los problemas de los escritores y la literatura con una profundidad y amplitud de miras superiores a las que podían permitir las fórmulas políticas. A modo de ejemplo, repetí lo que ya había dicho en Londres, con motivo de la celebración anual del día del internacionalismo, para no olvidarnos de los cientos de escritores encarcelados en lugares de todo el mundo.

Pues por vez primera estaba convencido de que el PEN tenía que ser la conciencia de la comunidad literaria mundial. A decir verdad tuve que contener el orgullo que sentí por el hecho de que fueran los escritores norteamericanos los que hubieran hecho suya la idea, y, dada nuestra superior solvencia y nuestro idealismo incurable, podíamos ser los únicos capaces de apoyarla con efectividad. Si el PEN había sido alguna vez un club literario intrascendente, ya no lo era.

La concurrencia misma de una pluralidad de criterios originaba ya nuevos enfoques y puntos de vista. Neruda, recio tronco de la poesía latinoamericana que me había servido de introducción a la literatura de la América meridional allá en los años treinta, había llegado un poco a la defensiva porque sabía que habíamos tenido que tramitarle un permiso especial para entrar en el país. Pero no tardaron en lloverle las invitaciones para leer poemas y dos veces lo hizo en el «Y» de la Calle 92,* e hizo una grabación venal además. En la librería Dauber and Pine, al sur de la Quinta Avenida, pasó horas comprando todo lo que había de y sobre Whitman, así como los sonetos de Shakespeare. Cuando se ponía a leer un libro, las cejas se le enarcaban y parecía un ave de la selva, un papagayo inmenso y de cabeza redonda. Se notaba su amor por Nueva York y los Estados Unidos, a pesar de que era contrario a nuestra política latinoamericana.

No me cabía en la cabeza, sobre todo tras pasear por el Village con él y con Inge, que un hombre de espíritu tan universal siguiera apoyando al estalinismo. Sólo se me ocurría pensar que el alejamiento radical de la sociedad burguesa le había llevado a atrincherarse en una fidelidad equivocada, casi religiosa, al sueño ruso de los crédulos años treinta, a un país cuyas crudas realidades humanas consideraba deshonroso admitir. Se trataba también, no obstante, de que la política extranjera norteamericana defendía las dictaduras derechistas de un modo tan sistemático que hasta los más tímidos reformistas locales se veían obligados a buscar el apoyo y los modelos soviéticos.

---

* El autor se refiere al centro de encuentros poéticos más importante de Nueva York, la Asociación de Jóvenes Judíos, célebre por los recitales de Dylan Thomas, Eliot, Auden, etc. (N. del T.)

Con motivo del congreso había recibido yo muchos telegramas como el que me llegó de Londres comunicándome que un tal Wole Soyinka, escritor nigeriano cuyo nombre apenas me sonaba, corría peligro de ser ejecutado. Al parecer se había ofrecido como mediador entre los separatistas biafreños y ciertos funcionarios de la administración nigeriana que trataban de evitar la guerra civil mediante una negociación pacífica. ¿Tendría yo inconveniente en enviar al general Gowon, que capitaneaba el ejército regular nigeriano que no tardaría en alzarse con la victoria, alguna petición de clemencia en favor de Soyinka?

David Carver, que vivía en Londres, conocía a un empresario británico que se llamaba Davies, que estaba a punto de partir para Nigeria y que podía entregar al general mi petición. Gowon, al ver quién la firmaba, preguntó a Davies con algún escepticismo si yo era el escritor que había estado casado con Marilyn Monroe y, al confirmársele que sí, ordenó que Soyinka fuera puesto en libertad. ¡Cómo le habría gustado a Marilyn saberlo!

Otro escritor, Fernando Arrabal, español que vivía en París exiliado de la España de Franco, había vuelto a Madrid para ver una de sus obras teatrales y cometió el error de firmar uno de sus libros con un chiste obsceno basado en el nombre del dictador. Cuando, por increíble que parezca, estuvo a punto de ser condenado a varios años de cárcel por injurias al Caudillo, sus amigos me telegrafiaron diciéndome que el juez era aficionado al teatro y que una petición mía podría influirle. Le envié un telegrama en que aseguraba a su señoría que Arrabal era un dramaturgo de primera línea y uno de mis preferidos desde hacía años, tras lo que permitió que un ingenio tan notable como Arrabal abandonara España con la promesa de no volver nunca más.

Así pues, me serví de la reputación de que gozaba para la obtención de estos fines: en Lituania, en Sudáfrica, en Checoslovaquia, en países latinoamericanos, en la Unión Soviética, en Corea y en más de una represiva concejalía educativa que nos tocaba más de cerca, en Illinois, en Texas y en otros estados. El PEN era por fin el brazo justiciero que sus fundadores habían soñado que fuese algún día.

Tres días estuvimos en la falda del monte plantando cientos de brotes hasta completar, con un poco de ayuda ajena, la cantidad de seis mil. Inge, que estaba embarazada aunque no se le notaba apenas —en Brooklyn, en el Depósito de Marina, estuvo sacando fotos en lo alto de una grúa cuatro horas antes de que le empezaran los dolores del parto—, ponía con cuidado las raíces en los hoyos que yo iba abriendo con una pala. Del corazón de Europa procede el respeto de Inge por la consagración de esos momentos de la vida en que es máxima la conciencia del fluir del tiempo. Veinticinco años más tarde, los brotes que nos llegaban al tobillo son hoy árboles sólidos de veinte metros, con un tronco más grueso que un poste telefónico, y Rebecca es ya una joven, pintora y actriz, y su hermano Robert trabaja en California, en el cine, y su hermana Jane es la atareada esposa de un escultor y hace ganchillo, y yo he oído cómo una niña de tres años, un chico de diez y una muchacha de quince, todos hijos de Bob, me llaman abuelo.

No negaré que me resisto a esta palabra (¡si acababa de comenzar, Dios mío!). Porque ¿qué hacen en mis rodillas estos pequeñuelos que no paran de emitir con afecto la terrible acusación, con todo lo que tiene de concluyente y definitivo? Con cuánta confianza creen que soy el abuelo. Lo que a su vez hace que me pregunte quién creo yo que soy.

Y luego el placer de acostumbrarse, incluso de llegar a la situación en que llamo por teléfono y digo: «¿Hola? ¡Soy el abuelo!», como si no fuese yo un usurpador que alardea de no sé qué hazaña procreadora.

Sigue habiendo disgustos, pero se sienten con mayor distancia. En una reunión de todos los vecinos del pueblo, celebrada hace poco en el instituto de segunda enseñanza para abordar el problema de la congelación nuclear, los que tomaban la palabra comenzaban diciendo su nombre y el tiempo que habían vivido en el lugar: «John Smith; llevó aquí siete años», como si esta información diera más peso a sus opiniones. El período de residencia más largo rondaba los doce años, excepción hecha de una joven cuya familia se había instalado en el lugar en 1680. Me dio cierto reparo confesar que llevaba viviendo allí cuarenta años. Las cabezas se volvieron. Yo era el más antiguo. Sí, de acuerdo, pero ¿quién era yo?

Más de la mitad de mi vida la he pasado en la Connecticut rural, siempre esperando terminar un libro u obra de teatro que me permitiera estar más tiempo en la ciudad, donde pasa de todo. Hay algo en esta residencia temporal de cuarenta años que ahora me resulta divertido. Si pudiéramos dejar de matarnos entre nosotros llegaríamos a ser una especie con un sentido del humor fabuloso. Mi contento me descontenta cuando advierto que aquí ocurren pocas cosas en cuya causa no intervenga yo: la salida y puesta del sol, el renuevo y caída de las hojas, y las sorpresas ocasionales, como la reciente aparición de coyotes en los bosques. Hay más bosque tupido entre el pueblo y Canadá que cuando Lincoln era joven, porque las casas de labor han ido desapareciendo poco a poco y ahora se ven hasta osos aislados, que, según se dice, nos vienen del norte, y los coyotes que ya he dicho. A éstos los he visto con mis propios ojos. Ostentan una inmutable sonrisa de presunción, como si acabaran de robar alguna cosa. Y no se les puede tomar por perros, a los que por lo demás se parecen, a causa de los ojos, que observan con culpabilidad melancólica, aunque sin conciencia, una mezcla de cálculo y desconfianza defensiva que la civilización domesticó en los perros hace miles de años.

Por ahí andan pues los coyotes, ávidos de encontrar un orden vital que les permita traer al mundo más coyotes, sin saber, como es lógico, que el bosque es mío. Y yo estoy en esta habitación desde la que a veces, al ponerse el sol, miro por la ventana y los veo deslizarse con cautela por entre los estériles árboles de invierno, mientras hago, creo, lo que hacen ellos, posibilitarme a mí mismo y a los que hayan de venir después de mí. En tales momentos no sé de quién son estas tierras que poseo, de quién es la cama en que duermo. En las tinieblas exteriores advierten mi luz y se detienen, con el hocico levantado, preguntándome quién soy y qué hago en este habitáculo junto a la luz. Soy un misterio para ellos hasta que se cansan y se van, pero la verdad, la verdad primera, es sin duda que todos estamos emparentados y nos observamos entre nosotros. Incluso los árboles.

Obras más destacadas de Arthur Miller

OBRAS DE TEATRO

(la fecha entre paréntesis corresponde a la primera producción norteamericana. Al igual que en el texto, se facilitan en castellano tan sólo las obras que han conocido traducción o producción en nuestro país.)

That They May Win (1943)
The Man Who Had All the Luck (1944); *Un hombre de suerte*
All My Sons (1947); *Todos eran mis hijos*
Death of a Salesman (1949); *La muerte de un viajante*
An Enemy of the People (1950); *Un enemigo del pueblo*
The Crucible (1953); *Las brujas de Salem*
A Memory of Two Mondays (1955); *Recuerdo de dos lunes*
A View from the Bridge (1955); *Panorama desde el puente*
Incident at Vichy (1964); *Incidente en Vichy*
The Price (1968); *El precio*
The Creation of the World and Other Business (1973); *La creación del mundo y otros asuntos*
The American Clock (1982)
The Archbishop's Ceiling (1984)
Danger: Memory! (1987)
The Ride Down Mt. Morgan (1991)
The Last Yankee (1993)
Broken Glass (1994); *Cristales rotos*

OBRAS PARA RADIO

The Pussycat and the Expert Plumber Who Was a Man (1941)
William Ireland's Confession (1941)
Grandpa and the Statue (1945)
The Story of Gus (1947)

Situation Normal, Reynal & Hitchcock, Nueva York, 1944

Focus, Reynal & Hitchcock, Nueva York, 1945; *En el punto de mira*

The Misfits, Viking Press, Nueva York, 1961; *Vidas rebeldes,* guión cinematográfico

I Don't Need You Any More, Penguin Books, Londres, 1967

In Russia, con Inge Morath, Viking Press, Nueva York, 1977

Chinese Encounters, con Inge Morath. Farrar, Strauss & Giroux, 1979

Everybody Wins, Grove Weidenfeld, Nueva York, 1990; guión cinematográfico

Plain Girl, Rogers, Coleridge and White, Londres, 1992; *Una chica cualquiera*

The Crucible, Penguin Books, Nueva York, 1997; *El crisol,* guión cinematográfico

Índice onomástico

Roberts, Ralph, 485
Roberts, Stanley, 303
Robinson, Bill, 66
Rockefeller, John D., 16, 202, 203
Rocket to the Moon, (Odets), 227
Roma ciudad abierta, (Rossellini), 160, 192
Rooney, John, 153 y sig.
Roosevelt, Franklin, 15, 77, 85, 105, 194, 118, 196, 203, 204, 242, 310, 329, 385, 386, 391, 478, 488, 523
Roscoe, Burton, 107
Rose, Billy, 236
Rosenberg, Julius and Ethel, 334
Rosenthal, Harry, 112
Rosten, Hedda, 409, 412, 500
Rosten, Norman, 409, 500
Roucheng, Ying, 560
Rouleau, Raymond, 335
Royce, Carl, 376
Royce, Carol, 383
Rubin, Joe, 52
Ruocheng, Ying, 128
Ryan, Joseph, 146, y sig., 153, 297 y sig.

Salem Witchcraft, (Upham), 324
Salisbury, Harrison, 306, 535
Saroyan, William, 311, 492
Sartre, Jean-Paul, 154, 156, 157, 335
Scherbatof, Mara, 500
Scherer, Gordon, 393
Schwartz, Arthur, 310
Schwarzenberg, Josef von, 515 y sig.
Scotti, Dolores, 244, 344 y sig.
Service, John Stewart, 180
Sha de Persia, 254, 449
Shakespeare, William, 66, 134, 207, 570
Shapley, Harlow, 229
Shapse, Joe, 209 y sig.
Shapse, Sam, 257
Sharpe, Albert, 155
Shattuck, Roger, 551
Shaw, George Bernard, 178, 400, 540
Shaw, Irwin, 184
Shaw, Sam, 439, 457
Shelley, Percy, 30
Sheridan, Richard Brinsley, 402
Sherwood, Robert, 310

Shipley, Ruth B., 343, 566
Shock del futuro, El, (Toffler), 538
Shostakovich, Dimitri, 229 y sig., 233
Shultz, George, 433
Shumlin, Herman, 135, 137, 183, 260, 261, 268
Siegel, Bugsy, 42
Signoret, Simone, 335 y sig.
Sihanuk de Camboya, 527
Silone, Ignazio, 551
Simon, Claude, 536
Simonov, Konstantin, 546
Sinatra, Frank, 40, 479, 488
Situación normal, (Miller), 218, 269, 442
Skouras, Spyros, 321, 384 y sig., 436
Slattery, Juli, 78, 79, 82-84, 91
Slattery, Mary Grace, 15, 75, 77, 79, 81 y sig., 87, 91, 139, 143, 156, 157, 180, 182, 189, 190, 201, 218, 260, 261, 270, 297, 301, 308, 442, 500
Slattery, Mathew, 78 y sig., 81, 82, 83, 86, 87
Sleeping Prince, The, (Rattigan), 372
Sloane, Everett, 200
Smith, Adam, 538
Smith, Jim, 216
Snow, Edgar, 299, 558
Solomon, Gregory, 23, 519
Solzhenitsyn, Alexander, 520
Some Kind of Love Story, (Miller), 564
Something's Got to Give, (película), 505
Sontag, Susan, 551
Sorensen, Max, 232
South Pacific, (J. Logan), 364
South Sea Bubble, (Coward), 418
Soyinka, Wole, 571
Spender, Stephen, 551
Spiegel, Herbert, 533
St. Vincent Millay, Edna, 255
Stalin, Josef, 138, 230, 248, 249, 299, 389, 538, 546, 552, 553
Stallings, Laurence, 271 y sig., 275
Stapleton, Maureen, 334, 483
Starkey, Marion, 318
Starr, Jean, 255
Stein, Gertrude, 330
Steinbeck, John, 117, 275, 276, 554
Steinberg, Saul, 230